le Guide du routard

Directeur de collection et auteur
Philippe GLOAGUEN
Cofondateurs
Philippe GLOAGUEN et Michel DUVAL
Rédacteur en chef
Pierre JOSSE
Rédacteur en chef adjoint
Benoît LUCCHINI
Directrice de la coordination
Florence CHARMETANT
Directeur de routard.com
Yves COUPRIE
Rédaction
Olivier PAGE, Véronique de CHARDON,
Amanda KERAVEL, Isabelle AL SUBAIHI,
Anne-Caroline DUMAS, Carole BORDES,
Bénédicte BAZAILLE, André PONCELET,
Marie BURIN des ROZIERS, Thierry BROUARD,
Géraldine LEMAUF-BEAUVOIS, Anne POINSOT,
Mathilde de BOISGROLLIER, Gavin's CLEMENTE-RUÏZ,
Fabrice de LESTANG et Alain PALLIER

JUNIOR EN FRANCE

2003

[illegible]4

Hachette

Avis aux hôteliers et aux restaurateurs

Les enquêteurs du *Routard* travaillent dans le plus strict anonymat, afin de préserver leur indépendance et l'objectivité des guides. Aucune réduction, aucun avantage quelconque, aucune rétribution ne sont jamais demandés en contrepartie. La loi autorise les hôteliers et restaurateurs à porter plainte.

Hors-d'œuvre

Le *GDR*, ce n'est pas comme le bon vin, il vieillit mal. On ne veut pas pousser à la consommation, mais évitez de partir avec une édition ancienne. D'une année sur l'autre, les modifications atteignent et dépassent souvent les 40 %.

Spécial copinage

NOUVEAU ! www.routard.com

Tout pour préparer votre voyage en ligne, de A comme argent à Z comme Zanzibar : des fiches pratiques sur 125 destinations (y compris les régions françaises), nos tuyaux perso pour voyager, des cartes et des photos sur chaque pays, des infos météo et santé, la possibilité de réserver en ligne son visa, son vol sec, son séjour, son hébergement ou sa voiture. En prime, *routard mag*, véritable magazine en ligne, propose interviews de voyageurs, reportages, carnets de routes, événements culturels, dossiers pratiques, produits nomades, fêtes et infos du monde. Et bien sûr : des concours, des *chats*, des petites annonces, une boutique de produits voyages...

TABLE DES MATIÈRES

INTRODUCTION

GÉNÉRALITÉS

- TRANSPORTS 24
- INITIATIVES SPÉCIAL ENFANTS 32
- LES ENFANTS AU MUSÉE ... 36
- À TABLE AVEC LES BAMBINS 38
- HÉBERGEMENT 38
- MARCHER AVEC DES ENFANTS 41
- PERSONNES HANDICAPÉES 44

ALSACE

- NAUTILAND 46
  • Fantasialand-Didi'land • Le planétarium de Strasbourg • Le Musée zoologique de Strasbourg • L'aquarium d'Ottrott
- LE CHÂTEAU DU HAUT-KŒNIGSBOURG 50
  • La volerie des Aigles • La montagne des Singes • Le parc des Cigognes
- LE CENTRE DE RÉINTRODUCTION DES CIGOGNES ET DES LOUTRES DE HUNAWIHR 52
  • Le musée animé du Jouet et des Petits Trains • Les plus beaux villages d'Alsace autour de Colmar
- MULHOUSE ET SES MUSÉES 55
  • L'écomusée d'Alsace • Le vivarium du Moulin • La Nef des Jouets • La route des Crêtes • Le musée du Textile et des Costumes de Haute-Alsace

AQUITAINE

- LE PARC WALIBI AQUITAINE 62
  • L'abbaye des Automates, le musée du Train et la Forêt Magique • Les grottes de Lastournelle • Les grottes de Fontirou • Le château de Duras • Le musée-conservatoire du Parchemin et de l'Enluminure • Le lac de Castelgaillard
- LA GROTTE DE LASCAUX ... 69
  • L'espace Cro-Magnon • Le Musée national de préhistoire • Le musée du site de l'abri Pataud • La grotte de Font-de-Gaume • Préhisto-Parc • Le château de Castelnaud • L'aquarium du Périgord noir • Le village du Bournat • Le gouffre de Proumeyssac • Les jardins d'Eyrignac • Les jardins suspendus de Marqueyssac
- BORDEAUX 76
  • Le parc zoologique de Pessac • Oh ! Légumes oubliés
- LE BASSIN D'ARCACHON 78
  • Le musée-aquarium • Excursions en bateau • Zooland Park • La dune du Pyla • Le parc animalier La Coccinelle • Aqualand • Le

parc ornithologique du Teich
- LE LAC D'HOURTIN-CARCANS 82
  • Le petit musée des Automates
- LE PARC NATUREL DES LANDES DE GASCOGNE 83
  • L'écomusée de la Grande Lande : Marquèze et l'atelier des Produits résineux à Luxey
- BIARRITZ 84
  • La cité des Abeilles de Saint-Faust • La falaise aux Vautours

AUVERGNE

- LE PARC D'ATTRACTIONS DU PAL 88
  • L'arboretum de Balaine • Le château de Lapalisse • Le musée de l'Art en marche
- LES VOLCANS D'AUVERGNE ET VULCANIA 91
  • Thiers, la ville des couteaux • La vallée des Rouets • L'Orangerie • Saint-Saturnin • Le labyrinthe des Volcans d'Auvergne
- AUTOUR DE SAINT-NECTAIRE 97
  • La ferme des Kangourous et des Myocastors • Les Mystères de la Farges • Les grottes du Cornadore
- LE SUD-OUEST DE L'AUVERGNE 98
  • Aurillac et l'arboretum d'Arpajon-sur-Cère • Mauriac et le château de la Vigne • Tournemire et le château de Sedaiges • La maison de la Faune à Murat
- AUTOUR DU PUY-EN-VELAY 102
  • Aquarium-La maison du Saumon et de la Rivière • Le château de Domeyrat • Le parc de découverte La Lauzière du lac Bleu • La ferme pédagogique de Saint-Front • Le musée vivant du Cheval de trait

BOURGOGNE

- DIJON 106
  • In'forest • L'école-musée de Champagny
- LE PARC DE L'AUXOIS 111
  • Le château de Bussy-Rabutin • La ferme du Hameau
- LE SUD DE LA CÔTE-D'OR, DU CÔTÉ DE BEAUNE 112
  • L'Hôtel-Dieu à Beaune • L'archéodrome de Bourgogne
- BLANOT, LES GROTTES D'AZÉ ET CLUNY 114
  • La voie Verte de Cluny à Givry • Touroparc • Chauffailles Europe Expo • La fabrique de chocolats • Le marché aux bestiaux
- LE CREUSOT : LE PARC TOURISTIQUE DES COMBES ET LE CHÂTEAU DE LA VERRERIE 117
  • Le musée de la Mine • Le monastère tibétain • Le musée de la Civilisation celtique de Bibracte • Le tour des remparts de Bibracte et les fouilles archéologiques du mont Beuvray
- LE MORVAN DES LACS 120
  • Le château du maréchal de Vauban
- NEVERS 125
  • Le musée de la Mine • Le circuit des vignobles de Pouilly-sur-Loire • L'écomusée de la Meunerie • Le musée du Facteur et de la Poste • La ferme de Cadoux

- SAINT-FARGEAU 127
  - Le lac du Bourdon • Le chantier médiéval de Guédelon • Le parc animalier de Boutissaint • Le moulin de Vanneau • Le train touristique du pays de Puisaye-Forterre • La Fabuloserie • Le musée des Arts et Traditions populaires
- AUTOUR DE L'AVALLONNAIS 131
  - Les grottes d'Arcy-sur-Cure • Le musée des Véhicules des chefs d'État • Le tour de Vézelay

BRETAGNE

- SAINT-MALO 133
  - Le château de la Bourbansais • Cobac Parc
- COSMOPOLIS 138
  - Le jardin zoologique de Bretagne
- RENNES 140
  - La vallée des Canards • Le manoir de l'Automobile
- VANNES 142
  - Le parc de Branféré
- LE PAYS DE LORIENT : *LA THALASSA,* L'ODYSSAUM ET LE HARAS NATIONAL 144
  - L'Abeille vivante et la cité des Fourmis • Le parc aquanature Le Stérou
- BREST : OCEANOPOLIS ET LE PARC DU VALLON DE STANG-ALARD 147
  - Peninsula, le labyrinthe
- DOUARNENEZ 149
  - La réserve ornithologique du cap Sizun • Le musée de l'École rurale
- CONCARNEAU 151

CENTRE

- LA CATHÉDRALE ET LA VILLE DE CHARTRES 156
  - Le parc animalier « Les Félins d'Auneau » • Le château de Châteaudun • Karting à Voves
- BLOIS 160
  - Le château de Chaumont-sur-Loire et le Festival international des jardins
- LE CHÂTEAU DE CHEVERNY 163
  - Le château de Chambord • Le château de Villesavin
- LE ZOO-PARC DE BEAUVAL ET LES ATTRACTIONS DE LA VALLÉE DU CHER 166
  - L'aquarium Aliotis • La cave champignonnière et la ville souterraine de Bourré • La Magnanerie
- AMBOISE 170
  - Le château de Chenonceau • La réserve de Beaumarchais • L'aquarium de Touraine • Le château de La Bourdaisière
- LE CHÂTEAU ET LES JARDINS DE VILLANDRY 174
  - La Récréation
- CHÂTEAUROUX 177
  - Le labyrinthe végétal Pop-Corn de Niherne • Le village gaulois de Moulins-sur-Céphons • Le musée du Cirque
- LE PARC RÉGIONAL DE LA BRENNE 178
  - L'espace animalier de la Haute-Touche • Le Musée archéologique d'Argentomagus
- LE MUSÉE DU THÉÂTRE FORAIN À ARTENAY 180
  - Le muséum des Sciences naturelles à Orléans • Le parc floral de

La Source • Le Géodrome • Le château de Chamerolles • Le musée de la Marine de Loire • Le chemin de fer touristique et le musée des Transports
• LE DOMAINE DU CIRAN À MÉNESTREAU-EN-VILLETTE 186
• Le château de La Ferté-Saint-Aubin
• L'ARBORETUM DES BARRES À NOGENT-SUR-VERNISSON 188
• Le musée vivant de l'Apiculture gâtinaise • Le pont-canal de Briare • Forrest Jump

CHAMPAGNE-ARDENNE

• NIGLOLAND 192
• Le parc naturel régional de la forêt d'Orient • Le parc de vision animalier • Le musée d'Automates Marcu • Le musée des Poupées d'antan et de la Tonnellerie • L'écomusée de Bayel et les cristalleries royales de Champagne
• LE MUSÉE DE LA FORÊT À RENWEZ ET CHARLEVILLE-MÉZIÈRES 197
• Les grottes de Nichet • Le musée du Château fort de Sedan
• REIMS 199
• Le fort de la Pompelle • Le parc naturel régional de la Montagne de Reims
• AVENTURE PARC À GUYONVELLE 203
• Le parc de la Bannie • Le zoo de Bois

CORSE

• AJACCIO 205
• Le centre d'élevage et de protection de la tortue A Cupulatta • Acqua Cyrne Gliss
• CORTE 209
• Le village des tortues de Moltifao • Grandeur Nature, balade dans les arbres
• BONIFACIO 211
• L'Alta Rocca • Le musée de l'Alta Rocca à Levie

FRANCHE-COMTÉ

• BESANÇON : SA CITADELLE ET SES MUSÉES 215
• Le musée de plein air des Maisons comtoises • La grotte d'Osselle • Le Dino-zoo • Le gouffre de Poudrey • Le hameau du Fromage • La Taillanderie
• LE PAVILLON DES SCIENCES À MONTBÉLIARD 222
• Le musée de l'Aventure Peugeot
• LE LAC DE REMORRAY. LA MAISON DE LA RÉSERVE À LABERGEMENT-SAINTE-MARIE 223
• Les Fourgs • Le parc du Chien polaire • L'écomusée-maison Michaud

- LE SAUT DU DOUBS 225
  - Le musée de l'Horloge et de l'Automate
- LES MUSÉES DÉPARTEMENTAUX ALBERT-DEMARD DE CHAMPLITTE 227
  - Ludolac à Vesoul-Vaivre
- LE MUSÉE DU JOUET DE MOIRANS-EN-MONTAGNE 229
  - Les cascades du Hérisson • La ferme de l'Aurochs • La reculée et les grottes des Planches
- BELFORT 232
  - L'île au maïs • Le lac du Malsaucy • Le musée Gantner et le parc animalier • Le Ballon d'Alsace • La forge-musée • Le Musée agricole départemental • Le fort de Giromagny

ÎLE-DE-FRANCE

PARIS

- 1er ARRONDISSEMENT 240
  - Le Louvre
- 2e ARRONDISSEMENT 247
  - Les Étoiles du Rex
- 3e ARRONDISSEMENT 247
  - Le musée Carnavalet • Le musée de la Poupée • Le musée Picasso
- 4e ARRONDISSEMENT 249
  - La cathédrale Notre-Dame • Le centre Georges-Pompidou (Beaubourg) • Le musée de la Curiosité et de la Magie
- 5e ARRONDISSEMENT 252
  - L'institut du Monde arabe (IMA) • Le Musée national du Moyen Âge, les thermes de Cluny • Le Jardin médiéval • Le centre de la Mer • Le jardin des Plantes (Muséum national d'histoire naturelle)
- 6e ARRONDISSEMENT 256
  - Le jardin du Luxembourg
- 7e ARRONDISSEMENT 257
  - La tour Eiffel • Le musée d'Orsay • Le musée Rodin • Les égouts de Paris
- 8e ARRONDISSEMENT 259
  - L'Arc de Triomphe • Le palais de la Découverte • Les marionnettes du Rond-Point des Champs-Élysées
- 9e ARRONDISSEMENT 261
  - Grévin • Le palais Garnier
- 12e ARRONDISSEMENT 263
  - L'aquarium de la Porte Dorée • Le musée des Arts forains • Le parc de Bercy • L'Opéra national de Paris-Bastille • Le bois de Vincennes : le Parc floral de Paris, le parc zoologique et la ferme de Paris
- 14e ARRONDISSEMENT 268
  - Les catacombes
- 15e ARRONDISSEMENT 269
  - Le musée Bourdelle • Le parc André-Citroën • Aquaboulevard de Paris
- 16e ARRONDISSEMENT 270
  - Le musée d'Art moderne de la Ville de Paris • Le Musée national de la marine • Le bois de Boulogne : le jardin d'Acclimatation
- 18e ARRONDISSEMENT 274
  - La halle Saint-Pierre • Le funiculaire de Montmartre
- 19e ARRONDISSEMENT 275
  - La Cité des Sciences et de l'Industrie • La Géode • Le Cinax • La Cité de la Musique • Les Buttes-Chaumont

LES HAUTS-DE-SEINE (92), proche banlieue ouest de Paris

- LEVALLOIS-PERRET ET VILLENEUVE-LA-GARENNE 278
  - La maison de la Pêche et de la Nature • Le parc des Chanteraines
- BOULOGNE-BILLANCOURT ET SAINT-CLOUD 280
  - Le musée départemental Albert-Kahn • Le parc de Saint-Cloud
- ISSY-LES-MOULINEAUX 281
  - Le Musée français de la carte à jouer-Galerie d'Histoire de la ville • Le parc de l'Île-Saint-Germain
- SCEAUX 283
  - Le parc de Sceaux

LA SEINE-SAINT-DENIS (93), proche banlieue nord-est de Paris

- SAINT-DENIS, LE BOURGET ET LA COURNEUVE 283
  - Le Stade de France • Le musée de l'Air et de l'Espace • Le parc départemental de La Courneuve

LE VAL-DE-MARNE (94), proche banlieue sud-est de Paris

- LA QUEUE-EN-BRIE ET CRÉTEIL 285
  - Le domaine départemental des Marmousets • La base de loisirs et de plein air de Créteil
- L'HÄY-LES-ROSES 286
  - Le parc départemental de la Roseraie

L'ESSONNE (91), au sud de Paris

- LA FERTÉ-ALAIS 287
  - Le musée volant de l'Amicale Jean-Baptiste-Salis
- MILLY-LA-FORÊT 287
  - Le Cyclop de Tinguely

LES YVELINES (78), à l'ouest de Paris

- SAINT-GERMAIN-EN-LAYE, MAISONS-LAFFITTE, TRIEL-SUR-SEINE ET POISSY 288
  - Le château de Saint-Germain-en-Laye et le musée des Antiquités nationales • Le château de Maisons-Lafitte et le musée du Cheval de course • Le parc aux Étoiles et l'observatoire • Le musée du Jouet
- LE CHÂTEAU DE VERSAILLES .. 291
- THOIRY, ÉLANCOURT ET SAINT-CYR-L'ÉCOLE 295
  - Le parc zoologique de Thoiry • La France miniature d'Élancourt • La ferme ouverte de Gally • La cueillette de Gally
- RAMBOUILLET 297
  - Le Musée rambolitrain • L'espace Rambouillet

LE VAL-D'OISE (95), au nord-ouest de Paris

- AUVERS-SUR-OISE, BUTRY-SUR-OISE ET CERGY-PONTOISE 298
  - Le château d'Auvers-sur-Oise • Le musée des Tramways à vapeur et des Chemins de fer secondaires français • La base de loisirs et de plein air de Cergy-Neuville
- LA ROCHE-GUYON 300
  - Le château de La Roche-Guyon

LA SEINE-ET-MARNE (77), à l'est de Paris

- FONTAINEBLEAU ET SES ENVIRONS 301
  - Le château et la forêt de Fontainebleau • Le musée du Père Noël
- LE CHÂTEAU DE VAUX-LE-VICOMTE 304
- PROVINS 305
  - La tour César • Les souterrains • La grange aux Dîmes • Les remparts • Le musée de Provins et du Provinois
- DISNEYLAND RESORT PARIS 307
  - Le parc Disneyland • Walt Disney Studios

LANGUEDOC-ROUSSILLON

- AUTOUR DE PERPIGNAN 316
  - Tautavel, Centre européen de Préhistoire • Les Aigles de Valmy • L'aquarium de l'observatoire océanologique de Banyuls-sur-Mer • Le Canigou et ses fermes de découverte • Le parc animalier des Angles
- LA RÉSERVE AFRICAINE DE SIGEAN 321
  - L'aquarium d'Agde
- LA CITÉ MÉDIÉVALE DE CARCASSONNE 322
  - Le gouffre géant de Cabrespine • Le musée des Dinosaures à Esperaza
- MONTPELLIER 324
- NÎMES ET LA PETITE CAMARGUE 329
  - Le pont du Gard • Le palais de la Mer • Les Aigles de Beaucaire • Le Monde merveilleux de Daudet
- LA MINE-TÉMOIN D'ALÈS 332
  - Le préhistorama de Rousson • La bambouseraie de Prafrance • Le TVC (Train à vapeur des Cévennes) • Le musée 1900 et le musée du Train et du Jouet • Le musée du Bonbon Haribo à Uzès
- LES GORGES DU TARN 336
  - Utopix • La ferme expérimentale de Boissets • Le belvédère des Vautours • La grotte de Dargilan • L'aven Armand
- LES LOUPS DU GÉVAUDAN .. 339
  - Les bisons de la Margeride • Le vallon du Villaret

LIMOUSIN

- GUÉRET ET SES ENVIRONS .. 342
  - L'observatoire-planétarium • Le Labyrinthe géant • Le parc animalier des monts de Guéret • Le musée de l'Électrification
- LIMOGES 346

• L'arboretum de La Jonchère • Nexon • Le musée de l'Automate • Le parc zoologique du Reynou • Le vélorail de Bussière-Galant • La cité des Insectes
• LE ROYAUME DU CHEVAL : ARNAC-POMPADOUR 350
• Les cascades de Gimel
• LA VALLÉE DE LA DORDOGNE 352
• Le centre aquatique Le Splash • Les tours de Merle • Le musée de l'Homme de Neandertal
• LE PAYS DE BRIVE 355
• Le gouffre de La Fage • Les pans de Travassac

LORRAINE

• LE PARC ZOOLOGIQUE D'AMNÉVILLE, L'AQUARIUM IMPÉRATOR ET LE PARC D'ATTRACTIONS WALIBI-SCHTROUMPF 360
• Au fil des sciences • Le château de Malbrouck • Le parc animalier de Sainte-Croix
• LE PARC D'ATTRACTIONS DE FRAISPERTUIS CITY 365
• L'Imagerie d'Épinal • Le parcours des Aventuriers à La Bresse
• DOMRÉMY-LA-PUCELLE ... 367
• NANCY 369
• À LA LIMITE DES VOSGES ... 370
• Le musée archéologique des Sources d'Hercule • Le vélorail à Magnières • Aventure Parc
• VERDUN 371
• Le fort et l'ossuaire de Douaumont

MIDI-PYRÉNÉES

• ROCAMADOUR ET SES ACTIVITÉS 375
• Le moulin de Cougnaguet • Préhistologia • Les grottes de Lacave • Le gouffre de Padirac • Reptiland • Le chemin de fer du Haut-Quercy • Le musée de l'Automate • Le parc animalier de Gramat
• LE MUSÉE CHAMPOLLION À FIGEAC 382
• Le Musée éclaté • Le musée de plein air du Quercy
• CAHORS : LE MARCHÉ TRADITIONNEL 385
• Cap Nature
• TOULOUSE ET LA CITÉ DE L'ESPACE : LE BEAU MANÈGE DU JARDIN DE COMPANS CAFFARELLI 387
• African Safari • L'aquarium de Muret • Tépacap • Le lac de Saint-Ferréol
• LE SUD DE LA HAUTE-GARONNE 391
• La maison de l'Arboretum • Descente en canoë-kayak
• RODEZ 392
• Le château du Colombier • Conques • Le musée régional de Géologie Pierre-Vetter • Le musée de la mine Lucien-Mazars • Le parc animalier de Pradinas • La base de loisirs de Najac • Le château de Calmont-d'Olt • L'abbaye de Bonneval
• VERS LE CAUSSE DU LARZAC 396
• Micropolis, la cité des Insectes • Le chaos de Montpellier-le-Vieux • Le vélorail du Larzac • Le pays de Roquefort • Pastoralia
• CAP' DÉCOUVERTES 399
• La ferme animalière de Bellevue • Le muséum d'Histoire naturelle de Gaillac • Le TMG
• TARASCON-SUR-ARIÈGE : LE PARC DE LA PRÉHISTOIRE,

LA GROTTE ET LE MUSÉE PYRÉNÉEN DE NIAUX 402
• La ferme aux Ânes • La maison des Loups • Les forges de Pyrène • La rivière de Labouiche
• FAUNE ET FLORE EN HAUTES-PYRÉNÉES 406
• Aventure Parc • Le moulin de Saoussas • Le cirque de Gavarnie • Le jardin botanique du Tourmalet • Le donjon des Aigles • La colline aux Marmottes • Randonnées dans la vallée de Lesponne • L'aquarium de Lourdes

NORD-PAS-DE-CALAIS

• EN REMONTANT LA CÔTE D'OPALE 409
• Le parc d'attractions de Bagatelle • Aqualud • Mareis, le centre de la pêche artisanale • Aréna • Nausicaä-Centre national de la Mer • Le musée du Transmanche • La réserve naturelle du platier d'Oye
• SUR LES PAS DES MINEURS : LE CENTRE HISTORIQUE MINIER DE LEWARDE 417
• Le parc départemental du Val-Joly • Le lac Bleu • Le musée de l'École et de la Mine • Le parc de nature et de loisirs de Wingles, Douvrin et Billy-Berchau • Loisinord

NORMANDIE

• LE MÉMORIAL DE CAEN 422
• Musée et sites archéologiques de Vieux-la-Romaine • La maison de la Mer à Courseulles-sur-Mer • La maison de la Baleine à Luc-sur-Mer • Natur'aquarium à Trouville • Mer et Désert à Villerville • Le Naturospace à Honfleur
• LE SOUTERROSCOPE DES ARDOISIÈRES 429
• Le musée du Chemin de fer miniature • Les fosses d'Enfer à Saint-Rémy • Automates Avenue • Le château de Falaise
• LE PAYS D'AUGE 432
• Le château de Betteville et le musée de l'Automobile • Le centre de loisirs et la ferme du Houvre à Port-l'Évêque • Parc animalier la Dame Blanche • Le domaine Saint-Hippolyte • Cerza, site zoologique • Le château de Vendeuvre
• LE MONT-SAINT-MICHEL 436
• La maison de la Baie • Le reptilarium du Mont-Saint-Michel • Le parc zoologique de Champrépus • L'aquarium, le musée des Coquillages, le palais des Minéraux et le jardin des Papillons à Granville
• LA CITÉ DE LA MER À CHERBOURG 441
• Ludiver à Flottemanville-Hague • Balades sur la presqu'île de la Hague • Le jardin et le château de Vauville
• CIRCUIT EN FORÊT DE BROTONNE 444
• Le domaine d'Harcourt • Le château du Champ-de-Bataille • Le moulin Amour • Le Chocolatrium
• LA MAISON DE MONET À GIVERNY 447
• Château-Gaillard aux Andelys
• LA FORÊT DE LYONS 449
• Le musée de la Ferme et des Vieux Métiers • Le musée de la

Ferme de Rome • L'abbaye de Mortemer • Le château de Fleury-la-Forêt et le musée de la Poupée
• LE PARC ZOOLOGIQUE DE CLÈRES 451
• Le musée des Sapeurs-Pompiers de France • Le château de Robert-le-Diable • Le musée industriel Corderie-Vallois • La Bouille

PAYS DE LA LOIRE

• SAINT-NAZAIRE 454
• Guérande et les marais salants • L'Océarium du Croisic
• LE PARC NATUREL RÉGIONAL DE BRIÈRE 461
• Terre de Lait
• AUTOUR DE NANTES 462
• Le jardin des Hespérides • Le sentier des Daims • Planète sauvage • Le château de Goulaine
• LE MUSÉE DE L'AUTOMOBILE ET LE MUSÉE VERT AU MANS 465
• Le parc récréatif de Papéa-City • Le domaine animalier de Pescheray • Le jardin des Oiseaux • Le parc zoologique du Tertre Rouge
• LE REFUGE DE L'ARCHE 468
• Le domaine de la Petite Couère • La ferme fortifiée de Clairbois • Le château de Lassay
• DOUÉ-LA-FONTAINE 471
• Le musée de la Soie vivante • Le musée du Champignon • Le château de Brissac
• LE PUY-DU-FOU 474
• Le château de Gilles de Rais • Le Village vendéen miniature • Océanile de Noirmoutier

PICARDIE

• LE PARC ASTÉRIX 478
• La Mer de Sable à Ermenonville • Chantilly : le Musée vivant du Cheval, l'hippodrome, le château et le parc
• MARCANTERRA ET LE PARC ORNITHOLOGIQUE DU MARQUENTERRE 489
• Belle Dune Aquaclub • La maison de l'Oiseau • Le chemin de fer de la baie de Somme
• AMIENS 493
• Le parc Saint-Paul

POITOU-CHARENTES

• LE FUTUROSCOPE 495
• Le parc de loisirs de Saint-Cyr • Le musée Auto-Moto-Vélo • Les cinq châteaux de la ville haute à Chauvigny • Le spectacle de fauconnerie « Le Château des Aigles » • L'île aux Serpents • La cité de l'Écrit et des Métiers du livre • La vallée des Singes
• LE MARAIS POITEVIN 506
• Le Zoorama européen de la forêt de Chizé • Les mines d'argent des Rois francs • Le musée de Rauranum-espace Archéoludix • Le jardin des Agneaux • La Vie des Jouets
• LA ROCHELLE 515
• Le chantier de reconstruction de la frégate *Hermione* • Le château de la Guignardière
• LE ZOO DE LA PALMYRE 519
• Les Jardins du Monde • Les

Antilles de Jonzac • Le château des Énigmes
• LE CENTRE NATIONAL DE LA BANDE DESSINÉE ET DE L'IMAGE À ANGOULÊME 521
• La chocolaterie Letuffe • Le musée Rêve-auto-jeunesse et véhicules d'époque • Le musée du Papillon • Le musée des Marionnettes

PROVENCE-ALPES-CÔTE D'AZUR

• LE PARC ORNITHOLOGIQUE DE PONT-DE-GAU ET L'OUEST DE LA PROVENCE 528
• Le sentier des Cabanes • La Petite Provence du Paradou • Le château des Baux • Le musée Grévin de la Provence • Le zoo de La Barben • Le village des Automates • El Dorado City • Aqua City • OK Corral
• LE CONSERVATOIRE DES OCRES ET PIGMENTS APPLIQUÉS ET LE SENTIER DES OCRES À ROUSSILLON 533
• Le Colorado • L'observatoire Sirène • Descente de la Sorgue en canoë-kayac • La grotte de Thouzon
• LE MONT VENTOUX 536
• Les dentelles de Montmirail
• AVIGNON 537
• La miellerie des butineuses Polenia
• LA CÔTE VAROISE 539
• La fondation océanographique Paul-Ricard • Le jardin exotique de Bandol-Sanary • Le musée de la mine du Cap Garonne • Le rucher pédagogique du Pradet • Circuit des deux îles • Le Jardin d'oiseaux tropicaux • Le musée du Coquillage • Le Seascope • Aquatica
• L'ARRIÈRE-PAYS VAROIS ... 542
• Le village des Tortues
• NICE : LE MUSÉE MATISSE ET LE PARC PHŒNIX 543
• Marineland à Antibes • Le musée Fernand-Léger à Biot • Les îles de Lérins
• AVENTURES SOUS-MARINES : LE MUSÉE OCÉANOGRAPHIQUE DE MONACO 547
• Le zoo du Cap-Ferrat • Astrorama • Le parc départemental de la Revère • Le jardin botanique exotique de Val Rahmeh • Balade autour du cap Martin
• LE CONSERVATOIRE BOTANIQUE NATIONAL ALPIN DE GAP 551
• La montagne aux Marmottes • La ferme du Col
• LE MUSÉE-PROMENADE (RÉSERVE GÉOLOGIQUE) DE DIGNE-LES-BAINS 554
• Lambertâne à La Robine-sur-Galabre • Le sentier des contes
• LE MUSÉE DE PRÉHISTOIRE DES GORGES DU VERDON .. 555
• L'écomusée des Miniatures et des Poupées • La crèche de Haute-Provence à Gréoux-les-Bains

RHÔNE-ALPES

• LE PARC DES OISEAUX DE LA DOMBES 558
• Le musée vivant du Roman d'aventures • Le musée du Train miniature
• LES GORGES DE L'ARDÈCHE 563

• Le musée de la Châtaigneraie • Le parc Aero-city • Le safari de Peaugres
• SUR LES TRACES DU FACTEUR CHEVAL 566
• Le Monde merveilleux des Lutins • Le jardin des Découvertes et des Papillons • Le jardin aux Oiseaux
• AU PAYS DU NOUGAT 569
• Le musée de la Soie • L'usine à billes • La ferme aux Crocodiles
• GRENOBLE 572
• La Magie des Automates • Les grottes de Choranche
• SAINT-ÉTIENNE 575
• Le parc Robinson • Espace zoologique de Saint-Martin-la-Plaine • L'atelier-musée du Chapeau
• LYON 578
• Le domaine de Lacroix-Laval et le château-musée • Le parc animalier de Courzieu • Le train de l'Évasion • Le parc Vapeur Hobby 69
• LA MER DE GLACE ET L'AIGUILLE DU MIDI 582
• La réserve naturelle des Aiguilles Rouges • Le parc animalier de Merlet • Le Centre d'initiation à la nature montagnarde
• AUTOUR DU LAC D'ANNECY 585
• L'Art de l'Enfance • Le musée de la Cloche • La grotte de Seythenex • La forêt de l'Aventure • Le château de Menthon
• LE MASSIF DES BAUGES : LE CHÂTEAU DE MIOLANS 588
• Le musée de l'Ours des cavernes • La maison Faune-Flore • Le Grand Filon
• LE PARC NATIONAL DE LA VANOISE 591

• INDEX GÉNÉRAL 609
• OÙ TROUVER LES CARTES ? 619

Les tarifs mentionnés dans ce guide ne sont qu'indicatifs et en rien contractuels. Ici un menu aura augmenté d'1,50 €, là une chambre de 4 €. Il faut compter 6 mois entre le moment où notre enquêteur est passé et la parution du guide. *Grosso modo,* en tenant compte de l'inflation, de l'augmentation des prix en été, les tarifs communiqués peuvent varier de 5 à 10 %. En France, les prix sont comme les petits oiseaux, ils sont libres, tant pour les hôtels que pour les restaurants.
Nous remercions les offices de tourisme et les comités départementaux du tourisme pour leur collaboration.

Recommandation à nos lecteurs qui souhaitent profiter des réductions et avantages proposés dans le *GDR* par les hôteliers et les restaurateurs : à l'hôtel, prenez la précaution de les réclamer **à l'arrivée** et au restaurant, **au moment** de la commande (pour les apéritifs) et surtout **avant** l'établissement de l'addition. Poser votre *GDR* sur la table ne suffit pas : le personnel de salle n'est pas toujours au courant et une fois le ticket de caisse imprimé, il est difficile pour votre hôte d'en modifier le contenu. En cas de doute, montrez la notice relative à l'établissement dans le *GDR* et ne manquez pas de nous faire part de toute difficulté rencontrée.

LES GUIDES DU ROUTARD
2003-2004

(dates de parution sur **www.routard.com**)

France

- Alpes
- Alsace, Vosges
- Aquitaine
- **Ardèche, Drôme**
- Auvergne, Limousin
- Banlieues de Paris
- **Bourgogne (nouveauté)**
- Bretagne Nord
- Bretagne Sud
- Châteaux de la Loire
- Corse
- Côte d'Azur
- **Franche-Comté (nouveauté)**
- Hôtels et restos de France
- Junior à Paris et ses environs
- **Junior en France (nouveauté)**
- Languedoc-Roussillon
- Lyon
- **Marseille (nouveauté)**
- Midi-Pyrénées
- Nord, Pas-de-Calais
- Normandie
- Paris
- Paris à vélo
- Paris balades
- Paris casse-croûte
- Paris exotique
- **Paris la nuit**
- Pays basque (France, Espagne)
- Pays de la Loire
- Poitou-Charentes
- Provence
- Restos et bistrots de Paris
- Le Routard des amoureux à Paris
- Tables et chambres à la campagne
- **Toulouse (nouveauté)**
- Week-ends autour de Paris

Amériques

- Argentine
- Brésil
- Californie
- Canada Ouest et Ontario
- Chili et île de Pâques
- Cuba
- Équateur
- États-Unis, côte Est
- Floride, Louisiane
- Guadeloupe, Saint-Martin, Saint-Barth
- Martinique, Dominique, Sainte-Lucie
- Mexique, Belize, Guatemala
- New York
- Parcs nationaux de l'Ouest américain et Las Vegas
- Pérou, Bolivie
- Québec et Provinces maritimes
- Rép. dominicaine (Saint-Domingue)

Asie

- Birmanie
- Cambodge, Laos
- **Chine (Sud, Pékin, Yunnan)**
- Inde du Nord
- Inde du Sud
- Indonésie
- Israël
- Istanbul
- Jordanie, Syrie
- Malaisie, Singapour
- Népal, Tibet
- Sri Lanka (Ceylan)
- Thaïlande
- Turquie
- Vietnam

Europe

- Allemagne
- Amsterdam
- Andalousie
- Andorre, Catalogne
- Angleterre, pays de Galles
- Athènes et les îles grecques
- Autriche
- Baléares
- **Barcelone (nouveauté)**
- Belgique
- **Crète (nouveauté)**
- **Croatie (nouveauté)**
- Écosse
- Espagne du Centre
- **Espagne du Nord-Ouest (Galice, Asturies, Cantabrie - nouveauté)**
- Finlande, Islande
- Grèce continentale
- Hongrie, Roumanie, Bulgarie
- Irlande
- Italie du Nord
- Italie du Sud
- Londres
- **Moscou, Saint-Pétersbourg (nouveauté)**
- Norvège, Suède, Danemark
- Pologne, République tchèque, Slovaquie
- Portugal
- Prague
- **Rome (nouveauté)**
- Sicile
- Suisse
- Toscane, Ombrie
- Venise

Afrique

- Afrique noire
- Égypte
- Île Maurice, Rodrigues
- Kenya, Tanzanie et Zanzibar
- Madagascar
- Maroc
- Marrakech et ses environs
- Réunion
- Sénégal, Gambie
- Tunisie

et bien sûr...

- **Chiner autour de Paris**
- Le Guide de l'expatrié
- **Le Guide du citoyen**
- Humanitaire
- Internet

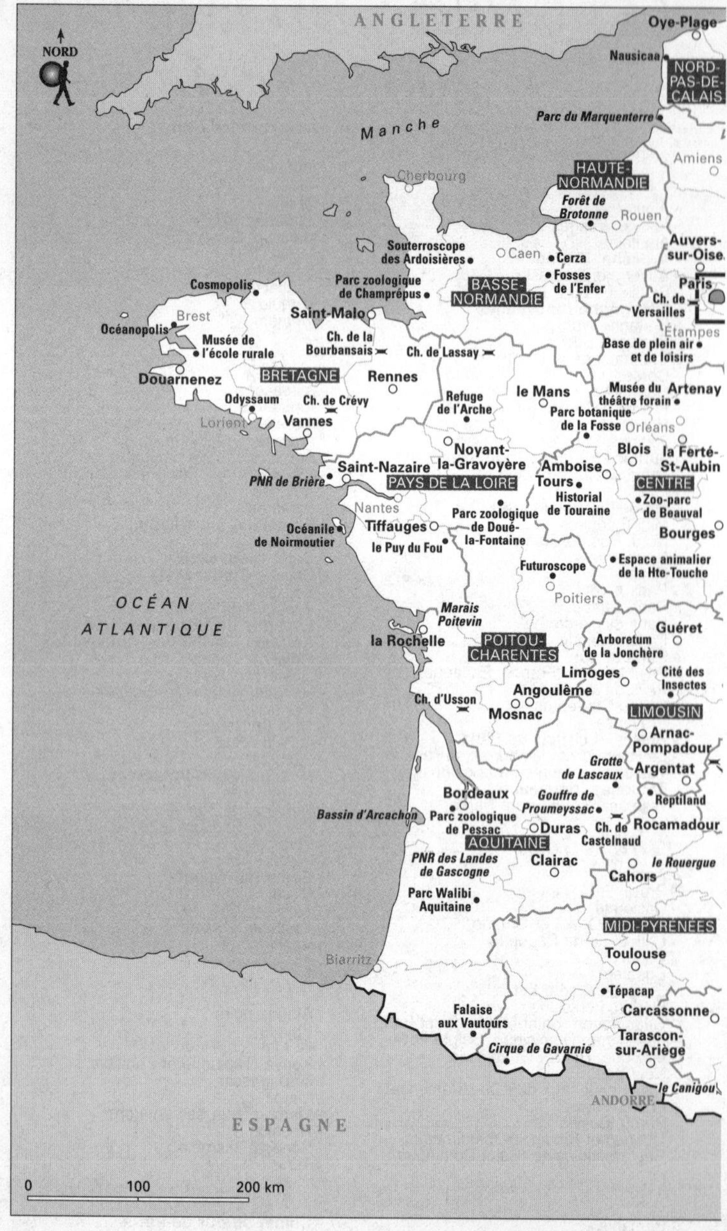

ANGLETERRE
NORD
Oye-Plage
Nausicaa
NORD-PAS-DE-CALAIS
Manche
Parc du Marquenterre
Amiens
Cherbourg
HAUTE-NORMANDIE
Forêt de Brotonne
Rouen
Souterroscope des Ardoisières
Caen
Cerza
Fosses de l'Enfer
Auvers-sur-Oise
Parc zoologique de Champrépus
BASSE-NORMANDIE
Paris
Cosmopolis
Ch. de Versailles
Brest
Saint-Malo
Océanopolis
Étampes
Musée de l'école rurale
Ch. de la Bourbansais
Ch. de Lassay
Base de plein air et de loisirs
Douarnenez
BRETAGNE
Rennes
Musée du théâtre forain
Artenay
Odyssaum
Ch. de Crévy
Refuge de l'Arche
le Mans
Parc botanique de la Fosse
Lorient
Vannes
Orléans
Noyant-la-Gravoyère
Blois
la Ferté-St-Aubin
Saint-Nazaire
Amboise
PNR de Brière
PAYS DE LA LOIRE
Tours
CENTRE
Historial de Touraine
Zoo-parc de Beauval
Nantes
Parc zoologique de Doué-la-Fontaine
Océanile de Noirmoutier
Tiffauges
Bourges
le Puy du Fou
Espace animalier de la Hte-Touche
Futuroscope
Poitiers
OCÉAN ATLANTIQUE
Marais Poitevin
Guéret
la Rochelle
POITOU-CHARENTES
Arboretum de la Jonchère
Limoges
Cité des Insectes
Angoulême
Ch. d'Usson
Mosnac
LIMOUSIN
Arnac-Pompadour
Grotte de Lascaux
Argentat
Bordeaux
Gouffre de Proumeyssac
Reptiland
Bassin d'Arcachon
Parc zoologique de Pessac
Duras
Ch. de Castelnaud
Rocamadour
AQUITAINE
PNR des Landes de Gascogne
Clairac
le Rouergue
Cahors
Parc Walibi Aquitaine
MIDI-PYRÉNÉES
Toulouse
Biarritz
Tépacap
Falaise aux Vautours
Carcassonne
Tarascon-sur-Ariège
Cirque de Gavarnie
le Canigou
ANDORRE
ESPAGNE
0
100
200 km

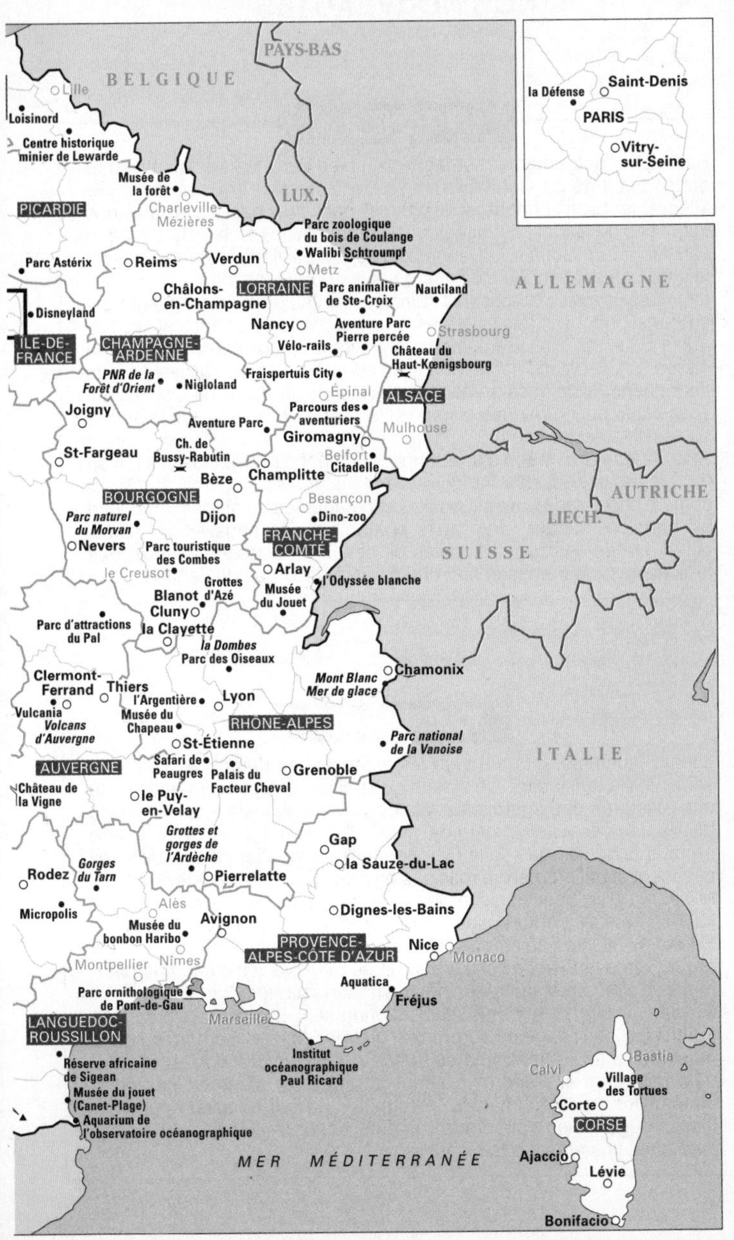
BELGIQUE
PAYS-BAS
LUX.
ALLEMAGNE
SUISSE
LIECH.
AUTRICHE
ITALIE
MER MÉDITERRANÉE
Lille
Loisinord
Centre historique minier de Lewarde
Musée de la forêt
Charleville-Mézières
PICARDIE
Parc zoologique du bois de Coulange
Walibi Schtroumpf
Parc Astérix
Reims
Verdun
Metz
Châlons-en-Champagne
LORRAINE
Parc animalier de Ste-Croix
Nautiland
Disneyland
ILE-DE-FRANCE
CHAMPAGNE-ARDENNE
Nancy
Aventure Parc Pierre percée
Strasbourg
Vélo-rails
Château du Haut-Kœnigsbourg
PNR de la Forêt d'Orient
Nigloland
Fraispertuis City
Épinal
ALSACE
Joigny
Parcours des aventuriers
Aventure Parc
Mulhouse
Giromagny
St-Fargeau
Ch. de Bussy-Rabutin
Belfort
Citadelle
Champlitte
Bèze
BOURGOGNE
Besançon
Dijon
Parc naturel du Morvan
Dino-zoo
FRANCHE-COMTÉ
Nevers
Parc touristique des Combes
Le Creusot
Arlay
Grottes d'Azé
l'Odyssée blanche
Blanot
Musée du Jouet
Cluny
Parc d'attractions du Pal
la Clayette
la Dombes
Parc des Oiseaux
Chamonix
Clermont-Ferrand
Thiers
Mont Blanc
Mer de glace
l'Argentière
Lyon
Vulcania
Volcans d'Auvergne
Musée du Chapeau
RHÔNE-ALPES
Parc national de la Vanoise
St-Étienne
AUVERGNE
Safari de Peaugres
Palais du Facteur Cheval
Grenoble
Château de la Vigne
le Puy-en-Velay
Grottes et gorges de l'Ardèche
Gap
Gorges du Tarn
la Sauze-du-Lac
Rodez
Pierrelatte
Alès
Micropolis
Dignes-les-Bains
Musée du bonbon Haribo
Avignon
PROVENCE-ALPES-CÔTE D'AZUR
Nice
Monaco
Montpellier
Nîmes
Aquatica
Parc ornithologique de Pont-de-Gau
Fréjus
Marseille
LANGUEDOC-ROUSSILLON
Institut océanographique Paul Ricard
Réserve africaine de Sigean
Bastia
Calvi
Village des Tortues
Musée du jouet (Canet-Plage)
Corte
CORSE
Aquarium de l'observatoire océanographique
Ajaccio
Lévie
Bonifacio
la Défense
Saint-Denis
PARIS
Vitry-sur-Seine

FRANCE

NOS NOUVEAUTÉS

BARCELONE (paru)

Barcelone, entre mer et montagne : un pied dans la tradition et l'autre dans l'avant-garde. Cette énorme ville, éclatante de bruits et de vie, file allègrement son bonhomme de chemin, sans faux pas. Ici, les maisons espiègles de Gaudí cohabitent paisiblement avec l'architecture médiévale du « Barri Gòtic », les jeunes dansent la sardane le samedi devant la cathédrale, avant de s'éclater dans les boîtes techno.
La ville s'organise autour des *rambles,* véritable artère palpitante qui mène au port, avec ses fleuristes, ses marchands d'oiseaux et ses terrasses. Le soir, les Barcelonais s'y livrent à leur sport national, le *paseo :* on se balade sur la *rambla* en admirant au passage les exploits du marionnettiste et sa grenouille musicienne, la statue de Colomb qui vous salue pour quelques pièces ou le chanteur de vieux tubes américains en fauteuil roulant.
Ajoutez à cela un métro d'une simplicité enfantine ouvert jusqu'à 2 h du mat' le week-end, des merveilles architecturales, œuvres de Gaudí comme la Sagrada Familia, ou de ses comparses du modernisme, une pléthore de musées, des *tapas* épatantes, une pagaille de restos, cafés, boîtes, terrasses et salles de concert, des téléphériques, des funiculaires, un tramway, et... une plage à deux pas du centre !

TOULOUSE (paru)

Jeune, étudiante, tournée vers les technologies de pointe, Toulouse véhicule l'image d'une ville dynamique qui figure régulièrement en tête des palmarès des endroits où il fait bon vivre. À juste titre ! Toulouse distille une véritable douceur de vivre. Allez donc humer l'atmosphère reposante des berges de la Garonne, à l'heure où les rayons de soleil déclinent et enflamment le rose des briques. Suivez les ruelles étroites, le nez en l'air, pour dénicher les ravissantes demeures que cachent jalousement de nombreuses cours. Du clocher de la basilique Saint-Sernin qui illumine le soir à la tête de la fusée Ariane pointée vers les étoiles dans la Cité de l'espace, près de neuf siècles d'un riche patrimoine historique et culturel à découvrir sans modération.
Et puis, Toulouse est une ville profondément humaine, d'aventures humaines... à l'image du surprenant quartier Arnaud-Bernard ou de la musique festive et métissée de Zebda. Sans compter que, si ce n'est déjà fait, vous apprendrez à aimer le rugby car n'oubliez pas qu'ici « même les mamies aiment la castagne ! ». La nuit ? Toulouse vit, Toulouse bouge. Il y en a pour tous les goûts, toutes les sensibilités. Barcelone n'est finalement pas bien loin...

SPÉCIAL DÉFENSE DU CONSOMMATEUR

Un routard informé en vaut dix ! Pour éviter les arnaques en tout genre, il est bon de les connaître. Voici un petit vade-mecum destiné à parer aux coûts et aux coups les plus redoutables.

Affichage des prix : les hôtels et les restos sont tenus d'informer les clients de leurs prix, à l'aide d'une affichette, d'un panneau extérieur ou de tout autre moyen. Vous ne pouvez donc contester des prix exorbitants que s'ils ne sont pas clairement affichés.

HÔTELS

1 - Arrhes ou acompte ? : au moment de réserver votre chambre par téléphone – par précaution, toujours confirmer par écrit – ou directement par écrit, il n'est pas rare que l'hôtelier vous demande de verser à l'avance une certaine somme, celle-ci faisant office de garantie. Il est d'usage de parler d'arrhes et non d'acompte (en fait, la loi dispose que « sauf stipulation contraire du contrat, les sommes versées d'avance sont des arrhes »). Légalement, aucune règle n'en précise le montant. Toutefois, ne versez que des arrhes raisonnables : 25 à 30 % du prix total, sachant qu'il s'agit d'un engagement définitif sur la réservation de la chambre. Cette somme ne pourra donc être remboursée en cas d'annulation de la réservation, sauf cas de force majeure (maladie ou accident) ou en accord avec l'hôtelier si l'annulation est faite dans des délais raisonnables. Si, au contraire, l'annulation est le fait de l'hôtelier, il doit vous rembourser le double des arrhes versées. À l'inverse, l'acompte engage définitivement client et hôtelier.

2 - Subordination de vente : comme les restaurateurs, les hôteliers ont interdiction de pratiquer la subordination de vente. C'est-à-dire qu'ils ne peuvent pas vous obliger à réserver plusieurs nuits d'hôtel si vous n'en souhaitez qu'une. Dans le même ordre d'idée, on ne peut vous obliger à prendre votre petit déjeuner ou vos repas dans l'hôtel ; ce principe, illégal, est néanmoins répandu dans la profession, toléré en pratique... Bien se renseigner avant de prendre la chambre dans les hôtels-restaurants. Si vous dormez en compagnie de votre enfant, il peut vous être demandé un supplément.

3 - Responsabilité en cas de vol : un hôtelier ne peut en aucun cas dégager sa responsabilité pour des objets qui auraient été volés dans la chambre d'un de ses clients, même si ces objets n'ont pas été mis au coffre. En d'autres termes, les éventuels panonceaux dégageant la responsabilité de l'hôtelier n'ont aucun fondement juridique.

RESTOS

1 - Menus : très souvent, les premiers menus (les moins chers) ne sont servis qu'en semaine et avant certaines heures (12 h 30 et 20 h 30 généralement). Cela doit être clairement indiqué sur le panneau extérieur : à vous de vérifier.

2 - Commande insuffisante : il arrive que certains restos refusent de servir une commande jugée insuffisante. Sachez, toutefois, qu'il est illégal de pousser le client à la consommation.

3 - Eau : une banale carafe d'eau du robinet est gratuite – à condition qu'elle accompagne un repas – sauf si son prix est affiché. La bouteille d'eau minérale quant à elle doit, comme le vin, être ouverte devant vous.

4 - Vins : les cartes des vins ne sont pas toujours très claires. Exemple : vous commandez un bourgogne à 8 € la bouteille. On vous la facture 16 €. En vérifiant sur la carte, vous découvrez que 8 € correspondent au prix d'une demi-bouteille. Mais c'était écrit en petits caractères illisibles.
Par ailleurs, la bouteille doit être obligatoirement débouchée devant le client.

5 - Couvert enfant : le restaurateur peut tout à fait compter un couvert par enfant, même s'il ne consomme pas, à condition que ce soit spécifié sur la carte.

6 - Repas pour une personne seule : le restaurateur ne peut vous refuser l'accès à son établissement, même si celui-ci est bondé ; vous devrez en revanche vous satisfaire de la table qui vous est proposée.

7 - Sous-marin : après le coup de bambou et le coup de fusil, celui du sous-marin. Le procédé consiste à rendre la monnaie en plaçant dans la soucoupe (de bas en haut) : les pièces, l'addition puis les billets. Si l'on est pressé, on récupère les billets en oubliant les pièces cachées sous l'addition.

NOS NOUVEAUTÉS

BOURGOGNE (paru)

Mosaïque de « pays » ayant chacun ses couleurs, ses senteurs, sa saveur, la Bourgogne ne se limite pas seulement à Dijon, Beaune et au palais des Ducs... Des grandes plaines agricoles autour de Sens aux noires forêts du Morvan, des opulentes collines vert velouté du Charolais et du Brionnais à la montagne romantique autour de Mâcon, en passant par les sublimes fermes de la Bresse, on en a le tournis. Autant de raisons de s'arrêter aux mille grandes et petites tables, fermes-auberges, délicieuses chambres d'hôte jalonnant les chemins de traverse... Fascinant patrimoine architectural également, avec ses Vézelay, ses Cluny, ses châteaux ; éblouissant art de vivre, privilège de toute grande terre de vignes, mais aussi mémoire ouvrière grâce au Creusot... On comprend que la Bourgogne n'a ensuite plus aucun mal à retenir ou faire revenir ses visiteurs.

MOSCOU, SAINT-PÉTERSBOURG (paru)

Moscou, capitale d'un pays méconnu, saura vous dérouter. D'abord en liquidant tous les préjugés et idées toutes faites emportés dans les bagages. Ville morne et grise ? Les Moscovites disposent de cinq fois plus d'espaces verts que les Parisiens (mais, dans le même temps, apprêtez-vous à affronter les embouteillages du siècle), il s'y ouvre dix restos et cafés chaque semaine, et un stage de préparation physique s'avère presque nécessaire pour affronter la vie nocturne (en plus de la traversée des avenues). Une ville qui bouge donc incroyablement, à des années-lumière de la stagnation brejnevienne et, pour les boulimiques de culture, près de cent musées qui vous laisseront sur les rotules (et encore, on ne compte pas les iconostases sublimes et les bulbes beaux à pleurer !)...
Quant à Saint-Pétersbourg, ce fut avant tout une fenêtre sur l'Europe, désir de Pierre le Grand, de créer de toutes pièces, sur des marais, cette folie de palais, musées, garnisons, théâtres et églises... Grandeur d'âme et intrigues mesquines, cette gigantesque ville ouvre, plus que toute autre, le grand livre d'histoire de la Russie. Et surtout celle des tsars, propres metteurs en scène de tous les délires... Entre autres, l'un des plus beaux musées du monde et des canaux pour donner un peu de rondeur et de romantisme à cet univers minéral. Telle s'offre cette « Peter », pour les intimes, où la lumière blanche des nuits d'été permet de toucher l'âme restée profondément russe de la population !

Nous tenons à remercier tout particulièrement François Chauvin, Gérard Bouchu, Grégory Dalex, Michelle Georget, Carole Fouque, Patrick de Panthou, Jean Omnes, Jean-Sébastien Petitdemange et Alexandra Sémon pour leur collaboration régulière.

Et pour cette chouette collection, plein d'amis nous ont aidés :

Caroline Achard
Didier Angelo
Barbara Batard
Astrid Bazaille
José-Marie Bel
Thierry Bessou
Cécile Bigeon
Fabrice Bloch
Cédric Bodet
Philippe Bordet
Nathalie Boyer
Florence Cavé
Raymond Chabaud
Alain Chaplais
Bénédicte Charmetant
Geneviève Clastres
Julie Collignon
Maud Combier
Sandrine Couprie
Joanne Daubet
Franck David
Agnès Debiage
Fiona Debrabander
Charlotte Degroote
Florent Denéchère
Tovi et Ahmet Diler
Claire Diot
Émilie Droit
Sophie Duval
Christian Echarte
Flora Etter
Hervé Eveillard
Didier Farsy
Flamine Favret
Pierre Fayet
Alain Fisch
Cédric Fischer
Léticia Franiau
Cécile Gauneau
David Giason
Muriel Giraud
Adrien Gloaguen
Olivier Gomez et Sylvain Mazet
Angélique Gosselet
Isabelle Grégoire
Xavier Haudiquet
Claude Hervé-Bazin
Monique Heuguédé
Catherine Hidé
Bernard Hilaire
Bernard Houliat
Lionel Husson
Catherine Jarrige
Lucien Jedwab
François Jouffa
Emmanuel Juste
Lionel Lambert
Florent Lamontagne
Damien Landini
Jacques Lanzmann
Vincent Launstorfer
Grégoire Lechat
Benoît Legault
Raymond et Carine Lehideux
Jean-Claude et Florence Lemoine
Mickaela Lerch
Valérie Loth
Anne-Marie Minvielle
Thomas Mirante
Anne-Marie Montandon
Xavier de Moulins
Jacques Muller
Yves Negro
Alain Nierga et Cécile Fischer
Astrid Noubissi
Michel Ogrinz et Emmanuel Goulin
Franck Olivier
Martine Partrat
Jean-Valéry Patin
Odile Paugam et Didier Jehanno
Côme Perpère
Laurence Pinsard
Jean-Luc Rigolet
Thomas Rivallain
Ludovic Sabot
Julie Samit
Pauline Santini
Emmanuel Scheffer
Jean-Luc et Antigone Schilling
Patricia Scott-Dunwoodie
Abel Ségretin
Guillaume Soubrié
Régis Tettamanzi
Christophe Trognon
Christèle Valin-Colin
Isabelle Verfaillie
Charlotte Viart
Isabelle Vivarès
Solange Vivier

Direction : Cécile Boyer-Runge
Contrôle de gestion : Joséphine Veyres
Direction éditoriale : Catherine Marquet
Édition : Catherine Julhe, Peggy Dion, Matthieu Devaux, Stéphane Renard, Nathalie Foucard, Marine Barbier, Magali Vidal et Éric Marbeau
Secrétariat : Catherine Maîtrepierre
Préparation-lecture : Élisabeth Bernard
Cartographie : Cyrille Suss
Fabrication : Nathalie Lautout et Audrey Detournay
Direction commerciale : Michel Goujon, Dominique Nouvel, Dana Lichiardopol et Lydie Firmin
Informatique éditoriale : Lionel Barth
Relations presse : Danielle Magne, Martine Levens et Maureen Browne
Régie publicitaire : Florence Brunel
Service publicitaire : Frédérique Larvor

Remerciements

Pour la réactualisation de ce guide, nous remercions tout particulièrement :

Catherine Boulogne, du CDT de l'Aisne
Le CDT de l'Allier
Maryse Crumière, du CDT de l'Ardèche
Séverine Brette, du CDT de l'Aube
Myriam Journet-Fillaquier, du CDT de l'Aude
Francis Castan, du CDT de l'Aveyron
Céline Viand et Lucie Le Van Caï, de l'office de tourisme de Belfort
Raphaëlle Nicaise, du CDT des Bouches-du-Rhône
Armelle Le Goff, du CDT du Calvados
Carole Grosman et Laure Thomas, du CDT de la Charente
Régine Chassagne, du CDT de Corrèze
Le Conseil Général de Côte-d'Or
Catherine Thierry, du CDT des Côtes-d'Armor
Le CDT de la Dordogne
Sylviane Dornier, de l'agence de développement économique et touristique du Doubs
Guillaume Henry, du CDT de l'Eure
Carole Rossi, du CDT d'Eure-et-Loir
Le CDT du Finistère
Nathalie Lacomme, du CDT de Haute-Garonne
Le service promotion du Comité Départemental du tourisme et des Loisirs du Gers-Gascogne
Christian Cailleau, du CDT de la Gironde
Le CDT d'Ille-et-Vilaine
Le CDT de l'Isère
Samuel Buchwalder, du CDT de Touraine
Bertrand Picoult, du CDT du Jura
Lygie Rothon et Marie-Christine Jacquot, du CDT du Loir-et-Cher
Le Conseil Général de la Loire en Rhône-Alpes
Le CDT de Loire-Atlantique
Le CDT du Loiret
Pierre Lagache, du CDT du Lot
Le CDT de la Marne
Claire Rospabé et Claire Mallet, du CDT de la Mayenne
Le CDT du Morbihan
Françoise Thévenot, du CDT de la Nièvre
Chrystelle Feve, du CDT de l'Oise
Corinne Huchet, du CDT de l'Orne
Jean Pinard, du CDT du Puy-de-Dôme
Christiane Bonnat, du CDT du Béarn-Pays basque
L'agence de développement touristique du Bas-Rhin
Jean Klinkert, de la maison du tourisme de Haute-Alsace
Le CDT du Rhône
Romain Rigaud, du CDT de Saône-et-Loire
Richard Tempereau, du CDT de la Sarthe
Brigitte Couzigou, du CDT de la Sarthe
Virginie Robesson, de l'agence touristique de Savoie
Annick Coster, de l'Agence Touristique Départementale de Haute-Savoie
Côme Vermersch, du comité du tourisme de la Somme
Le service promotion, édition et communication du CDT du Tarn
Hugues Lallemand, du CDT de la Vienne
Virginie Lagerbe-Martin, du CDT de l'Yonne
Fabienne Leprieur, de l'OT de La Hague

Le *Guide du routard* remercie l'Association des Paralysés de France de l'aider à signaler les lieux accessibles aux personnes à mobilité réduite. Cette attention est déjà une victoire sur le handicap.

INTRODUCTION

> « **Jusqu'à 15 ans, les enfants aiment leurs parents ;**
> **À 15 ans, ils les jugent ;**
> **Ensuite, ils leur pardonnent.** »
>
> **Hippolyte Taine.**

Qu'il pleuve ou qu'il neige, qu'il vente ou qu'il fasse beau, avec le *GDR* en poche, vous êtes souvent parti à la découverte des régions de France. Seul, entre amis ou en amoureux, bref, entre adultes ; on s'adapte alors à toutes les situations ou presque, on est des grands.

Mais voilà, aujourd'hui la famille s'est élargie, et les enfants ne sont pas toujours du même avis. Il fait trop froid, ou trop chaud, la route est trop longue, la balade ennuyeuse, le musée rasoir... Jamais contents ces enfants ? C'est vite dit. Beaucoup trop vite dit.

Des adresses pour petits et grands, la France n'en manque pas. Parcs d'attractions, bases de loisirs et plans nature, parcs zoologiques modernes, petits musées insolites, promenades, ateliers créatifs, le *Routard* a revisité les incontournables et dégoté de véritables merveilles à portée de main aux quatre coins de la France. Se balader dans une réserve naturelle pour observer des animaux en liberté, visiter un musée sous la forme d'un jeu de piste, se promener en barque dans les marais, grimper sur les manèges des parcs d'attractions, goûter les fruits d'un jardin des merveilles, jouer au fermier le temps d'un après-midi... il y en a pour tous les goûts et pour tous les âges. Alors, fini les vacances où l'on s'ennuie. Maintenant, on s'amuse, on se cultive (parfois les deux en même temps) et on se balade, bref, on s'éclate en famille !

Mais on a aussi pensé au moment où, après s'être bien enrichi l'esprit, vos bambins ne pourront résister à l'appel du ventre. C'est pourquoi nous avons sélectionné, le plus près des sites décrits (lorsque c'était possible), des tables alléchantes pour petits et grands, proposant la plupart du temps un menu-enfants. Si nous avons privilégié les crêperies et les pizzerias qui remportent toujours beaucoup de succès auprès des enfants, nous avons aussi essayé de satisfaire toute la famille, notamment les parents épuisés par l'enthousiasme de leur progéniture, en indiquant quelques bons restos où déguster les produits du terroir. À la fois pour récompenser les parents de leur patience et aussi pour sensibiliser leurs enfants à la gastronomie française et leur faire connaître les différentes cuisines régionales.

Enfin, arrive le moment où il faut quand même bien penser à dormir pour reprendre des forces et préparer la journée du lendemain. Les hébergements que nous vous proposons ont été sélectionnés en fonction de leur proximité des sites décrits et aussi pour les commodités qu'ils offrent aux familles (chambres communicantes ou accueillant 3, 4 ou 5 personnes, jardin, jeux pour les enfants...). Vous pourrez choisir entre les campings, les chaînes d'hôtels qui proposent des formules standard bien pratiques pour les familles ou bien des hôtels plus familiaux, des gîtes et des chambres d'hôte (ah, le petit déjeuner composé de produits de la ferme...). Qu'attendez-vous pour partir et satisfaire la curiosité de vos petits routards en herbe ? Roulez, jeunesse !

GÉNÉRALITÉS

TRANSPORTS

En train

Si vous voyagez avec votre enfant

Enfants de moins de 4 ans

Sachez qu'un enfant de moins de 4 ans peut voyager gratuitement sans place attribuée. Dans ce cas, vous devrez donc le garder sur vos genoux, sauf s'il y a des places libres.
Si vous souhaitez être plus à l'aise et être certain que votre progéniture aura bien son siège à lui tout seul, l'***offre Bambin*** permet à votre enfant de moins de 4 ans de bénéficier d'une place personnelle, moyennant un prix forfaitaire de 8 € par trajet simple, qui inclut le prix de la réservation en place assise sur tout le trajet. Cette offre est applicable dans tous les trains, en 1re comme en 2e classe, à l'exception des parcours internationaux.
Pour les voyages de nuit en train couchettes, si vous ne voulez pas avoir votre bambin dans votre couchette, il faudra lui payer la sienne. Attention, l'*offre Bambin* n'est pas délivrée à bord des trains, il faut donc la prévoir avant le départ.

Enfants de 4 à 12 ans

En règle générale, les enfants de plus de 4 ans et moins de 12 ans paient demi-tarif. À ce prix s'ajoutent, en fonction de la liaison et de la classe de la voiture, les suppléments liés à l'emprunt de certains trains ainsi que les réservations optionnelles.
Si vous voyagez avec un enfant de moins de 12 ans, la ***Carte Enfant +*** et le tarif ***Découverte Enfant +*** vous offrent des réductions sur le prix de vos billets.

Service Jeune Voyageur : JVS

Si vous ne pouvez pas accompagner votre enfant qui part en vacances, la SNCF propose le service ***JVS*** pour les 4-14 ans. Une animatrice le prendra en charge depuis la gare de départ jusqu'à la gare d'arrivée, et s'en occupera durant tout le trajet. Ce service existe seulement pendant les vacances scolaires. Il faut le réserver à l'avance et acheter un billet 2e classe ainsi que le forfait *JVS* : 38 €.
Pour connaître les dates, les trains et les destinations pour lesquels ce service est proposé, ainsi que les formalités à accomplir, consultez le *Guide JVS,* disponible dans les gares, les boutiques SNCF et certaines agences de voyages agréées.

Espace Famille

Dans les TGV

– ***L'espace Famille :*** le « carré » situé dans les voitures de 2e classe non-fumeurs offre 4 places en face à face, isolées du reste de la voiture par une

demi-cloison en verre. Une table centrale permet aux enfants de jouer, de dessiner ou de goûter. Pratiques, les sièges et la table sont rabattables : l'espace ainsi libéré permet de loger une poussette.
– ***La nurserie :*** située à proximité de l'*espace Famille,* elle est équipée d'une table à langer et d'un chauffe-biberon. On la repère grâce à son symbole facilement identifiable.

Sur les trains Corail et les TER

– ***Les compartiments Famille :*** dans de nombreux trains, vous pouvez bénéficier pour vos voyages en 2e classe (places assises ou places couchettes) d'un compartiment exclusif si vous constituez un groupe de 4 personnes payantes, comportant un enfant de moins de 12 ans. Ces compartiments sont accessibles sur réservation, moyennant un supplément forfaitaire de 12 € de jour et 87 € de nuit. Le nombre de ces compartiments étant limité, pensez à réserver à l'avance. Sur tous ces trains, il y a également toujours une nurserie.

La carte Famille nombreuse

Votre famille compte au minimum 3 enfants de moins de 18 ans ? Bravo, alors vous avez droit à la fameuse *carte Famille nombreuse.* Elle permet, sous certaines conditions, une réduction individuelle de 30 %, 40 %, 50 % ou 75 %, en fonction du nombre d'enfants mineurs à votre charge.
La *carte Famille nombreuse* est personnelle. Elle est utilisable en 1re et en 2e classe, mais la réduction est toujours calculée sur le prix plein tarif de 2e classe.
– ***Pour l'obtenir :*** remplissez le formulaire disponible en gare, puis présentez-vous à la gare la plus proche de votre domicile (habilitée à recevoir les demandes) avec votre livret de famille, une pièce justifiant l'identité et la nationalité des membres de la famille et une photo d'identité par personne. Votre carte sera délivrée dans un délai d'environ 10 jours.
– ***Frais de dossier :*** pour une première demande ou un renouvellement, il vous en coûtera 15,60 € pour l'ensemble des cartes demandées ; pour faire établir un duplicata, 12 € par carte.

Pour toutes infos sur ces offres et l'achat des billets

– ***Ligne directe :*** ☎ 08-92-35-35-35 (0,34 €/mn), tous les jours de 7 h à 22 h.
– ***Internet :*** • www.voyages-sncf.com •
– ***Minitel :*** 36-15 ou 36-16, code SNCF (0,20 €/mn).
– Les gares, les boutiques SNCF et les agences de voyages agréées vous proposent services accueil et infos.
– Commandez votre billet sur Internet, par téléphone ou sur Minitel, la SNCF vous l'envoie gratuitement à domicile. Vous réglez par carte de paiement (pour un montant minimum de 1 € – sous réserve de modifications ultérieures) au moins 4 jours avant le départ (7 jours si vous résidez à l'étranger).
– ***Service Bagages à domicile :*** appelez le ☎ 0825-845-845 (0,15 €/mn), la SNCF prend en charge vos bagages où vous le souhaitez et vous les livre là où vous allez **en 24 h de porte à porte.** Délai à compter du jour de l'enlèvement à 17 h, hors samedi, dimanche et fêtes. Offre soumise à conditions.

En avion

Faire voyager son enfant seul

Enfants de moins de 4 ans

Pour les enfants de moins de 4 ans, un accompagnateur majeur est toujours exigé. Il doit réserver sa place en même temps que l'enfant et figurer dans le même dossier de réservation. Un adulte ne peut accompagner qu'un seul enfant de moins de 2 ans.
Pour les enfants de moins de 4 ans ne pouvant pas être accompagnés, un service d'assistance est assuré par *France Secours International* (service payant : 150 % du plein tarif). Il est également possible de demander ce service pour les enfants entre 4 et 8 ans. Attention, il faut dans tous les cas faire la demande d'accompagnement au moins 4 jours ouvrés avant le départ sur les vols métropole.

Enfants de 4 à 12 ans

Il est possible de faire voyager son enfant seul sous la surveillance d'une hôtesse sur les lignes intérieures françaises avec *Air France* s'il a entre 4 et 12 ans. Il sera alors considéré comme « UM » *(Unaccompanied Minor).* Vous devez le signaler quand vous réservez son billet car, pour des raisons de sécurité, le nombre d'enfants non accompagnés sur un vol est limité. Lors de l'émission du billet, un dossier de voyage complet est établi pour l'enfant (nom et adresse des parents et des personnes devant l'accueillir, itinéraire, décharge de responsabilité). Ce dossier, les billets, ainsi que les papiers de l'enfant seront glissés dans une pochette « Planète bleue » qui lui sera remise au moment de l'enregistrement aux comptoirs spéciaux « UM », et que les enfants portent toujours avec beaucoup de fierté. On donnera également à votre enfant un badge et il sera confié au personnel de bord qui s'en occupera jusqu'à son arrivée.
Bon à savoir en cas de fratrie : un enfant de 4 à 12 ans accompagné d'un mineur est toujours considéré comme « UM ».

Quelques petits conseils pour bien voyager avec des enfants

– L'air de la cabine étant un peu sec, il faut penser à donner souvent à boire à l'enfant et tout particulièrement au bébé.
– Compte tenu de la température ambiante et de l'air climatisé, n'oubliez pas un pull et des chaussettes.
– Prévoyez une tétine ou un biberon d'eau pour le décollage et l'atterrissage (des chewing-gums pour les plus grands), ce qui leur évitera de souffrir des oreilles.
– Sans oublier quelques jouets, des livres, des coloriages qui feront passer le temps agréablement et calmement.
– Enfin, sachez qu'un enfant de moins de 2 ans doit être tenu dans les bras du passager qui l'accompagne pendant le décollage et l'atterrissage, et qu'en aucun cas un enfant ne doit être attaché au siège par la même ceinture que le passager adulte. Un bébé doit être attaché dans une ceinture spéciale (qui vous sera remise par l'hôtesse), elle-même attachée à celle de l'adulte (jusqu'à ce qu'il ait sa propre place).

▲ **AIR FRANCE**
119, av. des Champs-Élysées, 75008 Paris. Renseignements et réservations : ☎ 0820-820-820 (de 6 h 30 à 22 h). • www.airfrance.fr • Minitel :

36-15, code AF. M. : George-V. Et dans toutes les agences de voyages. Air France propose différents tarifs :
– ***Les bébés de moins de 2 ans*** peuvent voyager gratuitement s'ils n'occupent pas de place autre que vos genoux. Si vous préférez, ils peuvent bénéficier d'un siège à condition de payer le tarif enfant.
– ***Les enfants de 2 à 12 ans*** accompagnés d'un adulte bénéficient de réductions jusqu'à 50 % sur les lignes intérieures.
– ***Les jeunes entre 12 et 24 ans*** peuvent bénéficier des tarifs « Tempo jeunes ». Sur les lignes intérieures, ces tarifs sont accessibles jusqu'au jour du départ en aller simple ou aller-retour, avec date de retour libre. Il est possible de changer la réservation ou de se faire rembourser le billet sans frais.
Air France propose également un programme de fidélisation à destination des jeunes de moins de 25 ans, la carte « Fréquence jeune », qui permet d'accumuler des *miles* et de bénéficier ainsi de billets gratuits. La carte offre aussi différents avantages.

En voiture

Vous avez choisi de partir en vacances en voiture avec vos enfants ? Pour que le trajet ne se transforme pas en cauchemar, quelques règles s'imposent.

Petits rappels concernant la sécurité

– Les premiers mois, pour les longs trajets, utilisez de préférence un lit auto ou la nacelle du landau équipée d'un kit auto de fixation. Pour des trajets plus courts, choisissez un siège coque adapté jusqu'à 13 kg, qui se place dos à la route.
– Entre 10 et 18 kg, l'enfant doit être installé dans un siège auto équipé d'un harnais cinq points placé face à la route et obligatoirement à l'arrière. Pour un enfant de plus de 15 kg et jusqu'à 10 ans, il faut l'installer sur un rehausseur et bien entendu l'attacher avec la ceinture de sécurité.

Des pauses fréquentes

C'est une évidence que l'on ne répétera jamais assez. Toutes les 2 h, voire toutes les heures avec des enfants, on s'arrête pour la pause pipi, se dégourdir les jambes, prendre l'air, pique-niquer ou goûter...

Jeux, boissons et friandises à portée de main

Pour que les enfants ne se chamaillent pas ou ne s'ennuient pas, on fait une réserve de jeux de société spécialement conçus pour la voiture (avec des aimants, par exemple), des carnets de jeux (mots croisés, par exemple), des livres de blagues ou de devinettes. Évitez les crayons avec des mines pointues et préférez les pastels ou les feutres. On apprend les numéros des départements sur les plaques des voitures, on fait des statistiques sur les couleurs des autos, on joue à « il ou elle » ou on chante à tue-tête. N'oubliez pas non plus leurs cassettes audio ou leurs CD préférés, ça occupe un bon moment et permet de calmer tout le monde.
Et quand la grogne commence à monter à l'arrière, on sort de sa poche des bonbons à sucer, de préférence sans sucre et frais, comme les pastilles Vichy. Voilà qui s'appelle du chantage si on en abuse, mais on ne peut pas toujours être des parents modèles. Pas de sucettes bien entendu, car en cas de freinage brutal, ça peut être dangereux pour le palais.
On trouve depuis quelques années différents accessoires assez ingénieux pour rendre le voyage des enfants (et du même coup celui des parents) plus

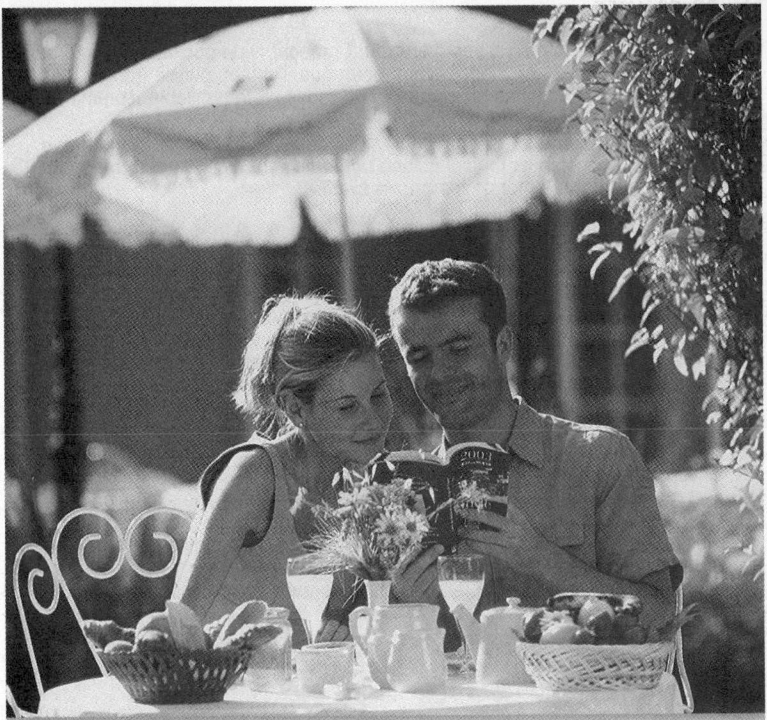

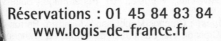

agréable : tablette pour s'appuyer quand on écrit, vide-poches astucieux à accrocher au dos du siège avant pour que l'enfant puisse ranger ses affaires. Pourquoi ne pas prévoir aussi un repose-tête gonflable (comme en avion) pour lui faciliter le sommeil ?
Enfin, avoir toujours sous la main un stock de lingettes pour bébé (pratique en toutes circonstances), ainsi qu'une bombe d'eau minérale pour rafraîchir les bambins (tout le monde n'a pas la clim').

Autoroute ou nationale ?

Avec les autoroutes, on va plus vite mais c'est plus cher. En fait, le gros avantage, ce sont les stations d'autoroute, avec des animations pour les enfants et des coins spécialement conçus pour changer les bébés. Pour les grandes distances avec des enfants en bas âge ou turbulents, c'est presque une obligation. Certaines stations sont pourvues de relais bébés pendant les grandes vacances. Couches, petits pots, tout est prévu pour les 0-2 ans. Et en plus, c'est gratuit ! Pour pique-niquer, on vous conseille plutôt les aires d'autoroute, certaines sont particulièrement bien équipées, avec des tables ombragées, des jeux...
Si vous n'allez pas très loin, ou que les enfants sont plus grands, la nationale permet de s'arrêter dans les villes et les villages, de faire une excursion dans une vallée ou au milieu des collines, c'est déjà un peu les vacances. Il y a plus de choses à voir sur le bord de la route. Mais c'est moins pratique pour trouver des toilettes.
Vous pouvez aussi alterner les deux si vous avez bien étudié le trajet.

INITIATIVES SPÉCIAL ENFANTS

Le label « Station Kid »

Le label « Station Kid » a été créé en 1992 à l'initiative du comité régional du tourisme du Nord - Pas-de-Calais, sous le parrainage du secrétariat d'État au Tourisme et avec le soutien de la FNOTSI (Fédération nationale des offices de tourisme et des syndicats d'initiative). À partir de critères précis en matière d'accueil (organismes d'hébergement, offices de tourisme), d'équipements (aires de jeux...), d'activités (programmes spécifiques pour les enfants, encadrement spécialisé...), d'animation (jeux, spectacles...), de sécurité (plages surveillées...) et d'environnement (nettoyage des plages, protection de la nature...), le label est attribué aux stations touristiques de l'Hexagone qui mènent une politique touristique exemplaire à destination de l'enfant et de la famille.
Depuis, les stations labellisées se sont constituées en association pour gérer l'attribution et la qualité du label, sa communication et sa promotion.
Le label est décerné pour 3 ans.
Il y a aujourd'hui en France 41 stations touristiques labellisées « Station Kid ». Quitte à en parler, autant vous en donner la liste.
– ***Littoral nord :*** Berck-sur-Mer, Boulogne-sur-Mer, Calais, dunes de Flandres, Gravelines, Hardelot, Le Portel-Plage, Saint-Valéry-en-Caux, Le Touquet, Wimereux, Wissant.
– ***Façade ouest :*** Carcans-Maubuisson, Mimizan, Perros-Guirrec, Royan, Saint-Gilles-Croix-de-Vie, Saint-Jean-de-Monts, La Tranche-sur-Mer.
– ***Méditerranée :*** Argelès-sur-Mer, Cap-d'Agde, Fleury d'Aude, La Grande-Motte, Gruissan, Leucate, Port-Barcarès, Saint-Cyprien, Valras.
– ***Montagne :*** Avoriaz, La Bourboule, La Clusaz, Luchon, Le Mont-Dore, Orcières-Merlette, Les Orres, La Pierre-Saint-Martin, Puy-Saint-Vincent, Vars.
– ***Secteur rural :*** Figeac, lac de Saint-Pardoux, Millau.
– ***Secteur thermal :*** Avène-les-Bains.

Si vous désirez connaître les initiatives que chacune de ces stations programme en faveur des enfants, n'hésitez pas à contacter leur office de tourisme.

Quelques exemples : à Millau, une halte-garderie permet aux parents de découvrir la ville en toute tranquillité ; à Boulogne, une salle de cinéma a été conçue pour les petits avec des rehausseurs de fauteuils et une programmation spéciale pour eux ; à Saint-Jean-de-Monts et à Saint-Cyprien, des totems de plage de 3 m de haut coiffés de signes distinctifs servent de repères aux enfants égarés et de rendez-vous aux familles ; à Vars, le ski est gratuit pour les moins de 5 ans...

Attention quand même, le label « Station Kid » ne garantit pas le beau temps !

– ***Renseignements :*** ☎ 03-20-14-97-87. • stations-kid.com • stationskid @wanadoo.fr • Pour toutes infos complémentaires et plus de détails.

« Bienvenue à la Ferme »

À l'initiative des chambres d'agriculture, un certain nombre d'agriculteurs (plus de 4000), répartis sur tout le territoire français, vous accueillent sur leur exploitation afin de pratiquer de multiples activités et de découvrir les produits du terroir. Ces agriculteurs se regroupent dans le réseau « Bienvenue à la Ferme ».

Certaines activités nous ont paru tout particulièrement sympathiques et adaptées aux enfants, qui auront ainsi l'occasion de découvrir le monde rural, d'entrer dans une ferme et de poser toutes les questions qui leur trottent dans la tête. Nos petits citadins ont en effet quelquefois de drôles d'idées sur la façon dont poussent les légumes ou sont élevés les animaux.

– ***Les goûters à la ferme :*** vous dégusterez des produits issus de l'exploitation après avoir visité la ferme ou pratiqué une activité de loisirs. Ils ont généralement lieu entre 15 h et 18 h. Réservation conseillée.

– ***Les fermes équestres :*** les débutants ou les cavaliers confirmés pourront y pratiquer des activités variées – initiation à l'équitation, randonnée, attelage. Dans ces fermes, il est parfois possible d'être hébergé ou de se restaurer.

– ***Les fermes de découverte :*** elles permettent de découvrir une exploitation agricole, son environnement économique, humain et naturel. Soyez sûr que vos enfants seront ravis de visiter un élevage de porcs, une fromagerie ou d'assister à la traite des vaches.

– ***Les fermes-auberges :*** elles proposent des repas à base de produits issus de l'exploitation et mettent en valeur les recettes du terroir. Certaines d'entre elles peuvent même vous héberger. Il existe aussi des ***campings en ferme d'accueil.*** Cette formule permet aux campeurs de s'installer sur une parcelle de l'exploitation à proximité de la ferme.

Bien entendu, de nombreuses fermes du réseau vendent leurs produits, alors vive les pommes de terre non calibrées, les carottes avec leurs fanes, les fromages fermiers, les volailles élevées au grain... et bon appétit !

Le réseau « Bienvenue à la Ferme » est représenté dans chaque département par un relais. Il existe également un site Internet • www.bienvenue-a-la-ferme.com •, ainsi qu'un guide national *Bienvenue à la Ferme* qui présente près de 4500 formules d'accueil dans les fermes en France.

■ ***Bienvenue à la Ferme :*** Assemblées permanentes des Chambres d'agriculture, 9, av. George-V, 75008 Paris. ☎ 01-53-57-11-44. Fax : 01-53-57-11-94.

LES ENFANTS AU MUSÉE

Les musées en vacances ? Ce n'est pas toujours ce que les enfants préfèrent... Mais leur avez-vous vraiment bien « vendu » le projet ? Le musée est-il adapté à leur curiosité et à leur goût, avec des livrets-jeux et des ateliers sur mesure ? C'est à vous de préparer le terrain en sélectionnant les bonnes adresses et en vous mettant à leur portée. De toute façon, inutile d'essayer d'enchaîner les musées, c'est l'overdose garantie avec des enfants. Le mieux est d'alterner avec une activité d'une autre nature, et puis, ne vaut-il pas mieux prendre le temps de regarder, de discuter, afin que chacun garde un bon souvenir et que, loin de n'être qu'une simple visite, ce soit également un moment privilégié avec vos enfants ?
Parce que l'art et la culture sont avant tout un plaisir, et qu'il serait dommage de les en priver, voici quelques trucs pour que la journée ne se transforme pas en corvée.

À savoir

Aujourd'hui, beaucoup de musées et de sites proposent des ateliers d'initiation avec des contes ou des travaux pratiques. De plus en plus souvent, les enfants trouvent à l'entrée des questionnaires-jeux ou des parcours-découvertes pour animer la visite.
Un certain nombre de musées nationaux sont gratuits pour les moins de 18 ans tous les jours de l'année, et pour tous le 1er dimanche du mois.

Tout d'abord, un tri s'impose parmi les musées comme parmi les œuvres

– ***S'adapter à leurs goûts :*** pourquoi les gaver d'images qu'ils n'apprécient pas ? Les mornes plaines au crépuscule ou l'art conceptuel, ce n'est pas forcément leur violon d'Ingres. En revanche, les tableaux vivants et colorés sont très attractifs pour eux. Les couleurs et les formes de Matisse tout comme les « délires » de Picasso font souvent l'unanimité. Demandez conseil aux guides, ils en connaissent un rayon.
– ***Un musée en rapport avec un univers qu'ils connaissent :*** il n'y a pas que les musées d'art ! Les musées d'archéologie ou d'histoire naturelle peuvent aider à une première rencontre, car ils font justement écho aux films comme *Indiana Jones* ou *Dinosaures.*
– ***Les maisons ou les ateliers de personnes célèbres :*** le meilleur moyen d'aborder l'œuvre des artistes, c'est encore de comprendre, en dépit de toutes les mystifications, qu'elle s'inscrit dans la vie et le travail de personnes qui nous ressemblent. Faites découvrir à vos enfants leur univers quotidien. Les meubles, les portraits de famille, les objets personnels révèlent autant d'habitudes et de tics, et nous les rendent tellement sympathiques. La connivence installée, ils se sentiront concernés par les « grands chefs-d'œuvre des maîtres ».

L'essentiel, c'est de faire appel à leur imagination

Si vous vous plantez avec vos petits diables devant une œuvre, en disant : « Qu'est-ce que c'est beau ! Hein, c'est beau ! », vous aurez droit à un : « Quand est-ce qu'on s'en va ? » Mais si vous leur racontez l'histoire qui se cache derrière un tableau ou une sculpture, ils seront captivés par cet univers de légendes et de rêves qu'ils aiment tant. Parler technique et composition après, ce sera du gâteau. Alors amusez-vous, jouez à bâtir un scénario et dites plutôt : « Que s'est-il passé avant la scène ? Qu'arrivera-t-il ensuite ? » Essayez de deviner tous ensemble le titre de l'œuvre (sans l'avoir lu avant, bien sûr...).

Ensuite, à vous de voir

– ***Les petits détails amusants ou bizarres :*** les enfants sont d'un naturel curieux, un atout pour vous. Des jeux de regards ou des scènes qui se déroulent à l'arrière-plan, comme le vol d'une bourse dans une foule, suscitent toujours leur intérêt. Les peintres flamands offrent ainsi beaucoup de scènes prises sur le vif.
– ***Les jeux de lumières et de couleurs :*** vous pouvez leur montrer comment le peintre a exploité la lumière pour rendre la scène plus vivante. D'où vient-elle ? Les couleurs sont-elles tristes ou gaies ? Quelle est la tonalité dominante ?
– ***Le style et le genre des peintures :*** est-ce un portrait ou une caricature ? Quelle est la technique utilisée : pinceaux, couteaux, gros traits, touches de couleurs, points... ? Quel est le support : papier, toile, bois... ? Faites-leur remarquer les matériaux insolites, comme les morceaux de tissu, le sable ou le plastique, que le peintre a utilisés dans la composition.
– ***Les détails propres à un peintre ou à un tableau :*** Degas, Monet, Cézanne, Gauguin et d'autres encore, tous ont un style facilement identifiable par des enfants. Vous pouvez également élire un « tableau préféré », analyser tous les détails à partir d'un fil conducteur. Cela devient vite passionnant quand on tient le bon bout.
– ***À eux de dessiner à leur tour :*** pourquoi ne pas prévoir d'apporter un bloc de feuilles et des crayons pour qu'ils puissent s'amuser à reproduire ce qu'ils observent et, eux aussi, s'exercer au dessin, tout comme les étudiants des Beaux-Arts qu'ils verront s'entraîner dans les différents musées de peinture ? Ils constitueront ainsi leur propre galerie de souvenirs.

Mais surtout, n'oubliez pas la pause détente, le bol d'air et les souvenirs !

Autour d'un bon chocolat chaud, vous pourrez discuter calmement des impressions de chacun. Le jardin du musée, on ne vous explique pas à quoi il sert, vous savez combien les enfants ont besoin de se défouler ! Quant aux librairies-boutiques, elles sont parfois de vraies cavernes d'Ali Baba et regorgent de jeux, livres et objets tout spécialement conçus pour les enfants.

Pour initier vos enfants à l'art

– *Dada,* éd. Mango. Cette revue d'initiation à l'art, destinée aux enfants de 6 à 10 ans, aborde tous les arts, de la B.D. au cinéma en passant par la photo et le cirque. Un thème par numéro (un artiste, un mouvement, une période, etc.) et plusieurs rubriques (poèmes d'enfants, idées, reportages). Les reproductions sont superbes et la mise en page est très attractive. En bref, une revue géniale qui plaît autant aux parents qu'aux enfants.

Pour trouver le bon musée

– *Le Guide Dexia des 10000 musées,* éd. Le Cherche Midi Éditeur. Cette encyclopédie de poche des musées français a eu la bonne idée de sélectionner les musées recommandés aux enfants, à l'aide d'un logo en forme de visage de bambin. Ateliers pédagogiques, livrets-jeux, présence d'animaux... autant choisir ce qui leur plaît.

À TABLE AVEC LES BAMBINS

Le pique-nique

C'est encore la formule de repas la moins chère et la plus appréciée des enfants... à condition qu'il fasse beau. En voyage ou pendant le séjour, pique-niquer est une vraie détente une fois qu'on est passé faire un tour au marché, à la boulangerie et chez le boucher pour préparer les sandwichs. Un coin pique-nique se choisit avec soin, près d'une rivière ou d'un torrent (prudence quand même !), à l'orée de la forêt ou avec vue sur la plage... Il suffit souvent de prendre un peu de temps pour s'éloigner des grands axes et se retrouver seuls ; les enfants peuvent jouer sans casser les oreilles de leurs voisins de table pendant que vous terminez de manger.

Dans un restaurant de chaîne ou un fast-food

C'est sûr que ce n'est pas très original de s'arrêter manger un hamburger ou un steak-frites dans un de ces restaurants bien connus, mais au moins, dans les restaurants formatés, vous êtes assuré de trouver une chaise haute pour bébé, un menu-enfants à tarif réduit, parfois des jeux en extérieur et même des cadeaux pour les petits, ce qui les occupera pendant le reste du trajet. Parfois, la facilité a du bon avec les enfants.

Dans un restaurant traditionnel

Si vous voulez emmener vos enfants manger des spécialités du terroir dans un « vrai » restaurant, et au passage vous faire plaisir, appelez le restaurateur auparavant pour vous assurer qu'il y a un siège adapté pour le petit dernier et que cela ne posera pas de problème. S'il y a un menu steak-frites pour les enfants, vous pouvez l'éviter cette fois en leur vantant les mérites des plats typiques... Ce serait dommage de ne pas former le goût de ces futurs gastronomes.

HÉBERGEMENT

Les hôtels et les centres de vacances ci-dessous accueillent tout spécialement les familles avec des activités et des tarifs privilégiés.

Hôtels-restaurants : séjours d'une nuit ou plus

Les chaînes d'hôtels proposent souvent des tarifs intéressants pour l'hébergement des familles. N'hésitez pas à demander aux autres hôtels s'il est possible d'ajouter un lit dans votre chambre, sans supplément, pour les enfants. Beaucoup le font sans nécessairement le spécifier.

■ ***Hôtels et restaurants Logis de France :*** ☎ 01-45-84-83-84. • www.logis-de-france.fr • Dans les 3500 hôtels-restaurants de la chaîne, vous trouverez : un menu-enfants autour de 8 € ; pour les moins de 2 ans, hébergement gratuit dans la chambre des parents ; lits-bébé, tables à langer, chaises hautes à disposition. Dans les établissements labellisés *Famille-enfants,* vous trouverez, en plus des prestations déjà citées : des chambres familiales de 4 couchages au moins, la possibilité de faire garder l'enfant par une baby-sitter (tarifs sur demande) et des cadeaux pour les petits. À surveiller aussi de près, les hôtels *Logis Pédestre, Logis Vélo, Logis Neige* et *Logis Pêche,* qui proposent des services et des activités sur ces thèmes.

■ ***Groupe Accor***
– ***Les hôtels Novotel :*** ☎ 0825-88-44-44 (0,15 €/mn). • www.novotel.com • L'hébergement et le petit déjeuner sont gratuits pour 1 ou 2 enfants de moins de 16 ans s'ils partagent la chambre des parents. Pour eux, des aires de jeux et des cadeaux.
– ***Les Étap'Hôtels :*** ☎ 0892-688-900. • www.etaphotel.com • L'hébergement est gratuit pour 1 ou 2 enfants de moins de 12 ans qui logent dans la chambre de leurs parents.
– ***Les hôtels Ibis :*** ☎ 0892-686-686. • www.ibishotel.com • L'hébergement est gratuit pour un enfant de moins de 12 ans qui loge dans la chambre de ses parents. 50 % de réduction sur le petit déjeuner pour les enfants.

■ ***Choice Hôtels :*** ☎ 0800-12-12-12 (n° Vert). • www.choicehotel.fr • L'hébergement est gratuit pour les enfants de moins de 12 ans qui partagent la chambre de leurs parents.

■ ***Groupe Envergure :*** ☎ 0825-003-003 (0,15 €/mn). • www.groupe-envergure.fr • Les hôtels et restaurants de ce groupe proposent plusieurs types de prestations pour les familles.
– ***Les hôtels et grills Campanile :*** • www.campanile.fr • Les enfants de moins de 12 ans sont logés gratuitement dans la chambre de leurs parents. Chaises hautes, lits-bébé et chauffe-biberons pour les tout-petits. Le petit déjeuner est gratuit pour les moins de 5 ans, à 3,05 € pour les 5-12 ans, et à 6,10 € pour les adultes. Le dimanche, menu-enfants à 5,95 € jusqu'à 12 ans.
– ***Les hôtels (et parfois restaurants) Kyriad :*** • www.kyriad.fr • Les enfants de moins de 12 ans sont logés gratuitement dans la chambre de leurs parents. Chaises hautes, lits-bébé et chauffe-biberons pour les tout-petits. Menus de 5,95 à 7,62 € midi et soir jusqu'à 12 ans.
– ***Les hôtels Bleu Marine :*** • www.bleumarine.fr • Deux enfants de moins de 12 ans sont logés gratuitement dans la chambre de leurs parents. Chaises hautes, lits-bébé et chauffe-biberons pour les tout-petits. Petit déjeuner gratuit pour 2 enfants de moins de 16 ans.

Villages de vacances

Les villages de vacances proposent un très grand nombre d'activités pour les enfants. Les animations, organisées par tranche d'âge, mélangent les activités en plein air, les jeux créatifs ou aquatiques, les excursions...
Demandez bien si le village de vacances où vous souhaitez aller offre des activités pour la tranche d'âge de vos enfants et si ces activités sont payantes, en supplément ou comprises dans le forfait de la location.

■ ***Club Med :*** ☎ 0810-810-810 (prix appel local). • www.clubmed.fr • Le plus célèbre des clubs de vacances n'est pas le dernier à proposer des infrastructures pour les enfants. 18 villages (été et hiver) en France accueillent les petits, avec des animations spécifiques (sans supplément de coût) à partir de 4 ans et même parfois à partir de 4 mois. Un supplément (autour de 180 € par enfant et par semaine) est demandé pour les enfants en dessous de 3 ans, puisque l'encadrement est mis en place à titre individuel. *Baby Club Med, Petit Club Med, Mini Club Med et Juniors Club Med*... il y en a pour tous, de 4 mois à 17 ans. Avec au programme, en fonction du lieu, de l'âge et de la saison : des activités créatives (collage, perles, masques, dessin, peinture, cuisine), du sport (roller, trapèze, judo, VTT, kayak, jeux aquatiques), des animations (cirque ou comédie musicale, karaoké, ferme pédagogique)... Les GO qui s'occupent des enfants sont formés à l'encadrement des différentes tranches d'âge. Attention, les places sont limitées au *Baby Club* et au *Petit Club* (de 4 mois à 3 ans). Penser donc à réserver à l'avance.

■ ***Maeva :*** ☎ 0820-060-060. • www.maeva.com • Maeva met à la disposition des vacanciers des formules clubs qui s'appuient sur un ensemble de services et sont proposées à la carte sur une sélection de résidences. Selon les destinations, on trouve : une nursery pour les petits de 6 mois à 3 ans, sous contrôle d'un encadrement spécifique; des clubs enfants de 4 à 12 ans avec, suivant les sites, possibilité de journée continue, jeux, animations et initiations sportives, activités manuelles, sorties à thème, organisation de spectacles; et des clubs pour les jeunes de 13 à 17 ans, qui organisent des tournois sportifs, des sorties à thème, des randonnées, des soirées disco.

■ ***Renouveau :*** ☎ 04-79-75-75-75. • www.renouveau-vacances.fr • Cette association de tourisme familial, qui propose des séjours à la semaine dans ses 22 villages vacances, se met en quatre pour les familles avec des réductions (pour les formules en pension complète) selon le quotient familial ou l'âge des enfants et des clubs pour les plus petits comme pour les ados : jeux d'éveil à la *Moufletterie* (de 3 mois à 3 ans), déguisements et spectacles au *Jardin d'enfants* (de 3 à 8 ans), balades et jeux d'équipe au *Club Jeunes* (de 8 à 12 ans) et enfin bivouacs, excursions en soirées au *Club Ados* (12 à 18 ans). Les animations et les ateliers pour les enfants sont compris dans le prix du séjour. Il est possible de réserver pour un week-end prolongé en dernière minute en fonction des disponibilités.

■ ***Villages Pierre et Vacances :*** ☎ 0825-820-820 (0,15 €/mn). • www.pierreetvacances.com • Les villages accueillent les enfants de 3 mois à 18 ans, avec même des appartements spécialement conçus pour le confort des tout-petits. Au *Club Bébés* (3 à 35 mois), place aux activités créatives et aux jeux d'éveil. Au *Club Poolpy* (3 à 5 ans), les petits s'éclatent au tennis, poney, croquet, trampoline, jonglage ou encore lors de la découverte des animaux de la ferme. Les 6-8 ans et les 9-12 ans aux *Kid's Club* et *Club Juniors* s'initient aux sports collectifs ou jeux aquatiques et se défoncent dans les chasses au trésor. Les 13-18 ans *(Club Jeunes)* prennent les chemins de l'autonomie à vélo, en quad, pendant les courses d'orientation ou les soirées sur la plage. Les clubs enfants fonctionnent avec un supplément à la séance ou à la semaine, en fonction de la tranche d'âge.

■ ***VVF Vacances :*** ☎ 0825-808-808 (0,15 €/mn). • www.vvf-vacances.fr • Les animations pour les enfants des 126 villages d'accueil en France se rangent en plusieurs catégories. Les villages clubs sont les structures avec le plus d'animations pour les enfants de 3 mois à 17 ans. *Clubs poussins, renardeaux, robinsons, juniors* et *ados*... Jeux, ateliers créatifs, spectacles, sports et excursions, les tarifs varient avec l'âge, de gratuit à pas très cher. Et les animateurs prennent en charge les enfants pendant le déjeuner. Dans les résidences, les animations concernent les enfants de 2 à 17 ans en fonction des sites. Dans les hébergements de type « hôtels de loisirs », les activités ont pour cible seulement les 4-11 ans, et dans les gîtes, c'est à partir de 6 ans que les choses commencent. Bref, renseignez-vous bien avant de choisir votre village.

Gîtes de France

Pour ceux qui souhaitent être totalement indépendants et n'avoir aucune contrainte, la location d'un gîte rural est une formule idéale. Les *Gîtes de France,* représentés dans chaque département par un relais départemental, proposent une sélection d'habitations indépendantes, toujours en milieu rural, restaurées et aménagées par leur propriétaire, classées de 1 à 5 épis selon le confort. À vous de choisir selon vos envies d'être isolé ou de loger dans un village. Vous serez accueilli par le propriétaire, qui se fera un plaisir de vous donner plein de tuyaux sur sa région. Une vingtaine de départements ont répertorié dans leurs brochures des adresses particulièrement

adaptées à l'accueil des jeunes enfants (jusqu'à 2 ans ou jusqu'à 5 ans). On y trouve à disposition des équipements spécifiques (chaises hautes, lits-bébé, matelas à langer, jeux...) pour rendre la vie des parents plus facile et le séjour de bébé plus agréable. Cette solution offre ainsi l'avantage d'éviter de se déplacer avec tout son barda dans une voiture à l'habitacle bondé ou avec une galerie surchargée, source d'accident et d'énervement.
Selon les départements, ils se nomment ***Gîtes Bébé, Gîtes Toboggan, Gîtes Calin...*** et se reconnaissent dans la brochure grâce à un sigle spécifique (biberon, cheval à bascule, par exemple).
Autre idée sympa pour faire découvrir et apprécier la nature aux enfants, les ***Gîtes Panda.*** Il s'agit d'une sélection de gîtes répartis dans les parcs naturels régionaux de l'Hexagone et contrôlés par le WWF *(World Wild Foundation).* Le propriétaire du gîte s'engage à préserver les animaux et les plantes sur sa propriété et à faire découvrir à ses hôtes la nature alentour. Dans chaque *Gîte Panda,* vous trouverez une malle pédagogique avec plusieurs paires de jumelles, des guides sur la faune et la flore locales, des brochures et des cartes qui vous permettront d'initier vos petits routards au respect de la nature et prévoir de belles promenades dans le parc naturel régional.

■ ***Maison des Gîtes de France et du tourisme vert :*** 59, rue Saint-Lazare, 75439 Paris Cedex 09. ☎ 01-49-70-75-75. Fax : 01-42-81-28-53. • www.gites-de-france.fr • Minitel : 36-15, code GITES DE FRANCE (0,20 €/mn). M. : Trinité.

Auberges de jeunesse

Les familles sont les bienvenues dans les auberges de jeunesse. Elles peuvent bénéficier d'une chambre particulière en fonction des disponibilités et de la configuration de l'auberge. Pour séjourner en auberge de jeunesse, il faut impérativement une carte d'adhérent.
La ***Fédération unie des auberges de jeunesse*** propose une ***carte d'adhésion « Famille »,*** valable pour les familles de 2 adultes ayant un ou plusieurs enfants âgés de moins de 14 ans. Prix : 22,90 €. Pour l'obtenir, il faut fournir une copie de livret de famille. La carte donne également droit à des réductions sur les transports, les musées et les attractions touristiques dans plus de 60 pays, mais ces avantages varient d'un pays à l'autre, ce qui n'empêche pas de la présenter à chaque occasion, ça peut toujours marcher.

■ ***FUAJ :*** centre national, 27, rue Pajol, 75018 Paris. ☎ 01-44-89-87-27. Fax : 01-44-89-87-10. • www.fuaj.org • Minitel : 36-15, code FUAJ. M. : La Chapelle ou Max-Dormoy ; ou M. et RER : Gare-du-Nord.

■ ***FUAJ :*** antenne nationale, 9, rue Brantôme, 75003 Paris. ☎ 01-48-04-70-40. Fax : 01-42-77-03-29. M. et RER : Châtelet-Les Halles.
– Et dans toutes les auberges de jeunesse et points d'information et de réservation FUAJ en France.

MARCHER AVEC DES ENFANTS

Marcher, ce n'est pas toujours la tasse de thé des juniors, mais bien présenté et bien préparé, ça peut être un agréable moment de détente et pourquoi pas d'efforts partagés pour toute la famille. De plus, la balade permet d'apprendre le nom des plantes, des fleurs, le maniement d'un appareil photo et encore, un peu de géographie et d'histoire. Et après, que de souvenirs à évoquer, sans compter la fierté des enfants d'avoir su aller jusqu'au bout et mesurer leurs limites. Encore faut-il connaître les chemins où l'on pose les pieds.

C'est quoi la randonnée ?

Savez-vous que la France compte 180 000 km de sentiers balisés parcourus par 15 millions de pratiquants ?
Ce sont essentiellement des bénévoles qui ont balisé ces sentiers sur des tracés d'origine naturels et culturels. Certains ont des thèmes précis : les chemins des facteurs, des pèlerins, des contrebandiers, des douaniers, des colporteurs, des bergers, bref, tous ceux qui marchaient pour vivre, il n'y a pas si longtemps...

Sentiers en couleurs

– ***Balisage blanc et rouge pour les GR,*** sentiers de grande randonnée allant d'un point à un autre.
– ***Balisage jaune et rouge pour les GR de pays*** sur la connaissance d'un terroir.
– ***Balisage jaune des PR,*** promenades et randonnées, en boucle depuis un parking.
Ainsi, les GR traversent les Pyrénées, les Alpes, les Cévennes ou font le tour du littoral et peuvent être source de balades durant plusieurs jours. Les PR, de 2 h à 5 h, se font dans la journée. Dans l'ensemble, les topoguides avec cartes et renseignements pratiques sont vivement conseillés pour effectuer des randonnées, à la cadence de 3 à 4 km à l'heure, sans les arrêts.

Juniors en marche

Entre les petites jambes du jeune enfant et l'ado en forme, entre le paresseux et celui qui en veut, il est difficile de cerner une tranche d'âge si ce n'est en fonction de la forme physique et des capacités musculaires propres à chaque enfant. Les enfants de 7 mois à 4 ans effectueront la randonnée sur votre dos dans un porte-bébé avec armature. De là-haut, ils pourront apprécier le paysage et surtout piquer un roupillon quand ils en auront envie. Les enfants entre 4 et 6 ans pourront marcher à condition de bien respecter leur rythme et avec seulement un petit sac à dos pour « faire comme les grands ». À partir de 6 ans, le portage pose de moins en moins de problèmes et les enfants peuvent parcourir des distances un peu plus longues. L'adolescent, quant à lui, dépassera bien souvent les parents essoufflés.

Pour une meilleure forme

– ***Alimentation :*** une gourde ou une bouteille d'eau minérale sont indispensables dans le sac. Une gorgée toute les 30 mn durant la balade évite la fatigue. Ne partez pas le ventre creux. Des sucres lents, comme les flocons d'avoine ou des pâtes, préviendront le coup de pompe. Avant le départ, un quart de litre d'eau sucrée met en forme. Éviter la charcuterie, les gâteaux ou les sucreries, à l'apport calorique trop rapide.
– ***Les pieds :*** « On randonne comme on est chaussé », dit le proverbe du randonneur. Ayez toujours des chaussures qui tiennent la cheville, à semelles antidérapantes, et marchez le pied bien à plat et non sur la pointe du pied.
– ***Sur le terrain :*** un coup de pompe ? Quelques gouttes de citron sur un sucre, un fruit sucré, une barre de céréales, 5 mn de repos et c'est reparti. Par grand soleil, surtout mettre un chapeau. L'insolation en altitude est fréquente chez les jeunes. Même le brouillard tamisé peut être dangereux. L'altitude ? Évitez de dépasser les 1 200 m pour les petits et surtout ne forcez pas l'allure. Un saignement de nez ? Il faut s'arrêter et de préférence revenir doucement en arrière. Et bien entendu, ne lâchez pas du regard les enfants,

petits ou grands, qui ont souvent tendance à marcher comme ces jeunes chiens de berger un peu fous, de tous les côtés. Il ne faut pas sortir du sentier, et si l'on se perd, toujours retourner au balisage précédent.

Pour s'amuser

De 6 à 14 ans, un enfant ne marche pas toujours de la même façon. Un gamin appliqué de 6 ans qui demande le nom des fleurs et ramasse chaque feuille fera du 2 km à l'heure avec ses parents. Un ado de 14 ans en pleine forme, plus motivé par le côté sportif, pourra atteindre 6 km à l'heure, sans s'intéresser aux arrêts sur le chemin. En famille, cela devient plus compliqué. Les arrêts sont fréquents entre le pique-nique, les photos à prendre, la pause pipi ou encore l'écoute des oiseaux et l'explication d'un paysage. Bien se documenter avant permettra de mieux réussir sa promenade. Aux parents de faire le boulot, sinon pourquoi ne pas déléguer aux enfants le soin d'une découverte précise (arrêt dans une ferme, visite d'un monument...) ou d'une activité particulière (faire un jouet avec une branche, apprendre à siffler avec les herbes...) ? Les livres ne manquent pas à ce sujet.
Évidemment, ne laissez pas des papiers de chewing-gum ou de pellicules photos derrière vous. La promenade est aussi l'occasion d'apprendre à respecter la nature.

Adresses utiles

■ ***Fédération française de la randonnée pédestre :*** 14, rue Riquet, 75019 Paris. ☎ 01-44-89-93-93. • www.ffrp.asso.fr • M. : Riquet. Centre d'information où vous pourrez trouver des topoguides, la liste des 2300 associations affiliées à la FFRP, faire établir votre carte de licencié avec assurance et réductions dans les hébergements pour les jeunes, dont les centres UCRIF-Étapes Jeunes.

■ ***Ligue pour la protection des oiseaux (LPO) :*** siège social, Corderie royale, BP 263, 17305 Rochefort-sur-Mer Cedex. ☎ 05-46-82-12-34. • www.lpo-birdlife.asso.fr • Téléphoner ou écrire pour tout savoir sur les horaires et les programmes des sorties dans les régions. À partir de 8 ans, à condition de pouvoir se tenir tranquille un certain temps. Cette association ornithologique permet l'observation des oiseaux dans toute la France. Elle organise régulièrement des sorties d'observation gratuites (téléphoner pour les connaître, nouveau programme tous les 4 mois).

À lire

Topoguides très faciles, concernant spécialement les jeunes et la famille :
- *À pied en famille,* éd. FFRP.
- *Les Sentiers d'Émilie,* Rando-éditions.
- *Balades en famille autour d'une grande ville,* éd. Didier Richard.
- *Balades nature,* éd. Dakota.
- *Promenons-nous dans les forêts en famille,* éd. Office national des Forêts.
- *Guides* Delachaux et Niestlé pour les découvertes nature.

Les 10 commandements du bon randonneur

- Rester sur les sentiers et chemins balisés.
- Respecter les clôtures et refermer les barrières.
- Faire attention aux cultures et aux animaux, tenir les chiens en laisse, surtout à proximité des habitations.
- Tenir compte des consignes des chasseurs pendant les périodes de chasse traditionnelles.

– Ne pas faire de feu et ne pas fumer dans les bois ou à proximité des lisières ou des broussailles.
– Ne pas jeter de détritus, les emporter avec soi.
– Rester courtois avec les riverains des chemins et les autres utilisateurs de la nature.
– Se montrer silencieux et discret, observer la faune et la flore sans la toucher.
– Respecter les équipements d'accueil, de signalisation et de balisage.
– Signaler au plus tôt, à la mairie ou à l'antenne de la randonnée, toutes difficultés rencontrées sur le parcours (obstacles, défauts de balisage...).

PERSONNES HANDICAPÉES

Chers lecteurs, nous indiquons désormais par le logo ♿ les établissements et les sites qui possèdent un accès ou des chambres pouvant accueillir des personnes handicapées. Certaines adresses sont parfaitement équipées selon les critères les plus modernes. D'autres, plus simples, plus anciennes aussi, sans répondre aux normes les plus récentes, favorisent leur accueil et facilitent l'accès aux chambres ou au resto. Évidemment, les handicaps étant très divers, des lieux accessibles à certaines personnes ne le seront pas pour d'autres. Prenez toujours la précaution d'appeler auparavant pour savoir si l'équipement du musée, du parc d'attractions, du resto ou de l'hôtel est compatible avec votre niveau de mobilité.
Malgré les combats menés par les nombreuses associations, l'intégration des handicapés à la vie de tous les jours est encore balbutiante en France. Il tient à chacun de nous de faire changer les choses. Nous sommes tous concernés par cette prise de conscience nécessaire.

ALSACE

Maisons à colombages, coteaux verdoyants, églises gothiques, forêts de sapins enneigées, châteaux forts, choucroute et *kouglof* : décidément, l'Alsace ressemble vraiment à une Germanie miniature... Elle le fut, d'ailleurs, à plusieurs époques. Mais ne vous y trompez pas ! Fière et indépendante, elle existait déjà longtemps, très longtemps avant l'Allemagne. Composée de deux départements (Bas-Rhin et Haut-Rhin), l'Alsace est située entre la Lorraine et le Wurtemberg, mais attention : le Bas-Rhin est le département qui est au-dessus du Haut-Rhin. En fait, le Haut-Rhin, département du sud de l'Alsace, s'appelle ainsi car il est plus en amont du fleuve, plus proche de sa source, donc logiquement plus haut à Mulhouse qu'à Strasbourg. Eh oui ! Dans cette région, patrie du Bon Roi Dagobert (vous savez, celui qui met sa culotte à l'envers, probablement parce qu'il avait installé son château sur la route du vin !), de Madame Sans Gêne, mais aussi de sainte Odile et de plein d'autres, les activités ne manquent pas.
Les amoureux de la nature s'en donneront à cœur joie dans les nombreux parcs naturels et réserves animalières, et les sportifs pourront à loisir grimper, marcher, nager et pédaler. Le Club Vosgien, fédération créée en 1872, entretient plus de 16 000 km de sentiers balisés, dont 4 500 km dans le Haut-Rhin ; sentiers menant à différents sommets, aux hautes chaumes, au pied des châteaux forts et aux meilleurs points de vue. Quant à ceux qui préfèrent la barbe à papa et les manèges, des parcs de loisirs les attendent.

Parents savants : *l'histoire du sapin de Noël*

Le sapin de Noël est né en Alsace. Autrefois, la veille de Noël, on jouait sur le parvis des églises des « mystères », pièces de théâtre mettant en scène des sujets religieux. Le sapin avec des pommes accrochées aux branches représentait le pommier, l'arbre de la Création. Quand on cessa de jouer des mystères, le sapin ainsi décoré se retrouva dans les salles de réunion des corporations. On le décora également d'hosties, symboles de la naissance de Jésus, puis de friandises, de fleurs en papier... Ainsi, au fil des ans, l'arbre de Noël fit partie de la tradition en même temps que Noël devenait une fête pour les enfants. Les fameuses boules remplacèrent les pommes au XIXe siècle, parce qu'une année la récolte avait été très mauvaise. De nombreux Alsaciens fuyant l'annexion le popularisèrent dans le restant de la France. Puis il gagna l'Angleterre, l'Amérique... et depuis, dans beaucoup de pays du monde, chaque 24 décembre, de nombreux enfants décorent un arbre, sapin ou autre, pour fêter Noël.

Adresses utiles

- ***Comité régional du tourisme d'Alsace :*** 20 A, rue Berthe-Molly, 68000 Colmar. ☎ 03-89-24-73-50. Fax : 03-89-24-73-51. • www.tourisme-alsace.com • crt@tourisme-alsace.com •
- ***Association départementale du tourisme du Haut-Rhin (ADT) :*** maison du tourisme, 1, rue Schlumberger, BP 337, 68006 Colmar Cedex. ☎ 03-89-20-10-68. Fax : 03-89-23-33-91. • www.tourisme68.asso.fr • adt@tourisme68.asso.fr •
- ***Association de développement touristique du Bas-Rhin (ADT) :*** 9, rue

du Dôme, BP 53, 67061 Strasbourg Cedex. ☎ 03-88-15-45-80. Fax : 03-88-75-67-64. • alsace-tourisme@sdv.fr •

■ ***Club Vosgien :*** 16, rue Sainte-Hélène, 67000 Strasbourg. ☎ 03-88-32-57-96. Fax : 03-88-22-04-72. • www.club-vosgien.com • Le club publie des cartes de randonnées très bien faites en association avec l'Institut géographique national, des guides, une revue trimestrielle, et organise des excursions.

NAUTILAND

Dans les environs : au nord de Haguenau, Fantasialand-Didi'land • Au sud de Haguenau, le planétarium de Strasbourg • Le Musée zoologique de Strasbourg • L'aquarium d'OtTrott

NAUTILAND

8, rue des Dominicains, 67500 ***Haguenau.*** ☎ 03-88-90-56-56 (répondeur). • www.nautiland.net • À 20 km au nord de Strasbourg par la N 63. Ouvert toute l'année, les lundi, mardi, jeudi et vendredi de 12 h à 21 h, le mercredi et durant les vacances de 10 h à 21 h, le samedi de 10 h à 22 h, les dimanche et jours fériés de 9 h à 19 h. Entrée pour 2 h : 5,90 € pour les adultes et 4,60 € pour les enfants de moins de 12 ans; journée : 7,20 € et 5,80 € pour les enfants. Supplément sauna-hammam : 6,20 €. Gratuit pour les enfants de moins de 4 ans. Parking gratuit. Aires de jeux, bassins, jeux et espace bébés, douches et élévateurs pour les handicapés, snack.

Le Nautiland de Haguenau, c'est un peu les Bahamas miniatures au fin fond de l'Alsace... Dans ce grand complexe moderne planté au milieu d'un parc, c'est simple : il y a (presque) tout, pour tous les âges et tous les goûts : de la piscine sportive au toboggan géant en passant par les bains bouillonnants (des jacuzzis quoi...) aux pédiluves, sans oublier les jets d'eau et la nage à contre-courant. Mais aussi plage solaire et solarium (nuance, ce n'est pas la même chose), hammam et sauna pour les adeptes. Et pour les petits : île mystérieuse, bassins et jeux, grenouilles, dauphins et serpents sympas. On se prélasse sur des transats ou à même les pelouses, on sirote des cocktails de fruits au soleil, on prend des cours de gym aquatique... Bref, tout ce qu'il faut pour nager, bronzer, chahuter, se relaxer et faire du sport. Et on sort de là en pétant la forme.

Où dormir ? Où manger ?

Hôtel Le Kaiserhof : 119, Grand-Rue, 67500 ***Haguenau.*** ☎ 03-88-73-43-43. Fax : 03-88-73-28-91. ♿ Central, à côté de la halle aux houblons. Congés annuels : vacances de février (zone B) et la 1re quinzaine de septembre. Chambres doubles avec douche ou bains de 52 à 55 € selon la situation (côté rue ou côté cour); 2 chambres communicantes avec salle de bains au milieu à 65 € pour 3 ou 4. Dans les chambres, des meubles provenant de centres commerciaux, elles sont néanmoins harmonieuses et confortables. 10 % sur le prix de la chambre d'octobre à mars sur présentation du *Guide du routard.*

S'Buerehiesel-Chez Monique : 13, rue Meyer, 67500 ***Haguenau.*** ☎ 03-

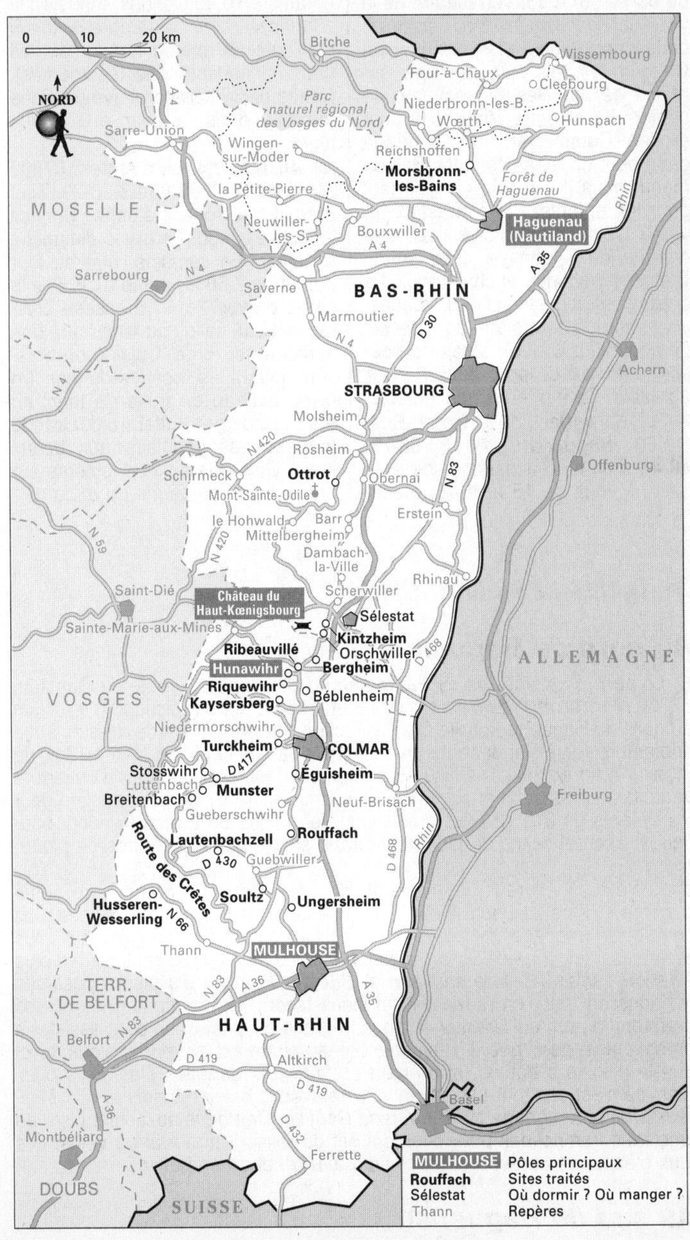

0 10 20 km
NORD
Bitche
Wissembourg
Four-à-Chaux
Cleebourg
Parc naturel régional des Vosges du Nord
Niederbronn-les-B.
Wœrth
Hunspach
Sarre-Union
Wingen-sur-Moder
Reichshoffen
Morsbronn-les-Bains
Forêt de Haguenau
la Petite-Pierre
MOSELLE
Neuwiller-les-S.
Bouxwiller
Haguenau (Nautiland)
Rhin
A 4
A 35
Sarrebourg
N 4
Saverne
BAS-RHIN
Marmoutier
D 30
N 4
Achern
STRASBOURG
Molsheim
N 420
Rosheim
Schirmeck
Ottrot
Obernai
N 83
Offenburg
Mont-Sainte-Odile
le Hohwald
Barr
Erstein
Mittelbergheim
N 59
N 420
Dambach-la-Ville
Rhinau
Saint-Dié
Scherwiller
Château du Haut-Kœnigsbourg
Sélestat
Sainte-Marie-aux-Mines
Kintzheim
Ribeauvillé
Orschwiller
D 468
ALLEMAGNE
Hunawihr
Bergheim
Riquewihr
VOSGES
Kaysersberg
Béblenheim
Niedermorschwihr
Turckheim
COLMAR
Stosswihr
D 417
Éguisheim
Luttenbach
Munster
Freiburg
Breitenbach
Neuf-Brisach
Gueberschwihr
Route des Crêtes
Rouffach
Lautenbachzell
D 430
Guebwiller
D 468
Rhin
Soultz
Ungersheim
Husseren-Wesserling
N 66
Thann
MULHOUSE
TERR. DE BELFORT
N 83
A 36
A 35
HAUT-RHIN
Belfort
N 83
D 419
Altkirch
D 419
A 36
Basel
D 432
Montbéliard
Ferrette
DOUBS
SUISSE
MULHOUSE Pôles principaux
Rouffach Sites traités
Sélestat Où dormir ? Où manger ?
Thann Repères

ALSACE

88-93-30-90. À côté du théâtre de la ville. Service jusqu'à 23 h. Fermé les dimanche, lundi et jours fériés. Congés annuels : la dernière semaine de mai, les 2 premières de septembre et entre Noël et le Jour de l'an. Compter environ 22 € à la carte pour un repas complet. Pas de menu, mais il y a tout ce qu'il faut pour les enfants. Cette *winstub,* taverne typiquement alsacienne, a le charme du « comme chez soi ». C'est sympathique et chaleureux. La cuisine régionale est au rendez-vous : choucroute bien sûr, *waedele* (jambonneau chaud), steak de poulain, estomac de porc farci. Accueil agréable. Café offert à nos lecteurs.

I●I ***Le Kaiserhof :*** 119, Grand-Rue, 67500 ***Haguenau.*** ☎ 03-88-73-40-43. Fermé le dimanche soir et le lundi. Menus de 15 à 38 €; menu-enfants à 10 €. Congés annuels : la 1re quinzaine de septembre. Mitoyen de l'hôtel du même nom (mais les proprios ne sont pas les mêmes). Bonne petite cuisine et sympathique terrasse dans la cour aux beaux jours.

I●I ***Au Tigre :*** 4, pl. d'Armes, 67500 ***Haguenau.*** ☎ 03-88-93-93-79. Tout près de la zone piétonne. Service jusqu'à 21 h 30. Fermé le dimanche en hiver. En semaine, plat du jour autour de 7,50 €; menu à 16 €, à la carte, prévoir 21 €. Brasserie classique. Belle salle : plafond haut, boiseries et fer forgé. Cuisine de brasserie jouant les recettes du jour. En hiver, plateau de fruits de mer; en été, grillades et buffet froid. Grande terrasse très populaire aux beaux jours. Café offert à nos lecteurs sur présentation du *Guide du routard.*

➤ DANS LES ENVIRONS

Au nord de Haguenau

⛏ ***Le parc d'attractions de Fantasialand-Didi'land :*** 1, route de Gunstett, 67360 ***Morsbronn-les-Bains.*** ☎ 03-88-09-46-46. • www.didiland.fr • À 4 km au nord de Haguenau par la D 27, direction Wœrth. Ouvert de mi-avril à mi-septembre; en juillet et août : tous les jours sauf le lundi, de 10 h à 18 h; de mi-avril à fin juin et du 1er au 15 septembre : jours et horaires d'ouverture variables, se renseigner par téléphone. Entrée : 10 €; petite réduction pour les enfants de 2 à 12 ans; gratuit pour les moins de 2 ans. Parking, boutiques, aires et salles de jeux, restaurant, snack, buvette et aires de pique-nique.

Didi, c'est un écureuil, la mascotte du coin. Dans ce grand parc semé d'arbres et strié de cours d'eau, les attractions ne manquent pas, des plus classiques (manège de chevaux de bois et autotamponneuses) aux plus étourdissantes (*Family Swing* et *Éléphants volants*) en passant par les plus éclaboussantes (*Rivière sauvage* et *Bumper Boat*) et les plus reposantes (balades en train, en radeau et en vieux tacot). Ici, les montagnes russes prennent le nom de *Drakkar* et, sous le grand chapiteau, on peut assister à un spectacle de cirque. L'inévitable bateau-pirate est au rendez-vous, ainsi que la piscine à boules, et on peut se faire rôtir dans les *Cannibals pots.* Mais ce n'est pas tout : le panda voisine avec la baleine tandis que la *Mini-ferme* fait bon ménage avec le *Grand Canyon.* On trouve aussi une piste de luge, des trampolines pour ceux qui ont du ressort, un terrain à vélos, des jeux d'eau, des caravelles, un cinéma à 180°, et on en passe...

Au sud de Haguenau

⛏ ***Le planétarium de Strasbourg :*** au fond du jardin botanique, en bordure de la rue de l'Observatoire, 67000 ***Strasbourg.*** ☎ 03-88-21-20-40. • www.planetarium.fr • Ouvert du lundi au vendredi de 9 h à 12 h et de 14 h

à 17 h, et les dimanche et jours fériés de 14 h à 17 h. Fermé le samedi toute la journée, le dimanche matin ainsi que le matin pendant les vacances scolaires et à Noël. Entrée : 7 €; enfants : 3,35 €.
« Cinéma » cosmique présentant des thèmes astronomiques. Dans la *Crypte aux étoiles* sont présentées des expositions à thème. Différents spectacles destinés à différentes tranches d'âge (3-6 ans, 6-11 ans et 12-16 ans) sont proposés aux enfants selon les périodes de l'année, afin de leur faire découvrir un fabuleux univers. Au moment de Noël, petits et grands iront suivre l'explication scientifique de l'astre que les Rois mages ont observé et qui leur a permis d'arriver à Bethléem présenter leurs offrandes au nouveau-né de la crèche.

Le musée zoologique de l'Université et de la Ville de Strasbourg : 29, bd de la Victoire, 67000 ***Strasbourg.*** ☎ 03-90-24-04-83. Ouvert de 10 h à 18 h. Fermé le mardi et les 1er janvier, Vendredi saint, 1er mai, 1er et 11 novembre, ainsi que 25 décembre. Entrée : 3 €; 1,50 € sur présentation du *Guide du routard*; gratuit jusqu'à 18 ans.
Intéressant musée présentant un large panorama de la vie animale (mondiale et régionale) au travers de dioramas, reconstitution de milieux naturels, des régions polaires, d'Afrique (lac Tanganyika) et d'Alsace, bien sûr! L'accent est mis sur les espèces disparues ou menacées. Riches collections d'insectes et d'oiseaux naturalisés. Insolite cabinet d'un célèbre professeur d'histoire naturelle du XVIIIe siècle. Des ateliers-découverte permettent l'éveil scientifique des plus jeunes. Bibliothèque pour adultes et enfants. Expos temporaires.

L'aquarium d'Ottrott; parc-aquarium Les Naïades : 30, route de Klingenthal, à ***Ottrott.*** ☎ 03-88-95-90-32. De Strasbourg, prendre la D 215 en direction d'Obernai, puis la D 246 jusqu'à Ottrott. Ouvert tous les jours de 9 h 30 à 18 h 30. Entrée : 8 €; 5 € de 3 à 10 ans.
Installé dans une ancienne usine de filature du XIXe siècle, l'aquarium est organisé autour du thème du cycle de l'eau. On suit le voyage d'une goutte d'eau (de son évaporation à son retour à la mer), on découvre les caractéristiques des eaux souterraines, des eaux calmes, des eaux stagnantes, des eaux saumâtres, des eaux salées des mers et océans (que d'eau, que d'eau!). Qui dit aquarium dit petites bestioles (3000 poissons exotiques, s'il vous plaît!). On verra ici, parmi les 120 espèces aquatiques présentées, quelques spécimens connus – tortues de Floride, requins, crocodiles et autres piranhas – ou de plus étonnants – poissons aveugles des grottes du Mexique, poissons vaches, poissons marcheurs, castors du Chili, anguilles électriques... Tous barbotent dans de vastes bassins (300000 litres d'eau) parmi une flore qui respecte l'équilibre biologique.
Boutique, snack et resto.

Où dormir? Où manger dans le coin?

Hôtel La Cruche d'Or : 6, rue des Tonneliers, 67000 ***Strasbourg.*** ☎ 03-88-32-11-23. Fax : 03-88-21-94-78. À deux pas de la cathédrale. Fermé le dimanche. Congés annuels : vacances scolaires de février (zone B) et la 1re quinzaine d'août. Chambres doubles avec douche ou bains de 52 à 57 €; une chambre pouvant accueillir une personne supplémentaire à 70 €. Menu à 7,50 € le midi en semaine; autres menus de 22 à 28 €. Petit hôtel d'une quinzaine de chambres un peu ternes (tons gris) mais bien tenues et confortables, d'un bon rapport qualité-prix. Restaurant au cadre boisé ou terrasse accueillante sur rue piétonne en été.

Flam's : 29, rue des Frères, 67000 ***Strasbourg.*** ☎ 03-88-36-36-90. Derrière la cathédrale. Ouvert toute la semaine midi et soir. Plusieurs formules à partir de 11 € (tarte flambée et entrée ou dessert).

Un genre d'institution locale : la déco s'est sérieusement améliorée (cadre qui hésite entre maison de vacances dans le Luberon et château médiéval façon Disney). Et il semblerait que les tartes flambées (la spécialité maison) aient gagné en qualité. Les formules restent copieuses (les tartes flambées sont servies à volonté) et pas chères. L'endroit est archibondé. (Autre adresse : 1, rue de l'Épine. ☎ 03-88-75-77-44.)

|●| ***Winstub Strissel :*** 5, pl. de la Grande-Boucherie, 67000 ***Strasbourg.*** ☎ 03-88-32-14-73. Tout près de la cathédrale. Service jusqu'à 22 h. Fermé les dimanche et lundi, sauf à Pâques et à la Pentecôte, et avant Noël. Congés annuels : une semaine en février et en juillet. Menus de 10,20 à 20,70 €; menu-enfants à 7,60 €. Cette maison fondée en 1385 abrite une taverne depuis le XVIe siècle. Vu le quartier (hyper-touristique), on pourrait craindre le pire : il n'en est rien. La famille Schrodi, à la barre depuis 1920, continue à dispenser une solide cuisine alsacienne indépendamment des époques et des modes. Choucroute spéciale *Strissel,* filet de sandre sur choucroute (encore !), choucroute à la choucroute... non, on plaisante. Super tarte aux pommes à l'alsacienne et beau choix de vins (au verre ou en quart si l'on veut). Bonne cuisine régionale donc, chaleureux décor et serveuses virevoltant dans leur petit tablier blanc.

≡ ***Chambres d'hôte famille Maurer :*** 11, rue d'Obernai-Rœdel, 67530 ***Ottrott.*** ☎ 03-88-95-80-12. ♿ Congés annuels : en janvier et février. Chambres doubles avec douche de 42 à 47 € pour deux, petit dej' compris. Deux chambres pouvant accueillir jusqu'à 4 personnes (lits superposés) à 77 € pour 4 (63 € pour 3), petit dej' compris. Grande cour de ferme fleurie. Le maïs sèche sur les portes, le tas de bois attend les premiers frimas. Les chambres donnent dessus. Chambres coquettes et accueil charmant. Cartes de paiement refusées. Petits pots de confiture offerts à nos lecteurs.

LE CHÂTEAU DU HAUT-KŒNIGSBOURG

Dans les environs : la volerie des Aigles • La montagne des Singes • Le parc des Cigognes

LE CHÂTEAU DU HAUT-KŒNIGSBOURG

Le château est situé sur la commune d'***Orschwiller.*** ☎ 03-88-82-50-60. • www.monum.fr • Pas de bus. Pour s'y rendre en voiture : D 159 de Sélestat et Kintzheim, ou la D 1-B 1 de Saint-Hippolyte (bien indiqué). De mars à mai et en septembre-octobre, ouvert de 9 h 45 à 17 h (de 9 h 30 à 17 h 30 en avril, mai et septembre); ferme à 18 h 30 en juillet et août; le reste de l'année, ouvert de 9 h 45 à 12 h et de 13 h à 17 h; dernier billet vendu 30 mn avant la fermeture. Fermé les 1er mai, 25 décembre et 1er janvier. Plein tarif : 7 €; gratuit pour les moins de 18 ans; gratuit pour tous le 1er dimanche des mois d'octobre à avril.

🍴🍴 Un must du Bas-Rhin et l'un des sites les plus visités de France. Avec raison. Perché au sommet de son éperon, à près de 800 m d'altitude, il devient vite une vision obsédante pour qui sillonne la région. Château médiéval le plus important des Vosges, superbement restauré, il servit de cadre au film *La Grande Illusion,* le chef-d'œuvre de Jean Renoir. Des visites ludiques tout spécialement conçues pour les enfants y sont organisées en juillet et août et durant toutes les autres vacances scolaires. Par temps très clair, on aperçoit, paraît-il, le mont Blanc. À vous de vérifier !

Où dormir ? Où manger ?

🏠 🍽 ***Le Relais du Haut-Kœnigsbourg :*** route du Haut-Kœnigsbourg, 67600 ***Orschwiller.*** ☎ 03-88-82-46-56. Fax : 03-88-82-50-04. • lerelais@calixo.net • À 1 km en contrebas du château. Chambres doubles avec douche ou bains à 42 et 51 €. Également des chambres pour 3 ou 4 personnes. Menus de 11 à 30 €. Grosse bâtisse dressée à l'orée de la forêt. Une vieille affaire ranimée par une jeune équipe. Les chambres, rafraîchies, sont simples et nettes. Au resto, vaste salle à la rusticité un peu hors du temps qui offre une jolie vue sur la plaine d'Alsace, la forêt Noire, et même, s'il fait très beau, les Alpes suisses. Grande terrasse avec le même panorama. Cuisine de terroir soignée, comme on dit. Bon accueil.

➤ *DANS LES ENVIRONS*

La volerie des Aigles : 67600 ***Kintzheim.*** ☎ 03-88-92-84-33. • www.voleriedesaigles.com • Du 1er avril au 31 octobre, ouvert de 14 h à 16 h (17 h en période estivale ; du 14 juillet au 20 août, ouverture supplémentaire en matinée, de 10 h à 11 h 15) ; du 1er au 11 novembre, ouvert les mercredi, samedi et dimanche de 14 h à 16 h. Spectacles à 15 h (14 h 30 en mai et juin) et 16 h en semaine, 17 h le week-end et les jours fériés. Du 14 juillet au 20 août, démonstrations à 11 h 15, 14 h 30, 15 h 45 et 17 h. Entrée : 8 € pour les adultes ; 5 € pour les enfants.
Ces démonstrations ont lieu dans la cour du château : dressage et vol d'aigles, vautours, condors et autres. Spectaculaire ! Possibilité d'annulation pour cause de mauvais temps.

La montagne des Singes : à côté de ***Kintzheim.*** ☎ 03-88-92-11-09. • www.montagnedessinges.com • Bien indiqué. Ouvert tous les jours du 1er avril à fin octobre et les mercredi, samedi et dimanche du 1er au 11 novembre ; en avril, octobre et novembre, de 10 h à 12 h et de 13 h à 17 h ; en mai, juin et septembre, de 10 h à 12 h et de 13 h à 18 h ; en juillet et août, en continu de 10 h à 18 h. Entrée : 7 € pour les adultes ; 4,50 € pour les enfants ; réduction de 1 € sur le tarif adulte ou enfant sur présentation du *Guide du routard,* valable pour 2 personnes maximum.
Plusieurs centaines de singes de l'Atlas qui ont pris goût au foie gras attendent votre visite pour vous divertir avec leurs mimiques si... humaines. En prime, belle vue sur le Haut-Kœnigsbourg et les environs. Snack à l'extérieur du parc, avec terrasse ombragée.

Le parc des Cigognes : route de Sélestat, 67600 ***Kintzheim.*** ☎ 03-88-92-05-94. Ouvert tous les jours du 1er avril au 30 septembre de 10 h à 19 h ; en mars, octobre et novembre, ouvert les mercredi, samedi et dimanche s'il fait beau. Entrée : 10 € pour les grands ; 8 € pour les 3-11 ans.
Parc de loisirs avec moult cigognes ainsi que de nombreux autres bestiaux (kangourous, daims, lamas, poissons tropicaux, etc.) et de nombreux jeux pour les enfants (petit train, voitures électriques, poneys, aquarium...). Nouvelle attraction : une simulation des climats de la planète.

Où dormir ? Où manger dans le coin ?

🏠 ***Hôtel de l'Ill :*** 13, rue des Bateliers, 67600 ***Sélestat.*** ☎ et fax : 03-88-92-91-09. À quelques km au nord-est de Kintzheim. Doubles avec douche à 37 € ; 3 chambres familiales avec un grand lit et un lit superposé à 60 €. Jadis hospice pour dames, un petit hôtel familial derrière une façade pimpante. L'adresse n'a rien d'extravagant, mais l'accueil est charmant et les prix doux. 10 % de réduction sur le prix de la chambre de novembre à mars et petit dej' gratuit pour les enfants de moins de 6 ans sur présentation du *Guide du routard*.

■ |●| ***Auberge des Alliés :*** 39, rue des Chevaliers, 67600 ***Sélestat.*** ☎ 03-88-92-09-34. Fax : 03-88-92-12-88. • auberge.allies@libertysurf.fr • Dans le centre, entre la tour des Chevaliers et les églises Sainte-Foy et Saint-Georges. Resto fermé le dimanche soir et le lundi. Chambres doubles avec douche ou bains de 51 à 58 €; chambres familiales à 60,98 € pour 2 adultes et 2 enfants. Menus de 15 à 36 €. Le bâtiment existait déjà sous Louis-Philippe, et c'est un restaurant depuis 1918. Au milieu de la salle trône un imposant poêle alsacien. La carte de la *winstub* est typique du genre : jambonneau à la choucroute, sandre au riesling, etc. Chambres plus modernes et d'un bon confort. Pour le calme, préférer celles donnant sur l'arrière.

|●| ***Au Bon Pichet :*** 10, pl. du Marché-aux-Choux, 67600 ***Sélestat.*** ☎ 03-88-82-96-65. Dans le centre. Service jusqu'à 22 h. Fermé le dimanche toute la journée et le lundi soir; congés annuels : de fin août à début septembre. Menus à 8,40 et 13 €. Pour un repas complet à la carte, compter autour de 26 €. Sympathique *winstub* au cadre boisé, accueillant et chaleureux. Généreuse cuisine traditionnelle : choucroute et jambonneau bien sûr, mais aussi des viandes d'anthologie (le patron est un ancien boucher). Essayez seulement l'onglet à l'échalote ou sauce marchand de vin... Dès que le temps le permet, la terrasse déploie ses charmes. Il faut la fréquenter le soir pour en apprécier toute la saveur. Un hôtel de 14 chambres vient d'ouvrir en annexe. Chambres entre 49 et 55 €.

LE CENTRE DE RÉINTRODUCTION DES CIGOGNES ET DES LOUTRES DE HUNAWIHR

Dans les environs : le musée animé du Jouet et des Petits Trains
• Les plus beaux villages d'Alsace autour de Colmar

LE CENTRE DE RÉINTRODUCTION DES CIGOGNES ET DES LOUTRES EN ALSACE

Le centre est situé sur la commune de ***Hunawihr.*** ☎ 03-89-73-72-62. • www.cigogne-loutre.com • Du 1er avril à fin mai et du 1er septembre au 11 novembre, ouvert du lundi au vendredi de 10 h à 12 h et de 14 h à 17 h 30, et les samedi, dimanche et jours fériés de 10 h à 17 h 30; en juin, juillet et août, ouvert tous les jours de 10 h à 18 h (ou 19 h). Spectacles d'animaux pêcheurs à 15 h et 16 h; en saison, séances supplémentaires à 17 h et 18 h. Entrée : 7,50 € par adulte; 5 € pour les 5-14 ans.

L'Alsace sans cigognes, c'est comme le Canada sans ours ou l'Australie sans kangourous : un pays qui a perdu un peu de son âme. Naguère très nombreuses dans le ciel de la région (c'était presque devenu une image d'Épinal, un cliché en somme!) et popularisées encore une fois par le génial Hansi, les cigognes se font de plus en plus rares... Pourquoi? Plusieurs raisons : l'acharnement de certains chasseurs (c'est triste mais pourtant vrai), les pièges et les obstacles sur leur voie de migration, les lignes électriques, les sécheresses dans leur pays d'hivernage (Afrique). 90 % des cigognes qui partent en migration ne reviennent pas. Sur les villages alsaciens, il ne

restait, en 1982, que deux couples migrateurs. D'où l'idée de les réintroduire en Alsace. En 1999, on recensait 200 couples de cigognes nichant sur les villages sédentaires. Dans ce centre, il y a plus de 250 cigognes devenues sédentaires, dont une vingtaine de couples nichent dans le parc. Elles n'ont plus envie de s'en aller au loin... Quelle que soit la période de l'année, il y a toujours de l'activité au sein du parc (construction de nids, accouplement, nourrissage et élevage des jeunes, vol en plein ciel).
Dans ce parc animalier de 5 ha, on découvre au cours de la promenade de nombreuses pièces d'eau où évoluent plusieurs espèces de canards et d'oies. En outre, un enclos ouvert au public plus récemment permet de voir évoluer plusieurs ragondins. On peut aussi y observer de nombreux oiseaux aquatiques et on peut même assister à un spectacle d'animaux pêcheurs avec cormorans, manchots, otaries... Sans oublier les loutres, car c'est aussi le premier centre français de reproduction de la loutre européenne, ce qui a permis d'ailleurs la naissance de petites loutres dans la nature, alors qu'elle est toujours menacée de disparition. Vous aurez ainsi la chance de contempler des loutres en train de nager, de jouer ou de se nourrir. Grâce à un tunnel vitré, on peut voir les animaux évoluer sous l'eau et les observer dans leur intimité, au repos, dans leur catiche vitrée.

Parents savants : ***les cigognes***

Les cigognes sont connues pour apporter les bébés. Il suffit pour cela de passer commande en posant des morceaux de sucre sur sa fenêtre. L'oiseau va alors chercher un bébé auprès d'une source, là où les lutins ramènent des entrailles de la terre les âmes tombées du ciel et réincarnées en nouveau-nés.
On dit aussi que si une cigogne se pose sur votre maison, cela porte bonheur dans presque tous les domaines : fécondité, fidélité, richesse et santé. On lui attribue ces vertus car autrefois les volatiles débarrassaient les champs et les marécages des serpents et des rats peu appréciés des paysans.

Où dormir ? Où manger ?

Chambres d'hôte chez Frédérique et Manfred Seiler : 3, rue du Nord (ne le perdez pas !), 68150 ***Hunawihr.*** ☎ et fax : 03-89-73-70-19. Fermé en mars et fin novembre. Chambres doubles à 41 €, petit dej' compris ; studio pour 2 personnes de 36 à 43 €, petit dej' non compris ; compter 15 € par personne supplémentaire, dans les chambres comme dans les studios. Dans un lieu très calme d'un village déjà calme. Près d'une ancienne cave à vin, on dort dans des studios adorablement décorés, portant chacun un nom différent : le « Cellier », la « Distillerie ». Possibilité de prendre le petit dej' à la demande avec les propriétaires, des gens charmants. Mais normalement, c'est plutôt une adresse pour être autonome dans son studio.

Winstub Suzel : 2, rue de l'Église, 68150 ***Hunawihr.*** ☎ 03-89-73-30-85. Fermé le lundi soir (sauf en juillet et août) et le mardi ; congés annuels : de janvier à fin mars. Formule à 14 € ; menus de 16 à 22 €. Située juste à côté d'une petite fontaine, à deux pas de l'église, cette *winstub* est très chaleureuse. L'accueil se fait en toute simplicité. En été, une terrasse fleurie et ombragée donne sur le joli clocher de l'église. Derrière les tables de la terrasse, des portes en bois s'ouvrent sur une cave où l'on peut déguster quelques bons vins d'Alsace. Mais c'est surtout pour une cuisine simple et délicate qu'on vient à la *winstub Suzel.* Quoi qu'on mange, c'est bon : tarte à l'oignon, roulades farcies mais aussi petit dej' le matin et tartes flambées le dimanche soir.

➤ DANS LES ENVIRONS

Le musée animé du Jouet et des Petits Trains : 40, rue Vauban, 68000 **Colmar.** ☎ 03-89-41-93-10. • www.musee-jouet.com • ♿ Ouvert tous les jours (sauf le mardi) de 10 h à 12 h et de 14 h à 18 h ; de juillet à septembre, ouvert de 9 h à 18 h, y compris le mardi. Entrée : 4 € ; 3 € de 8 à 18 ans ; gratuit pour les moins de 8 ans. Sur présentation du *Guide du routard* : 3 € pour les adultes ; 1,50 € pour les enfants.
On y découvre des automates, des poupées anciennes (impressionnante collection, ainsi qu'une importante rétrospective de poupées Barbie), un exceptionnel réseau (plus d'1 km !) de trains électriques...
Ancien cinéma Vauban, avec son ancienne structure à étages, ce musée animé a été créé en 1993. Sur 3 niveaux, il vous fait entrer dans le rêve, avec notamment des scènes des contes de Perrault (imposant carrosse de Cendrillon) et des fables de La Fontaine. Un monde étrange et fascinant, parfois froid et mécanique, et pourtant gorgé de souvenirs d'enfance merveilleux pour les plus vieux, de découvertes gloutonnes pour les plus jeunes. Ce qu'on aurait aimé avoir ces jouets-là ! Intéressantes expos temporaires.

Où dormir ? Où manger ?

Hôtel Colbert : 2, rue des Trois-Épis, 68000 **Colmar.** ☎ 03-89-41-31-05. Fax : 03-89-23-66-75. À côté de la gare, face à la voie ferrée (mais il y a du double vitrage aux fenêtres, et peu de circulation de trains), à deux pas de la place De-Lattre et du centre historique. Doubles avec douche ou bains et TV (Canal +) de 42 à 48 € selon la saison ; une chambre triple à 51 € ; et un appartement pouvant accueillir jusqu'à... 7 personnes (compter alors de 75 € pour 4 à 90 € pour 7) ! Pas de charme particulier, mais une adresse intéressante pour son côté fonctionnel et sans mauvaises surprises. Chambres confortables et propres. Garage payant. 10 % de remise toute l'année sur présentation du *Guide du routard.*

Enopasta Bradi : 14, rue des Serruriers, 68000 **Colmar.** ☎ 03-89-23-58-01. Juste à côté du square des Dominicains. Fermé tous les soirs et les dimanche et lundi ; congés annuels : les 3 premières semaines de novembre et de fin avril à mi-mai. Plat du jour autour de 8 € ; compter environ 22 € pour un repas complet à la carte. Ce restaurant est d'abord et avant tout un traiteur. Très lumineux, il possède de grandes baies vitrées. Dans la boutique, quelques tables attendent leurs habitués du midi qui viennent déguster un plat du jour mémorable. Ici, on mange bien et on peut même acheter quelques bonnes denrées pour se faire un festin au sommet du col de la Schlucht ! Terrasse en été.

De Bergheim à Rouffach, les plus beaux villages d'Alsace : colombages, crépis bleus, fuchsias, géraniums dégoulinant des fenêtres... la maison alsacienne a tout pour faire craquer les enfants avec ses faux airs de maison de Schtroumpfs. Tout autour de Colmar, une dizaine de villages rivalisent de beauté et de couleurs. De plus, on y produit parmi les meilleurs vins d'Alsace. Le bonheur des familles ! Ces perles ont pour nom **Bergheim, Ribeauvillé, Riquewihr, Turckheim, Éguisheim, Kaysersberg, Rouffach...** Ces villages sont souvent fortifiés, admirablement préservés et entre-

tenus; les ruelles médiévales sont autant d'occasions de sensibiliser les petits à l'architecture. Les plus grands pourront entreprendre une des nombreuses randonnées qui sillonnent la région à travers vignoble et forteresses en ruine. À Riquewihr, se trouvent quelques superbes musées qui intéresseront peut-être vos chères têtes blondes, comme le ***musée Hansi,*** consacré au célèbre dessinateur et caricaturiste alsacien, dont le trait n'est pas sans rappeler la B.D.
Si vos enfants sont fans d'Harry Potter et de sorcellerie, vous ne manquerez pas de les emmener à ***Bergheim*** pour y visiter la petite ***maison des Sorcières*** ou encore mieux, à ***Rouffach*** pour la ***fête de la Sorcière,*** le samedi qui suit le 14 juillet.

Où dormir dans le coin?

⛺ ***Camping municipal Les Cigognes :*** 7, quai de la Gare, 68230 ***Turckheim.*** ☎ 03-89-27-02-00. Ouvert du 15 mars au 31 octobre. Compter 12 € pour deux. Ce camping 4 étoiles de 125 places est idéalement situé, au bord de l'eau et à 3 mn du centre-ville.

🏠 ***Chambres d'hôte chez Anne et Patrice Bruppacher :*** 28, rue Jean-Macé, 68980 ***Béblenheim.*** ☎ et fax : 03-89-47-88-33. Chambres à 32,50 € pour 2 personnes et 44,50 € pour 4, avec douche et w.-c.; petit dej' en supplément à 5,25 €. Dans un gros village de vignerons, très peu fréquenté par les touristes, donc calme et encore authentique. Voici une superbe maison bleue avec un grand porche fleuri, une jolie salle campagnarde chargée d'objets anciens évoquant la vie de la ferme et du vignoble. Accueil jeune et jovial. Trois chambres impeccables, dotées d'un certain caractère, dont deux familiales. Petit dej' complet (charcuterie, fromage...). Possibilité de louer des appartements dans la maison violette voisine, ainsi qu'un studio tout confort. Attention : pas de table d'hôte. Oh, la bonne adresse! En plus, il y a une piscine. Sur présentation du *Guide du routard,* remise de 10 %, sauf en juillet et août.

MULHOUSE ET SES MUSÉES

Dans les environs : l'écomusée d'Alsace • Le vivarium du Moulin • La Nef des Jouets • La route des Crêtes • Le musée du Textile et des Costumes de Haute-Alsace

LE MUSÉE NATIONAL DE L'AUTOMOBILE (COLLECTION SCHLUMPF)

192, av. de Colmar, 68100 ***Mulhouse.*** ☎ 03-89-33-23-23. • www.collection-schlumpf.com • Du centre de Mulhouse, prendre le bus n° 17 ou n° 4 (à la gare). D'avril à octobre, ouvert tous les jours de 9 h à 18 h; de novembre à mars, tous les jours de 10 h à 18 h. Fermé le 25 décembre et le 1er janvier. Entrée : 10 € (entrée libre avec le Passmusées, infos sur • www.museumspass.com •); de 7 à 18 ans : 5 €; tarif famille (2 adultes et 2 enfants) : 27,50 €; gratuit pour les moins de 7 ans et à partir du 3e enfant. Un audio-guide remis gratuitement à l'entrée facilite la visite. Parking payant gardé (2 €).

ꝪꝪꝪ Le Louvre de la voiture ancienne! Avec plus de 500 automobiles d'une centaine de marques différentes (un nombre important de Bugatti, mais quasiment aucune voiture américaine), il est considéré comme le premier musée automobile du monde. En France, c'est l'un des musées les plus visités, avec le Louvre justement et Versailles. S'il y a un lieu à visiter à Mulhouse, c'est bel et bien cette fabuleuse arche de Noé de la mécanique (pétaradante) où près de 1000 lampadaires (les mêmes que ceux du pont Alexandre-III à Paris) éclairent, en les magnifiant, les plus beaux véhicules roulants jamais inventés par l'homme. Comment pareille collection a-t-elle pu voir le jour? Grâce à deux frères suisses, Hans et Fritz Schlumpf, qui s'installèrent à Mulhouse en 1920 et se lancèrent dans le textile. Mais leur passion dévorante était les belles voitures. Entre Bugatti et les Schlumpf, il s'agissait d'amour, de collection et d'argent! Le Musée national ouvrit ses portes en 1982. Le nombre et la grandeur donnent presque le vertige. Et pourtant, les voitures sont sagement alignées et méthodiquement présentées, par « famille », c'est-à-dire par marque, le long d'allées se croisant toutes à angle droit (et numérotées). C'est donc facile de s'y retrouver. À regretter, l'absence d'un plan bien fait! Les Bugatti occupent quasiment le tiers de l'espace du musée. L'usine familiale se trouvait à Molsheim, près de Strasbourg. Autres marques exposées : Ferrari, Gordini, Aston Martin, Rolls-Royce, Mercedes, Peugeot...
Imaginez, avant de quitter ce musée, le bruit de fond que feraient toutes ces voitures en marche!

LE MUSÉE FRANCAIS DU CHEMIN DE FER

2, rue Alfred-de-Glehn, 68100 ***Mulhouse.*** ☎ 03-89-42-83-33. Ouvert tous les jours de 10 h à 18 h d'avril à septembre; de 10 h à 17 h d'octobre à mars. Fermé les 1er janvier, 25 et 26 décembre. Entrée : 7,60 € (entrée libre avec le Passmusées, infos sur • www.museumspass.com •); 4 € pour les enfants de 6 à 18 ans; tarif spécial de 6,20 € sur présentation du *Guide du routard.*

ꝪꝪꝪ Ce musée est au train ce que Schlumpf est à la voiture : sublime! Sans doute le musée ferroviaire le plus important et le plus spectaculaire d'Europe (du monde?). C'est une grande partie de la mémoire industrielle des chemins de fer qui est ici présentée à travers une centaine de locomotives, wagons, voitures de luxe et autorails en tout genre. Teuf, teuf, teuf, teuf... Tchou, tchou, tchou, tchou... Le musée est situé le long de la voie ferrée Strasbourg-Bâle. L'espace d'exploration « Musée-Express » permet, au travers de 31 thèmes différents, d'aborder de façon ludique le monde ferroviaire. Avant la visite des engins, une bibliothèque de gare a été reconstituée avec les bouquins des années 1920 qui firent la fortune de... Hachette (l'éditeur du *Guide du routard*). Dans la même salle, des trains miniatures, pour les mordus.
Dans la salle d'exposition à proprement parler, les véhicules sont présentés sur une douzaine de voies et regroupés par « famille ».

LE MUSÉE DE L'IMPRESSION SUR ÉTOFFES

14, rue Jean-Jacques-Henner, 68000 ***Mulhouse.*** ☎ 03-89-46-83-00. ♿ Ouvert toute l'année, tous les jours de 10 h à 12 h et de 14 h à 18 h. Entrée : 6 € (entrée libre avec le Passmusées, infos sur • www.museums pass.com •); 2 € pour les enfants de 12 à 18 ans; gratuit pour les moins de 12 ans. Un livret de questions permettant aux enfants de découvrir le musée est en vente à l'accueil pour 1,50 €. Des stages sont proposés aux 7-12 ans pour approfondir leur connaissance des techniques et donner libre cours à leur créativité.

Ne manquons pas de nous instruire sur le passé industriel de l'Alsace, en partie lié au textile. Ce musée retrace toute l'histoire du coton imprimé en Alsace et dans le monde. Des démonstrations d'impression ont lieu les lundi, mercredi, vendredi et dimanche à 15 h. C'est l'occasion quasi unique pour les enfants de découvrir ces procédés d'impression et, pourquoi pas, de demander de s'y essayer ! Ayant échappé à un édit d'interdiction qui frappait en France la fabrication des indiennes, Mulhouse devint dès le milieu du XVIIIe siècle un centre textile réputé. Unique en son genre, ce musée abrite une collection exceptionnelle de 6 millions d'échantillons et de dessins provenant du monde entier. Outre les indiennes fabriquées à Mulhouse, on y découvre de formidables pièces souvent obtenues à partir de techniques étrangères : batiks africains et indonésiens, kimonos japonais, tissus cambodgiens, afghans, ouzbeks. Des toiles de Jouy, des cachemires, des toiles de Nantes, des tissus anglais et des mouchoirs illustrés font également partie de cette incroyable caverne d'Ali Baba du textile imprimé.

LE PARC ZOOLOGIQUE ET BOTANIQUE

51, rue du Jardin-Zoologique, 68100 ***Mulhouse.*** ☎ 03-89-31-85-10. Bus nº 12. Ouvert de décembre à février de 10 h à 16 h, en mars, octobre et novembre de 9 h à 17 h, en avril et septembre de 9 h à 18 h et de mai à août de 9 h à 19 h. Fermeture des caisses 30 mn avant. Entrée : 4 € pour tous du 1er novembre au 20 mars ; le reste de l'année, 7,40 € pour les adultes et 4 € pour les enfants de 6 à 16 ans ; gratuit pour les enfants de moins de 6 ans accompagnés d'un membre de leur famille. Possibilité de restauration dans le parc.

Dans ce superbe espace naturel de 25 ha, conçu à la fin du XIXe siècle et destiné à « l'amélioration morale de la classe ouvrière », on trouve plus d'un millier d'animaux, dont certains appartiennent à des espèces très rares ou sont en voie de disparition : lémuriens, tigre de Sibérie, tapir à dos blanc, zèbre de Grévy, antilope addax... Ce véritable jardin des découvertes possède également de superbes collections botaniques (plus de 2000 espèces).

Où dormir ? Où manger ?

Hôtel Saint-Bernard : 3, rue des Fleurs, 68100 ***Mulhouse.*** ☎ 03-89-45-82-32. Fax : 03-89-45-26-32. • www.hotel.saint-bernard.com • Chambres doubles avec douche ou bains, TV câblée, de 38 à 47 € suivant la taille et l'étage. Quatre chambres pouvant accueillir 3 personnes (autour de 55 €). Ce qu'on l'aime, le *Saint-Bernard*! C'est l'établissement le plus sympathique de Mulhouse. Les chambres sont impeccables et hautes de plafond. Le prix varie en fonction de la taille mais aussi de l'étage : si vous êtes fauché, préférez le 3e étage, il n'y a pas d'ascenseur et c'est moins cher mais toujours aussi spacieux. Pour les motorisés, l'hôtel possède un parking clos à 300 m (payant). Bicyclettes à disposition gratuitement. Sur présentation de votre *Guide du routard,* 10 % de réduction sur le prix de la chambre à partir de la 3e nuit consécutive.

Zum Saüwadala : 13, rue de l'Arsenal, 68100 ***Mulhouse.*** ☎ 03-89-45-18-19. Fermé le dimanche et le lundi midi. Menu du jour à 9,40 € uniquement le midi et sinon de 16 à 24 €. Dans la vieille ville, un resto sympa et pas cher où la carte n'a pas changé depuis belle lurette (la raison est simple : les plats sont toujours délicieux, le *baeckeoffe* est fabuleux et le tokay pinot gris excellent). La grande salle, où trône une collection de petits cochons, est toujours comble et ravira les enfants.

On se régale ! Apéritif maison offert sur présentation du *Guide du routard.*

🍽 ***Auberge des Tanneurs :*** 3, rue des Tanneurs, 68100 ***Mulhouse.*** ☎ 03-89-45-85-85. Fermé (en principe) le dimanche et le lundi soir. Le midi, menu unique à 9,50 € en semaine et à 10,70 € le samedi ; plat du jour à 7,30 € ; le soir, à la carte. Cette petite merveille, rendez-vous des ouvriers de Mulhouse, se trouve juste à côté de la place de la Concorde. On y mange à la bonne franquette sur des nappes à carreaux rouges et blancs pour des prix très doux. Comme partout en ville, le menu change tous les jours et varie selon la saison. La cuisine est simple et bonne, l'ambiance chaleureuse. Une adresse à ne manquer pour rien au monde.

➤ DANS LES ENVIRONS

★★★ ***L'écomusée d'Alsace :*** chemin du Grosswald, BP 71, 68190 ***Ungersheim.*** ☎ 03-89-74-44-74. • www.ecomusee-alsace.com • À environ 15 km au nord de Mulhouse, à droite de la route de Guebwiller. En venant par l'A 35, prendre la sortie Ensisheim. Par l'A 36, sortie Guebwiller. Trajets réguliers en bus à partir de la gare de Mulhouse par les lignes 301 ou 54. Compter 40 mn. Ouvert tous les jours toute l'année : de début mars à fin juin et en septembre, de 10 h à 18 h ; en juillet et août, ouvert de 9 h 30 à 19 h ; de début octobre à fin février, de 10 h à 17 h. Entrée : en haute saison et le dimanche toute l'année, 14,50 € par adulte et 9 € par enfant (de 4 à 16 ans) ; 11 € et 6 € en basse saison du lundi au samedi. Certes un peu cher, mais de nombreuses activités sont proposées.

Voici probablement le plus grand écomusée (écovillage serait plus juste) de France, et sans doute le mieux animé. Situé au cœur d'une région de mines de potasse (les fameuses Potasses d'Alsace), l'écomusée rassemble plus de 70 maisons paysannes d'Alsace, démontées pièce par pièce dans leur village d'origine (où elles pourrissaient), puis remontées méticuleusement ici pour former une étonnante collection en plein air. À l'origine de ce projet fou, un passionné, Marc Grodwohl, et un groupe d'étudiants et d'ouvriers rassemblés autour de l'association *Maisons paysannes d'Alsace.*

Muni du plan du site remis aux visiteurs à l'entrée, on découvre ainsi les différentes régions composant l'Alsace au travers des maisons du Sundgau (superbes charpentes), de la plaine de Haute-Alsace, du vignoble sous-vosgien, du Ried, du Kochersberg et de l'Outre-Forêt. En plus des belles maisons à colombages des campagnes, on peut voir aussi des maisons ouvrières récupérées, ainsi que l'insolite musée de la Doller, naguère propriété d'André Binder, un ouvrier paysan de Sickert près de Masevaux. La visite s'achève par la cavalerie de l'Eden Palladium, ancien manège-salon de la famille Demeyer. C'est le plus important manège de fête foraine de la Belle Époque conservé en Europe. Abandonné en 1936, il a été sauvé par l'écomusée. Le carrousel-salon ouvre sur un deuxième espace, présentant la collection de manèges et de roulottes anciennes de l'écomusée. Après la visite des maisons, ateliers et champs qui évoquent le labeur des générations passées, cette fête foraine nous montre les débuts de la civilisation des loisirs, tant fêtes de villages que foires de villes.

Dans un but à la fois festif et ludique, le parc propose des activités saisonnières, à l'occasion du Carnaval, du Noël alsacien, de Pâques, lors des moissons... Il organise également de nombreuses démonstrations tout au long de l'année : potier, maréchal-ferrant, sellier, charbonnier...

➢ Dans la gare de 1841, on prend son billet pour un voyage en train vers la mine de potasse désaffectée (visite guidée saisonnière).

Où dormir ? Où manger ?

Restaurant La Taverne et hôtel Les Loges de l'écomusée d'Alsace : chemin du Grosswald, BP 71, 68190 ***Ungersheim.*** ☎ 03-89-74-44-95. Fax : 03-89-74-44-68. • www.ecomusee-alsace.com • ♿ Parking. Chambres doubles de 38 à 45 € par personne, petit dej' compris, avec douche, w.-c. et mezzanine ; possibilité de louer un appartement pour 4 personnes. Existe aussi un forfait avec l'entrée à l'écomusée (de 49 à 56 €). Menus de 15 à 29 €. Si l'écomusée vous a passionné, arrêtez-vous pour déguster un plat régional à *La Taverne* de l'écomusée ou prolongez votre séjour au temps jadis dans l'une de ces 10 maisons alsaciennes à colombages récemment installées en pleine nature. Une pause originale et agréable. Les chambres sont toutes identiques, mais certaines ont une vue sur l'écomusée. Petit dej' extra (pain et croissant faits par le boulanger de l'écomusée). En revanche, restaurant pas franchement emballant.

Le vivarium du Moulin : 6, rue du Moulin, 68610 ***Lautenbachzell.*** ☎ 03-89-74-02-48. En juillet et août, ouvert tous les jours de 10 h à 19 h ; le reste de l'année, tous les jours sauf le lundi, de 14 h à 18 h. Fermé en hiver. Entrée : 5 € (entrée libre avec le Passmusées, infos sur • www.museumpass.com •) ; demi-tarif pour les enfants.
Dans un vieux moulin à farine (dont la roue tourne toujours), ce n'est pas un, mais plein de vivariums dans lesquels ont été reconstitués au mieux les milieux de vie de nombreux insectes et araignées. Pour découvrir toutes ces sympathiques bestioles que vous avez ratées lors de vos voyages : la fourmi parasol de Guadeloupe, le criquet puant africain ou ces grandes bringues de phasmes. Ce musée (un coup de cœur) est une halte obligatoire avec des enfants. Ils n'en reviendront pas de passer leur tête à travers les hublots des fourmilières géantes et de regarder de l'intérieur à l'aide de lampes de poche la vie intime des fourmis. Il y a fort à parier que les adultes n'en reviendront pas, eux non plus ! Une magnifique exposition de dessins d'enfants accompagne la visite. Ils changent régulièrement, avec le passage des écoles ; ceux que nous avons vus étaient de purs chefs-d'œuvre. Très touchant.

Où manger ?

À la Truite : 47, Grand-Rue, 68610 ***Lautenbachzell.*** ☎ 03-89-74-05-17. Fermé les lundi et mardi ; en juillet et août, fermé seulement le lundi. Sans valoir le détour, voilà une adresse bien pratique et somme toute sympa à deux pas du vivarium. Spécialités de carpe frite comme dans le Sundgau, mais aussi de truite aux amandes (environ 15 €). Terrasse agréable dans le jardin.

La Nef des Jouets : 12, rue Jean-Jaurès, 68360 ***Soultz.*** ☎ 03-89-74-30-92. À 3 km de Guebwiller, et environ 15 km au nord-ouest de Mulhouse par la D 430. Ouvert de 14 h à 18 h. Fermé le mardi, ainsi que le 25 décembre et le 1er janvier. Entrée : 4,60 € (entrée libre avec le Passmusées, infos sur • www.museumspass.com •) ; 1,50 € pour les enfants de 6 à 16 ans ; réduction de 1 € par adulte sur présentation du *Guide du routard.*
Un couple de Soultz, Joëlle et Jean-Richard Haeusser, est à l'origine de ce sympathique petit « lieu de vie » consacré aux jouets. Une excellente idée concrétisée ici par une kyrielle de pièces rares : poupées, ours en peluche, jouets de tôle, figurines en bois, soldats de plomb ou d'étain. Mais aussi des livres d'enfants, des marionnettes, des jeux de société, bref, tout l'univers merveilleux des enfants de naguère. En outre, la collection est présentée

dans un superbe bâtiment, une ancienne commanderie des chevaliers de l'ordre de Malte. Tout au long de l'année, diverses expositions à thème ainsi que des animations. Des espaces jeux et une salle vidéo sont à la disposition des enfants.

La route des Crêtes : comme son nom l'indique bien, elle suit la ligne des crêtes du massif vosgien, du nord au sud, du col des Bagenelles (au-dessus de Sainte-Marie-aux-Mines) jusqu'à Cernay, près de Mulhouse. Au total, près de 80 km de paysages époustouflants, d'échappées lointaines sur les forêts de sapins, les dômes arrondis, les pâturages herbus, les ballons chauves, les lacs secrets. L'hiver, cette belle route est fermée, pour cause de neige ! Elle se transforme alors en piste pour les skieurs (de fond). En été, place aux randonneurs sac au dos. De nombreux sentiers balisés par le Club Vosgien permettent de découvrir de la meilleure façon qui soit ce monde à part, véritable barrière naturelle entre l'Alsace et la Lorraine.
Même si les canons se sont tus depuis belle lurette, plusieurs bornes militaires et le cimetière du champ de bataille du Vieil-Armand, rappellent aux visiteurs le fracas tonitruant des guerres passées. D'ailleurs, la route des crêtes n'existerait pas s'il n'y avait pas eu de Première Guerre mondiale. Cette voie fut en effet créée de toutes pièces, parallèlement à la ligne des Crêtes (donc sur le versant ouest par rapport à l'ennemi, à l'est), afin de faciliter les mouvements de troupes (et de munitions) de l'armée française. Aujourd'hui, les troupeaux ont remplacé les troupes dans les prés. Et sur la route, dès les premiers beaux jours du printemps et en été, des files ininterrompues de voitures et d'autocars se forment dans les plus beaux paysages de l'est de la France. Alors un conseil, venez ici de préférence au printemps ou à l'automne.

■ *La Navette des Crêtes :* ☎ 03-89-77-90-34 (Maison du Parc à ***Munster***). Fonctionne de mi-mai à mi-octobre, les dimanche et jours fériés. On part se promener à pied sur les crêtes sans aucun souci puisqu'au retour, on prend la navette ! Un bus toutes les 30 mn et 15 stations entre le col du Calvaire et le Grand Ballon, ainsi que 7 liaisons pour regagner les vallées. Demander le petit plan, il est super bien fait, on y voit tout de suite les sites, les panoramas, les fermes-auberges et les arrêts de bus. Bien pratique quand on fait de la randonnée avec de jeunes enfants.

Où dormir ? Où manger dans le coin ?

Ferme-auberge du Christlesgut : chez Danièle et Frédéric Dischinger, 68380 ***Breitenbach*** (Haut-Rhin). ☎ 03-89-77-51-11. Fax : 03-89-77-53-56. À environ 7 km au sud de Munster. À la sortie de Luttenbach, prendre à gauche la direction du Stemlisberg en suivant le fléchage « ferme-auberge » ; laisser sa voiture et faire les 800 derniers mètres à pied. Ouvert de mai à octobre tous les jours sauf le mercredi midi. Réservation préférable. Nuitée au gîte : 10 €. Chambres doubles à 28 € avec douche et w.-c. Menu à 11 € ; compter 14 € pour un repas marcaire (traditionnel). Pour dormir : 3 chambres, 2 appartements (avec cuisinette, pour 6 personnes) ou, pour les randonneurs, un dortoir de 15 places avec douche, w.-c. et salle à manger. À table, suivant l'humeur de Mme Dischinger, repas marcaire, bon munster coiffé (un genre de tartiflette, mais au munster), beignets au fromage ou coq au riesling. Terrasse aux beaux jours avec une belle vue sur le sommet du Kastelberg.

Auberge du Schupferen : 68140 ***Stosswihr.*** ☎ 03-89-77-31-23 (réservation conseillée : il n'y a qu'une trentaine de places !). À 17 km environ de Munster, par la route du col de la Schlucht, puis à droite direction Le Tanet ; 4 km après avoir quitté la D 417, sur la gauche, un panneau planté sur un arbre marque le début d'un chemin de terre ; de la route bitumée jusqu'à l'auberge, il y a 3 km de chemin de plus en plus mauvais, mais praticable en voiture. Cela dit, on vous conseille vivement d'y aller à pied, c'est un vrai régal ! Service de 9 h à 19 h. Fermé les lundi, mardi et vendredi. Compter environ 15 € pour un repas complet. Le placide et sympathique Christophe Kuhlmann cuisine ici des petits plats comme le *fleischschnecke* ou prépare des salades avec les produits du jardin. Pichet d'edelzwicker maison. Et quel panorama ! De ce pâturage d'altitude (1 100 m), on domine la forêt et les vallées !

Le musée du Textile et des Costumes de Haute-Alsace : parc de Wesserling, 68470 **Husseren-Wesserling.** ☎ 03-89-38-28-08. À 34 km de Mulhouse par la N 66, puis la D 13. Ouvert tous les jours sauf le lundi matin et le samedi matin, de 10 h à 12 h et de 14 h à 18 h du 1er avril au 30 septembre, de 10 h à 12 h et de 14 h à 17 h du 1er octobre au 31 mars. Entrée : 4,60 € (3,60 € sur présentation du *Guide du routard*) ; de 8 à 18 ans : 2,30 €.

Il serait bien dommage de découvrir l'Alsace sans s'intéresser à ce qui fit en partie pendant plusieurs dizaines d'années, au XIXe siècle, le succès de son développement industriel : le textile. C'est à Husseren-Wesserling que fut installée la première filature mécanique d'Alsace en 1809, qui allait décider du devenir industriel de toute la vallée de la Thur. Le musée a été aménagé dans une ancienne manufacture d'impression, au cœur d'un étonnant ensemble de bâtiments qui semble n'avoir pas bougé depuis le XIXe siècle : des usines et des ateliers, mais aussi un jardin potager, des jardins à la française, à l'anglaise... Au travers d'une centaine de costumes du XIXe siècle essentiellement (vêtements de voyage, robes de bal ou costumes de théâtre), superbement présentés, c'est toute (ou presque) l'histoire du textile qui est ici évoquée, des petites mains à l'industrialisation. Ce lieu chargé d'histoire propose une promenade autour de 3 thèmes : le textile autrefois avec la transformation de la matière première jusqu'au produit fini, le costume au XIXe siècle et les textiles du futur, une exposition interactive où il est vivement conseillé de toucher ce qui est présenté.

AQUITAINE

Les routards en herbe vont en prendre plein les mirettes ! Des pinèdes landaises aux vignes du Médoc, des pics des Pyrénées aux moissons de Gascogne, l'Aquitaine offre mille et une choses à voir, à écouter, à déguster : sites archéologiques et préhistoriques, musées, zoos, promenades, plans nature, sans oublier les bases de loisirs et les parcs d'attractions. L'Aquitaine, comme d'autres régions, a également ses « Stations Kid » à Mimizan dans les Landes ou à Carcans-Maubuisson en Gironde, où vos petits chéris pourront tout à loisir s'amuser, se détendre, se dépenser et s'enrichir.
On ne saurait trop vous conseiller de profiter de cette région, de toutes ses ressources, de ses plages, de ses musées et de ses activités sportives.

Adresses utiles

i ***Comité régional du tourisme d'Aquitaine :*** Cité mondiale, 23, parvis des Chartrons, 33074 Bordeaux Cedex. ☎ 05-56-01-70-00. Fax : 05-56-01-70-07. • www.crt.cr-aquitaine.fr • ATTENTION ! N'est pas ouvert au public. Renseignements uniquement par téléphone ou par courrier.

i ***Comité départemental du tourisme du Lot-et-Garonne :*** 4, rue André-Chénier, BP 158, 47005 Agen Cedex. ☎ 05-53-66-14-14. Fax : 05-53-68-25-42. • www.lot-et-garonne.fr •

i ***Comité départemental du tourisme de la Gironde :*** maison du tourisme de la Gironde, 21, cours de l'Intendance, 33000 Bordeaux. ☎ 05-56-52-61-40. Fax : 05-56-81-09-99. • www.tourisme-gironde.cg33.fr •

i ***Comité départemental du tourisme de la Dordogne :*** 25, rue du Président-Wilson, BP 2063, 24002 Périgueux Cedex. ☎ 05-53-35-50-30 et 24. Fax : 05-53-09-51-41. • www.perigord.tm.fr/tourisme/cdt •

i ***Comité départemental du tourisme des Landes :*** 4, av. Aristide-Briand, BP 407, 40012 Mont-de-Marsan Cedex. ☎ 05-58-06-89-89. Fax : 05-58-06-90-90. • www.tourismelandes.com •

i ***Comité départemental du tourisme de Pays basque-Béarn :*** 4, allée des Platanes (caserne de la Nive), BP 811, 64108 Bayonne Cedex. ☎ 05-59-46-52-52. Fax : 05-59-46-52-46. • www.tourisme64.com •

LE PARC WALIBI AQUITAINE

Dans les environs : l'abbaye des Automates, le musée du Train et la Forêt Magique • Les grottes de Lastournelle • Les grottes de Fontirou • Le château de Duras • Le musée du Parchemin et de l'Enluminure • Le lac de Castelgaillard

LE PARC WALIBI AQUITAINE

Château de Caudouin, 47310 ***Roquefort.*** ☎ 05-53-96-58-32. • www.sixflagseurope.com • D'Agen, prendre la D 656. Ouvert de mi-juin à fin août tous les jours de 10 h à 18 h, 19 h ou 21 h ; le reste de la saison, le week-end et les jours fériés de 10 h à 18 h. Entrée : 21,50 € ; de 3 à 11 ans : 16 € ; gratuit pour les moins de 3 ans.

Au cœur de la nature (le parc s'étire sur 30 ha qui abritent également un château du XVIIIe siècle, avec son restaurant), vous passerez ici une journée inoubliable (et crevante !).
Au programme, sensations fortes : les plus courageux dévaleront les loopings vertigineux du *Boomerang* (montagnes russes) ou bien affronteront une tempête à bord du *Bateau Pirate.* Les moins téméraires préféreront la descente aquatique du *Drakkar,* les envolées du *Fandango* (balançoires suspendues qui tournent, mais pas à toute vitesse) ou encore les virages serrés de la *Coccinelle* (petites montagnes pas trop russes). Pour les fans d'animaux aquatiques, les otaries multiplient leurs facéties avec un tout nouveau spectacle. Durant l'été, la famille italienne de Togni dresse son chapiteau afin de faire profiter petits et grands de leurs prouesses et de leur art de la poésie. Enfin, pour faire un tour d'horizon sans trop vous fatiguer, prenez le petit train *Walibi express.* Certains jours d'été, différentes attractions supplémentaires sont proposées afin de faire passer à vos bambins des moments encore plus inoubliables : renseignez-vous !

Pour grignoter sur place : diverses formules sont proposées pour tous les goûts et tous les budgets. Bien sûr, vous pourrez venir avec votre propre casse-croûte, vous installer sur l'une des tables de l'aire de pique-nique, mais vous pourrez aussi acheter votre sandwich et votre boisson et aller dans le parc. Un service de restauration rapide vous permettra, à partir de 7 € pour les adultes et un peu moins pour les enfants, de faire une pause ; et pour ceux qui veulent vraiment s'asseoir, 3 menus sont proposés aux adultes à partir de 10 € (8 € pour les enfants).

Où dormir ? Où manger ?

Hôtel Régina : 139, bd Carnot, 47000 ***Agen.*** ☎ 05-53-47-07-97. Fax : 05-53-95-69-51. En plein centre et non loin de la gare. Chambres doubles avec douche ou bains de 31 à 37,50 € ; chambres familiales de 41,50 € pour 3 à 46 € pour 4. L'hôtel pas cher qu'on souhaite trouver en descendant du train. Repris par un couple d'un certain âge fort gentil, accompagné d'un toutou, l'hôtel a bénéficié d'une remise à neuf. Les chambres claires, d'une taille acceptable, sont correctement équipées. Un petit côté pension de famille où l'on se soucie de la tranquillité des hôtes. En dépit du double vitrage, préférer les chambres sur l'arrière.

Crêperie Des Jacobins : 3, pl. des Jacobins, 47000 ***Agen.*** ☎ 05-53-66-29-38. Juste en face de l'église des Jacobins. Fermé les dimanche et lundi. Menus de 8 à 11 €. Compter environ 12 € à la carte. Le décor de cette crêperie est plutôt avenant avec ses vieilles pierres, ses poutres et sa grande cheminée. Une multitude de crêpes et de galettes, et des salades bien fraîches. Rien de rare, mais accueil chaleureux et amical.

➤ *DANS LES ENVIRONS*

L'abbaye des Automates, le musée du Train et la Forêt Magique : 47320 ***Clairac.*** ☎ 05-53-79-34-81. Ouvert de 10 h à 18 h (19 h en juillet et août). Fermé en janvier. Entrée pour le seul site de l'abbaye : 8 € ; de 4 à 12 ans : 5 €. Entrée pour les trois sites : 10 € ; enfants : 7 €.
Très touristique mais amusant à voir. 150 automates grandeur nature retracent en 15 tableaux la vie quotidienne des moines qui vivaient dans cette abbaye du VIIIe siècle, entièrement rénovée. De salle en salle, on les

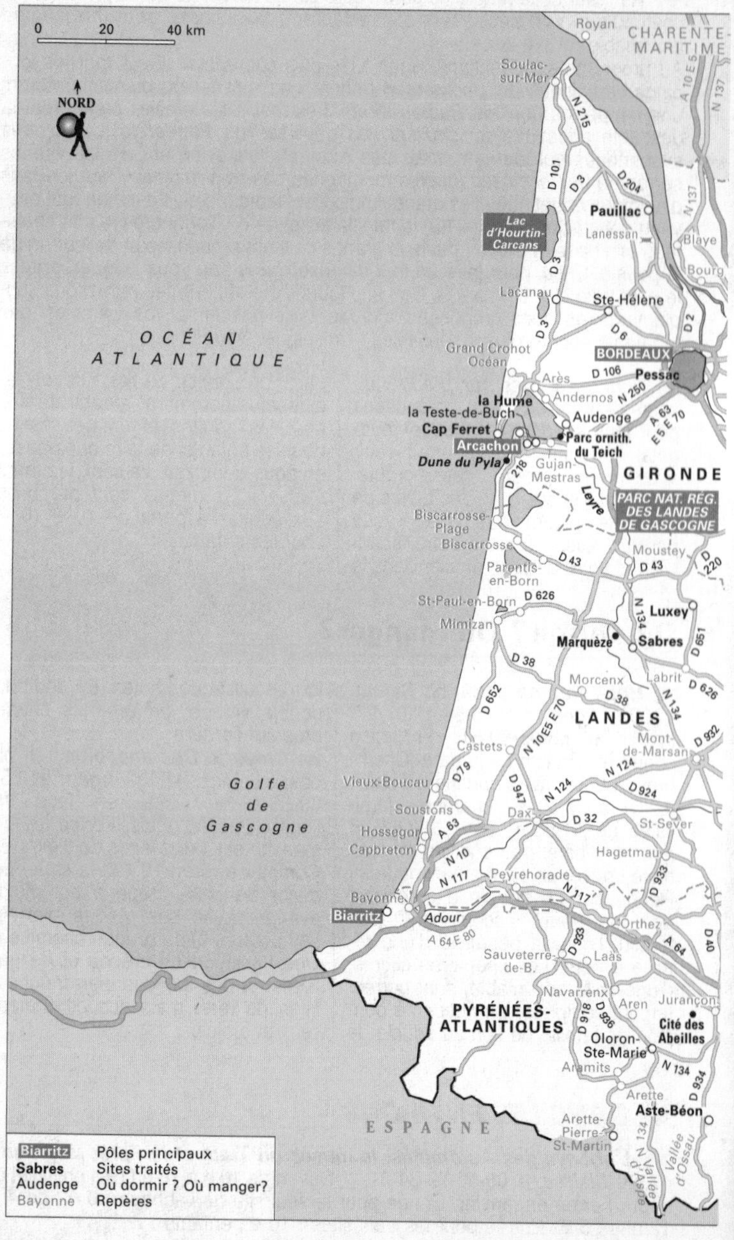

0 20 40 km
NORD
OCÉAN ATLANTIQUE
Golfe de Gascogne
CHARENTE-MARITIME
GIRONDE
LANDES
PYRÉNÉES-ATLANTIQUES
ESPAGNE
BORDEAUX
Arcachon
Biarritz
Lac d'Hourtin-Carcans
PARC NAT. RÉG. DES LANDES DE GASCOGNE
Pauillac
Ste-Hélène
Pessac
la Hume
Cap Ferret
Parc ornith. du Teich
Dune du Pyla
Luxey
Marquèze
Sabres
Cité des Abeilles
Aste-Béon
la Teste-de-Buch
Audenge
Oloron-Ste-Marie
Royan
Soulac-sur-Mer
Lanessan
Blaye
Bourg
Lacanau
Grand Crohot Océan
Arès
Andernos
Gujan-Mestras
Biscarrosse-Plage
Biscarrosse
Parentis-en-Born
St-Paul-en-Born
Mimizan
Moustey
Morcenx
Labrit
Castets
Mont-de-Marsan
Vieux-Boucau
Soustons
Hossegor
Capbreton
Dax
St-Sever
Hagetmau
Peyrehorade
Bayonne
Orthez
Sauveterre-de-B.
Laàs
Navarrenx
Aren
Jurançon
Aramits
Arette
Arette-Pierre-St-Martin
Adour
Leyre
Vallée d'Aspe
Vallée d'Ossau
Biarritz Pôles principaux
Sabres Sites traités
Audenge Où dormir ? Où manger?
Bayonne Repères

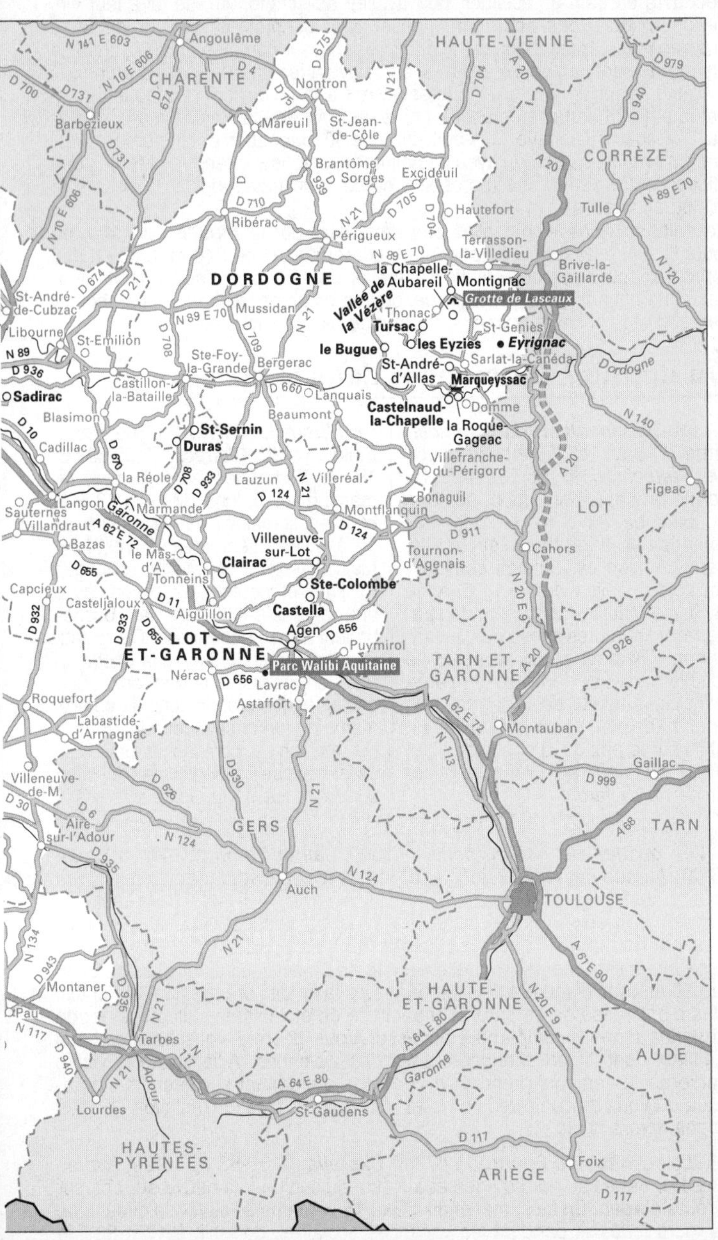

HAUTE-VIENNE
CHARENTE
CORRÈZE
DORDOGNE
LOT
LOT-ET-GARONNE
TARN-ET-GARONNE
GERS
TARN
HAUTE-GARONNE
AUDE
HAUTES-PYRÉNÉES
ARIÈGE
Angoulême
Nontron
Barbezieux
Mareuil
St-Jean-de-Côle
Brantôme
Sorges
Excideuil
Hautefort
Tulle
Ribérac
Périgueux
Terrasson-la-Villedieu
Brive-la-Gaillarde
la Chapelle-Aubareil
Montignac
Grotte de Lascaux
Vallée de la Vézère
St-André-de-Cubzac
Mussidan
Thonac
Tursac
St-Geniès
Libourne
St-Emilion
le Bugue
les Eyzies
Eyrignac
Ste-Foy-la-Grande
Bergerac
St-André-d'Allas
Sarlat-la-Canéda
Dordogne
Castillon-la-Bataille
Marqueyssac
Sadirac
Lanquais
Castelnaud-la-Chapelle
Domme
Blasimon
Beaumont
la Roque-Gageac
St-Sernin
Duras
Cadillac
Villefranche-du-Périgord
la Réole
Lauzun
Villeréal
Figeac
Bonaguil
Langon
Marmande
Montflanquin
Sauternes
Villandraut
Garonne
Bazas
le Mas-d'A.
Villeneuve-sur-Lot
Tournon-d'Agenais
Cahors
Clairac
Tonneins
Capcieux
Ste-Colombe
Casteljaloux
Castella
Aiguillon
Agen
Puymirol
Parc Walibi Aquitaine
Nérac
Layrac
Astaffort
Roquefort
Labastide-d'Armagnac
Montauban
Gaillac
Villeneuve-de-M.
Aire-sur-l'Adour
Auch
TOULOUSE
Montaner
Pau
Tarbes
Adour
Lourdes
St-Gaudens
Foix

découvre en train de cuisiner, de travailler au scriptorium, de faire leur vin, de prier, etc. Vous apprendrez aussi que les moines vivaient de leurs propres ressources et ont ainsi contribué à l'essor commercial de l'Aquitaine en introduisant la plante à tabac et en cultivant les prunes... futurs pruneaux d'Agen! Avant de partir, allez jeter un œil à la collection de maquettes de bateaux (dont certaines mesurent plus de 2 m) et à la *Forêt des Allumettes* au 1er étage de l'abbaye. Une collection de 30 maquettes de monuments historiques réalisées rien qu'avec des allumettes vous y attend. Le Mont-Saint-Michel, entre autres, est représenté grâce à un travail de 1200 heures et 66800 allumettes!
En quittant l'abbaye, n'oubliez pas de passer par le ***musée du Train,*** où toute l'histoire du train est concentrée sur 2 niveaux de 340 m² grâce à des reproductions des locomotives d'antan et des wagons d'aujourd'hui. Rendez-vous enfin à la ***Forêt Magique,*** où vos bambins partiront à la rencontre des gnomes, lutins et animaux, un monde plein de mystères...

Où dormir? Où manger dans le coin?

Chambres d'hôte Le Caussinat : entre Clairac et Granges-sur-Lot, ***Le Caussinat.*** ☎ 05-53-84-22-11. Fermé fin septembre-début octobre. Doubles de 38 à 47 €, petit dej' compris; 17 € le lit supplémentaire. Demi-pension ou pension complète possibles. Table d'hôte à 14 €. Aimé et Gisèle Massias proposent de spacieuses chambres meublées à l'ancienne. On peut aussi savourer, le soir, leur cuisine familiale préparée avec les produits de la ferme. Piscine. Excellent accueil. Remise de 10 % sur le prix de la chambre (sauf en juillet et août) sur présentation du *Guide du routard.*

L'Écuelle d'Or : 22, rue Porte-Pinte, 47320 ***Clairac.*** ☎ 05-53-88-19-78. Fermé les samedi midi, dimanche soir et lundi. Menu à 13 € le midi en semaine; autres menus de 16 à 46 €; menu-enfants à 9,50 €. Maison typique de village, en brique rustique et poutres de chêne, avec une agréable salle où les bûches brûlent dans la cheminée. Ce restaurant flirte gentiment avec la gastronomie, en conservant des prix abordables et des préparations de qualité, même au menu du déjeuner. Tout est fait maison, y compris le pain. Excellent accueil. Apéritif maison offert sur présentation du *Guide du routard.*

Les grottes de Lastournelle : 47300 ***Sainte-Colombe.*** ☎ 05-53-40-08-09. Au sud-ouest de Pujols, à 10 km de Villeneuve-sur-Lot. En juillet et août, ouvert tous les jours de 10 h à 12 h et de 14 h à 19 h; le reste de l'année, le week-end, les jours fériés et sur rendez-vous, aux mêmes horaires. Entrée : 5 €; de 4 à 14 ans : 3,50 €.
Ces grottes entièrement naturelles et encore en activité sont vieilles de quelque 25 millions d'années. Elles sont nées à la fin de l'ère tertiaire, et depuis, elles n'ont cessé de se parer d'une infinité de stalactites, stalagmites et de draperies d'une incomparable richesse. Vous pourrez vous balader dans 7 salles, dont l'impressionnante salle des Colonnes. À la fin de la visite, emmenez les enfants prendre l'air en vous promenant sur le chemin botanique où vous rencontrerez un bélier hydraulique, ainsi qu'un lavoir en vous dirigeant vers le lac.

Les grottes de Fontirou : 47340 ***Castella.*** ☎ 05-53-40-15-29. À quelques kilomètres au nord d'Agen et à 12 km au sud de Villeneuve-sur-Lot, sur la route d'Agen. En avril, mai et du 1er au 15 septembre, ouvert le dimanche, les jours fériés et pendant les vacances scolaires, de 14 h à 17 h 30; de début juin à fin août, tous les jours de 10 h à 12 h 30 et de 14 h à 18 h, voire 19 h. Entrée : 5,50 € pour les adultes; 4 € pour les enfants de moins de 10 ans.

Prêts pour un voyage au centre de la Terre ? Alors, on descend. L'aventure commence il y a environ 30 millions d'années. À l'intérieur des grottes, une suite ininterrompue de concrétions de toutes formes et de couleurs variées, brillant de mille feux. Le parcours dure environ 40 mn et s'effectue sous la conduite d'un guide. Ce n'est ni fatigant, ni dangereux. Température constante : 14 °C (très appréciable par forte chaleur, mais prévoir tout de même une petite laine !).
Le site appartient à Marie et André Petit, deux véritables passionnés. André a acheté d'abord les grottes, il y a quelques années. Elles comportent aujourd'hui 7 salles (dont certaines découvertes par le proprio). C'est dans l'une d'elles qu'il a mis à nu une dent de *Machairodus* (comprenez tigre à dents de sabre), ce qui lui a donné l'idée de créer son parc préhistorique. (Lire plus loin le texte consacré à Préhistologia, aux environs de Rocamadour, dans le chapitre « Midi-Pyrénées ».)

Où dormir ? Où manger dans le coin ?

Hôtel La Résidence : 17, av. Lazare-Carnot, 47300 ***Villeneuve-sur-Lot.*** ☎ 05-53-40-17-03. Fax : 05-53-01-57-34. Près de l'ancienne gare. Fermé du 20 décembre au 4 janvier. Chambres doubles de 23 à 41 € selon le confort ; chambres pour 3 personnes de 43,50 à 49 € et une chambre pour 4 personnes autour de 57 €. Dans un quartier très tranquille, un petit hôtel tout mignonnet qui a beaucoup de caractère. Pas mal de chambres à tous les prix. Idéal pour ceux qui aiment la simplicité et le calme. Remise de 10 % sur le prix de la chambre à partir de 2 nuits consécutives hors juillet et août sur présentation du *Guide du routard.*

Restaurant Chez Câline : 2, rue Notre-Dame, 47300 ***Villeneuve-sur-Lot.*** ☎ 05-53-70-42-08. Ouvert toute l'année. Fermé le mardi. Menus à 12 et 18 €, sourire compris. Déjà, il faut savoir que Câline, c'est le cocker. Ensuite, ici, toutes les fleurs sont fausses. Cela évite de les cueillir et de les changer. Pour ce qui est du contenu de l'assiette, on calme le jeu, encore que ! Magret farci au foie gras, filets de saumon à l'oseille, noix de Saint-Jacques, œufs vignerons et soupe de cerise à la menthe... Réservation conseillée.

Le château de Duras : 47120 ***Duras.*** ☎ 05-53-83-77-32. Ouvert toute l'année ; de novembre à mars, de 14 h à 18 h ; pendant les vacances d'hiver, en octobre, avril et mai de 10 h à 12 h et de 14 h à 18 h ; en juin et septembre, de 10 h à 12 h 30 et de 14 h à 19 h ; en juillet et août de 10 h à 19 h ; clôture de la billetterie 1 h avant la fermeture. Entrée : 4,30 € ; de 6 à 14 ans : 2,30 € ; gratuit pour les moins de 6 ans. Visites guidées tous les jours en été à 15 h.
La construction du château débuta en 1308, sur l'emplacement d'une première place forte, d'où l'on a toujours une vue dégagée sur les environs. Du Guesclin s'empara du château en 1377, et Jeanne d'Albret, la mère d'Henri IV, en fit son QG pendant les guerres de Religion. Au XVIIe siècle, il devint château d'agrément. Après les destructions de la Révolution, le château tomba presque en ruine et fut ainsi acquis pour une bouchée de pain par la municipalité, qui le restaura pendant presque 20 ans. Quel travail !
Dans la tour nord-ouest, oratoire avec plancher d'origine et voûte en étoile. Au sous-sol, Musée archéologique et ethnographique (vieux pressoirs, machines agricoles, objets domestiques, outils, etc.). Salle des Jugements à la voûte originale. Visite du cachot. Douves immenses, puits superbe, cuisine aux 100 fagots. Étonnante salle des Secrets. La cour intérieure, récemment rénovée, présente de superbes menuiseries. Dans l'atelier de la forge médiévale, vous découvrirez un métier ancestral, celui d'armurier, et l'évolution de cet artisanat sur 15 siècles. Animation audiovisuelle dans la salle des Fantômes.

Les mardi et jeudi, en été, de 14 h à 18 h, les enfants sont à l'honneur dans l'atelier d'armures médiévales. Rencontre inoubliable avec le forgeron en costume d'époque à la découverte de la fabrication des épées et armures. Pour les enfants les plus courageux, le château fantôme se transforme en un véritable défi. Un jeu de piste accompagne la visite à la recherche des fantômes.
Bref, une rencontre avec les fantômes des grands seigneurs de Duras à ne pas manquer !

☥☥☥ ***Le musée-conservatoire du Parchemin et de l'Enluminure :*** rue des Eyzins, à ***Duras.*** ☎ 05-53-20-75-55. Derrière l'*Hostellerie des Ducs*. Ouvert tous les jours d'avril à septembre, de 15 h à 19 h ; en juillet et août, ouvert également le matin de 10 h à 12 h. Entrée : 6 € ; de 6 à 16 ans : 3 €. Compter 1 h minimum. Petit musée sous la forme d'un atelier d'artiste original et passionnant (et quasiment unique : il n'y a plus que deux ateliers en France qui fabriquent des parchemins !), fondé et tenu par deux mordus des parchemins : Anne-Marie et Jean-Pierre Nicolini, parcheminiers.
Ici, on vous expliquera et on vous montrera comment se fabrique un parchemin, depuis le traitement des peaux jusqu'à l'enluminure. Toutes ces techniques anciennes sont superbement exposées, ainsi que les matières magnifiques qui servent à fabriquer un livre médiéval. Des plumes et des calames sont mis à disposition de chaque visiteur pour qu'il s'essaie à la calligraphie. À vos plumes !
Par ailleurs, vous pourrez acheter des parchemins, que ce soit des copies d'œuvres anciennes ou des créations originales de Jean-Pierre, dont certaines sont très amusantes (les chansons des Beatles en gothique, ça vaut le déplacement !).
Enfin, pour les mordus, stages de calligraphie, enluminure et pose de feuille d'or.

☥ ***Le lac de Castelgaillard :*** 47120 ***Saint-Sernin-de-Duras.*** Si vos gamins en ont plein les pattes des musées et préfèrent aller piquer une tête, c'est l'endroit idéal dans le coin. 45 ha boisés et un très beau plan d'eau de 10 ha avec toutes les activités rêvées (plage, baignade, toboggan aquatique, planche à voile, pédalo, kayak, tir à l'arc, équitation, spéléo, varappe, camping, etc.). Pour les plus âgés, possibilité de randonnées à moto.

ℹ Renseignements à l'***Association touristique du pays de Duras :*** 47120 ***Saint-Sernin.*** ☎ 05-53-94-76-94. Fax : 05-53-94-77-63. Au centre du village. Ouvert en été du lundi au samedi de 9 h 30 à 12 h 30 et de 14 h 30 à 18 h 30. Réservation des gîtes ruraux et communaux (quelques-uns à 800 m du lac).

Où dormir ? Où manger ?

🏠 🍴 ***Hostellerie des Ducs :*** bd Jean-Brisseau, 47120 ***Duras.*** ☎ 05-53-83-74-58. Fax : 05-53-83-75-03. • hostellerie.des.ducs@wanadoo.fr • Restaurant fermé les dimanche soir et lundi sauf en juillet, août et septembre. Chambres doubles de 49 € avec douche à 86 € avec bains en haute saison ; chambres familiales avec deux pièces communicantes (4 personnes au total) à 58 €. Menu à 14 € le midi en semaine, verre de vin (du duras, bien sûr !) compris ; autres menus à partir de 24 €. Dans un lieu calme, deux belles demeures mitoyennes – un ancien couvent – abritent la plus prestigieuse adresse de la région. Terrasse agréable, belle piscine et grand jardin fleuri. Réservation quasi obligatoire en saison. Remise de 10 % sur le prix de la chambre (sauf en août et septembre) sur présentation du *Guide du routard.*

LA GROTTE DE LASCAUX

Dans les environs : l'espace Cro-Magnon • Le Musée national de préhistoire • Le musée du site de l'abri Pataud • La grotte de Font-de-Gaume • Préhisto-Parc • Le château de Castelnaud • L'aquarium du Périgord noir • Le village du Bournat • Le gouffre de Proumeyssac • Les jardins d'Eyrignac • Les jardins suspendus de Marqueyssac

LA GROTTE DE LASCAUX

À une quarantaine de kilomètres au sud-est de Périgueux. ☎ 05-53-51-96-23. En juillet et août, la billetterie est ouverte de 9 h à 19 h; visites toutes les 10 mn jusqu'à 20 h 30 à cette même période; le reste de l'année, se renseigner pour les horaires d'ouverture. Attention, l'affluence est telle qu'en pleine saison, vous ne pouvez plus acheter de billet pour le jour même à partir de 14 h (et parfois même dès 11 h!); vous l'aurez compris, mieux vaut arriver à l'ouverture ou acheter vos billets à l'avance. Excellente visite guidée (40 mn environ). Entrée : 7,70 €; de 6 à 12 ans : 4,50 €; gratuit pour les moins de 6 ans. Possibilité d'acheter un billet jumelé pour le Thot pour 1 € de plus. Autre info importante : les billets s'achètent exclusivement sous les arcades de l'hôpital, au rez-de-chaussée, derrière l'office de tourisme, place Bertran-de-Born à Montignac, à 2 km au nord-ouest. En basse saison, achetez vos billets aux grottes directement.

Parents savants : *il était une fois... Lascaux*

Le 12 septembre 1940, quatre adolescents à la recherche d'un chien descendent dans une crevasse et tombent sur une grande salle couverte de peintures d'animaux. C'est la révélation d'une merveille archéologique et artistique : Lascaux, la « chapelle Sixtine de la préhistoire »... Dessins magnifiques, traits d'une vivacité exceptionnelle, couleurs d'une fraîcheur ahurissante. L'ensemble est daté d'environ 15000 ans av. J.-C. Dans le sous-sol, les chercheurs découvrirent les pigments de base de la palette préhistorique : oxydes ferreux pour les ocres rouges et jaunes, bioxyde de manganèse pour le noir. Plus des dizaines de lampes à graisse en pierre.
Ce n'est qu'en 1949 (à cause de la guerre) que les travaux d'aménagement de la grotte purent être terminés. Lascaux connut alors un énorme succès. Trop, puisque l'on s'aperçut, après une quinzaine d'années d'exploitation, que la visite de centaines de milliers de personnes avait bouleversé l'équilibre atmosphérique et le degré d'humidité de la grotte. De petites algues vertes commençaient à se répandre sur les parois, et le support rocheux se détériorait. La grotte fut alors fermée en 1963, et on s'attacha à traiter la roche et à reconstituer l'atmosphère initiale. Aujourd'hui, les fresques sont sauvées et seuls les spécialistes, à raison de 5 groupes de 5 personnes par semaine, soit un groupe par jour, sont autorisés à visiter la grotte originale. La préservation d'un des chefs-d'œuvre de l'humanité est à ce prix.

À la fermeture de la grotte de Lascaux, on décida, pour ne pas priver le public d'un tel chef-d'œuvre, l'étude et la construction d'une réplique la

plus exacte possible. Celle-ci a été réalisée dès 1983 par le département. Appelée ***Lascaux II,*** elle a déjà reçu près de 6 millions de visiteurs.
Avant de pénétrer dans la grotte, présentation dans le sas de toute l'histoire de Lascaux. Puis accès à la *salle des Taureaux.* On y trouve tout d'abord un animal identifié plus ou moins à une licorne, puis un troupeau de superbes taureaux noirs (en fait, des aurochs). Ils semblent presque s'animer. En effet, les artistes de la préhistoire tirèrent parti de chaque relief de la roche, de chaque bosse ou aspérité pour mettre en valeur des membres ou parties de l'animal. C'est ainsi qu'une bosse bien ronde peut représenter une panse bien dodue ou un dos. En outre, l'utilisation de perspective, dite « tordue », donne encore plus l'illusion de la réalité et du mouvement (par exemple, tête ou corps de profil et cornes de trois quarts). L'un des taureaux mesure plus de 5 m.
Après la salle des Taureaux, vous pénétrerez dans l'étroit *diverticule axial* (quel drôle de nom!), où s'étalent de véritables compositions, comme la vache qui saute, le cheval tombant et la frise des petits chevaux. Pour finir, toute une série de graphismes (traits parallèles, rectangles, ponctuation, sortes de harpons, etc.) posent toujours des problèmes d'interprétation aux chercheurs.

Où dormir? Où manger dans le coin?

Hostellerie La Roseraie : pl. d'Armes, 24290 ***Montignac.*** ☎ 05-53-50-53-92. Fax : 05-53-51-02-23. • www.laroseraie.fr.st • Fermé du 10 novembre au 20 décembre à Pâques. Chambres de 84 à 120 €. Demi-pension obligatoire en juillet et août et les week-ends et jours fériés : de 78 à 100 € par personne. Deux chambres familiales à 120 € pour 4 personnes. Menus de 21 à 36 €. Élégante maison bourgeoise du XIXe siècle. Les chambres exquises sont toutes différentes et toutes avec bains. Cuisine de terroir adroite et raffinée (pot-au-feu de canette aux petits légumes et crème au raifort...) aux prix justifiés.

L'Auberge de l'Oie gourmande : route de Lascaux, ***La Grande Béchade.*** ☎ 05-53-51-59-40. De Montignac, prendre la route de Lascaux, puis 500 m à gauche, au milieu des champs. Fermé le dimanche soir et lundi hors saison ainsi que de janvier à mi-février. Menus de 14 à 22 €. Cuisine du Périgord fine et inventive à des prix très doux (le menu à 14 € est d'un excellent rapport qualité-prix). Menu-enfants à 7 €. Un peu à l'écart de l'agitation touristique. Grande salle en pierre et tables en terrasse l'été, où vos bambins peuvent se dégourdir les jambes. Goûtez l'aumônière de cabécou (subtil mélange sucré-salé) et les desserts : à tomber par terre! Une bonne petite adresse qui a su allier tradition et création. Service attentif.

Restaurant à la ferme Le Bareil : 24290 ***La Chapelle-Aubareil.*** ☎ 05-53-50-74-28. À quelques km au sud-est de Lascaux. Fermé le lundi et du 15 octobre au 10 novembre, ainsi qu'une semaine fin juin. En basse saison, ouvert uniquement les vendredi, samedi soir et dimanche midi. Menu à 13 € le midi en semaine; autre menu à 21 € avec apéro, potage, entrée, plat, fromage et dessert (le vin est compris). Le menu-enfants à 12 € est quasiment identique à celui des « grands », sauf que les aiguillettes sont nature et les proportions sont plus réduites. Ici, même si on est voisin de Lascaux, on ne sacrifie pas au tourisme de masse. On reste même souvent entre Périgourdins pour faire honneur, dans la petite salle, aux recettes de toujours que Cathy Sardan prépare dans la cuisine familiale : aiguillettes aux cèpes ou aux girolles, magret, confit... Un lieu authentique et généreux. Accueil au diapason. L'adresse est très connue, réservez assez longtemps à l'avance le week-end et l'été.

➤ DANS LES ENVIRONS

L'espace Cro-Magnon : dans la **vallée de la Vézère.** ☎ 05-53-50-70-44. À 7 km de Lascaux, vers Thonac, un *musée-parc* et un *centre de recherches et d'art préhistorique* tout à la fois. En juillet et août, ouvert tous les jours de 10 h à 19 h. Se renseigner pour le reste de l'année. Fermé en janvier. Entrée : 4,60 €; de 6 à 12 ans : 2,60 €. Visite très intéressante. Au musée, vous pourrez être initié à la préhistoire par des montages audiovisuels (l'art des cavernes). Exposition des différentes étapes de construction de Lascaux II, des thèmes dans l'art paléolithique, film, fac-similé de la scène du puits.
Également un parc avec des animaux vivants qui rappellent les figures peintes (aurochs, bisons, cerfs, chevaux tarpans, etc.). Reconstitutions précises de huttes préhistoriques. Modules d'art pariétal et de fouilles archéologiques.

Le Musée national de préhistoire : 24620 **Les Eyzies-de-Tayac-Sireuil.** ☎ 05-53-06-45-45. • www.leseyzies.com/musee-prehistoire • De Thonac, continuer sur la D 706. En juillet et août, ouvert tous les jours de 9 h 30 à 18 h 30; le reste de l'année, ouvert de 9 h 30 à 12 h 30 et de 14 h à 17 h 30, fermé le mardi sauf en juillet et août. Entrée : 4,50 €; tarif réduit : 3 €; gratuit pour les moins de 18 ans. Animation pour les enfants (voir plus loin les « ateliers du Patrimoine »).
Dominant le village des Eyzies, l'ancien château du XVIe siècle, édifié par Jean-Guy de Beynac, fut acheté par l'État en 1913. Il fut transformé en dépôt de fouille et ouvert au public en 1923. Ce musée passa en 1972 à la Direction des musées de France et devint Musée national de préhistoire. De grands travaux d'extension sont actuellement en cours, et la nouvelle construction, musée spécialisé en archéologie préhistorique, devrait rouvrir ses portes courant 2003.

Le musée du site de l'abri Pataud : 20, rue du Moyen-Âge, 24620 **Les Eyzies-de-Tayac-Sireuil.** ☎ 05-53-06-92-46. • pataud@mnhn.fr • ♿ En saison, ouvert tous les jours de 10 h à 19 h; le reste de l'année, ouvert tous les jours sauf les lundi, vendredi et samedi, de 10 h à 12 h 30 et de 14 h à 17 h. Pour les groupes sur rendez-vous. Fermé en janvier. Entrée : 5,60 €; de 6 à 12 ans : 3 €. Visite guidée, claire et très instructive.
C'est peut-être le site à visiter en premier pour mieux comprendre tous les autres de la région. À voir ne serait-ce que pour ce splendide bouquetin sculpté au plafond (17000 ans d'âge). Site de fouilles où l'on se balade à travers 14 niveaux archéologiques (de - 32000 à - 18000 ans). Évocation de la vie quotidienne et de l'environnement naturel des premiers Homo sapiens-sapiens. Pour les groupes d'enfants, des visites adaptées sont prévues. En particulier, ils pourront découvrir le travail de détective du passé mené par les préhistoriens. Toutes les étapes de recherche, de la fouille au laboratoire, sont expliquées. Évitez d'arriver à la dernière minute car on fait souvent passer les groupes en priorité.

La grotte de Font-de-Gaume : à la sortie des Eyzies, direction Sarlat. ☎ 05-53-06-86-00. Ouvert toute l'année; du 15 mai au 30 septembre, de 9 h 30 à 17 h 30 (interruption de 12 h 30 à 14 h le reste de l'année); réservation obligatoire. Fermé le samedi et les 1er janvier, 1er mai, 1er et 11 novembre, 25 décembre. Arriver tôt car le nombre de places est limité, mais il est possible de réserver plusieurs jours à l'avance. Entrée : 5,50 €; gratuit jusqu'à 18 ans. Animations : 11 € pour les adultes et 7 € pour les enfants.

Peintures rupestres. Grande frise de bisons tout à fait remarquable. Constitue sans doute la plus belle grotte peinte de France après Lascaux. Une grotte à visiter rapidement, avant que l'on ne soit obligé de la fermer pour les mêmes raisons. Tous les mercredis pendant les mois de juillet et août sont proposées des animations d'initiation (à l'art pariétal, à la fouille archéologique et à l'art mobilier). Parents, n'hésitez pas à participer à l'animation avec vos enfants !

– ***Les ateliers du Patrimoine :*** renseignements et réservation au ☎ 05-53-06-45-50 ou 45. Animations pour les enfants. À ***Laugerie-Haute :*** un fac-similé de fouilles permet une approche ludique des méthodes de recherches employées sur le terrain par les préhistoriens. Et à ***l'abri du Poisson :*** peintures sur une paroi rocheuse utilisant les mêmes méthodes et colorants naturels qu'au paléolithique. Au ***Musée national de préhistoire :*** les enfants réalisent des objets décorés avec des éléments naturels et les techniques de nos ancêtres.

Préhisto-Parc : à ***Tursac,*** route de Montignac, vers les Eyzies. Renseignements : ☎ 05-53-50-73-19. Ouvert de début février à fin juin et du 1er octobre au 11 novembre : de 9 h 30 à 18 h 30 (19 h de juillet à septembre). Prévoir 45 mn minimum pour la visite avec un livret explicatif. Entrée : 5,50 € ; de 6 à 16 ans : 3 € ; sur présentation du *Guide du routard* : 4,30 €.

Ce parc met en scène des tranches de vie de l'homme préhistorique : chasse, habitat, arts, etc. Des personnages et des animaux sont reconstitués grandeur nature, à partir de recherches anthropologiques, dans un site naturel important : scènes de la vie quotidienne du temps de l'Homo sapiens, de Néandertal et de Cro-Magnon. Ateliers interactifs avec taille de silex, tir au propulseur, production du feu, etc.

Où dormir ? Où manger dans le coin ?

Ceux qui fuient habituellement les grandes foules de l'été ne résideront, bien sûr, pas aux Eyzies. En revanche, hors saison, l'atmosphère n'est pas trop touristique.

Camping Vézère-Périgord : à 5 km des Eyzies, à ***Tursac.*** ☎ 05-53-06-96-31. Fax : 05-53-06-79-66. • www.le-vezere-perigord.com • Fermé d'octobre à avril. Compter environ de 12 à 17 € pour 2 personnes, avec voiture et tente. Très grand 3-étoiles, dans un parc boisé. Tout confort. Une grande piscine. Tennis. Location de mobile homes et de chalets. Resto et petite épicerie. Soirées cirque ou casino une fois par semaine. Mais la patronne vous assure qu'ici, tout le monde est au lit à minuit ! Très familial. Jeux pour les enfants. Accueil des plus chaleureux.

Hôtel de France et l'auberge du Musée : rue du Musée, 24620 ***Les Eyzies-de-Tayac-Sireuil.*** ☎ 05-53-06-97-23. Fax : 05-53-06-90-97. Dans la rue menant au musée. Fermé de novembre à Pâques. Chambres doubles de 56 à 86 € ; demi-pension conseillée du 1er au 20 août : de 54 à 69 € par personne. Quelques chambres pour les familles. Menus de 16 à 32 € ; à la carte, compter autour de 26 €. Menu-enfants à 10 €, très complet, avec des produits du terroir. Deux établissements qui se font face, au pied de la falaise (et du musée de Préhistoire, bien sûr). À l'auberge, dans l'une des 2 salles ou sous la tonnelle de glycine, cuisine traditionnelle et régionale. Jardin fleuri et piscine à disposition. Apéritif offert sur présentation du *Guide du routard.*

Le Moulin de la Beune et le ***Restaurant Le Vieux Moulin :*** au centre du village, 24620 ***Les Eyzies-de-Tayac-Sireuil.*** ☎ 05-53-06-94-33. Fax : 05-53-06-98-06. Fermé les mardi, mercredi et samedi midis et du 1er novembre au 1er avril.

Chambres doubles à 55 €, triples à 64 € et quadruples à 65 €. Menus de 20 à 45 €; à la carte, compter autour de 40 €; menu-enfants autour de 9 €. Comme son nom l'indique, le restaurant est installé pour partie dans un ancien moulin, donc logiquement... au bord de l'eau. Et en contrebas du village, dans un endroit où les cars de touristes ne se risquent pas. Accueil courtois. Cuisine savoureuse servie dans une salle où l'on découvre le mécanisme d'origine du moulin. Chambres à la déco d'une sobriété exemplaire (un rien austères), mais confortables et d'un bon rapport qualité-prix.

Le château de Castelnaud : à 10 km de Sarlat. ☎ 05-53-31-30-00. • www.castelnaud.com • Ouvert toute l'année; de mars à mi-novembre, de 10 h à 18 h (19 h en avril, mai, juin et septembre; 20 h en juillet et août); de mi-novembre à mi-février, de 14 h à 17 h (sauf vacances de Noël : 10 h à 17 h). Entrée : 6,40 €; de 10 à 17 ans : 3,20 €; gratuit pour les moins de 10 ans; réductions pour tous en juillet et août avant 13 h. Billets jumelés avec Marqueyssac (lire plus loin). Parking payant; possibilité d'accéder par le bas du village, la montée est très difficile, mais la vue et le village en valent la peine.

Une imposante forteresse médiévale; le château le plus visité de la région. À l'intérieur du château, le *musée de la Guerre au Moyen Âge,* qui possède une rare collection de pièces authentiques : épées, pièces d'artillerie, tenues défensives, armes d'hast, ainsi que des reconstitutions spectaculaires de machines de siège et de pièces d'artillerie. Dans la *salle du logis,* les enfants peuvent tester leurs connaissances grâce à un jeu vidéo.

Le château est restauré aujourd'hui grâce à la passion d'un homme qui lui a redonné l'une des premières places en Périgord, dans un site, de plus, remarquable. Fusion totale avec son village. Panorama sur la falaise, le château de Beynac, celui de Marqueyssac et La Roque-Gageac. Jeux vidéo pédagogiques conçus spécialement pour comprendre la défense médiévale (gratuit). Dans la barbacane du château, une salle voûtée a été organisée en coin bibliothèque à destination du jeune public. Il y découvrira une grande variété d'albums, de B.D. et d'ouvrages éducatifs consacrés à l'époque médiévale.

– ***Animations médiévales :*** du 10 juillet au 30 août, tous les jours sauf le samedi, de 11 h à 18 h, dans l'enceinte du château. On peut s'exercer au combat à l'épée et affronter le seigneur des lieux en revêtant le haubert (vous savez, cette lourde cotte de mailles) et la salade (ne vous inquiétez pas, il s'agit du casque à visière !). Ces activités permettent une compréhension plus vivante de la guerre au Moyen Âge. Sans danger. Les gosses vont adorer !

En été, visite historique nocturne menée par une comédienne tous les soirs à 20 h sauf le week-end. Limitée à 40 personnes, donc pensez à réserver.

Où dormir dans le coin ?

Camping Lou Castel : 24250 ***Castelnaud-en-Périgord*** ou ***Castelnaud-la-Chapelle.*** ☎ 05-53-29-89-24. Fax : 05-53-28-94-85. À environ 3 km de Beynac. Pour 2 personnes avec voiture et tente, compter 14,50 €. À deux pas des châteaux de Castelnaud et de Beynac, un superbe camping parfaitement au calme, en pleine verdure, très bien équipé. Emplacements spacieux, terrain de jeux pour enfants, volley, pétanque. Également location de mobile homes et de gîtes, à la semaine. Réduction de 5 % sur le camping pour les routards en possession de leur guide.

Chambres d'hôte, La Ferme Fleurie : sur la D 703, à 4 km de ***La Roque-Gageac*** (vers Vitrac). ☎ 05-53-28-33-39. Fax : 05-53-28-29-61. • www.perigord.com/la-fermefleurie • Fermé de la Toussaint à Pâques. Chambres avec douche et w.-c. à 38 €, petit dej' compris. Vous pouvez aussi partager un gîte de 12 places en famille ou avec des amis pour 13 € par personne (petit déjeuner compris). Très intéressant. En pleine campagne. Excellent accueil et calme assuré. Jardin. Les pâtisseries maison de Martine Rivière sont succulentes. La ferme s'est enrichie d'un jardin (entrée payante mais offerte aux résidents sur présentation du *Guide du routard* : pour 2 personnes seulement).

L'aquarium du Périgord noir : 24260 **Le Bugue-sur-Vézère.** ☎ 05-53-07-10-74. Ouvert tous les jours du début des vacances de février à mi-novembre : en février, mars, octobre et novembre de 10 h à 17 h ; en avril, mai, juin et septembre, de 10 h à 18 h ; en juillet et août, de 9 h à 19 h (nocturne jusqu'à minuit le samedi). Entrée : 8 € ; de 4 à 15 ans : 5,70 €.
Le plus grand aquarium privé d'Europe, une visite aussi agréable que passionnante. Bacs gigantesques éclairés par la lumière naturelle renfermant nombre d'espèces de tous les pays. Très bel aménagement autour d'un jardin, quelques bassins à l'extérieur. Impressionnants brochets et silures. Promenade au milieu des poissons et des cascades, plafonds de verre où l'eau ruisselle. Les bacs de poissons exotiques se trouvent dans des pavillons sur pilotis au milieu d'une végétation exubérante. Trois bassins tactiles. Explications et démonstrations d'élevage et alevinage. Assistez au nourrissage qui est effectué en public. Une visite à ne pas manquer. Pour tous les amoureux des poissons de rivière.

Le village du Bournat : à 100 m de l'aquarium, 24260 **Le Bugue-sur-Vézère.** ☎ 05-53-08-41-99. Ouvert de 10 h à 17 h (19 h de mai à septembre). Fermé de mi-novembre à mi-février. Entrée : 8,70 € et 12 € (juillet et août) ; de 4 à 16 ans : 6 €. Compter largement de 1 h à 4 h de visite. Parking gratuit.
Restauration de qualité possible sur place, dans un bistrot au décor 1900.
Très intéressante reconstitution de la vie traditionnelle paysanne. Exposition et animation sur les métiers et traditions d'antan : le lavoir, le maréchal-ferrant, les battages, le boulanger, le moulin à huile de noix, le tonnelier, etc. Superbes collections d'outils et jouets anciens, scènes reconstituées avec mannequins en costumes d'époque (noce, fête paysanne...). Pour les enfants, fête foraine gratuite avec de nombreux manèges. Des artisans refont devant vous les gestes des métiers disparus. Les produits fabriqués sont en vente à l'accueil. Vous pourrez même prendre place sur les bancs de l'école, plus vraie que nature. Un site qui reste authentique avant tout et où vous vivez l'histoire du Périgord et rajeunissez d'un siècle sur les bords de la Vézère.
En été, animations d'artisans, les fêtes, les repas de battage.

Le gouffre de Proumeyssac : la cathédrale de Cristal, à **Audrix,** 24260 Le Bugue-sur-Vézère. ☎ 05-53-07-27-47. Service de réservation en juillet et août : ☎ 05-53-07-85-85. • www.perigord.com/proumeyssac • En juillet et août, ouvert de 9 h à 19 h ; en mars, avril, septembre et octobre, de 9 h 30 à 12 h et de 14 h à 17 h 30 ; en mai et juin, de 9 h 30 à 18 h 30 ; en novembre, décembre et février, de 14 h à 17 h. Fermé en janvier. Entrée : 7,60 € ; de 4 à 15 ans : 5 €. Visite avec descente en nacelle (supplément de tarif).
La nacelle, remise en fonction il y a quelques années, peut désormais accueillir toute la famille (5 personnes + le guide). Pendant la visite, grâce à un film en images de synthèse commenté par le guide, on découvre toutes les étapes qui ont permis la formation de la *cathédrale de Cristal.* Beaucoup de monde, mais les environs sont très bien aménagés : parcours forestier, jeux pour enfants, joli parc, espace pique-nique.

Déjà célèbre au XVIIIe siècle pour ses terrifiantes légendes, le gouffre ne fut redécouvert qu'en 1907 par un puisatier qui y descendit dans un tonneau suspendu au bout d'un treuil. Jusqu'en 1952, on ne put y descendre que par groupe de 2 ou 3 personnes. Le creusement d'un tunnel permit plus tard l'accès à des groupes plus larges. Une visite hors du commun! Immense voûte souterraine avec de nouveaux jeux de lumière et accompagnement musical, fontaines pétrifiantes, concrétions excentriques ou figuratives. Visite d'une quarantaine de minutes offrant une grande variété de points de vue. Son et lumière impressionnants.

Où dormir? Où manger dans le coin?

🏠 |●| ***L'Auberge Médiévale La Vieille Treille :*** route du gouffre de Proumeyssac, ***Audrix,*** 24260 Le Bugue-sur-Vézère. ☎ 05-53-07-24-02. ● auberge-medievale.audrix@wanadoo.fr ● Fermé le mercredi sauf pendant les vacances scolaires, ainsi que d'octobre à début avril. Chambres doubles avec douche à 32 €; grande chambre pour 4 personnes à 48 €. Demi-pension à 37 € par personne. Menus de 17,50 à 30 €; compter de 18 à 23 € à la carte. Menu-enfants à 8 €, avec manchon de canard confit et paillasson de pommes de terre, et la traditionnelle glace en dessert. Au centre de cet adorable petit village véritablement posé sur un promontoire, une petite auberge de charme. Huit chambres de styles et de couleurs différents, certaines avec terrasse. Belle salle à manger rustique. Une bonne adresse malheureusement bruyante en saison (dîners en musique et place animée).

Les jardins d'Eyrignac : manoir et jardins à la française des XVIIe et XVIIIe siècles, à quelques km au nord-est de ***Sarlat.*** ☎ 05-53-28-99-71. ♿ Ouvert toute l'année; se renseigner pour connaître les horaires d'ouverture. Visite guidée : 7 €; durée : 1 h environ.

L'un des plus beaux jardins de France. Il fut créé au XVIIIe siècle par le contrôleur des monnaies de France, qui travaillait pour Louis XVI. Un bel exemple de l'art topiaire (l'art de sculpter les végétaux), peuplé d'espèces persistantes, ce jardin a l'avantage de présenter un aspect à peu près identique tout au long de l'année. Bassins et vasques complètent cet ensemble. La roseraie nouvellement créée a été ouverte au public pour l'an 2000.

Où dormir? Où manger dans le coin?

⛺ |●| ***Ferme-auberge Lo Gorissado :*** 24200 ***Saint-André-d'Allas.*** ☎ 05-53-59-34-06. Fax : 05-53-31-08-60. À 6 km de Sarlat. Fermé de novembre à avril. Menus de 14 € (sauf le dimanche) à 25 €. Camping en pleine nature : 12,40 € pour deux, avec tente et voiture. 250 m^2 par emplacement : on ne se marche pas sur les pieds! Location de gîtes à la semaine. Piscine. Bon, tout ça c'est bien beau, mais on ne vous a pas encore parlé de la cuisine. Quand Bernard, ce grand gaillard sympathique, passe derrière les fourneaux, c'est tout une histoire... Le menu à 14 € change tous les jours (soupe, entrée, plat, fromage et dessert). Menu-enfants à 8 €. Tous les produits sont frais, savoureux, soigneusement préparés et servis copieusement. Cuisine du Périgord, évidemment : civets, fricassée d'enchaud, foie gras poêlé... Et accueil chaleureux.

➢ ***Descente en canoë-kayak sur la Vézère et sur la Dordogne :*** à partir de Montignac; renseignements à l'office de tourisme (☎ 05-53-51-82-60). À partir des Eyzies : ☎ 05-53-06-97-05. Départ du port de Domme-Cénac (point info : ☎ 05-53-29-17-01). Le mieux pour les enfants est de ne pas dépasser une demi-journée de canoë. Vérifiez bien les prestations de l'agence dont vous louez les services : possibilité d'emporter un pique-nique, retour en minibus, état du matériel, gilets de sauvetage... Il est bien sûr nécessaire que vos enfants sachent nager!

Les jardins suspendus de Marqueyssac : 24220 **Vézac.** ☎ 05-53-31-36-36. • www.marqueyssac.com • ♿ (sauf dans certaines parties des jardins). Ouvert tous les jours, toute l'année : de 10 h à 18 h de février à fin avril et d'octobre à mi-novembre ; de 10 h à 19 h en mai, juin et septembre ; de 9 h à 20 h en juillet et août ; et de 14 h à 17 h de mi-novembre à fin janvier. Entrée : 5,20 € ; enfants : 2,60 € ; gratuit pour les moins de 10 ans (billets jumelés avec Castelnaud, lire plus haut).
Autour d'un château XVIIIe siècle aux toits de lauzes, les jardins mêlant nature et massifs (150 000 buis taillés !), vasques, bassins, cascades et salons de verdure vous conduisent à un panorama superbe sur les châteaux environnants et les cingles de la Dordogne. Plus de 6 km de promenade. Explications pédagogiques sur la faune et la flore, promenades gratuites en calèche... Espaces de jeux à l'ancienne. Dioramas du XIXe siècle dans le pavillon de la Nature. Tous les jeudis soir en été, Marqueyssac est illuminé aux chandelles. Chasse aux œufs les dimanche et lundi de Pâques.

BORDEAUX

Dans les environs : le parc zoologique de Pessac • Oh ! Légumes oubliés

Capitale de l'Aquitaine mais aussi capitale mondiale du vin, Bordeaux est avant tout une belle ville, un joyau de pierres ciselées, armoriées et dentelées dans le grand style du XVIIIe siècle : bourse, théâtre, place royale... Mais on y trouve aussi des rues étroites au tracé médiéval, de vieux quartiers aux allures sombres et populaires, un superbe jardin public (à proximité du muséum d'Histoire naturelle décrit plus loin), etc. Ne manquez pas d'aller vous y balader, même si la ville est un peu chamboulée par les travaux actuellement.
Pour vous aider à organiser vos sorties en famille à Bordeaux et en Gironde, le petit guide *Clubs et Comptines* (infos spectacles loisirs pour les 1-12 ans) est un bon plan qui vous donnera plein d'idées divertissantes pour les enfants. Distribué gratuitement à l'office de tourisme, dans les Fnac, magasins pour enfants... il est trimestriel. Vous pouvez aussi le demander par téléphone : ☎ 05-56-92-30-40. On peut également consulter le site Internet • www.clubsetcomptines.com •

Le croiseur Colbert : face au 60, quai des Chartrons, 33000. ☎ 05-56-44-96-11. • www.mairie-bordeaux.fr/autresmusees/colbert/infospratiques.htm • Téléphoner pour les horaires. Visite guidée tous les samedis à 14 h 30 ; tous les jours pendant les vacances scolaires. Compter 2 h pour la visite. Évitez les talons, mesdames, et les chaussures glissantes ! Entrée : 7,50 € ; 5,50 € jusqu'à 25 ans ; forfait famille : 26 €. Tarif groupe sur présentation du *Guide du routard.*
Ce gros tas de ferraille fut construit dans les années 1950 et désarmé en 1991. Visite impressionnante de ce dernier des grands croiseurs : invraisemblable dédale de couloirs, d'escaliers métalliques abrupts, réseaux super complexes de câbles et de tuyaux, salle des machines comme une usine à gaz (en permanence 15 mécanos pour la faire tourner et des boulons de 58 partout !). Songez que ce vaisseau, haut de 12 étages, transporta jusqu'à 2 400 hommes ! Il y a tout à bord, le salon de coiffure, le bloc opéra-

toire, la boulange et, bien sûr, les rampes lance-missiles, car, ne l'oublions pas, le *Colbert* fut d'abord un monstre marin terriblement dévastateur (potentiellement, car il n'a jamais combattu) et sophistiqué.

Le musée d'Aquitaine : 20, cours Pasteur, 33000. ☎ 05-56-01-51-00 ou 04. • www.mairie-bordeaux.fr • Ouvert toute l'année de 11 h à 18 h. Fermé les lundi et jours fériés. Entrée pour les collections permanentes : 4 € ; pour les expositions temporaires : 5,50 € ; gratuit pour les moins de 18 ans, les étudiants et les demandeurs d'emploi ; également gratuit pour tous le 1er dimanche de chaque mois.
L'Aquitaine ayant joué un rôle non négligeable dans notre histoire de France, il serait dommage de ne pas aller un peu s'instruire, réviser nos leçons. Il s'agit d'un musée d'histoire, d'archéologie et d'ethnographie régionales. Vous y découvrirez tout l'essor de cette région et de Bordeaux, de l'époque préhistorique à nos jours, en passant par l'époque gallo-romaine, le Moyen Âge, les Temps modernes, mais en n'oubliant pas non plus des collections d'outre-mer, Bordeaux reflétant la réalité d'une région traditionnellement tournée vers les échanges et l'outre-mer. Les enfants de 5 à 12 ans ont la possibilité de suivre des visites adaptées à leur niveau et de participer à des ateliers le mercredi et pendant les vacances scolaires.

Le muséum d'Histoire naturelle : 5, pl. Bardineau, 33000. ☎ 05-56-48-26-37 ou 29-86. Ouvert toute l'année de 11 h (14 h les samedi et dimanche) à 18 h. Fermé les mardi et jours fériés. Entrée : 5,50 € ; gratuit pour les jeunes ; également gratuit pour tous le 1er dimanche de chaque mois.
La collection générale de zoologie présente des spécimens du monde entier, réunissant des espèces actuelles ou en voie de disparition, appartenant chacune à des grands groupes (mammifères, oiseaux, reptiles, poissons, mais aussi crustacés, mollusques, insectes...). Une place importante est consacrée à la faune régionale : oiseaux du littoral atlantique, rapaces des Pyrénées, poissons de nos côtes et rivières. Vous découvrirez également d'importantes collections de fossiles. Pour les amoureux de la nature et les futurs petits chercheurs.

Cap Sciences : hangar 20, quai de Bacalan, 33000. ☎ 05-56-01-07-07. • www.cap-sciences.net • Ouvert pour l'exposition, du mardi au vendredi de 14 h à 18 h, les samedi et dimanche de 13 h à 19 h. Fermé les lundi et jours fériés. Tarif de l'expo : 5,50 € ; pour les 5-16 ans, 3,80 €. Forfaits famille possibles. Deux aspects essentiels dans ce lieu créatif, fondé par une association :
– une *exposition* très intéressante, qui change tous les 6 mois environ pour devenir itinérante ;
– *Cap Sciences juniors :* des ateliers particulièrement attractifs destinés aux 8-14 ans (se renseigner pour les dates), de 14 h à 17 h, incluant un goûter. Réservations : ☎ 05-57-85-51-33. Tarif : 10 €. Groupes à partir de 5 personnes : 8 €. Thèmes des ateliers : les nouvelles technologies (multimédia, Internet, etc.), les robots (comment créer un robot), les couleurs (expériences de chimie), des ateliers de chimie également, etc.
On peut citer aussi le Carré des 4-7 ans, pour lesquels on a prévu une petite exposition. Sur réservation. Enfin, médiathèque, avec coin presse et accès Internet.

Où dormir ? Où manger ?

Acanthe Hôtel : 12-14, rue Saint-Rémi, 33000 **Bordeaux.** ☎ 05-56-81-66-58. Fax : 05-56-44-74-41. • www.acanthe-hotel-bordeaux.com • À 20 m de la superbe place de la Bourse et des quais, dans le pittoresque quartier Saint-Pierre (parking difficile). Fermé aux alentours de Noël. Compter 40,50 € la chambre double avec douche ou bains et TV ; chambres familiales de 56 à 66 € selon la formule ; 8 € le lit supplémentaire. Un établissement bien réaménagé, avec goût. Chambres personnalisées, de bon confort, plutôt coquettes. La petite rue est calme (double vitrage quand même). Bon accueil du patron, qui organise à la demande des visites du Bordelais : découverte de grands châteaux ou rencontre du vigneron, le vin, c'est bon !

|●| ***Le Rital*** **:** 3, rue des Faussets, 33000 ***Bordeaux.*** ☎ 05-56-48-16-69. Fermé le week-end et la 2e quinzaine d'août. Menu à 8,40 € le midi ; autres menus de 10 à 16,50 €. Ce petit resto italien existe depuis une bonne vingtaine d'années, ce qui est une performance pour cette rue piétonne. Table correcte dans son genre. Salle en enfilade avec vue sur la cuisine d'où sortent de remarquables spécialités : pâtes fraîches au gorgonzola et au basilic, *osso buco,* gratin d'aubergines...

|●| ***Le Passage Saint-Michel :*** 14-15, pl. Canteloup, 33000 ***Bordeaux.*** ☎ 05-56-91-20-30. Fermé le dimanche soir. Le midi, menus à 11,50 et 12,50 € ; menus suivants à 15,50 et 23 €, ou carte. Un resto installé au sein d'une vaste brocante, avec plein de curiosités et de jolies choses. Honnête cuisine de bistrot. En résumé, une formule sympathique alliant gastronomie populaire et cadre original.

➤ DANS LES ENVIRONS

Le parc zoologique de Pessac : ☎ 05-56-36-46-28. Au sud-ouest de Bordeaux, dans la direction d'Arcachon. Ouvert tous les jours d'avril à septembre jusqu'à 20 h ; d'octobre à mars de 10 h à 18 h. Entrée : 7 € ; enfants de 2 à 12 ans : 5 € ; sur présentation du *Guide du routard* : 5 et 3 €.
Le parc s'étend sur plusieurs hectares et donne plutôt l'impression d'une petite réserve. Vous pourrez y voir tigre blanc, éléphant, hippopotame, toutes sortes de primates et même un spectacle de perroquets. À l'intérieur, jeux pour les enfants et pique-nique autorisé.

Oh ! Légumes oubliés : château de Belloc, 33670 ***Sadirac.*** ☎ 05-56-30-61-00. • www.ohlegumesoublies.com • De Bordeaux, prendre la D 936 en direction de Foy-la-Grande, et à Fargues-Saint-Hilaire prendre la D 115. Ouvert du 15 avril au 30 octobre de 14 h à 18 h. Visite du potager conservatoire et goûter à la ferme à 6,50 € ; moins de 16 ans : 5 €.
Saviez-vous que la tomate était quasiment inconnue il y a tout juste un siècle ? Promenez-vous dans les jardins pour retrouver tout ce qui faisait le bonheur et le quotidien de vos grand-mères (ou plutôt arrière-grand-mères !). On vous contera l'histoire de chacun de ces fruits, légumes ou plantes. Incluse dans la visite, une formule de mini-repas est prévue pour vous faire apprécier plus d'une quinzaine de spécialités, explications et recettes comprises : à conseiller à tous les jardiniers en herbe, petits curieux et grands gourmands... Vous pourrez en repartir avec vos emplettes bio.

LE BASSIN D'ARCACHON

• Le musée-aquarium • Excursions en bateau • Zooland Park • La dune du Pyla • Le parc animalier la Coccinelle • Aqualand • Le parc ornithologique du Teich

Le musée-aquarium : 2, rue du Professeur-Jolyet, 33320 ***Arcachon.*** ☎ 05-56-83-33-32. Ouvert tous les jours de mi-mars à début novembre de 10 h à 12 h 30 et de 14 h à 19 h ; de juin à août de 9 h 30 à 12 h et de 14 h à 20 h. Entrée : 4,30 € ; enfants : 2,70 €.

Musée à l'étage : salle sur la zoologie, l'ostréiculture, l'archéologie régionale. Aquariums consacrés à la faune marine régionale ainsi que quelques bacs sur la faune tropicale.

➢ ***Excursions en bateau :*** à **Arcachon.** L'*UBA (Union des Bateliers Arcachonnais)* et l'*ACO (Arcachon Croisière Océan)* organisent l'été plusieurs excursions très intéressantes sur le bassin. Faites-en au moins une, c'est vraiment sympa.

■ ***UBA :*** ☎ 05-57-72-28-28 et 05-57-52-24-77.
■ ***ACO :*** ☎ 05-56-54-36-70.

– ***Le tour de l'île aux Oiseaux :*** toute l'année, départ de la jetée Thiers et de la jetée d'Eyrac. Compter 12,50 € par adulte; réductions pour les 4-12 ans. Pas de réservations. Durée : 2 h.
L'île aux Oiseaux, c'est ce petit banc de terre au beau milieu du bassin avec deux maisons de bois sur pilotis où les ostréiculteurs font halte. On les appelle cabanes « tchanquées » car leurs pieds rappellent les tchanques, échasses des bergers landais. On passe par les villages du bord du bassin : Le Piquey, Piraillan, Le Canon, L'Herbe, La Vigne.
– ***Une journée au banc d'Arguin :*** en juillet et août, départ vers 11 h (1 h de traversée), retour à 17 h. Rendez-vous à la jetée Thiers. Autour de 15 € par adulte; réductions pour les 4-12 ans.
Une journée sympa sur ce banc de sable superbe, réserve naturelle d'oiseaux migrateurs. Apporter son pique-nique. Situé entre l'océan et le bassin, le banc d'Arguin est un lieu idéal pour la nidification. Le banc modifie sans cesse sa forme sous l'effet de l'océan et de l'apport de sable. Animaux interdits.
– ***La traversée Arcachon-Le Cap-Ferret :*** fonctionne toute l'année. De mi-juillet à fin août, traversées tous les jours, toutes les heures de 9 h à 13 h et toutes les 30 mn de 14 h à 19 h; en juin, début juillet et septembre, 6 ou 7 traversées par jour de 9 h à 19 h. Tarif aller-retour : 10 €; 6 € pour les enfants. D'autres balades sont également proposées, aussi bien le soir que des rando-découvertes. Se renseigner sur place. Dans le cadre de ces randos, un carnet de route à vocation pédagogique et ludique est remis à tous les juniors.

Zooland Park : dans le bassin d'Arcachon, route de Cazaux (D 112). ☎ 05-56-54-71-44. Ouvert toute l'année; du 1er janvier au 31 mars, les mercredi, samedi, dimanche, jours fériés et vacances scolaires de 14 h à 18 h; d'avril à septembre, tous les jours sans interruption de 10 h à 19 h; du 1er octobre au 11 novembre, les mercredi, samedi, dimanche, jours fériés et vacances scolaires de 14 h à 18 h; du 12 novembre au 31 décembre, les consulter. Entrée : 9,50 €; 8 € pour les 2-12 ans.
Zooland Park, qui s'étend sur une superficie de 10 ha entièrement boisés, regroupe 3 parcs : le zoo, la ferme de France et le parc de loisirs. Durant la visite du zoo, les juniors pourront admirer plus de 50 fauves et découvrir la plus grande fosse à ours d'Europe. Mais n'oubliez pas d'aller voir la reconstitution d'un village et d'une ferme, où vos bambins pourront caresser tous les animaux et même donner le biberon aux chevreaux et aux agneaux à 11 h, 15 h et 17 h. Enfin, le parc de loisirs, entièrement gratuit, permettra de se remettre de ses émotions. Alors, bonne journée!

Où dormir? Où manger?

Hôtel Les Mimosas : 77 bis, av. de la République, 33320 ***Arcachon.*** ☎ 05-56-83-45-86. Fax : 05-56-22-53-40. Près de la place de Verdun. Fermé en janvier et février. Chambres doubles de 35 à 61 € selon la période, 14 € le lit supplémentaire. Dans une bonne grosse maison arcachonnaise de la ville d'été. L'océan n'est donc pas bien loin. Très bon accueil. Chambres propres et nettes, pas désagréables et quelques-unes en annexe de plain-pied façon motel.

|●| **La Plancha :** 17, rue Jehenne, 33320 **Arcachon.** ☎ 05-56-83-76-66. Fermé le mercredi hors vacances scolaires et les samedi et dimanche midi toute l'année ; congés annuels : de mi-janvier à mi-février et la 2e semaine de novembre. Menu à 6,40 € ; à la carte, compter 18-20 €. Une des meilleures adresses arcachonnaises bon marché, où la salade *Plancha* (salade, tomate, morue, anchois marinés, sépias, moules, crevettes) suffit pour déjeuner, et où le plateau *Plancha* (4 viandes grillées) vous gave pour la soirée. Tapas également, et morue, comme dans tout « catalan » qui se respecte. Ici, on peut manger avec les doigts, ce qui enchante toujours les enfants. Attention, tables serrées et il n'y en a pas cinquante.

*** **La dune du Pyla :** exceptionnelle !

Parents savants : *quelques chiffres sur la dune*

Absolument unique en son genre, cette immense dune de forme rectangulaire s'étend sur 2,7 km de long et 500 m de large, et représente 60 millions de tonnes de sable. Culminant à 106 m, c'est la plus haute d'Europe. Elle a 8000 ans et aurait pris son temps pour se former, puisqu'au XVIIIe siècle elle n'en était qu'au stade de gros pâté. Attention, elle avance de 1 à 4 m par an : ne pas se faire prendre de vitesse pendant la sieste !

➢ ***L'ascension de la dune :*** puisque rien n'est gratuit ici-bas, il faut payer un droit de parking de 2,30 € la 1re heure, 3,05 € au-delà (sauf pour les cyclistes) pour laisser son véhicule et partir à l'ascension de ce gros château de sable. Un escalier de bois facilite la tâche. C'est au coucher du soleil qu'il faut venir. D'abord la montée sera moins pénible, ensuite la vue n'en sera que plus merveilleuse. Les courageux dévalent la dune jusqu'à la mer. Sensation super, mais garder un peu d'énergie pour la remontée.
Sinon, pour les plus individualistes (et ceux qui veulent économiser le parking, qui peuvent être les mêmes), il existe un itinéraire plus sauvage qui consiste à venir par le sud en prenant la D 218 (celle qui longe la côte à l'intérieur de la forêt des Landes) et à s'arrêter quand on aperçoit la petite route qui va vers la mer, à environ 1 km du camping *Le Petit Nice*. Commencer là l'escalade, c'est pas mal non plus.

** **Le parc animalier La Coccinelle :** 33470 **La Hume.** ☎ 05-56-66-30-41. Ouvert du 24 mai à fin août : du 24 mai au 30 juin, de 10 h à 18 h 30 ; en juillet et août, de 10 h 30 à 19 h 30. Entrée : 7,70 € ; de 2 à 14 ans : 6,20 €. Une chouette initiative qui ravira les enfants puisqu'il s'agit d'un zoo d'animaux domestiques. Pas de lions féroces ni de méchants rhinos, mais de doux agneaux, dindons, lapins, oies, chèvres et gentils ânes. À voir également, des animaux « insolites » : l'astrakan, le porc laineux ou le chinchilla. Scènes attendrissantes des bambins qui donnent le biberon aux agneaux, aux porcelets et aux chevreaux. Éducatif, amusant, sympa et original. Une visite à ne pas manquer. On peut même apporter certains aliments (pain, salade, carottes) pour les donner aux animaux.
Spectacle de magie tous les jours en juillet et août (à 15 h 30, 16 h 30 et 17 h 30). Le parc La Coccinelle, c'est aussi un parc d'attractions. Manèges, petits trains, structures gonflables, mur d'escalade, tyrolienne, piste bicross, toboggans, balançoires, jeux d'eau viennent agréablement compléter la visite en famille. Aire de pique-nique.

* **Aqualand :** 33470 **La Hume.** ☎ 05-56-66-39-39. Ouvert de début juin à début septembre, de 10 h à 18 h (19 h en juillet et août). Entrée : 17,50 € ;

enfants de moins de 12 ans : 15,50 € ; gratuit pour les moins de 1 m (environ 3 ans).
Situé dans le bassin d'Arcachon, le parc s'étend sur 8 ha, avec un plan d'eau de plus de 2000 m². L'eau vue sous toutes ses formes de glisse. Tous les jeux d'eau possibles et imaginables, piscines à vagues, rivière rapide, toboggan... et beaucoup de monde.

Le parc ornithologique du Teich : ☎ 05-56-22-80-93. • www.parc-ornithologique-du-teich.com • Du 15 avril au 15 septembre, ouvert de 10 h à 19 h (20 h en juillet et août); du 16 septembre au 14 avril, de 10 h à 18 h. Entrée : 6 €; de 5 à 14 ans : 4,30 €.
Situé entre le delta de la Leyre et la lisière de l'immense forêt de Gascogne, le parc ornithologique fait partie du parc régional des Landes de Gascogne. Il est situé sur l'une des plus importantes voies migratoires d'Europe. Sur 120 ha, plus de 250 espèces d'oiseaux peuvent être observées dans leur milieu naturel. Certains spécimens ne viennent ici qu'une courte période, comme les grèbes castagneux en hiver et les petits gravelots en été, alors que d'autres y séjournent à l'année comme les cygnes, mésanges à moustaches, passereaux aquatiques...
Ce vaste milieu naturel se présente comme un splendide paysage de transition entre la forêt de pins maritimes et la lagune arcachonnaise : un milieu humide d'une exceptionnelle richesse naturelle, à découvrir sur un parcours de plus de 120 ha au travers de différents moments forts. Le parcours s'achève en apothéose à l'embouchure de la Leyre à la lagune Claude-Quancard, où l'on peut admirer toutes sortes d'échassiers, chevaliers gambettes, chevaliers aboyeurs...
➢ Pour explorer le parc, deux balades de longueurs différentes sont proposées : la première de 2,4 km (1 h) et l'autre de 6 km (3 h). Le parcours est fléché et dessert 20 observatoires qui permettent d'épier les oiseaux. Des illustrations précises vous aident à nommer les espèces que vous rencontrez, des explications simples vous informent sur les comportements que vous observez. La seconde balade traverse toutes les zones. Pour mieux voir, louez des jumelles à la caisse (3,10 €). Mais parfois, vous êtes si près des oiseaux que même les jumelles deviennent superflues...

Où dormir ? Où manger ?

La Corniche : 46, bd Louis-Gaume, Pyla-Plage, 33115 ***La Teste.*** ☎ 05-56-22-72-11. Fax : 05-56-22-70-21. • www.corniche-pyla.com • Blotti entre pins et massifs fleuris, non loin de la grande dune. Fermé le mercredi sauf en juillet et août, et de novembre à avril. Chambres à tous les prix : 38 € la double avec lavabo; 53 € avec douche; 76 € avec bains; 5,50 € le lit supplémentaire. Demi-pension obligatoire en juillet et août : de 50 à 62 € par personne. Formule entrée + plat à 11,50 € le midi en semaine; menus à 14,50 et 23 €. Certaines chambres ont des fenêtres au-dessus des cuisines et sont un peu bruyantes. D'autres disposent d'une terrasse face à l'océan. Si elles sont occupées, consolez-vous sur la grande terrasse commune équipée de chaises longues et balancelles. Au resto, poisson et fruits de mer à l'honneur (palourdes farcies, méli-mélo de poisson, saumon aux cèpes...). Un peu cher tout de même pour une cuisine somme toute assez simple. Apéritif offert sur présentation du *Guide du routard.*

Le Relais Gascon : 24, av. de Certes, 33980 ***Audenge.*** ☎ 05-56-26-83-94. Fax : 05-56-26-95-11. À la sortie du village en direction d'Andernos, sur la droite de la chaussée. Fermé le dimanche soir hors saison. Chambres doubles à 30,50 €. Un petit supplément est demandé par personne supplémentaire. Menus à 10 €, sauf les dimanche et jours fériés, puis à 23 et 26 €. Une authentique cuisine de terroir girondin, avec force canard, cou farci et foie gras. Goûtez la salade de grenier médocain, c'est tout bon ! Également du poisson et des huîtres, si l'on préfère, mais ce n'est pas le propos.

LE LAC D'HOURTIN-CARCANS

Dans les environs : le petit musée des Automates

LE LAC D'HOURTIN-CARCANS

À quelques kilomètres au nord de Lacanau. Ici, tout a été pensé pour les enfants (c'est d'ailleurs une « Station Kid »).

– ***La maison de la Petite Enfance :*** 33990 **Hourtin.** ☎ 05-56-09-19-00 (office de tourisme). Ouvert en juillet et août, du lundi au vendredi. Lieu d'accueil, halte-garderie pour les tout-petits (ce qui peut intéresser également les parents !).

– ***Programme d'animations :*** proposé en été par l'office de tourisme, il est spécialement destiné aux enfants. Au choix : spectacles, ateliers, initiations sportives, cirques... Pendant ces activités, les enfants sont bien entendu encadrés.

➢ ***Parcours de course d'orientation :*** 33990 **Hourtin.** Départ devant l'office de tourisme. 50 balises à découvrir sur un zonage de 4 km^2 environ. On s'amuse comme des fous, en famille, et les nocturnes sont très amusantes. Fiche de parcours délivrée à l'office de tourisme.

– ***Activités gratuites CAP 33 :*** en juillet et août uniquement, des initiations gratuites ou à prix d'ami : canoë, voile, catamaran, équitation, etc. Renseignements à l'office de tourisme.

– ***Domaine des sports et de loisirs de Bombannes :*** à 5 km de Maubuisson, sur la rive ouest du lac. ☎ 05-56-03-84-84. Stages de tennis, tir à l'arc, bicross, tennis de table, escalade, surf, trampoline, etc.

Où dormir ?

Pour dormir : villages-vacances, résidence hôtelière, hôtel, chambres d'hôte, internat UCPA, meublés et 9 campings. Tous renseignements à l'office de tourisme.

Aire naturelle de camping l'Acacia Sainte-Hélène : chez Mme Rivetti d'Hourtin, 33480 ***Sainte-Hélène-d'Hourtin.*** ☎ 05-56-73-80-80. À 5 km au sud d'Hourtin. Route de Carcans, D 3. Compter 10 € environ pour deux. Camping parfaitement au calme, en pleine campagne, à prix modiques.

➢ *DANS LES ENVIRONS*

Le petit musée des Automates : 3, rue Aristide-Briand, 33250 ***Pauillac.*** ☎ 05-56-59-02-45 ou 10-78. Dans une rue piétonne. En juillet et août, ouvert du mardi au samedi de 10 h 30 à 19 h ; en mai, juin et septembre, du mardi au samedi de 10 h 30 à 12 h 30 et de 14 h 30 à 19 h ; d'octobre à avril, les jeudi, vendredi et samedi de 10 h 30 à 12 h 30 et de 14 h 30 à 19 h. Entrée :

2,50 € ; enfants : 2 € ; et pour les chanceux qui ne mesurent pas encore 1 m, eh bien, c'est gratuit !
Étonnant « théâtre de la mécanique » qui perpétue une vieille tradition de construction d'automates. Un monde fantastique où les animaux s'imaginent à la place des humains.

LE PARC NATUREL DES LANDES DE GASCOGNE

• L'écomusée de la Grande Lande : Marquèze et l'atelier des Produits résineux à Luxey

■ ***Parc naturel des Landes de Gascogne-maison du Parc naturel des Landes de Gascogne :*** 33, route de Bayonne, 33830 ***Belin-Beliet.*** ☎ 05-57-71-99-99. • www.parc-landes-de-gascogne.fr • Le parc édite un guide des hébergements remis à jour chaque année et donne des informations complémentaires sur son site Internet.

Certains bambins aiment les parcs d'attractions, les musées, le sport, tandis que d'autres – mais parfois les mêmes – préfèrent partir à la découverte de la nature, des plantes, animaux et aussi admirer un coucher de soleil lorsque les couleurs flamboient et que la forêt s'embrase. Alors n'hésitez pas à aller tout simplement vous balader dans ce parc naturel. À cheval sur les Landes et la Gironde, le parc naturel des Landes de Gascogne est délimité au sud par Sabres, où se trouve le point de départ d'un petit train qui mène à l'écomusée de Marquèze. Il monte au nord jusqu'à l'estuaire de la Leyre qui se jette dans le bassin d'Arcachon, où se situe le parc ornithologique du Teich. Pour vous héberger, faute d'hôtellerie traditionnelle suffisante, certains villages possèdent des gîtes forestiers qui sont en fait des petites maisons en bois très bien aménagées, notamment à Sore, Pissos, Labouheyre, Bourrideys, Brocas et Lixey (s'adresser aux mairies). Idéal pour partir ensuite en famille à la découverte de cette forêt de pins qui, sur plus de 100 km, compose la géographie de ce parc. Magnifique endroit pour rêver et voyager dans le temps.

L'ÉCOMUSÉE DE LA GRANDE LANDE

Tous les renseignements sur le parc à ***Sabres :*** ☎ 05-58-08-31-31. Cet écomusée regroupe 3 sites distants d'une vingtaine de kilomètres : le *site de Marquèze* à Sabres (le plus intéressant, et probablement le mieux adapté pour des enfants), l'*atelier des Produits résineux* à Luxey et le *musée du Patrimoine religieux et des Croyances populaires* à Moustey (ce dernier, moins adapté aux juniors, n'est pas traité dans ce guide). Ces visites sont idéales pour se pencher et découvrir une des faces cachées de la vie des Landais au XIXe siècle. Un système de passeport à 10 € pour les adultes et 7 € pour les 6-18 ans permet de visiter les trois sites, même à des dates différentes.

🚶🚶 ***Marquèze :*** du village de Sabres part un train aux voitures anciennes qui mène à l'écomusée de Marquèze, à 5 km de là. C'est le seul moyen d'y accéder, mais on ne se fait pas prier pour cela. Ce train reliait Sabres et Labouheyre depuis 1890 et transportait voyageurs et bois de pin. Depuis 1970, les touristes en profitent. Pour les horaires des navettes en train, se renseigner. Ouvert du 1er avril au 1er novembre, tous les jours. Le dimanche et les jours fériés, c'est une locomotive à vapeur qui tire des wagons classés Monuments historiques. Entrée : 7,31 € ; tarif réduit : 6,55 € ; enfants : 5,33 €. À l'arrivée du train, un guide fait visiter les différentes maisons composant un quartier de la Grande Lande au XIXe siècle : maisons du maître, des métayers, des brassiers, les bergeries... Visite guidée, facultative et passionnante de 1 h 30 avec des explications sur la mutation de la région et le mode de vie des paysans et éleveurs de l'époque. L'idéal est de visiter le site avec les enfants lors des animations d'été : en juillet, la 1re semaine pour les moissons et la 3e semaine pour le battage du seigle ; en août la 1re semaine pour la lessive traditionnelle et la 3e semaine pour les plantes textiles, le chanvre et le lin. Les enfants pourront participer aux animations en s'essayant au filage, au rinçage du linge les pieds dans la rivière, mais aussi au battage du seigle à la main et à bien d'autres découvertes. On vous conseille de venir le matin. Il fait moins chaud et on peut pique-niquer sur place. Si vous avez oublié le pique-nique, vous trouverez là buvette, vente de sandwichs et restaurant avec une vue agréable. De bonnes spécialités régionales dans l'assiette à prix corrects. Tous les mardis, on peut assister au travail du gemmeur sur une parcelle de pins et, chaque jour, voir le moulin fonctionner et moudre la farine de seigle qui servira plus tard à la fabrication du pain, au four situé au centre de l'airial.

L'atelier des Produits résineux : 40430 ***Luxey.*** ☎ 05-58-08-01-39. Derrière l'église. Du 1er juin au 15 septembre, ouvert tous les jours de 10 h à 12 h et de 14 h à 19 h. En avril, mai, fin septembre et octobre, ouvert de 14 h à 18 h. Entrée : 4 € ; pour les 6-18 ans : 2,50 €.
Ancien atelier de distillation de la résine, en service jusqu'au milieu du XXe siècle.

BIARRITZ

Dans les environs : la cité des Abeilles de Saint-Faust • La falaise aux Vautours

Biarritz évoque d'emblée le Pays basque, la plage et le surf. La ville s'est d'ailleurs dotée d'un superbe musée de la Mer et d'un plus étonnant musée du Chocolat (eh oui, le chocolat basque est réputé).

LE MUSÉE DE LA MER

En face du rocher de la Vierge, 64200 ***Biarritz.*** ☎ 05-59-22-75-40. ♿ Ouvert de 9 h 30 à 12 h 30 et de 14 h à 18 h ; pendant les vacances de février et Noël, ainsi que le week-end et les jours fériés de mai, ouvert de 9 h 30 à 18 h ; pendant les vacances de Pâques, en juin et septembre, de 9 h 30 à 19 h ; en juillet et août, de 9 h 30 à minuit. Fermé le lundi de novembre à mars sauf vacances scolaires ; fermeture annuelle les 2e et 3e semaines de janvier, à Noël et le matin du 1er janvier. Entrée : 7,20 € ; de 5 à 16 ans : 4,60 € ; réduction de 10 % sur présentation du *Guide du routard.*

Face au rocher de la Vierge, ancré entre le port des Pêcheurs et la crique du Port-Vieux, le musée de la Mer de Biarritz présente depuis 1933 les liens entre les Basques et la vie marine. Dans un bâtiment de style Art déco, le musée vous propose d'admirer la faune du golfe de Gascogne et ses collections. Plus de 150 espèces de poissons et invertébrés du golfe de Gascogne évoluent dans leurs habitats préférentiels reconstitués : hippocampes, murènes, daurades, turbots, pieuvres, langoustes, tortues, mais aussi girelles, paon, coquettes, sérioles... Les phoques, que vous pouvez observer aussi bien en vision subaquatique qu'en extérieur sur la terrasse du musée, vous donnent rendez-vous tous les jours pour leur repas à 10 h 30 et

17 h. Les requins, quant à eux, vous attendent dans leur grotte spécialement aménagée pour un face-à-face captivant. De la chasse à la baleine aux techniques de pêche actuelles, des moulages et squelettes de cétacés aux oiseaux naturalisés, des maquettes de bateaux aux instruments de navigation, le musée de la Mer présente ses collections régulièrement enrichies depuis les années 1930. Une visite ludique et enrichissante qui peut se terminer par une halte à l'espace détente face à un panorama océanique exceptionnel.

LE MUSÉE DU CHOCOLAT

4, av. Beau-Rivage, 64200 ***Biarritz.*** ☎ 05-59-41-54-64. Fax : 05-59-41-54-65. ♿ Le musée se situe à l'entrée sud de Biarritz sur l'avenue Beau-Rivage qui longe la côte des Basques. Pendant les vacances scolaires, ouvert tous les jours de 10 h à 12 h et de 14 h 30 à 18 h (19 h en juillet et août) ; hors vacances, du lundi au samedi. Entrée : 5 € ; enfants de 4 à 12 ans : 3 €.

Ce musée révèle aux gourmands l'univers fabuleux du chocolat : son histoire et ses secrets de fabrication. La visite est commentée et agrémentée d'anecdotes. Découvrez les moules à chocolat, machines, outils de fabrication, collections d'affiches, objets publicitaires... En exclusivité, une exposition de sculptures en chocolat réalisées par le chocolatier de la *Maison Henriet,* Serge Couzigou. Dégustation de chocolat et initiation au goût.

Où dormir ? Où manger ?

Hôtel Palym : 7, rue du Port-Vieux, 64200 ***Biarritz.*** ☎ 05-59-24-16-56. Fax : 05-59-24-96-12. Doubles à partir de 35 € avec douche sur le palier, 46 € avec douche et w.-c. privés, 50 € avec bains ; triples à 65 € et quadruples à 78 €. Possibilité de demi-pension avec le resto *Palmarium,* juste à côté, tenu par le frère de la patronne. Hôtel vieillot au charme un peu ringard mais très bien tenu. Repris par la fille des anciens proprios, aussi dynamique qu'accueillante.

Bistrot Saint-Charles : 18, rue de la Bergerie, 64200 ***Biarritz.*** ☎ 05-59-24-08-43. Fermé les dimanche, lundi, mardi et mercredi soir, sauf en été. Formule à 11,50 € ; compter 18 € à la carte. Un peu à l'écart du tumulte touristique, un petit bistrot de quartier offrant une cuisine basque sans prétention, axée sur la qualité des produits. Plats de marché servis sur le pouce. Idéal pour une pause déjeuner à moindres frais. De plus, accueil charmant.

➤ DANS LES ENVIRONS

La cité des Abeilles de Saint-Faust : ☎ 05-59-83-10-31. ♿ Non loin de Jurançon (au nord-est de Pau), passer par Laroin (sur la D 2) puis Saint-Faust-du-Bas. En juillet et août, ouvert tous les jours de 14 h à 19 h ; du 1er avril au 30 juin et du 1er septembre au 15 octobre, ainsi que pendant les vacances de février et de la Toussaint, ouvert tous les jours sauf le lundi, de 14 h à 19 h ; le reste de l'année, les samedi et dimanche de 14 h à 19 h. Congés annuels : du 15 décembre au 15 janvier. Entrée : 5,35 € ; enfants : 3,35 €. Tarif famille : 3e enfant gratuit. Tarif groupe sur présentation du *Guide du routard.*
Tout sur la vie des abeilles, les produits de la ruche, les outils traditionnels. Dans le parc, toutes les fleurs susceptibles d'être butinées. Nombreuses variétés de ruches anciennes exposées, plus une ruche vivante d'observa-

tion. Vous pénétrerez dans un vivarium d'une dizaine de ruches vitrées où l'on peut voir en direct les reines pondre leurs œufs. Elles sont marquées d'un point de couleur correspondant à leur année de naissance. Trouvez la reine et sa couleur, vous avez gagné un petit cadeau! Chaque année en décembre, autour de la Saint-Nicolas, une exposition et des ateliers d'animation sont proposés sur le thème du pain d'épice. En février, les enfants peuvent fabriquer leur bougie lors d'une exposition sur la cire d'abeille. L'été, le dimanche après-midi, lorsque le temps le permet, l'apiculteur ouvre (derrière des filets de protection) une ruche devant vous. Une anecdote : depuis plusieurs années que le musée existe, il n'y a eu qu'un visiteur piqué et c'était... par une guêpe! Unique écomusée de l'abeille, installé en pleine nature, une visite pour petits et grands (les enfants adorent), à butiner sans modération.

La falaise aux Vautours : 64260 ***Aste-Béon.*** ☎ 05-59-82-65-49. • www.pyrenees-online.fr/falaiseauxvautours • De Bielle, prendre la D 934, qui part vers le sud. De Pau, traverser le gave à hauteur de Béon et continuer sur la petite route des villages (la D 240). Ouvert tous les jours en juin, juillet et août, de 10 h 30 à 12 h 30 et de 14 h à 18 h 30; en mai et septembre de 14 h 30 à 18 h 30 et durant les vacances scolaires de 14 h 30 à 17 h 30. Visite de l'espace muséographique : 6 €; de 5 à 12 ans : 4 €; gratuit pour les moins de 5 ans; sur présentation du *Guide du routard,* 1 entrée offerte à 1 enfant pour 2 entrées adultes payées.
À Aste-Béon, les rapaces nichent sur la falaise qui domine le village. Un jour, on eut donc l'idée d'installer là-haut des caméras près des nids des vautours. En bas, on a construit un musée passionnant consacré à la découverte de la vie à l'état sauvage des vautours fauves et du percnoptère d'Égypte de la réserve naturelle d'Ossau. Un écran retransmet en permanence les images de la falaise. Au fil des mois, on peut découvrir la vie sociale de ces petites bêtes mais également la manière dont elles se reproduisent, étape par étape. De l'accouplement à l'éclosion des poussins, des nourrissages à l'entraînement au vol, un guide vous commente en direct ces images inédites. Expositions didactiques et intéressantes sur le pastoralisme, la faune et la flore des Pyrénées, les contes et légendes de la vallée et l'utilité du vautour charognard en montagne. En 1974, date de création de la réserve, on comptait 10 couples de vautours fauves; en 2002, on a pu observer 120 couples nicheurs et 80 petits. Pendant l'été, balades et randonnées pour les familles, encadrées par un accompagnateur de montagne diplômé.

Où dormir? Où manger dans le coin?

Hôtel Brun : 5, pl. de Jaca, 64400 ***Oloron-Sainte-Marie.*** ☎ 05-59-39-64-90. Fax : 05-59-39-12-28. Ouvert toute l'année. Resto fermé le samedi midi. Chambres doubles impeccables et tout confort à 40 €; prévoir environ 53 € la chambre pour 4 personnes. Repas de 10 à 20 €; à la carte, compter autour de 11 €. Un *Logis de France* qui joue à fond la carte de l'accueil et du bon rapport qualité-prix. Kir maison offert sur présentation du *Guide du routard.*

AUVERGNE

On peut sourire des bougnats, des stations thermales et des sourcils de Pompidou, rien à faire : l'Auvergne a du caractère. Cette île du cœur de la France a des villes couleur de charbon, des hauts pâturages et des vallées paradisiaques. Mais cette belle et ancienne région ne manque d'attraits pour personne, à condition bien sûr de s'y attarder. Cela est d'autant plus vrai que les différents comités départementaux du tourisme ont décidé, d'une part de renforcer le dynamisme de cette région déjà très attractive, d'autre part de satisfaire au maximum les juniors (certaines villes, comme La Bourboule et Le Mont-Dore, détiennent le label « Station Kid »). Vos tendres petits auront donc la possibilité de découvrir de manière ludique tout ce que les musées et artisanats locaux exposent, mais aussi de s'essayer à différents métiers. Passer une journée au contact des animaux de la ferme pour les traire et les nourrir, quel bambin n'en a jamais rêvé ? Ils seront en outre gâtés pour les activités de plein air : bases nautiques et parcs d'attractions dans tous les coins, balades variées et tout à fait surmontables physiquement, ou encore visites ludiques d'écomusées et de châteaux du Moyen Âge. Mais Dame Auvergne veille également à ses « vieilles » brebis, leur prodiguant à la fois sensations fortes et doux réconfort : terrifiants grondements poussés par le nouveau Vulcania, premier parc du Volcanisme en Europe, et sympathiques petites auberges d'altitude où l'on vous sert de délicieux produits du terroir. Bon, vous l'avez compris, l'Auvergne répond à tout ce dont vous avez besoin en ce moment, alors n'attendez plus, vos enfants ont déjà fait les valises !

Adresses utiles

- ***Maison de l'Auvergne :*** 194 bis, rue de Rivoli, 75001 Paris. ☎ 01-44-55-33-33. Fax : 01-44-55-33-34. • www.maisondelauvergne.com • M. : Tuileries.
- ***Comité régional du tourisme de l'Auvergne :*** 44, av. des États-Unis, 63057 Clermont-Ferrand. ☎ 04-73-29-49-49. Fax : 04-73-34-11-11. • www.crt-auvergne.fr •
- ***Comité départemental du tourisme du Puy-de-Dôme :*** pl. de la Bourse, 63038 Clermont-Ferrand Cedex 1. ☎ 04-73-42-22-50. Fax : 04-73-42-22-65. • www.planetepuydedome.com • Le département a créé un passeport pour l'aventure *(Planète Explorer)* qui doit inciter les jeunes à la découverte. L'idée est d'organiser des visites ludiques adaptées aux 6-12 ans (accompagnés d'adultes) sur les 15 sites retenus. Un passeport papier sera proposé aux enfants à l'entrée des musées ; tout au long de la visite, ils devront alors répondre à des questions, et pourront gagner des cadeaux.
- ***Comité départemental du tourisme de la Haute-Loire :*** 1, pl. Monseigneur-de-Galard, BP 332, 43012 Le Puy-en-Velay. ☎ 04-71-07-41-54. Fax : 04-71-07-41-55. • www.midide lauvergne.com •
- ***Comité départemental du tourisme et du thermalisme du Cantal :*** 11, rue Paul-Doumer, 15000 Aurillac. ☎ 04-71-63-85-00. Fax : 04-71-63-85-10. • www.cdt-cantal.fr •
- ***Comité départemental du tourisme de l'Allier :*** pavillon des Marronniers, parc de Bellevue, BP 65, 03402 Yseure. ☎ 04-70-46-81-50. Fax : 04-70-46-00-22. • www.destination-allier.com •

LE PARC D'ATTRACTIONS DU PAL

Dans les environs : l'arboretum de Balaine • Le château de Lapalisse • Le musée de l'Art en marche

LE PARC D'ATTRACTIONS DU PAL

À 25 km au sud-est de Moulins, à ***Dompierre-sur-Besbre*** (03290). ☎ 04-70-42-03-60. • www.lepal.com • Ouvert de début avril à fin septembre de 10 h à 18 h (19 h en juillet et août). Téléphoner quand même car les horaires varient selon les jours et les mois. Entrée : 16 €; pour les moins de 10 ans : 13 €; gratuit pour les moins de 3 ans.

Sur plus de 20 ha, une famille a développé depuis de nombreuses années un parc animalier où quelque 500 espèces vivent en semi-liberté. On y croise des éléphants, des girafes, des ours, des lions, des hippopotames... Puis ils ont développé le concept de parc de loisirs. Aujourd'hui, on compte 25 attractions (rafting, rivière sauvage, bateau pirate, tasses magiques, spectacles d'otaries, de perroquets et de rapaces...), qui font la joie des familles qui viennent et reviennent passer une journée de détente. Chaque année de nouvelles attractions sont créées. La dernière en date, le train de la mine, vous emmènera au pays des Aztèques. Nous, on rend hommage à cette belle réalisation en pleine terre bourbonnaise qui résiste à Mickey, au Futuroscope et autres parcs réputés en réussissant à attirer plus de 320000 personnes par an. Belle réussite, méritée de surcroît!

Où dormir? Où manger dans le coin?

Auberge de l'Olive : 129, av. de la Gare, 03290 ***Dompierre-sur-Besbre.*** ☎ 04-70-34-51-87. Fax : 04-70-34-61-68. • www.auberge-olive.fr • À une trentaine de kilomètres au sud-est de Moulins par la N 145. Fermé le vendredi, sauf en juillet et août. Chambres doubles à 40,50 € avec douche ou bains; chambres pour 4 personnes de 50 à 55 €. Demi-pension obligatoire en juillet et août : 45 € par personne. Menus de 11 € (en semaine) à 46 €. Une belle maison bien entretenue, recouverte de vigne vierge. Six chambres confortables vraiment calmes sur l'arrière – à réserver à l'avance, et impérativement si vous voulez y dormir. Cuisine classique, soignée et service parfait. Une étape agréable. Café offert à nos lecteurs sur présentation du *Guide du routard.*

Chambres d'hôte Les Rodillons : chez Françoise et Jean-Yves Presles, 03290 ***Diou.*** ☎ 04-70-34-67-73. Fax : 04-70-34-77-66. • jean-yves.presles@wanadoo.fr • À 5 km de Dompierre par la N 79. En arrivant vers le village, 100 m avant le parking, prendre à droite puis suivre le fléchage. Compter 35 € pour deux, 40 € pour trois; chambre familiale (un grand lit et un lit superposé) à 49 €. Table d'hôte le soir, à 12 €, apéritif, café et digestif compris. 3 chambres simples et claires avec salle de bains dans une maison à colombages située à proximité de la ferme bourbonnaise des propriétaires. VTT à disposition et deux poneys pour les enfants. Accueil agréable. Remise de 10 % à nos lecteurs à partir de 2 nuits, sur présentation du *Guide du routard.*

Restaurant-brasserie des Arcades : 67, bd Ledru-Rollin, 03500 ***Saint-Pourçain-sur-Sioule.*** ☎ 04-70-45-35-93. Au sud de Moulins, à 30 km par la N 9. Ouvert le midi uniquement.

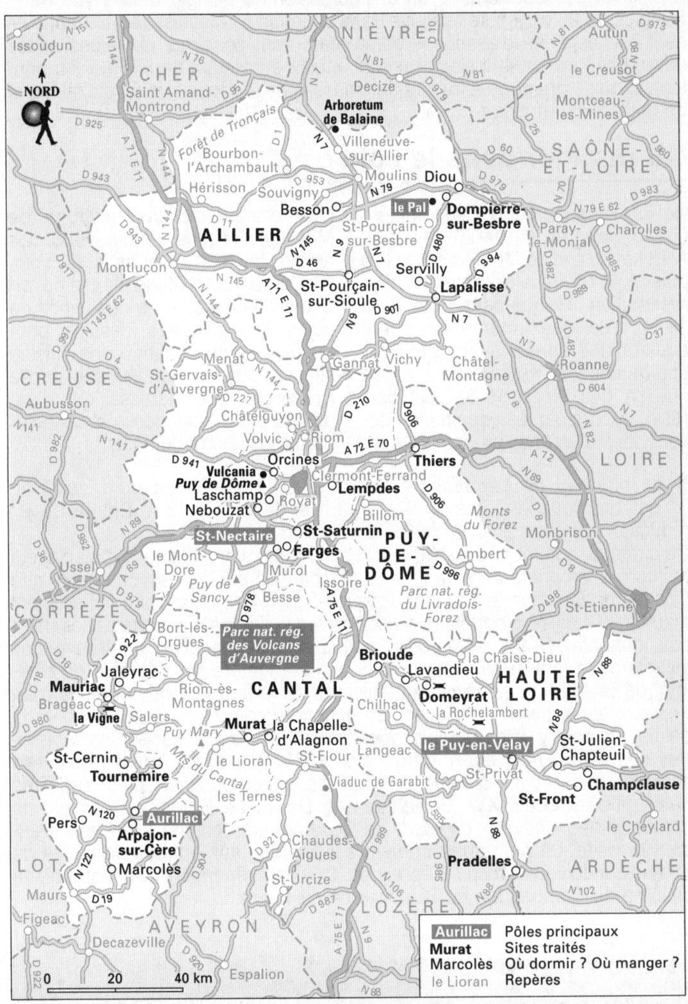

AUVERGNE

Fermé le lundi, également le dimanche d'octobre à avril. Menu unique à 11 €. Excellent rapport qualité-prix pour une cuisine simple et copieuse. Fréquenté par des habitués, l'accueil y est amical.

➤ DANS LES ENVIRONS

L'arboretum de Balaine : entre Moulins et Nevers. ☎ 04-70-43-30-07. Un peu après Villeneuve-sur-Allier, prendre la D 433. Ouvert tous les jours d'avril à fin novembre, de 9 h à 12 h et de 14 h à 19 h. Entrée : 7 € ; de 8 à 12 ans : 5 € ; gratuit en dessous.

À la limite du département, on a l'impression de plonger dans Hyde Park. Sur plus de 20 ha, on se retrouve dans un jardin à l'anglaise renfermant plus de 1 200 espèces d'essences différentes, dont certaines exotiques assez rares. Créé en 1804, il s'agit du plus ancien arboretum de France. Au printemps, on se promène à travers des massifs de rhododendrons, d'azalées et de magnolias en fleurs.

Où manger dans le coin?

Bar-restaurant *Aux Deux Mères* : 03210 ***Besson.*** ☎ 04-70-42-85-99. À 12 km au sud de Moulins par la N 9 puis la D 65 vers Cressanges. Sur réservation uniquement. Menu à 14 €. Les deux mères ne furent deux qu'une année, avant que Martine ne continue seule l'aventure, ce qui n'a pas empêché le petit bar-resto, décoré par les copains, de devenir au fil des ans l'un des lieux les plus chaleureux des environs de Moulins. C'est le rendez-vous des artistes et des antiquaires du coin. D'ailleurs, au 1er étage, ils ont ouvert une salle consacrée à des expos de peintures, sculptures, dessins, photos, etc. Et on y mange une cuisine simple, largement influencée par la Provence. Une adresse qui n'engendre pas la mélancolie et qui favorise les rapports humains.

***Le château de Lapalisse* :** ☎ 04-70-99-37-58. Ouvert du 1er avril au 31 octobre, tous les jours de 9 h à 12 h et de 14 h à 18 h. Entrée : 5 €; réduction enfants : 2,50 €; forfait famille : 13 €.
Ce château, commencé au XIIe siècle et largement modifié au XVe siècle, est toujours la propriété de la famille de Chabannes qui le possède depuis que Charles de Bourbon le donna à Jacques II en 1430. Il est donc entièrement meublé, et c'est le propriétaire ou son neveu qui dirige une visite absolument passionnante. Outre la chapelle gothique, dans laquelle on trouve des gisants de la famille, le château renferme un nombre considérable de bibelots, de tableaux... qui racontent l'histoire de la famille. Mais la pièce maîtresse, c'est le salon doré avec son plafond à caissons losangés, dorés et peints. On peut y voir des tapisseries flamandes du XVe siècle. Ces *tapisseries des Neuf Preux* furent perdues à la Révolution, six furent retrouvées en 1880, mais quatre d'entre elles ont été volées un siècle plus tard. Très beau mobilier Louis XVI, un tableau de David, *Le Retour de l'émigré,* la maquette des *Chevaux de Marly* de Coustou, une toile de Véronèse. Pendant la visite, un petit questionnaire est proposé aux enfants de moins de 13 ans qui doivent franchir 8 épreuves. Ceux qui répondent bien ont droit au diplôme de Compagnon du Seigneur de La Palice.

Parents savants : *lapalissade...*

En 1524, le seigneur de La Palice accompagne son roi, François Ier, en Italie pour livrer bataille (une de plus!) du côté de Pavie. Et, durant ce siège, petit problème : il meurt. On ne pouvait le laisser en terre ennemie. Il fallut donc organiser le voyage de retour avec le corps du défunt. Durant le trajet, les soldats se donnèrent du courage en chantant quelques vers dont ceux-ci : « Hélas, La Palice est mort! / Il est mort devant Pavie. / Hélas, s'il n'était pas mort, / Il ferait encore envie. » Mais à cette époque où le magnétophone n'existait pas, la dernière partie de la phrase fut déformée par le temps pour devenir : « Il serait encore en vie. » De quoi devenir une vérité... de La Palice.

Le musée de l'Art en marche* :** 9, av. du 8-Mai, 03120 ***Lapalisse. ☎ 04-70-99-21-78. • www.art-en-marche.com • Ouvert de 10 h à 12 h et de 14 h

à 18 h, le dimanche de 14 h à 18 h. Entrée : 5 € ; 3,50 € pour les enfants et les lecteurs sur présentation du *Guide du routard* ; gratuit pour les moins de 10 ans.
Un espace unique en France. Tous ceux que les musées institutionnels n'ont jamais reconnus, les mauvais élèves de l'art, les recalés de la gloire, les trublions du bon goût, ont trouvé refuge dans cette ancienne usine de maroquinerie. Enfin, presque tous... Des centaines d'objets farfelus, drôles, magiques, étranges, angoissants. Proches de l'art brut ou définitivement inclassables, les artistes viennent du monde entier. Il n'y a pas de collection statique, on pourrait y retourner indéfiniment. Et on serait toujours aussi émerveillé.

Où dormir ? Où manger dans le coin ?

Chambres d'hôte Les Vieux Chênes : chez Élisabeth Cotton, à **Laprugne,** 03120 Servilly. ☎ 04-70-99-07-53. Fax : 04-70-99-34-71. À 7,5 km de Lapalisse par la D 32 en direction de Montaigu-le-Blin. Chambres doubles à 47 et 55 €, petit dej' compris. Table d'hôte le soir sur réservation à 17 €. Élisabeth vous recevra avec beaucoup de plaisir et de gentillesse dans cette belle maison bourgeoise du XIXe siècle perdue dans un îlot de calme et de verdure. La maison a été entièrement rénovée avec intelligence. Elle n'a rien perdu de son caractère et de son âme. Dans les étages, 6 chambres décorées avec un goût sûr et des salles de bains parfaites, pleines de petites attentions, comme les sels de bains ou d'épaisses serviettes. Pour se détendre, un jardin, un sauna et une bibliothèque de ministre. Réduction de 10 % sur le prix de la chambre accordée sur présentation du *Guide du routard,* à partir de la 2e nuit.

Gîte chez Mme Conseil : Le Laudu, 03120 **Servilly.** ☎ 04-70-32-01-66. À 7 km de Lapalisse, prendre la direction de Saint-Gérand puis Jaligny-Servilly. Au carrefour, prendre à droite Servilly ; à 2 km sur la droite, direction Le Laudu ; le gîte est à 800 m. Compter 260 € la semaine en basse saison, et 335 € en juillet et août. Belle fermette avec 2 chambres pour 6 personnes. Bien équipé.

LES VOLCANS D'AUVERGNE ET VULCANIA

Dans les environs : Thiers, la ville des couteaux • La vallée des Rouets • L'Orangerie • Saint-Saturnin • Le labyrinthe des Volcans d'Auvergne

LE PARC NATUREL RÉGIONAL DES VOLCANS D'AUVERGNE

Il est officiellement né en 1977. Très vite, c'est devenu un instrument de protection géré par un syndicat mixte de communes des départements du Puy-de-Dôme et du Cantal. Il regroupe à ce jour 153 communes et 90 000 habitants, et a pour mission de sauvegarder le patrimoine culturel, les paysages et les milieux naturels, en tenant compte des contraintes occasionnées par le développement touristique. C'est dans cette perspective qu'il s'est doté de 8 maisons à thème visant à mieux vous accueillir tout en vous donnant une idée des richesses de la région : *maison de la Pierre* à Volvic (☎ 04-73-33-56-92), *maison des Fromages* à Égliseneuve-d'Entraigues (☎ 04-73-71-93-69), *maison des Tourbières* à Saint-Alyre-ès-Montagne (☎ 04-73-71-78-98), *maison de l'Eau et de la Pêche* à Besse (☎ 04-73-79-55-52), *maison des Fleurs d'Auvergne* à Orcival (☎ 04-73-65-20-09), *maison du Buronnier* à Laveissière (☎ 04-71-20-19-00), *maison de la Faune* à Murat (☎ 04-71-20-00-52) et enfin *chaumière de Granier* à Thiézac (☎ 04-71-47-04-55). C'est le plus vaste parc naturel de France!

🛈 ***Maison du Parc :*** château de Montlosier, 63970 ***Aydat.*** ☎ 04-73-65-64-00. De Clermont-Ferrand, prendre la direction du Mont-Dore par la D 213 vers Murol et à 3 km la D 788 vers Aydat.

Depuis toujours, les volcans ont fasciné l'humanité entière. Éruption, feu, lave, violence de la terre incontrôlable laissant derrière elle un paysage mort, minéral, lunaire. Et puis la nature reprend ses droits, colonise à nouveau ces terres bouleversées, recouvertes de scories. La flore revient, la faune s'adapte, et l'homme se met à reconstruire ce qu'il a perdu.

Dans la chaîne des Puys, les premières éruptions remontent à 60 millions d'années et les dernières ont eu lieu il y a à peine 5 000 ans. Durant cette période, il y eut des phases de calme de plusieurs milliers d'années, précédant des phases d'activité absolue. C'est dire si, telle la Belle au Bois Dormant, par un simple baiser, le feu peut renaître, un jour, sur toute cette région. En attendant ce temps lointain, la chaîne des Puys apparaît comme un véritable conservatoire des formes volcaniques tant elles sont nombreuses ici. Cônes, dômes, maars, véritable paysage de furonculose aiguë, sont alignés sur un axe nord-sud à l'ouest de Clermont-Ferrand et, sur une trentaine de kilomètres, on peut compter plus de 80 bouches éruptives formant un gigantesque collier où les verts se déclinent à l'infini. Un paysage qui s'embrasse, qui se goûte, qui se respire, qui se vit sans modération. Un paysage qui mérite non seulement le détour mais aussi le voyage, car c'est l'un des endroits les plus magiques, grandioses, fantastiques, inoubliables... On pourrait multiplier les superlatifs à l'infini en évoquant cette région qui parle à l'imagination en faisant sentir toute la puissance de la terre. Il suffit de venir et d'entendre le silence qui a l'arrière-goût un rien angoissant des grandes catastrophes. Et au milieu de tout cela s'élève le puy de Dôme! Ce n'est pas un volcan ordinaire, c'est le boss. Sûr que les gamins en auront plein la vue.

Le puy de Dôme

Parents savants : *le puy de Dôme*

Parmi tous les puys, les dômes péléens ne sont que huit. Avec ses 1 465 m, le puy de Dôme est le plus haut, toisant les autres de plus de 200 m, le plus spectaculaire et le plus célèbre. Comparé au gigantesque volcan cantalien, le bourgeonnement des dômes paraît peu de chose. C'est pourtant le plus parlant. Du haut du puy de Dôme, on peut apercevoir, vision toujours stupéfiante, une soixantaine de bouches ou de cônes et plusieurs des coulées qui se sont déchaînées dans des temps séculaires. Un petit nombre de volcans, dont le puy de Dôme, n'ont pas de cratère. Ils ont émis une lave claire, la domite, qui s'est accumulée sur place pour former un dôme d'extrusion visqueuse. Telle la grenouille du célébrissime Albert Simon, le puy de Dôme sert de baromètre aux habitants de la région. S'il se coiffe d'un chapeau, le temps va immanquablement devenir mauvais. Mais c'est au sommet que l'on peut observer les phénomènes les plus étonnants. En automne, par exemple, il est fréquent de contempler une mer de nuages d'où pointent les autres puys, comme des petites îles perdues dans une mer de coton.

Accès au sommet

Chaque période de l'année possède ses atouts et propose une découverte sans cesse renouvelée. Printemps et automne permettent d'apprécier la mer de nuages. L'été, quand le ciel est clair et nettoyé, pour peu qu'on soit un lève-tôt, on peut admirer le mont Blanc.
Bien sûr, il vaut mieux éviter la foule du dimanche après-midi. Plus de 400 000 visiteurs accèdent au sommet tous les ans. Ça fait du monde et, forcément, il y a des bouchons de temps en temps.
➢ ***À pied :*** pour parvenir au sommet, les courageux marcheurs pourront emprunter le sentier muletier qui part du col de Ceyssat et qui permet d'arriver en haut en une bonne heure en suivant le GR 441.
➢ ***En voiture :*** pour les moins courageux, il y a la route. Elle est payante (autour de 5 € par voiture) et s'enroule jusqu'au sommet pour arriver au parking. Il est loin le temps où il fallut 4 h à un courageux pour affronter le sentier des muletiers et ses épingles avec son automobile ; c'était en 1905. Il y eut des aventuriers qui se posèrent en avion sur le Puy. Le premier à réaliser l'exploit fut Eugène Renaux, qui venant de Paris, posa son aéroplane au sommet en 1911. Un exploit qui lui rapporta la bagatelle de 100 000 F de l'époque, offerts par les frères Michelin au premier qui réussirait cet exploit.
– ***Horaires :*** en mars de 8 h à 19 h ; en avril de 8 h à 20 h ; du 1er mai au 14 juin et en septembre, de 7 h à 21 h 30 ; du 15 juin au 31 août, de 7 h à 22 h ; en octobre, de 8 h à 19 h 30 ; en novembre, de 8 h à 18 h. Ouvert également les week-ends de décembre et pendant les vacances de Noël (si le temps le permet), de 9 h à 17 h. Attention, du 1er mai au 30 septembre, les mercredi et dimanche, l'accès est interdit aux voitures ; seuls les cyclistes peuvent rouler. Par ailleurs, en juillet et août, de 10 h à 18 h, on ne peut monter qu'en navette, ainsi que les week-ends de mai, juin, septembre et les jours fériés (de 12 h 30 à 18 h) ; dernière navette pour redescendre à 19 h. Attention, ça peut changer !
Le retour à pied peut se faire par le sentier des muletiers : 1 h de descente, assez facile ; vue magnifique. Renseignements : ☎ 04-73-62-12-18.

ℹ 🍴 ***Centre d'accueil et d'information :*** au sommet du Puy. ☎ 04-73-62-21-46. Ouvert du 28 avril au 1er novembre ; en juillet et août, de 9 h à 19 h ; en avril, mai, juin, septembre et octobre, de 10 h à 18 h. Expositions sur l'histoire du Puy, sur la volcanologie. Possibilité de manger sur place, dans le restaurant panoramique. ☎ 04-73-62-23-00. Menus de 14 à 17 € avec la vue. Cuisine très correcte.

Où dormir ? Où manger ?

🏠 🍴 ***Le Relais des Puys :*** lieu-dit La Baraque, 63870 ***Orcines.*** ☎ 04-73-62-10-51. Fax : 04-73-62-22-09. • www.relaisdespuys.com • Par la D 941b vers Pontgibaud. Fermé le dimanche soir hors saison, le lundi midi toute l'année, ainsi qu'en décembre et janvier. Chambres de 44 à 47,50 € avec douche ou bains ; chambre familiale à 46 €, comprenant 2 grands lits. Menus de 14 à 32 €. Judicieusement situé au pied du puy de Dôme, cette maison permet de faire un bon repas roboratif après avoir grimpé sur la montagne. On peut largement se rassasier, selon le marché, avec la salade de pieds de veau, la truite aux lentilles, le filet de perche rôti ou le foie gras de canard au colombo. Ambiance et décor chaleureux, surtout lorsque le patron a décidé de faire une bonne flambée dans la cheminée. Ici, on sait ce que tradition, qualité et accueil signifient. Forcément, la famille Esbelin tient ce relais depuis 7 générations. Chambres agréables (entièrement rénovées), surtout celles qui ne donnent pas sur la route. Réduction de 10 % sur le prix des chambres hors juillet et août, et digestif maison offert aux lecteurs du *Guide du routard*.

Hôtel-restaurant-gîte Espace Volcan : dans le bourg, à **Laschamp.** ☎ 04-73-62-26-00. Fax : 04-73-62-16-41. • www.espacevolcan.fr • Fermé de décembre à fin mars. Chambres doubles avec douche et w.-c. à 40 € ; compter autour de 64 € la chambre pour 4 personnes. Demi-pension à 36 € par personne. Gîte en chambres de 4 à 8 personnes à 11 € la nuit. Menus simples et roboratifs de 11 à 28 €, avec truite au lard, tripoux, truffade, *pounti*... Immeuble tout en bois, de construction moderne, proposant, outre le gîte et le couvert, plein d'activités : parapente, VTT, randonnées...

Chambres d'hôte Récoléine : chez Joseph et Jocelyne Gauthier, Récoléine, 63210 **Nébouzat.** ☎ et fax : 04-73-87-10-34. • gauthier.jocelyne@free.fr • Au col de la Ventouse, prendre la N 89 vers Nébouzat et Tulle ; passer Randanne puis prendre à droite vers Récoléine : c'est à 4 km. À 1,5 km du village. Compter 40 € pour deux, petit dej' compris ; au rez-de-chaussée, une chambre familiale à 69 €. Ancienne grange restaurée dans un hameau, au bord d'une petite route qui conduit dans les champs. Du jardin, on aperçoit le puy de Sancy et la chaîne des Dômes. Au rez-de-chaussée, grande pièce à vivre avec coin cuisine à disposition des hôtes, et une chambre avec sanitaires privés. À l'étage, 2 autres chambres avec sanitaires privés également. Joseph se fera un plaisir de faire visiter l'étable à vos enfants, un peu plus loin dans le village. Pas de table d'hôte, mais un resto tout proche. Un sentier de randonnée passe juste en face de la maison. Bonne adresse pour les amateurs de marche et de VTT.

Le puy de Lemptegy

Celui-ci a été reconverti en Musée volcanologique naturel à ciel ouvert... Juste en face, le tout nouveau *Vulcania*.

Le Volcan à ciel ouvert : ☎ 04-73-62-23-25. • www.volcan-lemptegy.fr • Sur la D 941b, entre Orcines et Pontgibaud. Ouvert d'avril à octobre, tous les jours de 14 h à 17 h (de 9 h 30 à 18 h en juillet et en août). Visites guidées nombreuses en haute saison, mais seulement les week-ends et jours fériés en demi-saison. Entrée : 6,50 € en visite guidée ; 5 € en visite libre, de février à la Toussaint, sauf le week-end ; réductions enfants : 4 € en visite libre et 4,50 € en visite guidée. Découverte de l'intérieur d'un volcan éteint (cheminée, dépôts fumerolliens...), projection de films et exposition permanente. Très intéressant et adapté aux enfants.

Vulcania, parc européen du Volcanisme

Situé sur la commune de **Saint-Ours-les-Roches** (63230). Renseignements : ☎ 04-73-19-70-00. • www.vulcania.com • Juste en face du site précédent. À 900 m d'altitude et à 15 km à l'ouest de Clermont-Ferrand, le long de la D 941b en direction de Limoges, en bordure de la chaîne des Puys. Ouvert de février à novembre : de 9 h à 18 h en février, mars, septembre, octobre, et novembre ; de 9 h à 19 h en avril, mai juin, juillet et août. Fermé le reste de l'année et certains jours, donc téléphoner avant de s'y rendre. Compter une journée pour la visite. Entrée : 19 € pour les adultes ; pour les enfants de 6 à 16 ans inclus : 12 € ; gratuit pour les moins de 6 ans.

Ouvert en 2002, cet énorme projet (57 ha) a pour objectif de faire découvrir et comprendre aux petits et aux grands l'univers des volcans. L'ensemble, creusé dans des coulées de laves basaltiques, est aux trois quarts souterrain. Il apparaît ainsi le moins possible, afin de s'intégrer au mieux dans son environnement. Cette structure utilisant des matériaux natu-

rels d'origine volcanique (terre végétale, scories, basalte) plonge jusqu'à 35 m de profondeur afin de mieux transporter le visiteur vers le centre de la Terre.
En arrivant à Vulcania vous serez accueilli par le *Cône,* qui culmine à 28 m de haut et autour duquel s'ordonnent les différents espaces d'explorations. Pour y accéder, il vous faudra descendre dans le cratère animé d'effets spéciaux. L'expédition commence par la *galerie du Grondement,* qui illustre les différentes manifestations volcaniques, allant même jusqu'à simuler un tremblement de terre. Après avoir traversé un *tunnel de Laves,* on découvre le *Jardin volcanique,* abrité sous une vaste verrière et qui illustre la reconquête de la végétation sur des zones dévastées par les laves. Plus loin, l'*espace Du cosmos vers le centre de la Terre* présente des images grandioses des planètes du système solaire. *Le théâtre de l'Univers* complète cette approche en vous entraînant, grâce à un film de 10 mn, dans un grand voyage dans le temps et dans l'espace. Après la *Vision planétaire,* les espaces suivants proposent une approche plus détaillée et plus personnalisée des différents volcans de notre planète. Les plus beaux volcans d'Europe sont particulièrement mis à l'honneur. Mais Vulcania se veut aussi un lieu de réflexion. Ainsi, dans *l'Observatoire,* on doit se mettre dans la peau d'un volcanologue afin d'évaluer les risques d'une éruption sur la population. Difficile enfin de parler des volcans sans rendre hommage aux scientifiques qui ont permis de mieux les comprendre : Haroun Tazieff et son accent rocailleux, les époux Krafft liés par une même passion qui leur coûta la vie sont encore dans nos mémoires...
Pour compléter la visite, vous pourrez encore assister à deux projections, l'une sur un écran géant de 415 m², qui présente les éruptions les plus spectaculaires dans le monde, et l'autre, un film en relief qui retrace l'histoire du Massif central (on allait presque l'oublier celui-là !). Les gamins vont adorer le côté ludique et spectaculaire, même s'ils ne retiennent pas toute l'information scientifique.

|●| Après une telle aventure vous aurez certainement un petit creux. Vous avez le choix entre un *restaurant* et deux *cafétérias,* ou bien, si le temps le permet, vous pouvez profiter des *aires de pique-nique* extérieures ainsi que des sentiers botaniques et de découverte.

➤ DANS LES ENVIRONS

Thiers, la ville des couteaux

Pourtant loin de toute mine de fer et de carrière de pierre à meuler, Thiers s'impose dès le XVᵉ siècle comme ville coutelière grâce à 3 éléments : l'énergie apportée par un torrent de montagne, la Durolle, le charbon de bois produit à partir des forêts environnantes et, facteur non négligeable, l'opiniâtreté des Thiernois qui sont avant tout des Auvergnats.

Parents savants : *comment fabrique-t-on un couteau ?*

Véritable jeu de patience, la fabrication d'un couteau requiert plus de 60 opérations différentes, et pas loin de 110 lorsqu'il s'agit d'un couteau fermant. Le façonnage de la lame était fait par des hommes qui travaillaient dans des conditions pénibles et dangereuses, et le polissage s'effectuait avec du cuir et du feutre. La lame une fois fabriquée, il fallait alors façonner le manche en corne, en ivoire ou en bois précieux, et assembler enfin les deux parties. Aujourd'hui, l'heure est à la robotisation et aux chaînes de montage. Une soixantaine d'entreprises industrielles fabriquent des couteaux de cette manière, mais l'artisanat n'est pourtant pas tombé dans l'oubli puisqu'il reste une centaine d'artisans. Avec 70 % de la production nationale, Thiers reste ainsi la capitale incontestée du couteau.

Le musée de la Coutellerie et la maison des Couteliers : 23 et 58, rue de la Coutellerie, 63300 ***Thiers.*** ☎ 04-73-80-58-86. • musee-de-la-coutellerie.thiers@wanadoo.fr • De juin à septembre, ouvert tous les jours de 10 h à 12 h et de 14 h à 18 h 30 ; d'octobre à mai, tous les jours sauf le lundi, de 10 h à 12 h et de 14 h à 18 h. Entrée : 4,60 € ; enfants : 2,20 €.
La visite se scinde en deux : un atelier d'art en bas de la rue et un musée qui rend hommage à 5 siècles de tradition coutelière à Thiers. Outre l'histoire de la coutellerie, on peut également admirer le travail impressionnant d'un émouleur couché avec son chien sur les jambes qui fabrique une lame. Visite guidée de l'atelier tous les jours, mais pas de couteliers les dimanche et jours fériés. Dans le musée, documents vidéo, histoire des marques, et l'une des plus belles collections européennes de couteaux depuis le XVIe siècle jusqu'à aujourd'hui. À noter aussi qu'il existe un parcours ludique destiné aux 7-12 ans et durant les vacances scolaires, de nombreuses animations sont mises en place.

La vallée des Rouets : à ***Château-Gaillard.*** Informations et réservations au musée de la Coutellerie à Thiers (voir plus haut). À 4 km en amont de Thiers par la N 89. Le site est ouvert tous les jours du 15 juin au 15 septembre, de 10 h à 18 h 30 ; accès par navette-bus à cette période, place Chastel, face à la mairie. D'avril à septembre, ouvert du mardi au dimanche de 11 h à 18 h. Visite guidée payante pour le *rouet Lyonnet* (3,20 €) mais possibilité de balade gratuite pour le *circuit des rouets Fourniot* (1 km) et celui de la *colline des Boules* (2,5 km). Sentiers balisés. Seule consigne de prudence : en cas de montée des eaux ! Cette balade est un complément indispensable à la visite du musée de la Coutellerie, mais c'est surtout un véritable enchantement ! Le long de la Durolle, on découvre les vestiges des anciens ateliers d'émouleurs de Thiers, au milieu d'une nature encore sauvage et quasiment intacte. Superbe. Ces artisans se servaient de la force de la rivière pour travailler, tout en finesse, la lame de leurs célèbres couteaux. Un rapport spectaculaire entre la nature et le savoir-faire humain. Imaginez ces hommes couchés sur une planche, au milieu d'un système d'engrenages entraînés par la Durolle (le rouet, ou moulin à aiguiser), tenant à bout de bras une pièce de métal pas plus grande qu'un doigt (ou deux doigts !). Un Brassens aurait pu écrire une chanson sur ces travailleurs aux visages martelés par l'effort, fiers, dignes, et, en un mot... libres. Sachez que le dernier émouleur de la vallée (M. Lyonnet) a pris sa retraite en 1976. Après cette visite, vous ne regarderez plus votre couteau comme avant.

L'Orangerie : 13, rue du Moutier, 63300 ***Thiers.*** ☎ 04-73-80-53-53. ♿ En juillet et août, ouvert du lundi au vendredi de 9 h à 12 h et de 14 h à 17 h 30 et le week-end de 14 h à 17 h 30. Fermé le samedi hors saison. Entrée (gratuite) par le parc du Moutier.
Grande et jolie serre écologique évoquant des milieux naturels aussi différents que le désert ou la forêt tropicale. Expositions temporaires sur différents thèmes.

Saint-Saturnin : à 15 km au nord-ouest d'Issoire. L'office de tourisme d'Aydat (☎ 04-73-79-37-69) et la maison du tourisme de Saint-Saturnin invitent enfants et parents à découvrir, petit guide ludique avec charades, rébus et devinettes à la main, le village médiéval, dont le château date des XIIIe, XIVe et XVe siècles. Si les jeunes ont bien répondu aux questions, ils gagneront un cadeau à la fin de la visite ! Motivant, non ?

Le labyrinthe des Volcans d'Auvergne : 63370 ***Lempdes.*** ☎ 04-73-63-90-86. À 2 km à l'est de Clermont-Ferrand. Ouvert tous les jours en juillet et

août ainsi que les week-ends et mercredi en septembre de 11 h à 21 h. Entrée : 6 €; 4 € pour les moins de 12 ans; 5 € et 3,50 € sur présentation du *Guide du routard.*
Un labyrinthe végétal de 8 ha, spécialement conçu pour perdre les enfants qui ne sont pas sages! Facile, lorsqu'en plus un jeu de piste les attire dans ce piège!

Où dormir? Où manger dans le coin?

Hôtel de la Gare : 30, av. de la Gare, 63300 **Thiers.** ☎ et fax : 04-73-80-01-41. Chambres doubles à 15 € avec lavabo, à 20 € avec douche ou bains; w.-c. sur le palier. Pour 4 personnes, compter 23 € pour une chambre avec 2 grands lits. Sans conteste, l'hôtel le moins cher et le plus sympa de la ville. Il est tout en haut, pas loin de la gare (normal!), caché derrière une tonnelle de glycines. Chambres simplissimes mais propres. La n° 7 est la plus tranquille. Accueil très sympa et petit bar assez cool mais un peu bruyant. Apéro maison et café offerts aux lecteurs sur présentation du *Guide du routard,* et réduction de 10 % sur le prix de la chambre à partir de 3 nuits.

Restaurant Le Coutelier : 4, pl. du Palais, 63300 **Thiers.** ☎ 04-73-80-79-59. ♿ Fermé les dimanche et lundi soir (sauf en juillet et août), le mardi; congés annuels les 3 dernières semaines de juin et 15 jours en octobre. Menus de 12 à 23 € et, pour 13 €, truffade, jambon, salade et dessert. Ce restaurant, installé dans un ancien atelier, est une véritable exposition d'objets anciens où trône une belle collection de couteaux. On ne sait plus si l'on vient manger ou visiter. Mais ce serait dommage de rater des nourritures plus terrestres. Lentilles du Puy au lard, truffade, aligot. En somme, des valeurs sûres! Apéritif maison offert à nos lecteurs sur présentation du *Guide du routard.*

Le refuge du col Saint-Thomas : au **col Saint-Thomas.** ☎ 04-73-94-21-14. À l'est de Thiers par la N 89 et à 4 km d'Arconsat. Menus de 12,50 à 15 €, ou plats sur commande. Auberge de montagne, perchée en haut du col Saint-Thomas. Ici, on est à la frontière de la région Rhône-Alpes. Au menu de cette auberge toute simple, terrines, charcuterie, omelettes, fromages, tartelettes aux myrtilles ou aux pommes...

AUTOUR DE SAINT-NECTAIRE

• La ferme des Kangourous et des Myocastors • Les Mystères de la Farges • Les grottes du Cornadore

La ferme des Kangourous et des Myocastors : chez M. et Mme Sabatier, Boissière, 63710 **Saint-Nectaire.** ☎ 04-73-88-66-81. Sur la D 996, à 26 km à l'ouest d'Issoire. Entrée : 4 €; 3 € pour les enfants de 5 à 11 ans; réduction de 0,50 € par personne sur présentation du *Guide du routard.*
Ce parc de 3000 m² héberge deux animaux peu communs : le kangourou et le myocastor, que l'on peut approcher de très près. Visite commentée dévoilant tous les détails des marsupiaux et des mammifères aquatiques rongeurs, cousins germains du castor (d'où son nom).

Les Mystères de la Farges : 63710 **Farges.** ☎ 04-73-88-52-25 ou 06-72-81-44-94. • www.farges.fr.st • À 2 km de Saint-Nectaire, sur la D 150. Entrée : 4,50 €; enfants de 7 à 16 ans : 3 €; sur présentation du *Guide du routard,* on vous fera le tarif groupe.

Laissez la pénombre vous envahir au fond de ces habitations troglodytiques du Moyen Âge et découvrez ces caves d'affinage. Scénovision qui ne manquera pas de plaire aux petits.

Les grottes du Cornadore : route de Murol. ☎ 04-73-88-57-97. • www.cornadore.com • Ouvert de février à octobre tous les jours de 10 h à 12 h et de 14 h à 19 h. Entrée : 5,35 € ; enfants de 6 à 12 ans : 4,50 €. 40 mn de visite guidée pour un bon bain chaud dans ces vestiges de thermes romains où il vous sera demandé de zigzaguer entre stalactites (celles qui tombent, d'où le « t » final) et stalagmites (celles qui montent, d'où... le « m » !). Intéressant encore, le système de pétrification.

Où dormir ? Où manger ?

Camping La Vallée verte : 63710 ***Saint-Nectaire-le-Bas.*** ☎ 04-73-88-52-68. • lavalleeverte@libertysurf.fr • Sur la D 146e (route des Granges), à 400 m de la D 966. Ouvert du 1er avril au 1er octobre. Forfait emplacement pour deux, avec voiture et tente à 10 € en haute saison, 8 € en basse saison. Au bord de la rivière, terrain ombragé bénéficiant de tous les équipements indispensables.

Chambres d'hôte chez M. et Mme Guilhot : 63710 ***Sailles.*** ☎ 04-73-88-50-69. Fax : 04-73-88-55-18. Au-dessus de Saint-Nectaire-le-Haut. Fermé en décembre. Chambres simples mais agréables à 35 € pour deux, petit dej' compris ; chambre familiale à 58 €. Dans un joli hameau surplombant Saint-Nectaire, on bénéficie d'une très jolie vue sur le village et la vallée. Bon accueil des propriétaires qui s'occupent aussi de leurs veaux et de leurs vaches. Pas de table d'hôte, mais une sympathique petite auberge dans les environs.

Auberge de l'Âne : la voici la petite auberge, située au lieu-dit Les Arnats, 63710 ***Saint-Nectaire.*** ☎ 04-73-88-50-39. À 6 km de Saint-Nectaire-le-Haut. Uniquement sur réservation. Fermé les lundi et mardi (sauf en juillet et août) ; congés annuels en octobre. Menus à 12,50 et 20 € avec, entre autres mets, confit de canard, truffade et potée. Cuisine familiale et artisanale qui n'y va pas avec le dos de la cuillère question quantité ; alors attendez-vous à devoir terminer l'assiette de votre petiot !

LE SUD-OUEST DE L'AUVERGNE

• Aurillac et l'arboretum d'Arpajon-sur-Cère • Mauriac et le château de la Vigne • Tournemire et le château de Sedaiges • La maison de la Faune à Murat

AURILLAC ET L'ARBORETUM D'ARPAJON-SUR-CÈRE

L'arboretum : *« La Pépinière »,* route de Labrousse (D 990), 15130 ***Arpajon-sur-Cère.*** Renseignements : ☎ 04-71-43-27-72 et 04-71-48-46-58 (office de tourisme d'Aurillac). À 4 km d'Aurillac. Un espace de nature apprivoisée, entièrement consacré aux différentes espèces de plantes et d'arbres qui s'épanouissent en France. Une visite ludique et pédagogique dans un vaste espace en plein air, aménagé de façon astucieuse. Jardin du Bon Dieu (plantes médicinales), du Diable (plantes toxiques), du Goût (condiments, plantes aromatiques), des Odeurs ; un petit labyrinthe végétal, des sentiers ornés de sculptures en bois, etc. Un espace est même consacré à la collecte du miel avec le jardin du Miel et un rucher école, qui permettent d'observer le travail des abeilles *in situ.* Le lieu est animé par la dynamique Lydie Besson, qui organise de nombreux événements autour de la nature et de sa faune. Un exemple original et actif de sensibilisation à l'environnement : visites contées du site, week-ends de découverte sur les « mal-aimés » (araignées, batraciens...), sorties nocturnes, concours pour les petits, rallye nature... Un vaste programme d'animations de mars à octobre, pour les enfants et les plus grands !

Où dormir ? Où manger ?

Hôtel-restaurant Delcher : 20, rue des Carmes, 15000 ***Aurillac.*** ☎ 04-71-48-01-69. Fax : 04-71-48-86-66. • www.hotel.delcher.com • Fermé du 12 au 27 juillet et 2 semaines à Noël. Chambres doubles à 38,50 ou 40,50 € avec douche ou bains. Petit menu régional à 12,30 €, puis menus de 14,30 à 31 €. Bien situé en centre-ville, dans une rue commerçante. Hôtel familial, accueillant et bien tenu. Certaines chambres du 3e étage, mansardées, offrent une belle vue sur les monts. Et de nouvelles chambres tout confort viennent d'être aménagées dans une annexe. Possibilité de chambres pour 3, 4, 5 ou 6 personnes à partir de 45 €. Parking gratuit. Piscine, sauna. Restaurant au décor très classique où l'on vient pour déguster les bons produits régionaux. Accueil franc et cordial.

Chambres d'hôte « Cols » chez Paul et Henriette Lhéritier : 15220 ***Marcolès.*** ☎ 04-71-64-72-42. À 3 km du bourg de Marcolès, accès par la D 51 en direction de Montsalvy ; puis suivre les panneaux. Ouvert toute l'année sur réservation. Compter 49 € pour trois, 57 € pour quatre, petit dej' maison compris. En pleine nature, vastes champs aux alentours, et petite mare aux canards... Deux chambres rustiques à l'étage d'une ferme régionale typique, avec salle de bains commune. Idéal pour une famille ou des amis. La déco est plutôt vieillotte, mais l'ensemble possède un certain charme authentique. Et surtout, l'accueil de la famille Lhéritier est simple et très chaleureux. Possibilité de louer un gîte à la semaine dans le centre de Marcolès.

MAURIAC ET LE CHÂTEAU DE LA VIGNE

Le château se situe à ***Ally.*** ☎ et fax : 04-71-69-00-20. À quelques kilomètres au sud-ouest de Mauriac. De mi-juin à mi-septembre, ouvert de 14 h à 19 h ; en basse saison, sur réservation. Visite du château et du musée de Miniature : 6 € ; entrée à 4 € pour les lecteurs du *Guide du routard* ; gratuit pour les moins de 10 ans.

Solide forteresse construite au XVe siècle par les seigneurs de Scorailles, sur un castrum mérovingien et un château du XIe siècle en ruine. Depuis les chemins de ronde sur mâchicoulis, couronnant les tours et les corps de logis, magnifique vue sur les monts du Cantal. Au milieu du XVIIIe siècle, une aile en équerre a été rajoutée. À l'intérieur : peintures murales des XVe et XVIe siècles dans la salle de justice et la chapelle, décors d'époque dans les salles de réception Louis XV, évoquant le passage de la princesse de Condé pendant la Fronde et le séjour de Jean-Jacques Rousseau en 1767. Jardins à la française.

L'intérieur du château a de quoi faire briller les yeux des petits garçons (et des grands aussi) : plus de 4 000 voitures miniatures, 80 marques de jouets présentent dans plus de 50 vitrines toute la saga de l'automobile. Cette collection originale et rare en Europe rassemble par exemple la F1 Ferrari de Michael Schumacher, la première voiture General Motors à avoir roulé sur la

Lune en 1970, la *Jamais contente* qui a atteint les 100 km/h en 1899... À voir enfin, dans le chemin de ronde, une présentation de plus de 150 maquettes d'avions retraçant l'histoire et l'évolution de 75 années d'aviation.

Où dormir ? Où manger ?

🏠 🍽 ***Chambres et table d'hôte La Salterie :*** chez Alain et Mireille Chavaroche, 15200 ***Jaleyrac.*** ☎ 04-71-69-72-55. À 6 km de Mauriac. Chambres doubles à 36,60 €, petit dej' inclus, et demi-pension à 55 € pour 2 personnes. Une belle ferme rénovée, tenue par un chaleureux couple d'exploitants agricoles, qui ont su mêler l'amour de la terre et le sens de l'accueil. Atmosphère authentique, grande salle commune avec le jambon qui sèche dans la cheminée ; et des chambres confortables, spacieuses et bien décorées. Deux familiales avec mezzanine (53 € pour 4). Superbe vue sur les prés environnants. Possibilité de table d'hôte avec de bons produits de la ferme. Location d'un gîte situé dans les environs, à Estillos, d'une capacité de 10 personnes.

🏠 🍽 ***Ferme-accueil de Viescamp :*** chez Janine et Charles Lacaze, 15290 ***Pers.*** ☎ 04-71-62-25-14. Fax : 04-71-62-28-66. Au sud de Mauriac. De La Roquebrou, D 7 vers Le Rouget puis D 32 vers Pers (sinon, n'hésitez pas à vous renseigner auprès des propriétaires). Ouvert du 1er avril au 15 novembre. Compter de 37 à 40 € la chambre double, 70 € pour 4 personnes, petit dej' compris. Également un studio à 230 € la semaine. Janine et Charles proposent en fait plusieurs formules aux vacanciers : 5 chambres d'hôte joliment décorées (pierre et poutres apparentes), mais aussi 20 emplacements de camping et plusieurs gîtes et studios. Évidemment, ça fait pas mal de monde, mais l'ambiance est conviviale. Avec les activités sur place (piscine, étang privé, pédalo, initiation à la pêche, animaux de la ferme...), c'est une adresse idéale pour les familles. Accueil chaleureux.

TOURNEMIRE ET LE CHÂTEAU DE SEDAIGES

Le château se situe à ***Marmanhac,*** au sud de Tournemire. ☎ et fax : 04-71-47-30-01. Du 1er juin au 20 septembre, visites guidées tous les jours de 14 h à 18 h 30. Du 1er avril au 1er juin et du 27 septembre au 1er novembre, sur rendez-vous pour les groupes. Entrée : 5 € ; réductions.

Appartenant à la même famille depuis le XVe siècle, le château, exemple unique de style troubadour, affiche une décoration intérieure spectaculaire. Dans une superbe salle boisée, un étonnant spectacle son et lumière anime les personnages des tapisseries de Flandres du XVIIe siècle qui font revivre la légende du retour de Jean Cantal de Marmanhac. L'ameublement, la décoration des deux salons et de la salle à manger ainsi que les personnages en costumes d'époque vous plongent dans l'atmosphère d'une demeure aristocratique du XIXe siècle. Jolie collection de jouets anciens et de poupées et mise en scène des *Malheurs de Sophie* avec mannequins. Beau parc agrémenté d'un étang et peuplé d'un âne. Accueil cordial et visite animée.

Où dormir ? Où manger ?

🏠 🍽 ***Chambres et table d'hôte chez Solange et Paul Férérol :*** Lamourio, 15310 ***Saint-Cernin.*** ☎ et fax : 04-71-47-67-37. À 6 km de Tournemire, accès par la D 922. Ouvert toute l'année sur réservation. Chambres doubles à 38 €, petit dej' compris. Dans un petit hameau agricole, une jolie maison en vieille pierre, entièrement rénovée. Des chambres très agréables, tout confort, avec poutres apparentes et belles salles de bains. Une grande cuisine à disposition et un coin salon. Les propriétaires, éleveurs de vaches Salers, habitent la maison en face et assurent un bon petit dej'. Accueil cordial.

LA MAISON DE LA FAUNE À MURAT

Place de l'Hôtel-de-Ville, 15300 ***Murat.*** ☎ 04-71-20-00-52. • www.ville-de-murat.com/faune/index.htm • En juillet et août, ouvert du lundi au samedi de 9 h 30 à 12 h 30 et de 14 h à 19 h; les dimanche et jours fériés, ouvert de 10 h à 12 h et de 15 h à 19 h. Pendant les vacances scolaires, ouvert tous les jours de 10 h à 12 h et de 14 h à 18 h (fermé le matin les dimanche et jours fériés) ; hors vacances, ouvert du lundi au samedi de 10 h à 12 h et de 14 h à 17 h, et les dimanche et jours fériés de 14 h à 17 h. Entrée : 4 €; enfants de 6 à 12 ans : 2,30 €.

Abritées dans un superbe hôtel particulier du XVIe siècle, des collections remarquablement présentées, avec des éclairages adaptés. Voici quelques coups de cœur et étonnements. Ainsi, vous saurez tout sur les belles noctuelles et autres lépidoptères, l'étrange sphinx tête de mort, le grand paon de nuit, les « papillons-comètes », les scarabées d'or, les grands cétonidés d'Afrique, les impressionnants *goliathus régius,* l'incroyable « mouche-cacahuète », les très futés phasmes (insectes brindilles), notamment le phasme ailé qui se transforme en terrifiant épouvantail face à l'ennemi; tout sur les techniques de camouflage, donc.

Par un bel escalier à vis, accès au 1er étage où se prolonge la saga des merveilleux papillons. Lunettes de soleil pour les éclatants « morphos » d'Amazonie, les éblouissantes sauterelles de Guyane. Pour finir, étranges « insectes-feuilles » et « insectes-violons ».

Côté terroir, dioramas avec animaux naturalisés du bocage, des marais, des villes et villages de la planèze, comme la martre, la genette, la fouine, le milan royal, le putois, la huppe fasciée, le blaireau, etc. (la grande majorité d'entre eux ont été trouvés morts de « façon naturelle » : accidentés, attaqués par les carnivores, etc.).

Au 2e étage, noter d'abord le fort beau plafond peint retrouvé au moment des travaux. Là aussi, super dioramas avec nos amis les bêtes de la montagne et des forêts collinéennes : le rare tétras-lyre, le bouquetin, le lièvre variable (qui devient blanc l'hiver) et autres mouflon, gypaète barbu, perdrix bartavèle (chère à Pagnol). Dans la seconde salle, moult chats sauvages, sangliers, chevreuils, ragondins, etc.

Sous les combles, tout sur les migrations des oiseaux. Curieux : certains d'entre eux, comme le trichodrome échelette, quittent les Alpes l'hiver pour le... Bassin parisien! On découvre aussi tout un ensemble d'oiseaux maritimes, eider à duvet, bernache, barge à queue noire ou rousse, avocette, etc. Bref, vous l'aurez compris, un fort beau musée pédagogique à ne point manquer...

Où dormir? Où manger?

Hostellerie Les Breuils : 34, av. du Docteur-Mallet, 15300 ***Murat.*** ☎ 04-71-20-01-25. Fax : 04-71-20-33-20. Congés annuels : de mi-novembre à avril inclus, téléphoner pour les périodes hors vacances scolaires. Chambres doubles avec douche ou bains de 63 à 76 €. C'est une grosse demeure bourgeoise du XIXe siècle, reconvertie en hôtel. L'intérieur possède un petit charme aristocratique et vieillot. Une dizaine de chambres confortables et cossues (entièrement rénovées il y a quelques années). Beaux meubles anciens voisinant avec divers objets d'art. Calme assuré et jardin tout autour; avec, en prime, une agréable piscine couverte et chauffée! Patronne sachant accueillir de façon charmante. Réduction de 10 % accordée aux lecteurs du *Guide du routard* hors vacances scolaires.

🏠 🍽 ***Chambres et table d'hôte chez M. et Mme Médard :*** à Gaspard, 15300 ***La Chapelle-d'Alagnon.*** ☎ 04-71-20-01-91. À environ 5 km de Murat, en direction de Massiac (par la N 122). Bien indiqué. Passez le pont, puis grimpez jusqu'à ce hameau avec plusieurs corps de fermes typiques. Ouvert toute l'année; sur réservation hors vacances scolaires. Nuitée à 40 € pour deux, petit dej' compris. Table d'hôte tous les soirs sauf le dimanche à 12 €, boisson comprise. L'hôtesse a transformé en chambres d'hôte cette belle maison de famille en pierre. Quatre chambres douillettes, pimpantes et confortables, joliment décorées. Accueil fort sympathique en prime. À la table d'hôte, produits frais (la ferme familiale est juste à côté). On coule des jours paisibles ici, au rythme des saisons et des activités agricoles. Une de nos meilleures chambres d'hôte en Cantal.

AUTOUR DU PUY-EN-VELAY

• Aquarium-La maison du Saumon et de la Rivière • Le château de Domeyrat • Le parc de découverte La Lauzière du lac Bleu • La ferme pédagogique de Saint-Front • Le musée vivant du Cheval de trait

AQUARIUM-LA MAISON DU SAUMON ET DE LA RIVIÈRE

Situé à ***Brioude,*** pl. de la Résistance. ☎ 04-71-74-91-43. • aquarium.mds@wanadoo.fr • ♿ Ouvert tous les jours, en mai, juin et septembre de 10 h à 12 h 30 et de 13 h 30 à 18 h; en juillet et août de 10 h à 19 h; le reste de l'année de 14 h à 18 h (et de 10 h à 12 h en mars et avril). Fermé en janvier. Entrée : 5 €; 3 € de 5 à 15 ans.

🏆🏆 En 2001, 53 valeureux saumons sont parvenus à franchir le barrage de Poutès, près de Monistrol-d'Allier, et à remonter jusqu'à leur lieu de naissance aux confins de la Haute-Loire et de la Lozère. Le saumon, roi des poissons migrateurs, naissait dans le Haut-Allier, et s'en allait 1 ou 2 ans plus tard vers le grand large. Doté d'un sens inouï de l'orientation, il est capable de revenir au pays pour frayer plusieurs fois dans sa vie si on lui en laisse l'occasion (aller-retour d'une migration, environ 12000 km!).
À cause de la pollution des centrales diverses, donc de l'homme, le saumon avait quasiment disparu des eaux de l'Allier. Il n'a jamais été autant regretté. Cette maison-musée lui rend hommage et de gros efforts ont été faits par les associations de défense pour assurer le repeuplement des eaux. L'aquarium présentant 35 espèces de poissons d'eau douce suit le cours de l'Allier de l'amont vers l'aval sur près de 15 bassins. S'ensuit le bassin des salmonidés, un mini-laboratoire et une maquette expliquant comment les poissons franchissent les barrages. Conçu pour les enfants et pour mieux comprendre, on suit le personnage de « Plampougnit » qui explique ce qu'est une épinoche, un chabot ou un silure, le plus gros de tous.

LE CHÂTEAU DE DOMEYRAT

À 6 km au nord de Paulhaguet, sur la D 56, vers Lavaudieu. Renseignements : ☎ 04-71-76-69-12 ou 04-73-88-67-11. Fermé tous les samedis. Ouvert pendant les vacances de Pâques et de Toussaint, en juin et en septembre de 14 h à 17 h en individuel ; visite animée à 15 h les dimanche et jours fériés. En juillet et août, visite individuelle de 10 h à 12 h, et animée tous les jours de 14 h à 17 h. Entrée : 5 € (animée) ; 2,50 € (individuelle) ; réductions enfants.

Perché tel un nid d'aigle au sommet d'un éperon rocheux, dominant le village, le château de Domeyrat, avec ses restes de tours dressées dans le ciel, devait avoir fière allure du temps où il était habité. Il fut fondé au XIIIe siècle. Ses ruines impressionnantes servent dorénavant de cadre à des visites animées par les compagnons de Gabriel. Durant 1 h 30, le visiteur peut découvrir la vie quotidienne d'un château au Moyen Âge, grâce à une équipe de figurants bénévoles tous habillés en costumes d'époque. Spectacle haut en couleur, interactif, qui plaît autant aux grands qu'aux petits. Présentation d'armes, de combats, de machines de guerre, de tir à l'arc...

Où dormir ? Où manger ?

Chambres d'hôte chez Marie Robert : *La Maison d'à Côté,* 43100 ***Lavandieu.*** ☎ 04-71-76-45-04. Fax : 04-71-50-24-85. Du parking, longer la rivière sur la droite ; c'est à l'angle de la 1re ruelle, à droite. Ouvert de début avril à fin novembre ; réception des hôtes à partir de 18 h. Chambres doubles avec sanitaires complets à 46 €, petit dej' compris. Pas de repas. Dominant le cours paisible d'une petite rivière (la Senouire) et le pont aux arcades joliment cambrées qui l'enjambe, cette ancienne maison de charme aux volets verts propose 4 chambres impeccables et plutôt coquettes. Depuis les balcons fleuris, la vue est vraiment superbe et reposante. Quel calme ! Également un petit potager charmant, entretenu avec amour par les proprios installés dans la maison mitoyenne.

Auberge de l'Abbaye : dans la petite rue face à l'église, 43100 ***Lavandieu.*** ☎ 04-71-76-44-44. Fermé le lundi soir en été, les dimanche soir et lundi le reste de l'année. Plusieurs menus, de 13 € en été le midi en semaine à 28 €. Tout ce qui est nécessaire aux enfants est là. Charmante auberge villageoise à l'intérieur rustique (vieilles poutres) bien décoré, avec une cheminée où crépite le feu de bois en hiver. Accueil sympa. On y sert une cuisine traditionnelle, finement préparée, à base de produits locaux. Mieux vaut réserver.

LE PARC DE DÉCOUVERTE LA LAUZIÈRE DU LAC BLEU

Situé sur la commune de ***Champclause.*** Renseignements : ☎ 04-71-65-99-70 ou 04-71-08-75-03. • www.auvergne-miniature.com • Direction Saint-Agrève, à la sortie des Balayes, suivre le lac Bleu sur la gauche. Ouvert de fin juin à mi-septembre de 10 h à 18 h. Compter 1 h de visite. Entrée : 5 € ; réductions enfants.

En pleine nature, sur 2 ha, un joli parcours d'initiation à la géologie et à l'architecture de la région. M. Royer, ancien tailleur de pierre et fils du dernier lauzeron (tailleur de lauzes) de la région, fait visiter avec passion ce parc où l'on trouve un petit train, des maquettes à l'identique – en pierre de lauze et en matériaux d'autrefois – des monuments du Meygal, comme l'église de Saint-Front. Entre le parc et le musée, on s'y balade tranquillement, c'est agréable, instructif, et les enfants pourront même s'essayer à la taille de pierre.

Où dormir ? Où manger ?

🏠 🍴 ***Hôtel-restaurant Le Barriol :*** av. Jules-Romain, 43260 ***Saint-Julien-Chapteuil.*** ☎ 04-71-08-70-17. • jm.et.gw.barriol@wanadoo.fr • Fermé les dimanche soir et lundi (sauf en juillet et août), ainsi que de novembre à fin février. Chambres doubles à 45 € avec salle de bains ; compter autour de 58 € pour la chambre familiale. Plusieurs menus de 12 € (sauf le dimanche) à 25 € environ ; menu-enfants à 9,15 €. Une bonne auberge, tenue avec soin et amour par les Barriol depuis 4 générations. Depuis tout ce temps, l'auberge – 2 étoiles – s'est bien modernisée, tout en gardant son cachet. Petit dej' copieux. Au resto, cuisine du terroir traditionnelle et généreuse avec, en vedette : le civet de lapin aux myrtilles, la feuillantine de grenouille et d'escargot, et l'entrecôte de salers au bleu d'Auvergne dont vous nous direz des nouvelles ! Accueil excellent et patience avec les enfants.

LA FERME PÉDAGOGIQUE DE SAINT-FRONT

À 10 km de Champclause. ☎ 04-71-59-56-77. • cap.st-front@wanadoo.fr • Ouvert toute l'année sur réservation. Entrée : 2 € pour les grands comme pour les petits ; gratuit pour les moins de 3 ans.

Ne tardez pas à emmener vos petits dans cette ferme où vous pourrez participer en famille aux diverses activités qui rythment la vie pastorale : traite des chèvres, distribution des repas et fabrication de fromages.

Où dormir ? Où manger ?

🏠 🍴 ***Maison d'hôte Les Bastides du Mézenc :*** chez Nadège et Paul Coffy, 43500 ***Saint-Front.*** ☎ et fax : 04-71-59-51-57. De Saint-Front, D 39 jusqu'au carrefour avec la D 500 ; c'est fléché. Chambres doubles avec douche à 55 € sans le petit dej' ; une chambre pour 3 personnes et une pour 4 personnes ; compter 40 € supplémentaires par enfant de moins de 12 ans en demi-pension. Repas uniquement le soir, à 23 €, apéritif, vin AOC et digestif compris. C'est assez cher, mais le cadre lunaire et aride vaut le coup. En plus, les amoureux des chiens de traîneau auront le loisir de caresser quelques-uns des 25 huskies sibériens qui gardent fidèlement la maison. Chambres superbes donnant sur la montagne. Café offert aux lecteurs du *Guide du routard.*

🍴 ***La Petite Auberge :*** chez Mme Marguerite Petit, en face de la mairie, 43500 ***Saint-Front.*** ☎ 04-71-59-56-49. Menu à 11,50 € servi midi et soir sur réservation ; demi-tarif pour les enfants de moins de 9 ans. Enfin une adresse simple et sainement campagnarde ! Mme Petit ne donne pas son sourire à quiconque, prudente et réservée comme la nature qui l'environne. Goûter à son saucisson maison, à sa volaille rôtie et à ses savoureux casse-croûte.

LE MUSÉE VIVANT DU CHEVAL DE TRAIT

Situé à ***Pradelles,*** rue du Breuil. ☎ 04-71-00-87-87. ♿ Ouvert de juillet à mi-septembre de 10 h à 12 h et de 14 h à 18 h, et tous les jours en été de 10 h à 19 h. Entrée : 8 € ; réductions. Compter 1 h de visite.

En parcourant les écuries du musée, admirez sans compter les lignes massives, formes rebondies et sabots imposants de ces beaux bestiaux débonnaires. Ils sont les ambassadeurs généreux des 9 espèces de chevaux de trait existant en France (rassurez-vous, ils retrouvent leurs prairies en fin d'après-midi !). Quelques ânes également, pour mieux évoquer le passage de Stevenson à Pradelles, accompagné de son ânesse Modestine... Expo de véhicules hippomobiles, collection de mors, scènes d'automates (forgeron), écuries puis animation équestre de Kiki et ses étalons dans le petit manège de ce musée, décidément bien original. Visite guidée possible. En face, petite buvette panoramique. Un musée plein de curiosités et pédagogique.

➢ ***Le vélorail :*** au départ de la gare de ***Pradelles.*** ☎ 06-83-66-98-61 ou 04-71-00-87-46 (en saison). De mi-mai à fin septembre de 13 h à 19 h (sur réservation) ; et tous les jours de 9 h à 19 h en juillet et août. Compter 10,50 € pour 1 h, 20 € les 2 h. Sur un wagonnet à pédales, sillonnez sur l'ancienne ligne Le Puy-Langogne, les landes à genêts, cultures de lentilles et tourbières, le long des 16 km de ce chemin de fer déclassé. Quelques viaducs et tunnels remarquables. Rythme « pépère » recommandé ; on est à près de 1 000 m d'altitude ! Accessible à tous et à faire en famille. Préférable de réserver.

BOURGOGNE

Voyager c'est découvrir, rencontrer. La Bourgogne c'est avant tout la rencontre. De ses habitants bien sûr, de son patrimoine, mais aussi de tous les villages qui composent cette région et font son identité, des plus petits aux plus visités, des plus animés aux plus sauvages. De cette région « historique » (Alésia, les ducs de Bourgogne, les abbayes de Cluny et de Cîteaux, etc.), le monde entier connaît le très riche patrimoine : architecture et grands vins. Ce serait oublier d'autres aspects de cette douce et verte région qui couvre 4 départements : nature, terroir, passé industriel, sans oublier le tourisme fluvial puisque la Bourgogne possède près de 1 200 km de rivières et de canaux que l'on peut sillonner en prenant son temps à bord d'une péniche habitable. Une façon originale et bien agréable de voyager en famille ; à condition bien sûr de respecter certaines règles de sécurité.

Parents savants : *les canaux*

La ligne de partage des eaux entre les bassins des trois grands fleuves français (Loire, Rhône et Seine) se situe en Bourgogne. Pour développer les échanges entre les régions, toute une série de canaux furent construits afin de les relier entre elles. Ainsi, en Bourgogne par exemple ; le canal de Bourgogne, le canal du Nivernais, le canal du Centre. Jusqu'à l'arrivée du chemin de fer au XIXe siècle, ces canaux vont assurer le transport des denrées alimentaires et des matériaux volumineux ainsi que le flottage du bois pour chauffer la capitale.

Adresses utiles

Comité régional du tourisme de Bourgogne : 5, av. Garibaldi, 21000 Dijon. ☎ 03-80-280-280. Fax : 03-80-280-300. • www.bourgogne-tourisme.com •

Comité départemental du tourisme de la Côte-d'Or : 1, rue de Soissons, BP 1601, 21035 Dijon Cedex. ☎ 03-80-63-69-49. Fax : 03-80-49-90-97. • www.cotedor-tourisme.com •

Comité départemental du tourisme de Saône-et-Loire : 389, av. de Lattre-de-Tassigny, 71000 Mâcon. ☎ 03-85-21-02-20. Fax : 03-85-38-94-36. • www.bourgognedusud.com •

Comité départemental du tourisme de la Nièvre : 3, rue du Sort, 58000 Nevers. ☎ 03-86-36-39-80. Fax : 03-86-36-36-63. • www.nievre-tourisme.com • Toutes documentations et tous renseignements sur la Nièvre. Service *Loisirs-Accueil* très efficace : ☎ 03-86-59-14-22.

Comité départemental du tourisme ; association Yonne et Tourisme : 1-2, quai de la République, 89000 Auxerre. ☎ 03-86-72-92-00. Fax : 03-86-72-92-09. • www.tourisme-yonne.com • Bonne documentation.

DIJON

Dans les environs : In'forest • L'école-musée de Champagny

À Dijon, l'espace vert est choyé et les enfants aussi. Car les habitants disposent de 700 ha de parcs et jardins publics. Ils sont indiqués dans la brochure répertoriant tous les espaces verts, disponible à l'office de tourisme. À vous de choisir.

Le parc de la Colombière : cours du Parc. Ouvert de 7 h 30 à 17 h 30 (19 h et parfois plus de mars à septembre). Les allées du parc, longue avenue de 1575 m commençant place Wilson et bordée de nombreuses maisons du XIXe siècle, mènent jusqu'à l'ancienne résidence d'été du prince de Condé. Dès 1688, ce bon prince avait mis le domaine de la Colombière à la disposition des citadins, lançant la mode des jardins publics. Ce parc à la française, réalisé par un élève de Le Nôtre, a remarquablement traversé le temps et reste, avec ses 6000 arbres, un des lieux de promenade favoris des familles dijonnaises. On y vient avec les enfants voir les animaux dans leurs enclos. Hors des sentiers battus, on peut encore y voir les fragments de l'ancienne voie romaine reliant Lyon à Trèves.

Le parc des Carrières-Bacquin : rue des Marmuzots. Entre la gare et l'avenue Victor-Hugo. De mars à septembre, ouvert de 7 h 30 à 19 h (20 h en juillet et août) ; d'octobre à février, de 7 h 30 à 17 h 30. Un espace vert qui témoigne d'une conception assez originale puisque l'ancien front de taille d'une carrière a été utilisé pour créer bassin et cascade artificiels face à un amphithéâtre de verdure de 2000 m². Jardin de rocaille, étang romantique, enclos animaliers, minigolf, buvette, jeux d'enfants.

La combe à la Serpent : le plus grand espace vert aux portes de la ville, au fond du quartier de la Fontaine-d'Ouche, poussé dans les années 1960 entre les collines et le lac Kir. Plus de 300 ha, en dénivelé, bois, plaine... Bien balisés, les chemins offrent des balades sur 23 km, complétés par des liaisons avec d'autres combes réaménagées récemment, la combe Persil et la combe Saint-Joseph. Observatoire pour les amoureux des astres. Monter jusqu'au parc à daims et rejoindre Corcelles-les-Monts, où vous attend sur la place du village un café à la mode d'autrefois, tenu par une dame adorable, qui vous donnera de quoi grignoter pour 10 € environ. Sur les murs du bistrot, grandes toiles peintes par des artistes du cru réputés.

Le lac Kir : la promenade préférée des Dijonnais. Ce lac est entouré de 30 ha d'espaces verts, et ses rives sont réservées à la détente sous toutes ses formes : plages, terrains de volley, de tennis, minigolf avec buvette et terrasse, base de canoës-kayaks et parcours de santé. Face au lac, adossé à la falaise, saluez le frère du zouave du pont de l'Alma (tous deux ont été sculptés par Diébolt). Lui est bien au sec, sur son bout de pelouse.

Le musée de la Vie bourguignonne : 17, rue Sainte-Anne. ☎ 03-80-44-12-69. ♿ Ouvert du 2 mai au 30 septembre de 9 h à 18 h, le reste de l'année de 9 h à 12 h et de 14 h à 18 h. Fermé les mardi et jours fériés. Visite guidée de 1 h 30 sur rendez-vous. Entrée : 2,80 € ; gratuit jusqu'à 18 ans ; gratuit pour tous le dimanche. À noter que le billet donne également accès au musée d'Art sacré (installé au nº 15 de la même rue). Livret-jeux pour les enfants à l'accueil.
Collection étonnante d'objets de la vie quotidienne du XIXe siècle, rassemblée dans les pièces entourant l'ancien cloître du monastère des Bernardines. Toute une rue commerçante de la fin du XIXe siècle a été reconstituée au 1er étage. Il ne s'agit pas d'une simple enfilade de devantures, mais d'une atmosphère de rue, avec ses recoins où l'on découvre ici un atelier de fourrure, là une blanchisserie... Des enseignes, des affiches en font revivre d'autres... Salon de lecture, expositions temporaires, projection de films et atelier pour les enfants sous les combles le mercredi après-midi.

Le muséum-jardin des sciences de l'Arquebuse : av. Albert-Ier. ☎ 03-80-76-82-76. Ouvert de 9 h à 12 h et de 14 h à 18 h. Fermé les mardi matin, samedi matin et dimanche matin, ainsi que les jours fériés. Entrée : 2,20 €. Ce lieu qui fit peur à des générations d'enfants, avec ses bocaux remplis de

BOURGOGNE

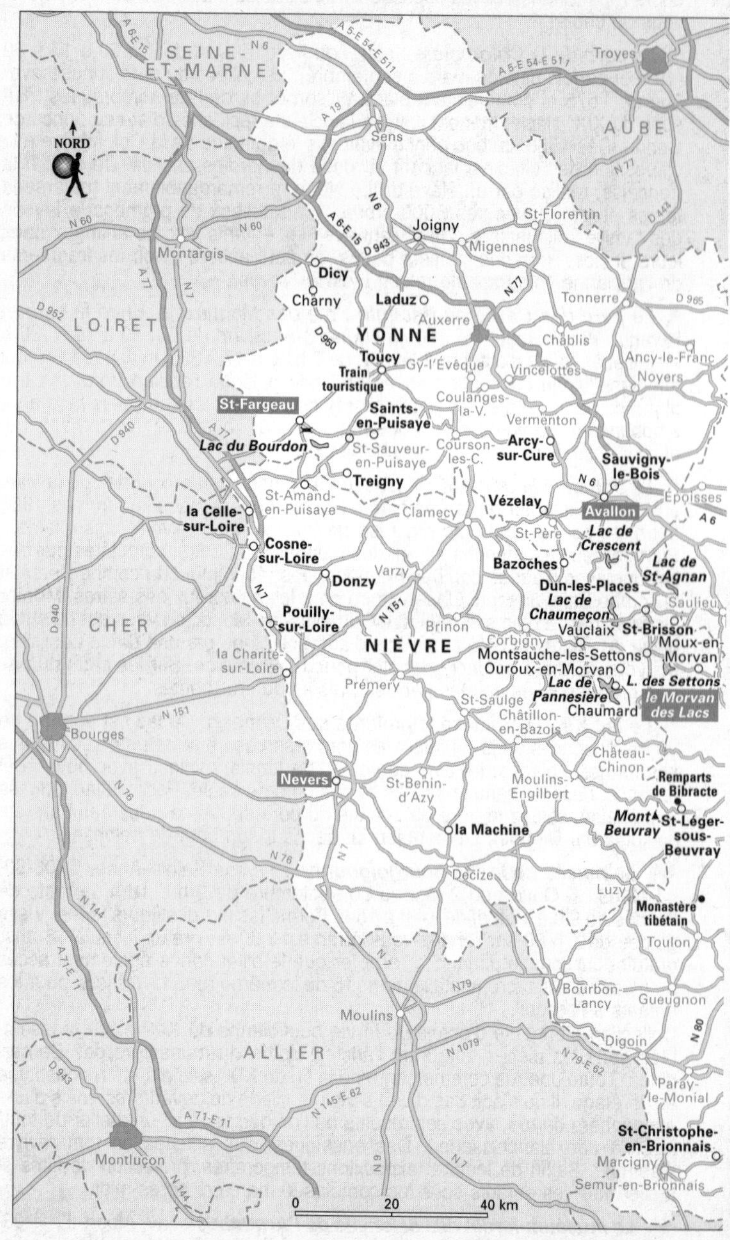
NORD
SEINE-ET-MARNE
AUBE
LOIRET
YONNE
CHER
NIÈVRE
ALLIER
Troyes
Sens
St-Florentin
Joigny
Migennes
Montargis
Dicy
Charny
Laduz
Auxerre
Tonnerre
Chablis
Ancy-le-Franc
Noyers
Toucy
Gy-l'Évêque
Vincelottes
Train touristique
St-Fargeau
Saints-en-Puisaye
Coulanges-la-V.
Vermenton
Lac du Bourdon
St-Sauveur-en-Puisaye
Courson-les-C.
Arcy-sur-Cure
Sauvigny-le-Bois
Treigny
St-Amand-en-Puisaye
Vézelay
Avallon
Époisses
la Celle-sur-Loire
Clamecy
St-Père
Lac de Crescent
Cosne-sur-Loire
Bazoches
Lac de St-Agnan
Donzy
Varzy
Dun-les-Places
Lac de Chaumeçon
Saulieu
Pouilly-sur-Loire
Brinon
Vauclaix
St-Brisson
Corbigny
Moux-en-Morvan
Montsauche-les-Settons
la Charité-sur-Loire
Ouroux-en-Morvan
Prémery
Lac de Pannesière
L. des Settons
Chaumard
le Morvan des Lacs
St-Saulge
Châtillon-en-Bazois
Bourges
Château-Chinon
Nevers
St-Benin-d'Azy
Moulins-Engilbert
Remparts de Bibracte
Mont Beuvray
St-Léger-sous-Beuvray
la Machine
Decize
Luzy
Monastère tibétain
Toulon
Bourbon-Lancy
Gueugnon
Moulins
Digoin
Paray-le-Monial
Montluçon
St-Christophe-en-Brionnais
Marcigny
Semur-en-Brionnais
A 6-E 15
N 6
A 5-E 54-E 511
A 19
N 77
D 443
N 60
A 77
N 7
D 943
D 965
D 952
D 950
D 940
A 6
N 151
N 76
N 144
A 71-E 11
N 79
N 1079
N 79-E 62
N 80
N 145-E 62
N 9
D 943
0
20
40 km

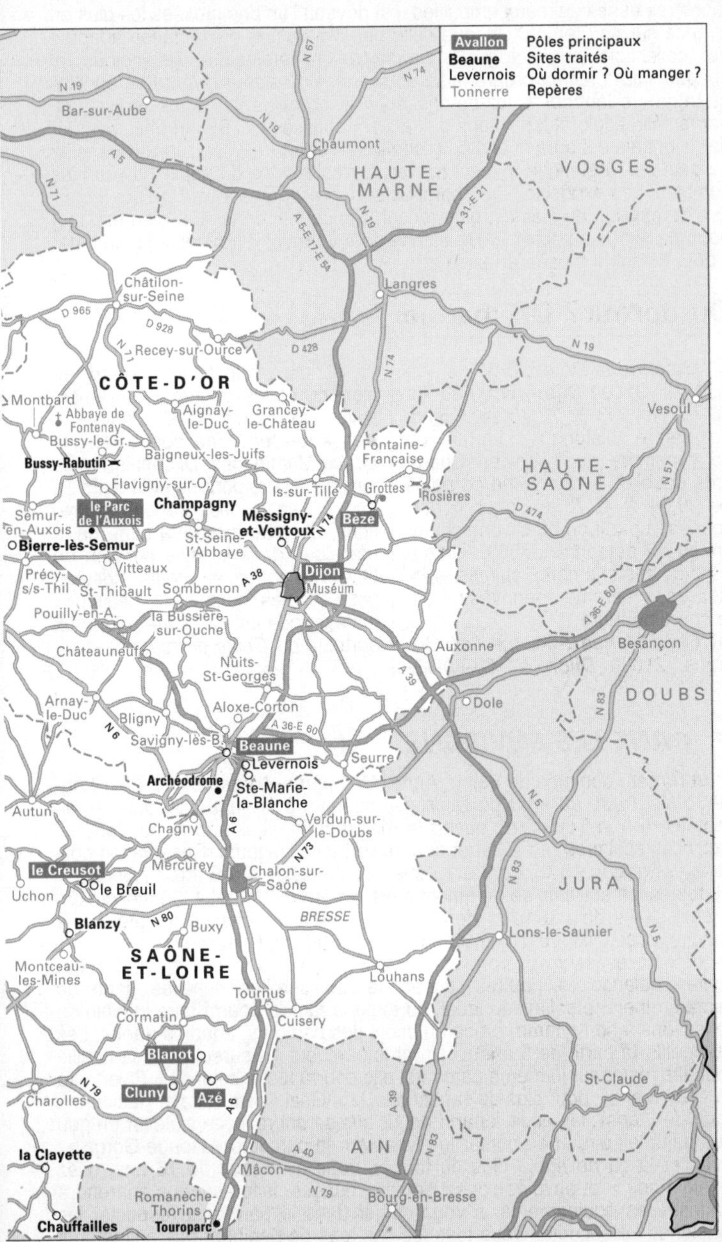
Avallon Pôles principaux
Beaune Sites traités
Levernois Où dormir ? Où manger ?
Tonnerre Repères
HAUTE-MARNE
VOSGES
CÔTE-D'OR
HAUTE-SAÔNE
DOUBS
JURA
SAÔNE-ET-LOIRE
AIN
BRESSE
Bar-sur-Aube
Chaumont
Langres
Châtillon-sur-Seine
Recey-sur-Ource
Montbard
Abbaye de Fontenay
Bussy-le-Gr.
Bussy-Rabutin
Aignay-le-Duc
Grancey-le-Château
Baigneux-les-Juifs
Fontaine-Française
Grottes
Rosières
Vesoul
Flavigny-sur-O.
Is-sur-Tille
le Parc de l'Auxois
Champagny
Messigny-et-Ventoux
Bèze
Semur-en-Auxois
Bierre-lès-Semur
St-Seine-l'Abbaye
Vitteaux
Dijon
Muséum
Précy-s/s-Thil
St-Thibault
Sombernon
Pouilly-en-A.
la Bussière-sur-Ouche
Châteauneuf
Auxonne
Besançon
Nuits-St-Georges
Dole
Arnay-le-Duc
Bligny
Aloxe-Corton
Savigny-lès-B.
Beaune
Levernois
Seurre
Archéodrome
Ste-Marie-la-Blanche
Autun
Chagny
Verdun-sur-le-Doubs
Mercurey
le Creusot
Chalon-sur-Saône
Uchon
le Breuil
Blanzy
Buxy
Lons-le-Saunier
Montceau-les-Mines
Louhans
Tournus
Cuisery
Cormatin
Blanot
St-Claude
Cluny
Azé
Charolles
la Clayette
Mâcon
Bourg-en-Bresse
Romanèche-Thorins
Touroparc
Chauffailles
N 19
N 67
N 74
A 5
N 71
A 5-E 17-E 54
A 31-E 21
D 965
D 928
D 428
N 19
N 74
D 474
N 57
A 38
A 36-E 60
A 39
N 83
N 6
A 36-E 60
N 5
A 6
N 73
N 80
N 83
N 5
N 79
A 6
A 39
A 40
N 83
N 79

monstres et ses animaux empaillés, est devenu l'un des musées les plus en avance sur son temps. Chaque salle bénéficie d'une présentation adaptée aux collections entomologique, zoologique, minéralogique, géologique, et chaque vitrine fait sa propre mise en scène. Du célèbre glyptodon (ancêtre du tatou) veillant sur le rez-de-chaussée aux reptiles de l'étage en passant par la salle écolo et les « lions de l'Atlas » chassés par Bombonnel, aventurier dijonnais qui aurait servi de modèle au Tartarin de Tarascon, vous avez du pain sur la planche avant d'arriver aux collections de papillons sous les combles. Les expositions temporaires sont présentées à l'autre bout du jardin, au pavillon du Raines, plus récent. Éducatif et drôlement bien fait, tout pour plaire aux bambins. Belle balade pour y arriver à travers le jardin botanique, véritable musée en plein air.

Où dormir ? Où manger ?

■ ***Hôtel de la République :*** 3, rue du Nord, 21000 ***Dijon.*** ☎ 03-80-73-36-76. Fax : 03-80-72-46-04. À 5 mn du centre historique. Fermé du 25 décembre au 3 janvier. Chambres doubles avec douche ou bains de 39,64 à 45,73 € ; pour 4 personnes, à partir de 58 € ; une chambre pour 6 personnes à 80 €. Un hôtel avec des chambres calmes, spacieuses, entièrement rénovées. Petite cour intérieure.

I●I ***Chez Mamie :*** 54, rue des Godrans, 21000 ***Dijon.*** ☎ 03-80-49-95-42. Ouvert le midi du mardi au samedi, et les vendredi et samedi soirs. Formule à 10 € : entrée + plat + dessert. Une bonne tête, la *Grand-Mamie* des Dijonnais, et le succès assuré pour ce petit resto un peu à l'écart des grandes migrations, qui joue à fond la carte de la nostalgie, dans le style pension de famille d'autrefois. Petits rideaux, petites tables, petite salle, petits prix mais grande estime. Café offert aux porteurs du *Guide du routard.*

➤ DANS LES ENVIRONS

In'forest : domaine de Sainte-Anne, ***Messigny-et-Vantoux.*** ☎ 06-19-50-09-35. À 10 km au nord de Dijon. De mi-mars à fin juin ainsi que de mi-septembre à la Toussaint, ouvert le mercredi, le week-end et pendant les vacances scolaires ; en juillet et août ouvert tous les jours. Réservation obligatoire. Entrée : 15 € ; de 9 à 15 ans : 10,70 € ; de 5 à 8 ans : 7,65 €.
Ici, toutes les activités se déroulent dans les arbres. Au total, 90 ateliers différents situés de 1 à 15 m de hauteur, 6 parcours, chacun adapté à une tranche d'âge, histoire d'alterner équilibre et audace. Chaussez vos tennis et venez vous essayer aux ponts de singes, tyroliennes montantes et descendantes, balançoires, poutres suspendues, passerelles, échelles, sauts de Tarzan, étriers, etc. Un lieu idéal, où toute la famille pourra faire le plein de sensations à son rythme, grâce au choix des parcours, adaptés à tous. Les plus petits (à partir de 5 ans) suivront le parcours « Écureuil » ; si la famille souhaite rester sur le même parcours, elle pourra tester celui du « Pivert » (à partir de 8 ans) ; pour plus de sensations, le « Geai » fera l'affaire (toujours à partir de 8 ans) ; les ados à partir de 12 ans seront ravis de s'élever un peu plus dans les airs et de corser le niveau sur le parcours « Rouge-Gorge » ; enfin, et là ça ne rigole plus du tout, si vous avez plus de 16 ans, osez l'« Aigle noir » et envolez-vous jusqu'aux nuages. In'forest vous apprend à maîtriser les équipements, à vous diriger dans le parc et à respecter les consignes de sécurité. Dans tous les cas, pas de panique, des animateurs sont prêts à intervenir en permanence pour vous aider.

L'école-musée de Champagny : ☎ 03-80-41-23-82. À 5 km de Saint-Seine-l'Abbaye ou à 25 km au nord-ouest de Dijon. Ouvert de Pâques à la

Toussaint, les dimanche et jours fériés de 14 h à 18 h; en juillet et août, ouvert tous les jours de 15 h à 18 h. Entrée : 2 €; moins de 12 ans : 1 €.
En 1851, le conseil municipal du village admirait les plans d'une construction qui allait abriter une salle de classe, un logement pour l'instit' et, à l'étage, une mairie. Installé en 1856 pour l'ouverture de l'école, le mobilier ne fut jamais changé par la suite. Tables, ardoises, bancs, tableaux noirs, carte géographique, leçon restée au tableau, cahiers remplis par des générations d'écoliers, le temps ici s'est arrêté... Pour les nostalgiques d'encre violette et de plumes sergent-major, ou pour les enfants qui commencent à trouver les vacances un peu longues et ont hâte de retourner à l'école...

LE PARC DE L'AUXOIS

Dans les environs : le château de Bussy-Rabutin • La ferme du Hameau

LE PARC DE L'AUXOIS

À ***Arnay-sous-Vitteaux.*** ☎ 03-80-49-64-01. Ouvert du 1er mars au 31 octobre de 10 h à 19 h. Entrée : 9 €; moins de 14 ans : 6,50 €.

Ce parc de 35 ha, à la fois animalier et d'attractions, est idéal pour une journée de détente en famille. Les amoureux de la faune et la flore trouveront leur compte autour d'autruches, de nandous, de porcs-épics, de ratons laveurs, mais aussi d'arbres et fleurs odorantes propices à apporter un peu d'ombre pendant les grosses chaleurs. Ceux qui ont besoin de se défouler iront profiter des jeux aquatiques de la piscine, se promener en petit train, à cheval ou en calèche. Les autres alterneront entre minigolf et labyrinthe végétal. Tous passeront un bon moment!

➤ *DANS LES ENVIRONS*

Le château de Bussy-Rabutin : 21150 ***Bussy-le-Grand.*** ☎ 03-80-96-00-03. À environ 50 km au nord-ouest de Dijon. Ouvert du 16 septembre au 14 mai de 9 h 15 à 12 h et de 14 h à 17 h. Visites à 10 h, 11 h, 14 h, 15 h et 16 h. Visite supplémentaire à 17 h du 15 mai au 15 septembre. Fermé les jours fériés. Entrée du château : 5,50 €. Entrée du jardin : 2,50 €; gratuit pour les moins de 18 ans s'ils sont accompagnés d'un adulte.
D'accord, les jeunes ne sont pas fous de musées et châteaux. Mais celui-ci est vraiment bien. Bussy-Rabutin, c'est une page d'histoire importante (époque de Louis XIV), ainsi qu'une allusion intéressante au genre épistolier. Ancienne maison forte, le château de Bussy fut reconstruit par la famille de Rabutin au XVIIe siècle, au cœur d'un domaine de 30 ha. Roger de Rabutin, écrivain comme sa cousine Mme de Sévigné, eut l'audace de dévoiler les aventures galantes de la Cour dans son *Histoire amoureuse des Gaules*. Louis XIV se sentit visé et ridiculisé, et, après avoir embastillé Roger, il adoucit la peine de son ancien ami et l'exila pendant 16 ans dans ce château. Pour se venger, ce grand gamin fit dessiner, sur certains murs, des devises cinglantes et les visages des (nombreuses...) maîtresses du roi. À voir également, la galerie des rois de France, le reluisant salon de la Tour dorée, des portraits de grands hommes de guerre...
Quatre grosses tours rondes flanquent les angles de ce château acquis par l'État en 1939, dont le parc a fait l'objet d'une complète restructuration, prenant pour principe la restitution du plan du jardin à la française du XVIIe siè-

cle, idéalisé, avec parterres cernés de buis, cabinets de verdure, labyrinthes et bosquets délimités par des allées en étoile. Dernier argument : les guides et jardiniers sont passionnants.

La ferme du Hameau** (écomusée) :* BP 13, 21390 ***Bierre-lès-Semur. ☎ 03-80-64-46-68. À quelques kilomètres au sud de Semur-en-Auxois. Ouvert en été du mardi au samedi de 14 h à 18 h et le dimanche de 10 h à 18 h. Entrée : 5,50 €; de 10 à 14 ans : 3 €.
Dans cette ancienne ferme-bergerie entièrement réaménagée, la visite est commentée autant qu'animée par des gens du cru qui vous expliquent mieux que personne l'usage du matériel et des outils avec lesquels leurs parents et grands-parents s'affairaient aux travaux de la ferme. Du bourrelier au charron en passant par le sabotier ou la fileuse de laine, le rempailleur ou le potier, le boulanger ou le maréchal-ferrant, ils sont tous bénévoles, heureux de passer leur retraite ou leur temps libre dans ce conservatoire vivant de l'Auxois-Morvan. En calèche avec les enfants, vous pourrez faire un tour du côté de l'étang, en passant devant les ruches, le jardin et la basse-cour, jusqu'à la maison forestière. On vous servira même une omelette avec un vin de pays de l'Auxois (les parents uniquement !). À moins que vous ne préfériez une gaufre à l'ancienne...

LE SUD DE LA CÔTE-D'OR, DU CÔTÉ DE BEAUNE

• L'Hôtel-Dieu à Beaune • L'archéodrome de Bourgogne

La vieille ville de Beaune a gardé tout son charme et les Hospices ont gardé cet attrait qui fait de l'Hôtel-Dieu l'un des premiers monuments historiques visités en France.

L'HÔTEL-DIEU

Rue de l'Hôtel-Dieu, 21200 ***Beaune.*** ☎ 03-80-24-45-00. Ouvert tous les jours : en été, de 9 h à 18 h 30 sans interruption; en hiver, de 9 h à 11 h 30 et de 14 h à 17 h 30. Entrée : 5,10 €; enfants de 10 à 18 ans et famille nombreuse : 4,40 €.

Un rare témoignage de l'architecture civile du Moyen Âge. Il faut pénétrer dans la cour d'honneur pour avoir le choc de ces toits de tuiles émaillées multicolores en terre cuite dessinant d'extraordinaires figures géométriques et décorés d'une cinquantaine de girouettes. On doit cet hôtel à Nicolas Rolin (1380-1462), riche avocat et chancelier de Bourgogne qui décida, voyant sa fin approcher, de faire le bien autour de lui. Ainsi naquit l'Hôtel-Dieu, sur une architecture d'inspiration flamande, qui fonctionna sans interruption jusqu'en 1968. Les derniers malades partirent en 1982.
La visite guidée des Hospices sera pour les enfants l'occasion unique de découvrir la vie des malades et l'organisation d'un hôpital au Moyen Âge. La « salle des Pôvres », avec son plafond en forme de coque de bateau renversée, ses lits à colonnes bien alignés, habillés de blanc et rouge, dans lesquels les malades étaient couchés à plusieurs, ne manqueront pas d'impressionner les enfants. Les cinéphiles reconnaîtront un des décors de *La Grande Vadrouille* avec Bourvil et de Funès. La cuisine a été intelligemment reconstituée avec sa vaste cheminée gothique, égayée par un savant tournebroche à automate datant de 1698. La visite continue avec l'apothicairerie et ses pots de verre et de faïence dont les noms laissent rêveurs : poudre de cloportes, yeux d'écrevisses, poudre de *nux vomica*... Les malades les plus riches (lesquels payaient leur hospitalisation) étaient instal-

lés de façon plus confortable et plus intime dans la salle Saint-Hugues dont les peintures murales illustrent des miracles de Jésus.
Allez admirer avant de sortir le *polyptyque du Jugement dernier,* œuvre de commande non signée mais attribuée à Roger Van der Weyden. C'est l'une des plus célèbres œuvres de la peinture flamande du XVe siècle ; magnifique et impressionnant. Il était installé dans une chapelle au fond de la « salle des Pôvres », ainsi pouvaient-ils méditer sur le sort qui les attendait dans l'au-delà.

Parents savants : *la vie d'un malade de l'époque*

À son arrivée à l'Hôtel-Dieu, le malade devait prendre un bain et porter les habits de l'hôpital. Ses vêtements étaient désinfectés et gardés à la pouillerie pendant son séjour. Il les récupérait à sa sortie ou on lui en donnait de nouveaux. S'il venait à mourir, ses vêtements étaient vendus au profit de l'hospice. Il devait obligatoirement se confesser pour ensuite pouvoir communier.

Où acheter de bons produits ?

Palais des Gourmets : 14, pl. Carnot, 21000 ***Beaune.*** ☎ 03-80-22-13-39. Pour récompenser les historiens en herbe de leur sagesse durant la visite des hospices, on pourra les emmener dans ce temple du cassis. Parmi les spécialités maison : les truffettes au caramel, les petits tonneaux au cassis ou encore les fameuses cassissines, avec la petite goutte de crème de cassis emprisonnée dans une pâte de fruits au cassis.

Où dormir ? Où manger dans le coin ?

Le Parc : rue du Golf, 21200 ***Levernois.*** ☎ 03-80-24-63-00. Fax : 03-80-24-21-19. • http://perso.wanadoo.fr/hotel.le.parc • ♿ Par la D 970, direction Verdun-sur-le-Doubs, puis à gauche. Fermé du 23 novembre au 19 janvier. Chambres doubles avec douche ou bains de 46 à 54 €. Une vieille maison adorable, avec son parc aux arbres centenaires envahis par les oiseaux, laissé en l'état. Des chambres pleines de charme. Accueil chaleureux, ambiance décontractée.

Le Relais Sainte-Marie : 1, rue de la Poste, 21200 ***Sainte-Marie-la-Blanche.*** ☎ 03-80-26-60-51. Fax : 03-80-26-54-04. ♿ À 4 km au sud de Beaune, sur la route de Verdun (sur le Doubs !), une départementale très peu fréquentée la nuit. Resto fermé le mercredi et le dimanche soir ; congés annuels pendant les vacances de février et une semaine en juin. Chambres doubles à 47 €. Menus de 13,50 à 31 €. Un hôtel-restaurant à l'ancienne avec des chambres claires, agréables, avec un ventilo pour les chaudes soirées, et une bonne table qui devrait un peu vous changer des spécialités bourguignonnes, surtout avec le menu du Ch'ti, à base de bière. Du traditionnel du Nord - Pas-de-Calais, le jeune couple de proprios venant tout droit de Berck. Apéritif maison offert à nos lecteurs ayant le *Guide du routard* en poche.

L'ARCHÉODROME DE BOURGOGNE

À ***Meursault*** (21190). ☎ 03-80-26-87-00. • www.archeodrome-bourgogne.com • Aire de Beaune-Tailly-Autoroute sur l'A 6 (accès direct). On peut également s'y rendre par la N 74, au sud de Beaune, entre Bligny et Tailly. D'avril à septembre, ouvert tous les jours de 10 h à 18 h (19 h en juillet et août et 17 h en semaine en avril) ; d'octobre à mars, ouvert de 10 h à 17 h. Entrée : 6,10 € ; 4,30 € pour les moins de 16 ans ; gratuit pour les moins de 8 ans.

Lors de la construction de l'autoroute A 37, en 1972, une nécropole gallo-romaine fut exhumée. Plutôt que de tout noyer sous le béton, on décida de créer un espace autoroutier intelligent (accessible depuis la nationale), pour faire découvrir aux jeunes la préhistoire et nos ancêtres les Gaulois.
– Dans le ***parc paysager*** se dressent plusieurs reconstitutions : ici une hutte néolithique vieille de 6000 ans, là les fortifications de César à Alésia ou une ferme gauloise avec ses animaux, là-bas un temple, une villa ou un cimetière gallo-romains. Dans le musée sont exposés objets, maquettes, dioramas qui permettent de mieux comprendre la vie quotidienne de nos arrière-arrière-arrière-(...)-arrière-grands-parents, qui étaient légion (mais non, pas romaine !) dans la région.
– En complément, deux nouvelles attractions qui noient le visiteur dans un flot d'images semi-circulaires. L'***espace Bourgogne*** propose une vision moderne de la Bourgogne. Encore plus impressionnant, le ***Chronoscope*** évoque l'histoire de l'humanité, en commençant au Big Bang. Pas mal fait. À noter qu'en juillet et août, diverses animations se déroulent dans le parc : chevaliers du Moyen Âge en armure, armée romaine en campagne, ateliers feu...

BLANOT, LES GROTTES D'AZÉ ET CLUNY

Dans les environs : la voie Verte de Cluny à Givry • Touroparc • Chauffailles Europe Expo • La fabrique de chocolats • Le marché aux bestiaux

Évidemment, il y a Cluny et son abbaye, mais pas seulement. Ce coin de Saône-et-Loire recèle bien des trésors : campagne verdoyante, villages charmants et sans doute les plus belles et les plus riches grottes de la région.

BLANOT

À 10 km à l'est de Cluny. Par les rues pentues, on parvient à l'église et au prieuré, bâtis aux XIe et XIIe siècles sur une ancienne nécropole mérovingienne. Autour, belle unité architecturale : quelques maisons à galeries, lavoir, ancien four à pain que l'on découvre en suivant les « murgers », ces tas de pierres formés par les paysans qui jetaient celles qui encombraient leurs champs, typiques du coin. Quelques artisans, dont un potier qui fait de belles choses et, à côté de *L'Étape,* un fabricant de jouets en bois à l'intéressante production.

Les grottes de Blanot : au hameau de **Fougnières.** ☎ 03-85-50-03-59. Au nord du village. Ouvert de fin mars à fin septembre. Entrée : 5 € ; enfants : 3 €.
Nombreuses salles étagées sur 80 m de profondeur, dont la salle du Chaos, celle des Chauves-Souris et celle dite des Morts, festival de concrétions, stalactites et autres mites. Une sorte de voyage à la Jules Verne, disent les anciens ; une aventure à l'Indiana Jones, commentent les plus jeunes à la sortie de ces grottes. Vous avez aimé ? Alors courez vers leur grande sœur : les grottes d'Azé.

LES GROTTES D'AZÉ

Au sud-est de Blanot, à l'est de Cluny par la D 15. Renseignements : ☎ 03-85-33-32-23. Ouvert du 1er avril au 30 septembre tous les jours de 10 h à 12 h et de 14 h à 19 h, et en octobre le dimanche. Visite guidée : 5,34 €.

C'est la plus longue caverne de Bourgogne, parcours de 1000 m aménagé sur 4 étages avec, au niveau le plus bas, une rivière souterraine.
Outre la balade dans les concrétions les plus pittoresques, on observera des vestiges peu communs, comme des squelettes d'ours vieux de plusieurs centaines de milliers d'années, les restes d'un des dix lions de caverne connus en France, etc. Bien plus tard (il y a environ 35000 ans), l'homme de Néandertal puis celui de Cro-Magnon s'y installèrent.
Également, un Musée archéologique regroupant plus de 2000 pièces, de la préhistoire au Moyen Âge.

➢ ***Balade sur le mont Saint-Romain :*** de Blanot, suivre la D 446 puis la D 187 vers Prayes. Route délicieuse jusqu'au col de la Croix. Puis on plonge dans la forêt domaniale, avant de tourner à droite pour le mont Saint-Romain (579 m), le plus haut « pic » du Nord-Mâconnais. De tout temps il connut des touristes : traces d'un oppidum de l'âge de fer et d'un temple gallo-romain; plus tard, un petit prieuré clunisien s'y installa (disparu depuis). Pierre le Vénérable, abbé de Cluny, aimait bien, dit-on, s'y reposer de ses problèmes de gestion et d'intendance.
Au sommet, panorama total sur toute la région, y compris par très beau temps sur les Alpes, le Jura, le Morvan, les monts du Charolais... Table d'orientation pour s'y retrouver.
Belles balades dans les sous-bois.

CLUNY

Visite de l'abbaye et du musée d'Archéologie (☎ 03-85-59-12-79) tous les jours en été, de 9 h à 19 h. Horaires un peu réduits hors saison. Entrée : 5,50 €; réductions.

Difficile de présenter en quelques lignes ce qui reste l'un des points forts de tout voyage en Saône-et-Loire, une fascinante immersion dans ce qui fut le plus grand complexe d'architecture romane religieuse, militaire et civile des XIIe et XIIIe siècles. Malgré les destructions du temps, cette ville qui influença longtemps tout l'Occident conserve une capacité d'évocation prodigieuse. Le fait que Cluny soit encore presque entièrement contenue dans ses limites médiévales, qu'aucun modernisme incongru autour ne vienne troubler le rêve et qu'une intelligente politique de conservation soit menée par la ville (par exemple, toutes les devantures de boutiques sont en bois, pas de plastique) y contribue bien sûr fortement.

Où dormir? Où manger?

Camping des Grottes : à deux pas des grottes d'***Azé.*** ☎ 03-85-33-36-48. Fax : 03-85-33-43-15. Ouvert du 1er avril au 30 septembre. Vastes emplacements et bon ombrage pour ce camping confortable et bien équipé. Bar-resto. Belle piscine ouverte en juillet et août.

Cluny Séjour : 22, rue Porte-de-Paris, 71250 ***Cluny.*** ☎ 03-85-59-08-83. Fax : 03-85-59-26-27. Fermé du 15 décembre au 15 janvier. Chambres doubles avec lavabo à 25,60 €, petit dej' compris; douche à l'étage. Installé dans l'un des bâtiments du XVIIIe siècle de l'abbaye (la ciergerie). Dans cette ville où les hôtels sont chers, voici une sorte d'AJ communale hyper bien tenue et vraiment pratique. Se munir de serviettes de toilette. En prime, accueil très sympa! Chambres de 2, 3 et

4 lits, au calme, idéales avec des enfants. Parking pour la voiture et garage à vélos. Conseillé de réserver.

Hôtel-restaurant L'Étape : 21430 **Blanot.** ☎ 03-85-50-03-63. ♿ au resto uniquement. Fermé le mercredi et en février. Chambre double à 30 € avec douche ; chambre pour 3 personnes à 39 €, chambre pour 4 personnes à 45 €. Menus de 11,50 à 24 € ; menu-enfants à 6,10 € avec steak, frites et glace. Petite auberge de village accueillante. Chambres simples et propres. Au restaurant, une petite cuisine régionale généreusement servie. Formule avec jambon cru, omelette et fromage de chèvre frais qui plaira bien aux enfants.

➤ DANS LES ENVIRONS DE CLUNY

➢ **La voie Verte de Cluny à Givry** *(côte chalonnaise)* **:** sur le tracé d'une ancienne voie de chemin de fer aménagée de 44 km, une magnifique piste (facile car relativement plate) à parcourir à vélo ou en rollers. À chaque village ou presque, un petit office de tourisme pourra vous indiquer les randonnées pédestres des alentours (en boucle). Une brochure, vendue dans ces offices, détaille la balade. Renseignements également au comité départemental du tourisme de Saône-et-Loire (voir en début de chapitre).

Touroparc : La Maison-Blanche, 71570 **Romanèche-Thorins.** ☎ 03-85-35-51-53. • www.touroparc.com • À la limite du Pays beaujolais. Tout au sud du département, à la limite du Rhône. Sortie Belleville sur l'A 6, puis 6 km. Ouvert toute l'année de 10 h à 18 h. Entrée : 12 € avec toutes les attractions ; gratuit pour les moins de 4 ans.

Au départ, il y a René Livet, cycliste prometteur contraint de mettre un terme à sa carrière suite à un accident. Il se consacre alors à son autre passion : l'élevage. Fournisseur de plusieurs zoos, il décide de créer le sien en 1961. Depuis, succès aidant, le parc s'est agrandi et enrichi de nombreuses attractions : vous trouverez bien sûr des animaux, mais pas n'importe lesquels. Ils sont superbes et ont l'air (chose qui n'est pas toujours évidente) de se plaire et de s'épanouir ici. Ils sont encore rares et variés au point de représenter allègrement tous les continents. Fermez les yeux, écoutez ces noms aux images et aux sonorités exotiques, et laissez-vous transporter aux quatre coins du monde.

Première escale en Afrique, terre de mystères et de contrastes, paradis des zèbres, girafes, hippopotames, rhinocéros blancs, éléphants, panthères noires, léopards, lycaons, suricates, lémurs dont le maki catta et le maki vari, chimpanzés, mangabeys, tortues striées, crocodiles (prononcé « crocrodiles » de tout temps par les enfants). Ensuite, attachez vos ceintures, direction l'Amérique, et soyez prêt à pénétrer désert blanc et enfer vert, refuges des aras multicolores (hyacinthe, macao ou ararauna), flamants roses, pécaris, tapirs, pumas, lièvres de Patagonie, jaguars, marmousets, capucins, saïmiris, matamatas, tortues-alligators et otaries (qui se donneront en spectacle devant vous). Troisième voyage, moins éloigné mais non moins fascinant : l'Europe. Soyez à l'affût des loups, cygnes, vautours, marmottes, tortues d'Hermann, ainsi que des couleurs et des odeurs qui émanent de la serre tropicale. Oui nous savons, vous n'en pouvez plus d'émerveillement, mais il vous reste un dernier avion à prendre afin de vous enfoncer dans la mystérieuse jungle d'Asie. Et là... tigres, ours malais, éléphants, chameaux, orangs-outans, trionyx, paons et faisans prennent la pose.

Touroparc, c'est aussi un concentré d'activités pour les jeunes : monorail, jeux aquatiques de juin à septembre (toboggans géants), balançoires et tourniquets. Enfin, les parents préfèreront peut-être aller se cultiver au village du Beaujolais et voir échoppes de jadis, vieilles machines agricoles, ou encore faire un tour à l'*hôtel de la Mine* pour admirer plus de 500 minéraux. En clair, il s'agit d'une belle journée en perspective pour toute la famille.

Chauffailles Europe Expo : 35, rue du 8-Mai, 71170 ***Chauffailles.*** ☎ 03-85-84-65-31. Sur la D 8. Ouvert de 9 h (10 h les dimanche et jours fériés) à 12 h et de 14 h à 18 h. Fermé le lundi. Entrée : 6 €; enfants : 4,50 €.
C'est un musée de l'automobile qui ne prétend pas raconter l'épopée de la voiture, car tous les modèles sont à vendre. Un salon de l'auto permanent en quelque sorte, avec des pièces qui ont plus de 80 ans. Plus de 180 véhicules exposés.

La fabrique de chocolats : 32, rue Centrale, 71800 ***La Clayette.*** ☎ 03-85-28-08-10. Sur la D 985. Ouvert tous les jours. Visite-dégustation à 15 h. Participation : 2 € pour la visite de la chocolaterie, 5 € pour la visite et la dégustation, et 10 € pour la visite et la dégustation-apéritif.
À coup sûr, la rencontre avec ce premier chocolatier de France et collectionneur de médailles va plaire à tous les gourmands. C'est l'endroit rêvé pour comprendre la fabrication, suivre le travail du chocolatier et découvrir quelques-unes de ses remarquables spécialités, autour d'un café. Cours de chocolat le 1er mercredi de chaque mois de 14 h à 18 h. Petits et grands gourmets, à vos fourneaux!

Le marché aux bestiaux : 71800 ***Saint-Christophe-en-Brionnais.*** Sur la D 989, entre La Clayette et Semur. Tous les jeudis, mais pas à n'importe quelle heure : les transactions commencent à 6 h 15 pour les taureaux et les jeunes bovins destinés à l'engraissement, 7 h pour les broutards (bovins nés dans l'année et élevés en liberté avec leur mère), 8 h pour les bêtes de boucherie (vaches de réforme, génisses et châtrons). À 9 h... c'est presque fini! Les lève-tôt seront récompensés. Un autre conseil, prenez votre petit dej' sur place, dès 6 h, sous la forme d'un pot-au-feu ou d'une tête de veau (vive les parents courageux!), en compagnie des maquignons et des éleveurs. Atmosphère unique, que vous n'aurez guère l'occasion de retrouver ailleurs en France.

LE CREUSOT : LE PARC TOURISTIQUE DES COMBES ET LE CHÂTEAU DE LA VERRERIE

Dans les environs : le musée de la Mine • Le monastère tibétain • Le musée de la Civilisation celtique de Bibracte • Le tour des remparts de Bibracte et les feuilles archéologiques du mont Beuvray

En Bourgogne, le terroir offre des vins merveilleux. On a un peu oublié que la terre avait aussi, pendant des années, fourni de la houille, du charbon, qui permettra à une famille, les Schneider, de produire de l'acier et de régner sur la région pendant 4 générations. Aujourd'hui, la « nouvelle économie », celle qui « cracke », a supplanté le « coke ». Reste un passé social remarquable et une nature qui a su reprendre ses droits.

LE PARC TOURISTIQUE DES COMBES

Situé sur la commune du ***Creusot.*** Renseignements : ☎ 03-85-55-26-23. Accès par la promenade des Crêtes; bien signalé. Sur la « montagne » surplombant la ville, plusieurs attractions qui raviront les minots de 7 à 77 ans.
➢ ***Le train touristique :*** fonctionne de fin mars à début novembre; se renseigner sur les horaires (pour le train à vapeur aussi). Tarifs : 6 et 4,50 € selon le circuit; 4 et 3 € pour les enfants de 4 à 12 ans.

C'est l'ancien tortillard, surnommé le *Tacot des Crouillottes,* qui, à partir du début du XXe siècle, transporta péniblement les scories des hauts fourneaux vers le plateau de la Combe. Abandonné dans les années 1950, il a repris du service, pour la plus grande joie des Creusotins. Pendant une heure, il flâne dans un mini-paysage de montagne, avec petit viaduc d'une portée de 20 m, tunnel à la belle forme ogivale et maints points de vue pittoresques. Autre possibilité : le *train bourguignon,* balade gastronomique durant laquelle on vous servira un repas traditionnel accompagné de 5 grands vins de la région. Se renseigner pour les horaires de départ et tarifs.

➢ ***Promenades et autres loisirs :*** nombre de balades et activités comme la visite du dépôt-atelier des petites locos, la promenade sur le chemin Noir (sympathique sentier pédestre), l'accès aux aires de jeux et pique-nique de la combe Denis ou des Quatre-Pierrettes, etc.

– ***La luge d'été :*** en juillet, août et le dernier dimanche de juin, ouvert tous les jours de 10 h 30 à 12 h et de 14 h à 19 h ; de fin mars à fin juin et de septembre à début novembre, de 14 h à 18 h (ou 19 h) ; vérifier les jours et les heures. 2,50 € le ticket ; tarifs dégressifs ; gratuit pour les moins de 8 ans accompagnés. Sur une piste de 435 m de long, les jeunes de 8 à 88 ans peuvent s'adonner sans danger aux joies de la luge, avec des pointes de 40 km/h. Rigolades et émotions en cours de route. Original, car on n'en trouve guère ailleurs ! Assez cher toutefois.

LE CHÂTEAU DE LA VERRERIE

Au ***Creusot,*** on pourra emmener la famille découvrir le passé local au ***musée de l'Homme et de l'Industrie,*** qui présente, grâce notamment à une maquette de la forge vers 1890 animée par une trentaine d'ouvriers et de machines, la grande histoire du Creusot, au château de la Verrerie, ancienne demeure des Schneider, situé sur une colline. ☎ 03-85-73-92-00. • ecomusee@netmuseum.tm.fr • Ouvert du lundi au vendredi de 10 h à 12 h et de 14 h à 18 h (19 h en haute saison), et les samedi et dimanche de 14 h à 18 h (19 h en haute saison). Entrée : 5,95 € permettant l'accès au musée mais également au château, au petit théâtre et à l'exposition permanente « Le Métal, la Machine et les Hommes » regroupés sur ce même site ; gratuit pour les moins de 11 ans ; billet familial à 15,50 € pour 2 adultes avec 1, 2, 3, 4... enfants.

– Complément obligatoire à la visite du château, le ***centre des Techniques,*** dans l'ancienne salle du Jeu-de-Paume. ☎ 03-85-80-81-51. Ouvert tous les jours de 14 h à 18 h. Retrace l'aventure industrielle de la ville de 1782 à nos jours, au travers, notamment, de superbes maquettes de machines.

Où dormir ? Où manger ?

Hôtel-restaurant Le Moulin rouge : route de Montcoy, 71670 ***Le Breuil.*** ☎ 03-85-55-14-11. Fax : 03-85-55-53-37. • www.moulin-rouge.org • À 4 km à l'est du Creusot. Du centre-ville, suivre la direction Le Breuil ; face à la poste, tourner à gauche. Fermé les vendredi soir, samedi midi et dimanche soir, ainsi que du 20 décembre au 10 janvier. Chambres doubles avec douche ou bains de 49 à 61 € ; chambres communicantes pour les familles à 53 € l'une, 9,15 € par lit supplémentaire. Menu à 16 € en semaine ; autres menus de 21 à 31 €. À l'extérieur de la ville, un complexe hôtelier fort sympathique, avec petit parc et piscine chauffée. Calme assuré et longue tradition de bonne cuisine. Près d'une quarantaine de chambres de bon confort. Cadre chaleureux rustique et cuivres de bon ton. Bonne hospitalité de province. Quelques plats à la carte : dos de sandre sur choucroute, tournedos de lapin aux cœurs de palmiers et céleris braisés, suprême de poulet aux morilles à la crème, etc. Souvent accompagnés des bons petits *crapiaux* du Morvan... Réduction de 10 % sur le prix de la chambre pour nos lecteurs munis de leur *Guide du routard.*

Le Restaurant : 33, rue des Abattoirs, 71200 **Le Creusot.** ☎ 03-85-56-32-33. Au sud de la ville. Venant du sud, arrivé au Marteau-Pilon, prendre à droite la rue des Abattoirs ; au bout de 500 m, c'est indiqué à gauche. Au fond d'une rue et d'une impasse. Fermé le dimanche et le lundi soir, et du 1er au 20 août. 1er menu à 13 €, servi également le soir sur demande ; autres menus de 17 à 29 € ; menu-enfants à 12,20 €. Un resto atypique dans la région. L'accueil est chaleureux. Beaucoup d'amis, une familiarité de bon ton imprègne les lieux. Salle claire, plaisante. Cuisine de marché de haute inspiration, veillant à préserver le goût des bons produits, tout en les alliant savamment avec herbes et senteurs : pigeon fermier rôti à la cocotte, agneau paysan aux senteurs de menthe. Très belle sélection de vins à tous les prix. Le soir, il est conseillé de réserver.

➤ DANS LES ENVIRONS

Le musée de la Mine : 34, rue du Bois-Clair, 71450 **Blanzy.** ☎ 03-85-68-22-85. (sauf salle d'expo du 1er étage du bâtiment principal). À 3 km au nord-est de Montceau-les-Mines. Ouvert du 15 mars au 11 novembre, les samedi, dimanche et jours fériés ; tous les jours pendant les vacances scolaires d'été de 14 h à 17 h. Compter 1 h 30 à 2 h pour la visite. Entrée : 5 € ; enfants : 2,50 € ; gratuit pour les moins de 10 ans.
Dernier témoin de 2 siècles d'exploitation souterraine du charbon, le musée de la Mine de Blanzy occupe le site du puits Saint-Claude. Après la visite de la lampisterie, du carreau avec son chevalement et de la salle des machines, c'est 200 m d'aventure souterraine avec un parcours de galeries équipées : on s'y croirait, la poussière et les bruits en moins.
Les visites sont très vivantes, souvent commentées par d'anciens mineurs, ravis de raconter des anecdotes qu'ils ont vécues et de partager une véritable passion.

Le monastère tibétain : au château de Plaige, 71320 **La Boulaye.** ☎ 03-85-79-62-53. À une vingtaine de kilomètres du Creusot, sur la D 994. Ouvert les lundi, mardi, jeudi et vendredi de 14 h 30 à 18 h 30 (18 h en hiver).
C'est le plus grand temple bouddhique d'Europe. Toit à 3 étages symbolisant les trois corps du Bouddha : corps, parole, esprit. À l'intérieur, murs couverts de fresques racontant sa vie, plafond à caissons avec peintures sacrées et corniche aux mille bouddhas. Traditionnelle statue du Bouddha Sakyamuni de 7 m de haut. En juillet et août, expo dans la galerie du temple. 3 jours de danses sacrées la 2e quinzaine d'août ; téléphoner pour connaître les horaires. La visite de ce monastère sera l'occasion d'approfondir une religion mal connue et d'entrevoir certains mystères de la culture asiatique.

Le musée de la Civilisation celtique de Bibracte : 71990 **Saint-Léger-sous-Beuvray.** ☎ 03-85-86-52-39. • www.bibracte.fr • Ouvert du 17 mars au 11 novembre, tous les jours de 10 h à 18 h (19 h du 1er juillet au 2 septembre). Entrée : 5,50 € ; gratuit pour les moins de 12 ans et pour le 3e enfant d'une famille. Pour les jeunes de 8 à 14 ans : le mercredi, enquête au musée autour du thème de l'exposition temporaire, et le jeudi, découverte de Bibracte, ville enfouie sous la forêt.
Bâti au pied du mont Beuvray, où s'étendait Bibracte, capitale des Éduens, le bel et ambitieux musée celtique de Bibracte présente la civilisation celtique sous tous ses aspects : économie, spiritualité, arts et techniques, organisation sociale, etc. De conception contemporaine (lignes dépouillées et

volumes aérés, bornes interactives, design très étudié), il se veut aussi le sanctuaire (le « centre européen ») de cette civilisation assez méconnue, qui s'étendait pourtant du Danube à l'océan et dont faisaient partie les Gaulois. Ainsi, par le biais de vidéos, de schémas, de maquettes ou de reproductions diverses, vous saurez tout sur les Pétrocores, Ségusiaves, Médiomatriques, Arvernes et autres Triboques.
Une visite enrichissante et bien agréable, qu'on peut compléter par la randonnée autour du site archéologique voisin du mont Beuvray.

➢ ***Le tour des remparts de Bibracte et les fouilles archéologiques du mont Beuvray :*** une boucle de 6 km, 2 h. Depuis le parking de la porte du Rebout (accès depuis celui du musée, fléché). Une balade culturelle bien tranquille, à faire de préférence en été (l'hiver, tout est gelé dans le secteur : on est tout de même à environ 800 m d'altitude). Balisage : blanc et rouge du GR 13-131, jaune. Références : *PR dans le Morvan,* éd. Chamina. *Traversée du Morvan GR 13-131,* éd. FFRP. Carte : IGN au 1/25 000, n° 2825. Des balades nature accompagnées d'un guide sont également proposées par le musée tous les jeudis en juillet et août.
Au départ de la porte du Rebout, située sur les remparts gaulois au nord-est du mont Beuvray, remarquez sur la droite les levées de terre du *murus gallicus,* vestiges des anciens remparts qui entouraient le site de Bibracte. Reconstitués, ils sont maintenus par un treillis de poutres, liées au parement de pierre par des crosses de fer. Traversez le GR et continuez en face en montant sur la gauche. Vous rencontrez alors le balisage jaune et rouge du tour du Morvan, que vous avez la possibilité d'emprunter vers le nord, à gauche donc, sur environ 500 m, pour profiter de la table d'orientation et du panorama du mont Beuvray, l'un des plus dégagés du Morvan ; en continuant, on retrouve le balisage du PR jaune, qu'on reprend sur la gauche pour boucler ce tour des remparts et de l'oppidum de Bibracte en longeant les nombreux chantiers de fouilles (spectacle des bâches rectangulaires, sous lesquelles s'affairent les archéologues). L'itinéraire continue toujours au nord par le bois de Chaudron pour revenir à la porte du Rebout.
À noter enfin que diverses animations ont lieu ponctuellement l'été, comme des stages et ateliers d'archéologie, projection de films en plein air, nuit des Étoiles, fête de la Science, etc. Se renseigner au musée pour connaître les dates.

Où dormir ? Où manger ?

🏠 🍽 ***Hôtel du Morvan :*** au bourg, 71990 ***Saint-Léger-sous-Beuvray.*** ☎ 03-85-82-51-06. Fax : 03-85-82-45-07. ♿ (pour le restaurant seulement). Fermé le lundi soir et le mardi soir en basse saison ; congés annuels : en décembre et janvier. Chambres doubles avec lavabo à 30 € ; 40 € avec douche et w.-c. ; chambre familiale autour de 39 €. 1er menu à 10,80 € ; autres menus de 14,95 à 26,50 € ; menu-enfants autour de 5 €. Dans ce Morvan qui se désertifie, un hôtel de village qui mise sur l'amélioration du confort, un intérieur chaleureux et des prix qui savent rester sages. Bon camp de base pour le mont Beuvray. Les chambres ont un certain charme campagnard.

LE MORVAN DES LACS

Dans les environs : le château du maréchal de Vauban

Le parc naturel du Morvan, cette « île de granit » créée en 1970, ne fait que concrétiser l'existence d'une région un peu à part (les méchantes langues disent même reculée), qui possède une très forte identité et est habitée

depuis plus de 5000 ans. Pays de bûcherons, de flotteurs (des gens qui convoyaient le bois sur la rivière) et de résistants, pays sauvage surtout, à la stupéfiante beauté.
Nous avons choisi de nous intéresser à sa partie centrale, la région des Lacs, qui ne possède pas vraiment de ville importante mais des hameaux, des fermes isolées. Les bourgs les plus grands – Montsauche, Dun-les-Places ou Lormes – restent modestes. Mais l'attrait du pays est ailleurs, dans ses sous-bois, ses sentes, ses grands lacs. Tous sont artificiels, créés pour la régularisation des cours d'eau (Settons, Pannesière), la production électrique (Chaumeçon, Crescent) ou la production d'eau potable (Saint-Agnan, Chamboux). Les lacs de Pannesière et des Settons sont les plus grands (520 et 359 ha), et ce dernier est le mieux aménagé. En revanche, les autres bénéficient souvent d'un cadre plus naturel et sauvage.

Activités dans le parc naturel du Morvan

■ ***Maison du parc naturel régional du Morvan :*** 58230 ***Saint-Brisson.*** ☎ 03-86-78-79-00. Fax : 03-86-78-74-22. • www.parcdumorvan.org • Minitel : 36-15, code PARCMORVAN. Tout sur la rando, les activités diverses, l'hébergement, etc.

➢ ***Promenades :*** dans le parc, nombreuses randonnées possibles, à pied ou VTT. Renseignements à la *maison du parc* ou à *Morvan-Rando-Accueil :* ☎ 03-86-78-74-93.

➢ Signalons aussi deux adresses de balades avec des ânes bâtés :

■ ***Un âne en Morvan :*** 58140 ***Lormes.*** ☎ 03-86-22-09-97.

■ ***Âniers en Morvan :*** ☎ 03-86-84-56-23. À ***Gouloux,*** au sud-est de Dun-les-Places par la D 236. Compter 38 € pour la journée.

– En ce qui concerne les ***activités en eau vive*** (kayak, canoë, rafting, hydrospeed), le gros avantage du Morvan est de pouvoir pratiquer des lâchers d'eau à date fixe (demander le calendrier à la *maison du parc*), comme on faisait autrefois pour le flottage du bois, ce qui permet de gonfler les débits sur commande. Sur la *Cure* et le *Chalaux,* notamment, se déroulent, grâce à ce procédé, des compétitions de très haut niveau, comme le championnat de France de canoë-kayak.

– Pour les ***autres activités nautiques,*** le lac des Settons dispose d'une base bien aménagée. Voile, planche à voile, ski nautique, on y pratique de tout. Sur le lac de Pannesière, plus sauvage, nombreuses activités aussi, la principale demeurant la pêche.

LE LAC DES SETTONS

Le doyen des lacs morvandiaux, mis en eau en 1858, est aussi le plus visité, le plus pratiqué grâce à ses infrastructures (base nautique de la presqu'île des Branlasses, Activital). Beaucoup de monde en été. Si l'on vient de Château-Chinon, on passe par *Planchez,* village incendié en juin 1944 par les Allemands.

■ ***Base nautique Activital :*** Les Settons, 58230 ***Montsauche-les-Settons.*** ☎ 03-86-84-51-98. Fax : 03-86-84-56-70. • perso.wanadoo.fr/activital • Ouvert du 1er avril à fin octobre. Catamaran, planche à voile : cours ou location. Ski nautique, aviron.

BOURGOGNE

Où dormir ? Où manger ?

⛺ 🍽 ***Camping de La Plage du Midi :*** Les Branlasses, 58230 ***Montsauche-les-Settons.*** ☎ 03-86-84-51-97. Fax : 03-86-84-57-31. • www.settons-camping.com • ♿ Rive droite. Fermé de mi-octobre au 1er avril. Emplacement pour 2 personnes avec une tente et une voiture autour de 14 €. Très joli cadre et ambiance dynamique. Petite restauration en extérieur sur la plage, genre saucisses-frites. Location de pédalos. Apéritif maison et café offerts sur présentation du *Guide du routard.*

🏠 🍽 ***Hôtel-restaurant Beau Site :*** Bellevue, 58230 ***Moux-en-Morvan.*** ☎ 03-86-76-11-75. Fax : 03-86-76-15-84. Accès par la D 121 ou la D 193, à 5 km du lac des Settons. Fermé le soir en hiver ; congés annuels : en janvier et février. Chambres doubles de 25 à 40 € selon le confort ; pour 4 personnes, compter environ 35 € pour une chambre avec 2 grands lits, douche et w.-c. Premier menu à 11 € sauf le dimanche midi ; autres menus de 14,50 à 34 € ; menu-enfants à 9 €. Un établissement qui ne paie pas de mine, mais qui porte bien son nom et est bien connu dans le pays pour sa table fiable et généreuse. Franche cuisine familiale traditionnelle : poulet fermier au vin rouge, jambon à l'os au madère, feuilleté d'épinards, etc. Quant à l'hôtel, il dispose de chambres simples mais spacieuses et à tous les prix, selon le confort. Apéritif maison offert sur présentation du *Guide du routard.*

BOURGOGNE

SAINT-BRISSON

Des Settons, prendre la D 236 puis la D 977 bis à droite (très beau parcours) pour gagner Saint-Brisson, où se trouve la maison du parc naturel régional, installée dans une belle propriété avec dépendances et grande maison bourgeoise, jardin botanique, arboretum et sentiers de découverte de l'étang Taureau. Coordonnées plus haut, à la maison du parc.

DUN-LES-PLACES

Non loin de Saint-Brisson, à 8 km à l'ouest par la D 6, se trouve Dun-les-Places, surnommé justement « l'Oradour nivernais » en raison des actes de barbarie qui y furent perpétrés par l'occupant en 1944.

■ ***Okheanos Loisirs :*** renseignements au Bornoux, 58230 ***Dun-les-Places.*** ☎ 03-86-84-60-61. • ok.aventure@wanadoo.fr • Hydrospeed, rafting, hot dog, parcours-aventure. Attention, pour la plupart de ces activités, il faut avoir au moins 12 ans.

Où dormir ? Où manger ?

🏠 🍽 ***L'Auberge ensoleillée :*** 58230 ***Dun-les-Places.*** ☎ 03-86-84-62-76. Fermé à Noël. Chambres doubles de 22 à 43 € selon le confort ; pas de chambre familiale mais possibilité, s'ils sont assez grands, de mettre les enfants à deux dans un grand lit à 26 €. 1er menu à 14 € midi et soir en semaine ; autres menus de 21 à 38 € ; menu-enfants jusqu'à 7 ans à 8 €. Une auberge qui fleure bon le Morvan et semble là depuis toujours, avec ses femmes aux commandes, au bar, en salle et aux fourneaux. Accueil franc et souriant et recettes du pays : rosette du Morvan, pavé aux morilles, tête de veau aux deux sauces, saumon à la fondue de poireaux. Café offert à nos lecteurs ayant le *Guide du routard* en poche.

|●| ***Le Ranch*** : 58230 ***Dun-les-Places.*** ☎ 03-86-84-60-15. Ouvert le week-end midi et soir; tous les jours pendant les vacances scolaires. Repas morvandiau à 12 €; le dimanche midi, menu à 20 €. Une grande salle avec des tables en bois, où ont lieu en juillet et août des soirées dansantes et des karaokés du tonnerre. Méga-foire assurée. Également quelques concerts de temps en temps, avec une prédilection pour le rockabilly. Mais *Le Ranch* est surtout une crêperie-restaurant où l'on trouve un repas morvandiau (jambon blanc à la crème) que les enfants adorent! Au menu du dimanche midi, buffet sur roue et viande ou volaille. Par ailleurs, activités diverses : rafting, escalade ou promenade à cheval.

⌂ |●| ***Le Chalet du Montal :*** à 1,5 km au nord-est du village de Pont-du-Montal (58230). ☎ 03-86-84-62-77. Fermé le lundi, le mardi soir hors saison; congés annuels en janvier. Chambres doubles uniquement avec douche à 45 et 50 € selon le confort. 1er menu à 15 €; autres menus de 21 à 25 €. Également un menu-enfants. Un décor sauvage digne de *Twin Peaks,* un vrai chalet au-dessous duquel coule une rivière... C'est aussi le refuge des campeurs tout proches. À côté d'un bar, derrière une énorme cheminée centrale, au milieu des plantes vertes, vous découvrirez une cuisine simple mais attentive : faux-filet de charolais au jus de morilles, filet de rascasse au coulis de poivron rouge, soufflé glacé à la framboise. Si l'envie de rester vous gagne, demandez à voir l'une des 4 chambres (très simples, c'est même parfois un euphémisme!) et faites votre choix. Café offert à nos lecteurs sur présentation du *Guide du routard.*

LES LACS DE SAINT-AGNAN, CRESCENT, CHAUMEÇON ET PANNESIÈRE

Adresses utiles

■ ***Syndicat d'initiative de Pannesière :*** ☎ 03-86-78-05-83. Ouvert toute l'année.

■ ***Office de tourisme d'Ouroux :*** ☎ 03-86-78-20-11. • www.abaxe.com/ouroux-en-morvan/ •

■ ***An Rafting :*** 58140 ***Plainefas.*** ☎ 03-86-22-65-28. Canoë-kayak, hydrospeed, raft, spéléologie, course d'orientation.

À voir

– L'étroit et profond ***lac de Saint-Agnan,*** à 8 km au nord de Saint-Brisson, ne manque pas de romantisme. Un super endroit pour planter sa tente.

– De Saint-Agnan, par la D 10, on gagne ***Quarré-les-Tombes,*** 10 km au nord-ouest, dans l'Yonne, ainsi nommé en raison de sa curieuse concentration de sarcophages mérovingiens groupés autour de l'église. Il s'agirait d'une nécropole autour du sanctuaire de saint Georges.

– De Quarré, parcourir environ 10 km à l'ouest (réseau compliqué de départementales secondaires et tertiaires, avoir une bonne carte), pour arriver au ***lac de Crescent,*** ceint de pentes abruptes.

– Du lac de Crescent, prendre la D 944 (à l'ouest du lac, route Avallon-Lormes), direction Lormes : panorama du feu de Dieu. Tourner à gauche à Saint-Martin-du-Puy par la D 235 pour redescendre vers le ***lac de Chaumeçon.*** Très beau point de vue en corniche juste avant d'arriver au lac.

■ *Base nautique :* ☎ 03-86-22-61-35. Nombreuses activités en eaux vives.

– De Brassy, poursuivre au sud (D 171 puis D 17) pour trouver le village d'Ouroux-en-Morvan. D'Ouroux, prendre la D 301 ou la D 232 pour tomber sur le ***lac de Pannesière,*** le plus grand et peut-être bien le plus beau des lacs morvandiaux, toujours sauvage et indompté. Impressionnant barrage (346 m de long et 49 m de haut) et nombreux pêcheurs. Au bord du lac, *Chaumard,* là encore village martyr pendant la Seconde Guerre mondiale.
➢ On peut rejoindre ensuite Château-Chinon par la D 944.

Où dormir ? Où manger ?

Camping Les Genêts : route de Lannecière, 58230 ***Ouroux-en-Morvan.*** ☎ 03-86-78-22-88. Fax : 03-86-78-25-36 (mairie). ♿ Ouvert de mi-avril à mi-octobre. Forfait à 10 € pour 2 personnes : emplacement, tente et voiture. Accueil extra et confort très correct.

Gîte de Mme Dangel : 58230 ***Ouroux-en-Morvan.*** ☎ et fax : 03-86-78-25-87. • dangelc@wanadoo.fr • Fermé de mi-novembre à fin décembre. Compter 10 à 12 € par personne. Demi-pension à partir de 26,20 €. Très bien. VTT acceptés mais pas les animaux. Réduction de 10 % sur la nuitée, accordée à nos lecteurs de septembre à avril et sur présentation du *Guide du routard.*

Camping des Îles : 58120 ***Chaumard.*** ☎ 03-86-78-03-00. Ouvert toute l'année. Emplacement pour 2 personnes avec tente et voiture à 6,40 €. Simple et sympa, et dans le cadre splendide des rives boisées du lac. Bon marché. En juillet et août, 5 % de réduction sur l'hébergement d'une semaine minimum pour nos lecteurs, 10 % le reste de l'année, sur présentation du *Guide du routard.*

Hôtel de la Poste : 58140 ***Vauclaix.*** ☎ 03-86-22-71-38. Fax : 03-86-22-76-00. • www.ifrance.com/hoteldelaposte • ♿ À 37 km au sud d'Avallon ou 8 km au sud de Lormes par la D 944. Chambres doubles de 31 à 51 € selon le confort ; possibilité d'ajouter un lit supplémentaire, à 9 €. 1er menu à 10 € le midi en semaine ; autres menus de 15 à 40 € ; menu-enfants autour de 8 €. Vieille adresse morvandelle, tenue depuis des générations par la famille Desbruères, des pros. Grandes chambres sobres avec, pour certaines, plus de confort. Piscine et jardin d'agrément avec jeu d'échecs géant et ping-pong. À table, des plats traditionnels (foie gras, filet de bœuf aux morilles) ou créatifs (braise de choux au foie gras et pommes au miel) qui ne déçoivent pas.

➤ *DANS LES ENVIRONS*

Le château du maréchal de Vauban : 58190 ***Bazoches-du-Morvan.*** ☎ 03-86-22-10-22. • château.bazoches@wanadoo.fr • À 10 km au sud de Vézelay. Ouvert tous les jours du 25 mars au 5 novembre de 9 h 30 à 12 h et de 14 h 15 à 18 h (17 h du 1er octobre au 5 novembre). Visite libre avec dépliant : 5,80 € ; enfants : 3 €.

Noble et imposant, le château de Bazoches, construit au XIIe siècle par Jean de Bazoches, grand seigneur local, a conservé 3 ailes et 3 tours d'origine ; la façade, édifiée par son plus illustre propriétaire, Vauban, date du XVIIe siècle. Bâtisseur de forteresses, on lui doit plus de 160 places fortes.

Le château, aujourd'hui logis et propriété du vicomte de Sigalas, dont l'épouse est une descendante du grand militaire, est certainement l'un des fleurons de Bourgogne, et sans conteste le plus beau du département. Vauban, bien sûr, y demeure très présent : armure et coffre de garde, plans divers et portraits, l'illustre personnage hante toujours ces murs chargés d'histoire. Initiative originale : les arbres généalogiques représentés aux murs du grand salon et qui ont demandé plus de 1 000 écussons (en porcelaine de Limoges, la classe !). On y découvre que les actuels propriétaires, le vicomte et madame la vicomtesse, sont de très très lointains cousins puisqu'ils descendent tous deux de saint Louis ! Remarquer aussi les écussons blancs, sans blason donc : images des roturiers sans couleur et sans titre (des roturières le plus souvent). Durant la visite, quantité de belles choses en une succession de chambres et de salons : superbe mobilier souvent estampillé (cartel Boule, lit à baldaquin du XVIIe siècle), toiles et pastels de maîtres (Mignard, Clouet, Quentin de la Tour, Van der Meulen...). Vaut vraiment le détour.

NEVERS

Dans les environs : le musée de la Mine • Le circuit des vignobles de Pouilly-sur-Loire • L'écomusée de la Meunerie • Le musée du Facteur et de la Poste • La ferme de Cadoux

LA PISCINE À VAGUES

Si vous êtes à Nevers et qu'il fait chaud, faites plaisir à vos enfants en les emmenant à la piscine à vagues au quai de la Jonction à Nevers. ☎ 03-86-37-55-95. Ouvert de juin à fin août tous les jours de 10 h 30 à 20 h 30 (en juin, ouvert seulement de 14 h à 19 h). Entrée : 2,82 € ; enfants : 1,30 €. Vous aurez le choix entre un bassin à vagues et 2 toboggans, 2 bassins classiques, un bassin d'apprentissage et une pataugeoire pour les petits. Le tout à l'air libre.

➤ DANS LES ENVIRONS

Le musée de la Mine : 1, av. de la République, 58260 ***La Machine.*** ☎ 03-86-50-91-08. À 5 km au nord de Decize par la D 34 ou à 20 km à l'est de Nevers. Du 15 juin au 15 septembre, ouvert tous les jours sauf le mardi, de 10 h à 12 h et de 15 h à 19 h ; du 16 septembre au 31 octobre et du 1er mars au 14 juin, ouvert le dimanche de 14 h à 18 h, en semaine sur rendez-vous. Fermé le 1er mai, et du 1er novembre au 28 février. Entrée : 4,30 €. Demi-tarif pour les moins de 16 ans et gratuit pour les moins de 6 ans.
Une formidable visite au cœur de la mine, guidée et commentée par d'anciennes « gueules noires ». Passionnant ! Compter 2 h. On commence par les bâtiments administratifs et d'ingénieurs, où se trouve un formidable « meuble à plans », ou encore l'austère bureau directorial des Schneider père et fils, patrons à l'ancienne. Maquettes, photos et documents écrits introduisent au monde de la mine, particulièrement à celui de La Machine où, dès le XIVe siècle, on glanait du « charbon de terre », et où le dernier puits a fermé en 1974.
Puis on se dirige vers la fosse d'extraction. On coiffe le casque de mineur, et le voyage au centre de la Terre commence : par une succession de galeries reproduites à l'identique, on découvre les techniques de percement et d'extraction, leur évolution, et c'est un univers dans lequel on plonge, un monde de labeur (cf. *Germinal,* souvent au programme scolaire !), de drames (coups de grisou, de poussier, de charge, l'enfer !) mais aussi de tra-

vail très noble et de solidarité. Très bien fait vraiment, vivant et pédagogique : quand on sort de là, on est capable de creuser soi-même son boyau, de trouver le filon et d'extraire le charbon, juste avec une pioche et quelques bouts de bois pour étayer l'ouvrage, parole !

➢ ***Le circuit des vignobles de Pouilly-sur-Loire :*** une boucle de 8 km, 2 h 30 (peut également se faire à VTT : 1 h 15). Agréable au moment des vendanges et toute l'année pour les dégustations. Balisage : blanc et rouge, jaune. Référence : *PR dans la Nièvre,* éd. Comité départemental du tourisme et Rando-Nièvre. Carte IGN au 1/25 000, n° 2523.
Depuis l'église de Pouilly, dirigez-vous en direction de Cosne-sur-Loire vers le pont de chemin de fer; vous retrouvez alors le balisage blanc et rouge du GR 31. Remontant la rive droite de la Loire, on traverse bosquets et vignobles avec des aperçus sur l'île de Malaga et les îlots des Loges. Un vrai dépaysement. Aux Loges, continuez sur la droite par une ruelle qui s'enfonce en direction des vignobles pour retrouver la N 7. La traverser prudemment pour arriver au hameau des Berthiers et à celui de Saint-Andelain. L'église et la table d'orientation méritent un détour. Redescendez alors plein sud vers le château du Nozet. Le chemin continue par la D 503 puis les vignobles jusqu'au Bouchot. Retraversez prudemment la N 7 pour retrouver l'église de Pouilly. Un petit coup de pouilly-fumé, servi bien frais, remettra les parents de la balade, tandis que les enfants se désaltèreront avec un grand verre d'eau.

L'écomusée de la Meunerie : moulin de Maupertuis, rue André-Audinet, 58220 ***Donzy.*** ☎ 03-86-39-39-46. À un peu plus de 10 km à l'est de Cosne-sur-Loire. En mai et octobre, ouvert de 14 h à 18 h; de juin à septembre, tous les jours de 15 h à 19 h; de novembre à avril, ouvert pendant les vacances scolaires, de 14 h à 18 h. Entrée : 4 €; jeunes et étudiants : 2,50 €; gratuit pour les moins de 10 ans.
Un moulin vivant (inscrit à l'Inventaire supplémentaire des Monuments historiques) encore équipé de tout son matériel et qui servait à la fabrication de la farine jusqu'en 1961. La visite est commentée et animée puisque les machines-outils et les trains d'engrenage fonctionnent sans problème devant vous. Plus de 57 moulins existaient au XIXe siècle dans la région. La moitié des sites sont encore visibles, mais peu sont aussi complets que celui-ci, en état de marche grâce à la volonté de quelques bénévoles qui ont su frapper aux bonnes portes pour redonner vie au bâtiment. Passionnant.

Le musée du Facteur et de la Poste : 58200 ***Cosne-sur-Loire.*** À environ 60 km au nord de Nevers, sur la N 7. Ouvert de 10 h à 12 h et de 15 h à 18 h. Fermé le dimanche et lundi matin. Entrée : 2,50 €.
Petit musée attachant, qui regroupe une collection fort complète de costumes de facteurs français et étrangers de 1830 à nos jours. Également, exposition de timbres et appareils téléphoniques. Belle collection de voitures miniatures et trains. Musée qui devrait plaire aux gamins et leur donner envie d'écrire une petite carte à leurs copains.

La ferme de Cadoux : 58440 ***La Celle-sur-Loire.*** ☎ 03-86-39-22-84. À 8 km au nord de Cosne-sur-Loire. Ouvert de mai à septembre, de 14 h à 19 h.
Un véritable musée paysan de la Bourgogne nivernaise, qui a été réalisé dans une grange du XVe siècle et ses bâtiments agricoles. Des mannequins en situation avec les instruments et outils d'époque en main renseignent sur des métiers disparus comme la lingère, la nourrice, le bourrelier, le charron, le tonnelier, etc. Animations ludiques selon les expositions telle cette carte de France sur laquelle les enfants s'amusent à positionner les fromages dans leurs régions d'origine. Intéressant et familial.

SAINT-FARGEAU

Dans les environs : le lac du Bourdon • Le chantier médiéval de Guédelon • Le parc animalier de Boutissaint • Le moulin de Vanneau • Le train touristique du pays de Puisaye-Forterre • La Fabuloserie • Le musée des Arts et Traditions populaires

LE CHÂTEAU DE SAINT-FARGEAU

À ***Saint-Fargeau*** (89170). ☎ 03-86-74-05-67. • www.chateau-de-st-fargeau.com • ♿ Ouvert du 1er avril au 11 novembre, tous les jours de 10 h à 12 h et de 14 h à 18 h. Entrée : 7 € ; enfants : 4 €. Tarif groupe sur présentation du *Guide du routard.*

Datant des XVe et XVIIe siècles, il fait un peu château de conte de fées. Surtout avec ses murs de brique rose. Ce n'est pas à la Grande Mademoiselle, cousine de Louis XIV – soucieuse d'ajouter une touche féminine à l'édifice – qu'on les doit mais à un autre proprio du château, Antoine de Chabannes, qui a choisi la brique pour son intérêt défensif ! C'est essentiellement le tour complet des charpentes qui vaut le coup d'œil : impressionnantes (100 t de poutres de chêne) et... hantées !
– ***Spectacle historique :*** renseignements au ☎ 03-86-74-05-67. Durée : 1 h 30. Du 12 juillet au 25 août, les vendredi et samedi soir à 22 h. Entrée : 13,80 € pour les adultes et 7,60 € de 6 à 15 ans. Remise pour les adultes accordée sur présentation du *Guide du routard.* Toute l'histoire de la Puisaye du Moyen Âge à l'arrivée des troupes américaines de la Libération. 800 acteurs, 60 cavaliers, 6 000 costumes, 50 chevaux, 4 ânes (sans oublier Raymond le cochon !) et 100 000 spectateurs, qui bondissent à chaque coup de canon.

On verra encore la ***ferme du château Le Ferrier :*** à 700 m du château. ☎ 03-86-74-03-76. Ouvert du 1er avril au 30 septembre, tous les jours sauf le lundi hors vacances scolaires, de 10 h à 19 h. Entrée : 5 €.
Elle est reconstituée telle qu'elle était au XIXe siècle. Du matériel agricole, des animaux (bœufs, veaux, vaches, cochons, couvées !), des animations (traite, ferrage des chevaux), etc.

Plus moderne, le ***musée de la Reproduction du son :*** pl. de l'Hôtel-de-Ville. ☎ 03-86-74-13-06. • perso.wanadoo.fr/museedelareproductionduson • Ouvert du 1er avril au 15 novembre de 10 h à 12 h et de 14 h à 18 h (19 h en juillet et août), et pendant les vacances de Noël et de février de 14 h à 18 h. Entrée : 4,50 € ; enfants : 3,50 €.
Exceptionnelle collection (1 000 pièces) répartie dans 7 salles d'exposition de cet appareil dans lequel Prokofiev voyait une « invention du démon » : le phonographe ou gramophone. Démonstrations pédagogiques de ces appareils datant de 1877 à 1950 (postes à galène, Accordéon Jazz, Limonaire, Pianola, etc.) et, bien entendu, écoute des différents sons, airs, mélodies de toutes ces musiques de rues, salons et cabaret. Un passionnant petit musée pour une collection à voir et à entendre.

Où dormir ? Où manger ?

Le Petit Saint Jean : promenade du Grillon, 89170 ***Saint-Fargeau.*** ☎ 03-86-74-01-71. Fax : 03-86-74-09-73. ♿ Au monument aux morts, en centre-ville, direction Orléans ; à 100 m à droite. Fermé le dimanche soir, les lundi et mercredi. Congés annuels : du 15 novembre au 1er mars. Chambres de 53 à 58 € selon si c'est pour 2 ou 3 personnes. Menus de 17 € (sauf jours fériés) à 33 € ; menu-enfants à 10 €. Chambres au calme, ordonnées autour d'un jardin intérieur ou donnant sur une petite rue tranquille sur l'arrière. Très classiques (certaines ne sont pas bien grandes), toutes avec salle de bains et TV. Cuisine sous influence régionale. Café offert à nos lecteurs sur présentation du *Guide du routard.*

Ⓘ ***La Mangeoire :*** 4, impasse des Lions, 89170 ***Saint-Fargeau.*** ☎ 03-86-74-13-23. À gauche en regardant le château. Fermé les mardi et mercredi soir, le jeudi (sauf en juillet et août) et du 11 novembre au 1er avril. Menu rapide à 12 € ; autres menus à 17 et 22 € ; menu-enfants à 6,86 € avec de la tartiflette. Sur les murs, il y a bien des mangeoires, des tableaux représentant des bovins, des scènes campagnardes amusantes, on ne peut pas se tromper. Cuisine traditionnelle bourguignonne et assiette de pays, avec un verre de vézelay blanc ou rouge.

➤ DANS LES ENVIRONS

🔭 ***Le lac du Bourdon :*** à 3 km au sud-est de Saint-Fargeau par la D 185. Grand (250 ha) réservoir artificiel aménagé pour alimenter en eau le canal de Briare. Plage de sable et baignade (souvent noir de monde l'été), voile et planche à voile.

🔭🔭🔭 ***Le chantier médiéval de Guédelon :*** 89520 ***Treigny.*** ☎ 03-86-45-66-66. • www.guedelon.org • À une cinquantaine de kilomètres au sud-ouest de Joigny et à 6 km au sud-est de Saint-Sauveur-en-Puisaye sur la D 955. Ouvert de fin mars au 30 juin tous les jours sauf le mercredi, de 10 h à 18 h (19 h les samedi, dimanche et jours fériés) ; du 1er juillet au 31 août, tous les jours de 10 h à 19 h ; en septembre, tous les jours sauf le mercredi, de 10 h à 17 h 30 (18 h le week-end) ; du 1er octobre au 2 novembre, tous les jours sauf le mercredi de 10 h à 17 h 30. Fermé du 3 novembre au 21 mars. Entrée : 8 € ; enfants : 6 €. Sur présentation du *Guide du routard,* application du tarif groupe : 6 € par adulte et 4,60 € pour les enfants de 6 à 18 ans.
Un projet délirant, à l'initiative du châtelain actuel de Saint-Fargeau, soutenu par des bénévoles : construire en forêt de Treigny la réplique exacte d'un château fort du XIIIe siècle. Un coup de folie et un chantier que tout le monde peut visiter.
Dans une carrière abandonnée, 35 « œuvriers » en costumes bâtissent sous vos yeux un château féodal. Un vrai, avec pont-levis, douves, donjon et tout et tout. Plus fort encore, ce château est construit avec les techniques du XIIIe siècle. Forgerons, tailleurs de pierre, maçons, potiers, carriers, essarteurs, vanniers, cordiers, travaillent comme au temps jadis, seulement aidés par des chevaux pour le transport des matériaux et des engins de levage médiévaux (cages à écureuil, cabestans) pour hisser les pierres en haut avec des courtines. Et tout cela en temps réel : les travaux seront terminés dans une vingtaine d'années ! La première pierre du château a été posée en 1997 (avec une pièce de monnaie de l'année scellée, pour ne pas embrouiller les archéologues du futur !). Et on peut déjà voir sur le site une grange cistercienne et les artisans au travail dans un village où toute invention postérieure au XVe siècle a été proscrite ! Visite fort instructive, tant au niveau du projet que socialement, vu qu'une quarantaine d'emplois ont été créés. Comme quoi les fous ont toujours raison. Et bravo aux institutions, collectivités locales et entreprises qui ont permis au projet d'exister !
Les enfants de 8 à 12 ans pourront se procurer *Les Châteaux forts* à la boutique du chantier, un livre contenant des illustrations de Guédelon et destiné

à leur faire découvrir l'histoire des châteaux forts de façon ludique et pédagogique grâce à des images en 3D, notamment.

Le parc animalier de Boutissaint : 89520 **Treigny.** ☎ 03-86-74-07-08. • www.boutissaint.com • À 9 km au sud de Saint-Fargeau sur la D 185. Ouvert du 1er février au 15 novembre tous les jours du lever au coucher du soleil (8 h à 19 h). Entrée : 8 €; 5 € pour les enfants de 6 à 14 ans et pour les familles nombreuses munies de leur carte SNCF.
Près de 500 animaux dispersés sur 400 ha : cerfs, daims, biches, chevreuils vivent en liberté, mais aussi sangliers, mouflons, bisons d'Europe, qui vivent quant à eux dans un enclos. On aura fait une belle balade à pied ou à VTT (location sur place) au milieu de ces superbes chênes plus que centenaires, de 3 étangs vieux de plus de 1 000 ans, de 2 fontaines naturelles d'eau de source (la Belle-Fontaine et la Sainte-Langueur), et d'un prieuré du XVIe siècle. Encore une raison de ne pas manquer cet endroit enchanteur; pour les amateurs de pêche, une carte peut être délivrée par le gardien à l'entrée, donnant droit à 2 lignes et à tout le poisson pêché.
Deux gîtes ruraux sur place.

Le moulin de Vanneau : 89520 **Saints-en-Puisaye.** ☎ 03-86-45-59-80. • www.moulinvanneau.org • À 6 km de Saint-Sauveur, direction Ouanne (D 85). Téléphoner pour les horaires. Ici, on entre dans la cour de la ferme et on se retrouve au XIXe siècle. Le moulin à eau fonctionne et on sent le parfum de la farine de son. Le logis du meunier est intact et nous laisse croire qu'il vient de sortir. On pourra, au cours de la visite, emprunter un sentier botanique qui serpente au travers d'une zone humide préservée et suivre le commentaire du guide. Des animations sont proposées : moulin à eau, promenade en charrette, travaux des champs, écrémage du lait, traite des vaches, etc. Passionnant et pour tous publics.

➢ **Le train touristique du pays de Puisaye-Forterre :** av. de la Gare, 89130 **Toucy.** ☎ 03-86-44-05-58. • aaty@wanadoo.fr • À environ 20 km au nord-est de Saint-Fargeau sur la D 965. Circulation de mai à septembre, les samedi, dimanche et jours fériés; se renseigner pour les horaires. Tickets aller-retour : de 4,50 à 7,50 € plein tarif selon la longueur du trajet (tarif de groupe appliqué aux lecteurs du *Guide du routard*) ; billet forfaitaire à la journée, qui vous permet de descendre où vous voulez. Transport de vélos, voitures d'enfant, animaux de compagnie : gratuit.
À la gare de Toucy, aussi croquignolette que désaffectée, l'autorail *Picasso,* qui accuse pas moins d'un demi-siècle, trimballe toute la famille dans une chaude ambiance de vacances à travers la campagne de Puisaye-Forterre, sur 27 km entre Villiers-Saint-Benoît et Saint-Sauveur-en-Puisaye. Demandez au conducteur de vous faire visiter la salle des machines. Passionnant et ludique. En gare de Toucy, visite complémentaire du Musée postal et du Musée ferroviaire. Animation formidable par des bénévoles sympas.

La Fabuloserie : 89120 **Dicy.** ☎ 03-86-63-64-21. À 25 km à l'ouest de Joigny par la D 943. Ouvert de Pâques à la Toussaint le week-end et les jours fériés de 14 h à 18 h; en juillet et août, tous les jours aux mêmes horaires. Entrée : 5,50 €; de 6 à 18 ans : 3 €; de 4 à 6 ans : 2,70 €.
Art brut? Dubuffet a réservé l'appellation à sa collection qu'il a donnée à Lausanne. Art hors les normes, donc. Une étiquette qui va finalement bien à cette étonnante collection exposée dans une maison de campagne transformée en un véritable labyrinthe (couloirs à la Gaudí, greniers enveloppés de tapis). Des œuvres bricolées avec du fil de pêche, du bois flotté, des matelas ficelés, des emballages de chocolat et des poupées brisées, des épluchures peintes, par un instit' du Lyonnais, un garçon-vacher du Loiret, un maçon de l'Hérault... De complets autodidactes, sans références artistiques.

Fabuleuse Fabuloserie où la visite saute d'un dessin aux crayons de couleurs de la désormais presque célèbre Aloïse aux engrenages d'Émile Ratier, de la naïve usine nucléaire de Pierre Petit à la flippante vie de Mauricette de Francis Marshall... Et s'achève dans le jardin où, après avoir croisé Clemenceau ou Jane Mansfield (statues de Camille Vidal, en béton peint et grandeur nature !), on voit tourner l'exceptionnel manège de Petit Pierre : une tour Eiffel en bois d'acacia de 23 m de haut, des trains et des avions en vieux bidons, une vache (qui pisse !), des scènes de ferme comme Pierre en train de traire ses vaches...

Où dormir ? Où manger dans le coin ?

Chambres d'hôte Ferme du Gué de Plénoise : 89120 ***Charny.*** ☎ 03-86-63-63-53. À 8 km au sud-ouest de Dicy par la D 950. À Charny, prendre la direction Châtillon-Coligny ; au sommet de la première côte, prendre à droite direction Chêne-Arnoult, puis Plénoise (fléchage « Gîtes de France »). Chambres doubles avec douche ou bains à 46 €, petit dej' compris. Table d'hôte sur réservation (mais même tard le soir, on ne vous laissera pas mourir de faim !) : menus à 14,50 €, et 17 € ; pas de menu-enfants, mais si vous le demandez, on vous préparera des petites portions sympas pour eux. En pleine campagne, pas loin des berges d'une charmante petite rivière. Quatre chambres dans une vieille maison qui donne sur la cour d'une exploitation agricole (pas besoin de réveil, le coq s'en charge !). On a un petit faible pour la chambre jaune, avec mezzanine. Petit dej' avec lait de la ferme et pâtisseries maison. Cuisine familiale à base de produits fermiers : blanquette ou rôti de veau, crème renversée, etc. Accueil très chaleureux et ambiance gentiment familiale. Vélos à disposition. Également une chaise haute, et des jouets pour les bambins. Apéritif maison et café offerts ainsi que 10 % de réduction sur le prix de la chambre à partir de 2 nuits sur présentation du *Guide du routard.*

Le musée des Arts et Traditions populaires : 5, rue du Moulin, 89110 ***Laduz.*** ☎ 03-86-73-70-08. À 15 km au sud de Joigny par la D 955. Prendre la 1re à gauche après le pont de l'autoroute (fléchage). Ouvert du 1er avril au 30 juin et en septembre les mercredi et dimanche de 15 h à 18 h, en juillet et août tous les jours de 10 h à 19 h, ainsi que les samedi, dimanche et lundi, le week-end de Pâques et de Pentecôte de 14 h à 18 h. Entrée : 6 € ; de 6 à 14 ans : 4 € ; gratuit pour les moins de 6 ans. 10 % de réduction sur le prix des entrées et sur les éditions du musée (catalogues, affiches et cartes postales) sur présentation du *Guide du routard.*

Installé dans une vieille ferme, au cœur d'un petit village un peu loin de tout. Un passionnant petit musée qui n'y va pas de son couplet nostalgique (« Ah, c'était le bon vieux temps ! »), mais qui se veut juste un endroit où est conservée vivante la mémoire d'une civilisation rurale vieille de plusieurs millénaires mais disloquée en quelques décennies à peine par l'industrialisation.

Au départ, faute de vrais panneaux explicatifs, cette formidable accumulation d'objets (des outils pour l'essentiel) donne un peu le tournis. Et puis on se laisse gagner par le calme du lieu, par sa poésie. On découvre le monde des galochiers, des scieurs de long, des jouets, on se pose dans le délicieux petit jardin avec un verre de cidre fermier, puis on explore à nouveau ce musée : œuvres insolites proches de l'art brut, aubes de premiers communiants, chevaux de bois de manège... Avec un peu de chance, vous pourrez voir tourner le carrousel devant l'atelier de fabrication de chevaux de bois. Il y a également des expositions temporaires de peinture et des fêtes des savoir-faire chaque année. Ainsi que des ateliers de création de jouets en bois pour les jeunes. Allez-y !

Où dormir? Où manger dans la région?

🏨 🍴 ***Le Rive Gauche :*** rue du Port-au-Bois, 89300 ***Joigny.*** ☎ 03-86-91-46-66. Fax : 03-86-91-46-93. • www.hotel-le-rive-gauche.fr • ♿ Sur les bords de l'Yonne, au pied de la vieille ville. Fermé le dimanche de novembre à février. Chambres doubles avec bains de 43 à 74 €; compter de 73 à 100 € environ pour 3 et 4 personnes. Premier menu à 18 € midi et soir en semaine; autres menus de 27 à 35 €; menu-enfants à 9,50 €. Comme tous les grands de la restauration, les Lorain ont senti le vent tourner et construit, face à leur célèbre *Côte Saint-Jacques,* un faux hôtel de chaîne, moderne et accueillant. Chambres confortables et fonctionnelles. Terrasses et jardins fleuris. Au resto, cuisine de bistrot revisitée : galette d'escargots et pommes de terre écrasées. Réduction de 10 % sur le prix de la chambre pour nos lecteurs ayant le *Guide du routard* en poche.

AUTOUR DE L'AVALLONNAIS

• Les grottes d'Arcy-sur-Cure • Le musée des Véhicules des chefs d'État • Le tour de Vézelay

LES GROTTES D'ARCY-SUR-CURE

À ***Arcy-sur-Cure*** (89270). Renseignements : ☎ 03-86-81-90-63. Ouvert des Rameaux au 11 novembre, tous les jours de 10 h à 12 h 30 et de 14 h à 18 h. Entrée : 7,50 €; enfants : 3,75 €. Visite archéologique le mercredi à 12 h 30 et le dimanche à 12 h sur demande. Entrée : 12 €.

👁👁 Elles revendiquent le statut de secondes grottes anciennes ornées du monde, ouvertes à la visite! Visite qui traverse, dans la Grande Grotte, 900 m de galeries et salles souterraines. Deux petits lacs, des stalac**t**ites (celles qui **t**ombent), des stalag**m**ites (celles qui **m**ontent) et autres concrétions qui inventent un univers étrange et merveilleux. Buffon, qui a visité le coin en voisin au XVIIe siècle, y voyait fruits, plantes, meubles, draperies... Et vous, qu'y voyez-vous? La grotte du Cheval, dont les parois portent des dessins de l'aurignacien (mammouth, bouquetins, oiseaux et poissons) – précisément datés au carbone de 14000 à 33000 ans b.p. *(before present)* – ne se visite que sur rendez-vous.
On peut découvrir la quinzaine de grottes (celles-là ne sont pas ouvertes à la visite) creusées dans les hautes falaises calcaires qui plongent dans la Cure en suivant un agréable petit chemin, qui part de la Grande Grotte.

LE MUSÉE DES VÉHICULES DES CHEFS D'ÉTAT

Au château de Montjalin, 89200 ***Sauvigny-le-Bois.*** ☎ 03-86-34-46-42. À 7 km au nord-est d'Avallon. Entre Avallon et Montréal, prendre le CD 957; l'allée du château débute après la route du hameau Montjalin, juste avant le pont de l'autoroute, à droite. Ouvert tous les jours de 10 h à 18 h. Entrée : 5 €; 2,50 € sur présentation du *Guide du routard.*

👁👁 Dans le parc du château, ouvert au public, une collection impressionnante d'automobiles aussi célèbres que le furent leurs distingués propriétaires : les Zihl de Brejnev et Honnecker, la Simca de De Gaulle, la DS 23 de Valéry Giscard d'Estaing et la Papamobile de Paul VI.

➢ ***Le tour de Vézelay :*** 6 km, 2 h aller-retour sans les arrêts. En boucle depuis Vézelay. Balade facile et culturelle, sans balisage, environnée de sites remarquables. Référence : *Promenades et Randonnées dans le Morvan,* par D. Cornaille, éd. Solar. Carte IGN au 1/25 000, n° 2722.
Depuis la place du Champ-de-Foire, suivez les remparts nord jusqu'à la tour des Ursulines. Un sentier descend sur la gauche vers la croix de la Cordelle où saint Bernard prêcha la seconde croisade. Continuez par un paysage champêtre vers Asquins. À l'entrée du village, prenez la route à droite pour descendre encore vers la D 951, puis un chemin qui rejoint la rive gauche de la Cure. Remontez la rivière jusqu'à la superbe église de Saint-Père. Suivez à droite la direction de Corbigny, traversez un ruisseau et remontez vers l'ouest pour retrouver les balises blanches et rouges de la variante du GR 13. La remontée, à travers les champs et les vignobles, vers la colline de Vézelay, est empreinte de l'atmosphère de ce haut lieu sacré. Vézelay est le point de départ de l'un des grands chemins de Compostelle, la *via Lemovicendis* qui passe par le Limousin et le Pays basque : plus de 2 000 km (à parcourir à pied, bien sûr, pour vous sanctifier). On vous conseille, plus modestement (ou pour commencer...), de rejoindre votre point de départ...

BRETAGNE

Région de caractère, la Bretagne a de multiples visages : des verts bocages aux falaises abruptes, en passant par la lande et ses menhirs. Sur cette « pointe » entourée d'eau, les occasions ne manquent pas d'en apprendre toujours plus sur la mer et ses habitants, de vous évader vers les îles ou de profiter des activités nautiques. Vous pourrez aussi voyager dans le temps grâce à la visite des châteaux ou en suivant l'évolution du monde rural encore très présent en Bretagne. Alors, bon vent à tous les moussaillons, qu'ils aient le pied marin ou qu'ils préfèrent s'enraciner dans la lande !

Adresses utiles

i ***Comité régional du tourisme :*** 1, rue Raoul-Ponchon, 35069 Rennes Cedex. ☎ 02-99-36-15-15. Fax : 02-99-28-44-40. • www.tourismebretagne.com • Fait une excellente pub sur la région, connaît tout, renseigne sur tout. Merci et bravo !

i ***Comité départemental du tourisme des Côtes-d'Armor :*** 7, rue Saint-Benoît, BP 4620, 22046 Saint-Brieuc Cedex 2. ☎ 02-96-62-72-00. Central de réservation : ☎ 02-96-62-72-15. Fax : 02-96-33-59-10. • www.cotedarmor.com • Minitel : 36-15, code ARMOR. Abondante documentation. Une vingtaine d'hôtels dans les Côtes-d'Armor réservent un accueil particulier aux familles selon la charte de qualité « Salut les enfants ».

i ***Comité départemental du tourisme du Finistère :*** BP 1419, 29104 Quimper Cedex. ☎ 02-98-76-20-70. Fax : 02-98-52-19-19. • www.finisteretourisme.com •

i ***Comité départemental du tourisme d'Ille-et-Vilaine :*** 4, rue Jean-Jaurès, BP 60149, 35101 Rennes Cedex 3. ☎ 02-99-78-47-47. Fax : 02-99-78-33-24. • www.bretagne35.com •

i ***Comité départemental du tourisme du Morbihan :*** PIBS Kérimo, allée Nicolas-Leblanc, BP 408, 56000 Vannes Cedex. ☎ 02-97-54-06-56. Fax : 02-97-42-71-02. • www.morbihan.com •

SAINT-MALO

Dans les environs : le château de la Bourbansais • Cobac Parc

En sillonnant la région de Rennes à Saint-Malo, vous pourrez faire découvrir à vos enfants deux aspects très différents de la Bretagne : la mer et la campagne, la pêche et l'agriculture. Les Côtes-d'Armor, plus à l'ouest, offrent également des sites qui devraient passionner les petits.

SAINT-MALO, LA CITÉ DES CORSAIRES

🚶🚶🚶 ***Le grand aquarium :*** av. du Général-Patton. ☎ 02-99-21-19-00. • www.aquarium-st-malo.com • À environ 4 km du centre-ville de Saint-Malo. Accès par Saint-Servan. Téléphoner pour les horaires. Entrée : 12,50 € ; de 4 à 17 ans : 9 € ; gratuit pour les moins de 4 ans. Boutique, cafétéria.

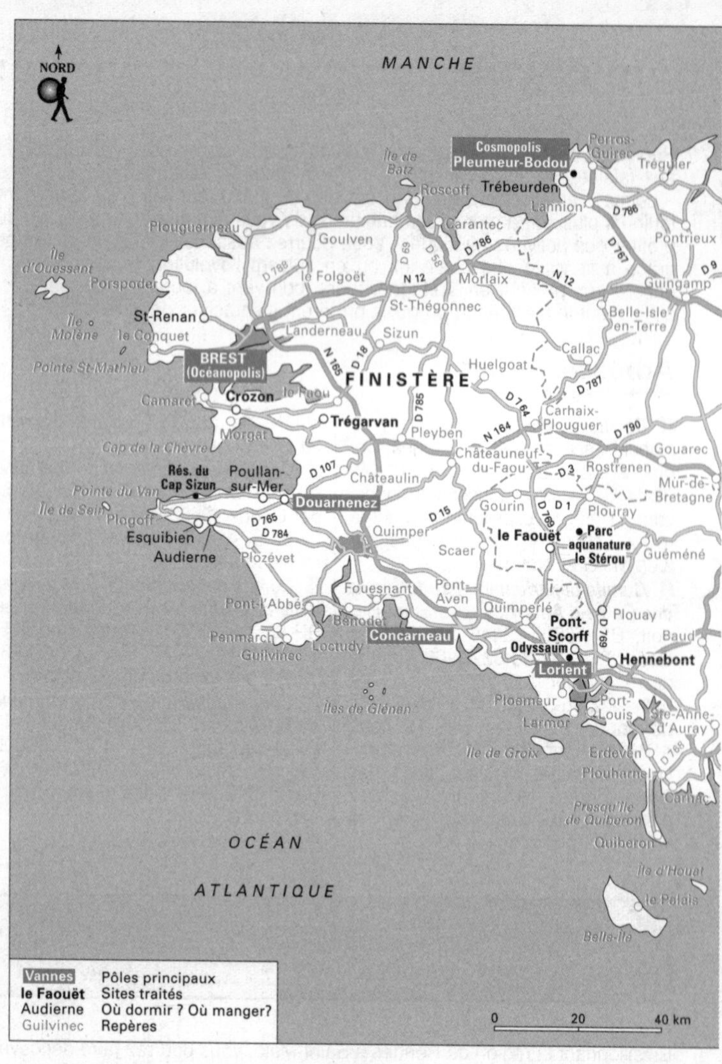

Ce parc d'attractions-aquarium présente de manière passionnante et ludique un panorama des habitants de toutes les mers du globe, aussi bien ceux des eaux froides que ceux des eaux tempérées et même chaudes. Sans vouloir tout dévoiler, voici quelques infos pour vous mettre en eau : on pénètre dans les eaux froides où crabes du Japon et poissons-loups de Norvège vous attendent. Pour l'Atlantique, on a reconstitué un bout de plate-forme pétrolière. La Méditerranée est présentée dans le cadre d'un aquarium-épave. Le plus fascinant sans doute reste l'anneau gigantesque, aquarium circulaire où les daurades tournent en rond dans un ballet infini, avec au centre 6 gros requins (de 4 espèces différentes). Le vaisseau englouti accueille quant à lui

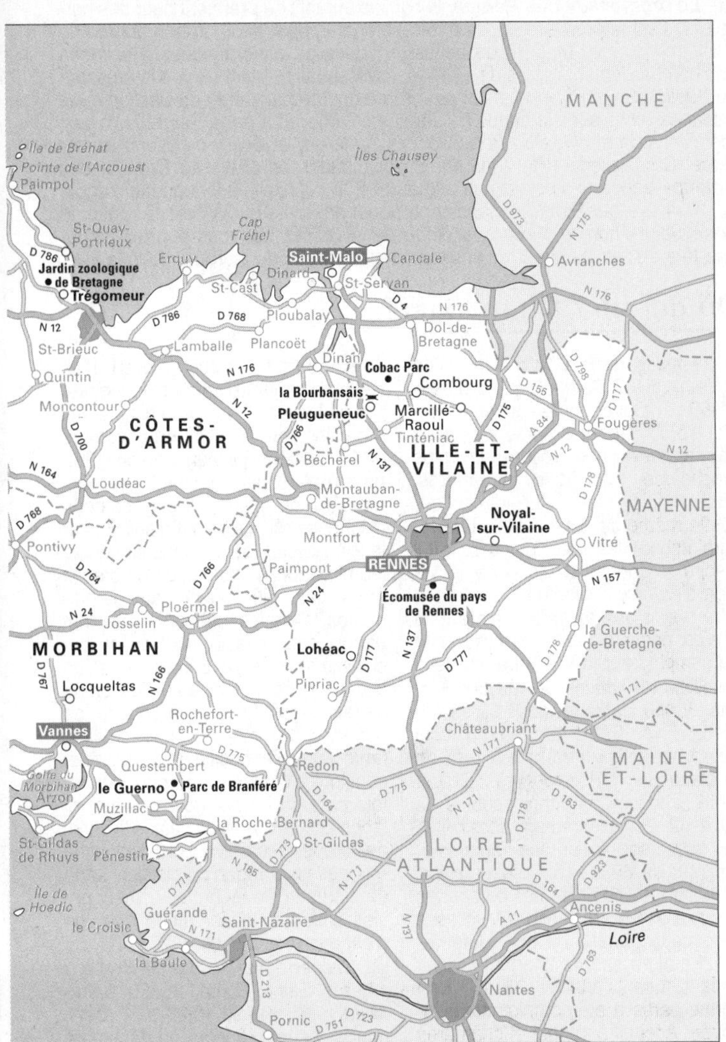

BRETAGNE

de très belles tortues (couanne, verte, imbriquée), dont certaines ont plus de 30 ans. L'aquarium propose aussi une séance de cinéma en 3D. Mais, ne manquez sous aucun prétexte le « bassin de contact », ou « bassin tactile », dans lequel vous plongerez les mains pour caresser (si, si !) poissons et coquillages. Peu profond, il offre aux familles la possibilité de toucher des algues, divers poissons, et même un requin (pas un pointe-noire !), histoire de décoincer les marins d'eau douce. Enfin, ne pas manquer cette formidable attraction : le *Nautibus,* sorte de spectacle son et lumière subaquatique, auquel on assiste en plongeant dans un mini-sous-marin. Une visite vraiment incontournable.

➢ ***La promenade des Remparts :*** si vos enfants se prennent pour des corsaires, c'est la première chose à faire, bien sûr, pour avoir un bon aperçu de l'histoire de Saint-Malo et de belles perspectives panoramiques. Rescapés des bombardements alliés de 1944 (sacré Vauban !). Point de vue intéressant du *bastion Saint-Philippe,* mais panorama encore plus beau du *bastion de la Hollande* (celui avec la statue de Jacques Cartier). La *porte Saint-Pierre* permet l'accès à la *plage de Bon-Secours.* Au large, le *rocher du Grand-Bé* sur lequel Chateaubriand fut inhumé. En continuant, on arrive au *Cavalier des Champs-Vauverts* où s'élève la statue de Surcouf. Belle échauguette d'angle de 1654. La *tour Bidouane,* ancienne poudrière, date du XVe siècle. Enfin, la *porte Saint-Thomas* mène à la *plage de l'Éventail.* Là, vous pourrez piquer une tête en famille avant de vous promener, en fin de journée, dans la ville.

Où dormir ? Où manger ?

⩓ ***Camping de la Cité d'Aleth :*** cité d'Aleth, 35400 ***Saint-Malo.*** ☎ 02-99-81-60-91. Ouvert toute l'année. Compter 10,50 € pour 2 personnes avec une tente et une voiture. Le plus proche de Saint-Malo intra-muros. Tout simple, mais situé dans l'enceinte même de cette petite citadelle, surplombant les flots, qui a paraît-il inspiré à Uderzo et Goscinny le village d'Astérix et Obélix ! Cela devrait faire plaisir aux enfants ! Calme total et vue époustouflante de l'extrémité du camping sur la ville intra-muros.

⌂ ***Hôtel du Louvre :*** 2, rue des Marins, 35400 ***Saint-Malo.*** ☎ 02-99-40-86-62. Fax : 02-99-40-86-93. • hoteldulouvre.free.fr • Intra-muros, près de la place de la Poissonnerie. Ouvert toute l'année. Chambres doubles de 40 à 62 € ; nombreuses possibilités de couchage pour les enfants : compter de 68 à 115 € selon la formule et le nombre de personnes (jusqu'à 7) ! Notre meilleure adresse dans cette gamme de prix. Hôtel familial malgré ses 44 chambres, possédant une certaine allure. Une bonne partie a été complètement rénovée. Accueil agréable et chambres confortables. 10 % de réduction sur le prix de la chambre pour nos lecteurs et même 50 % de mi-novembre à mi-mars !

I●I ***Le P'tit Crêpier :*** 6, rue Sainte-Barbe, 35400 ***Saint-Malo.*** ☎ 02-99-40-93-19. Intra-muros. Ouvert tous les jours en juillet, août et septembre. Fermé les mardi et mercredi hors saison, ainsi que 15 jours en novembre et 15 jours en janvier. Prévoir 13 € pour un repas complet. Attention, tempête de plaisir ! Cette crêperie n'est pas ordinaire. Tout d'abord pour la gentillesse et la douceur de la jeune patronne ; puis pour les crêpes et galettes, aussi bonnes que surprenantes. Certains crêpiers nous font parfois oublier qu'ils sont avant tout cuisiniers, mais ce *Crêpier*-là est un chef ! Flan de moules en balluchon de sarrasin, galette à la brandade de poisson du marché (bien aillée, hmm !) ou à l'andouille de Bretagne et confiture d'oignons. Pourquoi pas au foie gras de la mer (foie de lotte) et langoustines sur lit de salade ? Enfin, des crêpes sucrées qui ont déclenché en nous un ouragan de plaisirs. Carte de bières et cidres bretons. Deux petites salles au décor marin que l'on n'est pas près d'oublier.

I●I ***Crêperie-snack Sainte-Barbe :*** 14, rue Sainte-Barbe, 35400 ***Saint-Malo.*** ☎ 02-99-40-98-11. Intra-muros. Fermé 15 jours en décembre et en mars. Compter 12 € environ pour un repas à la carte ; menu-enfants à 6,10 €. Terrasse sympa pour une p'tite cuisine fraîche et copieuse. Bonnes moules, poissons et aussi salades.

➤ *DANS LES ENVIRONS*

Le château-zoo de la Bourbansais : 35720 ***Pleugueneuc.*** ☎ 02-99-69-40-07. • www.labourbansais.com • Entre Saint-Malo et Rennes, N 137, sortie C 10. Cet ensemble, constitué d'un parc, d'un jardin zoologique et d'un château, fera le bonheur des petits et des grands. Les différents éléments se visitent ensemble ou séparément. D'avril à septembre, ouvert tous les jours de 10 h à 19 h; d'octobre à mars, de 14 h à 18 h. Château fermé en décembre et janvier. Pour le château proprement dit, visite guidée en saison à certaines heures bien précises : 11 h 15, 13 h 30 (en juillet et août), 14 h 30, 15 h 30, 16 h 30 et 17 h 30. Durée de la visite guidée : 1 h. Possibilité de rendre visite à la meute, plus de 50 chiens « français-tricolores », avec en saison démonstration (à pied et à cheval). Également d'avril à septembre, un spectacle de fauconnerie en vol libre retraçant l'histoire et la tradition de la fauconnerie. Pour le zoo, les spectacles et les jardins : 12 €; enfants : 8,50 €. Supplément de 3 € par adulte et de 2 € par enfant pour la visite guidée du château.

Superbe château des XVIe et XVIIIe siècles en granit, qui se dresse majestueusement au milieu du parc. Son architecture a suivi toute l'évolution architecturale de ces siècles-là, mais il marque avant tout la fin de l'architecture militaire en Bretagne. En parfait état, car il est toujours resté dans la même famille depuis sa construction. Perspectives, jardins à la française, tout est là pour vous séduire. La visite guidée ne vous laissera voir que le rez-de-chaussée : merveilleuses boiseries du salon Bleu, le chef-d'œuvre de Mansel; chaises en cuir de Cordoue, tapisseries d'Aubusson, dont l'une représente le château tel qu'il était au XVIe siècle. Le péristyle, qui date du XIXe siècle, abrite une sorte de petit musée où ont été rassemblés tous les objets acquis par la famille depuis plusieurs siècles. C'est un gentil poème à la Prévert, rempli de petites choses intéressantes (vertèbres de baleine, armes, coquillages...).

Les jardins et le zoo permettront à vos enfants de gambader et de voir plus de 60 espèces d'animaux des 5 continents, des plus grands (girafes) aux plus drôles (singes) et aux plus féroces (tigres et même un lion depuis peu). À côté du divertissement, pédagogie et sauvegarde des espèces menacées restent les maîtres mots de l'action du parc.

Où dormir? Où manger dans le coin?

Chambres d'hôte Le Lézard Tranquille : 2, rue de Lorgeril, Les Cours-Verdiers, 35720 **Pleugueneuc.** ☎ 02-99-69-40-36. Ouvert toute l'année. Double avec bains et w.-c. à 44 €, petit dej' compris; triple à 53 € et quadruple (2 chambres communicantes) à 88 €, petit dej' compris; compter 9 € le lit supplémentaire. À la lisière du parc du château, dont cet édifice était une dépendance. Il avait été créé par les ancêtres de Julie, la propriétaire, pour devenir une école. Elle y a aménagé 5 chambres spacieuses et confortables, indépendantes de la maison, de plain-pied sur une terrasse ensoleillée. Préférer si possible celles donnant sur l'arrière, avec vue sur les prés et le bois en décor de fond. Julie fera tout pour que vous soyez content. Si vous êtes bon cavalier, elle vous prêtera même son cheval! Bref, une adresse qu'on aime. Apéritif ou café offert sur présentation du *GDR.*

Chambres et table d'hôte : Le Petit-Plessis, 35560 **Marcillé-Raoul.** ☎ et fax : 02-99-73-60-62. À 11 km à l'est de Combourg. La ferme est sur la gauche, à 1 km avant Marcillé. Ouvert toute l'année sur réservation. Doubles avec douche et w.-c. à 36 €; plusieurs chambres familiales (communicantes ou avec des lits gigognes) à 58 € pour 4 personnes. Table d'hôte à 15 € tout compris; menus pour les enfants. Dans un grand corps de ferme, 5 chambres avec sanitaires privés (dont deux pour les familles). Une préférence pour « Écurie », qui est immense, et pour « Fournil », avec son joli four à pain. Table d'hôte avec apéro maison, vin et cidre compris. Les repas, préparés avec les produits de la ferme, sont pris en famille. Une adresse où l'authentique est à l'honneur, et l'accueil chaleureux. Café offert aux lecteurs du *Guide du routard.*

🍴 ***Chez Moustache :*** 11, pl. Albert-Parent, 35270 ***Combourg.*** ☎ 02-99-73-06-54. Sur la place principale. Service en continu le dimanche ainsi qu'en juillet et août. Fermé le mardi soir et le mercredi, ainsi que la 2e quinzaine de mars et celle de septembre. Compter environ 11 € pour un repas. Halte obligatoire, pèlerinage nécessaire au pays de la convivialité et des bonnes crêpes. Ici, on n'utilise que des bons produits (artisanaux, voire bio) et pourtant les prix restent des plus sympathiques. Proposent aussi de succulentes glaces. Le week-end, l'endroit est pris d'assaut par les bons vivants (réservation très conseillée).

Cobac Parc : 35720 ***Lanhelin.*** ☎ 02-99-73-80-16. • www.cobac-parc.fr • À une dizaine de kilomètres au nord-ouest de Combourg. Ouvert de fin avril à mi-septembre ; appeler pour avoir les horaires car ils sont très variables. Entrée : 11,30 € dès 3 ans.
Parc de loisirs spécialement aménagé pour les enfants : petit train, village miniature, toboggans en tout genre, poneys mécaniques, minigolf, karting à pédales... Également un espace aquatique où l'eau est à 26 °C, l'espace *Cobby* qui vous propose 200 m² de jeux couverts, le carrousel 1900... Bref, de quoi occuper les enfants un bon après-midi ! L'été, un spectacle de cirque a lieu sous le chapiteau.

COSMOPOLIS
Dans les environs : le jardin zoologique de Bretagne

COSMOPOLIS

Situé à ***Pleumeur-Bodou*** (22560). À 10 km au nord-ouest de Lannion. Reconnaissable à cent lieues à son grand ballon blanc, le fameux *Radôme (radio-dôme).* Tout autour, le centre de télécommunications par satellites, un champ de 12 corolles, réflecteurs paraboliques fixant chacun leur satellite, comme les fleurs de tournesol regardent le soleil.
Le CTS lui-même ne se visite pas, car c'est du sérieux, on travaille ici. Mais on peut visiter le Radôme-musée des Télécoms et le Planétarium réunis en un ensemble appelé Cosmopolis.

Parents savants : *Pleumeur-Bodou*

Pleumeur-Bodou fut choisi au début des années 1960 pour installer l'antenne qui permettrait, le 11 juillet 1962 à 0 h 47, la première liaison intercontinentale par satellite de l'histoire entre les États-Unis et la France, *via* le satellite *Telstar.*

Le Radôme-musée des Télécoms : ☎ 02-96-46-63-80 (programme) et 81 (réservations). • www.leradome.com • Ouvert toute l'année (sauf en janvier), en saison de 11 h à 19 h. Entrée : 7 € ; de 5 à 17 ans : 5,50 €. Sur présentation du *Guide du routard* : 6 € par adulte et 4,50 € par enfant.
Le Radôme, classé Monument historique, est accessible par le musée dont il fait partie. Énorme ballon de 64 m de diamètre, gonflé quelques millibars de plus que l'extérieur pour se maintenir. Son utilité ? Protéger l'antenne, tout simplement, un engin de 60 m de long truffé de technologie. Deux spec-

tacles son et lumière originaux et intéressants, avec vidéos et lasers projetés sur le « cornet », aussi appelé l'« oreille », où l'on revit cette extraordinaire aventure contemporaine des télécommunications spatiales. Près du Radôme, une aile delta blanche de 3000 m² abrite les souvenirs d'une aventure technologique de 150 ans. Divisé en espaces thématiques, ce musée très moderne met en scène un cocktail d'histoire, de technique et d'émotion. On y retrace les grands moments de l'histoire des télécommunications, du prototype de Bell au visiophone de demain, en passant par une reconstitution d'un navire-câblier chargé de relier les continents par d'interminables réseaux sous-marins. Très intéressant. Les plus jeunes ne seront pas oubliés, avec pour eux, plusieurs animations et expositions interactives dont la « réalité virtuelle », une nouvelle génération de jeux vidéo.

Le planétarium de Bretagne : à deux pas du Radôme, sur la gauche en entrant dans Cosmopolis. ☎ 02-96-15-80-30, pour connaître les horaires. • www.planetarium-bretagne.fr • Entrée : 6,25 € la séance; 5 € de 5 à 17 ans; tarif famille (2 adultes, 2 enfants) à 18 €; remise de 10 % pour nos lecteurs.
Le planétarium de Bretagne montre l'univers céleste par thèmes, pour la compréhension des phénomènes astronomiques. On apprend ou réapprend ainsi ce que sont les planètes, les satellites et les étoiles, les galaxies, etc. Milliards de mondes ignorés, distances et durées inconcevables... Un spectacle qui remet les pendules à l'heure et repose des plages ensoleillées, car la salle est climatisée (prévoir une petite laine l'été).

Le village de Meem le Gaulois : à Cosmopolis, face au planétarium. ☎ 02-96-91-83-95. • www.perso.wanadoo.fr/village.gaulois.bretagne • Ouvert de Pâques à fin septembre de 14 h à 18 h sauf le samedi (en juillet et août, tous les jours de 10 h à 19 h). Entrée : 2,50 € de septembre à juin, 3 € en juillet et août; de 5 à 12 ans : 2 € de septembre à juin, 2,50 € en juillet et août.
Une idée originale et généreuse : l'association humanitaire MEEM organise ici depuis 1985 des chantiers de jeunes (construction et animation du village) venus du monde entier. Les bénéfices sont ensuite redistribués en Afrique noire (Togo, par exemple) pour permettre la construction d'écoles de brousse. Une initiative à soutenir, donc, puisque les recettes proviennent essentiellement des visites... À voir sur place : maisons traditionnelles gauloises et africaines, où sont projetés des diaporamas. Jeux divers originaux (catapulte, « chamboultout » gallo-romain, labyrinthe...), promenades en bateau, à poney l'été, dégustation de cidre et de crêpes.

Où dormir? Où manger?

Camping Armor-Loisirs : au-dessus de la plage de Pors-Mabo, 22560 ***Trébeurden.*** ☎ 02-96-23-52-31. Fax : 02-96-15-40-36. ♿ Ouvert d'avril à fin septembre. Forfait à 17,50 € pour 2 personnes avec une tente et un véhicule. Comme un jardin anglais 3 étoiles. Soirées à thème, animations et concerts (une fois par semaine en saison) dehors ou dans une salle couverte. Bar-snack et épicerie. Volley, jeux de boules, salle de jeux. Apéro offert sur présentation du *Guide du routard.*

Hôtel-restaurant Ker An Nod : rue de Porz-Termen, 22560 ***Trébeurden.*** ☎ 02-96-23-50-21. • www.keranod.com • Fermé le jeudi midi hors vacances scolaires; congés annuels : du 5 janvier au 31 mars. Doubles avec douche de 48 à 60 € selon la saison et l'orientation. Lit supplémentaire pour les enfants de 3 à 12 ans à 8,50 € en saison; gratuit hors saison. Menus de 16 à 29 €; menu-enfants à 10 €. Hôtel tranquille, face à l'île Millau. 20 chambres, dont 14 face aux flots. La vaste plage de sable est à deux pas. Tenu par un jeune couple très gentil. Chambres confortables et lumineuses (baies-fenêtres extra côté mer). Salle de resto également agréable, où l'on dîne de poisson et fruits de mer. Parmi les bonnes spécialités de la maison : les huîtres chaudes au beurre de muscadet, la potée du pêcheur, le poulet du Trégor aux langoustines, etc. Digestif régional offert à nos lecteurs.

➤ DANS LES ENVIRONS

Le jardin zoologique de Bretagne : sur la route de ***Trégomeur.*** ☎ 02-96-79-01-07. • www.zootregomeur.com • À environ 6 km à l'ouest de Binic, en pleine campagne ; très bien indiqué. Ouvert de février à novembre. En avril, mai et septembre, ouvert tous les jours de 14 h à 18 h, en juin de 10 h à 17 h 30, et en juillet et août de 11 h à 18 h ; téléphoner pour vérifier ces horaires (ils risquent de changer) et pour connaître ceux du reste de l'année. Entrée : 8,50 € ; enfants de 3 à 10 ans : 6,50 €.
Ici, pas de barreaux (excepté pour les tigres et les lions), mais de grands enclos (zèbres, autruches, yacks, lamas, onagres, gnous...), et plein de petites îles (lémuriens amusants, ibis sacrés, capucins, maki catta superbes). Un parcours très agréable d'environ 2 h, dans un cadre exotique.

RENNES

Dans les environs : la vallée des Canards • Le manoir de l'Automobile

Capitale symbolique de la Bretagne, Rennes est une ville à taille humaine où il est agréable de se promener (le vieux Rennes, avec ses alignements de maisons médiévales, est en partie piéton), une ville incroyablement jeune, moins bourgeoise que par le passé, propre et colorée. Jolis jardins du Thabor, jouxtant l'église Notre-Dame.

L'ÉCOMUSÉE DU PAYS DE RENNES

La ferme de la Bintinais : route de ***Châtillon-sur-Seiche.*** ☎ 02-99-51-38-15. • ecomusee.rennes@agglo-rennesmetropole.fr • Au sud de Rennes, à environ 4 km du centre. Accès en métro au départ de Rennes : direction La Poterie, station Triangle. Puis 15 mn à pied direction Noyal-Chatillon (vers le sud) ou ligne 61, arrêt Le Hil-Bintinais. D'avril à septembre, ouvert du mardi au vendredi de 9 h à 18 h (pique-nique possible sur place entre 12 h et 14 h à condition de réserver), le samedi de 14 h à 18 h et le dimanche de 14 h à 19 h ; d'octobre à mars, interruption le midi en semaine. Fermé les lundi et jours fériés. Entrée : 4,60 € ; de 6 à 14 ans : 2,30 € ; gratuit pour les moins de 6 ans. Des fiches-jeux sont disponibles à l'entrée pour agrémenter la visite des plus jeunes.
Très bel écomusée qui reconstitue, dans le cadre de cette ancienne ferme plus connue sous le nom de La Bintinais et grâce à la remise en culture d'une partie des terres de l'ancienne exploitation, l'histoire et la nature des relations entre l'homme et son milieu en pays de Rennes du XVIe siècle à nos jours. Vous y découvrirez les changements socioculturels au travers de l'architecture, du costume, de l'aménagement des maisons (très jolies reconstitutions de cuisines), du langage et des loisirs, au moyen de mises en scène particulièrement réussies et de diaporamas. Sans oublier l'histoire des

productions et des techniques agricoles restituées grandeur nature sur 20 ha d'espaces cultivés. On peut enfin découvrir à quoi ressemblent et comment poussent lin, chanvre, sarrasin, tabac, comprendre l'utilité de chaque plante et comment on fait du cidre.
Ces espaces permettent d'ailleurs de présenter un important cheptel d'animaux domestiques propres à la région, et qui étaient, il y a peu de temps encore, en voie de disparition. Ainsi, c'est grâce au dynamisme des concepteurs que vous écarquillerez vos mirettes devant la poule coucou de Rennes (que l'on retrouve à présent sur l'étal de nombreux volaillers et bouchers, ainsi qu'à la carte de quelques restaurants), la vache bretonne pie-noire, le mouton des Landes de Bretagne ou celui d'Ouessant, et on en passe...
Parmi les activités proposées, la promenade en carriole remporte un vif succès auprès des enfants. Agréable parcours fléché qui vous mènera jusqu'à l'étable, la porcherie, la bergerie, etc. Dans le musée, diaporamas, outils, habitat, traditions... Expositions temporaires et animations autour de différents thèmes. Compter deux bonnes heures de visite minimum.

Parents savants : *le sarrasin*

Le sarrasin avec lequel on fait une farine utilisée entre autres pour les crêpes est la seule céréale qui ne soit pas une graminée. Plante rustique, importée d'Asie centrale au XVe siècle, elle s'adapta très bien aux terres bretonnes pauvres et acides, et fut longtemps une base de l'alimentation populaire, la galette à base de farine de sarrasin servant à la fois de plat et d'assiette. Le « blé des pauvres » est aussi appelé blé noir en raison de la couleur de la graine de sarrasin.

L'espace des Sciences : centre commercial Colombia, dans le centre de ***Rennes.*** ☎ 02-99-35-28-28. • www.espace-sciences.org • Ouvert du lundi au vendredi de 12 h 30 à 18 h 30 et le samedi de 10 h à 18 h 30. Animation tous les jours à 16 h. Entrée : 2 €; enfants : 1 €.
Ici, les sciences sont amusantes et mises à la portée de tous. Des expositions interactives et ludiques particulièrement adaptées aux enfants. N'hésitez pas à appeler pour connaître le thème de l'expo en cours.

Où dormir? Où manger?

Camping municipal des Gayeulles : parc des Bois, 35000 ***Rennes.*** ☎ 02-99-36-91-22. À 1 km à l'est du centre-ville. Pour s'y rendre : bus n° 3 direction Saint-Laurent; départ place de la Mairie. Ouvert de Pâques à mi-octobre. Compter environ 13 € pour deux. Dans un superbe parc, aménagé avec intelligence. Belles pelouses, beaucoup d'arbres et piscine proche.

Hôtel de Léon : 15, rue de Léon, 35000 ***Rennes.*** ☎ 02-99-30-55-28. Sur l'île posée sur la Vilaine, accrochée au quai Richemont. Ouvert toute l'année. Chambres doubles à 27 € avec lavabo, 33 € avec douche; pour 3 personnes, compter de 33 à 35 €. Petit hôtel en retrait, calme, sortant des banalités récurrentes en terme de mobilier hôtelier. De gentils meubles rétros à souhait. Propreté impeccable. Sur présentation du *Guide du routard,* 10 % de remise sur le prix de la chambre.

Crêperie Le Boulingrain : 25, rue Saint-Mélaine, 35000 ***Rennes.*** ☎ 02-99-38-75-11. Fermé le dimanche midi. Menu express le midi autour de 8 €, puis menus de 11 à 23 €, boisson comprise. À côté de la place Hoche. Plusieurs bonnes raisons de pousser la porte de cette crêperie. Tout d'abord, l'accueil jovial. Ensuite, la petite salle au charme intimiste, avec une grande cheminée, bois et pierre omniprésents. Et puis de bonnes galettes et crêpes traditionnelles et bien garnies. Crêpe à la frangipane maison succulente. Parfait pour manger bien et pas cher. Apéro, café ou digestif offert sur présentation du guide.

Un Amour de Pomme de Terre : 14, pl. Rallier-de-Baty, 35000 **Rennes.** ☎ 02-99-79-04-91. Ouvert tous les jours, midi et soir. Compter de 9 à 21 € selon le plat et votre appétit ; menus-enfants à 7,70 et 12,20 €. Comme vous pouviez le deviner, voici un resto où l'on ne mange que des pommes de terre. Le noble tubercule (il s'agit plus spécialement de la savoureuse Samba), tant apprécié des enfants, se retrouve évidemment star de tous les plats, agrémenté de salades, de fromages fondus, de saucisse de Molène fumée aux algues, de truite fumée de Camaret, de foie gras... et on en passe, tant le choix est large. Très copieux. La déco est très sympa, à tous les étages, mais on a un petit faible pour la salle du rez-de-chaussée, celle où l'on peut manger au coin du feu. Apéro ou café offert à nos lecteurs.

➤ DANS LES ENVIRONS

La vallée des Canards : La Heurtelais, route de Châteaugiron, à **Noyal-sur-Vilaine** (35530). ☎ 02-99-00-65-66. De Rennes, prendre la direction de Laval. De Châteaugiron, aller à Noyal-sur-Vilaine. Ouvert tous les jours ; de mars à octobre, de 9 h 30 à 12 h et de 14 h à 19 h ; de novembre à février, de 14 h à 19 h. Entrée : 5,50 € (4,80 € sur présentation du *Guide du routard*) ; enfants de 4 à 10 ans : 3 €. Visite libre ou commentée et guidée.
Pour tous les enfants qui aiment regarder les canards ! Sont réunies ici une centaine d'espèces d'anatidés (plus de 1 000 canards en tout) en provenance des quatre coins du monde. Également des petits et grands échassiers. Vous les découvrirez en pleine verdure en vous baladant dans un parc paysager très agréable.

Le manoir de l'Automobile : à **Lohéac** (35550). ☎ 02-99-34-02-32. Au sud-ouest de Rennes par la D 177. Ouvert tous les jours sauf le lundi (excepté en juillet et août) de 10 h à 13 h et de 14 h à 19 h. Entrée : 6 €. Étonnant musée regroupant plus de 200 voitures depuis la De Dion-Bouton jusqu'à la Countach en passant par une superbe Facel-Vega. Ce musée gigantesque, organisé avec pédagogie et intelligence, parcourt vraiment tout le monde de l'automobile dans sa diversité. Voitures populaires d'avant-guerre, prototypes, modèles de prestige, ils sont tous là pour la grande joie des amateurs de belles carrosseries et de beaux châssis. L'espace maquette et l'espace garage complètent harmonieusement ce riche ensemble. À noter que tous les samedis, des visiteurs tirés au sort peuvent faire un tour dans une voiture de collection.

VANNES

Dans les environs : le parc de Branféré

Il fait bon errer sur les remparts et dans les ruelles des vieux quartiers de Vannes. Mais la ville est aussi ouverte sur l'océan ; c'est LE port du golfe du Morbihan, un des plus beaux paysages de Bretagne.

L'aquarium : parc du Golfe, direction la presqu'île de Conleau *via* l'embarcadère du pont Vert (56000). ☎ 02-97-40-67-40. Ouvert toute

l'année, tous les jours; téléphoner pour les horaires qui varient selon les mois. Entrée : 8,15 €; enfants de 5 à 11 ans : 5 €. Bien vu, les chaises hautes sur roulettes, disponibles à l'entrée, qui permettent, même aux plus petits d'assister au spectacle.
Dans une cinquantaine de bassins, des poissons de toutes origines évoluent silencieusement dans une féerie de couleurs. Certains sont très rares en aquarium, comme ces requins de récif à aileron noir, un rémora, poisson-ventouse et des nautiles, habitués à vivre à plus de 800 m de fond. Quantité de merveilleux poissons-lunes, vaches, coffres, etc. au milieu des coraux fluo. À noter, le petit poisson orange vif dont le cas est étrange : vivant en groupe ne comptant qu'un seul mâle, quand celui-ci disparaît la femelle la plus âgée prend sa place... en changeant de sexe!

Le palais des Automates : parc du Golfe. ☎ 02-97-40-40-39. À côté de l'aquarium. Ouvert tous les jours de 10 h à 12 h et de 14 h à 18 h; en juillet et août, non-stop de 10 h à 19 h. Entrée : 5 €; enfants de 3 à 10 ans : 3,50 €. Sympa comme tout, ce musée. Automates de toutes sortes, depuis les délicates mécaniques de la fin du XIXe siècle à ceux des années 1950-1960. Pierrot écrivain, le serveur, la vache ou les peluches s'animent et forment une jolie petite rêverie. Les enfants vont adorer, et les grands aussi!

Le jardin aux papillons : parc du Golfe. ☎ 02-97-46-01-02. À côté de l'aquarium également. En avril, mai, juin et septembre, ouvert tous les jours de 10 h à 12 h 30 et de 14 h à 18 h; en juillet et août, non-stop de 10 h à 18 h. Fermé le reste de l'année. Entrée : 6 €; enfants de 4 à 11 ans : 4,40 €; gratuit pour les moins de 4 ans.
Une vaste serre tropicale (200 espèces de plantes) où évoluent librement, au milieu d'oiseaux, entre 500 et 1 000 papillons de toutes les couleurs et de toutes les tailles, de Guyane, de Madagascar... On peut observer la naissance d'un papillon toutes les 10 mn dans l'éclosoir. Tous les après-midi en juillet et août, présence d'animateurs sur le site afin de répondre aux questions des plus curieux.

Où dormir? Où manger?

Camping municipal de Conleau : 18, av. du Maréchal-Juin, 56000 ***Vannes.*** ☎ 02-97-63-13-88. À 3 km du centre de Vannes. Fermé du 30 septembre au 1er avril. Site exceptionnel et camping très confortable. Très bien pour les familles! Un point de chute idéal pour rayonner dans le golfe.

Hôtel-restaurant La Voltige : 8, route de Vannes, 56390 ***Locqueltas.*** ☎ 02-97-60-72-06. Fax : 02-97-44-63-01. ♿ À partir de Vannes, prendre la D 767 direction Pontivy et Locminé; sortie Aérodrome de Meucon, puis c'est indiqué. Fermé les dimanche soir et lundi hors saison; congés annuels : deux semaines en mars et en octobre. Chambres doubles de 36 à 50,50 €; pour 4 personnes, compter à partir de 62 € la chambre avec un grand lit et 2 lits supplémentaires en mezzanine. Demi-pension de 35 à 47,50 € par personne. Premier menu à 13 € sauf les samedi soir, dimanche et jours fériés; menus « du terroir » à 18 €, « gourmand » à 32 € et « saveurs » à 40 €; menu-enfants à 8,50 €. Une douzaine de chambres bien aménagées et tenues impeccablement. Certaines donnent sur le bord de la route et sont un peu bruyantes, malgré le double vitrage! Demi-pension intéressante car bien bonne table de tradition dès le premier menu. Bon accueil. Service efficace et discret. Jardin ombragé avec aire de jeux. Café offert à nos lecteurs au restaurant, ainsi que 10 % sur les chambres du 15 septembre au 31 mars.

➤ DANS LES ENVIRONS

⁋⁋ ***Le parc de Branféré :*** 56190 ***Le Guerno.*** ☎ 02-97-42-94-66. • bran fere@wanadoo.fr • ♿ Au nord-est de Muzillac, à une vingtaine de kilomètres au sud-est de Vannes. Ouvert toute l'année ; d'avril à juin et en septembre, de 10 h à 18 h 30 ; en juillet et août, de 10 h à 19 h 30 ; le guichet ferme 1 h 30 avant la fermeture du parc. Entrée : 9 € ; enfants de 4 à 12 ans : 6 €. Sur présentation du *Guide du routard,* 7,50 € par adulte, 4,50 € par enfant. Placé sous le patronage de la Fondation de France.
Sur 35 ha, on a rassemblé environ 1 500 animaux, 120 espèces d'oiseaux et de mammifères, dont certains en voie de disparition (gibbons, loups à crinière, aras, lémuriens). Très agréable. Toutes ces bestioles sont en liberté dans un parc botanique (espèces rares) aménagé au XVIIIe siècle, et toutes sont pacifiques. Un très bel endroit, et réjouissant avec ça, à cent lieues du concept zoologique habituel. Espace contact pour toucher les animaux, dont le mouton d'Ouessant ou la chèvre naine, et même les nourrir. En saison, visite guidée du château, spectacle de vols d'oiseaux et nourrissage des animaux devant le public. Animations thématiques : se renseigner.

Où manger ?

|●| ***Chez Baptiste :*** pl. de l'Église, 56190 ***Le Guerno.*** Service en continu de 12 h à 22 h 30. Fermé le lundi. Congés annuels : d'octobre à mai. Pas besoin de consulter le menu, ici, il n'y a qu'une chose à manger : la saucisse cuite au feu de bois, taille 30 cm, saveur authentique, accompagnée de pommes de terre cuites dans la cendre (compter 8 €). Sous vos yeux, ce sont l'église, les maisons de pierre et la petite chaumière de cette jolie bourgade qui complètent l'enchantement. Seule condition pour venir ici : avoir du temps, la saucisse ne livre pas sa saveur aux gens pressés. Apéritif maison offert sur présentation du *Guide du routard.*

LE PAYS DE LORIENT : *LA THALASSA,* L'ODYSSAUM ET LE HARAS NATIONAL

Dans les environs : l'Abeille vivante et la cité des Fourmis • Le parc aquanature Le Stérou

LA THALASSA

Quai de Rohan, 56100 ***Lorient.*** Renseignements : ☎ 02-97-35-13-00. Ouvert de 9 h à 12 h 30 et de 14 h à 18 h (fermé le samedi et le dimanche matin). En juillet et en août, ouvert tous les jours sans interruption de 9 h à 19 h. Entrée : 6,50 € ; enfants : 5 € et forfait famille : 21,50 €.

⁋⁋ Cet ancien navire de l'Ifremer, reconverti en navire découverte de l'océanologie, propose un parcours spécial pour les enfants fort bien fait afin de les familiariser avec le travail des scientifiques et la vie à bord d'un navire de recherche. Vidéos sur les missions du bateau, détail des techniques de pêche, instruments océanographiques, visites des quartiers privés. *La Thalassa* a plein d'histoires à raconter. Des animations destinées aux enfants sont programmées régulièrement certains dimanches et pendant les vacances scolaires.

L'ODYSSAUM, SITE DE DÉCOUVERTE DU SAUMON SAUVAGE

Au bord du Scorff, Moulin des Princes, 56620 ***Pont-Scorff.*** ☎ 02-97-32-42-00. À 15 km de Lorient. Accès par la N 165. En juillet et août, ouvert tous les jours de 9 h à 19 h ; de septembre à juin, du lundi au vendredi de 9 h à 12 h 30 et de 14 h à 18 h, et les samedi et dimanche de 14 h à 18 h. Entrée : 5 € ; enfants : 4 € ; forfait famille, 2 adultes + 2 enfants : 17 € ; sur présentation du *Guide du routard* : 4 € par adulte et 3,20 € par enfant.

Un chouette musée au bord de la rivière. Intelligent, pédagogique et ludique, il retrace tout le cycle de vie du saumon, de sa naissance à sa remontée à la source. Exposition de mouches pour la pêche au saumon et quelques bonnes recettes pour le déguster. Une caméra sous-marine permet aussi d'observer la vie dans la rivière, et, avec un peu de chance, vous verrez un saumon passer par la station de comptage à proximité du musée. Beaucoup d'autres choses encore, des ateliers, la démonstration des divers fonctionnements de la roue du moulin, des pièces de théâtre autour du thème du saumon (du mercredi au dimanche pendant l'été). Pour les gourmands, possibilité de finir la visite par une dégustation au *Bistrot Saumon* de l'Odyssaum.

BRETAGNE

LE HARAS NATIONAL

Rue Victor-Hugo, 56700 ***Hennebont.*** ☎ 02-97-89-40-30. À 12 km au nord-est de Lorient. Ouvert de 9 h 30 à 12 h 30 et de 14 h à 18 h, fermé les samedi et dimanche matin ; en juillet et août, ouvert tous les jours de 9 h à 19 h. Entrée : 6,10 € ; 4,60 € pour les enfants ; forfait famille : 19,90 €. Tarif enfants appliqué aux adultes sur présentation du *Guide du routard.*

Visite guidée uniquement (compter 1 h 30). L'effectif du haras est de 70 étalons dont 40 de races bretonnes. On visite les écuries, la sellerie, le manège et la forge du maréchal-ferrant. L'occasion pour les enfants de remarquer la différence entre la prestance des chevaux de course et la puissante musculature des chevaux de trait. À noter que de début mars à mi-juillet c'est la saison de reproduction, une partie des étalons sont partis dans les stations de reproduction de la circonscription pour accomplir leur mission, on vous proposera d'aller voir les poulains en pâture dans le parc du haras. Le haras possède également une belle collection de calèches dans lesquelles il est possible de faire le tour du parc.

Où manger ?

Tavarn ar Roue Morvan : 17, rue Poissonnière, 56100 ***Lorient.*** ☎ 02-97-21-61-47. Fermé le dimanche. L'occasion de faire découvrir à vos enfants la culture celtique dans leur assiette. Ce pub resto décoré dans les règles du genre sert 2 plats du jour (viande ou poisson) entre 6 et 8 €, midi et soir. Des recettes goûteuses et marquées d'un triskèle : potée bretonne, ragoût d'agneau à l'irlandaise... sans oublier la musique qui va avec et une ambiance jeune.

Crêperie Le Merdy : 4, rue Terrien, 56620 ***Pont-Scorff.*** ☎ 02-97-32-55-39. En contrebas de l'église, face à la Maison d'Estienne. Service continu en juillet et août. Fermé le mardi, quelques jours fin juin et début septembre. Pas de menu-enfants, mais presque toutes les crêpes et galettes (un peu grasses mais néanmoins délicieuses) sont à moins de 3 €. Crêpes à la confiture maison (1,40 €) confectionnée par la maman de la patronne. Simple et sympathique : toiles cirées et tables en bois bien robustes. On écrit sa commande sur un bristol posé sur la table. Terrasse près d'une placette.

🍽 ***Crêperie Saint-Michel*** : 105, rue de Maréchal-Joffre, 56700 ***Hennebont.*** ☎ 02-97-85-02-88. Fermé les dimanche et lundi, 10 jours en février, juin et octobre. Ici pas de chichis, mais de bonnes crêpes à des prix paisibles avec en prime un très gentil service.

➤ *DANS LES ENVIRONS*

L'Abeille vivante et la cité des Fourmis : Kercadoret, 56320 ***Le Faouët.*** ☎ 02-97-23-08-08. ♿ À 40 km au nord de Lorient. Ouvert d'avril à septembre tous les jours de 9 h à 12 h et de 14 h à 18 h; en juillet et août, de 10 h à 19 h. Entrée : 5 €; enfants : 3,60 €. Aire de pique-nique, aire de jeux et bar sur place.
Dans un beau corps de ferme, abeilles mais aussi fourmis, phasmes et grillons sont présentés, observés et compris dans ce musée remarquablement conçu et fort instructif. José Nadan, apiculteur et fondateur du musée, sait nous intéresser à ces passionnantes bestioles et nous les faire connaître. Système vidéo, films, commentaires sonores... Un des clous de la visite est la fourmilière de la fourmi des bois. Hop, tout le monde à quatre pattes! De petits tunnels permettent d'accéder au cœur de la fourmilière et d'en observer l'incessante activité.
Avant de sortir du musée, quelques savoureuses emplettes à faire à la boutique. C'est bien beau d'observer les abeilles, mais c'est encore mieux d'en déguster le miel!

Le parc aquanature Le Stérou : indiqué à droite sur la route de Priziac. ☎ 02-97-34-63-84. ♿ De Pâques à novembre, ouvert tous les jours de 11 h à 19 h; le reste de l'année, ouvert le dimanche et pendant les vacances scolaires. Entrée : 5 €; enfants de 5 à 12 ans : 3 €; réduction de 1 € par personne sur présentation du *Guide du routard.*
70 ha de parc, répartis sur 6 petites vallées. Plein de choses à voir et à faire au cours d'une promenade dans cette belle nature : 6 circuits pédestres (15 km de parcours) permettent de découvrir daims, cerfs, biches, faons et chevreuils qui évoluent en liberté. Également de beaux sites, comme le trou du Biniou ou la vallée des Sources. On peut aussi apprendre à pêcher (à la journée ou en stage), admirer les aquariums d'eau douce, visiter les expos sur la faune et la flore, faire une visite guidée en 4x4 (un petit supplément est demandé) ou à cheval (à notre avis plus sympa), se balader en calèche (en juillet et août)... Aire de pique-nique à disposition, mais pour vous retaper après un bon bol d'air, on vous conseille plutôt les petits plats proposés avec les produits du parc.

Où dormir? Où manger dans le coin?

🏠 Ceux qui voudraient profiter du site plus longtemps pourront louer le ***gîte rural du Stérou*** (3 épis) pour 6 à 8 personnes. Compter de 290 à 430 € la semaine selon la saison, et 155 € le week-end.

🏠 🍽 ***Ferme-auberge de Kerizac*** : à 4 km du Faouët, sur la route de Scaër. ☎ et fax : 02-97-34-44-57. En saison, ouvert tous les jours sauf le lundi; hors saison, le week-end. Gîtes pour 4 à 6 personnes de 260 à 380 € environ la semaine; si l'un des gîtes n'est pas occupé, une chambre peut être louée à la nuit, mais toujours en demi-pension. Cinq menus de 12,50 à 30 €; menu-enfants à 7 €. Éleveurs, les Le Meur sont spécialisés dans les grillades à base d'agneau et de porc, comme leurs côtes d'agneau de Kerizac. *Kerizac* est de plus en plus auberge, et de moins en moins ferme. L'établissement se « professionnalise », dirons-nous. Un bel exemple de cette mutation douce des campagnes vers le tourisme vert. Café offert sur présentation du *Guide du routard.*

BREST : OCÉANOPOLIS ET LE PARC DU VALLON DE STANG-ALARD

Dans les environs : Peninsula, le labyrinthe

OCÉANOPOLIS

Port de plaisance du Moulin-Blanc, 29200 **Brest.** ☎ 02-98-34-40-40. • www.oceanopolis.com • Prendre le bus n° 7 devant l'office de tourisme ou à la gare. Ouvert toute l'année ; d'avril à fin août, tous les jours de 9 h à 18 h (19 h de mi-juillet à fin août) ; de septembre à fin mars, ouvert de 10 h à 17 h (18 h les dimanche, jours fériés et vacances scolaires), fermé le lundi sauf pendant les vacances scolaires. Compter 1 h 30 de visite pour chaque pavillon, soit la journée pour le parc. Entrée : 14,50 € ; enfants de 4 à 17 ans : 10 € ; réduction de 2 € sur présentation du *Guide du routard.* Parking gratuit. Restauration possible sur le site.

¶¶¶ Un vaste bâtiment à l'architecture futuriste (bionique dit le dépliant de présentation !) qui évoque quelque crustacé géant (on l'appelle d'ailleurs familièrement « le Crabe »). Fort de 8 000 m² d'exposition désormais, Océanopolis est – plus qu'un simple musée de la Mer – un formidable outil de vulgarisation scientifique. L'objectif principal est, bien sûr, pédagogique. Son intitulé (« parc de découverte des océans ») est à ce titre suffisamment clair. Océanopolis s'est, depuis le printemps 2000, considérablement agrandi, mais sa mission reste la même : informer et éduquer le visiteur sur les océans au travers d'une approche scientifique et culturelle. Il se veut aussi le carrefour des dernières découvertes scientifiques, techniques et industrielles ayant trait au milieu maritime.

Trois vastes pavillons composent désormais Océanopolis. Dans chacun, de gigantesques aquariums où décors, lumières, qualité de l'eau ont été soigneusement étudiés pour recréer au plus juste les milieux naturels des océans présentés. Autour des aquariums, des espaces de découverte qui font la part belle aux nouvelles technologies : cinéma en 3D, bornes interactives, écrans vidéo, etc.

– *Le pavillon tempéré* permet de découvrir ce que cache l'Atlantique au large de la Bretagne : ballet des méduses, grande vasière des langoustines, remarquable forêt de laminaires, bassin des phoques avec les « spaghettis des mers ». Superbe colonne océane pour observer la vie en banc. Pittoresque « tombant rocheux », avec plongeur descendant à heure fixe pour nourrir les poissons.

– *Dans le pavillon polaire,* un nouveau spectacle panoramique où 5 caméras embarquées à bord d'un hélicoptère placent le visiteur au cœur des glaces de l'Antarctique, une reconstitution de la base antarctique *Concordia* avec présentation de l'étude des climats. Une colonie de manchots (40 de trois espèces différentes). Et une vraie banquise où s'ébattent les phoques !

– *Le pavillon tropical* abrite, lui, un aquarium de 1 000 m³, pour ceux que *Les Dents de la mer* n'ont pas définitivement fâchés avec les requins ! On rigole, mais ces animaux sont réellement fascinants ! Et, à ne pas rater, un spectacle saisissant : une barrière de corail vivant derrière une longue baie vitrée. Jeux pour les enfants dans les jardins, restos, boutiques de souvenirs, etc.

LE PARC DU VALLON DE STANG-ALARD

Rampe du Stang-Alard, 29200 ***Brest.*** Du centre-ville par la rue de Paris (vers l'aéroport de Brest-Guipavas) ou la rue de Quimper. En bus, n°s 3, 17, 25 et 27, arrêt Palaren.

Une quarantaine d'hectares de pleine nature, qui s'élèvent doucement entre la plage du Moulin-Blanc et la ville. Le ballon d'oxygène des Brestois, lieu de promenade dominicale des familles. Un petit ruisseau, des étangs que les canards ont l'air de trouver à leur goût. La partie nord du Vallon est un parc public de 17 ha où l'on trouve des aires de jeux et des parcours sportifs, ainsi qu'une crêperie. Dans la partie sud, sur 22 ha, le *Conservatoire botanique national* (52, allée du Bot ; ☎ 02-98-41-88-95) préserve toutes les plantes de la planète menacées de disparition. C'est l'un des plus importants au monde. Ouvert de 9 h à 18 h (20 h d'avril à septembre). Accès gratuit.
Dans 1 000 m^2 de serres sont également présentées les espèces les plus rares. Visite (payante cette fois) du 1er juillet au 15 septembre tous les jours sauf les vendredi et samedi, de 14 h à 17 h 30 ; le reste de l'année, le dimanche à 16 h 30 (informations sur répondeur : ☎ 02-98-02-46-00).

Où dormir ? Où manger ?

Camping municipal Lokournan : route de l'Aber, 29290 ***Saint-Renan.*** ☎ 02-98-84-37-67 en saison et ☎ 02-98-84-20-08 hors saison. Fax : 02-98-32-43-20. À 10 km de Brest sur la D 5. Ouvert du 1er juin au 15 septembre. Autour de 6 € l'emplacement pour 2 personnes. Pour ceux qui préfèrent camper hors de Brest. Agréable et verdoyant. Au bord d'un lac. Calme et ombragé.

Hôtel Astoria : 9, rue Traverse, 29200 ***Brest.*** ☎ 02-98-80-19-10. Fax : 02-98-80-52-41. • www.hotel-astoria-brest.com • Dans le centre de Brest, à deux pas de la rue de Siam. Fermé la 2e quinzaine de décembre et la 1re semaine de janvier. Chambres doubles à 23,65 € avec lavabo, de 39,65 à 47,25 € avec douche et w.-c., et jusqu'à 45 € avec bains, w.-c. et TV (Canal +) ; triples à partir de 45 €. Un immeuble comme il y en a partout à Brest, mais un rapport qualité-prix assez rare. Déco aux tons clairs et gais. Les chambres côté rue sont équipées de double vitrage. Préférer toutefois celles donnant sur l'arrière (plus calmes !). Très bonne adresse, tant par sa situation géographique (à deux pas du port de commerce) que par la gentillesse de son accueil. Parking payant.

Crêperie Moderne : 34, rue d'Algésiras, 29200 ***Brest.*** ☎ 02-98-44-44-36. Fermé le dimanche midi. Prévoir environ 9 € à la carte. Derrière son éclatante devanture jaune citron, une petite salle dont la déco n'a rien d'emballant. Mais les crêpes – et c'est finalement l'essentiel – y sont délicieuses. Et pour cause : la maison a été fondée (famille Boënnec) en 1922 ! Parmi les spécialités maison, ne manquez pas la galette aux noix de Saint-Jacques au noilly. Prépare aussi des crêpes à emporter. Kir breton offert à nos lecteurs sur présentation du *Guide du routard.*

La Pasta : 2 bis, rue Turenne, 29200 ***Brest.*** ☎ 02-98-43-37-30. Derrière l'église Saint-Martin. Fermé le lundi midi, le samedi midi et le dimanche. Formule à 9,50 € le midi en semaine ; compter autour de 15 € à la carte ; menu-enfants à 5,70 €. Un resto italien comme on les aime ! Ici, pâtes fraîches garanties, cuisinées par le chef ou par sa mère. Traditionnels *antipasti* mais aussi *polenta, pasta mista* (assiette de dégustation de plusieurs pâtes)... Parmi les spécialités, excellents *cannelloni* faits maison. De plus, la déco est agréable et l'accueil à l'italienne. Une bonne adresse prisée des Brestois.

➤ DANS LES ENVIRONS

Peninsula, le labyrinthe : Ménez Kerbasguen, 29160 ***Crozon.*** ☎ 02-98-26-25-34. ♿ De Crozon, prendre la route de Dinan, c'est après le *camping des Pins*. Pendant les vacances scolaires, ouvert tous les jours de 14 h à 19 h ; en juillet et août, non-stop de 10 h à 19 h ; le reste de l'année, ouvert de 14 h à 19 h ; fermé les mardi et jeudi. Entrée : 6 € ; enfants de 5 à 15 ans : 5 € ; gratuit pour les moins de 5 ans. Forfait famille à 20 €.
Un endroit modulable et évolutif, créé par un passionné. Trois aspects à découvrir : 3000 m² de labyrinthe à ciel ouvert fait de palissades et de végétation ; une exposition consacrée à l'histoire des labyrinthes dans le monde, avec, entre autres, un labyrinthe de pierre reconstitué selon un modèle vieux de plusieurs milliers d'années ; et enfin une légende locale à découvrir, cachée quelque part dans le labyrinthe. C'est l'occasion d'allier le côté ludique à la découverte de la culture bretonne.

DOUARNENEZ

Dans les environs : la réserve ornithologique du cap Sizun • Le musée de l'École rurale

PORT-RHU ET LE MUSÉE DU BATEAU

Quai du Port-Rhu, ***Douarnenez.*** ☎ 02-98-92-65-20. Ouvert tous les jours du 15 juin au 30 septembre, de 10 h à 19 h ; hors saison, tous les jours sauf le lundi, de 10 h à 12 h 30 et de 14 h à 18 h. Entrée pour le musée ou les bateaux à flot : 4,60 € ; de 4 à 17 ans : 3,10 € ; forfait famille (2 adultes, 2 enfants) à 13,20 € pour le musée ou les bateaux à flot. Forfait musée et bateaux à flot : 6,20 € par adulte ; 3,85 € par enfant de 4 à 17 ans ; famille : 17,10 €.

Visite passionnante ! Vastes espaces (le musée est installé dans une ancienne conserverie) intelligemment agencés. En exposant les bateaux de pêche traditionnels des côtes françaises (picoteux, flobarts, etc.), ce musée sauve tout un pan d'un patrimoine maritime que les progrès techniques et les nouvelles réglementations tendent à faire disparaître.
Il offre aussi au visiteur quelques belles surprises. Des engins qu'on qualifierait vite de primitifs (kayak Inuit en peau, pirogue monoxyle de Guinée-Bissau), mais qui témoignent d'une belle ingéniosité. D'autres qui lancent d'étonnantes passerelles entre des cultures très éloignées les unes des autres : ainsi la *coracle,* embarcation utilisée pour la pêche au saumon dans le Devon et le pays de Galles, qui ressemble comme une sœur à la *pelota* des Indiens d'Amérique du Sud. Les passionnés de technique en sortiront incollables (ou presque) sur la charpenterie de marine, la forme des voiles, etc. Les autres peuvent aussi se balader au milieu de scènes reconstituées (petit port typique, chantier de charpente marine...) pour la simple émotion esthétique.
Dans un ancien port de cabotage, réaménagé selon les techniques du XIXe siècle (quai de pierre, estacades et pontons en bois), on peut approcher une vingtaine de bateaux de pêche : langoustiers, thoniers, sardiniers mais aussi un remorqueur à vapeur, un bateau-phare. On peut même en visiter certains, comme l'*Anna-Rosa,* galéasse norvégienne de 1892 (le plus vieux bateau de la collection) qui transportait des œufs de morue venus de la

Baltique. Mélangés à du tourteau d'arachide, ils permettaient de fabriquer la rogue, appât que l'on jetait autour des filets pour attirer les sardines...

Où dormir ? Où manger ?

⛺ ***Camping Le Pil-Koad :*** 29100 ***Poullan-sur-Mer.*** ☎ 02-98-74-26-39. Fax : 02-98-74-55-97. À 6 km de Douarnenez. Ouvert de mai à mi-septembre. De 12,20 à 22 € environ l'emplacement pour 2 personnes selon la saison. Location de chalets et mobile homes de Pâques à septembre pour 4 à 6 personnes, de 210 à 650 € la semaine selon la période. Dans un beau cadre de verdure. Confortable. Grande piscine et pataugeoire chauffées pour les minots.

🏠 🍴 ***Hôtel Le Bretagne :*** 23, rue Duguay-Trouin, 29100 ***Douarnenez.*** ☎ 02-98-92-30-44. Fax : 02-98-92-09-07. Dans le centre, près de la grande poste. Resto fermé le dimanche, ainsi que les lundi midi, mercredi midi et samedi midi. Chambres doubles de 30 à 47 € selon le confort et la saison ; une chambre composée de 4 petits lits de 48 à 57 €, avec douche, pour vos chers bambins ! Resto avec 2 menus à 15 et 18 € ; menu-enfants à 7 €. Hôtel classique dans un petit immeuble bien carré comme les architectes en ont empilé depuis les années 1950. Mais le jeune couple désormais dans les murs a décidé de lui donner un peu d'âme. Un accueil souriant, un petit souci de déco dès la réception, des chambres doucement rénovées. Pour nos lecteurs, réduction de 10 % sur le prix de la chambre hors juillet et août.

🍴 ***Crêperie Au Goûter breton :*** 36, rue Jean-Jaurès, 29100 ***Douarnenez.*** ☎ 02-98-92-02-74. ♿ Fermé le lundi et le dimanche en hiver, sauf pendant les vacances scolaires ; congés annuels : 2 semaines fin juin et fin novembre. Menus à partir de 8 € ; menu-enfants à 7 €. Une façade de caractère, une enseigne enfantine, un décor breton pour un patron très rock, qui ne roule qu'en Harley ou en Cadillac. En fond sonore, la musique bretonne se marie donc au rock ou au jazz. Et on ne s'étonnera pas de dégoter dans la carte un « hamburger armoricain » (steak et crêpe !). Parmi les autres spécialités de la maison, essayez la « Moscovite » (saumon, crème fraîche et citron), la « Nordique » (harengs, oignons, pommes de terre) ou une des crêpes du jour inscrites au tableau noir. Terrasse fleurie sur l'arrière. Apéritif ou café offert aux lecteurs du *Guide du routard.*

➤ *DANS LES ENVIRONS*

🚶🚶 ***La réserve naturelle ornithologique du cap Sizun :*** à 3 km au nord de Goulien, autour de la pointe de Castel-ar-Roc'h, s'étend l'une des réserves naturelles les plus célèbres d'Europe. Maison de la réserve (Bretagne Vivante), Kérisit, 29770 ***Goulien.*** ☎ 02-98-70-13-53. • www.bretagne-vivante.asso.fr • Attention, la réserve (zone sensible) n'est accessible au public que du 1er avril au 31 août : de 10 h à 18 h en été, de 10 h à 12 h et de 14 h à 18 h au printemps. Entrée : 1,50 € ; gratuit pour les enfants de moins de 12 ans. Visite guidée (1 h 30) : 3,90 € ; enfants : 2,40 €. Téléphoner pour les horaires des visites guidées.

Sur 40 ha, une vaste lande, une haute falaise et quelques îlots où observer goélands argentés, goélands bruns (migrateur) et goélands marins, pétrels fulmars, mouettes tridactyles (1 200 couples environ), très rares craves à bec rouge, traquets motteux, cormorans huppés et autres fauvettes pitchou ou guillemots (pingouins toujours droits comme des i). L'observation s'effectue à partir de chemins bien balisés (guide de découverte gratuit disponible à l'entrée de la réserve). La meilleure période se situe entre le 15 avril et le

30 juin (avant le 15 juillet en tout cas). Pour les familles, un petit livret d'interprétation est donné à l'entrée : il permet de mieux comprendre le site et présente quelques jeux et devinettes pour les petits... et même les grands ! On trouve également 3 longues-vues sur le parcours, et si vous avez oublié vos jumelles, vous pourrez en louer à l'entrée (2 €). En plus de l'intérêt majeur que présentent les oiseaux, la flore particulière du littoral (armérie maritime, jasione, jacinthe bleue...), dont la floraison s'étale selon les espèces du printemps à l'été, est un élément important de la découverte du site.

Où dormir ? Où manger dans le coin ?

Hôtel-restaurant L'Horizon : 40, rue Jean-Jacques-Rousseau, 29770 **_Audierne._** ☎ 02-98-70-09-91. Fax : 02-98-70-01-49. Entre la ville et la plage, à 100 m de cette dernière. Congés annuels : de mi-octobre à fin mars. Chambre double avec douche ou bains de 43 à 55 € ; compter environ 60 € pour une triple et 70 € pour une quadruple (1 grand lit et 2 petits lits). Demi-pension de 49 à 56 € ; menu-enfants à 7,50 €. Hôtel récent. Les chambres, à la déco sobrement contemporaine, sont impeccablement tenues et de bon confort. La plupart offrent une gentille vue sur l'océan. Quant à la restauration, elle est assurée par l'*hôtel du Roi Gradlon.*

Ferme de Kersivian : Kersivian, 29770 **_Esquibien._** ☎ 02-98-70-08-95. À 2 km du centre d'Audierne et à 2 km de l'embarcadère pour l'île de Sein. Prendre la route de la pointe du Raz puis tourner à droite après le centre *Leclerc*. Ouvert toute l'année. Chambres avec douche et w.-c. sur le palier à 30 €. Gîtes ruraux pour 2 à 6 personnes de 219 à 579 € la semaine selon la saison. Chambres d'hôte toutes simples et sympas dans une grande maison paisible, ancien corps de ferme gentiment restauré. Et 2 gîtes indépendants, confortables, avec 3 chambres, jardin privé, cheminée, TV, lave-linge, lave-vaisselle, micro-ondes...

Le musée de l'École rurale : 29560 **_Trégarvan._** ☎ 02-98-26-04-72. Au nord de Douarnenez, à 10 km au nord de Sainte-Marie-du-Menez-Hom par la D 47. Ouvert toute l'année ; en juillet et août, tous les jours de 10 h 30 à 19 h ; d'avril à juin et en septembre, tous les jours de 14 h à 18 h ; hors saison tous les jours (sauf le week-end) de 14 h à 17 h. Entrée : 4 € ; de 8 à 12 ans : 2,30 € ; gratuit pour les moins de 8 ans.
L'ancienne école, construite en 1907 et fermée en 1974, sert aujourd'hui de musée. Rien dans les salles de classe ne semble avoir bougé depuis le début du XXe siècle : les longues tables de bois avec le trou pour l'encrier, le tableau noir et le globe terrestre sur l'armoire, la carte des départements français aux murs, le poêle dans un coin... De quoi rappeler quelques souvenirs à ceux qui ont connu ça et éveiller la curiosité des plus jeunes.
L'été ont lieu des animations sur des thèmes amusants : « Écriture et Problèmes dans la salle de classe », « L'École des dimanches » ou « Jeux buissonniers dans la cour ».

CONCARNEAU

Port de pêche actif (le 3e de France pour la pêche au chalut), Concarneau est surtout connu pour son musée de la Pêche et sa célèbre « ville close », toute petite mais très pittoresque. Ne manquez pas d'aller vous y balader (promenade possible sur les remparts, entrée payante l'été).

Le musée de la Pêche : rue Vauban, 29110 **Concarneau.** ☎ 02-98-97-10-20. • museedelapeche@wanadoo.fr • Dans la ville close. Ouvert de 10 h à 12 h et de 14 h à 18 h ; en juillet et août, ouvert de 9 h 30 à 20 h. Fermé les 3 dernières semaines de janvier. Compter une bonne heure de visite. Entrée : 6 € ; de 5 à 15 ans : 4 €.

Histoire de la ville et du port, maquettes, etc. Intéressante exposition de toutes les techniques de pêche, à l'aide de dioramas, vidéos. Intéressant document : le *Neptune François*, très ancien relevé de cartes marines. Présentation de bateaux, dont un chalutier à flot, *l'Hémérica*, que vous pourrez visiter. Boutique.

Le marinarium : pl. de la Croix, 29110 **Concarneau.** ☎ 02-98-50-81-64. ♿ Ouvert tous les jours de février à décembre de 10 h à 12 h et de 14 h à 18 h ; en juillet et août jusqu'à 19 h. Entrée : 5 € ; enfants : 3 €.

C'est un écomusée sur la faune et la flore. Dix grands aquariums (le plus grand bassin fait 120 m^3) abritant la faune locale. Pour apprendre, par exemple, que la « coquette » est un poisson non comestible qui naît femelle, puis change de sexe au cours de sa vie... De nombreuses animations sont proposées toute l'année : n'hésitez pas à téléphoner pour vous renseigner.

Où dormir ? Où manger ?

Hôtel-restaurant Les Océanides : 3 et 10, rue du Lin, 29110 **Concarneau.** ☎ 02-98-97-08-61. Fax : 02-98-97-09-13. À deux pas des installations du port de pêche. Fermé le dimanche. Chambres de 38,50 à 42 € ; plusieurs possibilités de couchage pour les familles, de 40 à 63 € pour 4 ou 5 personnes. Intéressante demi-pension à 39 € par personne. Menus de 12 à 25 € ; menus-enfants à 6 et 8 €. Cette maison, connue des Concarnois depuis des générations sous le nom de *La Crêpe d'Or*, a gardé son ambiance familiale et populaire. Cuisine de tradition : lotte au coulis de poivron, brochette de Saint-Jacques à la crème, etc. Côté hôtel, les prix savent également rester sages. Chambres avec un peu plus de confort, juste en face, sous l'enseigne *Les Petites Océanides*. Kir offert sur présentation du *GDR*.

Crêperie Le Grand Chemin : 17, av. de la Gare, 29110 **Concarneau.** ☎ 02-98-97-36-57. Fermé le lundi sauf en juillet et août. Menus-crêpes de 7,30 à 11,50 €. Idéale pour s'isoler de l'ambiance touristique à outrance de la ville close, cette adresse bien sympa n'attend pas les touristes pour exister. Et elle a déjà une longue vie derrière elle, cette crêperie, puisqu'elle comptabilise un demi-siècle de bons et loyaux services. Clientèle d'habitués, donc. Il faut dire que l'on se sent ici un peu comme chez soi. Pas de chichis, rien de surfait, la patronne a à cœur de vous remplir la panse avec des crêpes copieuses à prix modérés.

CENTRE

C'est le moment ou jamais de sortir vos déguisements de nobles chevaliers, de gentes dames ou même de sorcières et de magiciens, car cette région du Centre, cœur de la France, est la mémoire de toute notre histoire. En effet, c'est d'abord la région de nos rois. De Charles VII à Henri III, neuf d'entre eux y ont établi leur cour. Ici, on peut donc festoyer avec Jacques Cœur et participer aux fêtes de François Ier. Mais bien d'autres personnages connus sont attachés à ce pays : Ronsard, Rabelais, Léonard de Vinci ou encore Balzac, pour ne citer qu'eux. Vous l'aurez compris, comme il y a une merveille tous les 20 km, il nous a fallu faire des choix. Bien sûr, on a avant tout pensé aux enfants et à leurs plaisirs : des parcs animaliers, des musées atypiques, des balades insolites, des châteaux pour princes et princesses... Mais si les parents désirent faire des petits détours plus culturels, il n'y a aucun problème. L'important, c'est que chacun revienne de cette région avec des trésors en tête.

Les petits curieux sont à la fête en Touraine

Les départements d'Indre-et-Loire et de Maine-et-Loire (voir plus loin la région Pays-de-la-Loire) se sont associés pour une belle initiative : ***Sur la piste de l'enfant Roy.*** Au total, une cinquantaine de sites (châteaux, parcs, musées, sites animaliers...) participent à cette opération qui permet de faire découvrir aux enfants de 7 à 12 ans les hauts lieux de cette région tout en s'amusant. Au programme, des questionnaires ludiques pour animer les visites, des équipements pensés pour les juniors et même des spectacles. Idéal pour les familles ! Nous vous signalons quelques sites participant à cette manifestation. N'hésitez pas à vous renseigner auprès du CDT de Touraine pour connaître les autres !

Adresses utiles

ℹ ***Comité régional du tourisme du Centre :*** 37, av. de Paris, 45000 Orléans. ☎ 02-38-79-95-00. Fax : 02-38-79-95-10. • www.visaloire.com •

ℹ ***Comité départemental du tourisme du Loir-et-Cher :*** maison du Loir-et-Cher, 5, rue de la Voûte-du-Château, BP 149, 41005 Blois Cedex. ☎ 02-54-57-00-41. Fax : 02-54-57-00-47. • www.tourismeloir-et-cher.com •

ℹ ***Comité départemental du tourisme du Loiret :*** 8, rue d'Escures, 45000 Orléans. ☎ 02-38-78-04-04. Fax : 02-38-77-04-12. • www.tourismloiret.com • Édite une petite brochure gratuite pour les 3-14 ans, intitulée *À l'aventure... Cap sur le Loiret !* qui recense de façon ludique les sites, activités et manifestations pour les juniors.

ℹ ***Comité départemental du tourisme du Cher :*** 5, rue de Séraucourt, 18000 Bourges. ☎ 02-48-48-00-10. Fax : 02-48-48-00-20. • www.berrylecher.com •

ℹ ***Comité départemental du tourisme de l'Indre :*** 1, rue Saint-Martin, BP 141, 36003 Châteauroux Cedex. ☎ 02-54-07-36-36. Fax : 02-54-22-31-21. • www.tourisme.cyberindre.org •

ℹ ***Comité départemental du tourisme d'Eure-et-Loir :*** 10, rue du Docteur-Maunoury, BP 67, 28002 Chartres Cedex. ☎ 02-37-84-01-00. Fax : 02-37-36-36-39. • www.tourisme28.com •

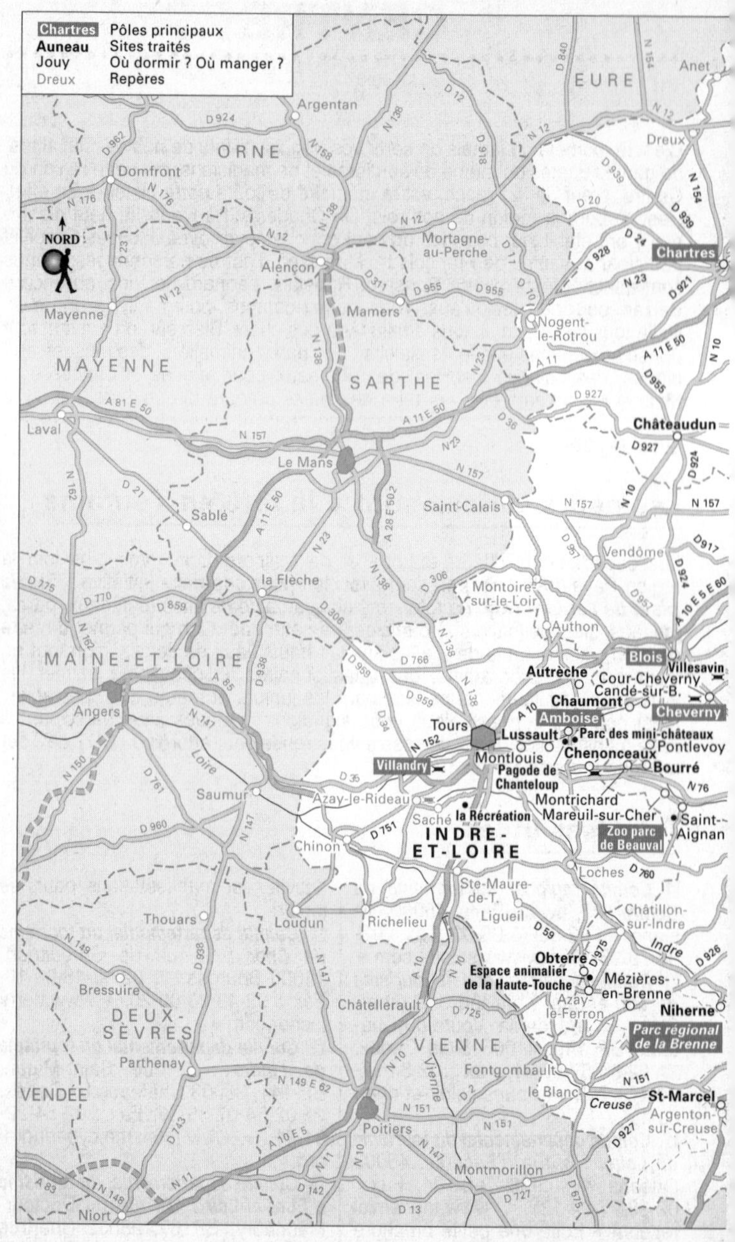
Chartres Pôles principaux
Auneau Sites traités
Jouy Où dormir ? Où manger ?
Dreux Repères
NORD
ORNE
EURE
MAYENNE
SARTHE
MAINE-ET-LOIRE
INDRE-ET-LOIRE
DEUX-SÈVRES
VIENNE
VENDÉE
Argentan
Domfront
Alençon
Mortagne-au-Perche
Mamers
Mayenne
Nogent-le-Rotrou
Anet
Dreux
Chartres
Châteaudun
Laval
Le Mans
Sablé
Saint-Calais
Vendôme
la Flèche
Montoire-sur-le-Loir
Authon
Blois
Villesavin
Autrèche
Cour-Cheverny
Candé-sur-B.
Chaumont
Cheverny
Amboise
Angers
Tours
Lussault
Parc des mini-châteaux
Pontlevoy
Montlouis
Chenonceaux
Bourré
Pagode de Chanteloup
Villandry
Saumur
Azay-le-Rideau
Montrichard
Mareuil-sur-Cher
Saint-Aignan
Saché
la Récréation
Zoo parc de Beauval
Chinon
Loches
Ste-Maure-de-T.
Ligueil
Châtillon-sur-Indre
Thouars
Loudun
Richelieu
Obterre
Espace animalier de la Haute-Touche
Mézières-en-Brenne
Azay-le-Ferron
Niherne
Bressuire
Châtellerault
Parc régional de la Brenne
Parthenay
Fontgombault
le Blanc
Creuse
St-Marcel
Argenton-sur-Creuse
Poitiers
Montmorillon
Niort
Loire
Indre
Vienne

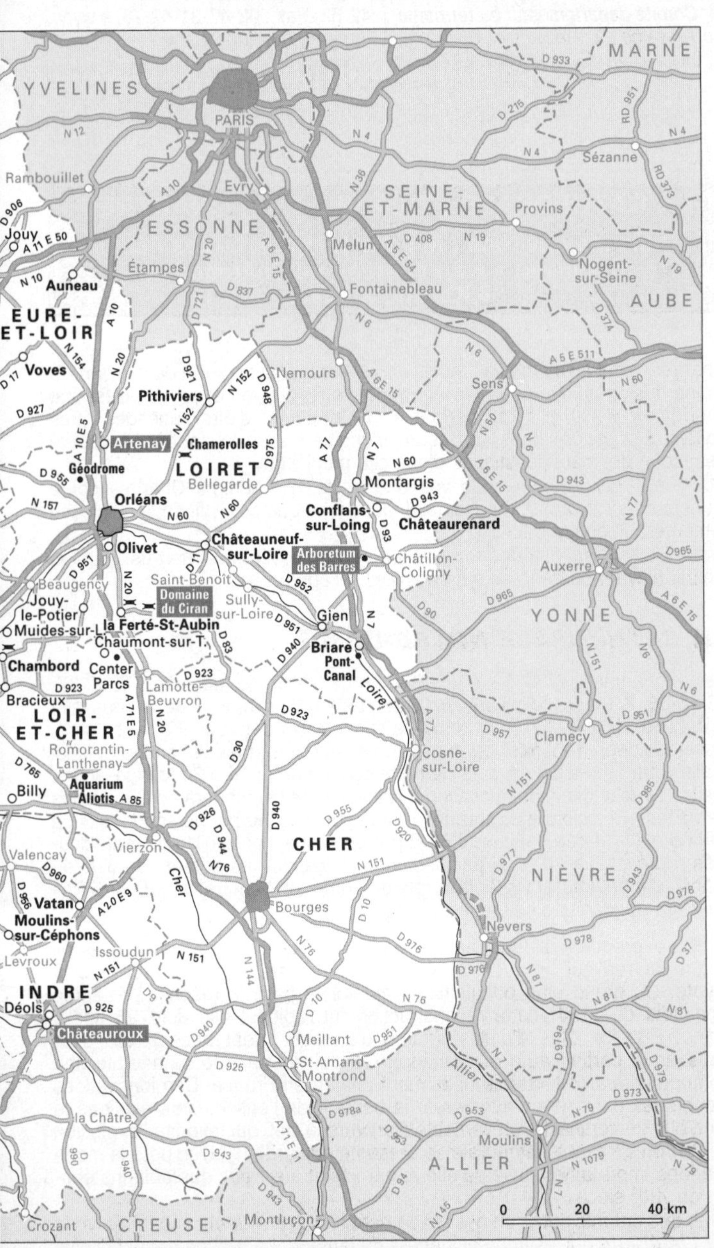
MARNE
YVELINES
PARIS
Rambouillet
Evry
SEINE-ET-MARNE
Provins
Sézanne
ESSONNE
Jouy
Melun
Étampes
Nogent-sur-Seine
Auneau
Fontainebleau
AUBE
EURE-ET-LOIR
Voves
Nemours
Sens
Pithiviers
Artenay
Chamerolles
LOIRET
Bellegarde
Géodrome
Montargis
Orléans
Conflans-sur-Loing
Châteaurenard
Olivet
Châteauneuf-sur-Loire
Arboretum des Barres
Châtillon-Coligny
Auxerre
Beaugency
Saint-Benoît
Jouy-le-Potier
Domaine du Ciran
Sully-sur-Loire
Gien
YONNE
Muides-sur-L.
la Ferté-St-Aubin
Chaumont-sur-T.
Briare
Pont-Canal
Chambord
Center Parcs
Lamotte-Beuvron
Bracieux
LOIR-ET-CHER
Clamecy
Romorantin-Lanthenay
Cosne-sur-Loire
Aquarium Aliotis
Billy
Vierzon
CHER
Valencay
NIÈVRE
Vatan
Bourges
Moulins-sur-Céphons
Nevers
Issoudun
Levroux
INDRE
Déols
Châteauroux
Meillant
St-Amand-Montrond
Allier
la Châtre
Moulins
ALLIER
Crozant
CREUSE
Montluçon
0 20 40 km

🅸 ***Comité départemental du tourisme de Touraine :*** 9, rue Buffon, BP 3217, 37032 Tours Cedex. ☎ 02-47-31-42-52. Fax : 02-47-31-42-76. • www.tourism-touraine.com •

LA CATHÉDRALE ET LA VILLE DE CHARTRES

Dans les environs : le parc animalier « Les Félins d'Auneau » • Le château de Châteaudun • Karting à Voves

Chartres, c'est avant tout la fabuleuse cathédrale qui apparaît de loin dans la plaine, fusion unique de la terre et de la pierre. Sait-on aussi que c'est une charmante vieille ville qui permet à la cathédrale d'être l'une des rares églises à s'inscrire dans son cadre d'origine? La ville haute a conservé beaucoup des caractéristiques d'une cité médiévale.
Pour ceux qui s'étonnent de voir une petite ville comme Chartres dotée d'une cathédrale aussi imposante, il faut savoir que son influence religieuse remonte à l'époque gauloise.
Enfin, Henri IV fut l'un des rares rois de France sacrés à Chartres, Paris et Reims n'ayant pas encore été soumises à l'époque.

LA CATHÉDRALE NOTRE-DAME

Renseignements au ☎ 02-37-21-75-02 ou à l'office de tourisme : ☎ 02-37-18-26-26. ♿ (par le portail royal). Ouvert de 8 h 30 à 19 h 30 de la Toussaint à Pâques, de 8 h à 20 h le reste de l'année. De début avril à fin octobre, visites guidées à 10 h 30 du mardi au samedi (fermé les dimanche et lundi matin) et à 15 h tous les jours; le reste de l'année, à 14 h 30 tous les jours. Visites avec audioguides (location à la librairie de la cathédrale). Deux types de visites : « La clôture du chœur » (durée : 25 mn; 3 € par personne) et « La cathédrale » (durée : 45 mn; 3,80 € par personne); possibilité de visite couplée (durée : 1 h 10; 6 € par personne; 3 € pour les enfants de plus de 6 ans). On peut aussi visiter la crypte et monter en haut de la tour nord. Pas de visite pendant les célébrations religieuses.

🚶🚶🚶 La première cathédrale édifiée au IVe siècle brûla, ainsi que les quatre autres qui lui succédèrent. De la dernière (1020), il subsiste la crypte. Un grand élan populaire se manifesta pour la reconstruire après l'incendie de 1194; cette reconstruction fut rapide : elle dura 25 ans à peine. Ensuite, plus d'une vingtaine d'années furent nécessaires pour achever la partie haute du transept. Ce qui donne à la cathédrale une homogénéité architecturale quasiment unique en France. Des innovations techniques permirent d'augmenter la hauteur de l'église. Cela explique le parti pris de verticalité, un véritable élan vers le ciel, qui favorisa l'explosion de l'art du vitrail. La cathédrale se présente aujourd'hui, avec peu de modifications importantes, telle qu'elle apparaissait aux yeux des pèlerins ébahis du XIIIe siècle.
Avec des enfants, jetez un œil rapidement à ***l'extérieur*** et concentrez-vous sur ***l'intérieur,*** qui les impressionnera davantage. La grande nef est la plus large de France. Le sol est en pente vers la façade car, à l'époque, beaucoup de pèlerins dormaient dans l'église; il fallait pouvoir laver à grande eau.

Parents savants : *les vitraux de Chartres*

Le plus spectaculaire dans la cathédrale, plus que sa beauté de pierre, ce sont ses vitraux. 176 au total, tous exécutés entre 1200 et 1235 par des maîtres verriers et miraculeusement préservés (contrairement à ceux d'autres cathédrales en France, les vitraux furent démontés lors de la Seconde Guerre mondiale et ne subirent aucun dommage). Une première chose fascine, c'est le bleu, le célèbre « bleu de Chartres ». Ces vitraux se lisent comme des livres d'images, véritables B.D. éducatives destinées à enseigner la Bible à ceux qui les regardaient (de gauche à droite et de bas en haut). Ils témoignent en même temps de la vie quotidienne (travaux des champs, vêtements, fêtes collectives...) au Moyen Âge.
De nombreux vitraux furent payés par les rois et les nobles, mais aussi par les corporations et corps de métiers de l'époque : bouchers, boulangers, maréchaux-ferrants, etc. Une illustration dans le vitrail rappelle souvent le généreux donateur.
Dans le transept, admirez les deux magnifiques rosaces. Celle du nord est formée de carrés donnant l'impression de timbres-poste. Appelée aussi Rose de France, elle célèbre la gloire de la Vierge. Enfin, au début du déambulatoire, à droite du chœur, ne manquez pas la superbe Notre-Dame de la Belle Verrière, le vitrail le plus célèbre de Chartres.

La maison Picassiette : quartier Saint-Chéron, 22, rue du Repos. ☎ 02-37-34-10-78. ♿ (partiel). De l'église Saint-Pierre, prendre sur la gauche la rue Saint-Hilaire, obliquer ensuite vers le pont du même nom et la porte Morard, suivre la direction « cimetière Saint-Chéron » puis, dans la rue Saint-Barthélemy, prendre la 1re rue sur la droite. Ouvert du 1er avril au 31 octobre, de 10 h à 12 h et de 14 h à 18 h. Fermé le mardi et le dimanche matin. Entrée : 4 €; 12-18 ans : 2 €; gratuit pour les moins de 12 ans. Visites guidées sur rendez-vous.
Cette étonnante maison toute rigolote est le fruit de l'imagination d'un balayeur esthète. Raymond Isidore ramassait à longueur de journée des fragments de poteries et de porcelaines et décida d'en tapisser les murs extérieurs de sa maison en construction. Le résultat lui plut tant qu'il passa rapidement à l'intérieur et, pris d'une véritable frénésie créatrice, se mit à tout recouvrir jusqu'aux meubles, la cuisinière et même la machine à coudre de sa femme. Quand il ne resta plus 1 cm^2 de libre, il continua dans le jardin, sculptant des personnages, des animaux, reconstituant la cathédrale, recréant la *Joconde,* toujours avec de la récup'. Un endroit délirant qui plaît aux enfants.

Le COMPA (Conservatoire de l'agriculture) : pont de Mainvilliers. ☎ 02-37-36-11-30. • www.lecompa.com • Ouvert du mardi au vendredi de 9 h à 12 h 30 et de 13 h 30 à 18 h; les week-ends et jours fériés de 10 h à 12 h 30 et de 13 h 30 à 19 h. Fermé le lundi. Entrée : 3,81 €; 6-18 ans : 1,52 €; 1,52 € pour les adultes sur présentation du *Guide du routard.*
Chartres est la capitale de la Beauce, un des greniers de notre pays. Elle se devait de se doter d'un musée de l'Agriculture. Aménagé dans une ancienne rotonde SNCF de machines à vapeur (1905), c'est le plus grand musée français consacré à l'agriculture, l'environnement et l'alimentation (3000 m^2). Expo de matériel agricole, bornes interactives sur l'agriculture et expos temporaires, maquettes... Salon de la basse-cour tous les ans en janvier (plus de 500 animaux : coqs, canards, lapins, dindons, etc.).

La Petite Venise : ☎ 02-37-91-03-65. Dans la ville basse de Chartres, près de la place Morard, au pont de la Courtille. Ouvert tous les jours d'avril

à octobre, de 10 h 30 à 20 h. Location d'une embarcation pour 3 personnes à la demi-heure ou à l'heure (6,20 € les 30 mn).
Une promenade de 3 km sur l'Eure en barque, canoë-kayak ou pédalo, dans un cadre de verdure reposant. On longe le parc des bords de l'Eure. Point boissons, glaces et gaufres sur place.

Le parc des Bords-de-l'Eure : attenant à la Petite Venise décrite ci-dessus, c'est la continuité logique de la promenade familiale, à pied cette fois, avec la visite des volières ou, pour les tout-petits, l'aire de jeux au sol souple. Arbres magnifiques et pelouse verdoyante. En saison, minigolf de 18 trous. Renseignements : ☎ 02-37-91-18-85. D'avril à septembre, ouvert de 10 h à 22 h. Hors saison, téléphoner pour connaître les horaires.

Balade dans la ville haute : pour découvrir les ***vieux quartiers,*** l'office de tourisme propose, au départ de la place de la Cathédrale, des visites audioguidées avec location d'écouteurs (durée : 1 h). Il est également possible de visiter le vieux Chartres en petit train de Pâques à novembre (départ devant l'office de tourisme. Tarif : 5 € ; enfants : 3 €).
Peu de villes en France ont conservé un caractère médiéval aussi homogène. Les rues continuent à serpenter et nous offrent de savoureux noms anciens : *rue de la Poêle-Percée, rue Au-Lait, de la Porte-Cendreuse, Grenouillère,* etc. Partez à la recherche des maisons médiévales, certaines sont exceptionnelles. Vous les atteindrez aussi par des raidillons, parfois coupés d'escaliers appelés « tertres ».

Où dormir ? Où manger ?

Hôtel Jehan de Beauce : 19, av. Jehan-de-Beauce, 28000 ***Chartres.*** ☎ 02-37-21-01-41. Fax : 02-37-21-59-10. • www.contact.hotel.chartres.com • Près de la gare. Fermé pour les fêtes de fin d'année. Réception au 1er étage. Chambres doubles de 35 € (douche et w.-c. à l'étage) à 61 € (avec bains). Chambres familiales de 60 € pour 3 à 73 € pour 5 personnes. Cet hôtel à la façade classée, sans restaurant, est propre et pratique. La déco des couloirs a été revue et celle des chambres est prévue, chacune à son tour. Patience... Croissants chauds avec le petit dej' et accueil avenant.

La Résidence du Parc : 20, rue du Bout-d'Anguy, 28300 ***Jouy.*** ☎ 02-37-18-30-00. Fax : 02-37-18-30-04. À 15 km au nord de Chartres, dans un paisible village. Chambres doubles de 38 à 64 € dans un joli manoir. Les chambres familiales, de 68 à 92 € pour 4 personnes, sont dans des annexes plus modernes. Possibilité de rajouter un lit d'appoint pour 16 €. Le cadre est superbe : un manoir de charme dans un grand parc où vos bambins pourront s'ébattre en toute tranquillité. Attention tout de même à la rivière : l'Eure traverse le parc. Calme assuré. Resto sur réservation uniquement. Une excellente alternative à l'hôtellerie chartraine un peu limitée en capacité.

Crêperie La Poêle Percée : 7, rue de la Poêle-Percée, 28000 ***Chartres.*** ☎ 02-37-21-60-70. Près de l'hôtel de ville. Fermé le dimanche midi et le lundi. Compter autour de 7 € pour une galette et 5 € pour une crêpe. Menu-enfants à 5,80 €. Jolie salle aux poutres apparentes, ambiance chaleureuse, crêpes savoureuses et un aquarium qui captivera les enfants... Mieux vaut réserver, il y a souvent du monde.

Le Pichet : 19, rue du Cheval-Blanc, 28000 ***Chartres.*** ☎ 02-37-21-08-35. Fermé les mardi soir et mercredi en été ; les mardi et mercredi en hiver. À côté de la cathédrale. Menu-enfants à 6 €. Menus de 11 à 20 €. Nappes à carreaux, tableaux aux murs, atmosphère chaleureuse et service aimable dans ce petit resto dispensant une cuisine traditionnelle généreuse, genre soupe à l'oignon, poule au pot, tarte aux pommes... Tout est fait maison. Très bien pour les gamins, comme pour les grands. Et pour les grands justement, le café est offert sur présentation du *Guide du routard.*

Ⓘ ***Au Bon Croissant de Chartres :*** 1, rue du Bois-Merrain, 28000 ***Chartres.*** ☎ 02-37-21-36-28. Dans le dédale des rues piétonnes. Ouvert tous les jours. Pâtissier, confiseur, glacier et salon de thé. Prépare artisanalement les « Mentchikoffs », spécialité de Chartres (même si ça sonne plus russe que beauceron !). Il s'agit d'un chocolat praliné enrobé d'une meringue. Très sucré.

➤ DANS LES ENVIRONS

Le parc animalier « Les Félins d'Auneau » : pl. du Champ-de-Foire, à côté du syndicat d'initiative, à ***Auneau.*** ☎ 02-37-31-20-20. • www.cerza.com/auneau • Sur la N 10 direction Paris, à 20 km de Chartres. De mai à septembre, ouvert tous les jours de 9 h 30 à 18 h 30, le reste de l'année de 10 h à 16 h. Fermé le lundi. Entrée : 10 € pour les adultes ; 5 € pour les enfants de 4 à 9 ans.
Premier centre d'élevage et de reproduction de félins en milieu naturel, implanté au château d'Auneau dans un grand parc. Vingt-cinq espèces de félins y sont représentées : lions, tigres, lynx, chats... Vous pouvez apporter votre déjeuner et pique-niquer dans le parc.

Le château de Châteaudun : à une cinquantaine de kilomètres au sud de Chartres. ☎ 02-37-94-02-90. Ouvert toute l'année, en juillet et août de 9 h 30 à 19 h ; d'avril à juin et de septembre à octobre jusqu'à 18 h ; et de 10 h à 12 h 30 et de 14 h à 17 h 30 en novembre, décembre et de janvier à mars. Entrée : 5,50 € ; 3,50 € de 18 à 25 ans ; gratuit pour les moins de 18 ans.
Souvent présenté comme le 1er château de la Loire, le château de Jean de Dunois, bâtard d'Orléans, fidèle compagnon de Jeanne d'Arc, est vieux de 8 siècles. Particulièrement intéressante pour les enfants, cette grande animation scénographique (permanente) sur le thème de la cuisine au Moyen Âge. On retrouve l'ambiance chaleureuse des festins d'autrefois. Visites animées avec dégustations le jeudi soir à 20 h 30 en juillet et août.

Voves Karting Indoor : 21, rue du Docteur-Rabourdin, 28150 ***Voves.*** ☎ 02-37-99-07-49. Au sud-est de Chartres (25 km) par la N 154. Après Allones, prendre à droite, direction Beauvilliers et Châteaudun. Au 1er rond-point de Voves, continuer tout droit puis 1re à gauche. Ouvert toute l'année du mardi au dimanche de 18 h à 22 h (16 h les mercredi et samedi et de 14 h à 19 h le dimanche). À partir de 7 ans. Compter 13 € les 10 mn le week-end et 11,50 € la semaine.
C'est cher, mais vraiment sympa. La piste couverte mesure près de 500 m^2. Kart de 200 et 270 cc non bridés (100 cc pour les enfants). Aucun risque de se faire mal, la piste est sécurisée. Une bonne partie de rire en famille.

Où dormir ? Où manger ?

Ⓘ ***Hôtel-restaurant Le Quai Fleuri :*** 15, rue Texier-Gallas, 28150 ***Voves.*** ☎ 02-37-99-15-15. Fax : 02-37-99-11-20. • quaifleuri.fr • ♿ Chambres doubles tout confort à 53 € dans le bâtiment principal, ou à 75 € dans les bungalows du parc. Une chambre pour quatre à 90 € et 2 appartements à 115 et 145 €. Menus de 13 à 33 €, tous complets. Menu-enfants à 7 € en semaine et 8 € le week-end, avec un plat du menu et un dessert au choix. Ici, les enfants mangent comme les grands, histoire d'éduquer leurs papilles... Canal + et satellite. Y'a tout ! Et ça ressemble un peu à l'ambiance des clubs de vacances : le moulin près de l'entrée, les chevaux dans le parc, le petit jet d'eau près du pont japonais, la balade proposée en calèche, l'aire de jeux pour les petits, le billard sous les combles et nombre de jeux de société pour ados ou accros. La cuisine gastronomique est servie dans une grande salle qui s'ouvre sur la nature et nous avons particulièrement apprécié le confort des bungalows dans le parc.

BLOIS

Dans les environs : le château de Chaumont-sur-Loire et le Festival international des jardins

Il y a évidemment plein de choses à voir et à faire à ***Blois*** (41000). Son château, ses rues anciennes, tortueuses, escaladant capricieusement les coteaux qui dominent la Loire. Mais également cette étrange et passionnante maison de la Magie.

LA MAISON DE LA MAGIE ROBERT-HOUDIN

Place du Château. ☎ 02-54-55-26-26. ♿ Horaires compliqués : ouvert de fin mars à fin septembre, pendant les vacances de la Toussaint et de Noël, tous les jours de 10 h à 12 h et de 14 h à 18 h ; en juillet et août, tous les jours de 10 h à 18 h 30. Fermé quelques lundis de l'année. Entrée : 7,50 € ; de 12 à 17 ans : 6 € ; de 6 à 11 ans : 4,50 €.

Gigantesque maison aussi bourgeoise que mystérieuse juste en face du château. Un musée en hommage à Jean-Eugène Robert-Houdin (1805-1871), père de tous les magiciens, qui vivait tout près de Blois. Sur la façade du musée, plusieurs têtes de dragon surgissent des fenêtres à intervalles réguliers (quand le temps le permet, bien sûr). On entre d'abord dans une rotonde sonorisée avec 4 vitrines abritant des automates qui exécutent de célèbres tours de magie. La salle suivante présente des illusions optiques amusantes mais pas véritablement mystérieuses dont quelques kaléidoscopes qui illustrent le lien entre symétrie et magie. On accède au 1er étage pour découvrir l'univers de Robert-Houdin, ancien horloger et père de la magie moderne. La reconstitution de son établi en taille réelle rappelle son premier métier. Ses connaissances en mécanique et son sens de la poésie ont donné naissance aux plus belles prestidigitations, comme son célèbre petit trapéziste. Remarquer la pendule mystérieuse qui fonctionne sans mécanisme apparent.
Au 2e étage sont présentées les grandes illusions des plus grands magiciens (et notamment la fameuse caisse aux sabres). Robert Houdin fut d'ailleurs le premier à présenter ses tours dans une salle. C'est là que se tiennent aussi les expositions temporaires.
Mais la visite ne serait pas complète sans le spectacle de magie (un le matin, deux l'après-midi) qui vous attend dans le théâtre du sous-sol.
Enfin, la boutique au rez-de-chaussée vend quelques tours de magie pour intriguer tous vos amis.
Soyons francs, nous avons été un peu déçus par cette visite ; le thème et l'espace se prêtaient à une mise en scène plus imaginative... et plus magique. Mais les enfants adorent et c'est le principal.

LE CHÂTEAU

Ouvert d'avril à septembre, de 9 h à 18 h (19 h 30 en juillet et août) ; d'octobre à mars, de 9 h à 12 h 30 et de 14 h à 17 h 30. Entrée : 6 € ; enfants de 6 à 11 ans : 2 €. Billet jumelé avec le spectacle son et lumière : 12 € ; pour les 6 à 11 ans : 5 €.

On a sélectionné cette visite essentiellement pour le rendez-vous du son et lumière, qui a lieu dans la cour du château : « Ainsi Blois vous est conté », un texte d'Alain Decaux dit par Robert Hossein, entre autres, qui raconte les drames, les amours, les mystères qui ont façonné cette histoire de France qui, contrairement à ce qu'on raconte aux petits Parisiens, s'est construite ici; spectacle de fin avril à mi-septembre. Renseignements et réservations : ☎ 02-54-90-33-33.

Le muséum d'Histoire naturelle : Les Jacobins, rue Anne-de-Bretagne. ☎ 02-54-90-21-00. En juillet et août, ouvert du mardi au dimanche, de 9 h à 12 h et de 14 h à 18 h; le reste de l'année, ouvert uniquement l'après-midi. Fermé certains jours fériés. Entrée : 2,40 €; gratuit jusqu'à 12 ans. Connaître son environnement pour mieux le protéger, tel est l'objectif que se fixe le muséum, notamment auprès des jeunes. Présentation des animaux, végétaux et minéraux du Blésois sous forme de maquettes, modules interactifs et animations audiovisuelles. Expositions temporaires qui donnent un autre regard sur l'actualité et l'environnement. Pour petits et grands.

Au Vieux Four : 4, rue Gaston-d'Orléans. ☎ 02-54-78-06-26. Reconstitution d'une boulangerie des années 1920, avec vieux four à bois, pétrissage et façonnage des pains à l'ancienne. Visite et dégustation.

➢ ***Promenade en attelage dans la vieille ville :*** départ devant le château. Toute l'année, sauf le mardi, de 14 h à 18 h; tous les jours en juillet et août de 11 h à 19 h. Renseignements et réservations à l'office de tourisme : ☎ 02-54-90-41-41. Prix : 5 € par personne. Visite insolite de la ville, au pas de solides percherons.

Où dormir ? Où manger ?

Hôtel du Bellay : 12, rue des Minimes, 41000 ***Blois.*** ☎ 02-54-78-23-62. Fax : 02-54-78-52-04. Fermé en janvier. Compter autour de 40 € la chambre pour 3 personnes et environ 46 € la chambre pour 4. À l'écart des circuits touristiques de l'hôtellerie, une chaumière du XVIIIe siècle avec une charmante entrée de Lilliputiens. Conseillé de réserver.

Le Savoie : 6-8, rue du Docteur-Ducoux, 41000 ***Blois.*** ☎ 02-54-74-32-21. Fax : 02-54-74-29-58. En face de la gare. Fermé du 15 décembre au 15 janvier. Chambres propres et gaies, de 39 à 46 € la double; grande chambre familiale tout confort à 60 € pour 4 personnes. Gentil petit hôtel à l'écart de l'agitation touristique. Atmosphère de pension de famille. Réservation recommandée. Très bon accueil. 10 % de réduction à nos lecteurs pour 2 nuits consécutives, de novembre à mai, sur présentation du *Guide du routard.*

Hôtel Saint-Jacques : 7, rue du Docteur-Ducoux, 41000 ***Blois.*** ☎ 02-54-78-04-15. Fax : 02-54-78-33-05. Face à la gare. Chambres doubles à partir de 25 €; prévoir 36 € pour une grande chambre tout confort; environ 48 € la chambre pour 4 personnes. Une petite adresse toute simple, les chambres sont assez grandes et lumineuses (les moins chères sont un peu plus petites) et surtout très bien tenues. Accueil charmant.

L'Embarcadère : 16, quai Ulysse-Besnard, 41000 ***Blois.*** ☎ 02-54-78-31-41. Au bord de la N 152, en direction de Tours. Formule à midi en semaine à 13 €; compter sinon entre 18 et 22 € à la carte; menu-enfants autour de 8 € avec des moules et deux boules de glace (non, elles ne sont pas servies ensemble !). Une guinguette à la déco et à l'ambiance sympathiques, sur les berges de la Loire, avec vue sur les gabares, les bans de sable et les canards. Qu'il vente, qu'il pleuve ou qu'il neige (et pourquoi pas qu'il fasse beau !), voici l'adresse idéale pour déguster moules, frites, poissons et fritures à prix doux. Pas gastro, mais rigolo.

➤ DANS LES ENVIRONS

Le château de Chaumont-sur-Loire : ☎ 02-54-51-26-26. Ouvert tous les jours, de 9 h 30 à 18 h du 15 mars à fin octobre, de 10 h à 16 h 30 de fin octobre à mi-mars. Fermé les 1er janvier, 1er mai, 1er et 11 novembre, et 25 décembre. Parc ouvert de 9 h à la tombée de la nuit. Entrée : 5,50 € ; gratuit pour les moins de 18 ans.
Le château appartenait à Catherine de Médicis. À la mort de son mari, Henri II, elle obligea Diane de Poitiers, sa rivale, à l'accepter en échange de Chenonceau, car Chaumont, avec son architecture massive, n'a pas le charme de Chenonceau. Le château se compose de 3 corps de logis encadrant une cour intérieure ouverte au nord sur la vallée et flanquée de 4 tours à mâchicoulis. Les princes de Broglie durent déplacer 2 hameaux, l'église et le cimetière pour agrandir le parc... On peut visiter également les écuries.
– ***Festival international des jardins :*** dans le parc du château, de début juin à mi-octobre, tous les jours de 9 h 30 à la tombée de la nuit. Renseignements au *Conservatoire des parcs et jardins et du paysage :* ☎ 02-54-20-99-22. Accès par une folie du XIXe siècle, un énorme tronc d'arbre en béton traversé par un escalier. Entrée : 8 € ; de 8 à 12 ans : 3,20 €. Parking à proximité de l'entrée, sur le plateau, près de la ferme.
Chaque été, une vingtaine d'artistes et de paysagistes venus du monde entier réalisent des jardins thématiques, exercices de style éphémères qui seront détruits dès l'hiver. Thème de l'année 2003 : « Mauvaises Herbes ». Tout un programme pour ce festival aussi célèbre aujourd'hui dans le monde des jardins que celui d'Angoulême pour les fans de B.D. ! Activités spécifiques pour les enfants : jeux de piste tous les jours, ateliers le week-end (et deux week-ends spéciaux entièrement consacrés aux enfants).

Jardins, cuisine et gastronomie sont associés en un restaurant, ***Le Grand Velum,*** au sein même du festival. ☎ 02-54-20-99-79. Menus de 28 à 31 €. Pour vous faire redécouvrir de nouvelles saveurs, un lieu assez unique en son genre, pour lequel on ne saurait trop vous conseiller de réserver et surtout d'être patient entre deux plats : dégustations et recettes à base de légumes et de fleurs, bien sûr... Rien n'empêche de se balader, si l'on trouve le temps d'attente un peu long, l'espace (vert) ne manque pas.
Sinon, ***libre-service*** très agréable sur le principe du comptoir méditerranéen : pâtes fraîches au look design, avec légumes de saison et jambon Serrano. Toutes sortes d'huiles d'olive, d'herbes et de fleurs à découvrir. Douceurs du Maghreb pour finir en beauté. L'après-midi, le lieu se transforme en salon de thé où l'on peut goûter.

➢ ***La Loire en bateau à voile :*** sorties de mai à octobre, les week-ends et jours fériés. Embarquement au port, face au château de Chaumont, autour de 14 h 30 (autre sortie à 17 h en été). ☎ 06-88-76-57-14. Tarif : 10 € ; réductions.

Où dormir dans le coin ?

Chambres d'hôte : chez M. et Mme Marseault, ***La Court-au-Jay.*** ☎ et fax : 02-54-44-03-13. À Candé-sur-Beuvron, suivre la direction « Chambres d'hôte Fleurs séchées »... Fermé de Noël au Jour de l'an. Dans une ferme, 3 chambres entre 35 et 38 €, petit dej' compris. Celle du rez-de-chaussée est particulièrement jolie. Superbe vue sur la campagne alentour, la vallée, la forêt et le village. Accueil sympa des propriétaires, qui confectionnent aussi de jolis bouquets secs. Les animaux ne sont pas acceptés, sans doute pour ne pas effrayer les poules et les poussins qui vivent en liberté dans le jardin. Une réduction de 10 % est accordée à nos lecteurs sur un séjour de 7 nuits consécutives sur présentation du *Guide du routard.*

LE CHÂTEAU DE CHEVERNY

Dans les environs : le château de Chambord • Le château de Villesavin

C'est une région où il est facile de se prendre pour un prince ou une princesse ou pour un chevalier servant ou une belle gente dame. Tant de châteaux, ça fait rêver... et surtout ça permet de connaître un peu mieux une partie de l'histoire de France. Mais en voici un, en plus, qui vous permettra de revivre, en un instant, bon nombre d'aventures de Tintin et Milou ! Bienvenue au château de Moulinsart, moussaillons !

LE CHÂTEAU DE CHEVERNY

À 14 km au sud-est de Blois sur la D 765. ☎ 02-54-79-96-29. • www.chateau-cheverny.fr • Ouvert d'octobre à mars, de 9 h 30 à 12 h et de 14 h 15 à 17 h (17 h 30 en octobre et mars) ; d'avril à septembre, de 9 h 15 à 18 h 15 (18 h 45 en juillet et août). Entrée : de 6 € (visite du château) à 15 € (visite complète, avec expo *Tintin* et découverte insolite du parc et du canal) ; réductions. Une entrée à tarif réduit (et une seule) est consentie pour la visite libre du château, du chenil et de la salle des trophées sur présentation du *Guide du routard.*

Ne vous fiez pas à l'aspect extérieur du château, qui, au premier abord, dégage une certaine froideur. Il fut construit en pierre de Bourré (vallée du Cher), qui a la particularité de blanchir avec le temps. Voici un des plus prodigieux châteaux de la Loire, et l'un des plus vivants aussi. Ce domaine appartient à la même famille depuis 600 ans, les Hurault. Photos de mariage et portraits d'enfants sont posés ici et là.
Venez dès l'ouverture, pour mieux profiter de l'atmosphère des lieux. L'intérêt de Cheverny réside, certes, dans sa décoration intérieure, datant de Louis XIII. Mais Cheverny présente, depuis quelques décennies déjà, un tout autre intérêt aux yeux des amateurs de B.D., qui viennent ici en pèlerinage. Hergé, le père de Tintin, s'est directement inspiré du château de Cheverny, auquel il supprima les ailes pour dessiner le *château de Moulinsart,* demeure et « port » d'attache du capitaine Haddock. De nombreux épisodes des aventures de Tintin (dont les fameux *Bijoux de la Castafiore*) ont pour théâtre cette propriété si souvent mise à mal par les expériences du professeur Tournesol (relisez *L'Affaire Tournesol* !). Dès lors, quoi de plus légitime que de dévoiler les ***Secrets de Moulinsart,*** à travers une exposition permanente, unique en son genre, qui fait revivre aux visiteurs, grandeur nature, les événements qui se déroulèrent dans ce lieu mythique ? On visite la chambre de Tintin, le labo du professeur Haddock, et on peut même écouter la Castafiore ! Une expo hors du commun, dans les communs...
Ne soyez donc pas étonné de rencontrer, ensuite, un sosie de Nestor à l'entrée du château, au pied du bel escalier de pierre qui permet l'accès à l'appartement du roi. Ne manquez pas la magnifique salle d'armes, qui abrite

CENTRE

une collection d'armes et d'armures des XVe, XVIe et XVIIe siècles ; quant à la chambre contiguë, elle contient 6 tapisseries des ateliers de Paris antérieurs aux Gobelins et des meubles très anciens.

➢ Une autre activité est proposée aux touristes en culottes plus ou moins courtes : une visite passionnante et accompagnée de la partie forestière du parc et du canal à bord de voiture et bateau électriques. Bienvenue dans un univers de verdure et de calme. Revigorant en diable. Il y a même des tables pour pique-niquer. Fonctionne de début avril à mi-novembre.

– Dans les communs, pour les amateurs, petit *musée de la Chasse*. La salle des trophées expose plus de 2000 bois de cerfs.

– Le château possède toujours une meute de 70 chiens pour la chasse à courre. Soupe aux chiens du 1er avril au 15 septembre à 17 h; le reste de l'année, le lundi et du mercredi au vendredi à 15 h sauf les jours fériés.

➤ DANS LES ENVIRONS

Le château de Chambord : à 16 km à l'est de Blois, sur la D 33. ☎ 02-54-50-40-00. Ouvert d'avril à septembre de 9 h à 18 h 15 et d'octobre à mars de 9 h à 17 h 15. Fermeture des caisses 30 mn avant. Fermé le 25 décembre, les 1er et 14 janvier et le 1er mai. Entrée : 7 €; familles nombreuses et jeunes de 18 à 25 ans : 4,50 €; gratuit pour les enfants jusqu'à 17 ans (oui!). Resto sur place (lire plus loin la rubrique « Où dormir? Où manger dans le coin? »).

En haute saison, parcours-spectacle nocturne « Les Métamorphoses »; concerts pendant l'été. Restaurant-salon de thé, à l'intérieur du château, ouvert également les soirs de spectacle (lire plus loin). Visites ludiques pour les enfants pendant les vacances scolaires : il y a plusieurs départs par jour. Durant tout un week-end de mai, « Monument jeu d'enfant » permet de découvrir Chambord sur le mode du divertissement et du jeu; renseignez-vous!

Symbole de la puissance royale, Chambord fut le rêve réalisé par François Ier : un château à l'architecture symbolique complexe au cœur d'un domaine riche en gibier. On vous le signale parce que c'est une des merveilles de la Renaissance et certainement le château le plus célèbre du val de Loire. Aujourd'hui, le château reçoit environ 800000 visiteurs par an dans ses 440 pièces, pour la plupart meublées. On ne se bouscule pas! Les enfants pourront ainsi notamment découvrir les jouets du comte de Chambord : de nombreuses pièces d'artillerie miniatures d'un réalisme saisissant. Le domaine est entouré par le plus grand mur de France (31 km) et c'est aujourd'hui le plus grand parc forestier clos d'Europe (5440 ha), équivalent en surface à la ville de Paris et sa périphérie!

➢ À proximité du château, les ***Écuries du maréchal de Saxe*** offrent en saison un grand spectacle d'art équestre qui retrace en plusieurs tableaux l'histoire de Chambord et au cœur duquel le cheval est roi. Tarifs : 7,50 €; enfants : 5,50 €. Les Écuries du maréchal de Saxe vous proposent aussi de découvrir le parc de Chambord en attelage. Renseignements : ☎ 02-54-20-31-01.

➢ Longues ***balades à vélo*** dans le parc, sentiers particulièrement agréables. Location à l'embarcadère : 5,25 € l'heure, 8,50 € la demi-journée; tarifs vite dégressifs.

➢ ***Promenades en barque :*** sur le Cosson. Pour découvrir d'une autre manière le château. De mi-mars à début novembre, avec ou sans accompagnateur. Durée : 1 h. Compter entre 11 et 19 € l'heure, pour 2 à 5 personnes. Également un bateau-promenade (catamaran électrique) pour 12 personnes et des locations de VTC. Visite guidée en bateau : 6,50 €. Renseignements : ☎ 02-54-33-37-54.

– ***Mise en lumière du château et du village :*** dès la tombée de la nuit, les soirs où il n'y a pas de parcours-spectacle (voir plus haut).

Le château de Villesavin : à 6 km au nord-est de Cheverny par la D 102 et à 9 km de Chambord. ☎ 02-54-46-42-88. Ouvert de début mars à fin septembre de 10 h à 12 h et de 14 h à 19 h (sans interruption en juillet et août) ; en octobre et novembre de 14 h à 17 h et en décembre uniquement le week-end. Visite guidée (durée : 45 mn). Entrée : 7,50 € ; 6,10 € sur présentation de cette édition. Un jeu-rallye dans le parc, pour permettre aux enfants de découvrir le nom du fantôme qui hante le château depuis le début du XXe siècle, est prévu afin de leur rendre la visite plus attrayante !
Qu'on ne s'attende pas à retrouver ici la démesure de Chambord : Villesavin est juste une gracieuse demeure aux proportions harmonieuses, édifiée au début du XVIe siècle par Jean Le Breton, secrétaire des Finances de François Ier : chargé d'administrer les travaux de Chambord, il était bien placé pour bénéficier des services des plus grands architectes et sculpteurs de la Renaissance, engagés (parmi 1 800 ouvriers et artistes !) à quelques kilomètres de là.
On y voit notamment une chapelle couverte de fresques, des salles au mobilier d'époque (précisons que le château est encore habité), un colombier à échelle tournante, une vasque florentine en marbre de Carrare, des voitures hippomobiles, juste à côté une belle collection de voitures d'enfant, ainsi qu'une collection originale : « Les Trésors du mariage ». Il s'agit d'un musée consacré au mariage de 1840 à 1950 à travers 7 scènes, meublées et décorées d'objets d'époque, retraçant une journée de noces au XIXe siècle. Dans les vitrines sont présentés les cadeaux que recevaient les époux et dans la dernière pièce, une collection de quelque 350 globes de mariage, reconnue pour être unique en Europe.

Où dormir ? Où manger dans le coin ?

Camping des Châteaux : 11, rue Roger-Brun, 41250 ***Bracieux.*** ☎ 02-54-46-41-84. Fax : 02-54-46-09-15. Ouvert d'avril à mi-octobre. Compter 12 € environ pour 2 personnes. Idéalement situé, à proximité des châteaux de Chambord, Cheverny et Villesavin, dans un parc de 8 ha. Pris en sandwich entre le Beuvron et la Bonneheure, possibilité de pêche. Également piscine, tennis et location de vélos et de voitures. 1 h de tennis offerte sur présentation du *Guide du routard.*

Hôtel des Trois Marchands : 41700 ***Cour-Cheverny.*** ☎ 02-54-79-96-44. Fax : 02-54-79-25-60. • www.hoteldes3marchands.com • Petite ville à 1 km du château de Cheverny. Dans la rue principale, à côté de l'église. Fermé le lundi, ainsi que de début février à mi-mars. Chambres doubles de 42 à 55 € ; chambres communicantes à 75 € pour 4 personnes ; possibilité d'ajouter un lit d'appoint à 5 €. Menus à 20,50 € en semaine, et sinon de 34 à 46 €. Quelques poutres apparentes sur la façade donnent à cette auberge un certain charme solognot. Deux salles, l'une bourgeoise et gastro, et une autre petite et rustique, pour goûter une bonne cuisine du pays. Réduction de 10 % accordée à nos lecteurs sur le prix de la chambre sur présentation du *Guide du routard.*

Château des Marais : route de Chambord, ***Muides-sur-Loire,*** 41500 Mer. ☎ 02-54-87-05-42. Fax : 02-54-87-05-43. • www.camping-des-marais.com • Ouvert tous les jours du 15 mai au 15 septembre. Compter 26 € à deux au camping, pour l'emplacement et la voiture. Le manoir propose aussi quelques chambres de 49 à 55 € selon le confort. Superbe camping 4-étoiles, dans le parc d'un ravissant manoir, avec emplacement pour tente ou location de mobile homes. Vraiment tout confort avec belle piscine, bar, billard, restaurant, épicerie et location de vélos. Paix et calme. Apéritif offert sur présentation du *Guide du routard.*

Restaurant-salon de thé du château de Chambord : 41250 ***Chambord.*** ☎ 03-54-33-34-71. Ouvert tous les jours pour le déjeuner, salon de thé l'après-midi. Terrasse en été dans la cour du château. Menus à 12 et 15 €. Compter sinon entre 17 et 26 €. Menu-enfants à 7,50 € (rien de royal, même si le suprême de volaille est accompagné de tagliatelles fraîches!). Difficile de ne pas avoir faim après la visite du château. Une bonne idée que de pouvoir déjeuner sur place. On peut se contenter de planches de charcuterie et fromages régionaux, ou d'un plat clin d'œil au terroir solognot. En dessert, difficile d'échapper à la Tatin ou à la crème brûlée.

LE ZOO-PARC DE BEAUVAL ET LES ATTRACTIONS DE LA VALLÉE DU CHER

Dans les environs : l'aquarium Aliotis • La cave champignonnière et la ville souterraine de Bourré • La Magnanerie

LE ZOO-PARC DE BEAUVAL

Sur la commune de ***Saint-Aignan*** (41110). ☎ 02-54-75-50-00. • www.zoobeauval.com • ♿ À 2 km au sud de Saint-Aignan, sur la D 675. Ouvert toute l'année, tous les jours de 9 h (10 h en hiver) à la tombée de la nuit. Entrée : 14 €; de 3 à 10 ans : 9 €.

|●| Plusieurs points de restauration dont un self et un espace pique-nique.

Plus de 3800 animaux disséminés dans un parc boisé de 17 ha, avec étangs, ruisseaux et multitude de fleurs. Grande spécialité du zoo-parc : les oiseaux exotiques. On en trouve environ 2000, de 300 espèces différentes, du cacatoès au toucan. Une cinquantaine de superbes fauves également, tous nés dans des parcs zoologiques : panthères noires, pumas, jaguars, mais surtout des lions et des tigres blancs. Rares et magnifiques. Seuls dix zoos au monde en possèdent. C'est en tout cas le seul à pouvoir vous montrer les deux.

À voir aussi : une réserve africaine, des gorilles et des primates, des spécimens de singes en voie de disparition, la ferme pour enfants, un des ours ayant servi au tournage du film de Jean-Jacques Annaud, *Gogol* (pas d'autographes, hélas!), et, pour finir, 4 serres tropicales qui accueillent plus de 600 oiseaux rares et en mouvement, ainsi que des reptiles et des serpents, des poissons (exotiques ou non), des lamantins (vous savez, le fameux chant des sirènes : eh bien, ce sont eux, ces gros mammifères, cousins du phoque, qui sont à l'origine de ce mythe. Eh oui, encore une illusion qui s'enfuit!), et aussi des koalas et des dendrolagues (kangourous roux), deux espèces rarissimes. Depuis 2003, 5 éléphants d'Afrique évoluent en liberté sur 5 ha de plaine.

Pour les enfants, passage obligé à la nurserie, où les petits rejetés par leurs parents sont élevés au biberon. Meugnon comme tout!

Également deux spectacles à ne pas manquer (de Pâques à mi-novembre seulement) : des otaries qui s'en donnent à cœur joie dans la plus grande piscine d'Europe (vitrée sur 2 m de haut, elle contient 3 millions de litres d'eau), et un ballet d'une cinquantaine de rapaces en vol libre, au-dessus de vos têtes; attention à la montée d'adrénaline! Belle aventure...

Un conseil : venez plutôt en fin d'après-midi (pas trop quand même, c'est grand!), quand il y a moins de monde et que les animaux ont faim. Il y a une tension incroyable dans les cages. Envoûtant.

LES ATTRACTIONS DE LA VALLÉE DU CHER

– ***Activités nautiques :*** évidemment, la présence du Cher à Saint-Aignan permet toutes sortes de loisirs : pédalo, barque, canoë-kayak, etc. Les baignades dans le Cher sont également autorisées, mais attention, il n'y a aucune surveillance ! On peut louer des canoës auprès de la société *Bateaux Roussineau* à Saint-Aignan. ☎ 02-54-75-00-57 (de 8 h 30 à 21 h). À la journée ou plus. Par ailleurs, on trouve une base nautique, *Les Couflons,* à Seigy, à 2 km de Saint-Aignan. École de voile, location de planches à voile ou de canoës-kayaks, stages, descente du Cher sauvage et canalisé, etc. Renseignements : ☎ 02-54-75-44-90.

➢ ***Croisière :*** à bord du *Léonard de Vinci II.* ☎ 02-54-75-41-53. D'avril à octobre, les week-ends et jours fériés ; tous les jours en juillet et août. Départs à 15 h et 17 h. Durée : 1 h 30. Balade commentée au départ de Montrichard avec passages d'écluses pour l'animer. Compter 9 € par personne.

– ***Piscine en plein air :*** sur l'île-plage. ☎ 02-54-75-09-25. Ouvert tous les jours en été, de 10 h 30 à 19 h 45.

Où dormir ? Où manger ?

🏠 🍽 ***Grand Hôtel Saint-Aignan :*** 7-9, quai J.-J.-Delorme, 41110 ***Saint-Aignan.*** ☎ 02-54-75-18-04. Fax : 02-54-75-12-59. ♿ Fermé le dimanche soir, les lundi et mardi de novembre à fin mars ; congés annuels : la dernière quinzaine de novembre et de mi-février à début mars. Chambres doubles de 43 à 52 €. Menus à 15 € (sauf le week-end), et de 23 à 33 €. Anciennes tanneries recouvertes de lierre et installées face au Cher. Cadre chaleureux, chic et agréable avec ses tapisseries médiévales. Jolies chambres à tous les prix. Plusieurs familiales (les plus chères, en fait), certaines avec une vue sur le Cher. Cuisine à l'image de la maison : du sérieux, du goûteux (qui a dit : pas toujours copieux ?). Super accueil. Une adresse où l'on se sent bien, tout simplement. 10 % de réduction sur le prix de la chambre de novembre à fin mars sur présentation du *Guide du routard.*

🏠 ***Chambres d'hôte Sousmont :*** chez Geneviève Besson, 66, rue Maurice-Berteaux, 41110 ***Saint-Aignan.*** ☎ et fax : 02-54-75-24-35. En venant de Blois, traversez les 2 ponts à l'entrée de la ville ; au feu, tournez à gauche et au suivant à droite. Ouvert toute l'année. Chambres doubles de 40 à 50 €, petit dej' compris ; suite pour 4 personnes avec sanitaires privés à 82 €, chambre familiale pour 4 personnes à 66 €. À deux pas du centre, une maison de ville du XIXe siècle. Décoration soignée. C'est le jardin qui nous a fait craquer (Monet l'aurait adoré...) ! À la française, avec une vieille balançoire, il offre la plus belle vue de la ville sur le château privé (72 pièces !) et la collégiale de Saint-Aignan (c'est le moment d'apporter votre chevalet). Le seul inconvénient, c'est la route qui passe en bordure de la maison, mais le trafic est quasiment nul la nuit ; et puis on ne peut pas tout avoir ! Sourire et gentillesse au rendez-vous. Parking payant.

🍽 ***Le Crêpiot :*** 36, rue Constant-Ragot, 41110 ***Saint-Aignan.*** ☎ 02-54-75-21-39. Ouvert du mercredi (mardi soir en été) au dimanche soir. Fermé 2 semaines en février et 2 semaines en automne. Menus à 12,20 et 19,20 € ; menu-enfants à 6 €. Dans une ruelle pentue menant au centre-ville, un petit resto-crêperie offrant tous les midis un bon petit plat du jour. Cuisine sans prétention mais honnête et adaptée aux petits porte-monnaie. Le patron est dynamique et super sympa, et propose une sélection de petits vins de la région que vous pourrez déguster au verre. Apéro ou café offert à nos lecteurs sur présentation du *Guide du routard.*

🍽 ***Chez Constant :*** 17, pl. de la Paix, 41110 ***Saint-Aignan.*** ☎ 02-54-75-10-75. Fermé lundi et mardi hors saison (sauf jours fériés). Menu à 11 € le midi en semaine, et autre menu à 16 €. Menu-enfants à 7 €. Compter 23 € à la carte. Un restaurant assez étonnant, dans le centre ancien, où se retrouve une clientèle de tous âges, de toutes conditions, autour des plats d'un jeune chef qui promet : chausson d'andouillette et chèvre du pays pour n'en citer qu'un. Plats plus simples pour les enfants. Bons vins de pays pour les grands, à prix sagement tarifés. Un lieu où on se sent bien. Belle terrasse sur la place, sous les tilleuls, aux beaux jours.

➤ DANS LES ENVIRONS

L'aquarium de Sologne, Aliotis : Le Moulin des Tourneux, 41200 ***Villeherviers.*** ☎ 02-54-95-26-26. • www.aliotis.com • ♿ Sur la D 724 en direction de Salbris, à l'est de Montrichard. De janvier à mars et d'octobre à décembre, ouvert les mercredi, dimanche, jours fériés et vacances scolaires de 13 h 30 à 18 h ; d'avril à juin, tous les jours de 10 h à 18 h 30 ; en juillet et août, de 10 h à 19 h 30. Entrée : de 9 à 10 € (selon saison) ; enfants de 3 à 14 ans : de 6 à 7 € ; possibilité de passeport famille.
Aliotis, c'est l'aventure d'un homme qui a passé plus de 20 ans en Afrique et a construit lui-même chacun des aquariums que vous verrez. Plus de 120 bacs, avec des rochers de polystyrène recouverts de ciment et peints, qui donnent l'illusion de vrais fonds sous-marins. Le plus grand des caissons mesure 30 m de long sur 10 m de large et 2 m de haut. Il contient 600 t d'eau. Les thèmes, vraiment très instructifs, vont des rivières de France et de leur population sous-marine à toutes les mers exotiques et lointaines : poissons électriques, poissons-serpents, poissons à pattes, carpes japonaises, koï et, le clou, des petits requins, piranhas, un céphalopode des Philippines, l'espèce qui vit en profondeur dans le noir total, grâce à quoi elle perdure depuis 65 millions d'années. Ne ratez pas le poisson-tigre et, dans un style plus délicat, les « joyaux de la mer », des coffrets précieux dans lesquels on vous offre corail, écrevisses, étoiles de mer, etc. Sans oublier Jonas l'alligator, dans son marécage reconstitué, et la découverte de l'univers des pieuvres (avec des tests d'intelligence et nourrissage par un plongeur les mardi et vendredi). Des séances de nourrissage ont lieu tous les après-midi : les enfants peuvent même nourrir deux requins « nourrices » !
– Également un parc de 6 ha avec, pour les enfants, de nombreuses activités gratuites (de mai à août) : chasse au trésor (à la recherche de pépites d'or !), pêche aux coquillages et dents de requins, l'île aux Enfants (avec des animaux nains)...
➢ Sympa mais payante, une balade sur des tout petits bateaux électriques (remorqueur, chalutier, bateau à aube...).

La cave champignonnière et la ville souterraine de Bourré : 40, route des Roches, 41400 ***Bourré.*** ☎ 02-54-32-95-33. À 3 km de Montrichard par la D 176. Ouvert sans interruption de 10 h à 18 h. Visites guidées de la champignonnière d'environ 45 mn à 1 h ; ajoutez 30 mn pour la carrière d'extraction du tuffeau et la ville souterraine. Entrée pour chacun des sites : 5,50 € ; entrée pour les deux sites : 9,50 €.
Visite souterraine, déconseillée aux claustros ! Ancienne carrière de tuffeau, ces caves, depuis le siècle dernier, servent en partie à la culture des champignons, leur humidité s'y prêtant à merveille, faisant de la région l'un des premiers centres champignonniers du pays. On descend d'abord à plus de 40 m sous la roche (prenez une petite laine) afin de tout savoir sur les anciennes techniques d'extraction de la pierre et sur la culture des champignons.

C'est un autre univers qui vous attend, à quelques pas de là, le temps de traverser d'autres galeries, vides, de pousser une grille à la présence insolite... Une lumière qui jaillit, et nous voilà transportés dans une ville souterraine, créée entièrement par la main de l'homme du XXIe siècle. Il ne manque plus que le « Fantôme de l'Opéra » et la musique pour donner vie à cette scène fantastique : plus de 1 500 m^2 de bas-reliefs d'un réalisme incroyable (ils ont encore de la place, la famille Delalande possédant quelque 80 km de galeries !). Tailleurs de pierre et sculpteurs continuent, aux heures creuses (sans jeu de mots), de faire revivre le passé, faisant apparaître ici un escalier, là une maison d'autrefois, soignant le détail des portes, des fenêtres. Attention, fragile, on ne touche pas !

La Magnanerie : 4, chemin de la Croix-Bardin, ***Bourré.*** ☎ 02-54-32-63-91. Sur la D 176, en venant de Montrichard, à 300 m environ avant l'entrée du village. Ouvert d'avril à fin octobre. Fermé le mardi. Entrée : 5,50 € pour les adultes ; 4,50 € pour les grands routards et 2,50 € pour leurs bambins, sur présentation de ce guide.
Une fois sur place, vous comprendrez et partagerez la passion de la famille Coquillat pour leur demeure troglodytique. Vous y découvrirez les habitations, les carrières ensoleillées avec tous les outils et les explications des techniques d'extraction du tuffeau, la pierre des châteaux, l'espace vigneron (pressoir), les greniers, etc. Au 3e niveau, la Magnanerie du XVIIe siècle, taillée en roc, où l'élevage des vers à soie a repris. Bref, c'est instructif, et de plus l'accueil est charmant.

Où dormir ? Où manger dans le coin ?

Camping du port et gîte d'étape au château : à ***Mareuil-sur-Cher*** (41110). ☎ 02-54-75-15-13 (mairie) ou ☎ 02-54-32-79-51 (direct). Un superbe camping municipal 3 étoiles (40 emplacements), installé au bord de l'eau, sur un méandre du Cher. Entrée par la cour du manoir. Calme et verdure ; tous commerces à proximité. Location de vélos, pédalos, barques ; idéal pour la pêche. Propose également l'hébergement dans un gîte au château (pour 6 à 24 personnes).

Camping municipal L'Étourneau : rue Vieille-de-Tours, 41400 ***Montrichard.*** ☎ 02-54-32-10-16. Le long du Cher. Ouvert de juin à mi-septembre. Compter autour de 8 € pour deux. Le seul dans la ville. 90 emplacements. Bien équipé : douches chaudes, électricité, cabines téléphoniques, bacs à laver le linge, jeux pour enfants, etc.

Gîtes et chambres d'hôte La Maison Rouge : chez Monique Debruyne, 7, rue de la Boule-d'Or, 41400 ***Pontlevoy.*** ☎ et fax : 02-54-32-52-69. À 8 km au nord de Montrichard. Du centre de Pontlevoy, prendre la direction Chaumont (face à la mairie), puis tourner dans la 2e rue à gauche. Gîtes à environ 305 € la semaine en haute saison, 198 € en basse saison ; ou 137 € le week-end sauf en saison. Chambres doubles de 36 à 48 €, petit dej' compris. Cuisine à disposition pour les hôtes en chambres. Pour l'anecdote, sachez que la maison a servi de dortoir aux soldats de Napoléon ! Excellent accueil des propriétaires qui gèrent une exploitation de céréales.

Table d'hôte Ferme de Balanne : 6, rue Balanne, Les Martinières, 41130 ***Billy.*** ☎ 02-54-97-61-47. De Selles-sur-Cher, direction Blois, Saint-Aignan puis Billy ; dans le bourg, direction Pruniers ; faire 2,5 km et c'est sur la droite. Fermé le mardi et entre Noël et le Jour de l'an. Repas à 16 € et nuitée à 16 € par personne dans un gîte d'une dizaine de places (assez simple) ou dans une petite maison, idéale pour une famille de 4 personnes, draps et petit dej' compris. Fermette sans fioritures, pour déjeuner et dîner en toute quiétude. Aux beaux jours sous les ombrages de la basse-cour, le repas s'étire lentement en compagnie des poules, du coq, du chien et des chats. Une cuisine simple, fraîche et inspirée. Accueil généreux, sensible et attentif. Digestif offert à nos lecteurs.

AMBOISE

Dans les environs : le château de Chenonceau • La réserve de Beaumarchais • L'aquarium de Touraine • Le château de La Bourdaisière

Amboise donne l'impression d'être une terre paradisiaque pour les enfants. On a eu du mal à choisir entre toutes les curiosités proposées. Voici donc notre programme.

🎡🎡 ***Les Mini-Châteaux :*** 37400 ***Amboise.*** Renseignements : ☎ 0825-08-25-22. Sur la rocade d'Amboise, à l'intersection de celle-ci et de la route de Chenonceau (la D 61). Ouvert d'avril à juin et en septembre de 10 h à 18 h, en juillet et août de 10 h à 19 h et d'octobre à mi-novembre de 10 h 30 à 17 h. Entrée : 12 €; enfants : 9 €.
D'accord, il y a du monde (allez-y le matin ou en toute fin de journée), mais pour ceux qui voudraient découvrir les châteaux de la Loire à l'échelle de Lilliput, c'est assez magique. L'idée est originale : les 45 maquettes de châteaux au 1/25, les 9000 bonsaïs et les 5 réseaux de train modèles réduits et bateaux sont plutôt réussis. Dommage toutefois que le parc soit autant fréquenté, surtout l'été (tant mieux pour certains!).
Reste à savoir avec quelle idée on vient sur ce site : non, vous n'aurez pas tout vu en visitant ce parc, même s'il est bien réalisé. Rien ne vaut l'authentique. Alors pourquoi ne pas y aller pour choisir les visites à faire par la suite?
Les enfants en tout cas pourront découvrir toutes les richesses architecturales de la région en une visite, comparer les différents styles, mais on pense qu'ils seront surtout fous du réseau ferroviaire.
➢ ***Sur la piste de l'enfant Roy :*** sur place, construction d'un château en mousse et livret pédagogique avec jeux remis aux enfants.

🎡🎡🎡 ***Le château d'Amboise :*** 37400 ***Amboise.*** ☎ 02-47-57-00-98. • www.chateau.amboise@wanadoo.fr • Ouvert tous les jours, sauf les 1er janvier et 25 décembre; en janvier et décembre, de 9 h à 12 h et de 14 h à 16 h 45; de février à mi-mars et en novembre, de 9 h à 12 h et de 14 h à 17 h 30; de mi-mars à fin mars, en septembre et en octobre, sans interruption de 9 h à 18 h; d'avril à juin, de 9 h à 18 h 30; en juillet et août, de 9 h à 19 h 30. Entrée : 7 €; enfants de 7 à 14 ans : 4 €. Visite guidée sans supplément de prix (45 mn), ou libre.
Le château d'Amboise est le premier château du val de Loire à introduire le goût de l'italien, dès la fin du XVe siècle. Son architecture, son riche mobilier témoignent de la transition du style gothique flamboyant au style Renaissance. De la terrasse, superbe panorama sur la ville et la Loire. Sur un côté de la terrasse, la petite chapelle Saint-Hubert, vrai bijou d'architecture gothique de la fin du XVe siècle, est juchée sur un contrefort. Elle abrite les ossements de Léonard de Vinci, que François Ier avait attiré à Amboise. De chaque côté de cette terrasse, deux énormes tours rondes contenant chacune une rampe en spirale afin que les chevaux puissent y monter. Lors des invasions, les villageois montaient par ces tours pour se réfugier au château. En mai, le château vit à l'heure de la *passegiatta* italienne et propose des soirées aux chandelles ponctuées de comédies et de musique. En juillet et août, des jeux Renaissance agrémentent la promenade du parc (jeux de bil-

lard, mail). Si possible, ressortir par la rampe de la tour Heurtaut, moins fréquentée, et surtout pour y admirer la petite galerie de gargouilles et modillons tellement expressifs.

➢ ***Sur la piste de l'enfant Roy :*** un jeu de piste offert à chaque enfant à travers le château et son parc pour découvrir l'histoire tout en s'amusant !

– ***À la cour du Roy François :*** au château même ; spectacle historique du genre superproduction – féerie nocturne, effets pyrotechniques, jeux d'eau et des centaines de figurants... Se renseigner au bureau de tourisme ou au ☎ 02-47-57-14-47. • www.renaissance-amboise.com • De fin juin à fin août, les mercredi et samedi soir. Tarif gradins : 10 € ; enfants de 6 à 14 ans : 5 €.

La Maison enchantée : 7, rue du Général-Foy. ☎ et fax : 02-47-23-24-50. De janvier à mars, en novembre et en décembre, ouvert de 14 h à 17 h ; d'avril à juin, en septembre et en octobre, de 10 h à 12 h et de 14 h à 18 h ; en juillet et août, de 10 h à 19 h. Fermé le lundi de septembre à mars. Entrée : 5,40 € ; enfants de 3 à 14 ans : 4,30 €.
Une vingtaine de scènes animées par... des automates ! En tout, 300 personnages, de Léonard de Vinci au docteur Jekyll. Également une vidéo explicative, sympa pour les enfants. Très bien fait.

La pagode de Chanteloup : ☎ 02-47-57-20-97. • www.amboise-valdeloire.com • À 3 km au sud d'Amboise. Ouvert tous les jours d'avril à la mi-novembre ; en octobre et novembre, ouvert les jours fériés et pendant les vacances scolaires de 10 h à 17 h. En avril, de 10 h à 12 h et de 14 h à 18 h en semaine, sans interruption le week-end ; en mai et septembre, de 10 h à 18 h 30 ; en juin, de 10 h à 19 h ; en juillet et août, jusqu'à 19 h 30. Entrée : 6 € ; de 7 à 15 ans : 4 €.
C'est tout ce qui reste d'un splendide château créé au XVIIIe siècle par la princesse des Ursins, puis propriété du duc de Choiseul, ministre de Louis XV. Devenu trop cher à entretenir, il fut revendu pièce par pièce en 1823. On visite un petit musée consacré à son histoire avant de gravir les marches de la pagode pour admirer les environs. Haute de 44 m, son style un peu loufoque rappelle à quel point le XVIIIe siècle aimait les chinoiseries. Le prix de la visite paraît un peu élevé, mais autorise à pique-niquer, à se promener dans le parc et à pêcher dans l'étang (carpes, brochets, etc.). En été, barques, promenades en calèche, croquet, quilles de bois géantes et jeux en bois de cèdre... pour vous amuser comme les rois d'antan.
Crêperie ou service de paniers pique-nique.

➢ ***Sur la piste de l'enfant Roy :*** jeux pédagogiques remis aux enfants et aux ados.

CENTRE

Où dormir ? Où manger ?

L'Arbrelle : route des Ormeaux, 37400 ***Amboise.*** ☎ 02-47-57-57-17. Fax : 02-47-57-64-89. • arbrelle@wanadoo.fr • À 3 km d'Amboise sur la D 81 en direction de Chenonceau, et en face du parc des Mini-Châteaux. Chambres doubles de 46 à 90 € en haute saison (46 à 65 € en basse saison). Duplex pour 4 personnes à 98 € (86 € en basse saison). Chouette hôtel situé en lisière de forêt, en pleine verdure et au calme. L'idéal avec des enfants. Les chambres sont spacieuses et dotées pour la plupart de balcons ou terrasses, TV, et les duplex sont parfaitement adaptés aux familles. Grand parc avec balançoires et petite piscine. Resto avec terrasse aux beaux jours et cheminée en hiver.

Hôtel du Lion d'Or : 17, quai Charles-Guinot, 37400 ***Amboise.*** ☎ 02-47-57-00-23. Fax : 02-47-23-22-49. Dans le centre-ville, face à la Loire et au pied du château. Fermé les dimanche soir et lundi hors saison, le mardi de mi-avril à fin juin ; congés annuels : en janvier. Chambres doubles avec douche ou bains autour de 50 € ; chambres pour 4 personnes à 68 € avec 2 grands lits ; chambres pour 5 personnes à 87 €

avec un grand lit et 3 petits. Plusieurs menus de 15 € (sauf le dimanche et les jours fériés) à 33 €. Tout ce qu'il faut pour les enfants. Un établissement qui a un certain chic, avec sa vaste réception et sa salle de restaurant aux faux airs de château. À table, une cuisine appliquée. Le tout servi promptement et avec gentillesse. En étage, c'est tout autre chose car la partie hôtelière n'a pas encore été rénovée. Les chambres sont propres mais vieillottes et dépouillées. Les plus agréables donnent sur le quai ; elles sont un peu bruyantes mais plus lumineuses, certaines avec balcon. Garage payant. Café offert à nos lecteurs sur présentation du *Guide du routard.*

|●| ***La Florentine :*** 46, pl. Michel-Debré, 37400 ***Amboise.*** ☎ 02-47-57-49-49. En plein cœur du vieil Amboise, au pied du château. Fermé de mi-octobre à fin janvier et le lundi hors saison. Compter de 12 à 18 € selon votre faim et votre soif ; menu-enfants à 6,50 €. Un mignon resto-pizzeria au cadre chaleureux, avec un vieux piano droit comme un mur et des cuisines partiellement ouvertes sur la salle. Pour apprécier de délicieuses pizzas bien garnies, des salades ou de solides plats de pâtes. Une équipe majoritairement féminine, dynamique et fort sympathique. Pas d'esbroufe ni d'excentricité. Une adresse réjouissante de simplicité.

|●| ***Crêperie Anne de Bretagne :*** 1, rampe du Château, 37400 ***Amboise.*** ☎ 02-47-57-05-46. Fermé en décembre et janvier. Menus de 8,60 à 14,10 € ; plat du jour autour de 6 € ; menu-enfants à 5,50 €. Une crêperie qui tient la rampe (du château) avec sérieux, et maintient un niveau de qualité tout à fait honnête malgré le nombre de clients servis. Anne de Bretagne a dû leur confier quelques recettes car leurs crêpes (carrées !) sont effectivement bonnes. Café offert à nos lecteurs.

|●| ***Pâtisserie Bigot et salon de thé Le Fournil :*** pl. Michel-Debré, 37400 ***Amboise.*** ☎ 02-47-57-04-46. À l'angle de la rue Nationale. Près de l'entrée du château. Ouvert non-stop du 1er avril à début novembre, de 9 h à 19 h 30 au moins. Fermé le lundi en hiver ; congés annuels : de mi-novembre à fin janvier et 15 jours en février. Pâtisseries à moins de 3 €. Un excellent salon de thé et une chocolaterie de renom, tenue par 4 générations depuis 1913. L'endroit idéal pour goûter. Spécialité aussi de glaces maison. Très bon café préparé et servi en cafetière à piston. L'atelier-chocolaterie se visite dans la rue qui débouche de l'autre côté de la place, les mercredi et samedi de 13 h à 16 h de Pâques à la Toussaint ; l'entrée est libre. On peut non seulement s'y instruire sur le métier de chocolatier, mais aussi déguster les produits qui sont en vente.

➤ DANS LES ENVIRONS

★★★ ***Le château de Chenonceau :*** au sud d'Amboise, suivre la D 31 sur 8 km, et prendre à gauche à La Croix-en-Touraine sur 7 km. ☎ 02-47-23-90-07. • www.chenonceau.com • ♿ (au rez-de-chaussée uniquement). Visite tous les jours de 9 h à 19 h du 16 mars au 15 septembre ; jusqu'à 18 h 30 la 2e quinzaine de septembre ; jusqu'à 18 h la 1re quinzaine de mars et d'octobre ; jusqu'à 17 h 30 la 2e quinzaine d'octobre et de février ; jusqu'à 17 h la 1re quinzaine de novembre et de février, et enfin jusqu'à 16 h 30 du 16 novembre au 31 janvier. Entrée : 8 € ; enfants de 6 à 15 ans : 6,50 €. Son et lumière du 1er juillet au 31 août ; séance unique à 22 h (5 € ; gratuit pour les moins de 7 ans) ; durée : 1 h 30.

|●| Self-service et crêperie sur place.

On ne peut pas passer à Amboise sans faire un détour pour voir un des châteaux les plus connus de la région, surtout après l'avoir découvert en miniature au parc des Mini-Châteaux.

Chenonceau est appelé à juste titre « château des Dames », puisqu'il est l'œuvre de 6 femmes, qui le firent construire et embellir à partir du XVIe siècle. Si vos bambins sont découragés par la découverte des importantes collections du château – mobilier Renaissance, tapisseries des XVIe et XVIIe siècles, tableaux de maîtres, etc. –, vous pouvez toujours les emmener se promener dans les somptueux jardins de Diane de Poitiers et de Catherine de Médicis, ou bien dans les 70 ha de parc, qui constituent un terrain de jeux idéal pour les historiens en herbe !

➢ ***Promenades en barque sur le Cher :*** en juillet et août seulement.

*** ***La réserve de Beaumarchais :*** 37110 ***Autrèche.*** ☎ 02-47-56-22-30. À 12 km au nord d'Amboise par la D 31 et à 1,5 km de la sortie Amboise-Château-Renault de l'A 10. Ouvert d'avril à septembre, de 10 h à 19 h (20 h en juillet et août). Le reste de l'année, ouvert de 10 h 30 à 18 h. En octobre, le week-end, visite à 11 h, 14 h 30 et 16 h. Pendant les vacances de la Toussaint, visite tous les jours à 11 h, 14 h 30 et 16 h. Entrée : 5 € ; moins de 12 ans : 4,50 €.
Un bel élevage de sangliers (et autres gibiers) sur 30 ha. Unique en son genre et très instructif. On apprend que le sanglier est un animal intelligent et qu'il ne faut pas le comparer au cochon ! Quant au marcassin, il perd ses rayures à 3 mois pour devenir une « bête noire juvénile » avant de s'armer de défenses. On peut aussi y voir des cerfs, des daims (les cousins du cerf), des chevreuils, des mouflons de Corse, des nandous (petites autruches), des émeus, des bisons, des autruches... Après la visite en petit train, petit film projeté dans une belle étable circulaire.
➢ ***Sur la piste de l'enfant Roy :*** livret pédagogique avec jeux remis aux enfants.
– Également un petit parc de loisirs avec aire de jeux et tables pour pique-niquer.

|●| Mais la meilleure solution pour déjeuner sur place est l'***Auberge de la Réserve*** (fermée le lundi, sauf jours fériés). Menus à 17 et 22 €, menu-enfants à 8 €, avec spécialités de gibier évidemment. Délicieux. Possibilité d'acheter terrines, rillettes et plats cuisinés à la boutique.

* ***L'aquarium de Touraine :*** 37400 ***Lussault-sur-Loire.*** Renseignements : ☎ 0825-08-25-22 (0,15 €/mn). Mêmes horaires que les Mini-Châteaux. Entrée : 10 € ; enfants : 6 €. Les poissons sont nourris tous les jours (tant mieux pour eux !) à 11 h et à 16 h. Très fréquenté par les autocaristes.
À l'intérieur, près de 50 bassins et des milliers de poissons. On y découvre, entre autres, des esturgeons (l'histoire ne dit pas si l'on en récolte les œufs), des piranhas, des silures (appelés aussi poissons-chats et apparus en 1977 pour la première fois en France) ou encore des caïmans et des requins (requins nourrices, requins pointes blanches et requins pointes noires). Bassin tactile et espace jeux pour les enfants.
➢ ***Sur la piste de l'enfant Roy :*** à la fin de votre petit itinéraire parmi les poissons, une projection en 3D ainsi qu'un cinéma dynamique vous attendent. Maquillage sur le thème des poissons.

** ***Le château de La Bourdaisière :*** au sud de Montlouis. ☎ 02-47-45-16-31. Bien que le château abrite de somptueuses chambres d'hôte (pour nos lecteurs fortunés uniquement !), on peut le visiter. Ouvert d'avril à octobre : en avril et octobre de 10 h à 12 h et de 14 h à 18 h ; de mai à septembre de 10 h à 19 h. Entrée pour le château et les jardins : 8 € ; gratuit pour les moins de 8 ans. Le prix comprend la visite guidée du château, du potager à l'ancienne avec son conservatoire de la tomate, la promenade libre dans le parc et du 15 juin au 15 septembre (sauf le samedi) un spectacle de vol d'oiseaux de proie et de fauconnerie.
Le « lupanar » des rois ! D'abord François Ier qui venait y honorer les charmes de Marie Gaudin, dite la belle Babou, l'épouse de son ministre des

CENTRE

Finances et maître des lieux, Philibert Babou. Ensuite, Henri IV à qui Gabrielle d'Estrées faisait tourner la tête...
De la forteresse médiévale, seuls subsistent les douves (XIIIe-XIVe siècles) et les souterrains qui menaient jusqu'à Amboise pour échapper à l'ennemi ! On peut s'en approcher mais pas vraiment les visiter. Le château actuel, construit dans un style Renaissance, date du XIXe siècle. En pénétrant dans la salle à manger, on a l'impression que la table est dressée à notre intention. Il ne manque que le fumet d'un savoureux festin.
Plus que la visite du château (courte, cela dit), c'est le potager à l'ancienne, créé par le Prince Jardinier, Louis-Albert de Broglie, qui intéressera les enfants. D'autant qu'il n'est pas interdit de goûter ! Pas moins de 20 variétés de menthe, 50 de basilic et surtout, le clou de la visite, des tomates en-veux-tu-en-voilà : rouges, blanches, jaunes, orange, violettes, vertes... De quelques dizaines de grammes à plus d'1 kg ! Et de toutes les formes : en poire, en cerise, en olive, en poivron, en piment... Gloire à ce fruit-légume importé du Nouveau Monde au XVIe siècle ! Ce ***conservatoire de la tomate*** compte près de 500 variétés, réparties par thème à travers un parcours aussi didactique qu'esthétique. Confitures, moutardes et autres conserves à base de tomate envahissent les étalages de la superbe boutique du Prince Jardinier créée dans les anciennes écuries. Un atelier de dégustation est mis en place de juillet à septembre. On peut y apprécier les différents goûts de tomates et le vin de la maison.
Enfin, le parc, planté de cèdres et de séquoias, est magnifique et ce serait dommage de ne pas en profiter. On peut même y pique-niquer (proprement, cela va sans dire).
➢ ***Sur la piste de l'enfant Roy :*** livret pédagogique avec jeux remis aux enfants.

CENTRE

Où manger dans le coin ?

|●| ***Relais de Belle Roche :*** rue de la Vallée, 37270 ***Montlouis-sur-Loire.*** ☎ 02-47-50-82-43. Prendre la D 140, à côté du château de La Bourdaisière. Ouvert toute l'année. Menus de 14,50 à 30,50 €, à la carte compter autour de 30 €. Restaurant aménagé dans une ancienne cave à vin où l'on voit encore le puits permettant de jeter le raisin. Salle de caractère pour une bonne cuisine gastronomique. Pas de menu-enfants mais le patron se mettra en quatre pour concocter à votre progéniture un délicieux petit plat adapté. Bon accueil. Café offert à nos lecteurs.

LE CHÂTEAU ET LES JARDINS DE VILLANDRY

Dans les environs : la Récréation

LE CHÂTEAU DE VILLANDRY

Renseignements : ☎ 02-47-50-02-09. Ouvert tous les jours de février à novembre : du 1er mai à fin septembre, de 9 h à 18 h ; sinon téléphoner pour connaître les horaires exacts. Billet combiné château et jardins : 7,50 € ; jardins seuls : 5 € ; gratuit pour les moins de 8 ans.
|●| Boutique cadeaux, librairie, restaurant, boutique jardin.

Depuis 1906, le domaine de Villandry est habité par la famille Carvallo (4e génération actuellement). Ses jardins figurent parmi les plus beaux d'Europe.
Récemment, l'aménagement intérieur du château a été entièrement repensé, avec la création de nouvelles pièces prestigieuses. Ne manquez pas : *la cuisine Renaissance* (au rez-de-chaussée), la seule pièce à avoir gardé sa structure du XVIe siècle, avec ses fruits et légumes mis en scène parmi poutres, pierres apparentes et ustensiles anciens. *La salle à manger provençale,* avec sa grande fontaine intérieure, est une des pièces les plus marquantes du château. *La chambre du prince Jérôme,* l'une des plus belles chambres du château, est dotée de superbes soieries réalisées par la maison Roze, l'une des plus anciennes de France, et *le grand salon du XVIIIe siècle* est orné de tapisseries flamandes du XVIIe siècle, boiseries et photos de famille. Enfin, *les chambres d'enfants,* animées de jouets anciens, feront sans doute rêver votre progéniture ! Enfin, levez les yeux et admirez le plafond arabe, provenant d'un palais du XIVe siècle de Tolède en Espagne. À l'époque, il était démonté en plus de 3000 morceaux ! Un vrai puzzle, en bois de cèdre décoré à la feuille d'or. Il a fallu 10 ans à un ouvrier tourangeau pour le reconstituer et aménager une pièce sur mesure pour l'accueillir !

LES JARDINS DE VILLANDRY

Ouvert toute l'année, tous les jours de 9 h à la tombée de la nuit ; du 1er mai à fin septembre, de 9 h à 19 h 30.

Ces jardins feraient presque de l'ombre au château, tant leur réputation a fait le tour du monde. Ils occupent 3 niveaux différents. Le jardin d'ornement, au niveau intermédiaire, situé façade sud du château, est formé de hauts buis et divisé en 4 carrés, chacun représentant une des formes de l'amour. Ainsi, les glaives dessinés suggèrent les duels et donc l'amour tragique. D'ailleurs, en été, le parterre fleurit rouge, couleur de sang... Quant au potager, au niveau inférieur, c'est un chef-d'œuvre ! Si vous n'avez pas l'intention de revenir, sachez qu'il y a un diaporama grand écran sur les 4 saisons du jardin. Également un « jardin de simples » ou jardin de senteurs, que l'on peut visiter les yeux fermés, en passant de la verveine-citronnelle à la menthe, etc. Enfin, pour les enfants, parc aux ânes ainsi qu'un labyrinthe de charmille. Nombreuses animations l'été. Un pur enchantement.

Où dormir ? Où manger ?

Gîtes de la Racaudière : sur les hauts de ***Villandry,*** à 2 km du village en direction de Druye. ☎ et fax : 02-47-50-02-04. • www.la-racaudiere.com • Compter de 600 à 900 € la semaine. Au cœur d'une ferme du XVIIIe siècle, Philippe et sa femme, qui ont décidé de se lancer dans une nouvelle vie, proposent 4 gîtes indépendants (4-6 personnes) pleins de charme et dotés de tout le confort. Dans le parc, la piscine et les jeux pour enfants feront plaisir à toute la famille.

Étape gourmande au domaine de La Giraudière : ☎ 02-47-50-08-60. À 1,5 km sur la route de Druye. Bien indiqué à partir du centre de Villandry. Ouvert tous les jours midi et soir de mi-mars à mi-novembre. Menu-enfants à moins de 9 €. Sinon, 3 menus à 13,50, 15,20 et 20,10 € ; à la carte, compter autour de 15 €. Belle ferme du XVIIe siècle. On peut déguster, dans une superbe salle avec cheminée ou en terrasse, une cuisine à base de fromages de chèvre fermiers. Bon accueil et service agréable. Plats du terroir savoureux, salades composées... et vins de la Loire. Vente de fromages de chèvre bien sûr, mais aussi de confits de vin.

Visite de la chèvrerie. Une adresse originale aux délices associant fraîcheur et saveurs... Café offert à nos lecteurs sur présentation du *Guide du routard.*

➤ DANS LES ENVIRONS

La Récréation : Le Petit-Nétilly, 37260 **Monts.** ☎ 02-47-26-16-72. Au sud de Tours, entre Monts et Sorigny, sur la D 84. Ouvert du 1er avril à fin septembre ; en avril, mai et juin, ouvert le mercredi, le week-end, les jours fériés et vacances scolaires ; en juillet et août, ouvert tous les jours ; en septembre, le week-end seulement. Tarif spécial pour nos lecteurs sur présentation du guide : 5 € au lieu de 6 € (donnant accès à toutes les attractions). Ce parc d'attractions nous a séduits ! D'abord pour son bon esprit, son cadre très champêtre, au milieu des champs, et surtout parce que le patron des lieux a imaginé et fabriqué lui-même tous les manèges, jeux et attractions avec du matériel de récupération. Mais rassurez-vous : récup' ne rime pas avec danger, tout est très sécurisé, contrôlé et nickel. Le résultat est super, coloré, original et amusant. Beaucoup de jeux physiques (parcours d'obstacles, jeux d'eau et autres) mais aussi d'adresse et d'astuce, vraiment inventifs et toujours bien pensés (le même jeu peut être adapté à différents âges). Quelques exemples : une vieille baignoire accrochée à un filin, un manège que les parents font tourner en pédalant, une machine à laver contenant des vêtements que les gamins doivent étendre sur un fil dans un temps limité par le sablier, une drôle de serre pour solliciter tous les sens et enfin, la nouveauté 2003, des vélos-taxis pour promener adultes et enfants dans les bois. Nombreuses aires de pique-nique ombragées, très agréables. Un lieu familial et authentique, absolument pas surfait.

Où dormir ? Où manger dans le coin ?

Hôtel Régina : 2, rue Pimbert, 37000 **Tours.** ☎ 02-47-05-25-36. Fax : 02-47-66-08-72. Derrière le théâtre. Fermé la 2e quinzaine de décembre. Doubles de 27 à 31 € selon le confort ; chambres familiales pour 4 personnes avec 2 grands lits à 36 € avec douche, 40 € avec douche et w.-c. Petit hôtel coquet à souhait (déco pourtant toute simple), comme on les adore, avec des fleurs aux fenêtres. Cela fait plaisir à voir tant c'est mignon. Chambres avec ou sans douche. Bonne isolation phonique. Côté entretien, c'est du tonnerre ! Petit dej' très copieux.

La Tarterie d'Amélie : 63, rue Colbert, 37000 **Tours.** ☎ 02-47-66-43-53. Ouvert de 9 h à 19 h 30. Fermé les dimanche et lundi, ainsi que du 20 juillet au 20 août. Pas de restauration sur place. Compter 5,50 € l'assiette de crudités + dessert, à emporter. Également crudités + tarte + dessert. Pour les petits creux, une tarterie au sommet ! Aux rillons, aux légumes, aux fruits, rien que de la tarte, entière ou en part, toujours fameuse. La tarte est si bonne que c'en est presque un péché ! Également des terrines et des salades.

Brasserie de l'Univers : 8, pl. Jean-Jaurès, 37000 **Tours.** ☎ 02-47-05-50-92. Ouvert toute l'année. Menus de 9,60 € (le midi en semaine) à 24 € ; compter 12 € à la carte ; menu-enfants à 6 €. Si l'on vous indique cette adresse, c'est aussi pour que vous veniez y admirer la magnifique verrière carrée et peinte. Symbole de la Belle Époque, cette grande brasserie a dû être témoin de bien des événements... Que cela vous ouvre l'appétit ! Car on y mange plutôt bien pour pas trop cher. Surtout des viandes grillées et des fruits de mer. Kir offert à nos lecteurs sur présentation du *Guide du routard.*

CHÂTEAUROUX

Dans les environs : le labyrinthe végétal Pop-Corn de Niherne • Le village gaulois de Moulins-sur-Céphons • Le musée du Cirque

Châteauroux collectionne les prix pour son fleurissement, reconnu à l'échelle européenne. Agréablement arrangé, le centre ancien se découvre facilement, au fil des rues et des ruelles, dont certaines sont piétonnes. Rien à redouter avec des enfants, car c'est une ville à taille humaine et facile à l'usage. Si vos enfants aiment l'histoire et Napoléon Ier, amenez-les au musée Bertrand, plein de souvenirs de cette période.

Où dormir? Où manger?

Le Boischaut : 135, av. de La Châtre, 36000 **Châteauroux.** ☎ 02-54-22-22-34. Fax : 02-54-22-64-89. • hotel-boischaut@wanadoo.fr • À 900 m de la gare en allant vers le stade. Garage clos payant pour les voitures. Fermé du 26 décembre au 6 janvier. Chambres doubles de 34 à 40 €, avec douche ou bains. Petit hôtel de construction récente, avec des chambres spacieuses, propres et confortables. En demander une donnant sur l'arrière (parking et jardin) car c'est le côté le plus calme. Bon accueil. Pas de resto mais un bar et un plateau-TV autour de 11 €.

L'Escale : 36130 **Déols.** ☎ 02-54-22-03-77. Fax : 02-54-22-56-70. ♿ À 5 km au nord de Châteauroux, par la N 20 en direction de Paris, non loin de la zone aéroportuaire. Ouvert toute l'année 24 h/24. Menus de 10 à 25 € environ. Que l'on soit de Châteauroux ou d'Issoudun, de Buzançais ou de Valençay, bourgeois ou prolétaire, jeune ou vieux, on fait étape à *L'Escale*. C'est le lieu de rendez-vous du département. Pas de chichis, service efficace et toutes sortes de plats, faciles à manger pour les enfants, comme des moules marinière par exemple.

➤ DANS LES ENVIRONS

Le labyrinthe végétal Pop-Corn de Niherne : La Boutardière, 36250 **Niherne.** ☎ 02-54-61-50-56. Du 6 juillet au 8 septembre, ouvert tous les jours de 12 h à 19 h. De Châteauroux, prendre la route de Mézières-en-Brenne (D 925), puis au lieu-dit La Croix-Rouge (à 8 km environ), tourner à gauche et suivre la D 125. C'est 2 km plus loin environ, à La Boutardière. Entrée : 5 €; enfants : 4 €.

Un jeu accessible aux grands comme aux petits (mais pas aux tout-petits). Des agriculteurs pleins d'idées ont tracé un labyrinthe dans un champ de maïs de 4 ha. On y chemine à pied sur d'étroits sentiers bordés par des parois touffues de plants de maïs. Le jeu consiste à trouver la sortie de cet incroyable dédale le plus vite possible (compter quand même 1 h 30 de marche). Muni d'une feuille, le visiteur doit répondre à des questions sur l'histoire du Far West américain afin de poursuivre son chemin quand il arrive à des intersections critiques. C'est amusant et cela revient à effectuer une bonne randonnée. Mais dommage que le choix des questions ne porte pas plus sur l'histoire du Berry.

Parking gratuit. Petite buvette pour se rafraîchir. Il y a aussi des nocturnes ainsi que des soirées avec dégustation de viande biologique berrichonne.

Le village gaulois de Moulins-sur-Céphons *(36110)* **:** à 26 km au nord-ouest de Châteauroux et à 6 km de Levroux. Ouvert de 14 h à 18 h ; tous les jours pendant les vacances scolaires de février et Pâques ainsi qu'en juillet et août, le dimanche en juin et septembre ; tous les jours fériés ; le reste de l'année, sur rendez-vous : ☎ 02-54-35-80-55 ou 61-39. Entrée : 3,50 € ; enfants de 7 à 14 ans : 2 € ; gratuit pour les plus jeunes. Visite guidée très intéressante. Pour les fans d'Astérix et d'Obélix !
Sur un site néolithique, des éléments de village gaulois ont été reconstitués par des spécialistes à l'échelle 2/3, à partir des fouilles qui ont mis au jour la présence de deux villages gaulois dans les environs. On peut donc voir à quoi ressemblaient une porte monumentale, un grenier à grains, une maison d'habitation et des ateliers d'artisan, ainsi que des objets, outils, vêtements et sépultures.
– ***Journées gauloises :*** les 1er, 2 et 3 août 2003. Personnages en costumes avec ateliers pédagogiques, travail des artisans, contes et légendes en nocturne.
– En juillet et août, initiation à la poterie tous les après-midi (1,50 €) qui ravira les enfants (ils emportent leur œuvre), et également, mais sur réservation, une initiation aux fouilles archéologiques.

Le musée du Cirque : pl. de la Liberté, 36150 ***Vatan.*** ☎ 02-54-49-77-78. • www.musee-du-cirque.com • À environ 25 km au nord-est de Châteauroux. Ouvert le mardi de 14 h à 18 h, et du mercredi au dimanche de 10 h à 12 h et de 14 h à 18 h. Fermé les 1er janvier, 1er mai, 1er novembre et à Noël.
Quel enfant n'est pas fasciné par le cirque ? Ce musée retrace justement l'histoire du cirque, des origines à nos jours. Tout, vous saurez tout sur cet univers féerique : les clowns bien sûr (avec les costumes de clowns célèbres comme Achille Zavatta), mais aussi les dresseurs, équilibristes, funambules, jongleurs... Belle collection d'affiches et maquettes de cirques.

LE PARC RÉGIONAL DE LA BRENNE

Dans les environs : l'espace animalier de la Haute-Touche • Le musée archéologique d'Argentomagus

À 40 km à l'ouest de Châteauroux, le paisible village de Mézières-en-Brenne est situé au cœur de la Brenne, le « pays des 1 000 étangs ». Cette petite région est même surnommée la Camargue de l'Indre. On peut y faire de la randonnée à bicyclette en famille sur des routes sûres et plates. Mais la principale attraction est l'observation des oiseaux et de la faune des étangs. De nombreux postes d'observation sont aménagés pour les amateurs et les enfants n'ont pas été oubliés, bien au contraire. N'oubliez pas vos jumelles et allez-y tôt le matin ou au crépuscule.

LA MAISON DU PARC DE LA BRENNE

Le Bouchet, 36300 Rosnay. ☎ 02-54-28-12-13. • www.parc-naturel-brenne.fr • Ouvert en juillet et août et les longs week-ends, de 9 h à 19 h. Le reste de l'année, de 9 h 30 à 18 h. Sorties accompagnées par des guides naturalistes. Informations touristiques. Documentation sur la faune et la flore de la Brenne. Borne interactive pour reconnaître les oiseaux de la Brenne.

Espace d'exposition. Diaporama. Bref, un lieu très bien fait pour s'initier à la Brenne.

Où dormir ? Où manger ?

■ |●| ***Au Bœuf Couronné :*** 9, pl. du Général-de-Gaulle, 36290 ***Mézières-en-Brenne.*** ☎ 02-54-38-04-39. Fax : 02-54-38-02-84. Fermé le dimanche soir et le lundi, sauf s'ils sont fériés. Congés annuels : du 20 novembre au 31 janvier. Conseillé de réserver les week-ends et jours fériés. Chambres doubles avec douche et w.-c. à 37 €. Menus à partir de 18 €, servis tous les jours. Situé sur la place centrale de ce gros village, cet ancien relais de poste, pourvu d'un vieux et beau porche d'entrée, date du milieu du XVIe siècle. Accueil très aimable et attentionné. L'intérieur plein de charme et de caractère est bien arrangé : poutres, cheminée et pierres apparentes. Chambres petites mais convenables. Les plus calmes donnent sur la cour intérieure. Cuisine fine et inventive, préparée et servie avec soin.

■ ***Chambres du domaine Sainte-Marie :*** chez Josette Aphatie, domaine Sainte-Marie. ☎ et fax : 02-54-38-01-18. À moins de 5 km de Mézières-en-Brenne, sur la droite de la route D 21 en allant vers Neuillay-les-Bois. C'est indiqué. Chambres doubles à environ 39 €. Une vieille ferme en pleine campagne, avec des bâtiments autour d'une grande cour intérieure. La plus grande chambre avec mezzanine convient aux familles, tandis que les autres, au rez-de-chaussée, sont des doubles. Jolie vue sur les champs, nuits calmes, excellent accueil et possibilité de faire des promenades en calèche avec le patron (champion international de courses en attelage) sur les chemins bordant les étangs. Table d'hôte à la demande.

➤ *DANS LES ENVIRONS*

L'espace animalier de la Haute-Touche : 36290 ***Obterre.*** ☎ 02-54-02-20-40. • www.mnhn.fr • À 16 km à l'ouest de Mézières-en-Brenne et à 5 km au nord d'Azay-le-Ferron sur la D 975. Ouvert du 6 avril au 15 septembre tous les jours de 10 h à 18 h ; les mercredi, week-ends et jours fériés du 16 septembre à la Toussaint de 10 h à 18 h. Entrée : 8 € ; de 4 à 16 ans et familles nombreuses : 5 €.
Sur les 500 ha de ce domaine, une centaine est réservée aux animaux : deux groupes de loups (européens et américains), des sangliers, des baudets du Poitou, des mouflons, des lamas, des zèbres, des bouquetins, des yacks, des bisons, des girafes, des singes, des antilopes africaines, des guépards, des tigres. On peut y admirer aussi une exceptionnelle collection de cervidés et... une quarantaine d'espèces d'oiseaux. Au total, plus de 1 000 animaux et une centaine d'espèces différentes venues des quatre coins du monde évoluent en semi-liberté. Précisons que la vocation de ce parc est de participer à la sauvegarde des espèces menacées.
La visite s'effectue en voiture et sur 4 km de sentiers pédestres dans un cadre forestier agréable, avec des sites d'observation. Vous pourrez aussi louer un vélo VTT pour effectuer, à la force du jarret, tous les détours nécessaires.
|●| Une aire de pique-nique et un service de restauration permettent de passer l'ensemble de la journée au milieu de vos bêtes préférées. Également un restaurant panoramique et une terrasse avec vue sur les plans d'eau.

🔭🔭 ***Le musée archéologique d'Argentomagus :*** 36200 ***Saint-Marcel.*** ☎ 02-54-24-47-31. • www.argentomagus.com • ♿ Au sud-est de Mézières, à 2 km au nord d'Argenton-sur-Creuse par la D 927. Ouvert toute l'année de 9 h 30 à 12 h et de 14 h à 18 h ; fermé le mardi sauf en juillet et août et du 24 décembre au 19 janvier. Entrée : 1,50 € pour tous sur présentation du *Guide du routard* (3 € adultes sinon).

Situé sur une colline surplombant la vallée de la Creuse, voilà le 3e site le plus visité de l'Indre. À voir coûte que coûte car il est particulièrement intéressant et bien présenté.

L'antique cité gallo-romaine d'Argentomagus prospéra sur l'actuel territoire de Saint-Marcel où est implanté le musée. De conception résolument moderne, il est construit directement sur les vestiges gallo-romains d'Argentomagus, au cœur de la cité antique riche de plusieurs édifices publics monumentaux (fontaine, temples, maisons, théâtre...). Ses espaces d'exposition en pente douce conduisent le visiteur à travers le temps sur 3 niveaux successifs. Les objets préhistoriques de la vallée de la Creuse, ceux de l'époque gallo-romaine et une crypte archéologique rythment une présentation vivante. Les vitrines sont attractives, le visiteur ne peut rester passif, surtout face à cet ***autel domestique unique en Gaule,*** situé dans la crypte à l'endroit même où les archéoloques l'ont mis au jour en 1986. Cet autel est dédié à la prospérité et à la fertilité (voir le phallus entre les deux personnages). On apprend en outre que les Gaulois vénéraient le dieu Mercure (dieu des Voyageurs, du Négoce) avant les autres. Le cimetière gallo-romain est très émouvant avec ses restes de squelettes d'enfants, mais peut-être à éviter avec des jeunes bambins.

– ***Les ruines du vieux théâtre antique :*** entrée gratuite. À flanc de colline, le vieux théâtre gallo-romain, de forme presque semi-circulaire, se trouve au nord du village, près d'un lotissement, à environ 1 km du site archéologique. On peut y accéder à pied ou en voiture et le visiter. Un petit plan d'accès très précis est donné à la réception du musée.

– ***Expo temporaire :*** de juin à octobre, dont le thème change chaque année. D'autre part, le chantier de fouilles archéologiques continue d'avancer, lentement mais sûrement. Et dans le théâtre gallo-romain restauré, des ***spectacles de théâtre*** sont donnés fin juillet-début août. Renseignements à l'office de tourisme d'Argenton (☎ 02-54-24-05-30).

LE MUSÉE DU THÉÂTRE FORAIN À ARTENAY

Dans les environs : le muséum des Sciences naturelles à Orléans • Le parc floral de La Source • Le Géodrome • Le château de Chamerolles • Le musée de la Marine de Loire • Le chemin de fer touristique et le musée des Transports

À 22 km au nord-ouest d'Orléans par la N 20, on ne peut manquer de s'arrêter dans le « quartier du Paradis » (quel joli nom !) pour vivre, l'espace d'un moment, un véritable enchantement dans ce musée pas tout à fait comme les autres. Et, qui sait, peut-être que cette visite déclenchera quelques vocations...

LE MUSÉE DU THÉÂTRE FORAIN

Quartier du Paradis, 45410 ***Artenay.*** ☎ 02-38-80-09-73. • musée.artenay@wanadoo.fr • ♿ À 22 km au nord-ouest d'Orléans par la N 20 ou par l'A 10 (sortie Artenay). De juin à septembre, ouvert de 10 h à 12 h et de 14 h à 18 h; d'octobre à mai, de 14 h à 17 h 30 uniquement. Fermé le mardi, les 1er janvier, 1er mai, 1er novembre et à Noël. Entrée : 3 €; demi-tarif sur présentation du *Guide du routard* et pour les enfants et les étudiants; gratuit pour les moins de 7 ans et le 1er dimanche de chaque mois.

Le théâtre forain? Un univers complexe partagé entre le monde du théâtre et celui des « gens du voyage ». Ses racines plongent dans l'Antiquité sur les traces du légendaire chariot de Thespis qui, au VIe siècle, sillonnait le Péloponnèse à l'écart des monumentaux amphithéâtres de pierre. Farceurs médiévaux organisés en corporation, « sauteurs de campagne » du XVIIe siècle qui jouaient des pièces populaires ou savantes dans les jeux de paume, les châteaux ou les auberges, arlequins de la commedia dell'arte, marionnettistes du théâtre de Guignol, tous ont écrit une page d'histoire de ce théâtre sans attaches. Tous sont évoqués dans le vaste espace de ce musée installé dans un paisible village de la Beauce. Jusqu'à la troupe d'un certain Jean-Baptiste Poquelin (alias Molière), longtemps itinérante comme le rappelle un livre de comptes tenu par le comédien La Grange et exposé ici. Mais tout l'intérêt de ce musée réside dans l'hommage qu'il rend à ceux qui, à partir du XIXe siècle, ont vraiment donné son essence au théâtre forain : toutes ces petites troupes inconnues, familiales, où l'on était comédien de père en fils, de mère en fille (on avait déjà des « cahiers de rôles » à 10 ans et on jouait encore la Renaude de l'Arlésienne à 88 ans!). Ces comédiens de campagne qui offraient, de villages en bourgs, leurs spectacles de « palc » (en plein air) ou de « baraque » (parfois de véritables théâtres mobiles et démontables avec gradins, décors...) pendant les foires ou en « ville morte ». Ces troupes familiales commenceront à décliner après la Seconde Guerre mondiale pour s'éteindre définitivement dans les années 1960. Le cinéma ambulant (exposition du matériel d'un tourneur qui visita les villages du Berry de la fin des années 1950 aux années 1960) leur succédera quelque temps avant de disparaître à son tour. Fort heureusement, la tradition du théâtre forain, qu'il eût été dommage de confiner dans un musée (même passionnant), renaît : une nouvelle génération de comédiens (sans lien d'ailleurs avec la précédente) a décidé de reprendre la route. Voilà qui devrait faire plaisir à tous les anciens comédiens ambulants qui ont offert beaucoup de leurs souvenirs à ce musée unique en France. Expositions temporaires, spectacles, stages et ateliers, et petit musée archéologique et paléontologique (inclus dans le prix d'entrée) dans une autre aile du bâtiment.

CENTRE

➤ DANS LES ENVIRONS

Le muséum des Sciences naturelles : 6, rue Marcel-Proust (vers la gare), 45000 ***Orléans.*** ☎ 02-38-54-61-05. Ouvert tous les après-midi sauf certains jours fériés, de 14 h à 18 h. Entrée : 3 €; gratuit pour les moins de 16 ans. Très intéressant et admirablement présenté.

– *Au 1er étage :* le « cabinet de curiosités », les aquariums marins et d'eau douce avec leurs poissons de Loire mais aussi d'Afrique ou d'Asie, élégamment mis en valeur sur des fonds noirs et éclairés de l'intérieur. Jolis coraux et impressionnant poisson-lune empaillé notamment!

– *Au 2e étage :* diorama très réussi sur la Sologne avec une jolie mise en lumière et sonore. Ensuite, ne manquez pas le superbe bison d'Europe, les fauves, ours et rhinos taxidermisés et cette ribambelle d'oiseaux multicolores mystérieusement exotiques...

– *Au 3e étage :* une surprenante tête de dinosaure herbivore, puis section sciences de la terre avec des vidéos sur la création de notre petite planète, et sections consacrées à la géologie et la minéralogie, avec une énorme améthyste du Brésil et de nombreux fossiles, la paléontologie, etc.

– *Au 4e étage :* animaux naturalisés de la faune africaine et serres tropicale et méditerranéenne. Bref, vos gamins vont adorer et vous risquez même d'aimer plus qu'eux !

Le parc floral de La Source : 45000 **Orléans.** ☎ 02-38-49-30-00. • www.parcfloral-lasource.fr • Du centre-ville, traverser le pont du Maréchal-Joffre, direction Vierzon-Bourges RN 20, prendre à droite la petite bretelle de sortie Archette-Parc Floral puis suivre les panneaux Parc Floral. En tramway, descendre à l'arrêt Université-Parc Floral. De l'A 71, sortie Orléans-La Source. Ouvert tous les jours, de 9 h à 18 h d'avril au 11 novembre ; le reste de l'année, ouvert de 14 h à 17 h et pas d'activités (visite du parc seul à tarif réduit). Fermé le 25 décembre. Entrée : en saison, 3,50 € pour le parc seul (réductions et tarif réduit à 3 € sur présentation du *Guide du routard*), et 6 € pour le parc + la serre aux papillons ; enfants de 6 à 18 ans : 2 € pour le parc seul, 3,80 € pour le parc + la serre.
Le Loiret sort de terre en bouillonnant, manifestant sans doute ainsi sa joie d'apparaître dans ce superbe parc. Sachez que cette petite rivière qui a donné son nom au département est quand même symbolisée par l'une des 8 nymphes qui entourent la pièce d'eau face à la galerie des Glaces de Versailles. Pas mal comme CV pour une rivière qui ne mesure que 12 km de long ! Pour la petite histoire, c'est aussi, paraît-il, au château de La Source qui surplombe le parc, que Voltaire aurait eu l'idée de son *Candide.* De là à affirmer que c'est également ici qu'il eut l'intuition du célèbre « Cultivons notre jardin », il n'y a qu'un pas... Que l'on fait bien volontiers tant le parc est sympathique et attrayant ! On ne voudrait pas lui jeter trop de fleurs mais que la balade est belle et sereine sur ces 35 ha bien aménagés où l'on admire au printemps, sous les chênes centenaires, la floraison de dizaines de milliers de tulipes, azalées, roses rares, iris... Également des flamants roses qui trempent leurs pattes dans la rivière, des canards peu ordinaires... Vous découvrirez aussi de quelle manière le Loiret ressurgit et pourquoi on a baptisé le secteur La Source. Ne pas oublier non plus le jardin potager et ses légumes oubliés ! De plus, plein d'attractions ont rajeuni le parc : grande volière à l'architecture originale en demi-lune, serre à papillons exotiques multicolores, unique dans la région, dans laquelle vous vous promenez au milieu de papillons vivants, avec en prime le commentaire d'un entomologiste et la projection de films vidéos. Un joli train fait aussi la joie des petits et des grands en saison (autorisé à partir de 3 ans seulement ; 1,85 € par adulte et 1,20 € par enfant). De nombreux événements floraux y sont organisés tout au long de l'année : orchidées en février, bulbes dans les sous-bois en avril, « tableau d'iris » en mai – présentant une collection nationale de plus de 950 variétés –, roses en juin, dahlias en septembre, chrysanthèmes début novembre...
Les enfants peuvent y rechercher des œufs de Pâques le dimanche du même nom et y jouer le reste de l'année. À la belle saison, location de rosalies, petites voitures à pédales, pour une promenade dans le parc. Également un théâtre de Guignol le dernier dimanche de chaque mois. Aire de pique-nique. Golf miniature.

➢ ***Petit train touristique d'Orléans :*** du 1er juillet au 31 août, départs tous les jours à 14 h, 15 h 15, 16 h 30 et 17 h 45 ; en juin et septembre, le week-end uniquement, aux mêmes horaires. Circuit commenté de 45 mn. Départ de la place Sainte-Croix, devant la cathédrale ; retour au même endroit. Tarif : 3,80 € ; enfants de 6 à 13 ans : 1,90 €.

Le Géodrome : sur l'aire de service d'Orléans-Gidy (sens province-Paris), Orléans-Saran (sens Paris-province ; prendre la passerelle qui traverse l'autoroute), sur l'A 10. ☎ 02-38-65-99-58. • www.geodrome.fr.st • À 6 km au nord-ouest d'Orléans. Parking payant. D'avril à septembre, ouvert tous les jours sauf les mercredi et jeudi, de 12 h à 19 h ; du 1er octobre au 15 novembre, ouvert le week-end de 12 h à 17 h. Fermé le reste de l'année. Entrée : 2 € ; gratuit pour les moins de 12 ans.

Dans un « jardin géologique » modelé à l'image de la France, 800 t de roches et de minéraux réparties à l'image des différentes régions françaises vous permettent de découvrir *de visu* la diversité et la richesse de l'Hexagone. Agréable balade en plein air (et en pleine aire !) sur un bon hectare. Une fresque polychrome de 70 m de long présente la nature des terrains rencontrés des Alpes au Massif armoricain et un petit mur d'escalade se trouve dans la partie alpine, pour ceux qui voudraient s'y mesurer. Présence d'une animatrice scientifique. Instructif et sympa.

★★ ***Le château de Chamerolles :*** 45170 **Chilleurs-aux-Bois.** ☎ 02-38-39-84-66. À 34 km au nord d'Orléans par la N 152. D'avril à septembre, ouvert de 10 h à 18 h ; d'octobre à mars, de 10 h à 12 h et de 14 h à 17 h. Fermé le mardi, sauf en juillet et août, à Noël et en janvier. Entrée : 4,90 € ; réduction accordée pour 2 personnes munies du *Guide du routard* de l'année ; de 7 à 15 ans et familles nombreuses : 3,40 € ; gratuit pour les enfants de moins de 7 ans.

En passant le pont-levis (il n'y en a que trois en état de marche en France, dont celui-ci), vous pénétrez dans le château de Lancelot du Lac ! L'intérêt fondamental de la visite réside dans la ***promenade des Senteurs,*** véritable musée du parfum, qui s'effectue en partie avec un audioguide. Un thème qui se justifie dans cette région où – même s'ils s'y font plus discrets qu'à Grasse – sont installés certains des plus grands parfumeurs contemporains. La balade débute au XVIe siècle, période de reconstruction du château et date clé de l'histoire de la parfumerie, art déjà ancien : les parfums sont désormais fabriqués à base d'alcool (et non plus d'huile ou d'eau) et on parvient, à partir de procédés relativement simples, à extraire les essences parfumées des plantes. Reconstitution du cabinet de travail d'un parfumeur. La promenade est riche en objets intrigants (dans la chambre du XVIe siècle, miroir doté d'un volet à refermer en cas de crise de narcissisme aigu !) et en anecdotes. Sous les combles, superbe exposition de flacons de parfums : des grands classiques comme le fameux *N° 5* de Chanel à des bouteilles plus anecdotiques (mais amusantes) comme le Golli Wogi, qui évoque l'arrivée du jazz en Europe dans les années 1920. Salle consacrée aux créations de Lalique, Daum, Murano... qui prouvent qu'en parfumerie, le contenant a tout autant d'intérêt que le contenu. Ouvrez grands vos yeux et surtout vos narines : ne serait-ce que pour reconnaître toutes les « touches », tous les accords de senteurs de l'orgue à parfums. Pas facile !

Très nombreuses expositions temporaires au château et dans les jardins, ainsi que des visites costumées, des animations, des spectacles... dont quelques-uns pour les enfants.

★★ ***Le musée de la Marine de Loire :*** 45110 **Châteauneuf-sur-Loire.** ☎ 02-38-46-84-46. ♿ À 31 km d'Orléans par la N 60. Dans les anciennes écuries du château. Du 1er avril au 31 octobre, ouvert tous les jours sauf le mardi de 10 h à 18 h ; du 1er novembre au 31 mars, tous les jours sauf le mardi, de 14 h à 18 h. Fermé les 1er janvier, 1er mai et 25 décembre. Entrée : 3 € ; 1,50 € pour les enfants, étudiants, familles nombreuses, etc. ; et gratuit pour les moins de 7 ans.

Force est d'admettre que ces anciennes écuries commandées par l'un des secrétaires d'État de Louis XIV sont superbement restaurées. Magnifique hommage rendu à la Loire et à son univers. Tout ce qui touche de près ou de loin à la marine et au fleuve est ainsi évoqué : photos anciennes, joli petit film du début du XXe siècle, lithos et aquarelles, et une cartographie on ne peut plus claire, histoire de comprendre le réseau de canaux et d'affluents. On retrouve la plupart des activités nées de la présence de la Loire et qui sera, jusqu'au XIXe siècle, le fleuve français le plus utilisé pour le transport des marchandises. Une foule d'objets liés à la vie quotidienne de la batellerie : maquette de bateau du XVIIIe siècle érigée en ex-voto, bateau de procession, boucles d'oreilles que portaient les mariniers, maquette du pont transbordeur de Nantes, qui a été construit à Châteauneuf (le dernier existant se trouvant à Rochefort-sur-Mer). On notera aussi ce coffre du XVIIIe siècle ayant appartenu à Pacifique Robineau (quel nom !), un marinier de Châteauneuf, et puis ce pichet trompeur du XIXe siècle qui a dû en faire rire et baver plus d'un !

– Expos temporaires liées à la Loire également. En été, jeux de piste dans le musée et, chaque mercredi à cette saison, ateliers pédagogiques baptisés « L'été au musée », ouverts aux enfants jusqu'à 12 ans. Entrée : 1,50 €. Enfin, plusieurs fêtes sont conçues ou revisitées pour eux, comme Halloween ou la Saint-Nicolas (saint patron des mariniers), avec des histoires sur la Loire à l'appui...

➢ Pour parachever la visite, on peut suivre la ***balade des Mariniers*** le long du quai de Châteauneuf où se trouvent amarrées des reconstitutions de bateaux traditionnels : gabare, futreau, toue cabanée (pour pêcher jour et nuit, au barrage, les poissons migrateurs tels les saumons, aloses...).

Le chemin de fer touristique et le musée des Transports : rue Carnot, 45300 ***Pithiviers.*** ☎ et fax : 02-38-30-60-24. À côté de la gare SNCF. Musée ouvert les dimanche et jours fériés de 14 h à 18 h du 1er mai à la mi-octobre, ainsi que le samedi après-midi en juillet et août. Trains en circulation les mêmes jours : le samedi à 14 h 30, 15 h 30 et 16 h 30 en train Diesel ; le dimanche, en train à vapeur, avec un départ supplémentaire à 17 h 45. Billet combiné train et musée à 6 € par adulte ; 4,50 € de 4 à 14 ans ; gratuit pour les moins de 4 ans.

Cette ligne (entre Pithiviers et Toury) est restée célèbre chez les amateurs de trains à vapeur puisqu'elle fut la dernière (jusqu'en 1964) sur laquelle circulaient une dizaine de locomotives « en pression ». Nos lecteurs observateurs auront remarqué le surprenant écartement des voies (0,6 m, l'écartement normal étant de 1,435 m exactement). Il permettait la circulation de trains relativement lourds (200 000 t de céréales y passaient chaque année), tout en diminuant les frais d'aménagement de la voie. Condamnée à disparaître, la ligne fut sauvée pour partie (une première en France) par une poignée de bénévoles passionnés. Les trains se baladent donc aujourd'hui sur un tronçon de 5 km, tractés par l'une des 10 locomotives à vapeur ou à Diesel possédées par l'association : une KDL 4-12 (les spécialistes apprécieront) ou la loco 040 DFB, affectueusement surnommée « le Teckel » !

Sous les deux nefs de l'ancienne gare, le petit musée recèle aussi quelques beaux engins : nombreuses locomotives (8 sont classées Monuments historiques), voiture-salon du chemin de fer Paris-Orléans-Corrèze dont les presque moelleuses banquettes ont connu le séant du président Poincaré en 1913, voitures-voyageurs des anciens tramways de Lille et de Strasbourg...

➢ ***Balades en bateau-mouche sur le Loiret :*** au départ du restaurant *À Madagascar* à ***Olivet,*** 315, route de la Reine-Blanche, sur *Le Sologne.* Renseignements : ☎ 02-38-51-12-12. Départs tous les jours de mars à octobre à 15 h 30 ; le week-end, à 15 h 30 et 17 h 30. Compter 1 h 30 de balade. Tarif : 8 € ; enfants de 3 à 12 ans : 4 €.

Où dormir ? Où manger dans le coin ?

Hôtel Marguerite : 14, pl. du Vieux-Marché, 45000 ***Orléans.*** ☎ 02-38-53-74-32. Fax : 02-38-53-31-56. • hotel.marguerite@wanadoo.fr • À 50 m de la rue Royale, près de la poste centrale. Fermé le dimanche (et le samedi en hiver) entre 12 h et 16 h 30. Grandes chambres doubles de 47 € avec lavabo, à 57 € avec bains, w.-c. et TV ; lit supplémentaire à 5 €. Petit déjeuner servi dans la chambre sans supplément. Deux types de décoration : chambres rénovées dans les tons pastel, fraîches et pimpantes (par exemple les nos 10, 11 et 12), et les anciennes, absolument nickel et presque aussi charmantes. Les chambres sur rue sont dotées d'un double vitrage. Toutes sont confortables et très bien tenues. Pour les familles, possibilité de dormir dans deux chambres face à face et isolées au bout du couloir par une porte fermant à clé. Au petit dej' : boisson chaude à volonté, pain, croissant, jus de fruit, miel... Voilà le genre d'adresse qui fait vraiment notre bonheur... et le vôtre. Par contre, nos amis les animaux (boa, kangourou, marsupilami... et même les chiens) ne sont pas acceptés ! Remise exceptionnelle de 20 % sur le prix des chambres du vendredi au dimanche ainsi qu'en juillet et août sur présentation du *Guide du routard*.

🏠 ***Hôtel des Cèdres :*** 17, rue du Maréchal-Foch, 45000 ***Orléans.*** ☎ 02-38-62-22-92. Fax : 02-38-81-76-46. • contact@hoteldescedres.com • Dans un quartier tranquille et résidentiel d'Orléans, près de la place Dunois. Fermé du 22 décembre au 1er janvier. Chambres confortables de 57 € avec douche à 63 € avec bains et TV câblée ; triples à 69 €, et lit supplémentaire à 10 €. Un bon 3-étoiles tout simple, qu'on aime bien pour sa véranda et son petit jardin avec fontaine où les clients pique-niquent aux beaux jours. De chaleureux hôteliers qui aiment les enfants (et aussi les animaux !) et mettent donc à disposition, outre le matériel *ad hoc* (lits-bébé, chaises hautes, chauffe-biberon...), plusieurs chambres communiquant entre elles pour les familles nombreuses. De plus, il y a deux étages non-fumeurs. Bref, une bonne adresse. 10 % de remise sur le prix de la chambre sur présentation du *Guide du routard*.

🏠 |●| ***Le Brin de Zinc :*** 62, rue Sainte-Catherine, 45000 ***Orléans.*** ☎ 02-38-53-38-77. Fermé le mardi en hiver. Premier menu à 12 € le midi, sauf les dimanche et jours fériés ; autres menus à 18,50 et 23 € ; menu-enfants à 6,40 € ; moules-frites à volonté autour de 10 €. Cette espèce de brasserie-musée au décor de bric-à-brac original ne désemplit pas, notamment le midi grâce à son agréable terrasse de rue. Cuisine de bistrot généreusement servie. Apéritif maison offert d'octobre à février sur présentation du *Guide du routard*. Loue également 5 chambres doubles à 31 € et une familiale pour 4 personnes à 44 €. Très central et les chambres ont été refaites récemment, avec salle de bains.

|●| ***Les Fagots :*** 32, rue du Poirier, 45000 ***Orléans.*** ☎ 02-38-62-22-79. ♿ À proximité des halles. Fermé les dimanche et lundi, ainsi qu'une semaine début janvier et 3 semaines en août. Réservation conseillée le soir. Menus à 10,30 € le midi et 13,75 € midi et soir ; carte autour de 19 € ; menu-enfants à 8,40 €. Celui-là, on vous le sort de derrière... les fagots. Facile ! Tout se passe autour de la grande cheminée qui trône au milieu d'une salle. Spécialités de la maison : les grillades au feu de bois et surtout le pavé d'âne (à commander la veille). Accueil et service amicaux. Apéritif maison offert sur présentation du *Guide du routard*.

🏠 |●| ***Le Relais de la Poste :*** 10, mail Ouest, 45300 ***Pithiviers.*** ☎ 02-38-30-40-30. Fax : 02-38-30-47-79. En face de l'office de tourisme. Resto fermé le dimanche soir. Compter 49 € la chambre double avec douche ou bains et lit supplémentaire à 11 €. Menus de 14,50 à 25,50 €, tous impeccables, et menu-enfants à 8,50 €. Malgré sa façade un peu décrépie, voici une bonne adresse provinciale, trônant sur sa place. Le patron d'origine polonaise est très accueillant. Quatre chambres familiales. Lits-bébé, chaises hautes et chauffe-biberon à disposition. Salle à manger banale mais très bien insonorisée. Dès le 1er menu, c'est du solide ! Bien sûr, on a craqué pour le panachage de pithiviers (feuilleté et glacé) en dessert... La bonne petite adresse pour une étape dans le coin. Kir maison et un petit dej' par chambre offerts sur présentation du *Guide du routard*.

LE DOMAINE DU CIRAN À MÉNESTREAU-EN-VILLETTE

Dans les environs : le château de La Ferté-Saint-Aubin

À deux pas d'Orléans et de Blois, la Loire enferme en son méandre une étrange forêt vierge : la Sologne, 500000 ha d'air pur et de vie sauvage, de futaies et d'étangs. De charmantes routes se faufilent à travers bois et landes, que l'on peut parcourir en voiture, à cheval ou à vélo. La meilleure période pour découvrir la région est l'automne, malgré la présence des chasseurs.

LE DOMAINE DU CIRAN

À 8 km à l'est de La Ferté-Saint-Aubin. ☎ 02-38-76-90-93. • www.domaineduciran.com • ♿ en partie. Passer par Ménestreau-en-Villette puis direction Marcilly (c'est fléché). Ouvert tous les jours (sauf le mardi d'octobre à mars, le 25 décembre et le Jour de l'an), de 10 h à 12 h et de 14 h à 18 h pour l'accueil ; pour les affûts, fermeture du parc au coucher du soleil. Entrée : 5 € ; 2,60 € pour les enfants de 5 à 18 ans et pour les étudiants.

Géré par la Fondation Sologne, un vaste site (300 ha) fonctionnant comme un véritable musée écologique en plein air, il a obtenu en 1994 le statut de Conservatoire de la faune sauvage : forêt, étangs, landes et faune en liberté ! C'est le seul domaine privé de Sologne ouvert au public. À la demande, vidéo projetée en début de visite. Il est conseillé d'apporter ses bottes et ses jumelles (pour les étourdis, quelques paires de jumelles à louer sur place).

➢ ***Sentier pédestre balisé de 5,2 km :*** agréable balade (compter largement 1 h 30) dans un paysage typiquement solognot : jeunes chênes, landes à bruyère et à callune, roselières au bord des étangs, pins Douglas qui sentent bon la citronnelle... Vitrines explicatives, parcours de découverte, petit jeu-enquête pour les 6-12 ans (1,60 € par livret). Bien sûr, on peut y voir quelques animaux, notamment les cerfs et les biches de l'élevage du domaine. Pour tenter de surprendre les animaux sauvages, il existe un sentier d'approche et des observatoires pour les affûts. Les heures les plus propices : tôt le matin ou en fin d'après-midi. Un animateur (payant) peut aussi vous aider à approcher hérons, lapins, sangliers, chevreuils, faisans ou ragondins...

Sur réservation, visite d'un petit ***musée*** installé dans l'ancien cellier du château (XIXe siècle). Évocation de la vie et des traditions populaires en Sologne au début du XXe siècle. Outils rappelant des métiers aujourd'hui disparus. Superbes photos d'époque, notamment des charrettes à chiens (les Solognots, très pauvres, n'avaient pas les moyens de se payer des chevaux).

– ***Nombreuses manifestations au domaine :*** fête solognote le 1er ou le 2e dimanche d'avril (produits fermiers, artisans d'art, animations... et grande fête au domaine). La fête du sport nature, en septembre, à l'occasion de la fête nationale du Sport (sur un dimanche). Équitation, marche, VTT, tir à l'arc, pêche, fauconnerie. La semaine du champignon en octobre, exposition mycologique, cueillette et spécialiste présent chaque après-midi. Pêche dans l'étang le dernier dimanche de novembre : pêche à l'épuisette, vente à la criée et dégustation de vin chaud et de châtaignes ! Expositions d'art animalier (6 expos par an, donc vous en verrez forcément une !).

Enfin, on peut aussi acheter de très bons fromages de chèvre ou de vache à la petite fromagerie de la ferme qui gère 60 ha du domaine.

Pour ceux qui auraient pensé à amener leur tipi (leur tente, quoi !), aire naturelle de camping sur place.

➤ DANS LES ENVIRONS

Le château de La Ferté-Saint-Aubin : ☎ 02-38-76-52-72. À la sortie nord de La Ferté-Saint-Aubin, sur la N 20. Ouvert de mi-février à mi-novembre uniquement, tous les jours de 10 h à 18 h (19 h d'avril à septembre). Entrée : 7 € (soit le prix de 3 ardoises !) ; 6 € sur présentation du *Guide du routard*; de 4 à 16 ans : 4,50 €.
Bel ensemble architectural avec un pavillon Henri IV à gauche et l'œuvre grandiose de Mansart à droite. Vous êtes libre d'aller et venir où vous voulez, à tel point que l'on peut s'asseoir dans les fauteuils, et même jouer au billard ou au piano ! Surprenant, à vrai dire, mais c'est le nouveau concept de la visite, laisser croire que l'on peut nous aussi mener la vie de château... Cette impression de liberté, d'école buissonnière, n'est d'ailleurs pas étrangère au charme de l'endroit. En tout, 15 pièces meublées. Dans les combles, pièces réservées aux domestiques (où l'on comprend vraiment ce qui se cache derrière l'expression « chambre de bonne »...), ancienne épicerie de La Ferté déménagée ici (elle a servi de décor au tournage du film *Les Allumettes suédoises*). Dans les cuisines, avec leur tournebroche animé par un système d'horlogerie du XVIIIe siècle, démonstration de cuisine à l'ancienne et dégustation. Chaque jour, Marthe, la cuisinière du château, raconte des anecdotes croustillantes tout en confectionnant de savoureuses madeleines au miel pour le plaisir des visiteurs.
Dans le vaste parc, délicieusement bucolique avec son chapelet d'îles, petite ferme modèle, parc animalier et « île enchantée ». Vos enfants vont adorer. Parce que les propriétaires du château ont été plus malins que la méchante belle-mère, ils ont retrouvé la maison de Blanche-Neige ! Et qu'ici tout est à leur échelle, que ce soit la maison d'Alice, le château fort de Lancelot ou la cuisine de la Mère Lustucru !
À voir aussi, l'orangerie, les écuries du XVIIe siècle avec leurs 6 000 pavés, des chevaux, des poneys et des ânes et l'une des plus belles selleries de France...
– ***Fête des Plantes et des Jardins au château :*** le 1er week-end de mai. Expositions et animations. Plus de 10 000 visiteurs chaque année. Entrée : 7 € ; les bénéfices participent à la restauration du parc et du château.

Où dormir ? Où manger dans le coin ?

Center Parcs Les Hauts de Bruyère : dans les environs de ***Chaumont-sur-Tharonne*** (fléché). Renseignements et réservations au ☎ 0825-802-804. • www.centerparcs.com • Autour de 400 € le week-end. Un monde tropical sous une bulle géante au cœur de la forêt Solognote ! Si, si, ça existe ! Destiné à tous ceux qui veulent se détendre en famille pendant quelques jours et allier le côté ludique à la découverte culturelle (les châteaux de la Loire sont tout près). Hébergement en cottages (avec terrasse) de différentes catégories, pour 4, 6 ou 8 personnes, spacieux, très confortables et bien équipés. Compris dans l'hébergement, l'accès au parc aquatique tropical, un dôme de verre chauffé à 29 °C toute l'année, où petits et grands goûteront aux joies des glissades, jacuzzi et autres saunas. Parmi les activités payantes : équitation, golf, vélo (super balades à faire dans la région), pédalo, tennis, tir à l'arc et la « Forêt de l'Aventure », un parcours où l'on s'élance d'arbre en arbre, attaché par un harnais à un câble. Également des activités d'intérieur comme du squash, bowling, billard, stretching... À Center Parcs, les enfants sont chouchoutés. En plus des activités sportives, des ateliers de cuisine, de cirque, de magie, etc., sont organisés pendant les vacances scolaires.

■ ***Chambres d'hôte :*** chez Marie-Françoise et Michel Ravenel, route de Jouy-le-Potier, 45370 ***La Vieille-Forêt.*** ☎ 02-38-76-57-20. Fax : 02-38-64-82-80. De La Ferté-Saint-Aubin, suivre la D 18 (vers Jouy-le-Potier) pendant 5 km puis tourner à droite sur un chemin de terre pendant 400 m. Ouvert toute l'année. Chambres doubles à 45 €, petit dej' compris ; compter 53 € pour une triple et 63 € pour une suite (2 chambres communicantes). Une ferme du XIXe siècle entièrement rénovée et isolée au milieu d'un paysage typiquement solognot : lande et petit étang, où les adultes peuvent même pêcher. Dispersées dans les ailes du bâtiment, 3 chambres spacieuses pouvant accueillir 2 à 4 personnes, toutes avec bains et w.-c., au rez-de-chaussée et avec accès indépendant. Lit-bébé et jeux à disposition. Pas de table d'hôte mais une cuisine avec salon et salle à manger. Pour nos lecteurs, prix dégressifs à partir de la 3e nuit.

■ IOI ***Auberge Sainte-Marguerite :*** 17, pl. de la Mairie, 45370 ***Jouy-le-Potier.*** ☎ 02-38-45-89-89. Fax : 02-38-45-89-92. ♿ À 10 km à l'ouest de La Ferté-Saint-Aubin par la D 18. Restaurant fermé les dimanche soir, lundi midi, mardi soir et mercredi. Congés annuels : 3 semaines en février et dernière quinzaine d'août. Chambres doubles de 37 à 55 € avec douche ou bains ; triples à 66 €. Demi-pension à 41 € par personne. Menus à 15 € (sauf samedi soir et dimanche midi) et de 19 à 30 € ; menu-enfants à 8,80 €. Au cœur d'un village tranquille, face à une mignonne petite église et un caboulot typique de la région. Une quinzaine de chambres sans histoires (dont 13 non-fumeurs !), dans un style contemporain et confortable à la fois, ordonnées autour d'une petite cour intérieure. Deux chambres pour 3 ou 4 personnes, lit-bébé et chaise haute à disposition. Cuisine fort honnête et pleine d'idées. Tout est fait maison, y compris le pain. À la carte, foie gras de canard en gelée de porto, gibier en saison. Réservation conseillée hors saison.

L'ARBORETUM DES BARRES À NOGENT-SUR-VERNISSON

Dans les environs : le musée vivant de l'Apiculture gâtinaise • Le pont-canal de Briare • Forrest Jump

L'ARBORETUM DES BARRES

À ***Nogent-sur-Vernisson*** (45290). ☎ 02-38-97-62-21. ♿ À une vingtaine de kilomètres au sud de Montargis, quitter la N 7, c'est à 1 km. Accueil tous les jours du 15 mars au 15 novembre, de 10 h à 18 h ; promenade possible jusqu'à la tombée de la nuit. Entrée : 5 € (4,50 € sur présentation du *Guide du routard*) et 2,50 € pour les enfants de 8 à 14 ans. Visite guidée gratuite tous les jours en été (et le week-end hors saison) avec projection d'un petit film de présentation.

À ne pas manquer : ce parc est réputé pour posséder la plus belle collection d'arbres d'Europe ! Près de 8500 arbres et arbustes y sont recensés sur environ 35 ha. Cet endroit étonnant fut créé au début du XIXe siècle par

la famille Vilmorin (vous savez, la petite graine !) afin d'y entreprendre des recherches botaniques. Depuis, racheté par l'État, l'arboretum est ouvert au public et attire encore chaque année des botanistes du monde entier.
En fait, il se divise en 3 « collections » (un peu comme l'art moderne...), chacune visitable en 1 h 30 environ. La plus ancienne est classée par origines ; la deuxième est classée par familles ; et enfin la dernière est dite *bizarretum* (tiens, comme c'est bizarre !) et présente des plantes décoratives. Quelques spécimens uniques sous nos climats, comme un thuya aux 80 troncs (on dit qu'il « marcotte »), des fausses épines du Christ (arbre qui a développé un système de défense pire que le fil de fer barbelé), un arbre au caramel, ou encore un arbre caméléon en treillis militaire, et tant d'autres, aux formes monstrueuses ou tout simplement splendides. La visite repose sur une découverte sensorielle, c'est pourquoi on vous conseille les visites guidées. Vous apprendrez ainsi à regarder, à écouter et même, pourquoi pas, à sentir les arbres. En frottant les feuilles, en éclatant les baies, en écaillant les troncs (on vous a bien dit uniquement pendant les visites guidées !), vous serez surpris de retrouver autant d'odeurs familières, surpris surtout des surprises que vous réserve la nature...
Pour les enfants, un petit jeu de questions-réponses est disponible à l'accueil et l'on peut également répondre à une question devant chaque « arbre-phare ». Aire de pique-nique, salon de thé et, à disposition, une salle pour changer bébé !

➤ DANS LES ENVIRONS

CENTRE

Le musée vivant de l'Apiculture gâtinaise : La Cassine, route de Chuelles, 45220 **Châteaurenard.** ☎ 02-38-95-35-56. À une quinzaine de kilomètres à l'est de Montargis par la D 943 ; à Châteaurenard, prendre la route de Courtenay, c'est sur la droite. Ouvert tous les jours en juillet et août, de 10 h à 18 h ; de février à juin et du 1er septembre au 11 novembre, uniquement sur rendez-vous ; fermé le reste de l'année. Entrée : 4,25 € ; de 4 à 14 ans : 3 €.
Une petite visite qui plaira aux petits comme aux grands. Car Jacques Goût (quel joli nom !) est très accueillant. Il vous montrera son petit musée, ses dioramas, ses vidéos et surtout ses ruches en activité. Repérez la Reine, pointée en rouge ! Et puis vous visiterez la miellerie qui est en fait le laboratoire de « l'artiste ». Petit sentier découverte des plantes à abeilles avec panneaux ludiques pour les enfants et dégustation de la récolte à la fin de la visite ; boutique pour rapporter un petit souvenir à déguster chaque matin...

Le pont-canal de Briare et petit train touristique : à 21 km au sud de l'arboretum des Barres et 54 km de Montargis, par la N 7 ou l'A 77.
Dis papa, c'est quoi un pont-canal ? Il s'agit d'un pont sur un fleuve, mon petit, la Loire en l'occurrence, sur lequel passe non pas une route, non pas un train mais... un autre cours d'eau : un canal ! Vision assez incroyable, avec les vieux lampadaires couronnés, le fleuve paisible au-dessous, la ville toute proche, les forêts des environs. L'ouvrage fut réalisé par Gustave Eiffel de 1890 à 1894 puis mis en eau très prudemment (de 20 cm en 20 cm), histoire de vérifier son étanchéité avant son ouverture à la circulation fluviale. Entièrement métallique, il mesure précisément 662,29 m de long, ce qui en fait le plus long d'Europe ! De chaque côté du canal, un petit passage pour les piétons permet une vraie petite balade originale.
➢ Il existe également une promenade de 1 h 30 (6,40 € par adulte et 4,20 € pour les enfants de 2 à 14 ans) ou de 3 h 30 avec repas (33 € par adulte ; 30 € de 8 à 12 ans et 22 € pour les moins de 8 ans) avec les *Bateaux Touristiques,* sur le vieux canal, avec passage du pont-canal ou bien d'une écluse.

➢ Pour les amateurs, un petit train touristique vous promènera pour une visite commentée de la ville. Renseignements : ☎ 02-38-37-12-75. Prix : 3,80 € par adulte et 2,60 € de 2 à 14 ans.

– Pour comprendre le pourquoi du comment d'un tel ouvrage d'art, on peut aussi s'offrir un petit détour jusqu'à Mantelot, son écluse et sa gare à bateaux, à 5 km de Briare vers Châtillon-sur-Loire, sur la rive gauche du fleuve.

Forrest Jump : sur la commune de ***Conflans-sur-Loing.*** ☎ et fax : 02-38-94-66-26. Se rendre à Amilly, juste à l'est de Montargis, puis tourner à droite vers Conflans et suivre Gy-les-Nonains, c'est fléché. Ouvert de 10 h à 20 h en saison, en gros du printemps à l'automne selon la météo. Entrée : 16 € ; de 8 à 10 ans : 11 € ; de 5 à 7 ans : 8 €. Réservation quasi indispensable.

Comme son nom le suggère, il s'agit de grimper aux arbres mais sans se casser la figure ! Plusieurs parcours nature sur 4 ha de forêt. Tous niveaux acceptés (condition physique correcte demandée pour les parcours adultes et ados). Également une activité pour les petits, nécessairement encadrée par un membre de la famille.

Où dormir ? Où manger dans le coin ?

Le Bon Gîte : 21, bd du Chinchon, 45200 ***Montargis.*** ☎ 02-38-85-31-01. Fax : 02-38-93-28-06. ♿ Ouvert 24 h/24. Doubles à partir de 20 € avec lavabo et TV (!), jusqu'à 37 € avec bains et w.-c. ; familiales pour 4 personnes à 28 € et une « suite » à 58 €. Bon plan pour dormir bien et pas cher. Maison qui ne paie pas de mine de la rue mais beaucoup de chambres, avec notamment quelques-unes dans les étages, agencées autour d'une cour intérieure qui prend, sous le soleil, des petits airs de Méditerranée. Ensemble propre, simple et calme. Les patrons tiennent leur affaire avec beaucoup de gentillesse depuis plus de 35 ans. Garage fermé.

Hôtel-restaurant La Bodega : 17, rue Bernard-Palissy, 45500 ***Gien.*** ☎ 02-38-67-29-01. Fax : 02-38-67-98-47. Fermé le dimanche (sauf réservation) ainsi qu'en août. Chambres doubles à 26 €. Le midi, formules autour de 7 € et plat du jour à 10,50 € ; le soir, compter environ 20 € à la carte. Un drôle de nom pour une ville aussi tournée vers la tradition ? Certes, mais cette adresse est le refuge idéal des routards à petit budget dans une région où il faut souvent mettre le tarif. Ce petit hôtel propose une dizaine de chambres mignonnettes, à l'ancienne mais refaites avec cabine-douche et w.-c. sur le palier. Une familiale pour 5 personnes ne coûte que 36 €, record battu ! Un super rapport qualité-prix, donc. Seules les deux chambres dans la cour sont un peu isolées côté rue. Au resto, là encore c'est la bonne affaire avec une petite cuisine sans prétention mais qui nourrira toute la petite famille. Agréable petite salle avec des formules du midi imbattables (hors-d'œuvre et pizzas à volonté) ou grillades et salades toutes simples. Accueil très ouvert et quasi familial.

Hôtel-restaurant Le Cerf : 22, bd Buyser, 45250 ***Briare.*** ☎ 02-38-37-00-80. Fax : 02-38-37-05-15. Fermé du 21 décembre au 5 janvier. Chambres doubles de 45 à 50 € avec douche ou bains. Menus de 16 à 22 € et menu-enfants à 8,50 €. Dans un hôtel refait à neuf, chambres tranquilles, surtout dans l'annexe (2 chambres côté jardin). Déco contemporaine passe-partout mais bon confort, avec de gros postes TV dernier cri. Côté restaurant, le chef a exercé ses talents chez un étoilé Michelin de Nancy avant de venir s'installer ici. On y déguste une cuisine traditionnelle tout aussi lumineuse, dont la carte change régulièrement. Réduction de 10 % sur le prix de la chambre à nos lecteurs sur présentation du *Guide du routard.*

|●| ***Les Petits Oignons :*** 81 bis, av. du Général-de-Gaulle (dans le quartier de la gare SNCF, vers Chalette), 45200 ***Montargis.*** ☎ 02-38-93-97-49. ♿ Fermé le dimanche soir, le lundi, ainsi que pendant les vacances scolaires de février et les 3 premières semaines d'août. Menus de 12 à 28 € et menu-enfants à 7 €. Une formule originale, 2 en 1 comme le shampoing ! D'un côté, le « bistrot » avec son menu à l'ardoise et sa cuisine typique (hareng pommes à l'huile, aile de raie...). De l'autre, le « gastro » au décor dépouillé et un poil moderne, avec des plats plus élaborés comme le sandre au safran du Gâtinais et le cendré aux pommes. De plus, en saison, on peut s'installer dans le jardin et sur la terrasse. Cuisine d'une grande finesse et à base d'excellents produits. Accueil cordial et service impeccable. Ce pourrait être cher, même pas ! Et puis la formule est sympa puisque l'on peut revenir à la même adresse tout en ayant l'impression de changer de restaurant !

CHAMPAGNE-ARDENNE

Avec ses 150000 ha de forêts, la région Champagne-Ardenne offre aux enfants et aux amateurs de grand air des richesses naturelles inépuisables. Bouts de chou et ados profiteront des joies de la nature, en particulier des nombreuses forêts qui contribuent à la richesse de la région. La Champagne-Ardenne, c'est aussi le parc d'attractions de Nigloland. Et rien n'empêche les parents de se perfectionner sur les richesses viticoles de la région !

Adresses utiles

Comité régional du tourisme : 15, av. du Maréchal-Leclerc, BP 319, 51013 Châlons-en-Champagne Cedex. ☎ 03-26-21-85-80. Fax : 03-26-21-85-90. • www.tourisme-champagne-ard.com •

Comité départemental du tourisme des Ardennes : 22, pl. Ducale, BP 419, 08107 Charleville-Mézières Cedex. ☎ 03-24-56-06-08. Fax : 03-24-59-20-10. • www.ardennes.com •

Comité départemental du tourisme de la Marne : 13 bis, rue Carnot, BP 74, 51006 Châlons-en-Champagne Cedex. ☎ 03-26-68-37-52. Fax : 03-26-68-46-45. • www.tourisme-en-champagne.com •

Comité départemental du tourisme de l'Aube : conseil général, 34, quai Dampierre, 10000 Troyes Cedex. ☎ 03-25-42-50-00. Fax : 03-25-42-50-88. • www.aube-champagne.com •

Comité départemental du tourisme de la Haute-Marne : 40 bis, av. Foch, 52000 Chaumont. ☎ 03-25-30-39-00. Fax : 03-25-30-39-09. • www.tourisme-hautemarne.com •

NIGLOLAND

Dans les environs : le parc naturel régional de la forêt d'Orient • Le parc de vision animalier • Le musée d'Automates Marcu • Le musée des Poupées d'antan et de la Tonnellerie • L'écomusée de Bayel et les cristalleries royales de Champagne

LE PARC D'ATTRACTIONS DE NIGLOLAND

À ***Dolancourt*** (10210). ☎ 03-25-27-94-52. • www.nigloland.fr • De Bar-sur-Aube, suivre la N 19 direction Troyes jusqu'à Dolancourt; Nigloland se trouve à la sortie du village, dans le parc naturel de la forêt d'Orient. Ouvert du 1er week-end d'avril à fin août tous les jours de 10 h à 18 h, 19 h ou 20 h selon les jours et les mois ; en septembre, les samedi et dimanche de 10 h à 18 h ainsi qu'en octobre (téléphoner pour les horaires). Fermeture de la caisse 1 h plus tôt. Entrée : 14,50 € ; moins de 12 ans : 13,50 € ; gratuit pour les enfants de moins de 1 m. Parking gratuit.

Histoire assez étonnante que celle de ces deux frères forains, fascinés par les parcs d'attractions, qui décident de s'installer sur une terre familiale en rase campagne. Sans investissement extérieur, ils créent en 1987 Niglo-

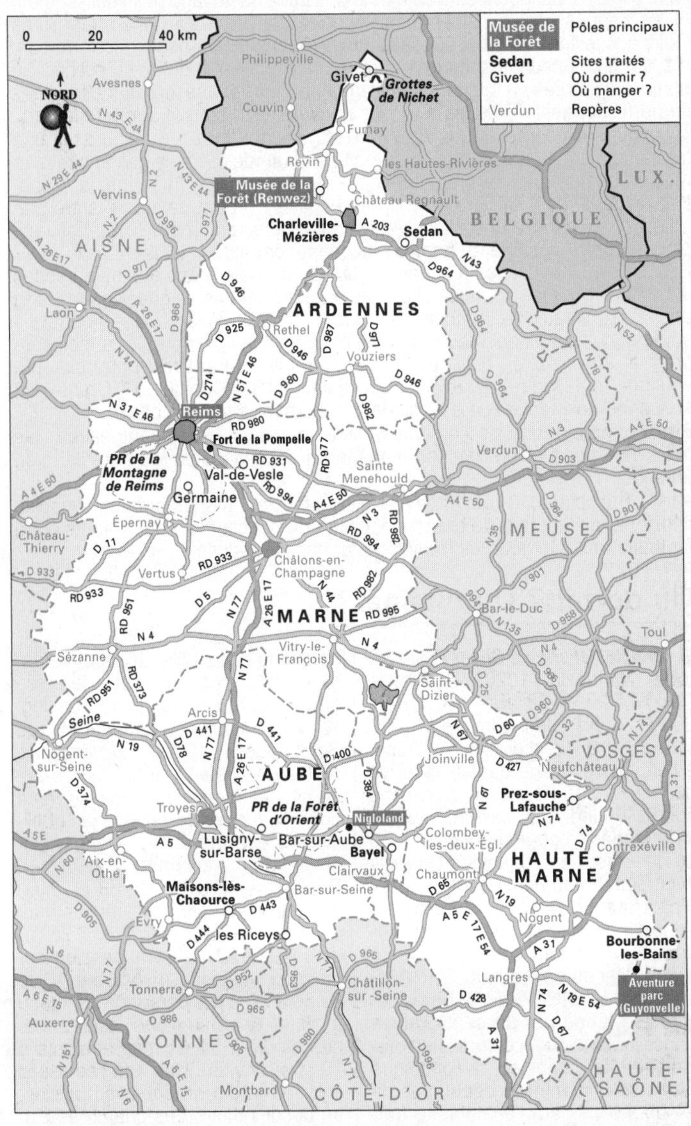

CHAMPAGNE-ARDENNE

land. Niglo, le hérisson, est l'emblème des gens du voyage. L'investissement et les risques sont considérables, mais dès la première année, les frères Gélis accueillent déjà 100 000 visiteurs à Nigloland. Un exploit pour un parc n'ayant reçu aucun financement d'ordre public ! C'est le début du succès : le nombre d'entrées va toujours croissant et, au fur et à mesure, les attractions se perfectionnent. Tous les ans, des nouveautés viennent agrandir le parc. À l'origine, on comptait une dizaine d'attractions. Il y en a aujourd'hui une trentaine : la rivière canadienne, avec une chute de 20 m, le galion pirate, la maison hantée, particulièrement bien réalisée, le train de la mine, la « Spatiale expérience » (le Grand Huit de l'espace : on est catapulté entre planètes et comètes à une allure vertigineuse, tête retournée, corps balancé, plaqué contre le siège, et hop, on recommence), ça ne vous rappelle rien ? Peu importe, l'ambiance reste bon enfant et familiale grâce aux nombreuses attractions pour les bouts de chou (les dragons volants, la chenille, un étang peuplé d'animaux de la jungle, les tacots 1900, au volant d'une Formule 1 sur le circuit de Monaco ou d'un rutilant camion sur la route 66, à moins de préférer une monture plus sauvage et de partir au Far West pour une chevauchée fantastique). Dernière nouveauté : le Bat Coaster, 1er Grand Huit suspendu de France (on s'y balade à 100 km/h la tête en bas !).
Bref, il y en a pour tous les goûts dans ce parc aux arbres centenaires : les petits, les ados attirés par les manèges à sensations et les parents, bien entendu.

|●| ♿ Sur place, 3 restos avec bien sûr des menus-enfants, snacks, consigne, distributeur de billets et location de poussettes pour enfants et de fauteuils roulants pour les personnes à mobilité réduite.

Où dormir ? Où manger ?

⌂ |●| ***Hostellerie La Chaumière :*** 81, route Nationale, 10200 ***Arsonval.*** ☎ 03-25-27-91-02. Fax : 03-25-27-90-26. • www.lachaumiere.fr • ♿ Par la N 19 direction Bar-sur-Aube, à l'entrée du village quand on arrive de Nigloland. Fermé le dimanche soir et le lundi hors saison, sauf les jours fériés ; congés annuels : du 10 décembre au 20 janvier. Doubles avec douche ou bains à 53 et 55 € ; triples autour de 52 € ; supplément de 9,15 € par lit supplémentaire ; gratuit pour les enfants de moins de 2 ans. Menus de 18 à 50 € ; menu-enfants à 9,15 €. Vieille auberge villageoise tenue par un gentil couple franco-britannique, comme en témoigne la cabine téléphonique rouge *so british* (mais dépourvue de téléphone !). Deux chambres, fraîchement rénovées dans le bâtiment principal, antique maison à pans de bois. Dans une structure moderne qui jure un peu dans le paysage, 9 autres, spacieuses, équipées de tout le confort moderne et qui donnent sur le grand jardin et la rivière. Cuisine soignée et copieuse, servie dans une belle salle aux poutres apparentes. Très agréable terrasse ombragée aux beaux jours. Parking.

⌂ |●| ***Le Moulin du Landion :*** 5, rue Saint-Léger, 10200 ***Dolancourt.*** ☎ 03-25-27-92-17. Fax : 03-25-27-94-44. • moulin.du.landion@wanadoo.fr • Au centre du village (et Nigloland est tout près !). Congés annuels : de mi-novembre à mi-février. Doubles avec bains de 68 à 77 € ; 2 chambres communicantes tout confort, avec un grand lit et 2 lits jumeaux, à 133 €. Demi-pension demandée de juin à octobre : de 69,50 à 77 € par personne. 1er menu à 18,20 € en semaine ; autres menus de 27 à 54 € ; menu-enfants à 10,50 € environ. Une adresse assez chic, au jardin arboré avec piscine, un décor raffiné. Les chambres disposent d'une petite terrasse. Leur style, de facture assez moderne, contraste avec la salle à manger rustique aménagée autour du moulin. Le restaurant surplombe la rivière, tandis que les grandes baies vitrées s'ouvrent sur la roue à aubes, toujours en état de marche.

On peut aussi préférer une table au bord de l'eau. Une adresse paisible après les folles attractions de Nigloland. Parking. Apéritif maison offert à nos lecteurs.

lel ***Un P'tit Creux :*** 24, rue Nationale, 10200 ***Bar-sur-Aube.*** ☎ 03-25-27-37-75. ♿ Dans le vieux centre de Bar. Fermé les dimanche et lundi sauf en août; congés annuels : en mars et octobre. Menus de 9,50 à 22 €. Une galerie marchande moderne abrite ce petit resto à la déco claire et gaie. Cuisine traditionnelle sans prétention, crêpes et pizzas. En été, petite terrasse ensoleillée bien agréable.

➤ DANS LES ENVIRONS

🔭🔭 ***Le parc naturel régional de la forêt d'Orient :*** créé en 1970, le parc s'étend sur plus de 70000 ha, regroupant 50 communes et plus de 20000 habitants. Il abrite d'immenses lacs-réservoirs nichés au cœur de forêts profondes et de vastes prairies naturelles. Pour toute information, *maison du parc,* 10220 Piney (à 20 km de Troyes). ☎ 03-25-43-81-90. • www.pnr-foret-orient.fr • Entrée gratuite. C'est un lieu d'exposition permanente et temporaire sur les missions et les actions du parc.

Des sorties sont organisées régulièrement, tout au long de l'année. Réservation obligatoire auprès du *Parc naturel de la forêt d'Orient* et de l'*Office national des forêts :* ☎ 03-25-43-81-90 (5 € la demi-journée par personne; gratuit pour les moins de 13 ans) ou auprès de la *Ligue pour la protection des oiseaux :* ☎ 03-26-72-54-47 (4 € par personne la demi-journée; gratuit pour les enfants de moins de 12 ans). Le nombre de visiteurs étant limité (25 personnes), inscrivez-vous à l'avance. Pensez également à apporter votre pique-nique pour les sorties à la journée.

Les thèmes des animations s'organisent en fonction des saisons et au rythme des événements biologiques (reproduction, migration, hivernage...). Stages et conférences sont également au programme. Par exemple, le groupe partira à la découverte des oiseaux hivernants en janvier alors qu'en avril, on s'initiera aux chants d'oiseaux pour apprendre à distinguer la grive du merle, le pinson de la mésange et à identifier les premiers migrateurs. Une sortie à faire en famille, en ayant prévu de bonnes chaussures et une tenue discrète. De nombreux autres sujets de découverte sont aussi proposés. Demander le calendrier en début d'année.

🔭 La forêt d'Orient offre également la possibilité de se rendre au ***parc de vision animalier,*** situé en forêt domaniale de Larivour-Piney, sur la presqu'île de Luxembourg-Piney bordant le lac d'Orient. Pour tout renseignement, s'adresser à la *maison du parc* (☎ 03-25-43-81-90). Téléphoner pour les horaires en fonction de la période. Gratuit.

Du haut du mirador, vous pourrez observer dans 3 enclos distincts cerfs, chevreuils et sangliers en semi-liberté. Explications d'un animateur. Pour observer au mieux le gibier, gardez le silence, soyez patient et pensez à apporter une paire de jumelles!

🔭 ***Le musée d'Automates Marcu :*** 25, av. Pierre-Gomand, 10270 ***Lusigny-sur-Barse.*** ☎ et fax : 03-25-41-55-51. À une dizaine de kilomètres de Troyes par la N 19. Ouvert d'avril à octobre les samedi, dimanche et jours fériés de 15 h à 18 h 30; les autres jours, sur rendez-vous; en juillet, août et septembre, ouvert tous les jours de 15 h à 18 h 30. Entrée : 7 €; de 3 à 12 ans : 5,50 €.

Ici, on entre dans un autre monde, celui des automates. Voilà un musée qui émerveillera les enfants, avec ses personnages qu'on remonte et dont les mouvements s'animent! Parmi les différentes pièces, on remarquera un *Grand Équilibriste aux boules,* un *Singe fumeur et son écureuil* ou encore *Le*

Chat botté... Les 40 pièces constituent une charmante collection qui séduira petits et grands.

Le musée des Poupées d'antan et de la Tonnellerie : 10210 **Maisons-lès-Chaource.** ☎ 03-25-70-07-46. À l'entrée du village, sur la droite en venant de Chaource. De mars à septembre, visite guidée tous les jours sauf le mardi, de 9 h 30 à 12 h et de 14 h à 18 h ; d'octobre à février, ouvert uniquement l'après-midi. Entrée : 4 € ; 2 € jusqu'à 14 ans.
Cette ancienne fromagerie abrite deux musées. La visite commence par le *musée de la Tonnellerie,* qui présente les outils et les œuvres d'un maître tonnelier de la région. Remarquer cet avion dans le coin gauche, il est réalisé en douves, comme s'il s'agissait d'un tonneau. Si bien que, rempli de cidre (ou de tout autre breuvage), l'avion serait parfaitement étanche. Également d'autres tonneaux aux formes pour le moins curieuses.
Dans la pièce de transition sont exposés une Renault de 1920 (prélude au *musée des Vieux Tacots* aux Riceys) et des personnages en costumes 1900. Comme les poupées, ils font l'objet d'une scrupuleuse restauration.
On accède ensuite aux trois salles consacrées aux poupées d'antan. Voilà un quart de siècle que M. et Mme Hugerot collectionnent les poupées dont rêvent toutes les petites filles. La plus ancienne date de 1850 et fut confectionnée en cire. Elles furent ensuite fabriquées en cuir, porcelaine (yeux de verre et vrais cheveux), en Celluloïd au début du XXe siècle, en carton bouilli, papier mâché ou caoutchouc (dans les années 1950). La collection compte même une poupée japonaise à la tête en coquille d'œuf, ainsi qu'une poupée italienne à la tête en feutrine. Étonnante aussi, cette carte postale de 1900 représentant une femme dont le visage est encadré de vrais cheveux. À voir enfin, une salle présentant des chapeaux et chaussures de 1900-1930. La très belle mise en scène, le souci du détail, la petite musique d'ambiance font de ce musée un agréable voyage nostalgique.
La visite se conclut par une petite dégustation de toasts au chaource, arrosés d'une boisson locale.

Où dormir ? Où manger dans le coin ?

Hôtel-restaurant Aux Maisons : 11, rue des A.-F.-N., 10210 **Maisons-lès-Chaource.** ☎ 03-25-70-07-19. Fax : 03-25-70-07-75. • www.logis-aux-maisons.com • ♿ Dans le village. Restaurant fermé le dimanche soir et du 15 octobre au 15 avril. Chambres doubles à 53 € avec bains ou douche thalasso ; triples à 55,64 € ; également des chambres communicantes pour les familles (jusqu'à 6 personnes). Menus de 18 à 38 € ; menu-enfants gastronomique à 10,37 €, très complet. Au cœur d'un charmant petit village, une ancienne ferme, sur laquelle se sont greffées des annexes plus modernes. L'affaire familiale qui sait évoluer avec son époque. Chambres impeccables, contemporaines-fonctionnelles pour certaines, plus rustiques pour d'autres, toutes tranquilles. Certaines (comme les n°s 4, 5, 6 et 7) vraiment tout confort : clim', minibar... Piscine. Très élégante salle à manger aux grandes tables rondes et aux confortables fauteuils. Bonne cuisine, de région et de tradition, mais avec de la personnalité.

L'écomusée de Bayel et les cristalleries royales de Champagne : 2, rue Belle-Verrière, 10310 **Bayel.** Renseignements à l'office de tourisme : ☎ 03-25-92-42-68. • www.bayel-cristal.com • À côté de Bar-sur-Aube. Musée ouvert du lundi au samedi de 9 h 30 à 13 h et de 14 h à 18 h et le dimanche de 14 h à 18 h. Visite des cristalleries du lundi au vendredi à 9 h 30 ou 11 h et le samedi sur rendez-vous. Fermé de mi-juillet à mi-août et entre

Noël et début janvier. Durée : 1 h 30. Entrée pour une visite : 5,30 €; de 6 à 18 ans : 2,30 €. Pour les 2 visites : 7,60 €; de 6 à 18 ans : 3,80 €.
Le village champenois de Bayel connaît le travail du verre depuis le XIVe siècle et c'est en 1666 que Jean-Baptiste Mazzolay, maître verrier vénitien, y créa les cristalleries, qui obtinrent rapidement un statut royal sous Louis XIV. Le musée permet de découvrir et de comprendre l'histoire du verre et du cristal de l'Antiquité à nos jours. On apprend que ce sont les Syriens qui développèrent le soufflage du verre et qu'outils et techniques restent les mêmes qu'au XVIIe siècle (soufflage à la bouche, taille à la main, gravure au sable et à l'acide). Présentation de maquettes et de photos, ainsi qu'une vidéo de 15 mn qui égrène toutes les étapes de fabrication. Belle collection de vases des années 1930. Instructif !

Où dormir ? Où manger dans le coin ?

🏠 |●| ***Hôtel-restaurant Le Magny*** : route de Tonnerre, 10340 ***Les Riceys.*** ☎ 03-25-29-38-39. Fax : 03-25-29-11-72. • lemagny@wanadoo.fr • ♿ Par la D 17, à la sortie des Riceys-Haut sur la D 453 (route de Tonnerre). Fermé le mardi soir et le mercredi; congés annuels : en janvier et février. Doubles de 47 à 55 € avec douche ou bains; chambre familiale de 45,73 à 50,31 € selon la saison, comprenant un grand lit et un canapé-lit; 12,20 € le lit supplémentaire. Menus de 11 à 36 €; menu-enfants à 7 €. Dans une grande bâtisse cossue, des chambres tranquilles, d'un très bon rapport qualité-prix. Les plus agréables (les plus chères aussi, logique...) donnent sur le jardin. Table plus qu'honorable. Agréable terrasse s'ouvrant sur le jardin. Piscine chauffée. Parking.

LE MUSÉE DE LA FORÊT À RENWEZ ET CHARLEVILLE-MÉZIÈRES

Dans les environs : les grottes de Nichet • Le musée du Château fort de Sedan

LE MUSÉE DE LA FORÊT À RENWEZ

Renseignements : ☎ 03-24-54-82-66. À 12 km au nord de Charleville-Mézières vers Revin, à la bifurcation de la D 988 et de la D 140. Ouvert tous les jours, de 9 h à 19 h en saison et de 9 h à 12 h et 14 h à 17 h ou 18 h hors saison. Entrée : 4 €; réductions.
|●| Également un bâtiment d'accueil avec expos, boutique et cafétéria.
Au cœur de la forêt des Ardennes, ce musée en plein air fait revivre les métiers pratiqués autrefois. Les mannequins, sculptés dans le bois, sont en pleine activité (les uns fabriquent des balais de bouleau, tandis qu'un bûcheron, armé d'une hache, abat un chêne). Le visiteur peut aussi découvrir les outils de la forêt, des étangs, un parc ornithologique de canards et sarcelles, ainsi qu'une vaste clairière, où des animations sont régulièrement organisées, surtout l'été. En fait, la visite du musée de la Forêt offre l'occasion d'une bonne balade où l'aspect pédagogique n'est pas en reste. Les enfants se familiarisent agréablement avec le milieu forestier en y découvrant la place de l'homme et des techniques.
Si vous comptez déjeuner sur place, vous pouvez apporter votre pique-nique et même louer un barbecue (réservation indispensable). Sinon, des menus sont prévus, mais il faut réserver.

CHARLEVILLE-MÉZIÈRES

Ville verte et fleurie qui offre aux parents et à leurs enfants (ainsi qu'à tous les autres promeneurs) des espaces naturels balisés. Nous vous indiquons plusieurs sentiers et jardins au cœur de la ville. Ne manquez pas de jeter un œil à la spectaculaire place Ducale.

Le parc animalier de Saint-Laurent : ☎ 03-24-57-39-84. D'avril à septembre, ouvert en semaine sauf le jeudi de 14 h à 18 h et les week-ends et jours fériés de 13 h 30 à 19 h ; d'octobre à mars, ouvert tous les jours sauf le jeudi, de 13 h 30 à 17 h 30. Dans ce parc de 45 ha est concentrée la faune des Ardennes : sangliers, daims, cerfs, chèvres, mouflons, chevreuils...

Le mont Olympe : c'est ici que se trouvait, jusqu'en 1687, la forteresse du Mont-Olympe. Le lieu est aujourd'hui une base de loisirs équipée d'un terrain de football, d'une piscine, d'une base nautique. C'est également ici qu'un millier de bateaux s'amarre tous les ans.

Le jardin botanique, square Jules-Cardot : rue Jules-Cardot. D'avril à septembre, ouvert tous les jours de 7 h à 20 h ; d'octobre à mars, ouvert tous les jours de 8 h à 17 h. Un superbe jardin à la française.
Vous pourrez également flâner au *square de la Gare* qui possède des arbres assez rares, au *parc Pierquin* ou au *square Milaret.* Si vous en avez l'occasion, allez-y au printemps ou l'été, c'est tellement plus beau !

Où dormir ? Où manger ?

Hôtel de Paris : 24, av. G.-Corneau, 08000 ***Charleville-Mézières.*** ☎ 03-24-33-34-38. Fax : 03-24-59-11-21. Congés annuels : du 24 décembre au 4 janvier. Doubles à partir de 42,69 € avec douche et w.-c. ; 3 chambres familiales à 67 €. Face au square de la Gare que Rimbaud maudissait (mais son buste y trône désormais...). Tenu par l'une des hôtelières les plus accueillantes que l'on connaisse.

Restaurant Le Damier : 7, rue Bayard, 08000 ***Charleville-Mézières.*** ☎ 03-24-37-76-89. Entrer dans Mézières par l'avenue d'Arches, prendre la 2e rue à droite après le pont sur la Meuse. Ouvert le midi du lundi au vendredi, et le samedi soir. Fermé le dimanche. Congés annuels : en août. Menus de 9 € le midi en semaine à 17 € ; plat du jour autour de 6 € ; menu-enfants à 6 €. Annoncé par une enseigne à l'ancienne, un resto pas comme les autres, géré par une association qui travaille à l'insertion de jeunes en marge (on excusera donc d'emblée les occasionnelles approximations du service). Avec son plat du jour et son 1er menu, c'est l'endroit idéal pour déjeuner. Lumineuse salle au sol en damier. Cuisine toute simple mais méritante.

➤ DANS LES ENVIRONS

Les grottes de Nichet : 08600 ***Fromelennes.*** Renseignements à la mairie de Fromelennes : ☎ 03-24-42-00-14. De Charleville-Mézières, prendre la N 43-E 44 jusqu'à Lonny, puis bifurquer à droite sur la D 988 vers Fumay puis sur la N 51 ; à Givet, prendre la D 46. Ouvert en avril, mai et septembre de 14 h à 18 h, et en juin, juillet et août, de 10 h à 12 h et de 13 h 30 à 19 h. Fermé d'octobre à mars. Entrée : 5 € ; de 6 à 9 ans : 1,50 € ; de 10 à 16 ans : 2,50 €.
Sur 3 niveaux, la grotte est la curiosité géologique la plus surprenante des Ardennes. Plusieurs salles, dont la *salle au clair de lune,* la *salle au squelette.* Aires de pique-nique et parcours de santé à proximité.

Où dormir dans le coin ?

🏠 ***Hôtel du Nord :*** 27, rue Thiers, 08600 ***Givet.*** ☎ 03-24-42-01-78. Fax : 03-24-40-46-79. ♿ Fermé le vendredi et le dimanche soir. Congés annuels : 3 semaines fin décembre. Doubles de 22,90 € avec cabinet de toilette à 33,60 € avec douche ou bains et w.-c. ; triples à 42,70 €. Petite adresse pas ruineuse, au centre mais dans une rue assez tranquille. Parking.

Le musée du Château fort de Sedan : renseignements et réservations à l'office de tourisme : ☎ 03-24-27-73-73. • ot.sedan@wanadoo.fr • Ouvert en été de 10 h à 20 h ; le reste de l'année, horaires variables (se renseigner). Fermé les 25 décembre et 1er janvier. Entrée (château fort et musée) : 6,90 € ; enfants : 4,60 €.
Ce musée est installé dans le château fort le plus vaste d'Europe (35 000 m²). Il contient une importante collection retraçant l'histoire du château et de la ville de Sedan. Visite libre avec audioguide dont un spécialement adapté aux enfants qui leur permet de découvrir la vie quotidienne au Moyen Âge grâce à des scènes reconstituées tout au long du circuit. En été, repas costumés au château, nocturnes aux flambeaux, fauconnerie médiévale...

Où dormir ? Où manger dans le coin ?

🏠 |●| ***Le Relais :*** rue Gaston-Sauvage, 08200 ***Sedan.*** ☎ 03-24-27-04-41. Fax : 03-24-29-71-16. À la sortie de Sedan, direction Charleville-Mézières. Resto fermé le dimanche soir. Doubles avec douche de 42 à 46 € ; lit supplémentaire à 9 € pour les enfants. Menus de 11,50 à 18 € ; menu-enfants à 7 €. Une massive bâtisse de brique, avec pas mal de caractère. Chambres calmes, d'un bon rapport qualité-prix. Accueil sympathique. Vaste salle de resto pour une cuisine traditionnelle à options régionales (pâté ardennais, salade gourmande du *Relais* aux gésiers, lardons, pommes de terre et œufs pochés, et ce fameux ragoût de pommes de terre avec oignons, lardons et morceaux de bœuf ici appelé « cacasse à cul nu » !). Parking.

REIMS

Dans les environs : le fort de la Pompelle • Le parc naturel régional de la Montagne de Reims

Beaucoup de choses à voir à Reims (et on ne vous parle même pas des caves !) : la cathédrale bien sûr, unique, qui a rythmé l'histoire de la France mais bien d'autres monuments encore, dont l'ancien collège des Jésuites qui abrite en son sein un planétarium très intéressant. Ne pas manquer non plus le musée automobile qui abrite nombre de vieux et beaux tacots et, pour les plus grands qui souhaitent réviser leur histoire, le musée de la Reddition, où fut signée la capitulation des forces allemandes en 1945. Sur ce thème, nous vous proposons également un détour par le musée de la Guerre installé dans le fort de la Pompelle, étonnant témoignage de la Première Guerre mondiale. Enfin, pour respirer, cap vers le parc de la Montagne de Reims pour une chouette escapade nature.

La cathédrale de Reims : ouvert tous les jours de 7 h 30 à 19 h 30 ; pas de visite pendant les offices. Pour la visite des parties hautes de la cathédrale, s'adresser au palais du Tau (☎ 03-26-47-81-79). Visite guidée de mi-mars à fin octobre tous les jours sauf le dimanche matin et le lundi, de 10 h à 11 h 30 et de 14 h à 17 h 30 ; un départ toutes les 30 mn. Entrée : 4 €.
La première cathédrale fut consacrée en 401 et détruite par un incendie en 1210. Les travaux de la cathédrale actuelle commencèrent en 1211 pour se terminer un siècle plus tard, à part les tours dont la construction se poursuivit jusqu'en 1480. Après les terribles dégâts causés par la Première Guerre mondiale, sa restauration fut entreprise en partie grâce à la donation Rockefeller. L'édifice fut restitué au culte en 1937. Elle possède l'une des plus belles façades gothiques de France avec ses anges aux ailes déployées et, sur le portail de gauche, le célèbre *Ange au sourire,* presque malicieux. Pour en apprendre plus sur cet édifice, adressez-vous à l'office de tourisme qui propose (chaque week-end à partir de Pâques, quotidiennement en été) une visite guidée de la cathédrale Notre-Dame avec un guide conférencier. Très intéressant.
Si vos enfants s'intéressent à l'histoire médiévale, emmenez-les également à la ***basilique Saint-Remi,*** tombeau des premiers rois de France, un très bel exemple de l'architecture romane du Nord de la France. La visite combinée des 2 édifices leur permettra d'observer et de comparer les différences entre les styles roman et gothique.

Parents savants : *la cathédrale de Reims*

Sur le plan historique, la cathédrale de Reims joue le rôle d'église sainte, à la fois nationale et royale. La crypte, découverte après la guerre, évoque la cathédrale primitive qui vit la nation franque baptisée par saint Remi, en la personne de son roi Clovis, en l'an 496. À partir des Capétiens, Reims confirmera sa vocation de ville du sacre : tous les rois de France, à l'exception de Louis VI, Henri IV et Louis XVIII, y seront couronnés. Parmi les dates importantes : 1429. Charles VII y est sacré roi sous l'étendard de Jeanne d'Arc. Plus récemment la cathédrale, symbole de la patrie pendant la Première Guerre mondiale, fut le témoin de la réconciliation franco-allemande en 1962 en présence du chancelier Adenauer et du général de Gaulle. En 1996, elle accueillit le pape Jean-Paul II à l'occasion du XVe centenaire du baptême de Clovis.

Le planétarium : ancien collège des Jésuites, 1, pl. Museux, 51100 ***Reims.*** ☎ 03-26-85-51-50. Entrée : 3 € pour les 3 séances d'un même après-midi (pass donnant accès au musée de la Reddition, entre autres) ; gratuit pour les moins de 16 ans. Attention, les enfants de moins de 5 ans ne sont pas acceptés. Séances publiques toute l'année les week-ends et jours fériés, et tous les jours pendant les vacances scolaires de la zone B. Différents thèmes (« Cette nuit sous les étoiles », « Mars la planète rouge »...) et plusieurs séances : 14 h 45, 15 h 30 et 16 h 45. La durée des séances est de 30 à 50 mn. Mieux vaut quand même se renseigner à l'avance, ces horaires étant susceptibles de modifications. Il est conseillé de se présenter environ 15 mn avant le début de la séance.
Le planétarium, situé dans une aile de l'ancien collège des jésuites, est un bel ensemble architectural construit au XVIIe siècle (en rénovation). Les 6 000 étoiles et la représentation des planètes du système solaire ne manqueront pas de fasciner les enfants tout en leur faisant découvrir, grâce à un appareil de projection très perfectionné, la voûte céleste sous toutes les latitudes. Dans le hall, on peut également admirer une superbe horloge astronomique réalisée par un pharmacien rémois, Jean Legros.

Le musée automobile Reims-Champagne : 84, av. Clemenceau, 51100 **Reims.** ☎ 03-26-82-83-84. Ouvert de 10 h à 12 h et de 14 h à 18 h. Fermé le mardi. Entrée : 5,50 €; de 6 à 10 ans : 2,50 €; de 11 à 18 ans : 4 €; forfait famille (2 adultes et 2 enfants) : 13 €.
Créé en 1985 par Philippe Charbonnaux, célèbre styliste automobile, ce musée présente plus de 160 véhicules anciens dont pas mal de marques prestigieuses (Delahaye, Panhard, une superbe torpédo Scar de 1908 – fleuron de l'industrie rémoise dont on ne trouve que 6 exemplaires dans le monde – des Harley-Davidson, Motobécane...). Les bâtiments de cette ancienne usine abritent également une belle collection de voitures à pédales et de patinettes; moult voitures miniatures, affiches et publicités émaillées complètent cette rutilante collection. Un plaisir des yeux qui plaira autant aux parents qu'aux enfants.

Le musée de la Reddition : 12, rue Franklin-Roosevelt, 51100 **Reims.** ☎ 03-26-47-84-19. Ouvert de 10 h à 12 h et de 14 h à 18 h. Fermé le mardi et certains jours fériés. Entrée : 3 € (pass donnant aussi accès au planétarium, entre autres); gratuit pour les moins de 16 ans et pour tous le 1er dimanche du mois.
C'est dans le Collège moderne et technique de Reims qu'Eisenhower avait choisi d'installer son QG à la fin de la Seconde Guerre mondiale. Et c'est précisément ici que le 7 mai 1945 l'Allemagne y signa sa capitulation. Classé Monument historique, ce musée, très pédagogique, tout à la fois lieu de commémoration mais aussi de mémoire, offre aux plus jeunes la possibilité de mieux appréhender cette période de notre histoire.

Où dormir? Où manger?

Ardenn Hôtel : 6, rue Caqué, 51100 **Reims.** ☎ 03-26-47-42-38. Fax : 03-26-09-48-56. Fermé le dimanche soir (sauf réservation) et pendant les vacances de Noël. Chambres doubles avec douche ou bains de 47 à 49 €. Pour les familles, quelques chambres pour 3 ou 4 personnes à 59 €. Petit hôtel bien sympathique situé dans une rue calme du centre-ville. Les chambres ne sont pas bien grandes mais aménagées avec goût et parfaitement tenues. Accueil souriant et ambiance amicale.

Chambres d'hôte Les Marronniers : chez Joy et Laurent Lapie, 1, rue Jeanne-d'Arc, 51360 **Val-de-Vesle.** ☎ 03-26-03-92-88. Fax : 03-26-02-76-16. ♿ À 18 km à l'est de Reims par la N 44 direction Châlons, puis la 2e route à gauche après Beaumont-sur-Vesle. Ouvert toute l'année. Compter 45 € pour 2, 58 € pour 3 et 71 € pour 4 personnes, copieux petit dej' compris. Lit-bébé à disposition. Dans un bourg calme et verdoyant au pied du parc régional de la Montagne de Reims. Les Lapie ont joliment restauré une aile de cette belle ferme familiale pour y aménager 5 chambres confortables et cosy. Trois sont équipées d'un convertible et conviendront parfaitement aux familles. Un beau salon TV-bibliothèque, une cuisine équipée, une terrasse et un jardin avec jeux pour enfants complètent le tableau. Accueil chaleureux. Pour nos lecteurs, remise de 10 % sur le prix de la chambre pour 2 nuits minimum (hors juillet et août) sur présentation du *Guide du routard.*

Restaurant Le Chamois : 45, rue des Capucins, 51100 **Reims.** ☎ 03-26-88-69-75. Près de la cathédrale. Fermé le mercredi et le dimanche midi; congés annuels : 1 semaine en mai et 2 semaines en août. Petits menus traditionnels à 8 et 12,10 € le midi. Le soir, carte uniquement, autour de 17 €. Lassitude de la plaine? La cuisine de ce resto plutôt intime, à l'écart de l'agitation, s'inspire des alpages et des sommets. À la carte : fondues savoyardes, raclette valaisanne ou vaudoise... Hmm! les enfants adorent.

➤ DANS LES ENVIRONS

Le fort de la Pompelle : à 5 km au sud-est de Reims, direction Châlons-en-Champagne par la N 44. ☎ 03-26-49-11-85. Ouvert de 11 h à 18 h (19 h le week-end) d'avril à octobre ; le reste de l'année, ouvert de 10 h à 17 h. Fermé le mardi et du 24 décembre au 6 janvier. Entrée : 3,50 € ; gratuit pour les enfants de moins de 10 ans.
Cette place forte souterraine, ensevelie sous les décombres et les barbelés, rappelle à quel point la Grande Guerre de 1914-1918 fut aussi une « sale guerre ». Pendant 4 ans, les 180 régiments qui s'y succédèrent résistèrent aux chars, aux gaz, aux bombardements et aux lance-flammes allemands. Malgré 12000 victimes (tout de même), le fort est le seul de la région à être resté aux mains des Français jusqu'au 11 novembre 1918.
Transformées en musée de la Guerre, ses galeries abritent des véhicules d'époque, une salle des uniformes, d'intéressants jeux pour enfants (la propagande nationaliste française), des souvenirs des « crapouillots » (utilisateurs des « crapauds », les mortiers de tranchées) et surtout une salle où trône une variété impressionnante de casques de l'armée impériale allemande : de Saxe, de Bavière, de Prusse, à pointe, surmontés d'aigles ou de têtes de mort (ceux des hussards), etc.

Le parc naturel régional de la Montagne de Reims : classé depuis 1976, le parc, qui s'étend sur quelque 50000 ha, regroupe 68 communes et près de 35000 habitants. Un circuit dans la Montagne de Reims (dont le sommet n'atteint pas 300 m) offre l'occasion de découvrir de chouettes paysages, entre vignobles et forêts, et de bien jolis villages. Pour toute information sur le parc, les sentiers, les activités proposées, rendez-vous à la *maison du parc,* à Pourcy (51480). ☎ 03-26-59-44-44. Ouvert toute l'année : de Pâques au 11 novembre, tous les jours de 14 h 30 à 18 h 30 ; le reste de l'année, uniquement en semaine, de 9 h à 12 h et de 13 h 30 à 18 h. Propose cartes et topoguides, expositions, conférences, et programme, toute l'année, des sorties thématiques... À saluer aussi, la mise en place d'une innovante console GPS, baptisée *Hoppy,* qui permet aux automobilistes de parcourir les routes du parc tout en écoutant des informations sonores sur les lieux traversés (description d'un paysage, un monument, une coutume locale, une légende...). Location (10 € pour 24 h) à la *maison du parc* ou dans les principaux offices de tourisme de la région (Reims, Épernay...).

Parents savants : *les faux de Verzy*

« Faux » vient du latin *fagus,* « hêtre ». Les faux de Verzy, dont les plus vieux ont plus de 300 ans, sont des hêtres aux formes tortueuses se développant en forme de parasol jusqu'au ras du sol. L'origine de ces arbres étranges a donné naissance à pas mal de légendes et de rumeurs populaires : punition divine contre les « mécréants verzinois », pratiques anciennes de marcottage, mutation due à la nature du sol... Le mystère n'a toujours pas été élucidé. Pour aller admirer ces curiosités végétales, à Verzy, prendre à droite la D 34, direction Louvois. Au sommet de la côte, prendre à gauche, la « route des Faux » jusqu'au « parking des Pins ». Ensuite, parcours aménagé d'environ 3 km à pied. Une petite balade tranquille en famille pour découvrir ces arbres impressionnants qu'on croirait droit sortis d'un conte fabuleux.

Où manger dans le coin?

I●I ***La Ferme des Bœufs*** *(chez Isabelle et Bernard Verdonk)* **:** à 3 km du village de ***Germaine*** (direction Les Haies). ☎ 03-26-52-88-25. Ferme-auberge ouverte du samedi midi au dimanche midi, ou sur réservation. Fermé de fin octobre à mi-avril. Menu unique à 20 € avec entrée, plat du jour, salade, plateau de fromages, dessert et café. Menu-enfants à 10 €. Grand corps de ferme joliment restauré, au milieu des vignes et des forêts. Parmi les spécialités : pain de la reine (vieille spécialité champenoise), filet de porc au ratafia, poulet au marc de champagne, macaron aux biscuits de Reims... Excellent, tout comme l'accueil. N'accepte pas les cartes de paiement.

AVENTURE PARC À GUYONVELLE

Dans les environs : le parc de la Bannie • Le zoo de Bois

AVENTURE PARC À GUYONVELLE

Situé à La Combe du Bois-des-Dames, 52400 ***Guyonvelle.*** ☎ 03-25-90-00-02. • nataventure@wanadoo.fr • À 10 km de Bourbonne-les-Bains et à 40 km de Langres. Ouvert de mars à décembre; horaires et jours d'ouverture très variables (se renseigner). Entrée du parc : 18 €; de 8 à 12 ans : 12 €; de 13 à 18 ans : 15 €.

Qui n'a pas rêvé un jour d'être Tarzan? Dans ce parc, vous vous déplacerez dans les arbres, à environ 10 m du sol! 4 parcours (kid, découverte, aventure et défi) de difficultés croissantes, dont un spécialement adapté pour les enfants à partir de 8 ans. Et rassurez-vous : sur tous les postes, le visiteur acrobate est relié à des câbles de sécurité par des harnais et des longes, et l'ensemble des ateliers est surveillé en permanence par une équipe de moniteurs. Ceux qui recherchent encore plus de sensations pourront pratiquer le saut à l'élastique (compter environ 18 € supplémentaires).
I●I Aires de pique-nique ou restaurant panoramique.

➤ *DANS LES ENVIRONS*

Le parc de la Bannie : à 3 km du centre de ***Bourbonne-les-Bains.*** ☎ 03-25-90-14-80 ou 01-71. • www.bourbonne-thermes.fr • Téléphoner pour les horaires différents selon les saisons. Gratuit. Visite guidée sur rendez-vous. Le parc regroupe de nombreux animaux; on peut y observer cerfs, biches, sangliers, daims et mouflons en toute liberté sur 102 ha. Au centre du parc, se trouve un point d'accueil : pavillon, aires de jeux et barbecues.
Profitez-en pour découvrir l'*arboretum* (renseignements à l'office de tourisme) : sur une surface de près de 4 ha, 203 espèces d'arbres ou d'arbustes à découvrir. Divisé en 4 zones, on y trouve des essences forestières mais aussi des variétés d'ornements d'Europe, d'Afrique, d'Asie et d'Amérique.

Où dormir? Où manger dans le coin?

I●I ***Hôtel des Sources :*** pl. des Bains, 52400 ***Bourbonne-les-Bains.*** ☎ 03-25-87-86-00. Fax : 03-25-87-86-33. Fermé le mercredi soir. Congés annuels : du 30 novembre au 1er avril. Chambres doubles avec douche et kitchenette de 45 à 51 €; lit supplémentaire à 15 €. Cet établissement tenu par un jeune couple dynamique propose des chambres modernes et fonctionnelles plutôt agréables. Demandez à en voir plusieurs car leur situation et leur taille varient. Toutes possèdent « tout le confort moderne » et vous pourrez même y faire votre frichti. Sinon au resto, possibilité de goûter à quelques spécialités. Menus de 12 à 25 €, menu-enfants à 7 €. Accueil charmant et professionnel.

Le zoo de Bois (musée aux Branches) : N 74, 52700 ***Prez-sous-Lafauche.*** ☎ 03-25-31-57-76. ♿ À environ 40 km de Chaumont. Du 1er juin au 15 septembre, ouvert du mardi au dimanche de 14 h 30 à 18 h 30. Entrée : 2,50 € ; de 5 à 14 ans : 1,85 €. Tarif groupe sur présentation du *Guide du routard.* Visite commentée sur demande (45 mn).
Venez partager la passion d'Émile Chaudron, et vous ne manquerez pas d'être étonné par tant de perspicacité ! Ce musée insolite présente environ 400 pièces, tout simplement des branches d'arbres soigneusement sélectionnées et judicieusement coupées (aucun travail de mise en forme ni collage) pour les transformer en animal ou personnage. Les scènes ainsi constituées sont accompagnées de commentaires souvent humoristiques qui raviront les enfants et leurs parents. Et si le musée s'est ouvert en 1985, Émile Chaudron accumulait de nombreuses pièces depuis 1960 et se constituait ainsi, au fur et à mesure, une véritable collection. L'originalité de son projet lui a valu de remporter de nombreux prix, dont un au Festival de Cannes. Nos juniors seront charmés par cet art simple et si créatif !

CORSE

Ah, la Corse ! On en rêve tous les jours, c'est un Éden, un paradis pas perdu pour tous, une fleur posée sur la Grande Bleue. L'île de Beauté, quoi. Certes, on n'y trouve pas des dizaines de parcs d'attractions, zoos, etc. Mais la découverte de cette nature splendide, de ces villages et ces citadelles uniques n'est-elle pas passionnante pour les enfants AUSSI ? Enfin, on vous a dégoté quelques trucs sympas pour les gamins, comme la tortue-alligator...

AJACCIO

Dans les environs : le centre d'élevage et de protection de la tortue A Cupulatta • Acqua Cyrne Gliss

Même si Ajaccio n'est pas en soi une destination de séjour, voilà une ville plutôt agréable, à la population avenante. Certains peuvent la trouver un peu bruyante (capitale oblige), mais on a vite fait de se perdre dans ses vieilles rues aux maisons colorées. La région est très belle : les îles Sanguinaires, les plages de Porticcio et la montagne toute proche, qui offre à la baie d'Ajaccio un cadre vraiment superbe.
Bien sûr, on ne peut parler d'Ajaccio sans évoquer Napoléon, l'enfant du pays, maître de l'Europe et génie militaire et politique – pour d'autres, tyran et boucher, mais nous n'entrerons pas dans cette discussion, et d'ailleurs à quoi bon ? On ne refait pas l'histoire, et les millions de morts ne se relèveront pas. Du reste, Tino Rossi mettra tout le monde d'accord : Aaaah, Catarinetta bella tchi-tchi, Aja, Aja, Ajacciiiiiii-ooooo ! Ça vaut bien Waterloo, non ?

CORSE

Le musée A Bandera : 1, rue du Général-Levie, 20000 ***Ajaccio.*** ☎ 04-95-51-07-34. ♿ Du 1er juillet au 15 septembre, ouvert tous les jours de 9 h à 19 h ; du 16 septembre au 30 juin, ouvert de 9 h à 12 h et de 14 h à 18 h, fermé le dimanche. Entrée : 4 € ; tarif spécial sur présentation du *Guide du routard* : 3,30 € ; de 10 à 14 ans : 2,50 € ; gratuit pour les moins de 10 ans.
Un musée privé, animé par une association d'amoureux de la Corse, qui présente de façon claire et concise les différents aspects de la « corsitude ». Les plans culturels, historiques, sociaux sont ainsi abordés. On apprend alors que l'île comptait 111 châteaux au Moyen Âge, que l'île a eu 33 capitaines-corsaires, dont une femme ; on découvre que le prince impérial, fils de Napoléon III, fut tué par les Zoulous en 1879. Pascal Paoli, les bandits corses, les Corsican Rangers (troupes ayant servi la couronne d'Angleterre ; eh oui ! la Corse connut une heure anglaise) sont évoqués, et différents objets exposés illustrent telle ou telle facette du pays (stylets, grappin de *La Sémillante...*). Une bonne entrée en matière pour qui veut connaître l'île et sa culture. Par ailleurs, expos temporaires autour de thèmes variés (la femme corse, la diaspora, les îles Sanguinaires, etc.).

Le musée Fesch : rue du Cardinal-Fesch, 20000 ***Ajaccio.*** ☎ 04-95-21-48-17. • www.musee-fesch.com • Du 15 septembre au 15 juin, ouvert de 9 h 15 à 12 h 15 et de 14 h 15 à 17 h 15 ; en juillet et août, de 10 h à 17 h 30. Fermé les dimanche et lundi hors saison, le mardi en juillet et août. Entrée : 5,35 € ; gratuit pour les moins de 16 ans.

Certes, le musée Fesch n'est ni rigolo ni décoiffant, et, a priori, guère destiné aux marmots. Pourtant, il vaut la peine d'y regarder à deux fois : les petits, eux aussi, n'ont-ils pas droit à la Culture (avec un grand C)? Au Beau (avec un grand B)? Au Sublime (avec... bon, passons)? Oui bien sûr, ils y ont droit! Il n'est jamais assez tôt pour s'éveiller aux merveilles de l'art, et ici il en est quelques-unes. Car le cardinal Fesch, tonton de Napoléon (le grand, le premier), durant son séjour en Italie collectionna les œuvres locales, et accumula ainsi plus de 13000 toiles de maîtres italiens, dont une partie se retrouve exposée ici. Le Titien, Botticelli, Véronèse, ils sont tous là. Un vrai plaisir visuel et cérébral, les enfants! Laissez-vous aller au spectacle de *L'Homme au gant,* épouvantable, ou de *La Léda,* auprès de qui la méchante Cruella des *101 Dalmatiens* semble une gueuse. Ou mieux : arrêtez-vous face aux *Quatre âges de la vie,* qui vous montre ô combien rude et impitoyable est le temps qui passe, et qu'une petite fille charmante devient à coup sûr une affreuse vieillarde toute fripée! Eh oui, les enfants, c'est ce qui vous attend. Aussi, profitez bien de votre jeunesse et croquez le *figatellu* à pleines dents!

➢ ***Plongée :*** *Corse Plongée,* Village de vacances *Paese di Ruppione,* 20166 ***Porticcio.*** ☎ 04-95-25-50-08 et 06-07-55-67-25. Fax : 04-95-25-46-30. À 8 km au sud de Porticcio (embarquement de la pointe de l'Isolella). Ouvert toute l'année. Très bien équipé, ce club (FFESSM, ANMP, PADI) arme deux navires, dont un ancien transporteur de troupes de la marine, pour acheminer ses plongeurs sur les meilleurs spots du coin. Nicolas – le proprio – assure également, avec son équipe de moniteurs brevetés d'État, les baptêmes et formations jusqu'au niveau III et brevets PADI. Matériel adapté aux enfants; à partir de 8 ans, stages pour les enfants, qui apprécient beaucoup les « randonnées palmées ». Forfait 6 plongées dégressif. Réservation obligatoire.

➢ ***Équitation :*** *Les Écuries du Prunelli (Poney-Club et Centre équestre d'Ajaccio),* plaine de Campo Dell'oro, route de Bastia (10 km à l'est du centre-ville). ☎ 04-95-23-03-10. Fax : 04-95-20-50-19. Un petit club bien cool, ouvert à tous, des plus jeunes aux cavaliers confirmés. Parfait pour découvrir l'arrière-pays d'Ajaccio (et le premier qui ne trouve pas ça beau nous fait signe!). École d'équitation pour les 4-6 ans, avec une approche ludique, activités poneys pour les enfants un peu plus âgés. Compter 15,50 € pour 1 h de cours ou de promenade enfants (17 € pour adultes). Tarifs dégressifs. Ce centre dynamique devrait aussi avoir aménagé, pour la fin 2003, un parcours paysager.

➢ ***Traversée de la Corse en train :*** une sympathique et superbe promenade, petite expédition par monts et par vaux, à travers des paysages de montagne époustouflants de beauté. On se croirait dans *Tintin au Pérou.* Rassurez-vous, la ligne est très sûre! Dommage toutefois que ce soit archibondé en été. Trois départs par jour d'Ajaccio. Renseignements : ☎ 04-95-23-11-03 (Ajaccio) ou 04-95-32-80-60 (Bastia).
– *Ajaccio-Bastia :* un peu plus de 3 h de voyage. Grandiose.
– *Ajaccio-Calvi :* trajet un peu plus long, 4 h 30 environ. Avec un changement à Ponte-Leccia, histoire de virer à gauche, vers la Balagne, somptueuse, et la mer, somptueuse itou.

Où dormir? Où manger?

En famille, les meilleurs plans d'hôtels se trouvent à Bastelicaccia, à une dizaine de kilomètres à l'est d'Ajaccio : il y a là des bungalows vraiment sympas, d'un bon rapport qualité-prix.

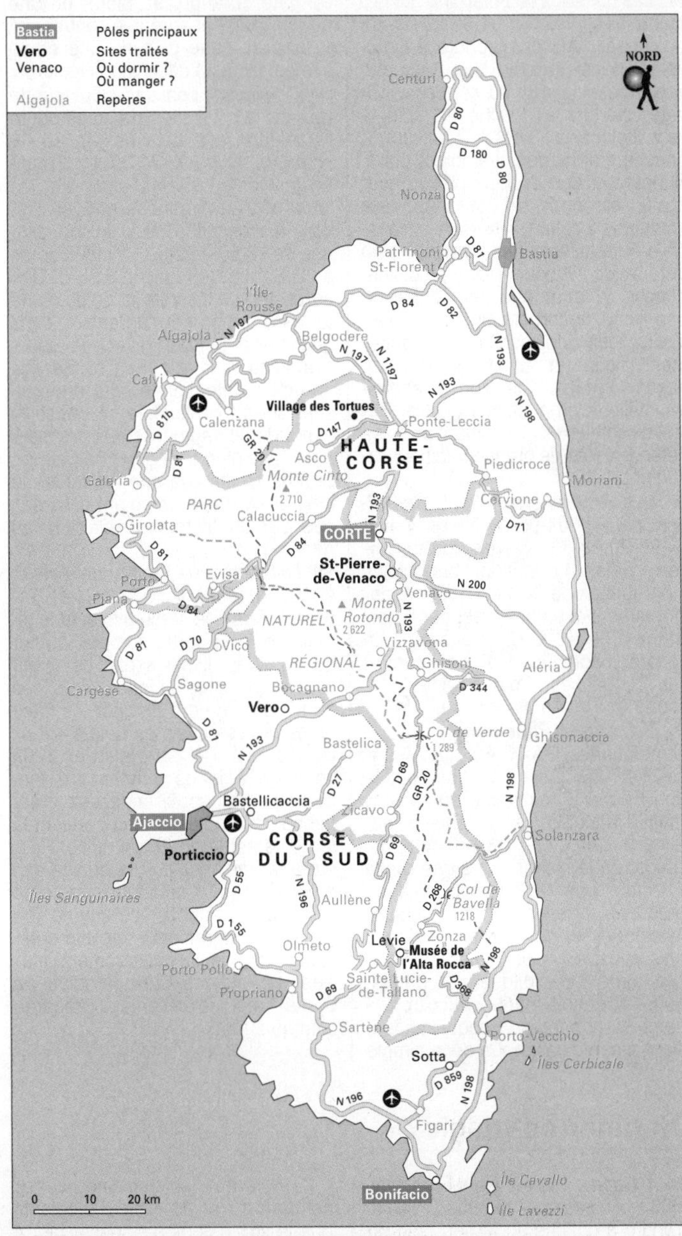
Bastia Pôles principaux
Vero Sites traités
Venaco Où dormir ? Où manger ?
Algajola Repères
NORD
Centuri
Nonza
Patrimonio
St-Florent
Bastia
L'Île-Rousse
Algajola
Belgodere
Calvi
Calenzana
Village des Tortues
Ponte-Leccia
HAUTE-CORSE
Asco
Monte Cinto
2 710
Piedicroce
Moriani
Galeria
PARC
Cervione
Girolata
Calacuccia
CORTE
St-Pierre-de-Venaco
Venaco
Porto
Evisa
Piana
Monte Rotondo
2 622
NATUREL
RÉGIONAL
Vico
Vizzavona
Ghisoni
Aléria
Cargèse
Sagone
Bocagnano
Vero
Col de Verde
1 289
Ghisonaccia
Bastelica
Bastellicaccia
Ajaccio
Zicavo
CORSE DU SUD
Solenzara
Porticcio
Îles Sanguinaires
Aullène
Col de Bavella
1218
Zonza
Levie
Musée de l'Alta Rocca
Olmeto
Porto Pollo
Propriano
Sainte Lucie-de-Tallano
Sartène
Porto-Vecchio
Îles Cerbicale
Sotta
Figari
Bonifacio
Île Cavallo
Île Lavezzi
0 10 20 km
D 80
D 180
D 81
D 84
D 82
N 197
N 1197
N 193
N 198
D 81b
GR 20
D 147
D 71
N 200
D 70
D 344
D 69
D 27
D 55
N 196
D 155
D 268
D 368
D 859

CORSE

🏠 ***Les Hameaux de Botaccina :*** 20129 ***Bastellicaccia.*** ☎ 04-95-20-00-30. ♿ Venant d'Ajaccio, prendre la direction Sartène-Porticcio, puis à gauche vers Bastelicaccia; au centre du village, prendre à gauche en épingle vers Botaccina; c'est à 2 km sur la gauche. Fermé de novembre à mars. Bungalows une et deux pièces pour 2 à 5 personnes, de 250 à 600 € la semaine; location à la journée possible hors saison. Des bungalows en dur avec séjour, coin cuisine, douche, w.-c. et terrasse. Confort un peu juste quand même, mais bon, c'est assez bon marché. Environnement fleuri et animalier (poules, daims, tortues... le zoo!), endroit tranquille et propriétaires gentils. Petite bibliothèque. Très bien pour se détendre. Pas de piscine, malheureusement.

🏠 ***Les Amandiers :*** 20129 ***Bastellicaccia.*** ☎ 04-95-20-02-18. Fax : 04-95-20-08-35. Ouvert toute l'année. Selon la saison, bungalows 3 personnes de 38,11 à 56,41 € par jour avec 2 chambres; et pour 5 personnes, de 52 à 72 € par jour. Là encore, cadre fleuri et bon confort des bungalows. Coin cuisine, téléphone et TV. Ambiance familiale.

CORSE

I●I ***Pizzeria U Papacionu :*** 16, rue Saint-Charles, 20000 ***Ajaccio.*** ☎ 04-95-21-27-86. Ouvert uniquement le soir. Fermé le dimanche en saison; congés annuels : en octobre et novembre. Compter 16 €, vin compris. Une pizzeria nichée dans une ruelle piétonne. Les tables sont presque toutes en terrasse. On s'y restaure de salades et de pizzas classiques mais réussies. Côté salades, on a bien aimé l'« exotique » (pamplemousse, poulet mariné au citron...) même si, comme son nom l'indique, elle n'a rien d'italien. La déco simple et gaie (orange et bleu) et une équipe jeune et agréable contribuent à faire de cette pizzeria une étape sympa. Digestif offert à nos lecteurs.

I●I ***Da Mamma :*** passage Guinguette (porche et escalier donnant cours Napoléon, face à la poste), 20000 ***Ajaccio.*** ☎ 04-95-21-39-44. Fermé en janvier ou février, ainsi que les lundi midi et dimanche midi en saison, le dimanche hors saison. Menus de 10,50 à 22,50 €; menu corse à 22 €; menu-enfants à 6,50 €. Une adresse bien discrète et dotée d'une terrasse ombragée agréable, dans une ruelle pentue reliant le cours Napoléon à la rue Fesch. Service prompt et attentionné pour une cuisine qui se tient. Mais on conseille plutôt de se cantonner aux premiers menus, le plus cher étant un peu décevant. Dommage que les tables le long de la ruelle ne soient éclairées que par un tristounet éclairage au néon.

I●I ***Le Spago :*** rue Emmanuel-Arène, 20000 ***Ajaccio.*** ☎ 04-95-21-15-71. En été, fermé le samedi midi et le dimanche. À la carte, compter autour de 16,50 €. Il n'y a pas de menu spécial pour les enfants, mais ces derniers adoreront manger les frites et les moules avec les doigts! Deux jeunes gars d'ici ont ouvert en 1999 ce resto à la déco intérieure moderne assez dépouillée, assez « tendance déco actuelle », cependant la terrasse est large et tranquille. Priorité à la fraîcheur et à la qualité des produits, et sympathique formule de salades à composer soi-même (on choisit les ingrédients sur une carte assez fournie), copieusement servies. La moules-frites (moules de Diana) est excellente, préparée comme il faut.

Où dîner en magie?

I●I ***A Casa :*** 21, av. Noël-Franchini, 20000 ***Ajaccio.*** ☎ 04-95-22-34-78. Prendre à gauche au feu au bout du boulevard Charles-Bonaparte. Fermé le dimanche (sauf en juillet et août) et du 10 décembre au 10 janvier. Menu à 12 € le midi en semaine; autres menus à 19 et 28 €. Menu-enfants (pas le soir des dîners-spectacles) à 7,50 €. Une adresse située dans un quartier un peu excentré, mais bien connue des Ajacciens pour son originalité. Cuisine sans prétention mais très correcte (opter pour le menu corse, qui ne déçoit pas). Très bon sartène et muscat du tonnerre. Mais disons qu'on ne vient pas ici uniquement pour ça ; on mange bien certes, mais surtout, les vendredi et samedi soir, on dîne en magie : Franck, le patron, est aussi magicien professionnel, top niveau vraiment, et illusions, prestidigitation et tours ahurissants se succèdent. Quand les enfants sont là, il sait leur en mettre plein les yeux. En saison, show plus fort encore, avec lévitation et tronçonnage de partenaire (vendredi soir et samedi soir). Bluffant ! Un bon conseil, réservez pour le dîner-spectacle, vous ne le regretterez pas. Café offert à nos lecteurs sur présentation du *Guide du routard.*

➤ DANS LES ENVIRONS

Le centre d'élevage et de protection de la tortue A Cupulatta : lieu-dit Vignola, 20133 **Vero.** ☎ 04-95-52-82-34. À 23 km d'Ajaccio, en bordure de la N 193, route de Corte. De juin à août, ouvert de 9 h 30 à 19 h ; en avril, mai, et de septembre à la mi-novembre, ouvert de 10 h à 17 h 30. Compter 1 h de visite ; départ toutes les 15 à 30 mn selon l'affluence. Entrée : 7 € ; demi-tarif pour les enfants de 4 à 11 ans. Pique-nique autorisé à l'entrée du parc.
Une initiative originale que la création, en 1998, de ce centre assez unique puisqu'on y trouve 170 espèces de tortues. Toutes ne sont pas exposées au public, mais on peut bien en voir quelques centaines. Tortues géantes des Seychelles et des Galapagos, tortues de Madagascar et bonnes vieilles tortues d'Hermann... Signalons aussi la tortue-boîte, à plastron articulé, la belle tortue gouttelette et l'étonnante tortue-alligator, qui capture ses proies sans bouger, juste en ouvrant le bec : sa langue ressemble à un beau ver tout rose, les poissons n'y résistent pas, et hop, ils sont avalés. Manque juste un peu de sel...
Visite commentée par des animateurs tortuphiles (passionnés, quoi). Le site est par ailleurs agréable, arboré et bordé d'une rivière rafraîchissante en contrebas.

Acqua Cyrne Gliss : à **Porticcio.** ☎ 04-95-25-17-48. À l'entrée de Porticcio, sur la gauche en venant d'Ajaccio. Ouvert tous les jours en saison, de 10 h 30 à 19 h. Entrée : 15 € ; de 2 à 5 ans : 7 € ; de 5 à 10 ans : 11 €. Assez cher donc, mais gratuit pour les bébés et le jour de votre anniversaire !
Piscine et toboggans géants : 8 toboggans (dont 2 pour les tout-petits), 600 m de glissades ! Ne pas s'attendre à un aqua-park gigantesque tout de même. Les enfants adorent et les grands aussi. Bon, c'est vrai, c'est vilain ces grands machins de plastique jaune, rouge, bleu, mais c'est pas pour faire beau, c'est pour faire les fous. Ah ah ! Oh oh ! Hi hi ! Qu'est-ce qu'on rigole !

CORTE

Dans les environs : le village des tortues de Moltifao • Grandeur Nature, balade dans les arbres

Le cœur, l'âme corses vivent à Corte, l'ancienne capitale du héros national *Pasquale Paoli,* autonomiste avant l'heure et philosophe certain, ami du grand Rousseau. Eh oui, Corte demeure solitaire, austère, perchée au centre et au sommet de l'île, gardienne de la corsitude (ou de la corsité, comme on dit aujourd'hui) – bref, gardienne d'une culture originale, d'un peuple indomptable et avide de liberté (et de *brocciu,* abondamment produit dans les environs). Halte donc à Corte la Rude, la Sévère, cernée d'une nature altière et majestueuse, et dominant toute l'île, Corte qui doit, pour aller sur la côte, à Ajaccio ou à Bastia, quitter son piédestal et *condescendre.* Et vive la Corse, vive Paoli, vive le *brocciu* !

La vieille ville (ou ville haute) : une balade dans le vieux Corte peut se faire agréablement. Départ de la place Paoli, où se dresse la statue du généralissime révolutionnaire, qui fit de Corte sa capitale (en 1755). Il y créa même une université. Celle-ci n'exista pas longtemps, 14 ans à peine, mais c'est sans doute en sa mémoire qu'on choisit à nouveau Corte pour héberger la nouvelle université, que fréquentent aujourd'hui 4000 étudiants. Par la rue Scoliscia, bordée de hautes maisons agrippées à la pente, on accède à la place Gaffori, dit Le Patriote. S'y trouve l'église de l'Annonciation, coiffée d'un campanile et plus vieux monument de la ville (1450). Plus loin, la place d'Armes, juste à l'entrée de la citadelle. Au n° 1 de cette place, une modeste maison où naquirent quelques parents du grand Napo : son cousin Arrighi de Casanova, futur général d'Empire, et son frère Joseph, roi de Naples puis d'Espagne, par la volonté de l'Empereur, qui n'oubliait jamais les siens. Dans la citadelle se trouve aujourd'hui le musée de la Corse (voir ci-dessous).

Le musée de la Corse : dans la citadelle. ☎ 04-95-45-25-45. En saison, ouvert tous les jours de 10 h à 20 h; hors saison, ouvert de 10 h à 18 h, fermé les dimanche, lundi et jours fériés. Tarif spécial pour nos lecteurs sur présentation du guide : 3 € (+ 1,50 € pour la visite guidée); gratuit pour les moins de 12 ans.

Ouvert en 1997, le musée est installé dans une élégante construction de verre, de béton et d'acier, sertie dans les vieux murs de la citadelle. Très belle et riche collection de l'abbé Doazan, professeur en sciences naturelles qui collecta patiemment, de 1951 à 1978, toutes sortes d'objets typiquement corses, et, pour certains, en voie de disparition : tabatière en peau de chat (pauv' bête!), bâton de berger (de Justin qui?), omoplate de mouton où le berger lisait l'avenir (ça vaut bien la boule de verre ou le marc de café)... Vêtements, outils, etc., témoignages précieux d'une culture que la modernité a balayée sans ménagement, ouste! On complète la visite par un tour de la citadelle, où, des remparts et d'une tour de garde, on surplombe la ville et tout un paysage de vallées et de monts sauvages. Très chouette.

Où manger? Où faire des achats?

Pâtisserie Marie et Jean-Luc* :** pl. Gaffori, 20250 ***Corte. Fermé le lundi. Une pâtisserie où trouver le délicieux gâteau au *brocciu,* spécialité de Corte, le *falculelle.* Absolument délicieux. Attention, cette pâtisserie est présentée sur une feuille de châtaignier : on ne la mange pas!

En sortant, jeter un œil à la boutique ***Ghjoculi Smuntevuli,*** sur la même place : très beaux jouets en bois fabriqués par le proprio (un beau souvenir de Corse).

➤ *DANS LES ENVIRONS*

Le village des tortues de Moltifao : route d'Asco, lieu-dit Tizzarella, 20128 ***Moltifao.*** ☎ 04-95-47-85-03. Ouvert du lundi au vendredi; en juillet et août, tous les jours. Entrée : 4 €; 1 € pour les plus de 10 ans; gratuit en dessous.

Décidément, allez-vous dire, encore des tortues ! Eh oui, Corse et tortues font bon ménage. Mais, à la différence du centre d'élevage A Cupullata dont il est question plus haut, on ne trouve ici qu'une seule tortue (en plusieurs exemplaires), la tortue d'Hermann, qui ne survit en France que dans le massif des Maures et en Corse. Il s'agit de protéger et sauver l'espèce, qu'incendies et circulation automobile menacent. En fait, les pauvres tortues sont décimées, et on en rencontre de moins en moins. Ici, elles sont élevées de l'œuf à l'âge adulte, et on les voit à chaque étape de leur (longue) vie ; on peut même les toucher, les tenir dans la main. Visite commentée très intéressante, menée par des passionnés qui sauront vous éveiller à l'amour de ces petites bêtes charmantes et au devoir d'arrêter le massacre. Également un sentier thématique et botanique autour du village des tortues dans la forêt de chênes verts (sentier libre).

➢ ***Association Grandeur Nature, balade dans les arbres :*** sur la N 193, 20250 ***Saint-Pierre-de-Venaco.*** ☎ 06-03-83-68-36. • grandeurnatur@infonie.fr • Entre Venaco et Corte. Ouvert du 15 juin au 15 septembre (pour l'accrobranche), tous les jours de 9 h 30 à 18 h. Compter 19 € par personne pour la grande balade ; réduction de 2 € par personne si vous êtes plus de 3 membres de la même famille à faire la grande balade ; de 7 à 11 ans, petite balade : 10 €.
Cette association propose des balades dans les arbres avec cordes et filets, sans aucune plate-forme (la structure est basée sur des techniques d'accrobranche). Possibilité de randonnées aquatiques (à la journée), d'escalade, de descente de rivière et même de passer une nuit dans les arbres...

BONIFACIO

Dans les environs : l'Alta Rocca • Le musée de Levie

Bien entendu, il est difficile de ne pas recommander la visite de Bonifacio. Imaginez de hautes falaises crayeuses, taillées par le vent et les embruns, au sommet desquelles ces fous de Génois construisirent un fort, puis toute une ville fortifiée, ceinte par 3 km de remparts ! Et par un curieux caprice de la nature, au pied de la ville un fjord, un loch, bref, une calanque, qui fait du port de Bonifacio le meilleur mouillage de la Méditerranée occidentale. On décrit cette merveille sans arrière-pensée. Pourtant, on peut être agacé par le flot de ceux qui – selon leur budget – lèchent des glaces à l'eau ou arpentent le pont de leur yacht. Il faut dire qu'à moins de venir hors saison, on s'expose ici à la grande foule et aux prix exorbitants.
Mais même ceux qui ne supportent pas la foule auront du mal à résister à Bonifacio : la vieille ville est sans conteste très pittoresque, les falaises (vues de la mer) sont tout bonnement époustouflantes et les couchers de soleil, ici aussi, sont divins. Pas étonnant qu'on se soit tant battu pour posséder ce site unique...
Les habitants de Bonifacio eux aussi sont pittoresques : c'est l'un d'eux, Mimi, qui inspira Uderzo dans *Astérix en Corse*.

L'aquarium de Bonifacio : 71, quai Comparetti, 20169 ***Bonifacio.*** ☎ 04-95-73-03-69. Ouvert de Pâques à octobre, tous les jours de 10 h à minuit (20 h hors saison). Entrée : 2,70 € pour nos lecteurs sur présentation du guide (au lieu de 3,80 €).
Dans une petite grotte creusée à même la falaise, 13 aquariums colorés présentant la faune sous-marine locale : mérou, sar, homard, langouste, étoiles

de mer, gorgone, monstrueuse murène... Mais aussi d'étonnants crabes volants (ils n'ont que le nom d'étonnant, car ils ne volent pas du tout), oranges de mer, spirographes, plumes de mer, castagnoles, cigales et girelles.

L'escalier du Roi-d'Aragon : accès par la rue des Pachas. Ouvert en mai, juin et septembre tous les jours sauf le dimanche de 11 h à 17 h 30 et en juillet et août tous les jours de 9 h à 20 h. Entrée : 2 €.
Cet escalier taillé dans la falaise jusqu'à la mer est l'une des grandes curiosités de la ville. La légende veut qu'il ait été construit en une seule nuit! Les hommes du roi d'Aragon auraient ainsi essayé de pénétrer dans la ville haute, lors du siège de 1420... Mérimée, à qui on ne la fait pas, aurait révélé son sentiment dans ses mémoires : en fait, cet escalier serait bien plus ancien et permettait d'atteindre une nappe d'eau douce (toujours présente). Ça nous paraît effectivement plus plausible... Bref, les courageux peuvent tenter la descente des quelque 187 marches... et la remontée. Au pied des marches, un rocher que l'érosion a bizarrement façonné en forme de... Corse. Un petit sentier creusé à même la falaise mène ensuite à une vaste grotte où, même si la grille est bâillante, on ne vous conseille pas de vous engager.

Les falaises, les calanques et les grottes marines en bateau : la grande attraction de Bonifacio. Renseignements sur le port. En principe, les bateaux sont tous au même tarif (mais il n'est pas interdit de négocier) : environ 12-13 €; gratuit pour les moins de 12 ans. L'excursion dure environ 1 h, mais par gros temps on ne peut pas entrer dans les grottes, sachez-le.
Visite de la *grotte du Dragon (Sdragonato)*, connue pour l'ouverture de son plafond qui ressemble à la carte de Corse! Belles couleurs arc-en-ciel des fonds marins. Il est d'ailleurs recommandé de faire la promenade par temps calme, sinon l'eau est troublée et vous ne pourrez pas admirer les rochers multicolores. Ensuite, la *calanche de Fazio*, aux eaux turquoise. Demi-tour et cap sur le *« bunker »* et la *grotte Saint-Antoine* (dont la silhouette rappelle, bien sûr... le chapeau de Napoléon!), le *puits Saint-Barthélemy* et l'*escalier du Roi-d'Aragon*. Bel aperçu de la vieille ville, avec ses maisons accrochées au bord de la falaise. À noter : les falaises de Bonifacio sont les seules de Corse (avec celles de Saint-Florent) à être en calcaire. On y a tourné plusieurs films, dont les fameux *Canons de Navarone*.

Où dormir dans les environs?

Village de Gallina Varja : 20146 **Sotta.** ☎ et fax : 04-95-71-23-22. • gallinavarja@free.fr • À 10 km au sud-ouest de Porto-Vecchio. Juste à l'entrée de Sotta, sur la D 859 (route de Figari), tourner à gauche en direction de Chera, puis à droite à 2 km en direction de Ghjaddinavarghja (tel quel!). Terminus! Ouvert d'avril à septembre. La semaine (journées d'arrivée et de départ libres) en tente en pension complète à 267 € par personne; en chalet, supplément global de 77 à 122 €; un peu moins cher en juin et septembre. Ici, une association propose hébergement, pension complète, activités et même location de voitures si vous le souhaitez. Dans un cadre agréable, calme et ombragé, 10 tentes familiales et 20 chalets de 2 à 4 couchages (sans cloison ni sanitaires). Blocs sanitaires suffisants. Activités diverses comprises dans le tarif : planche à voile, VTT, rando pédestre... Également des tarifs intéressants pour les locations de voitures et les billets d'avion. Un bon esprit règne ici, et à toute heure on peut piocher dans la corbeille de fruits, se servir une boisson chaude. Apéritif offert à nos lecteurs.

Hôtel et résidence Caranella Village : route de Cala Rossa, 20137 **Lecci-de-Porto-Vecchio.** ☎ 04-95-71-60-94. Fax : 04-95-71-60-80.

• www. caranella-village.com • Fermé en janvier. À 7 km de Porto-Vecchio. Route de Bastia sur 3 km, puis à droite à l'entrée de La Trinité (Cala Rossa fléché) ; à gauche au rond-point suivant, et tout droit jusqu'au bout (4 km). Chambres standard de 54 à 122 € la nuit selon la période ; studios pour 2 personnes avec bains et coin cuisine à 550 € la semaine en juillet et août ; plus cher avec bains. Également des appartements 3 pièces pour 4 personnes ou 4 pièces pour 6 personnes. Location du linge en sus, service ménage et laverie possible. Ensemble d'une quarantaine de studios et appartements bien équipés (four, micro-ondes, TV, téléphone, lave-vaisselle en option), de plain-pied ou en étage, avec terrasse pour la plupart, autour d'une piscine chauffée. Environnement fleuri, salle de fitness, location de vélos bon marché, bar. Accès à la plage de Cala Rossa par un sentier ombragé de 300 m. Compte tenu donc du confort, de la situation et des prix pratiqués ailleurs à Porto-Vecchio, *Caranella Village* est un vrai bon plan, y'a pas photo ! De plus, accueil aimable et ambiance relax. Réservez, il y a des habitués !

Où manger ?

Dans la ville haute de Bonifacio, de nombreuses ***pizzerias*** ou ***crêperies*** permettent de se sustenter à bon compte tout en faisant plaisir aux enfants. Elles se valent à peu près toutes.

|●| ***Cantina Doria :*** rue Doria, 20169 ***Bonifacio.*** ☎ 04-95-73-50-49. Fermé de novembre à mi-mars ainsi que le mardi hors saison. Menus de 11 à 14 €. Pour les enfants, le chef propose des portions adaptées. La petite adresse familiale sympathique et pas chère. Bonne soupe corse, lasagnes aux fromages corses réussies et savoureux desserts maison (charlotte à la figue, par exemple). Bien bonnes aubergines à la bonifacienne également. Une cuisine de bon aloi. Petite terrasse agréable sur rue. Toujours plein, réservation conseillée.

|●| ***Stella d'Oro :*** 7, rue Doria, 20169 ***Bonifacio.*** ☎ 04-95-73-03-63. Dans la ville haute. Ouvert tous les jours de Pâques à fin septembre. Menu à 21 € ; à la carte, compter autour de 28 € sans la boisson. Pour les enfants, le cuisinier concocte des escalopes panées et des pâtes. Belles petites salles, genre cave à vin avec poutres apparentes, objets campagnards. Tables nappées et joliment dressées. Autre salle à l'étage. Service souriant et un petit fond musical bien soft. L'adresse est connue pour ses délicieuses aubergines farcies à la bonifacienne, mais les pâtes valent aussi le détour. Bon accueil. Un peu cher toutefois.

CORSE

➤ *DANS LES ENVIRONS*

★★★ ***L'Alta Rocca :*** microrégion montagneuse de la Corse du Sud, qu'on gagne rapidement depuis Bonifacio ou Porto-Vecchio. Superbe espace naturel et villages pittoresques (Levie, Zonza, Aullène...). Les *aiguilles de Bavella,* arêtes de granit rose absolument sublimes, sont un des sites naturels les plus impressionnants de Corse. La virée dans cet arrière-pays vaut aussi pour les multiples bestiaux qu'on rencontre, vaches, cochons sauvages, chèvres... Ça vaut bien quelques zoos.

★★ ***Le musée de l'Alta Rocca :*** 20170 ***Levie.*** ☎ 04-95-78-47-98 ou 46-34. ♿ Dans le bas du village. De juillet à mi-septembre, ouvert tous les jours de 9 h à 18 h ; le reste de l'année, ouvert du lundi au samedi de 9 h à 12 h et de

14 h à 17 h, fermé les dimanche et jours fériés. Entrée : 3 € (musée seul) et 4 € (musée et expo temporaire). Tarif réduit pour les enfants : 1,50 et 2,50 € respectivement. Visite guidée possible. Expos de découvertes effectuées sur les sites archéologiques du Pianu de Levie (Cucuruzzu, mais aussi Caleca, Capula, Curacchiaghju, etc.).
Un joli musée, tout beau, tout neuf. Ne vous précipitez pas trop vite, il risquerait de ne pas avoir encore ouvert ses portes ! Fin 2002, il n'était pas possible de prévoir avec exactitude la date d'ouverture, de gros retards ayant été pris dans les travaux. Promis, ça devrait être pour le 1er semestre 2003.
Excellente introduction à l'histoire très ancienne de la Corse, depuis l'apparition des premières tribus, au VIIe millénaire avant notre ère ! Outils, poteries, armes et ustensiles de cuisine retracent les aventures des premiers habitants de l'île, ainsi que celle de la faune. Amusant et très rare squelette d'un lapin-rat, animal aujourd'hui disparu que les ancêtres des Corses aimaient tellement manger que l'espèce a fini par s'éteindre (on peut en voir un autre en Sardaigne, et c'est tout ; à Sartène aussi il y en a un, mais il n'est pas complet, il n'y a que la tête). Pièce maîtresse du musée, la célèbre Dame de Bonifacio, la grand-mère des Corses, âgée de plus de 8 500 ans. C'est le vestige humain le plus ancien de Corse. Très vieille donc, mais aussi toute jeune car elle est morte à 35 ans à peine, la pauvre et dans un triste état (fractures...). Autre trésor des lieux, même si ça n'a rien à voir avec l'archéologie : un magnifique Christ en ivoire, du XVIe siècle, sculpté avec une très grande finesse. Il fut offert à l'église de Levie par le pape Sixte Quint.

FRANCHE-COMTÉ

Région qui se partage entre la sévère beauté des hauts plateaux, des cascades, des rivières et des forêts, la Franche-Comté est le paradis du tourisme vert : la forêt est omniprésente et on peut se perdre dans des ensembles forestiers parfois très vastes, secrets et profonds. Mais le bleu n'est pas en reste : 6000 km de cours d'eau navigables, plus de 80 lacs et moult étangs. En hiver, le skieur remplace le randonneur, mais la Franche-Comté, c'est aussi le pays des jouets, et les enfants trouveront largement de quoi s'occuper entre les activités nautiques, les parcs et les musées. La région est en effet une des plus dynamiques en matière de tourisme en famille.

Parents savants : ***les jouets franc-comtois***

Près de la moitié des jouets « made in France » sont « made in Comté ». Les Jurassiens sont peut-être de grands enfants. Ce sont surtout des gens ingénieux, qui ont su tirer le meilleur parti de leurs forêts. Jusqu'au XVIIIe siècle, les tourneurs sur bois se contentaient de façonner quilles et cerceaux. Plus tard, les ateliers popularisèrent le jouet en fer peint. Dès les années 1960, l'ère est au plastique et à la mécanisation. Un musée du Jouet leur est consacré à Moirans-en-Montagne (lire plus loin).

Adresses utiles

Comité régional du tourisme de Franche-Comté : La City, 4, rue Gabriel-Plançon, 25044 Besançon Cedex. ☎ 03-81-25-08-08. Fax : 03-81-83-35-82. • www.franche-comte.org •

Agence de développement économique du Doubs : 7, av. de la Gare-d'Eau, 25031 Besançon Cedex. ☎ 03-81-65-10-00. Fax : 03-81-82-01-40. • www.doubs.org •

Comité départemental du tourisme de la Haute-Saône : 6, rue des Bains, BP 117, 70002 Vesoul Cedex. ☎ 03-84-97-10-70. Fax : 03-84-97-10-71. • www.haute-saone-tourism.com •

Comité départemental du tourisme du Jura : 8, rue Louis-Rousseau, BP 458, 39006 Lons-le-Saunier Cedex. ☎ 03-84-87-08-77. Fax : 03-84-47-58-05. • www.jura-tourism.com •

Maison du tourisme du Territoire de Belfort : 2 bis, rue Clemenceau, 90000 Belfort. ☎ 03-84-55-90-90. Fax : 03-84-55-90-70. • tourism90@ot-belfort.fr •

BESANÇON : SA CITADELLE ET SES MUSÉES

Dans les environs : le musée de plein air des Maisons comtoises • La grotte d'Osselle • Le Dino-zoo • Le gouffre de Poudrey • Le hameau du Fromage • La Taillanderie

Capitale de la Franche-Comté, Besançon est une ville incontournable, tant par son architecture très bien conservée que par son site remarquable. Elle est également le point de départ de multiples découvertes et activités pour les enfants. De nombreuses excursions à thème sont organisées, une brochure spéciale ados est disponible à l'*Agence de développement économique du Doubs* (adresse ci-dessus).

➢ ***Petit train touristique :*** promenade-découverte de la ville et montée à la citadelle.

➢ ***Promenades en bateaux-mouches :*** embarcadère sous le pont de la République. En service le week-end en mai et juin et tous les jours en juillet et août. Deux compagnies concurrentes proposent la même balade (le long de la boucle du Doubs avec passage dans un tunnel sous la citadelle) au même prix. *Vedettes Bisontines :* ☎ 03-81-68-13-25; et *CNFS :* ☎ 03-81-68-05-34.

⚲⚲⚲ ***La Citadelle :*** rue des Fusillés-de-la-Résistance. ☎ 03-81-87-83-33. Bus gratuit en été (départ toutes les 15 mn depuis le parking Chamars). Ouvert tous les jours sauf le 25 décembre et le 1er janvier; en juillet et août, de 9 h à 19 h; de Pâques à juin et de septembre à la Toussaint, de 9 h à 18 h; de la Toussaint à Pâques, de 10 h à 17 h (pendant cette période, les musées sont fermés le mardi). Entrée : environ 7 € (6 € en fin de journée) et 4 € pour les 4-14 ans. Le ticket donne accès au site de la Citadelle et à tous ses musées. Trois points de restauration sur place, dont deux avec terrasse. Prévoir une bonne demi-journée si vous voulez tout voir.
Animations en été avec projection de films en plein air et itinéraires théâtralisés sur un thème historique (en 2003 : la conquête de la Franche-Comté par Louis XIV) revu sous un angle plus actuel. Imaginez par exemple des magiciens à la rescousse... Une suite originale au *Seigneur des anneaux*!

⚲⚲ ***Le Muséum :*** bel ensemble qui regroupe plusieurs secteurs. Parmi les musées de Besançon, celui-ci est plus particulièrement destiné aux jeunes.
– ***Le parcours de l'Évolution :*** des origines de la vie à l'émergence de l'homme. Squelettes et animaux naturalisés dont un rare cœlacanthe, le plus vieux poisson du monde (400 millions d'années d'existence).
– ***L'aquarium :*** des bassins panoramiques figurent le cours du Doubs et ses habitants. À l'extérieur, jardin un brin japonisant avec des bassins de contacts : carpes et amours blancs se laissent caresser comme de braves toutous.
– ***L'insectarium :*** le plus grand de France. Passionnant! Une centaine d'espèces d'insectes ou d'arthropodes vivants. Des découvertes : le phasme dilaté (plus gros insecte du monde), la néphile (araignée de Madagascar aussi inoffensive que sa toile est gigantesque), les cétoines éclatants (des bijoux animés!).
– ***Le noctarium :*** loir ou belette, campagnol ou petite souris, ils s'enfouissent dans les champs, squattent nos greniers. Mais seuls les insomniaques auraient une chance d'apercevoir ces animaux nocturnes. Ici, tout a été fait pour faciliter leur observation : leur rythme biologique a été inversé et le jour changé en nuit. La déco (grenier, égouts...) est franchement réussie, comme l'ambiance sonore (aboiements de chiens, klaxons...) mais, hormis les surmulots (ou rats d'égout!) qui ont l'air de trouver le coin à leur goût, les autres animaux se font plutôt discrets. Armez-vous de patience!
– ***Le jardin zoologique :*** plus qu'une rénovation, une magnifique transformation pour cet ancien zoo devenu une des références en France pour la conservation d'espèces animales menacées de disparition. À ce titre, le jardin zoologique de Besançon contribue à des programmes européens de conservation, de reproduction et de repeuplement, notamment avec ses nombreuses espèces de lémuriens de Madagascar mais aussi ses lions d'Asie et autres tigres de Sibérie. 400 animaux vivants, et bien vivants, qui bénéficient désormais d'un parc paysager spacieux, intelligemment transformé pour intégrer enclos, abris, etc. À visiter de préférence le matin, pour jouir du site en toute tranquillité.

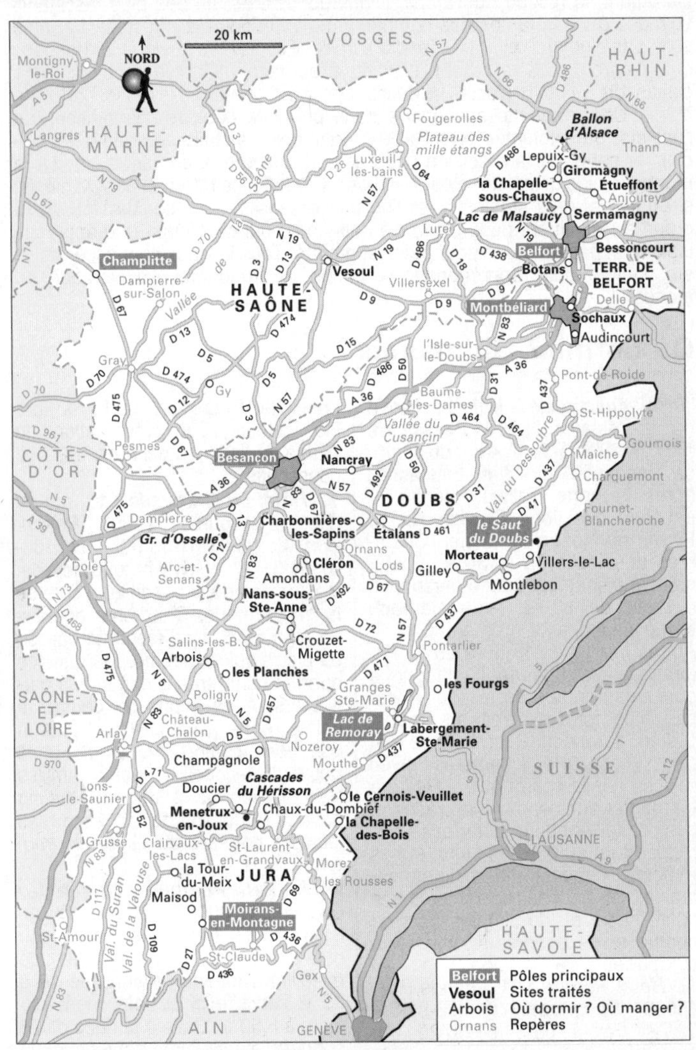

FRANCHE-COMTÉ

– ***La P'tite ferme :*** un village peuplé d'animaux domestiques de petite taille. Un lieu dédié aux enfants et interdit aux parents non accompagnés ! Même si, certains jours d'invasion, les animaux doivent apprécier la présence des gardiens, qui leur évitent de se voir plumer ou piétiner par quelques jeunes excités, lâchés en liberté...

☙☙☙ ***Le musée du Temps :*** dans l'aile nord du palais Granvelle, 96, Grand-Rue. ☎ 03-81-87-81-50. Ouvert de 13 h à 19 h (18 h en hiver) tous les jours sauf le lundi et le mardi. Entrée : 3 € ; tarif réduit : 1,50 €.

Déroutant, le musée du Temps, allons donc ! C'est un des plus fascinants voyages dans le temps des hommes, que vous pourrez effectuer. Là, il ne suffit pas d'ouvrir l'œil, il faut tendre l'oreille. Écoutez les quelque 25 horloges qui, d'entrée, vous racontent l'histoire, à leur façon. L'ambiance d'une rue à Besançon au XVIe siècle, la découverte de Copernic, l'invention du pendule... Une maquette suspendue nous présente deux représentations de l'univers, par Ptolémée puis Galilée. Le temps s'emballe, on saute les siècles, la course à la précision nous emporte de vitrine en vitrine jusqu'à la montre la plus compliquée du monde en 1900. On se retrouve au XXe siècle, si proche et déjà si lointain, et l'on passe sans s'en douter de l'infiniment grand à l'infiniment petit. Un musée attachant qui développe une approche ludique et pédagogique pour petits et grands. Tous les jeux sont accessibles aux juniors pour appréhender le temps, la fréquence, l'exploration du monde...

Où dormir ? Où manger ?

🏠 |●| ***Auberge de la Malate :*** chemin de la Malate, 25000 ***Besançon.*** ☎ 03-81-82-15-16. À 4 km du centre de Besançon, direction Lausanne ; après la porte Taillée, prendre à gauche direction Chalèze-Arcier. Fermé de Noël à fin février. Chambres doubles à 30 et 34 €. Également une chambre pour 4 personnes à partir de 60 €. Au restaurant, fermé le lundi midi, 1er menu à 11 €. Autres menus de 17,50 à 25 €. Pittoresque auberge de campagne à quelques minutes de la ville. Adossée à la forêt et face au Doubs. Calme garanti (la petite route est peu passante). Chambres avec douche assez confortables. Resto à fréquenter aux beaux jours (réservation conseillée) pour sa terrasse ombragée tout au bord de l'eau, et ses « petits » menus (le midi en semaine). On peut se régaler avec une petite friture ou de simples filets de perche et de sandre. Apéritif offert aux porteurs de ce guide.

🏠 ***Hôtel Régina :*** 91, Grande-Rue, 25000 ***Besançon.*** ☎ 03-81-81-50-22. Fax : 03-81-81-60-20. Au beau milieu de la principale rue de la ville. Fermé du 23 décembre au 3 janvier. Chambres doubles de 39 à 41 € ; chambres familiales de 49 à 54 €. Difficile de faire plus central. Et pourtant, caché au fond d'une de ces cours intérieures dont Besançon a le secret, ce petit hôtel sans prétention est un havre de paix. Chambres bien tenues dont certaines ont un petit balcon ou une terrasse sous la glycine. Bon accueil. Parking payant à proximité. Réduction de 10 % pour les lecteurs, sur présentation du *Guide du routard* à partir de la 2e nuit consécutive.

🏠 ***Hôtel Le Granvelle :*** 13, rue du Général-Lecourbe, 25000 ***Besançon.*** ☎ 03-81-81-33-92. Fax : 03-81-81-31-77. • www.hotel-granvelle.fr • Au pied de la citadelle, à côté de la gendarmerie. Chambres doubles de 46 à 55 €. Une élégante bâtisse de pierre qui ne dépare pas dans ce quartier riche en anciens hôtels particuliers. À deux pas du centre, le calme règne. Chambres simples et de bon confort. Quelques-unes peuvent accueillir des familles (compter de 53 à 60 €). Parking payant. Réduction de 10 % pour les lecteurs porteurs du *Guide du routard.*

|●| ***Au Petit Polonais :*** 81, rue des Granges, 25000 ***Besançon.*** ☎ 03-81-81-23-67. Fermé le samedi soir et le dimanche ; congés annuels : de mi-juillet à mi-août. Menus de 10 à 25 € servis midi et soir ; menu-enfants à 6,50 €. Salle à la déco d'une sobriété exemplaire, serveuses en noir et blanc : ce resto respire la tradition, l'immuable ! Vaste gamme de menus qui offrent tous un choix considérable. Cuisine très classique, volontiers régionale. Dans le genre populaire, un des meilleurs rapports qualité-prix de la ville. Apéritif maison offert sur présentation du *Guide du routard.*

|●| ***La Femme du Boulanger :*** 6, rue Morand, 25000 ***Besançon.*** ☎ 03-

81-82-86-93. Ouvert de 9 h à 17 h. Service de restauration à midi seulement. Fermé le dimanche. La version bisontine d'un concept qui a fait la fortune du « Pain Quotidien », et qui s'est multiplié ensuite comme des petits pains. Ici, c'est une réussite : ambiance très nature, tons monochromes (dans les gris beige), bon accueil et bons produits. On y va aussi bien pour prendre un petit dej' revigorant, que pour grignoter une tartine Poilâne à midi, ou pour faire une pause à 16 h. Si c'est complet, vous pouvez aller au self-service mitoyen, le *Mi-Am,* le patron ne vous en voudra pas, c'est le même.

➤ DANS LES ENVIRONS

★★★ ***Le musée de plein air des Maisons comtoises :*** 25360 ***Nancray.*** ☎ 03-81-55-29-77. • www.maisons-comtoises.org • À 15 km à l'est de Besançon par la N 57 puis la D 464. Ouvert de mi-mars à mi-novembre : en mars-avril et octobre-novembre de 14 h à 17 h, de mai à septembre de 10 h à 18 h 30. Compter 2 h de visite. Animations tous les dimanches en juillet et août. Entrée : 7,50 € ; de 6 à 16 ans : 4 € (gratuit en dessous). Une entrée à tarif réduit par famille offerte aux lecteurs du *Guide du routard.* Bar, librairie.
Un endroit singulier. Au milieu de nulle part, dans une campagne joliment vallonnée surgissent 25 édifices représentant toute la richesse architecturale comtoise. Construits aux XVIIe, XVIIIe et XIXe siècles, ils ont été démontés pierre par pierre, poutre par poutre, puis remontés avec leurs intérieurs aussi méticuleusement reconstitués sur le site depuis 1983. Et les jardins ont eu droit au même traitement. Le plus étonnant, c'est qu'avec le temps on oublie la prouesse technique pour privilégier le plaisir d'une découverte, à pied, d'un village comme on rêverait d'en rencontrer au détour d'une petite route de campagne, endormi, certes, mais sauvegardé. Le musée organise durant le mois de mai un week-end spécial dédié aux enfants : « Les enfants d'abord », avec présentation et démonstration de torchis, filage, cuisson du pain... Une foule d'animations jalonne aussi l'année : des démonstrations de fenaison, les techniques anciennes de construction...

★★ ***La grotte d'Osselle :*** ☎ 03-81-63-62-09. À 13 km au nord d'Arc-et-Senans et au sud-ouest de Besançon. Accès fléché. Ouvert du 1er avril au 1er novembre, tous les jours ; en avril et mai, de 9 h à 12 h et de 14 h à 18 h ; en juin, de 9 h à 18 h ; en juillet et août, de 9 h à 19 h ; en septembre, de 9 h à 12 h et de 14 h à 17 h ; en octobre, du lundi au samedi de 14 h 30 à 17 h et le dimanche de 9 h à 12 h et de 14 h à 17 h. Visite guidée de 1 h environ. Entrée : 4,30 € au lieu de 5,60 € sur présentation du *Guide du routard* ; enfants : 3 €. Enfilez une petite laine, il y fait 13 °C en permanence.
On visite environ 1 km de galeries sur les 14 km que mesure la grotte. Découverte au XIIIe siècle, la grotte d'Osselle, qui se visite depuis 1504, est avec Antiparos, en Grèce, la plus ancienne caverne touristique du monde. Belles concrétions aux formes les plus variées. Reconstitution d'un squelette d'ours vieux de 40 000 ans et de scènes préhistoriques. La richesse du sous-sol en sels de fer, sels de cuivre et oxydes de manganèse est à l'origine des colorations variées de la grotte. Au-delà du pont en pierre de taille construit en 1751 et qui permet aujourd'hui de franchir la rivière souterraine, on peut admirer la galerie des orgues et le lac aux colonnes. Vous pourrez également voir l'autel d'argile sur lequel les prêtres célébraient la messe pendant la Révolution.

★★ ***Le Dino-zoo :*** 25620 ***Charbonnières-les-Sapins.*** ☎ 03-81-59-27-05 ou 22-57. À 20 km de Besançon en direction de Pontarlier, à proximité de la

N 57 ; fléché ensuite. Ouvert des vacances d'hiver (sauf en cas d'enneigement local) aux vacances de la Toussaint. Horaires de visite très compliqués, se renseigner. Compter 1 h 30 pour tout voir. Entrée à tarif réduit pour nos lecteurs sur présentation du guide : adultes 5,50 € au lieu de 6,50 €, enfants de 5 à 12 ans : 4,50 € au lieu de 5 € (gratuit en dessous).

Dans un environnement naturel superbe, au détour d'un charmant sentier en sous-bois, tomber nez à trompe avec un mammouth grandeur nature et criant de vérité, on a beau s'y attendre un peu, ça fait un choc ! Tyrannosaure (15 m de haut !), brontosaure et autres diplodocus en résine peuplent ce parc de 12 ha, en pleine nature. Franchement réussi et conçu bien avant qu'Hollywood ne lance la mode de ces terribles bestioles. Reconstitutions mettant en scène nos ancêtres dans les différentes situations de leur vie (chasse, pêche, peinture, famille...) selon une progression chronologique et dans le respect des spécificités régionales.

Si le plaisir et la détente sont au rendez-vous, une grande place est accordée à la pédagogie et à la découverte. Ces reproductions de nos ancêtres disparus sont presque aussi vraies que nature et forment une saisissante fresque de la préhistoire. La priorité est donnée aux espèces ayant vécu dans la région, en France et en Europe (dont un plateosaure, le plus ancien dinosaure connu en France, dont les restes ont été retrouvés dans le Jura). Les animaux marins ne sont pas oubliés, mis en situation dans un plan d'eau spécialement créé à leur attention. Enfin, nouveauté 2003, un parcours « jurassique » de 600 m avec cascade, ruisseaux et une grande scène de combat entre deux allosaures et un apatosaure. Sont prévues des aires de jeux pour les enfants et des boutiques souvenirs sur le thème du parc.

|●| Pour les petites faims, allez au *Dino-Croc* !

Le gouffre de Poudrey : 25580 **_Étalans._** ☎ 03-81-59-22-57. À 20 km au sud-est de Besançon par la N 57. Ouvert des vacances d'hiver (sauf en cas d'enneigement local) aux vacances de la Toussaint. Horaires de visite très compliqués, se renseigner. Visite guidée. Fermé le mercredi en mars, avril, septembre et octobre (sauf pendant les vacances scolaires). Entrée à tarif réduit pour nos lecteurs sur présentation du *Guide du routard* : adultes 4,50 € au lieu de 5,50 € ; enfants de 5 à 12 ans : 3,50 € au lieu de 4 € (gratuit en dessous).

Un univers qui ne ressemble à aucun décor terrestre : au cœur des ténèbres, la nature a créé des ornements pour le moins curieux. Donnant accès à une immense salle, le gouffre de Poudrey nous conduit à 70 m sous terre. Au cours d'une promenade de 45 mn, on découvre un véritable phénomène géologique, aujourd'hui le plus important de France. Au milieu de la visite, le spectacle *La Terre et l'Eau* vous entraînera dans un voyage à travers le temps, du Big Bang à la légende du gouffre. Belles concrétions mises en valeur par un spectacle son et lumière dont la partie musicale a été conçue par un... géologue !

Boutique de souvenirs, aires de pique-nique et de jeux sur place.

Le hameau du Fromage : zone artisanale, 25330 **_Cléron._** ☎ 03-81-62-41-51. • www.hameaudufromage.com • À 10 km à l'ouest d'Ornans par la D 101. Ouvert toute l'année, tous les jours de 10 h à 19 h. Fermé le 25 décembre et le 1er janvier. Durée de la visite : 1 h 30. Entrée : 5,50 € ; de 10 à 16 ans : 4 € ; gratuit pour les moins de 10 ans.

Petits et grands ne sauraient visiter la Franche-Comté sans en savoir plus sur la vie du fromage. Ici vous saurez tout sur l'histoire du fromage dans la région. Films, diaporamas, reconstitutions de la fabrication du fromage et histoire du métier de fromager. Une visite intéressante, qui aurait pu être passionnante, avec un petit supplément d'âme. Elle se termine évidemment par une dégustation de fromages pour tous et, pour les parents, par une dégustation de vins d'Arbois.

Un ***restaurant*** est même ouvert tous les midis ainsi que les vendredi et samedi soirs. Compter environ 15 € à la carte ; menu-enfants à 6,50 €.

Où dormir ? Où manger dans le coin ?

L'Autre Auberge : pl. du Village, 25330 ***Amondans.*** ☎ 03-81-86-53-53. • www.amondans.com • À 12 km à l'ouest d'Ornans par la D 101 puis la D 103 à partir de Cléron. Ouvert de mai à octobre. Demi-pension en chambre double à 50 € par personne, 45 € à partir de la 3e nuit. Un gîte-auberge pas comme les autres dans un joli et paisible petit village classé. Un bel esprit de convivialité et d'originalité souffle sur cette vieille grange retapée avec beaucoup de goût. Intérieur très clair et mobilier plutôt rigolo déniché dans les brocantes de la région par Geneviève et Georges. Chambres assez spacieuses, très fonctionnelles, et belles salles de bains. Quelques chambres pour 4 ou 5 personnes. Le soir, après avoir pris le soleil dans le jardin ou sur la terrasse si le temps est de la partie, tout le monde se retrouve autour de grandes tablées, pour goûter une cuisine familiale sans frontières. Pas de fumeurs et d'animaux à l'intérieur de la maison.

La Taillanderie : lieu-dit La Doye, 25330 ***Nans-sous-Sainte-Anne.*** ☎ 03-81-86-64-18. À 25 km au sud de Besançon. En juillet et août, ouvert tous les jours de 10 h à 19 h ; en mai, juin et septembre, tous les jours de 10 h à 12 h 30 et de 14 h à 18 h 30 ; en mars, avril, octobre et novembre, les dimanche, jours fériés et pendant les vacances scolaires de 14 h à 18 h. Visite guidée de 1 h environ. Entrée : 4,50 € ; enfants de 6 à 16 ans : 2,50 €. Il s'agit de la visite d'une ferme-atelier du XIXe siècle, où l'on a fabriqué jusqu'en 1969 des faux et autres outils agricoles. Une petite vidéo montre d'ailleurs les ouvriers au travail. Conservé en l'état, un ensemble de machines de quelque 30 t est actionné par un maigre ruisseau. Si la visite ne détaillait pas l'astucieux système qui capte l'eau et en démultiplie la puissance, on croirait au miracle, d'autant que le ruisseau s'appelle l'Archange ! Un vrai spectacle ! La grande roue hydraulique (5 m de diamètre) tourne, les martinets d'étirage et de platinage claquent, les deux énormes soufflets en chêne attisent les foyers de forges... Vos gamins seront fascinés !

Où manger dans le coin ?

Auberge du Pont du Diable : 25270 ***Crouzet-Migette.*** ☎ 03-81-49-54-28. À 4 km au sud de Nans-sous-Sainte-Anne par la D 103. Fermé 1 semaine en janvier, courant novembre, à Noël et le Jour de l'an (mais on vous conseille de téléphoner). Hors saison et vacances scolaires, plus prudent de réserver. Copieuses assiettes (à toute heure, le week-end) autour de 10 €. Menus sinon à 12 et 17 €. Dans une ancienne ferme, grandes tablées chaleureuses pour partager, en toute décontraction, une bonne cuisine de terroir, copieuse et à petits prix. Pour les petites faims : soupe de légumes ou omelettes. Le patron, Bobo, convivial, vous guidera sans se faire prier dans une intéressante carte de vins du Jura. Le soir, c'est Marie et ses acolytes sympathiques qui vous accueillent. Feu dans l'âtre, chanteur-guitariste de passage, on n'a plus envie de repartir. Gîte équestre du village juste à côté (compter 13 € par personne, se renseigner à l'auberge). Kir maison ou « bourgeon de sapin » offert à nos lecteurs sur présentation du *Guide du routard.*

LE PAVILLON DES SCIENCES À MONTBÉLIARD

Dans les environs : le musée de l'Aventure Peugeot

MONTBÉLIARD

C'est peu de dire qu'on connaît mal cette cité qu'on imagine volontiers grise et d'un ennui mortel. Première surprise en découvrant le centre médiéval blotti au pied du château, avec ses vieilles maisons colorées (lilas, safran, ocre, vieux rose...).

Si vous arrivez aux environs de Noël, vous découvrirez l'un des plus authentiques marchés de tout l'Est de la France, semblable à ceux qui, de tout temps, ont fait en Allemagne battre les cœurs des petits et des grands.

Enfin, à deux pas du centre-ville, une agréable et verdoyante presqu'île de 10 ha (ancienne friche industrielle) a été transformée en un extraordinaire « jardin scientifique » : surprenante fontaine Galilée (sphère de 1,5 t mue par de minuscules jets d'eau), Vaisseau d'Archipel (avec ses mâts de 35 m de haut, le plus grand cadran solaire du monde), Labyrinthe végétal (un des plus grands de France).

Le pavillon des Sciences et l'espace Galilée : parc du Prés-la-Rose. ☎ 03-81-97-18-21. Ouvert tous les jours de 9 h à 12 h et de 14 h à 17 h ; uniquement l'après-midi les samedi et dimanche. Entrée : 3,10 € ; pour les 4 à 12 ans, 2,30 € ; forfait famille à 7,60 €.

Au fond du parc, le pavillon des Sciences et l'espace Galilée accueillent des expos temporaires de vulgarisation autour de la science. Seule expo permanente : l'île de la Découverte, « À la recherche des sens perdus ». Les 4-9 ans explorent une île dans un décor exotique où il faut jouer des cinq sens pour faire des découvertes (muséographie moderne : diaporama, vidéos, livres sonores...). La faune, la flore et peut-être la découverte d'un trésor n'auront plus de secrets pour eux. L'espace Galilée donne accès aussi à des ordinateurs équipés de CD-Roms sur des thèmes scientifiques.

Bar-restaurant.

Où dormir ? Où manger ?

Hôtel Les Tilleuls : 51, av. Foch, 25400 ***Audincourt.*** ☎ 03-81-30-77-00. Fax : 03-81-30-57-20. • www.perso.wanadoo.fr/hotel.tilleuls • À 6 km au sud-est de Montbéliard (sortie d'autoroute à Montbéliard Sud). Chambres doubles de 47 à 60 €. Chambres triples à 60 €, mais possibilité d'ajouter un petit lit dans les chambres doubles. Dans une rue calme (rien à voir avec une « avenue »). Excellent accueil. Chambres très bien équipées (TV satellite, frigo, sèche-cheveux...), à la déco sobrement contemporaine mais chaleureuse. Murs lambrissés. Chambres dans la maison principale ou dans de petites annexes (avec balcon) autour du jardin et de l'agréable piscine chauffée. Parking fermé gratuit. Pas de resto mais un service traiteur le soir. Petit dej' offert le week-end sur présentation du *Guide du routard.*

Chez Cass'Graine : 4, rue du Général-Leclerc, 25200 ***Montbéliard.*** ☎ 03-81-91-09-97. Compter entre 14 et 20 €. Fermé le samedi midi et le dimanche. Difficile de trouver mieux dans le style bouchon : décoration originale, renouvelée plusieurs fois par an, cuisine selon les trouvailles du marché, ambiance chaleureuse. Beaucoup d'habitués, on les comprend, la cantine est plutôt bonne.

➤ DANS LES ENVIRONS

Le musée de l'Aventure Peugeot : carrefour de l'Europe, 25600 ***Sochaux.*** ☎ 03-81-99-42-03. ♿ Juste à la périphérie de Montbéliard, à l'est. Ouvert tous les jours de 10 h à 18 h. Entrée : 7 €; de 10 à 18 ans : 3,50 € (gratuit en dessous).
L'histoire de Peugeot présentée par Colombo, le fameux inspecteur à la 403, dans un petit théâtre. Les sections sont exposées dans l'ordre chronologique, et à chacune correspond une bande-son de l'époque. Une tondeuse de coiffeur, des crocs à arracher les betteraves et pommes de terre, un batteur à crème Chantilly, des entrées de boîtes aux lettres, un bobsleigh, des couronnes dentaires : bref, la collection est présentée dans une vaste brasserie désaffectée, pour rappeler à vos enfants que Peugeot n'est pas né avec l'automobile. Cependant, quelque 200 modèles illustrent l'aventure automobile : le quadricycle de 1892, construit pour le bey de Tunis, la Torpedo de 1911, la Bébé de 1913, la 201 de 1929, le cabriolet 403 ou encore la 404. Vous découvrirez également une soixantaine de motos, des scooters et même une Papa-mobile! N'oubliez pas d'aller jeter un œil à la section Peugeot Sport, avec tous les bolides, du Paris-Dakar aux 24 Heures du Mans. Vos enfants pourront même se prendre pour les as du volant en s'essayant sur un simulateur 206 Rallye.

LE LAC DE REMORAY. LA MAISON DE LA RÉSERVE À LABERGEMENT-SAINTE-MARIE

Dans les environs : Les Fourgs • Le parc du Chien polaire • L'écomusée-maison Michaud

Le lac de Remoray : entouré de marais et de tourbières, plus sauvage que son grand voisin, le lac de Saint-Point, c'est une réserve naturelle depuis le début des années 1980. Pour découvrir sa faune, surtout riche en oiseaux, arrêtez-vous à la maison de la Réserve. Une bonne mise en condition avant d'aller vous égailler dans la nature. Plus de 200 espèces ont été répertoriées par ici : héron cendré, grèbe huppée, foulque et poules d'eau, etc.

LA MAISON DE LA RÉSERVE

28, rue de Mouthe, 25160 ***Labergement-Sainte-Marie.*** ☎ 03-81-69-35-99. • www.maisondelareserve.com • Ouvert pendant les vacances scolaires de toutes les zones, tous les jours de 10 h à 12 h et de 14 h à 18 h (en juillet et août de 10 h à 19 h); hors vacances scolaires, ouvert l'après-midi seulement (fermé le mardi). Fermé sinon le mardi et pour Noël et le 1er janvier. Entrée : 5 € (demi-tarif pour les 5 à 14 ans). Un nouveau bâtiment, immense et flambant neuf, avec une belle vue sur la réserve naturelle du lac de Remoray. Belles expos sur la faune et la flore du Haut-Doubs, dans des décors et ambiance très nature.

Partez entre prairie et forêt, sur les pas de l'homme, qui a posé ses marques. Une expo temporaire, qu'une autre remplacera, mais l'esprit restera le même : ludique et didactique à la fois. Des sorties découverte nature sont possibles, toute l'année, sur réservation : le lundi, c'est l'heure du berger, le mardi, on longe marais et tourbières, le jeudi on suit les animaux à la trace, entre bois et prairies, etc. Nombre de places limité pour ces sorties conviviales et passionnantes (compter entre 6 et 8 € par personne).

Où dormir ? Où manger ?

Hôtel-restaurant du Coude : 25160 ***Labergement-Sainte-Marie.*** ☎ 03-81-69-31-57. Fax : 03-81-69-33-90. Fermé d'octobre à décembre. Chambres doubles à 42 €. Menus de 14,50 à 49 €. Une bonne table bien connue dans la région où l'on peut lever le coude sans trop se faire remarquer, car l'atmosphère reste à la bonne franquette. Filets de perche, cuisses de grenouilles et autres bonnes choses au menu d'une auberge suffisamment classe cependant pour qu'on ne mange pas au coude à coude.

➤ *DANS LES ENVIRONS*

Les Fourgs

■ ***Ferme du Coin Perdu :*** aux ***Granges-Bailly.*** ☎ 03-81-69-41-66. À 3 km au nord-est des Fourgs. Ici, balade en chariot western ou en traîneau avec les chevaux comtois, suivie d'une pause goûter sucrée-salée autour de la table de la maison. Tous les jours de 14 h à 18 h pendant les vacances d'hiver, ou les week-ends seulement le reste de l'année. Authenticité et convivialité sont au rendez-vous.

■ ***Entre ciel et terre :*** un parcours d'aventure en forêt, pour les fans de Tarzan. ☎ 03-81-69-56-34 ou 57-89. Activité ludique et sportive accessible à tous, permettant de découvrir de nouvelles sensations en toute sécurité.

■ ***Hameau des Granges-Berrard :*** ☎ 03-81-69-48-19. Des balades avec chiens de traîneau, initiation à la conduite d'attelage ou de pulka scandinave (on skie derrière le chien et pas devant, de préférence).

Sept téléskis au village et dans les proches environs. Pistes faciles, idéales pour les enfants (et les grands débutants !). Forfaits pas chers. Beau réseau (60 km) de pistes de ski de fond également. Sentiers balisés pour les amateurs de raquettes (et de raclettes ensuite, car ça donne faim !).

La Chapelle-des-Bois

L'Odyssée blanche-parc du Chien polaire : Le Cernois-Veuillet. ☎ 03-81-69-20-20. À 6 km au nord de La Chapelle-des-Bois. Accès fléché depuis la D 46. Ouvert de mars à octobre et pendant les vacances de Noël et de février. En juillet et août, ouvert tous les jours de 10 h à 19 h ; en septembre, octobre, pendant les vacances de la Toussaint et de décembre à juin, tous les jours de 10 h à 12 h et de 14 h à 17 h. Visite commentée ; dernier départ 30 mn avant la fermeture. Entrée : 6 € ; 4,50 € de 4 à 14 ans. Pour tous les enfants amoureux des bêtes ! Allez savoir pourquoi, dans le Doubs, on se passionne pour la culture amérindienne. Des bisons paissent à... la Pesse, des tipis s'érigent dans les hautes combes. Ici, un couple élève, autour d'une ferme perdue dans la forêt, la plus grosse meute de chiens de traîneau d'Europe ! 40 chiens, dont une grande partie de

Groenlandais introduits en France par Paul-Émile Victor, et d'Indiens du Grand Nord américain. Pendant 13 ans, Claude et Gilles Malloire ont vécu sans eau courante ni électricité, élevant leurs chiens. En 1996, ils ont amélioré leur confort et créé le parc du Chien polaire pour faire partager leur expérience. Des expositions mettent en valeur les techniques de la pratique de l'attelage, les moyens de communication et d'expression entre l'homme et le chien et des chiens entre eux. Une projection vidéo montre la vie rude en milieu nordique partagée avec les chiens. À la fin de la visite, on pénètre dans l'enclos des animaux. Vos enfants seront fascinés en observant la structure sociale et hiérarchique de la meute.

L'écomusée-maison Michaud : ☎ 03-81-69-27-42. À 4 km au nord de ***La Chapelle-des-Bois*** sur la D 46, direction Chaux-Neuve. Ouvert de janvier à mars du lundi au vendredi de 14 h à 18 h ; d'avril à juin et en septembre, du jeudi au dimanche de 14 h à 18 h ; en juillet et août, tous les jours de 14 h à 18 h. Fermé la 1re quinzaine d'avril et du 1er octobre au 19 décembre. Entrée : 4 € ; enfants : 1,80 €.
Ferme isolée du XVIIe siècle, typique de cette région. Vaste toit et façade couverte de tavaillons (planchettes d'épicéa). À l'intérieur, scrupuleusement restauré, *la nouva* (un couloir) sépare *l'hébergeage* (appartement) du *grangeage* (partie agricole) et débouche sur *l'â-fû* (cuisine), seule pièce pavée de la maison surmontée du fameux tuyé où fumaient jambons, saucisses ou bresis. Une architecture qui témoigne de l'adaptation de l'homme à une nature rude, sinon hostile. L'écomusée évoque la vie quotidienne de ces « montagnons » au XIXe siècle (les garçons, bergers dès l'âge de 6 ans, les veillées au coin du poêle...), les activités traditionnelles (labours, travail du bois, des pierres précieuses). Présentation d'une foule d'objets usuels, oubliés ou étonnants comme cette charrette à chien pour transporter le lait ou cette muselière hérissée de clous pour empêcher les veaux de téter. On y fabrique aussi du pain (bio et cuit au feu de bois dans un four vieux de deux siècles) et des pâtisseries le vendredi (et le mardi en période de vacances scolaires) ; enfournement à 14 h (et parfois à 10 h l'été). Réservation conseillée.

LE SAUT DU DOUBS

Dans les environs : le musée de l'Horloge et de l'Automate

Somptueux paysages à découvrir, dont le lac de Chaillexon et les bassins du Doubs jusqu'à la fameuse chute. Le Saut du Doubs et les bassins sont classés Grand Site national et représentent le 1er site naturel de Franche-Comté.

LE SAUT DU DOUBS

Accès fléché depuis Villers-le-Lac. Les chutes du Niagara locales. On rigole, mais la cascade est vraiment impressionnante. L'eau chute de 27 m dans un bouillonnement d'écume. Un petit belvédère s'avance à l'aplomb de la cascade. Terriblement touristique, mais le cadre reste enchanteur... hors saison. Sans attendre l'hiver pour venir voir les patineurs s'élancer sur ce qui doit être la plus grande patinoire de toute l'Europe, prenez le bateau pour venir découvrir, loin de la foule, ce qui reste, des premiers aux derniers beaux jours, un joli but de balade.

En bateau

Vedettes ou bateaux-mouches. La balade est un peu chère certes, mais superbe. 14 km (soit 2 h) à travers le lac, les bassins avec arrêt pour la visite (à pied, il vaut mieux !) du Saut du Doubs. Deux compagnies concurrentes proposent sensiblement la même prestation dans des conditions d'accueil et de transport aujourd'hui bien différentes. À vous de voir.

■ ***CNFS :*** embarcadère du Pont. ☎ 03-81-68-05-34. Au centre de Villers-le-Lac. Départs à 10 h 30, 11 h 30, et toutes les heures de 14 h à 17 h. Prix : 8,50 € ; de 4 à 10 ans : 7 €.

■ ***Embarcadère Droz-Barthelet :*** ☎ 03-81-68-13-25. • info@sautdudoubs.fr • Pavillon d'accueil bien visible à l'entrée de Villers-le-Lac quand on arrive de Morteau. Prix : 9,50 € ; 7 € de 4 à 12 ans. Départs de 10 h à 18 h toutes les 45 mn. Possibilité de revenir avec un autre bateau.

Où dormir ? Où manger ?

🍽 ***L'Absinthe-restaurant du Saut du Doubs :*** ☎ 03-81-68-14-15. À 6 km de Villers-le-Lac (25130), sur le site du ***Saut du Doubs***; accès également par bateau-mouche. Ouvert de Pâques à la Toussaint. Service de 10 h à 19 h en juillet et août. Assiette comtoise à 10 €. Menu du jour à 12 €. À 200 m de la cascade, une maison typique du Haut-Doubs, avec sa belle façade en tavaillons. Au bord de la rivière, de belles terrasses en pierres sèches entourées de feuilles d'absinthe sont une invitation à se poser quelques instants, pour profiter tout à la fois de la vue sur les bassins du Doubs et d'une cuisine simple et bonne à la fois. Pour en savoir plus sur l'absinthe, cette boisson à la terrible réputation, emblématique du lieu, poussez la porte de la belle salle à manger au décor 1900 : affiches et ustensiles servant au rituel vous y sont joliment présentés.

🏠 🍽 ***Auberge Franc-Comtoise :*** Le Cernembert, 25130 ***Villers-le-Lac.*** ☎ 03-81-68-01-85. Fax : 03-81-68-16-49. • www.saut-du-doubs.org • ♿ À 4 km au-dessus du centre-ville. Prendre la rue qui monte à gauche de l'hôtel-restaurant *Le France,* puis c'est indiqué. Demi-pension de 38 à 43 € selon la saison. Quelques chambres familiales à 80 € pour 4 personnes (petit déjeuner compris). Le restaurant est réservé aux pensionnaires sauf en hiver où il accueille les gens de passage avec un menu à 12 €. Jolies chambres tout en bois, certaines avec cuisine et petit salon. Salle agréable pour goûter la cuisine régionale. L'intérieur de la maison a été refait à l'ancienne, avec goût. Belle vue et accueil sympathique. Café offert à nos lecteurs, ainsi qu'une réduction sur le prix de la visite des gorges du Doubs en bateau.

➤ *DANS LES ENVIRONS*

👥 ***Le musée de l'Horloge et de l'Automate :*** 14, rue des Moulinots, 25500 ***Morteau.*** ☎ 03-81-67-10-01. Ouvert du mardi au samedi de 10 h à 12 h et de 14 h à 18 h (dernières admissions 30 mn avant la fermeture). Fermé les jours fériés. Entrée : 3,50 € ; 2 € de 6 à 12 ans.
Dans cet ancien relais de diligences, Yves Cupillard a commencé par construire des horloges comtoises en sapin, dans la tradition du XIXe siècle. Puis un jour, à la demande d'un copain, il s'est attaqué à la confection d'un automate, de taille humaine. Il crée désormais régulièrement des automates à ressemblance, versions mécaniques de personnages existants. À côté de sa boutique, un petit musée (animé, bien sûr !) retrace l'historique de l'horloge comtoise depuis sa création à Morbier en 1680 et présente quelques-

uns de ses automates : le joueur d'orgue de Barbarie, le rémouleur. Ils sont d'une invraisemblable... vraisemblance ! Chaque automate représente entre 500 et 1 000 h de travail car leur mouvement est très détaillé et très complexe (certains bougent même la moustache !). Pour la visite de l'atelier, on repassera, Yves Cupillard garde jalousement ses secrets de fabrication ; mais vous pouvez toujours lui commander un automate à votre effigie !

Où dormir ? Où manger dans le coin ?

🏠 |●| ***La Combe d'Abondance :*** Les Combes, 25500 ***Morteau.*** ☎ 03-81-67-13-18. Fax : 03-81-67-55-29. • www.combe-abondance.com • Demi-pension : 38 € à la ferme et 43 € au chalet. Un domaine où il fait bon se poser, en toutes saisons, si l'on aime le calme et les activités sportives : randonnées à ski de fond ou à raquettes tout autour, entre Noël et Pâques, week-end ou séjour rando, équitation, parcours aventure, de Pâques à la Toussaint. Une vraie belle ferme, où l'on se sent bien, avec une bonne et chaleureuse table d'hôte, où l'on se régale au retour des balades.

🏠 |●| ***La Fée Chocolatine :*** 10, rue Pasteur, au cœur du village de ***Gilley*** (25650). Fermé le mercredi et en octobre. Visites du laboratoire et dégustation à 15 h, 16 h et 17 h. Un lieu assez incroyable : l'atelier est au rez-de-chaussée d'une petite maison sans grâce particulière, mais vous n'aurez pas de mal à la trouver, à voir tous ceux qui s'y pressent pour goûter aux dernières créations de Frédéric Nicolas (26 sortes de chocolat répertoriées à ce jour !) autant que pour l'entendre commenter sa passion. On peut acheter, bien sûr, s'il y a encore quelque chose à vendre, car ça part vite. Et on peut même dormir sur place, dans 3 chambres d'hôte croquignolettes à 45 € pour deux. Repas pour les pensionnaires de 17 à 19 € concoctés par la fée de la maison.

🏠 |●| ***Auberge Le Meix-Lagor :*** 25500 ***Montlebon.*** ☎ 03-81-67-26-03. À 7 km au sud-est de Morteau ; de Montlebon, suivre la direction Le Gardot, puis le (discret !) fléchage Meix-Lagor. Ouvert de Noël à Pâques tous les jours à midi (sauf le mardi) ; le reste de l'année, ouvert seulement sur réservation. Compter, pour les menus, entre 18 et 24 €. Gîte pour 6 personnes dans la ferme : 150 à 330 € la semaine, selon la saison, et 100 € le week-end. Magnifique ferme comtoise du XIXe siècle, posée au milieu de nulle part où vivent lynx et chamois. Immense toit, talvane, monumentale cheminée (le fameux tuyé), tout est là. Excellent accueil. Chaleureuse salle bardée de bois et très bons plats de ménage. Également des goûters à la ferme pour une halte sur les pistes de ski de fond qui sillonnent les environs. Digestif offert à nos lecteurs.

LES MUSÉES DÉPARTEMENTAUX ALBERT-DEMARD DE CHAMPLITTE

Dans les environs : Ludolac à Vesoul-Vaivre

LES MUSÉES DÉPARTEMENTAUX ALBERT-DEMARD

À ***Champlitte*** (70600). ☎ 03-84-67-82-00. • www.musee-champlitte.com • Ouverts d'avril à septembre de 9 h 30 à 12 h et de 14 h à 18 h (fermé le mardi sauf en juin ainsi que les samedi matin et dimanche matin) et d'octobre à mars de 14 h à 17 h (fermé le mardi ainsi que les matinées des samedi et dimanche). La conservation regroupe plusieurs musées. Billet à prix unique pour les 3 musées : 6 €, gratuit pour les moins de 16 ans. Un système d'audioguides devrait être prochainement mis en place.

Le musée des Arts et Traditions populaires : château de Champlitte. Fondé par Albert Demard en 1957, ce musée présente la vie quotidienne de la fin du XIXe siècle. On peut y voir la salle de classe avec pupitres et encriers (et chaise à fessée pour les cancres !), un cabinet dentaire du début du XXe siècle, la fête foraine avec le manège des chevaux de bois, le théâtre de Guignol et les loups si présents dans les histoires des veillées. Une véritable immersion dans la vie de la région, de manière ludique et passionnante.

Le musée 1900 Arts et Techniques : rue des Lavières. ☎ 03-84-67-82-00. Mêmes horaires que le précédent.
Les musées à Champlitte, c'est une affaire de famille : celui-ci a été conçu par le fils d'Albert Demard. Il est entièrement consacré à la vie des Chanitois en 1920. Deux rues des Années folles ont été reconstituées à l'identique. L'une évoque les commerces, les artisans et les moyens de transport de 1880-1900. L'autre présente la saboterie, la laiterie, la briqueterie, l'atelier du maître verrier et un garage façon 1920. Une sorte de décor de cinéma à la portée de tous. Des vidéos très intéressantes permettent de comprendre les savoir-faire utilisés autrefois.

Le musée des Pressoirs : situé sous l'orangerie du château. Présentation d'anciens pressoirs des XVIIe et XVIIIe siècles qui évoquent la tradition du vignoble chanitois. Ateliers de distillation et tonnellerie.

Où dormir ? Où manger ?

Hôtel-restaurant du Donjon : 46, rue de la République, 70600 ***Champlitte.*** ☎ 03-84-67-66-95. Fax : 03-84-67-81-06. • hotel.du.donjon@wanadoo.fr • Dans le centre-ville. Resto fermé le vendredi soir, le samedi midi et le dimanche soir de fin septembre à mi-juin, le lundi le reste de l'année. Congés annuels : la première semaine de janvier. Chambres doubles et triples avec douche à 30,50 et 42,70 € ; lit supplémentaire à 7,60 €. Menus à 10,70 € en semaine et de 17 à 21,50 € ; menu-enfants à 9 €. Une bonne maison avec des chambres claires et saines. Le seul élément médiéval de la maison est la cave voûtée qui sert de salle à manger. Cuisine traditionnelle avec un soupçon d'idée. Garage pour vélos et motos. Café offert sur présentation du *Guide du routard.*

DANS LES ENVIRONS

Ludolac : av. des Rives-du-Lac, 70000 ***Vesoul-Vaivre.*** ☎ 03-84-97-50-50. Fax : 03-84-97-50-53. • www.ludolac.org • Au nord de Besançon. Ouvert de mi-juin à début septembre tous les jours de 11 h à 20 h. Entrée : 3,50 € ; moins de 18 ans : 2,50 € ; gratuit pour les moins de 1 m ; tarifs réduits tous les jours après 17 h.
Sur 3 ha, de nombreuses activités d'eau pour toute la famille, du toboggan de 57 m de long (et 10 m de haut) au bassin de 50 m, en passant par le petit bassin avec rivière rapide et pataugeoire pour les plus petits. De bons moments de détente en perspective... Aire de pique-nique et bar (restauration rapide) dans l'enceinte du parc. Table à langer et micro-ondes à disposition des parents.

LE MUSÉE DU JOUET DE MOIRANS-EN-MONTAGNE

Dans les environs : les cascades du Hérisson • La ferme de l'Aurochs • La reculée et les grottes des Planches

LE MUSÉE DU JOUET

5, rue Murgin, 39260 ***Moirans-en-Montagne.*** ☎ 03-84-42-38-64. • www.musée-du-jouet.com • De Lons-le-Saunier, prendre la D 470 vers le sud en direction d'Oyonnax. Ouvert toute l'année du lundi au vendredi de 10 h à 12 h et de 14 h à 18 h, et les samedi, dimanche et jours fériés de 14 h à 18 h ; en juillet et août, ouvert de 10 h à 18 h 30. Entrée : 5 € ; de 3 à 5 ans : 2 € ; de 6 à 15 ans : 2,50 €.

Vitrine de l'industrie du jouet dont Moirans est le centre, ce musée à la conception très « usine nouvelle » peut paraître froid et impersonnel. L'objectif lors de la construction du bâtiment était de mélanger tradition et modernité en utilisant le bois et des matériaux plus modernes, comme le béton et la tôle de couleur. En fait, il représente une balalaïka (vous savez, cette sorte de petite guitare russe !). On aime ou on n'aime pas. Les vitrines ont été réaménagées, ce qui permet (enfin !) d'appréhender de manière plus claire les collections. Au sous-sol : « Quand Icare joue » (avions), « Roule les mécaniques » (voitures), « La Guerre pour rire » (soldats et armes en tout genre), « Au four et au moulin » (notre vitrine préférée, cuisinières et fours d'un grand réalisme). Dans l'escalier : « Roulez jeunesse » (autos, chevaux, trottinettes, tricycles). À l'étage : « Pro de l'école » (jeux éducatifs), etc. Une visite qui laisse un peu sur sa faim.

Les jouets ferroviaires ont été rassemblés dans une seule et grande vitrine, où ils ont beaucoup d'allure. Vous ne trouverez pas de jouets sur le sport malheureusement car il n'existe pas de jouet jurassien sur ce thème : quel dommage !

En dehors des jouets exposés, un système vidéo permet de découvrir l'histoire des techniques de fabrication du jouet des origines à nos jours. Un spectacle de marionnettes, *La Forêt aux mille lutins,* piloté par ordinateur, vous permet d'entrer dans un monde féerique et enchanteur peuplé de personnages malicieux. Chaque année également, au moment de Noël, les samedi et mercredi après-midi, est proposé (sur réservation) l'« atelier du Père Noël », où vos enfants pourront fabriquer leur propre jouet en bois et repartir ensuite à la maison avec leur création. Enfin 3 aires de jeu à disposition des enfants, dont 2 à l'extérieur.

FRANCHE-COMTÉ

Où dormir ? Où manger ?

Camping Trélachaume : La Mercantine, 39260 ***Maisod.*** ☎ et fax : 03-84-42-03-26. • www.trelachaume.com • Tout près de Moirans, au nord par la D 470. Ouvert de mai à mi-septembre. Forfait emplacement pour 2 personnes avec tente et voiture de 10,20 à 11,30 € selon la saison. Trois-étoiles offrant ombre et intimité. Dominant le lac de Vouglans (mais sans vue) et à 800 m à pied de la plage de la Mercantine. Pataugeoire pour les enfants. Snack-bar.

Camping Le Surchauffant : lieu-dit Surchauffant, 39270 ***La Tour-du-Meix.*** ☎ 03-84-25-41-08. Fax : 03-84-35-56-88. • surchauffant@chalain.com • Au bord du lac de Vouglans, à côté du pont de la Pyle. Ouvert de fin avril à mi-septembre. Autour de 15 € l'emplacement pour 2 personnes avec voiture et tente. Au bord du lac (avec accès direct à la plage). Trois-étoiles superbe mais assez cher.

🍽 ***Le Regardoir :*** 45, av. de Franche-Comté, Le Belvédère, 39260 ***Moirans-en-Montagne.*** ☎ 03-84-42-01-15. Sur la D 470, au nord-ouest de Moirans. Fermé les lundi, mardi et mercredi soir (sauf du 15 juin au 30 août). Congés annuels : de septembre à avril. 1er menu à 10,50 €, vin compris, le midi en semaine, puis autres menus à 12,50 et 15 €. Le panorama exceptionnel (depuis la terrasse couverte) justifie à lui seul l'arrêt casse-croûte dans cette guinguette franc-comtoise. Ouvrez bien vos yeux et profitez de la vue grandiose sur le lac de Vouglans en contrebas. Au coucher du soleil, la lumière est tout à fait spéciale. L'accueil est jeune et souriant, la carte sans complications (à noter que toutes les sauces et les desserts sont faits maison), mais le sérieux est de mise. Toujours beaucoup de monde, au déjeuner comme au dîner. Apéritif maison offert à nos lecteurs, sur présentation du *Guide du routard.*

➤ DANS LES ENVIRONS

Les cascades du Hérisson : au cœur de la région des Lacs. Accès depuis Moirans par la D 27 jusqu'à Clairvaux-les-Lacs puis la N 78. Agréable petite randonnée en sous-bois, à faire en famille (compter de 2 h 30 à 3 h aller-retour). Plusieurs accès possibles : la balade complète se fait depuis un grand parking (payant en saison : 4 €) que l'on gagne par la D 326 depuis Doucier ou bien au départ d'Ilay, vers l'*Auberge du Hérisson.* Ceux qui veulent fractionner rejoindront le sentier en son milieu en prenant la petite route forestière (fléchée) au centre de Bonlieu. Attention, après une journée pluvieuse, les rochers sont parfois glissants et les pentes un peu raides, donc soyez prudent avec des enfants, n'oubliez ni le bâton ni les chaussures adéquates.

Les cascades (31 au total !) que forme la petite rivière du Hérisson sont les plus connues du Jura (résultat : on fait la queue sur les sentiers, dès les beaux jours !). Leur nom, mentionné pour la première fois en 1388, ne vient nullement du piquant mais gentil petit animal mais de Yrisson, qui signifie « eaux sacrées ». Chaque cascade a son style bien à elle ! L'*Éventail* dégringole de 65 m le long d'une sorte d'escalier, le *Grand Saut* (60 m de haut) ressemble à la queue d'un cheval géant, le *Gour Bleu* avec ses eaux transparentes pourrait inspirer un poète... On aperçoit aussi une grotte au pied du Grand Saut, qui, d'après une légende, a servi de refuge au capitaine Lacuzon, le grand héros franc-comtois.

FRANCHE-COMTÉ

Parents savants : ***le capitaine Lacuzon***

Sous ce pseudonyme, un insurgé de Longchaumois se cacha longtemps dans le Jura des troupes d'occupation françaises, sous le règne de Louis XIV. Guillaume Tell, son voisin, avait eu plus de succès...

La ferme de l'Aurochs : lieu-dit Val-Dessous, 39130 ***Menetrux-en-Joux.*** ☎ 03-84-25-72-95. Accès *via* Doucier, par la D 326. Du 1er juin au 15 septembre, ouvert tous les jours de 9 h 30 à 19 h ; du 1er mai au 15 octobre, ouvert seulement les dimanche et jours fériés de 14 h 30 à 19 h. Fermé du 16 octobre au 30 avril inclus. Entrée : 5 € ; réductions. Forfait de 14 € pour une famille de 4 personnes.

Sur ce site de 55 ha en pleine nature, se baladent de petits troupeaux d'espèces primitives de bovidés (des ancêtres de nos vaches et autres bœufs, quoi !) : aurochs sortis de la préhistoire, impressionnants bisons américains, poilus yacks du Tibet ou encore *Highland cattle.* On les découvre en suivant un sentier sur pilotis. Il y a également une mini-ferme où approcher de près veaux, vaches, cochons, canards...

|●| Restaurant sur place.

Où dormir ? Où manger dans le coin ?

⌂ |●| ***L'Éolienne :*** à ***La Fromagerie.*** ☎ 03-84-25-50-60. Fax : 03-84-25-50-38. • www.eolienne.net • Fermé le lundi (hors vacances scolaires) ; congés annuels : du 11 novembre au 20 décembre et du 5 janvier au 2 février. Nuitée à 14,50 € par personne sans les draps, mais avec le petit dej'. Chambres doubles avec douche et w.-c. à 43 €, petit dej' compris. Menus à 11 et 19 €. Petit « complexe touristique » au pied (évidemment) d'une éolienne : gîte d'étape, chambres d'hôte, resto et jardin botanique ! Chambres-dortoirs pour 4, 5 ou 11 personnes avec 2 douches et w.-c. Déco simpliste (lits en bois naturel), mais chambres claires et agréables. Également 4 chambres d'hôte. Au resto, musique country en fond sonore, petits plats tout simples et autres salades, crêpes et grillades. Accueil sympa (mais parfois un peu débordé...). 10 % de réduction sur le prix de la chambre (hors juillet et août) sur présentation du *Guide du routard.*

⌂ |●| ***Auberge du Hérisson :*** 5, route des Lacs, Ilay, 39150 ***Chaux-du-Dombief.*** ☎ 03-84-25-58-18. Fax : 03-84-25-51-11. • www.herisson.com • Fermé les lundi et mardi (en octobre uniquement). Congés annuels : de début novembre à fin janvier. Doubles avec douche ou bains à 42 et 48 €. 1er menu à 14 € sauf jours fériés. Autres menus de 17 à 38 €. Menus-enfants à 6,20 € et 9,50 € (ce dernier est plus gastronomique). Voilà un bon camp de base pour faire une excursion autour des cascades toutes proches. Chambres rénovées, coquettes et confortables. Au resto, rien de bien compliqué, mais tout est frais et tout est bon. Plateau de fromages d'une qualité rare (proposé à volonté avec salade et dessert dans l'un des menus). Sinon, on trouve fondues et autres spécialités jurassiennes. Apéritif maison offert aux lecteurs du *Guide du routard.*

⌂ |●| ***Hôtel du Bois Dormant-Restaurant du Bois Gourmand :*** 443, route de Pontarlier, 39300 ***Champagnole.*** ☎ 03-84-52-66-66. Fax : 03-84-52-66-67. • www.bois-dormant.com • ♿ Ouvert tous les jours, toute l'année. Doubles avec douche ou bains (TV satellite) de 45 à 50 €. Chambres pour 3, 4 ou 5 personnes : à 72,50, 88 et 94 €. 1er menu à 14 €, servi également le soir et le dimanche (sauf fêtes). Autres menus de 20 à 30 €. Menu-enfants à 9,50 €. Au milieu d'un parc (donc tranquille), grande construction moderne tout en bois qui fait un peu motel de luxe. Les chambres très confortables sont d'ailleurs plutôt réussies. Table réputée. Le lieu plaira tout spécialement aux familles, soucieuses d'éviter que le repas au resto tourne au cauchemar. Le menu-enfants – buffet de hors-d'œuvre comme les grands, plat et dessert – enchantera les bambins qui pourront ensuite, s'ils ne tiennent plus en place, jouer dehors, dans l'aire de jeux. Piscine en projet. Apéritif maison offert à nos lecteurs sur présentation du *Guide du routard.*

|●| ***Jean-Louis Vuillien, pisciculture du Sartot :*** route des Cascades, Chambly, 39130 ***Doucier.*** ☎ 06-08-83-34-15. À 2 km à l'est de Doucier par la D 326. Vers la ferme de l'Aurochs et le départ de la rando des cascades du Hérisson. Ouvert à partir de midi, tous les jours de juin à août. Se renseigner hors saison... Compter 8 € le kilo de truites à emporter. Repas : 8,50 €. Une idée simple, mais qui amusera beaucoup les enfants : chacun pêche sa truite et la remet à Jean-Louis qui, après l'avoir nettoyée, la fait cuire en papillote au feu de bois. Sitôt cuite, il l'apporte à votre table, accompagnée de frites. Café offert à nos lecteurs.

La reculée et la grotte des Planches : ☎ 03-84-66-07-93 ou 13-74. À 4 km d'Arbois. Ouvert du 1er avril au 2 novembre de 10 h à 12 h et de 14 h à 18 h; en juillet et août, ouvert de 10 h à 18 h. Fermé le vendredi en octobre hors vacances scolaires; congés annuels : de novembre à mars. Entrée : 5,50 €; 4,80 € de 12 à 18 ans; 2,80 € de 4 à 12 ans. Une carte postale offerte à chaque enfant sur présentation du *GDR.*
L'arrivée dans ce paysage sauvage, presque dantesque, fait forte impression. Normal, la reculée des Planches est la plus haute du Jura (245 m). À peine remis de ses émotions, on s'engouffre dans la grotte d'où, à l'entrée, jaillit une cascade de 15 m en période de crue, qui est l'une des sources de la Cuisance, l'une des nombreuses rivières du Jura. La grotte est profonde de 300 m, large de 5 à 25 m et haute de 10 m. L'eau y circule à flot continu en période de crue seulement, sous forme de lac en période sèche, et s'y met en scène dans des couleurs tour à tour jade et turquoise... du plus bel effet. Les enfants sont toujours sensibles aux nombreux phénomènes d'érosion dans la grotte.

Où dormir? Où manger dans le coin?

Hôtel des Messageries : 2, rue de Courcelles, 39600 ***Arbois.*** ☎ 03-84-66-15-45. Fax : 03-84-37-41-09. • hotel.lesmessageries@wanadoo.fr • À deux pas du centre. Fermé le mercredi de 11 h à 17 h hors saison; congés annuels : en décembre et janvier. Chambres doubles avec lavabo ou douche à 32 ou 38 €, avec douche ou bains de 52 à 58 €; chambres familiales autour de 55 € comprenant 2 grands lits; on pourra même y rajouter gracieusement un petit lit supplémentaire si besoin! L'ancien relais de poste comme on se l'imagine, avec sa façade de pierre qu'on devine derrière la vigne vierge. Une adresse qui a réussi à concilier le charme d'autrefois et les facilités de la vie moderne. Accueil toujours au beau fixe. Chambres confortables, particulièrement belles pour celles qui viennent d'être rénovées. L'apéritif maison est offert à nos lecteurs en saison, ainsi que 10 % sur le prix de la chambre en février, mars, octobre et novembre, sur présentation du *Guide du routard.*

L'Enclay : grotte des Planches, 39600 ***Les Planches-près-Arbois.*** ☎ 03-84-66-13-74. Juste à côté des grottes. Fermé tous les soirs et (en octobre seulement) le vendredi; congés annuels : de la fin des vacances de la Toussaint à Pâques. Plats du jour de 8 à 11 €. Compter 17 € pour un repas à la carte. Le cuisinier préparera une escalope et des pâtes aux enfants pour une somme modique. D'habitude, on évite ce genre d'endroit, mais là, on est tombé sous le charme. Le site d'abord est ravissant : une petite maison et sa jolie terrasse, un frais sous-bois, un cours d'eau limpide... En plus de l'effort fait sur la déco et le mobilier, ce qu'on y mange tient tout à fait la route : parfaites assiettes de charcuteries artisanales, de fromages affinés, vins bien choisis, glaces et même des plats chauds. De plus, on peut y grignoter tard dans l'après-midi.

BELFORT

Dans les environs : l'île au maïs • Le lac du Malsaucy • Le musée Gantner et le parc animalier • Le Ballon d'Alsace • La forge-musée • Le Musée agricole départemental • Le fort de Giromagny

Un peu rébarbatif d'apparence, Belfort saura se révéler passionnant par la richesse de son patrimoine militaire, véritable chef-d'œuvre de Vauban. La vieille ville et ses façades colorées, introduction au style architectural de l'Alsace toute proche, mérite aussi une belle balade.

La citadelle : ☎ 03-84-54-25-51. Fax : 03-84-28-52-96. On y arrive par la porte de Brisach, puis la place des Bourgeois ou, du centre-ville, par la rue du Rosemont. Laissez la voiture au parking et hardi petit !... montez au château le long du rempart, ça se révélera une excellente intro à la visite. Accès libre à la terrasse du château de 10 h à 18 h. Plusieurs types de visite : la « classique » (45 mn), de juin à septembre tous les jours de 10 h à 12 h et de 14 h à 18 h ; l'« exceptionnelle » (3 h), 6 fois pendant l'été ; téléphoner pour les dates. À vous de choisir en fonction de l'âge de vos enfants. Sinon, tours spéciaux. Pour les amateurs de poliorcétique (l'art d'assiéger les villes, pour les plus incultes de nos lecteurs !), prévoir au moins 2 à 3 h de balade. Participation selon votre bon vouloir.
Vauban a signé là l'une de ses œuvres les plus magistrales. Vue superbe, souterrains impressionnants, puits de 67 m, magasin à poudre... Visite guidée quasiment obligatoire si l'on veut vraiment comprendre toute la philosophie de l'ouvrage.

Le Lion de Belfort : symbole de la ville. Possibilité d'accéder à la plate-forme du *Lion* en juillet, août et septembre tous les jours sauf le mardi, de 9 h à 19 h. Entrée : 0,90 € pour les jardins.
Œuvre spectaculaire en grès rouge du sculpteur Bartholdi, également auteur de la statue de la Liberté. Sa construction fut décidée dès décembre 1871 par la municipalité pour honorer l'héroïsme des défenseurs de la cité et rendre hommage aux nombreuses victimes civiles.

Où dormir ? Où manger ?

Hôtel Vauban : 4, rue du Magasin, 90000 ***Belfort.*** ☎ 03-84-21-59-37. Fax : 03-84-21-41-67. • www.hotel-vauban.com • À l'extérieur du centre-ville. Fermé le dimanche ainsi que pendant les vacances de février et les fêtes de Noël. Chambres doubles à partir de 51 € ; chambres familiales comprenant 2 grands lits à 60 €, que vous soyez trois ou quatre, sympa ! À deux pas de la vieille ville, dans un coin tranquille, petit hôtel fort bien tenu où les artistes se sentiront bien. En effet, le patron a couvert les murs de ses toiles, ce qui donne beaucoup de fraîcheur, un air de fête à l'établissement. Chambres agréables, certaines s'ouvrant sur le charmant jardin et la turbulente rivière la Savoureuse. Aux beaux jours, on peut y prendre le petit dej' au son des oiseaux, près du petit bassin aux nénuphars. Bon accueil.

Le Châtelain : 11, rue du Quai, 90000 ***Belfort.*** ☎ 03-84-90-25-13. Dans la vieille ville. Fermé le lundi et le samedi midi. Ouvert jusqu'à minuit. Prévoir environ 18 € à la carte. Dans une salle chaleureuse aux murs rose bonbon, vous pourrez déguster de succulentes spécialités de pâtes (aux alentours de 9 €) ou de viandes grillées. Même les tagliatelles *carbonara* ont ici une saveur particulière. Testez également les papardelles aux morilles : un régal ! En bref, on peut se faire plaisir aux papilles, sans avoir d'aigreur de bourse.

➤ *DANS LES ENVIRONS*

L'île au maïs : à ***Bessoncourt,*** face au centre commercial au niveau de la sortie 14 sur l'A 36. ☎ 03-84-22-45-45. Entrée : 3 € ; 2 € pour les 5-12 ans ; gratuit pour les plus jeunes.

Chaque été depuis 3 ans, de juin à septembre, ces 4 ha de champs sont transformés en 3 labyrinthes de difficulté variable. On aime bien se perdre dans ces maïs immenses. Une activité divertissante avec jeu de piste pour les plus jeunes. Compter environ 1 h.

Le lac du Malsaucy : à moins de 6 km au nord de Belfort s'étend ce superbe lac, dans un environnement totalement préservé. Avec ses dizaines d'étangs, le coin est d'ailleurs l'un des sites de repos favoris des oiseaux migrateurs et un lieu de résidence privilégié pour beaucoup d'autres.

– ***La base de loisirs :*** rue d'Evette, 90300 ***Sermamagny.*** ☎ et fax : 03-84-29-21-13. Fax : 03-84-29-22-07. Ouvert de mi-avril à fin septembre tous les jours de 10 h à 18 h (20 h de juin à août). Entrée de la plage surveillée gratuite. Pas mal d'activités gratuites et matériel prêté : ping-pong, badminton, volley, beach-volley, basket et, et... pétanque ! Tournois sportifs en été. Tous les dimanches à partir de mi-juin, animations et concerts. En juillet et août, cinéma en plein air gratuit chaque jeudi soir (ne pas oublier sa petite laine !). Quelques activités payantes (mais pas chères) : pédalo, mini-croisières avec des répliques en format réduit de bateaux du Mississippi ou de pêche (les mômes adorent), parcours de golf pour débutants. Possibilité de location de VTT. Aire de pique-nique gazonnée et ombragée. Snack offrant sandwichs, hamburgers, grillades, salades, glaces à prix modérés.

– ***Maison départementale de l'Environnement :*** 90300 ***Sermamagny.*** ☎ 03-84-29-18-12. À côté de la base de loisirs. Ouvert tous les jours pendant les congés scolaires de 14 h à 18 h ; le reste de l'année les mercredi, samedi, dimanche et jours fériés de 14 h à 17 h 30. Fermé 15 jours pendant les Eurockéennes (début juillet). Entrée gratuite.

Tout le long de l'année, riche programme d'animations et de sensibilisation à la nature. Quelques exemples : initiation à l'observation de la faune, à la taille des arbres et à la recherche des champignons. Ateliers pour connaître les oiseaux du Malsaucy, ou apprendre à construire un cerf-volant, etc. Nombreuses projections de reportages et de films didactiques. Visites guidées, expos temporaires. Demander la brochure où toutes les activités de l'année sont répertoriées.

Où dormir ? Où manger dans le coin ?

Centre d'hébergement Le Malsaucy : 90350 ***Évette-Salbert.*** ☎ 03-84-29-21-84. Fax : 03-84-29-14-71. À 7 km au nord de Belfort par la sortie Valdoie, puis par la D 24. À deux pas de la gare de Bas-Évette (1 train par jour). Fermé de mi-décembre à mi-janvier. Ouvert à tous. Nuit à 12,40 € par personne (quel que soit le nombre) sans le petit dej', 16,30 € avec. Possibilité de demi-pension à 24,60 € et de pension complète. Menu le moins cher à 8,40 € dans une salle de style cantoche. Comme qui dirait une vaste et belle AJ, aux chambres sobres mais vraiment agréables. Sanitaires impeccables à l'extérieur. Souvent des groupes et des scolaires, téléphoner avant. Chambres de 2 ou 4 lits. Pratique de tous sports ou activités nautiques, et possibilité d'effectuer des stages pour tous les niveaux. 10 % de réduction sur le prix de la chambre en juillet et août sur présentation du *Guide du routard.*

Auberge du Lac : lac du Malsaucy, 90350 ***Évette-Salbert.*** ☎ 03-84-29-14-10. À 5 km au nord-ouest ; sortir de Belfort par Valdoie, puis D 24. Fermé les lundi et mardi (ouvert le mardi soir en été), ainsi que la 2e quinzaine d'octobre et la 1re quinzaine de janvier, de mars et d'avril. 1er menu à 13 € en semaine ; autres menus de 21 à 26 € ; menu-enfants à 8 €. Grande maison rose qui abrite une adresse bien dans la tradition de l'hospitalité franc-comtoise. L'occasion aussi de se restaurer en terrasse au bord du lac du Malsaucy. Grande salle à manger agréable. Tables bien séparées. Solide cuisine régionale : parmentier de morteau, terrine de brochet, magret de canard aux myrtilles, poêlée de langoustines au whisky, etc. Café offert à nos lecteurs sur présentation du *Guide du routard.*

ꝰꝰ ***Le musée Gantner et le parc animalier :*** Le Genechey, 90300 ***La Chapelle-sous-Chaux.*** ☎ 03-84-29-20-73. Au nord de Sermamagny, vers Auxelles-Bas. Ouvert de Pâques à la Toussaint, les mardi, samedi et dimanche de 14 h à 18 h. Entrée : 6 €; gratuit pour les moins de 12 ans.
Ce parc-musée se compose de 3 parties : une exposition de peintures, les collections archéologiques et le parc animalier.
Bernard Gantner, natif du Territoire, décida de s'y fixer définitivement dans les années 1960 et d'y installer son atelier. Ses œuvres, exposées au rez-de-chaussée, sont directement inspirées des paysages belfortains. L'autre partie du bâtiment abrite sa collection personnelle d'œuvres antiques.
À l'extérieur s'étend un parc paysager rassemblant plus de 500 espèces de plantes et près de 50 animaux : lamas, chevaux miniatures, rennes et capridés plus ou moins rares (*Walachis* de Hongrie, *Karakouls* de Turquie...). Une bien sympathique balade qui vous fera traverser un jardin japonais et une forêt de mousses, fruits de la rencontre entre les beautés de l'art et celles de la nature...

ꝰꝰ ***Le Ballon d'Alsace :*** c'est la fin du massif des Vosges. À 1 250 m d'altitude, le Ballon d'Alsace aiguise une ultime fois les appétits. Ainsi, 3 régions (Alsace, Lorraine et Franche-Comté) et 4 départements (Haute-Saône, Haut-Rhin, Vosges et Territoire de Belfort) se le partagent-ils ! Côté Territoire, la route monte à travers forêts de sapins et d'épicéas. Au passage, une trentaine de chemins balisés vous invitent à taper dans le Ballon. Tout en haut, c'est « Grande lumière sur le mont Chauve » : immenses pelouses d'altitude aux douces pentes. Par grand beau temps, c'est l'enchantement. Le regard peut alors accrocher le mont Blanc, mais ça se mérite : lever à 6 h ! Table d'orientation.

Où dormir ? Où manger dans le coin ?

🏠 🍽 ***Hôtel Le Saut de la Truite :*** hameau de Malvaux, 90200 ***Lepuix-Gy.*** ☎ 03-84-29-32-64. Fax : 03-84-29-57-42. Accès par la D 465 en montant vers le Ballon. Fermé le vendredi, ainsi qu'en décembre et janvier. Chambres doubles avec douche à 42 €. 1er menu à 15 € en semaine. Autres menus de 20 à 24 €. Pour les enfants, plat + dessert pour 8 €. Lové dans un lacet de la route, en lisière de forêt, face à la cascade du Saut de la Truite, ce relais montagnard est une institution dans le pays. Les chambres, récemment rénovées, accueilleront vos carcasses fourbues. Mais c'est à table que l'on découvre la qualité de cette excellente adresse. Les truites pêchées quotidiennement dans le vivier justifient à elles seules le déplacement : on y sert notamment la fario, une truite de montagne succulente, reconnaissable aux taches rouges qui constellent sa peau. Belle carte de spécialités régionales, comme le coq au riesling ou le pigeonneau aux chanterelles et airelles.

La forge-musée : à côté de la mairie, 90170 ***Étueffont.*** ☎ et fax : 03-84-54-60-41. • forge.etueffont.free.fr • Ouvert de Pâques à la Toussaint tous les jours sauf le mardi, de 14 h à 18 h ; dernière visite guidée à 17 h. Entrée : 3 € ; 1,50 € de 13 à 16 ans ; gratuit pour les moins de 13 ans.

Un musée des arts et traditions populaires assez exceptionnel, au sens où il occupe l'ancienne forge de la famille Petitjean ; ici 4 générations de forgerons-maréchaux-ferrants travaillèrent de 1843 à 1975. Elle est quasiment restée en l'état et semble encore habitée ! Les salles du musée occupent l'atelier, l'appartement du forgeron, la grange et l'étable. Cela permet de bien comprendre ce qu'était la double activité du forgeron-paysan. Vous pourrez également voir un film de 25 mn sur la vie de Camille Petitjean (1878-1952). Enfin, vous aurez la possibilité d'assister à des démonstrations de maréchalerie, forge et ferronnerie d'art.

Où manger dans le coin ?

Auberge Aux Trois Bonheurs : 34, Grande-Rue, 90170 ***Étueffont.*** ☎ 03-84-54-71-31. ♿ Vers Anjoutey, derrière le *Tribal Café*. Fermé le dimanche soir, le lundi et le mardi soir. Réservation impérative. 1er menu à 8,50 €, en semaine le midi seulement. Autre menu à 15 €. Menu-enfants à 7 € comprenant un plat et un dessert. Resto très populaire dans le coin pour sa cuisine de campagne solide, goûteuse et servie copieusement. Maison particulière dans un cadre rustique. Entre murs de brique et de pierre sèche, des familles aux trognes réjouies et des bandes de retraités en goguette savourent le fromage de tête maison, les cuisses de grenouilles persillées, les girolles, la tartiflette, etc. Accueil un peu bourru mais service efficace en prime, tout comme l'apéritif maison offert aux lecteurs du *Guide du routard*.

Le Musée agricole départemental : 5, rue de Dorans, 90400 ***Botans.*** ☎ 03-84-56-08-08 et 03-84-36-52-04. Au sud de Belfort, en direction du Sundgau. Sortir de Belfort par la N 19 ; après Danjoutin, tourner à droite au niveau du Cora, puis musarder jusqu'à Botans. Ouvert de Pâques à la Toussaint les samedi, dimanche et jours fériés de 14 h à 17 h 30 ; en semaine, sur rendez-vous. Mêmes tarifs que pour la forge-musée.

Voici un superbe musée pour les fans d'ethnographie rurale. C'est l'ancienne ferme de Marcel Mouilleseaux (ah, les beaux noms de la France profonde !), un agriculteur désormais à la retraite, qui l'a donnée pour y établir le musée. On ne pouvait donc rêver meilleur cadre. Quasiment tout est resté en l'état et a conservé son âme. La ferme date de 1830. L'accueil s'effectue dans l'ancienne écurie avec ses bat-flanc, rateliers, pavage d'origine, etc. Ne pas manquer le petit jardin des senteurs, avec bourrache, absinthe, sarriette, estragon, camomille, citronnelle, fenouil et autres sauges...

Le fort de Giromagny *(fort Dorsner)* **:** ☎ 06-72-14-92-19. À quelques kilomètres au sud-ouest de Giromagny, par la route d'Auxelles. Ouvert de temps en temps, en fonction des disponibilités des bénévoles. Visites guidées (en principe) le dimanche de juin à septembre, de 15 h à 18 h ; sinon, sur rendez-vous. Entrée : 2,50 € pour les plus de 16 ans.

Après la défaite de 1870, la France ayant perdu l'Alsace-Lorraine, elle avait perdu du même coup toutes ses défenses sur l'ancienne frontière, face à l'Allemagne, et devait donc les reconstituer sur sa nouvelle ligne de front. Pour empêcher toute invasion entre Belfort et le Ballon d'Alsace, on construisit ce fort en 1874, l'un des plus importants de tout l'Est. Si vos enfants sont

passionnés d'histoire et d'art militaire, c'est bien évidemment à voir absolument !
Visite d'une canonnière, reconstitution d'une casemate, etc. Sur le sommet du fort, rail circulaire permettant de tourner un canon de 155. Bien entendu, intéressant panorama sur la région, la trouée de Belfort et le Jura.

ÎLE-DE-FRANCE

Paris et sa banlieue proposent pour les enfants (et leurs parents!) de multiples possibilités de visites culturelles, d'ateliers pédagogiques et de balades en tout genre. Autant dire que l'Île-de-France regorge d'activités, et il a bien fallu effectuer un choix, qui ne fut pas loin d'être cornélien!
Notre sélection est volontairement restreinte. Considérant que ce chapitre Île-de-France s'adresse aux provinciaux visitant Paris durant 3-4 jours en moyenne, nous avons retenu l'essentiel, ce qu'il ne faut vraiment pas rater lors d'une première visite à Paris avec des enfants. Ne vous étonnez donc pas de ne pas voir figurer tous les arrondissements ni certains lieux qui peuvent paraître pourtant indissociables de la capitale, tels que la Sainte-Chapelle, le Palais de Justice ou le Sacré-Cœur. En revanche, nous avons sélectionné les lieux et les activités les plus adaptés aux enfants, allant des grands musées parisiens proposant des ateliers pédagogiques vraiment formidables aux parcs d'attractions, en passant par des plages de sable fin (si, si, c'est possible en Île-de-France!). De quoi les amuser, les instruire et les faire rêver!
Les Franciliens, eux, trouveront leur bonheur dans le *Routard Junior à Paris et ses environs,* grand frère du *Junior en France* (oui, il a 4 ans de plus!), lequel offre un éventail complet des activités en Île-de-France.

Adresses utiles

ℹ ***Espace du tourisme d'Île-de-France :*** carrousel du Louvre, 99, rue de Rivoli, 75001 Paris. ☎ 0826-16-66-66 (0,15 €/mn). • www.paris-ile-de-france.com • www.pidf.com • www.iledenfance.com • M. : Palais-Royal-Musée-du-Louvre. Ouvert tous les jours, de 10 h à 19 h. Vous y trouverez des brochures pour les enfants, notamment le *Guide des loisirs,* qui offre des réductions intéressantes dans certains sites et musées d'Île-de-France. Très dynamique, le Comité régional du tourisme est régulièrement à l'initiative de campagnes de promotion pour les sorties en famille en Île-de-France.

ℹ ***Office de tourisme et des congrès de Paris :*** bureau central, 127, av. des Champs-Élysées, 75008 Paris (attention, devrait déménager fin 2003). ☎ 0892-68-31-12 (0,34 €/mn). • parisbienvenue.com • Minitel : 36-15 ou 36-17, code OTPARIS (0,34 €/mn). M. : George-V ou Charles-de-Gaulle-Étoile. En saison, ouvert tous les jours de 9 h à 20 h; en basse saison, du lundi au samedi de 10 h à 19 h et les dimanche et jours fériés de 11 h à 19 h. Fermé le 1er mai. Personnel aimable et compétent. Documentation variée mais en majorité payante. Le guide *Paris est à vous* est, lui, gratuit et recense sur une bonne centaine de pages toutes les choses à voir et à faire dans la capitale ainsi que des adresses utiles.

ℹ ***Comité départemental du tourisme des Hauts-de-Seine :*** 8, pl. de La Défense, 92974 Courbevoie Paris La Défense Cedex. ☎ 01-46-93-92-92. Fax : 01-46-93-94-92. • www.tourisme-hautsdeseine.com •

ℹ ***Comité départemental du tourisme de la Seine-Saint-Denis :*** 140, av. Jean-Lolive, 93695 Pantin Cedex. ☎ 01-49-15-98-98. Fax : 01-49-15-98-99. • www.tourisme93.com •

ℹ ***Comité départemental du tourisme du Val-de-Marne :*** 38, quai Victor-Hugo, 94500 Champigny-sur-Marne. ☎ 01-55-09-16-20.

ℹ ***Comité départemental du tourisme de l'Essonne :*** 19, rue des Mazières, 91000 Évry. ☎ 01-64-97-35-13. Fax : 01-64-97-23-70. • www.tourisme-essonne.com •

ℹ ***Comité départemental du tourisme***

des Yvelines : 1, rue de la Patte-d'Oie, 78000 Versailles. ☎ 01-39-07-71-22. Fax : 01-39-07-85-05. ● www.cg78.fr ●

ℹ *Comité départemental du tourisme et des loisirs du Val-d'Oise :* château de la Motte, rue François-de-Ganay, 95270 Luzarches. ☎ 01-30-29-51-00. Fax : 01-30-29-30-86. ● www.valdoise-tourisme.com ●

ℹ *Comité départemental du tourisme de Seine-et-Marne :* 11, rue Royale, 77300 Fontainebleau. ☎ 01-60-39-60-39. Fax : 01-60-39-60-40. ● www.tourisme77.net ●

PARIS

1er ARRONDISSEMENT

LE LOUVRE

Incontournable !

Renseignements utiles

– ***Accès :*** entrée principale par la pyramide (cour Napoléon). M. : Palais-Royal-Musée-du-Louvre. Du métro, accès direct à la galerie marchande du Carrousel-du-Louvre. Bus nos 21, 24, 27, 39, 48, 68, 69, 72, 81 et 95. Batobus d'avril à octobre (☎ 01-44-11-33-99). Parc de stationnement souterrain : Carrousel-Louvre, accès par l'avenue du Général-Lemonnier (ouvert de 7 h à 23 h). Autre solution (pour les piétons) : les 2 escaliers situés de part et d'autre de l'arc du Carrousel.
TUYAU : entrer par la galerie marchande (99, rue de Rivoli). Moins de monde. Deuxième entrée : porte des Lions (aile Denon), accessible (jusqu'à 17 h 30) par le quai des Tuileries ou le jardin du Carrousel (conseillée pour les Arts premiers).

– ***Renseignements :*** ☎ 01-40-20-51-51 (serveur vocal) et banque d'informations : ☎ 01-40-20-53-17. Visites-conférences et ateliers : ☎ 01-40-20-52-63. Informations auditorium : ☎ 01-40-20-84-00. ● www.louvre.fr ●

– ***Horaires :*** ouvert tous les jours sauf le mardi et certains jours fériés (se renseigner), de 9 h à 18 h ; nocturnes jusqu'à 21 h 45 le lundi (circuit court) et le mercredi. Fermeture des caisses à 17 h 15 (21 h 15 les lundi et mercredi). Les expos temporaires sont ouvertes de 9 h à 17 h 30 (21 h 30 le mercredi). Le Louvre médiéval est accessible de 9 h à 18 h (21 h 45 les lundi et mercredi). Les salles d'Histoire du Louvre sont ouvertes le lundi de 9 h à 18 h.
IMPORTANT : pour ceux que la foule gêne, le Louvre est très calme les lundi et mercredi après 17 h et jusqu'à 21 h 45.

– ***Tarifs :*** 7,50 € jusqu'à 15 h ; 5 € après 15 h et le dimanche ; gratuit pour les moins de 18 ans, personnes handicapées, chômeurs et étudiants en art ; gratuit pour tous le 1er dimanche de chaque mois. *Expos temporaires du hall Napoléon :* un billet spécifique donne accès à ces expositions temporaires au tarif de 7 €. Le billet reste valable toute la journée, même si l'on sort momentanément du musée !

Système d'orientation

Le musée se divise en ***3 ailes :*** *Denon, Sully, Richelieu,* ordonnées autour du hall Napoléon (sous la pyramide).
Il existe un système de 7 couleurs correspondant chacune à l'un des 7 départements du musée : *Antiquités orientales* – dont les *Arts d'Islam ; Antiquités*

égyptiennes; Antiquités grecques, étrusques et romaines; Peintures; Sculptures; Objets d'art; Arts graphiques (la sélection d'objets des *Arts d'Afrique, d'Asie, d'Océanie et des Amériques,* ainsi que le *Louvre médiéval* et les salles d'*Histoire du Louvre* étant à part).
Les salles sont numérotées et possèdent chacune un nom. Les documents d'orientation indiquent l'emplacement et les numéros des salles.
Chaque visiteur se voit offrir un *Plan Information* (disponible en 9 langues) qui donne le mode d'emploi et la signalétique, ainsi que l'« adresse » (région, couleur) de chaque collection.

L'esprit des collections du Louvre

Le Louvre présente les collections de l'art de l'Occident du Moyen Âge jusqu'à 1848 (peintures, sculptures, objets d'art et arts graphiques) et les civilisations antiques qui l'ont précédé et influencé (antiquités orientales, égyptiennes, grecques, étrusques et romaines). À ces collections s'ajoutent une section consacrée à l'histoire du Louvre ainsi qu'un circuit archéologique, avec notamment les fossés médiévaux de Philippe Auguste, creusés en 1190 et retrouvés à l'occasion du réaménagement du musée. Outre la présentation d'œuvres en tout genre d'une exceptionnelle beauté, la réorganisation du musée a permis de sortir 5000 œuvres des réserves (immenses), mais surtout de donner une logique à leur exposition.

Les enfants au Louvre

Inutile de se raconter des histoires, sauf exception, l'intérêt que portent les enfants à la visite d'un musée est totalement aléatoire. À moins qu'ils n'aient une passion particulière ou un sujet scolaire sur lequel ils doivent plancher, il est très difficile de prévoir ce qui va les intéresser. C'est ainsi qu'un enfant de 7 ans, médusé par les bas-reliefs représentant des taureaux ailés assyriens à tête d'homme qui gardaient le palais de Sargon II, n'accordera pas un regard à la *Victoire de Samothrace.* Un autre, pourtant du même âge, passera devant les sculptures sans les voir, mais restera de longues minutes à détailler le *Radeau de la Méduse,* les *Noces de Cana* ou le *Couronnement de Napoléon...* De ce point de vue, la dimension, le décor lui-même (avant de devenir un musée grâce à la Révolution, le Louvre a été un palais royal), la richesse exceptionnelle des collections et leur variété en fascineront plus d'un... Mais pour que la visite reste un plaisir (partagé), quelques règles s'imposent :

– pour une première visite, on peut soit choisir un thème de visite, soit concevoir un parcours éclectique, en cherchant à limiter son étendue (la longueur de l'ensemble des galeries se compte en... kilomètres) et en le préparant un minimum;
– négocier le rythme de la visite, s'adapter plutôt à celui du ou des enfants (mais quelquefois ils courent rudement vite...);
– attirer leur attention mais ne rien leur imposer : on est là avant tout pour leur faire plaisir, non?
– prévoir de devoir répondre à toutes sortes de questions innocentes, amusantes ou incongrues, et admettre de ne pas toujours pouvoir répondre à toutes (« Pourquoi elle est morte, la dame? », « Pourquoi il est tout nu, le monsieur? »...);
– aménager des pauses, pour faire pipi, se reposer (il y a de confortables banquettes), se rafraîchir, grignoter (il y a des cafés, une cafétéria, des restaurants et des salons de thé dans le musée, ainsi que de la *world food (Universal Resto),* dans la galerie du Carrousel-du-Louvre, voir la rubrique « Où manger? »).

À l'issue de la visite, faites un tour à la librairie pour enfants (sur la mezzanine de la librairie) et proposez de leur offrir 2 ou 3 cartes postales de ce qu'ils ont aimé. Ce petit souvenir prolongera la visite et vous permettra de commenter, ensemble, un tableau, une momie ou une sculpture.

Suggestions de visite

– La Cour carrée, la pyramide, la nuit (si, si, c'est magique...).
– Le Louvre médiéval, avec sa maquette, ses vrais fossés et son donjon (*Sully,* à l'entresol).
– Les cours Marly et Puget, inondées de lumière, avec les sculptures françaises, certaines carrément spectaculaires (*Richelieu,* entresol et rez-de-chaussée).
– Les Arts d'Islam, avec, entre autres, des tapis extraordinaires et des armes et armures ouvragées (*Richelieu,* entresol).
– La salle des Cariatides, avec les copies romaines de marbres grecs (*Sully,* rez-de-chaussée).
– Les bronzes antiques et les objets précieux, dont des éléments d'armures de gladiateurs, et le trésor de Boscoréale, dans une salle attenante (*Sully,* 1er étage).
– La cour Khorsabad, avec la reconstitution (très partielle mais spectaculaire) du palais du roi Sargon II (*Richelieu,* rez-de-chaussée).
– L'Égypte pharaonique, avec ses deux circuits : thématique (au rez-de-chaussée) et chronologique (au 1er étage), peut-être le clou de la visite pour les enfants. Rien n'y manque, des chats momifiés aux statues colossales de pharaons, en passant par le fascinant *Scribe accroupi* ou la salle des sarcophages, qui ne laissera pas indifférents les tintinophiles... *(Sully).*
– La peinture italienne, dans la Grande Galerie, où les sujets d'intérêt ne manquent pas (et particulièrement les toiles pleines de fruits et légumes d'Arcimboldo : succès assuré). Tout au bout, dans une salle fort fréquentée, on peut voir beaucoup de Japonais se faire photographier devant *La Joconde,* le tableau le plus célèbre du monde – jusqu'à son réemménagement, en 2005, dans un nouvel espace, dans la salle des États – (*Denon,* 1er étage).
– Les peintures françaises de grand format, qui valent à elles seules la visite : les *Sabines,* les *Horaces* (penser à réviser son latin), *Mme Récamier, la Grande Odalisque...* Ainsi que, morceaux de bravoure qui ne laisseront pas les enfants indifférents : *Le Radeau de la Méduse, La Liberté guidant le peuple* (*Denon,* 1er étage).
– On n'oubliera pas, bien sûr, en haut de l'escalier Daru, la *Victoire de Samothrace,* ni, non loin, à un emplacement provisoire (avant leur réintégration dans la salle des États), *Les Noces de Cana* (une révision biblique s'impose, non? *Denon,* 1er étage).

Ateliers pour enfants (de 4 à 13 ans)

☎ 01-40-20-52-63. Séance : 4,50 €; cycles de 2 séances à 9 € ou de 4 séances à 18 €. Achat possible 14 jours à l'avance. L'accès et l'achat des billets s'effectuent à l'accueil des groupes, hall Napoléon (sous la pyramide). Tous les ateliers se déroulent dans des salles spécialement aménagées et sont animés par des conférenciers des musées nationaux ou des intervenants extérieurs (peintres, sculpteurs, etc.). Un programme détaillé et trimestriel est mis à votre disposition. Pour s'éveiller à l'art, percer les mystères des grands peintres, expérimenter des techniques anciennes, découvrir des matériaux... Les animateurs associent avec pertinence des visites et des

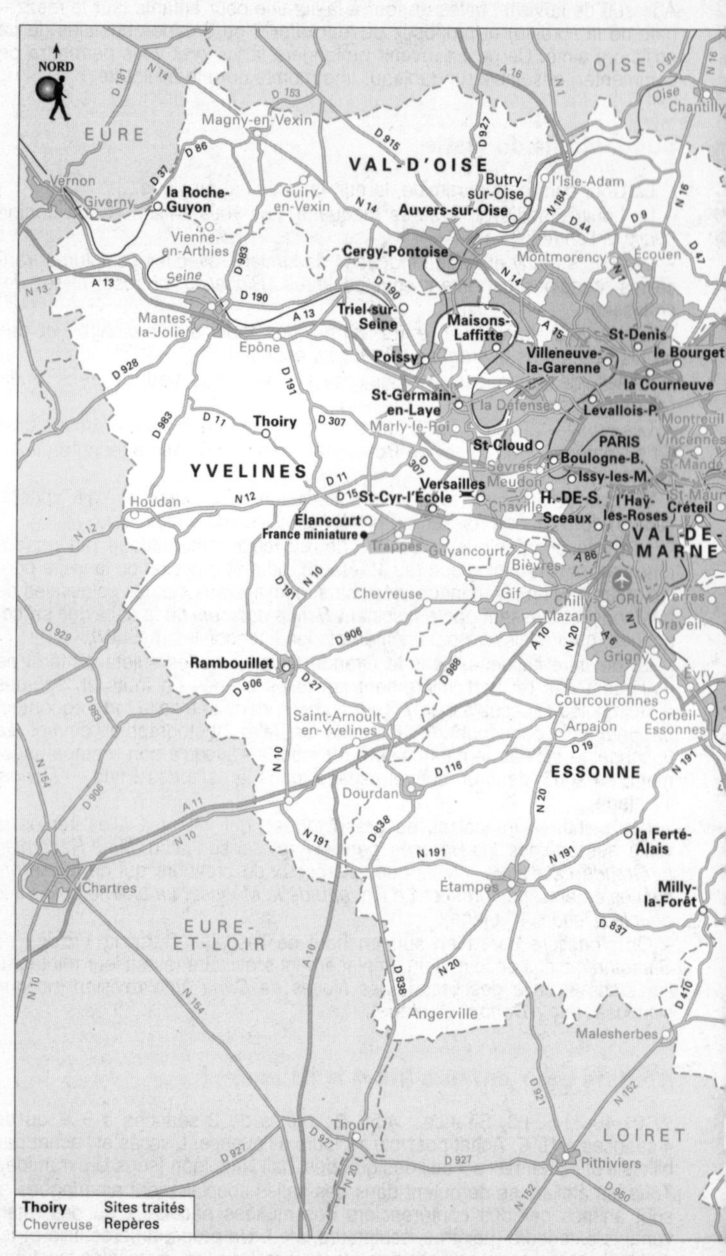
NORD
EURE
OISE
Oise
Chantilly
VAL-D'OISE
Magny-en-Vexin
Vernon
Giverny
la Roche-Guyon
Guiry-en-Vexin
Vienne-en-Arthies
Butry-sur-Oise
l'Isle-Adam
Auvers-sur-Oise
Cergy-Pontoise
Montmorency
Écouen
Seine
Mantes-la-Jolie
Triel-sur-Seine
Maisons-Laffitte
Épône
Poissy
St-Denis
le Bourget
Villeneuve-la-Garenne
la Courneuve
St-Germain-en-Laye
la Défense
Levallois-P.
Montreuil
Thoiry
Marly-le-Roi
St-Cloud
PARIS
Vincennes
Boulogne-B.
St-Mandé
Sèvres
Issy-les-M.
YVELINES
Versailles
Meudon
St-Maur
Houdan
St-Cyr-l'École
Chaville
H.-DE-S.
L'Haÿ-les-Roses
Créteil
Élancourt
Sceaux
VAL-DE-MARNE
France miniature
Trappes
Guyancourt
Bièvres
Chevreuse
Gif
Chilly-Mazarin
ORLY
Yerres
Draveil
Rambouillet
Grigny
Évry
Courcouronnes
Saint-Arnoult-en-Yvelines
Arpajon
Corbeil-Essonnes
ESSONNE
Dourdan
la Ferté-Alais
Chartres
Étampes
Milly-la-Forêt
EURE-ET-LOIR
Angerville
Malesherbes
LOIRET
Thoury
Pithiviers
A 13
A 15
A 16
A 86
A 10
A 6
A 11
N 1
N 7
N 10
N 12
N 13
N 14
N 16
N 20
N 152
N 154
N 184
N 191
D 9
D 11
D 15
D 17
D 19
D 27
D 37
D 44
D 47
D 86
D 92
D 116
D 153
D 181
D 190
D 191
D 307
D 410
D 837
D 838
D 906
D 915
D 921
D 927
D 928
D 929
D 950
D 983
D 988
Thoiry — Sites traités
Chevreuse — Repères

PARIS

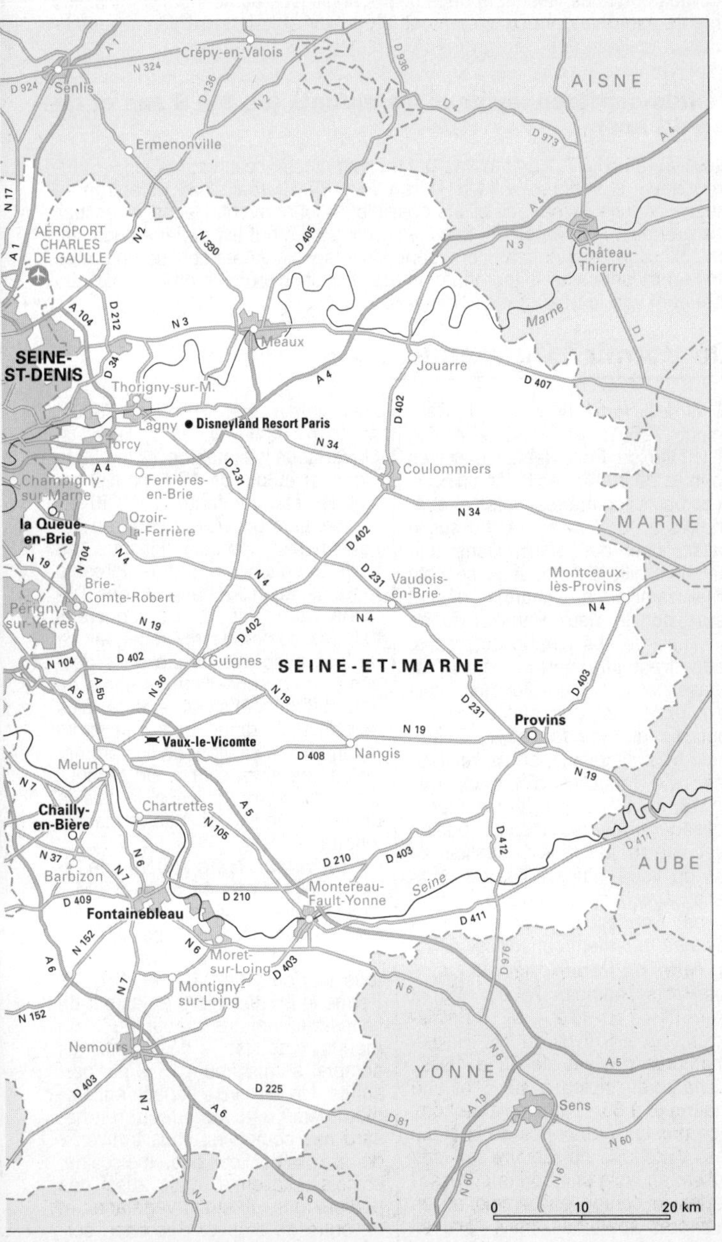

ÎLE-DE-FRANCE

activités pratiques, faisant appel aux arts plastiques ou au théâtre. Ainsi, les enfants appréhendent concrètement la couleur et la lumière dans les peintures, traduisent des hiéroglyphes ou miment des sculptures.

Visites-conférences pour les enfants (de 6 à 8 ans et de 8 à 13 ans)

☎ 01-40-20-51-77. Pendant les petites vacances scolaires, les lundi, mercredi, jeudi et vendredi à 14 h. Durée : 1 h 30. Entrée : 3,50 € ; entrée au musée gratuite. Achat des billets possible 14 jours avant. Départ à l'accueil des groupes, hall Napoléon, sous la pyramide. Le but est de faire découvrir les collections aux enfants, lors d'une visite spécialement conçue pour eux. On leur raconte ainsi la journée d'un petit Égyptien, ou bien on leur explique comment voir le beau dans l'ordinaire.

Où dormir ? Où manger ?

🏠 ***Hôtel Henri IV :*** 25, pl. Dauphine, 75001. ☎ 01-43-54-44-53. M. : Cité ou Pont-Neuf. Chambres doubles de 30 € avec lavabo à 68 € avec bains ; chambres triples et quadruples à 48 € avec douche sur le palier ; petit dej' offert. Dans une maison vieille de 400 ans, ce petit hôtel familial au charme désuet fleure bon le vieux Paris et donne sur l'une de ses plus jolies places. Jadis fréquenté par les écrivains, l'établissement accueille désormais des jeunes (et des moins jeunes) routards du monde entier. Chambres très simples, parfois aménagées de meubles d'époque. Les n°s 18, 19 et 20, du dernier étage, possèdent même un petit balcon avec vue sur le Palais de Justice (au cas où vous auriez envie de partir sans payer !) et les tours de Notre-Dame. Bon accueil. Réservation à l'avance fortement conseillée.

🏠 ***Hôtel de Rouen :*** 42, rue Croix-des-Petits-Champs, 75001. ☎ et fax : 01-42-61-38-21. M. : Palais-Royal, Louvre-Rivoli ou Les Halles. Chambres doubles de 30 à 46 € ; 2 chambres triples à 48 € et une quadruple à 55 €. Un véritable hôtel à ce prix-là, à deux pas de la place des Victoires, du Louvre et des Halles, en voilà une bonne adresse ! Certes le confort est simple et les chambres spartiates, mais l'accueil est charmant et l'ensemble est propre.

🍴 ***Café Véry (Dame Tartine) :*** en plein jardin des Tuileries, 75001. ☎ 01-47-03-94-84. M. : Tuileries. Ouvert tous les jours de 12 h à 23 h. Compter autour de 15 € pour 2 assiettes. Menu-enfants à 10,50 €. Réservation possible, le soir en été seulement. Adorable kiosque en verre et bois blond, et très agréable terrasse, au cœur du jardin des Tuileries. Après une visite du Louvre, il est très commode d'y déjeuner de tartines avec des tas de trucs dessus tout en surveillant les ébats de vos petits chéris, et encore plus agréable d'y dîner, quand le jardin commence à se vider de ses promeneurs, les soirs d'été... Un bémol : les portions sont chiches, la cuisine un brin expédiée et l'attente parfois longuette.

🍴 ***Universal Resto :*** 99, rue de Rivoli, 75001. ☎ 01-47-03-96-58. M. : Palais-Royal-Musée-du-Louvre ou Louvre-Rivoli. ♿ Entrée par la Pyramide ou au 99, rue de Rivoli. Ouvert tous les jours de 11 h à 22 h 30. Fermé le 25 décembre et le Jour de l'an. Menu-enfants autour de 5 € ; menus « adultes » de 7 à 13 € ; compter au maximum 15 € par personne. Un immense espace entièrement dédié à la *world food* : au hasard des comptoirs, vous trouverez de la cuisine libanaise, mexicaine, chinoise, italienne, mais aussi des poulets rôtis, un stand végétarien et un autre de crêpes. Pas cher, service rapide (mais bondé le midi en semaine à cause des bureaux avoisinants) et surtout pratique avec des enfants, c'est son principal atout, car la cuisine n'a rien de renversant. Certaines tables ont vue sur la pyramide inversée. Voilà, c'est tout !

2e ARRONDISSEMENT

Les Étoiles du Rex : 1, bd Poissonnière, 75002. ☎ 08-92-68-05-96 (0,34 €/mn). • www.legrandrex.com • M. : Grands-Boulevards ou Bonne-Nouvelle. Visite à partir de 6 ans du mercredi au dimanche, les jours fériés et tous les jours pendant les vacances scolaires, toutes les 5 mn (20 personnes maximum) de 10 h à 19 h. Durée : 50 mn. Entrée : 7,50 € ; moins de 12 ans : 6,50 €. À partir de 17 h, tarif unique de 4,50 €.
Premier cinéma atmosphérique, le Rex fit sensation le jour de son inauguration, en 1932 : pensez donc, une salle gigantesque, un immense écran et au-dessus des têtes, un plafond constellé d'étoiles. En plus, au rez-de-chaussée, se trouvaient un chenil et une nurserie, pour soulager les spectateurs de leurs... paquets ! Superbe décor Art déco. Guidée par une voix off, la visite des *Étoiles du Rex* commence par un passage derrière l'écran et dans les coulisses du plus grand cinéma d'Europe (2800 places). On traverse la salle de montage, l'atelier du projectionniste, on peut même s'asseoir dans le fauteuil du directeur. Très dynamique, la présentation se poursuit par une simulation d'effets spéciaux et de bruitages vraiment extra, petits et grands se prennent au jeu, fous rires assurés. Pour finir sur une projection très spéciale, vos débuts au cinéma aux côtés de Clint Eastwood... À l'unanimité, le César de la visite du 7e art en action est attribué aux Étoiles du Grand Rex !

Où manger ?

L'Arbre à Cannelle : 57, passage des Panoramas, 75002. ☎ 01-45-08-55-87. M. : Grands-Boulevards. Ouvert de 11 h 30 à 18 h 30 ; repas servis de 11 h 30 à 16 h environ (un peu plus tard le samedi). Fermé les dimanche et jours fériés. Compter 16 € environ pour le déjeuner (pas de menu), de 5 à 9 € pour le goûter. Tient plus du salon de thé que du restaurant. La superbe façade aux boiseries sculptées, qui s'intègre parfaitement au charme désuet du passage, est une invite à la halte gourmande. Terrasse à l'extérieur pour profiter des allées et venues du passage, mais on peut tout aussi bien choisir de s'installer à l'intérieur (superbes plafonds à caissons). Idéal pour une halte raffinée pendant une balade dans les passages. Très bonnes pâtisseries à prix raisonnables, compte tenu de la qualité. Le midi, œufs cocotte, tartes salées et salades. Accueil charmant.

3e ARRONDISSEMENT

Le musée Carnavalet, musée de l'Histoire de Paris : 23, rue de Sévigné, 75003. ☎ 01-44-59-58-58. • www.paris.fr/musees/musees-carnavalet • M. : Chemin-Vert ou Saint-Paul-le-Marais. Ouvert de 10 h à 18 h. Fermé le lundi et certains jours fériés. Entrée gratuite pour tous dans les collections permanentes du musée. Demander un plan à l'entrée, ça aide. C'est toute l'histoire de Paris, des origines à nos jours, qui défile ici au travers de peintures, de dessins, de meubles et d'objets d'art ou de la vie quotidienne. Souvent et à tort considéré comme mineur, ce musée est passionnant pour les enfants, qui y retrouvent toujours un petit bout de leur programme scolaire du moment. Ne pas manquer les tableaux montrant l'évolution de la ville, les salles consacrées aux enseignes des métiers d'autrefois et les salles révolutionnaires.

– ***Contes, ateliers et animations :*** à 14 h 30, les mercredi et samedi, et pendant les vacances scolaires. De 4 à 12 ans. Durée : 1 h 30. Tarif : de 3,80 à 6,50 €. Réservation conseillée (☎ 01-44-59-58-31).

Les enfants écoutent un conte, illustré par des tableaux, des sculptures et des objets, ou bien apprennent à lire un tableau, en cherchant les petits détails qui en disent long. « Le petit théâtre de la rue » leur fait découvrir une scène de rue avec des silhouettes découpées. Ils peuvent aussi visiter le musée ou un monument de Paris, puis réaliser en atelier un « objet-souvenir ». Également un rallye dans le quartier du Marais.

Le musée de la Poupée, Au Petit Monde Ancien : impasse Berthaud (au niveau du 22, rue Beaubourg), 75003. ☎ 01-42-72-73-11. Fax : 01-44-54-04-48. • musee.poupee@noos.fr • M. : Rambuteau. Ouvert du mardi au dimanche de 10 h à 18 h. Fermé les jours fériés. Entrée : 6 € ; 3 € de 3 à 18 ans ; gratuit en dessous. Boutique spécialisée (poupées, accessoires, affiches, livres...) et clinique de poupées avec également un atelier de confection de vêtements.

Ce ravissant petit musée, niché au fond d'une impasse, présente l'énorme collection des Odin père et fils. Dans 4 salles, plus de 500 magnifiques et émouvantes poupées et baigneurs racontent l'évolution de ce jouet en France de 1800 à nos jours. Mises en scène dans différents décors (une classe d'école, une mercerie, une boutique de jouets et poupées...), dont les nombreux détails et accessoires (dînettes, jeux, mobilier...) raviront les enfants. Bref, même sans s'intéresser à l'aspect historique de la poupée, on passe avant tout un délicieux moment, et vos enfants ne seront pas près d'oublier cette visite.

Dans les 2 dernières salles, exposition temporaire à thème 2 fois par an.

Le musée Picasso : hôtel Salé, 5, rue de Thorigny, 75003. ☎ 01-42-71-25-21. M. : Saint-Paul-le-Marais ou Chemin-Vert. Ouvert de 9 h 30 à 18 h (17 h 30 d'octobre à mars). Fermé le mardi, le 1er janvier et à Noël. Entrée : 5,50 € pour les adultes (tarif majoré lors des expos temporaires) ; gratuit pour les moins de 18 ans et pour tous le dimanche.

L'hôtel Salé, un hôtel particulier du XVIIe siècle, est un lieu à la hauteur du talent de son hôte ! L'exposition est chronologique, périodes bleue, puis rose, cubiste, surréaliste... Les juniors apprécieront d'abord la sculpture qui leur sourit aimablement dans l'escalier, *La Femme à l'orange ou à la pomme.* Puis ils glaneront, au hasard des salles, petites et lumineuses, des images de ce merveilleux fou peignant dans son drôle d'atelier. N'essayez pas de tout leur montrer, le musée est vraiment immense.

À la boutique, chouette rayon de livres d'art pour enfants. Cafétéria dans le jardin du 15 mai au 1er octobre, proposant sandwichs, tartes...

– ***Visites-conférences pour les enfants :*** le mercredi, de 14 h 30 à 16 h, puis projection d'un film sur Picasso. Renseignements : ☎ 01-42-71-70-84. Le dimanche, visites en famille menées par une conférencière-animatrice à 11 h et 15 h.

Où dormir ? Où manger ?

Paris-Bruxelles Hôtel : 4, rue Meslay, 75003. ☎ 01-42-72-71-32. Fax : 01-42-77-62-33. M. : République ou Temple. Chambres doubles à 61 € avec douche ou bains ; chambres familiales pour 3 ou 4 personnes à 77 € sans les taxes. Attention, les chèques ne sont plus acceptés. Hôtel classique mais sympathique, situé pratiquement à République, dans une rue spécialisée dans la chaussure et les fringues. Les chambres côté rue (insonorisées) sont plus agréables car plus grandes et plus lumineuses que celles donnant sur la cour. On a préféré celles du dernier étage, aux allures mansardées et offrant une jolie vue. Les chambres familiales offrent un bon rapport qualité-prix. Un petit dej' par chambre et par nuit est offert à nos lecteurs sur présentation du *Guide du routard*.

|●| ***Cafétéria du musée Picasso :*** lire plus haut.

4e ARRONDISSEMENT

☙☙☙ ***La cathédrale Notre-Dame :*** pl. du Parvis-de-Notre-Dame, 75004. ☎ 01-42-34-56-10 (serveur vocal). M. : Saint-Michel ou Cité. Ouvert du lundi au samedi de 8 h à 18 h 45 (19 h 45 les samedi et dimanche). Visites guidées gratuites tous les jours : du lundi au vendredi à 12 h, les samedi et dimanche à 14 h 30. Rendez-vous au bas de la nef; durée : 1 h 30 environ. On peut visiter les *tours* et la *crypte* (payant). Le silence est de rigueur, et les visiteurs sont tenus d'être extrêmement discrets lors des célébrations religieuses (évidemment, tenue correcte exigée).
Le royaume de Quasimodo : 130 m de long, 48 m de large et 35 m de haut, telles sont les dimensions intérieures de Notre-Dame, l'une des plus célèbres cathédrales de France. Commencé au XIIe siècle, ce chef-d'œuvre de pierre ne fut achevé que deux siècles plus tard, vers 1340. Ses chimères ont de l'allure, même si elles témoignent d'une fantaisie qui ne fut pas du goût de tout le monde à l'époque.
L'extérieur est aussi impressionnant que l'intérieur. Il faut, pour en prendre la mesure, en faire le tour complet, le nez en l'air, à partir du parvis. Ne pas manquer au passage le point du fameux « kilomètre zéro », à partir duquel sont calculées toutes les distances depuis Paris.
La splendide élégance de l'intérieur surprend tout autant. Comment est-on parvenu à donner une telle impression de légèreté (et de majesté) à cet énorme édifice? Pour mémoire, les aériennes rosaces du XIIIe siècle mesurent 12,90 m de diamètre et pèsent quelques tonnes. Là résidait tout l'art des bâtisseurs de cathédrales, réalisant des prouesses techniques avec des moyens étonnamment limités.

LE CENTRE GEORGES-POMPIDOU (BEAUBOURG)

PARIS

– ***Renseignements :*** ☎ 01-44-78-12-33. • www.centrepompidou.fr • Minitel : 36-15, code BPI (0,20 €/mn).
– ***Accès :*** M. : Rambuteau ou Hôtel-de-Ville; RER A, B et D : Châtelet-Les Halles.

☙☙☙ ***Le Musée national d'art moderne,*** dont la surface atteint 14000 m², présente ses collections, depuis sa rénovation achevée pour l'an 2000, sur la totalité des 4e et 5e niveaux. Quant au 6e niveau, il est entièrement dévolu aux expositions temporaires. Le centre s'est aussi agrandi sous terre en installant au 1er sous-sol un pôle spectacles consacré aux spectacles vivants, aux débats et à l'audiovisuel. Pour la première fois se retrouvent réunis toutes les formes, tous les éléments de la culture moderne en un même lieu et de façon extraordinairement accessible, voire ludique.

Horaires, tarifs et mode d'emploi

Une précision tout d'abord : Beaubourg est avant tout un centre culturel, qui abrite entre autres un musée. Trop de gens croient encore qu'il ne s'agit seulement que d'un musée.

– Le centre est ouvert tous les jours sauf le mardi et le 1er mai, de 11 h à 22 h. Le Musée national d'art moderne et les expositions ferment à 21 h (fermeture des caisses à 20 h).
– Entrée du musée : 5,50 €; tarif réduit : 3,50 €; gratuit pour les moins de 18 ans et pour tous le 1er dimanche de chaque mois. Prix des expos : entre 6,50 et 8,50 €; gratuit pour les moins de 13 ans. Le billet d'entrée pour les expos permet également l'accès au panorama et à la Galerie des enfants.

Les activités destinées aux enfants

De nombreuses activités sont proposées à nos chères têtes blondes, ou rousses, brunes, etc. Elles ont pour objectif d'initier ce jeune public à la création contemporaine dans toutes ses facettes de manière ludique et interactive. De manière générale, les expos qui s'adressent aux enfants sont sans lien direct avec les expos pour adultes. Renseignements et inscriptions : ☎ 01-44-78-49-13 (de 13 h à 17 h sauf les mardi et dimanche) ou sur place à l'espace éducatif (niveau 0).

La Galerie des enfants (pour les 6-12 ans)

Dans le forum, niveau 0, à gauche de l'entrée. Accessible avec un billet d'entrée adulte; accès gratuit jusqu'à 18 ans. Pour la visite, il est obligatoire que les enfants soient accompagnés d'un adulte. Ouvert de 11 h à 18 h. Fermé le mardi.
Cet espace d'exposition est un lieu de découverte, les enfants et les parents peuvent se promener librement dans la galerie; des ***ateliers*** sont également proposés en rapport avec le thème de l'exposition en cours, les mercredi, samedi et tous les jours des vacances scolaires (zone C), de 14 h à 16 h. Entrée : 8 €.
Une série d'expositions se succède dans la Galerie des enfants, mettant en valeur toutes les facettes de la création contemporaine : design, arts plastiques...

L'Atelier des enfants (pour les 6-12 ans)

Il a pour objectif d'initier les enfants à la création contemporaine de manière ludique. Renseignements et réservations : ☎ 01-44-78-49-13 (de 13 h à 17 h sauf les mardi et dimanche).
Plusieurs ateliers sont proposés par cycles ou en séance unique :
– ***« De l'atelier au musée » :*** séance unique le samedi (8 €) ou cycle de 3 séances le mercredi (37 €) de 14 h 30 à 16 h 30, dans la Galerie des enfants. Les enfants disposent d'outils et de matériaux les plus divers et sont invités à développer leurs capacités d'expression et à se familiariser avec le vocabulaire plastique d'un artiste.
– ***Atelier autour des expositions de la Galerie des enfants :*** les mercredi et samedi de 14 h à 16 h et tous les jours pendant les vacances scolaires. Entrée : 8 €.
– ***Atelier multimédias « Art et Technologie » :*** le mercredi de 14 h à 16 h. Cycle de 3 séances : 51 €.

Un dimanche en famille (pour les 6-12 ans)

Le Centre Pompidou accueille les enfants accompagnés de leurs parents, grands-parents, amis dans le cadre des dimanches en famille. Petits et grands peuvent suivre des visites actives au musée grâce aux deux boîtes à surprise. Ils peuvent aussi partager un moment de création à quatre mains dans la Galerie des enfants. Entrée : 4 € par personne. Renseignements et inscriptions : ☎ 01-44-78-49-13 (de 13 h à 17 h, sauf les mardi et dimanche). Un dimanche par mois, 2 thèmes au choix : « Jaune, rouge, bleu » ou « Matières et sensations ».

L'Écran des enfants (à partir de 7 ans ; certains films à partir de 4 ans)

Programme proposé par la BPI. Tous les mercredis à 14 h 30, cinéma 2, niveau - 1 du Centre Pompidou. Réservation obligatoire : ☎ 01-44-78-44-22. Entrée : 5 € pour les adultes, 3 € pour les enfants. Les places sont réservées en priorité aux enfants.
Toujours autour d'un thème, les films présentés permettent de découvrir d'autres cultures, de s'ouvrir sur les problèmes de société contemporains ou d'entrer dans l'univers de l'animation. Programmation variée, internationale et intelligente, pour rompre avec le monde édulcoré du film pour enfants. Programme disponible à l'accueil général.

La librairie

Au rez-de-chaussée à droite. Un grand rayon bien fourni est destiné aux jeunes lecteurs. Des ouvrages pour s'initier à l'art, mais aussi des CD-Roms, sans oublier la littérature plus classique des contes et autres histoires enfantines.

Le musée de la Curiosité et de la Magie : 11, rue Saint-Paul, 75004. ☎ 01-42-72-13-26. M. : Saint-Paul-le-Marais. Ouvert les mercredi, samedi, dimanche, certains jours fériés et durant les petites vacances scolaires, de 14 h à 19 h. Visite et spectacle : 7 € ; de 3 à 13 ans : 5 €. Une entrée enfant offerte pour une famille de 4 personnes sur présentation du *Guide du routard.*
Avis aux prestidigitateurs amateurs ! Dans des caves voûtées du XVIe siècle, juste sous le marché Saint-Paul, une collection unique au monde d'automates, de machines optiques, d'appareils scientifiques a été rassemblée en 1993 par Georges Proust, parent du célèbre Marcel. En tout, plus de 3 000 objets et documents, datant de 1800 à 1950, sont présentés dans une ambiance de fête foraine. Des guides magiciens vous accompagnent dans cet univers : automates, gravures et affiches polychromes, illusions d'optique, appareils de physique amusants et boîtes à secrets, objets truqués aussi célèbres que la malle des Indes, le panier hindou, la femme sciée... Un spectacle de prestidigitation (sur scène et rapproché) a lieu à intervalles réguliers et met la perspicacité des visiteurs à l'épreuve.
– ***Ateliers magiques :*** un après-midi pendant les petites vacances scolaires. Inscription nécessaire. De 7 à 12 ans. Entrée : 30 €. L'atelier comprend un atelier et un goûter. Après le stage, les enfants feront la démonstration d'un tour devant leurs parents.
– ***École de magie :*** le samedi, de 14 h à 15 h pour les confirmés, de 15 h à 16 h 15 pour les débutants. Entrée : 20 €. Des cours de « presti » sont proposés par niveau. Différents thèmes : cartomagie, magie générale, *close-up*, salon, scène. Pour apprendre à donner du rêve par la maîtrise du geste et de la voix, l'organisation dans l'espace et le temps, et le développement du sens de l'analyse et de l'esprit critique.

PARIS

Où manger ?

Dame Tartine : 2, rue Brise-miche, 75004. ☎ 01-42-77-32-22. M. : Hôtel-de-Ville. Ouvert de 11 h à minuit. Repas autour de 15 €, menu-enfants à 10,50 €. Coincé entre l'église Saint-Merri et le Centre Pompidou, ce resto propose de grosses tartines avec un tas de choses dessus, froides ou chaudes : de l'huile d'olive et du parmesan, du poulet aux morilles, etc. Mais ce petit grignotage peut toutefois s'avérer moins bon marché qu'il n'en a l'air si l'on n'y fait pas attention. Soyons clair, on vient surtout pour la terrasse, chauffée l'hiver, offrant une vue imprenable sur les fantastiques sculptures en mouvement de Niki de Saint-Phalle et Jean Tinguely, qui fascinent totalement les enfants. Café offert aux lecteurs du *Guide du routard.*

🍽 ***Berthillon :*** 31, rue Saint-Louis-en-l'Île, 75004. ☎ 01-43-54-31-61. M. : Pont-Marie. Ouvert de 10 h à 20 h. Fermé les lundi et mardi ; congés annuels : pendant une partie des vacances scolaires, sauf celles de Noël, ce qui, pour un glacier, n'est pas sans sel ! Compter 1,70, 2,75 et 3,65 € le cornet pour 1, 2 ou 3 boules de glace. Une institution. Plusieurs dizaines de parfums (fraise des bois, banane, pêche...), un sublime granité à la poire Williams, et toujours des créations nouvelles. Une permanence de la qualité explique les longues files d'attente devant la boutique et celles des revendeurs disséminés dans l'île.

🍽 ***La Charlotte de l'Isle :*** 24, rue Saint-Louis-en-l'Île, 75004. ☎ 01-43-54-25-83. M. : Pont-Marie ou Sully-Morland. Ouvert du jeudi au dimanche de 12 h à 20 h. Fermé les lundi, mardi et mercredi ; congés annuels : en juillet et août. Fille de pâtissier, Sylvie Langlet, d'abord séduite par la céramique, a fini par renouer avec le geste familial. Depuis 25 ans, avec quelques mesures de farine, deux ou trois de sucre, quelques graines de folie, amour et patience (*dixit* Sylvie), elle confectionne de délicieux gâteaux qui font le bonheur des gourmands, petits et grands. Florentins, tartes au chocolat ou au citron, cakes... nous font craquer. L'intérieur minuscule est tout aussi charmant. Le mercredi, uniquement sur réservation, Sylvie organise des goûters avec spectacle de marionnettes.

5e ARRONDISSEMENT

L'INSTITUT DU MONDE ARABE (IMA)

1, rue des Fossés-Saint-Bernard, pl. Mohamed-V, 75005. ☎ 01-40-51-38-38. • www.imarabe.org • M. : Jussieu, Cardinal-Lemoine ou Sully-Morland. Ouvert de 10 h à 18 h. Fermé le lundi. Entrée libre. Accès payant pour le musée et certaines expositions : 4 € ; gratuit jusqu'à 12 ans ; 6,10 € pour tous pour les visites guidées ; tarif réduit appliqué à toutes les activités du musée sur présentation du *Guide du routard.*

🚶🚶 L'institut comprend un musée, une bibliothèque, un espace Image et Son, une section cinéma, un auditorium, un espace jeunes, plusieurs salles d'expositions, une librairie-boutique, un restaurant-salon de thé (au 9e étage) et une expo d'art contemporain au sous-sol, en entrée libre. Cet étonnant bâtiment de verre, de métal et de béton, conçu par l'architecte Jean Nouvel, a pour but d'explorer les multiples facettes de la culture arabe.

La visite suit un déroulement chronologique, elle commence au 7e étage et se poursuit jusqu'au 4e étage. Elle permet de s'initier à l'art arabo-islamique au cours des siècles. Les éclairages et la disposition mettent particulièrement bien en valeur les très beaux objets exposés, parmi lesquels de superbes mosaïques, des bijoux et des miniatures qui attirent le plus les enfants. Un livret pour les jeunes, *Regards sur la civilisation arabo-musulmane,* propose une documentation et des illustrations pour accompagner les enfants dans leur visite.

Espace jeunes

Niveau - 2. ☎ 01-40-51-38-51. Programmation en liaison avec les expositions, qui durent en moyenne 6 mois. Nombreuses possibilités.

– ***Ateliers artistiques :*** le samedi de 15 h à 17 h. De 6 à 12 ans. Entrée : 8 €. Visite des expositions temporaires et des collections en compagnie d'animateurs ou de plasticiens qui permettent de joindre le geste à la parole.
– ***Musique :*** spectacles-animations occasionnels (souvent le mercredi ou le samedi) dans la salle du Haut-Conseil, de 15 h à 16 h ; demander le programme. À partir de 6 ans et pour toute la famille. Entrée gratuite pour les moins de 18 ans, 6,10 € pour les adultes. Pour découvrir un pays par sa musique et ses traditions. Les spectacles allient chants, danses et musique instrumentale.
– ***Médiathèque Jeunesse :*** ouvert les mercredi et samedi (du mardi au samedi pendant les vacances scolaires) de 15 h à 18 h. De 4 à 12 ans. Accès libre. Éditions jeunesse de France et des pays arabes. Animations autour de contes, de musiques, de livres, de présentations de diapositives et de CD-Roms.

Le Musée national du Moyen Âge, les thermes de Cluny : 6, pl. Paul-Painlevé, 75005. ☎ 01-53-73-78-00. • www.musee-moyenage.fr • M. : Saint-Michel ou Cluny-La Sorbonne. Ouvert de 9 h 15 à 17 h 45. Fermé le mardi. À partir de 7 ans. Entrée : 5,50 € ; 4 € de 18 à 25 ans ; gratuit pour les moins de 18 ans ; gratuit pour tous le 1er dimanche du mois. Visites guidées les mercredi, samedi et dimanche (horaires variables selon la période) : 6 € en plus pour les adultes ; 3 € pour les enfants. Visites en famille le dimanche : 6 € plus l'entrée au musée pour les adultes ; 6 € en tout pour les 7-12 ans. Durée : 1 h 30. Visites découverte pour les 8-12 ans pendant les vacances scolaires et certains mercredis. Les thèmes varient selon les semaines : l'enfance au Moyen Âge, le bestiaire médiéval... Durée : 1 h 30. Inscriptions : ☎ 01-53-73-78-16. Entrée : 6 €.
Davantage que les ruines gallo-romaines, qui pourtant attirent les regards des passants, les objets du Moyen Âge, merveilleusement présentés dans le ravissant hôtel des abbés de Cluny, notamment les tapisseries, fascinent les enfants. La plus fameuse est évidemment celle de *La Dame à la licorne,* mystérieuse bande dessinée du XVe siècle, en 6 épisodes, dont on est loin d'avoir percé tous les secrets. Il ne faut pas pour autant négliger les autres scènes du genre en fils de soie qui, toutes, méritent que l'on s'arrête pour décrypter les histoires qu'elles racontent. Ne pas oublier de demander à l'entrée le petit programme de visite *Comme des images,* destiné au jeune public (gratuit) et conçu pour susciter sa curiosité et l'inciter à s'intéresser aux œuvres. À partir de ce support, les enfants dessinent librement ce que leur imagination leur inspire. Outre les tapisseries, très belle collection d'objets, de meubles et surtout de statues et de peintures religieuses. À la librairie, excellent choix de livres sur le Moyen Âge pour toutes les tranches d'âge.
– ***Atelier*** de 2 h 30 avec visite d'une partie du musée et réalisation d'un travail sur le thème de l'architecture, de l'orfèvrerie, du scriptorium et du vitrail : 12 € par enfant de 8 à 12 ans. Renseignements sur les dates et les horaires, et inscriptions : ☎ 01-53-73-78-16.

Le Jardin médiéval : inspiré des collections du musée, ce jardin contemporain de 5000 m² englobe le jardin public qui s'étend entre le boulevard Saint-Michel et la rue de Cluny, le long du boulevard Saint-Germain. Il s'organise en une succession d'étapes thématiques.

Le centre de la Mer : 195, rue Saint-Jacques, 75005. ☎ 01-44-32-10-70. • www.oceano.org/cme2/ • RER B : Luxembourg. Entrée, juste à côté de l'Institut océanographique, au fond de la cour. Ouvert du mardi au vendredi de 10 h à 12 h 30 et de 13 h 30 à 17 h 30 ; les samedi et dimanche de 10 h à 17 h 30. Fermé le lundi, en août et certains jours fériés. Projections le mercredi et pendant les vacances scolaires à 14 h, 15 h et 16 h ; les samedi et dimanche à 15 h et 16 h. Entrée : 4,60 € pour les adultes (3 € sur présentation de ce guide) ; 2 € pour les 3-11 ans ; 3 € pour les 12-18 ans. Compter une bonne heure pour découvrir l'ensemble.

La mission est claire : sensibiliser les jeunes et les moins jeunes à la diversité et à la fragilité des milieux biologiques marins. Pour ce faire, 6 aquariums présentent un spectacle éblouissant de poissons, des massifs coralliens aux eaux à 12 °C de l'océan Atlantique : poisson nettoyeur, poisson clown, poisson chirurgien, poisson ballon, autant d'étrangetés dont on apprend la fonction et le mode de vie. Et pour parfaire l'approche, la diffusion d'un film de Cousteau, des bornes interactives, la mise à disposition (sur demande à la caisse) d'une brochure pédagogique avec coloriage et questionnaire. Sans oublier une équipe d'animateurs fort sympathique et passionnée, que l'on peut solliciter à tout moment de la visite.
Le must pour les tout jeunes, c'est le bassin tactile (les samedi, dimanche et vacances scolaires) qui reconstitue le contenu d'une flaque d'eau bretonne. Il est alors possible pour nos touche-à-tout de repérer les crevettes, d'avancer timidement un doigt sur un oursin, de caresser un concombre de mer, de toquer gentiment la coquille d'un bernard-l'hermite ou encore d'attraper une araignée de mer. C'est enthousiasmant et pédagogique.
Pour conclure, l'inévitable boutique thématique et une petite librairie malgré tout bien fournie. Et, parce qu'il faut bien déjeuner ou goûter, pas de restauration sur place, mais le Luxembourg est à un saut de puce.

LE JARDIN DES PLANTES (MUSÉUM NATIONAL D'HISTOIRE NATURELLE)

Entrée à l'angle des rues Cuvier et Geoffroy-Saint-Hilaire (M. : Jussieu) ou pl. Valhubert (M. : Gare-d'Austerlitz). ☎ 01-40-79-30-00. Le jardin est ouvert du lever au coucher du soleil. Un *Guide-promenade du jardin* est en vente, ainsi qu'un *Guide des arbres historiques,* près de l'entrée de la Ménagerie.

Ce parc propose une grande variété d'activités : musée, zoo, serre... Bien sûr, il est agréable de se promener dans les allées du très vaste jardin à la française avec ses parterres de rosiers et ses fleurs rares.
– ***La Ménagerie :*** accès à l'angle du quai Saint-Bernard et de la rue Cuvier également. Ouvert tous les jours de 10 h à 17 h ou 17 h 30 (18 h en été). Entrée : 6 €; de 4 à 16 ans : 3,50 €. Un plan est fourni gracieusement à la caisse, avec le nom de toutes les bébêtes.
La Ménagerie est le plus ancien zoo public du monde, fondé en 1794. Un lieu hors du temps où mammifères, reptiles, rapaces et insectes y sont assez bien représentés. Hélas pour eux, les enclos des animaux sont petits, ce qui permet toutefois aux enfants, surtout les plus jeunes, de très bien les voir. Du lion au chameau, en passant par les loups, les ours, les orangs-outans, les grands vautours, les baudets du Poitou, les chèvres apprivoisées, rien n'échappera aux plus petits qu'il est souvent bien difficile d'arracher au spectacle fascinant des cabrioles des singes.

Charmant petit ***restaurant*** en plein air (tente chauffée l'hiver), idéal pour une pause goûter.

Parents savants : *la Ménagerie*

Ouverte en 1794, la Ménagerie accueillit dans un premier temps, après la Révolution, des animaux offerts au roi et dont on ne savait que faire. Ainsi cohabitèrent un rhinocéros offert à Louis XV, un lion, une girafe donnée à Charles X, etc., dotés chacun de pavillons, dont certains ont été restaurés et abritent toujours des pensionnaires. Lors du siège de 1870, les Parisiens affamés firent une descente dans la Ménagerie, tous les pensionnaires furent exterminés et dévorés par les clients des célèbres restaurants parisiens, qui eurent l'outrecuidance d'éditer des menus spéciaux pour la circonstance.

– ***Le microzoo :*** ouvert tous les jours, de 10 h à 12 h et de 14 h à 17 h 15 d'octobre à mars, de 10 h à 12 h et de 13 h 30 à 16 h 45 d'avril à septembre. Accès libre avec le ticket d'entrée à la Ménagerie.
Le professeur Coineau, spécialiste des arthropodes, a eu l'idée d'installer des microscopes pour scruter ces invisibles compagnons de tous les jours. À chaque pas, on piétine tout un petit monde grouillant qui mange, se fait manger ou copule. Vous verrez tout ça sous la lentille grossissante du microscope, de même que la faune qui pullule dans une croûte de fromage. Âmes sensibles, s'abstenir !
– ***Le jardin d'Hiver ou Grande Serre :*** ☎ 01-40-79-30-00. Ouvert de 13 h à 17 h (18 h le week-end d'avril à octobre). Fermé le mardi et le 1er mai. Entrée : 2,50 € ; enfants de 4 à 16 ans : 1,50 €.
Idéal pour une promenade au cœur de l'hiver. Quand tout est gris autour de vous, que la bise fait rage, il faut aller se blottir au cœur des serres (chauffées) du jardin des Plantes, où croissent bananiers, vanilliers, caféiers, philodendrons et cactus, se riant des frimas sous leur abri de métal et de verre agencé au XXe siècle.
– ***Les galeries de Paléontologie et d'Anatomie comparée :*** entrée au 2, rue Buffon, 75005. Ouvert de 10 h à 17 h (18 h les week-ends et jours fériés d'avril à octobre). Fermé le mardi et le 1er mai. Entrée : 5 € ; gratuit jusqu'à 18 ans pour les collections permanentes.
Vous trouverez ici des milliers de fossiles, le fameux squelette du cœlacanthe, poisson qu'on croyait disparu depuis 65 millions d'années et qu'on a retrouvé encore vivant de nos jours, un squelette de mammouth de Sibérie, des moulages d'animaux préhistoriques. Une stupéfiante collection de squelettes de dinosaures dont certains, énormes, laissent littéralement sans voix. Bref, plus de 600 millions d'années d'histoire de l'humanité.
– ***La Grande Galerie de l'Évolution :*** 36, rue Geoffroy-Saint-Hilaire, 75005. ☎ 01-40-79-30-00 (serveur vocal). • www.mnhn.fr/evolution • M. : Jussieu ou Censier-Daubenton. ♿ Ouvert de 10 h à 18 h (22 h le jeudi). Fermé le mardi et le 1er mai. Prévoir au moins 2 h 30 de visite. Entrée : 7 € ; gratuit jusqu'à 18 ans pour les collections permanentes.
Ici, le visuel est privilégié. On court un peu, on tapote beaucoup sur les bornes interactives, on écoute les cris d'animaux en stéréo, sans oublier les courts-métrages, la médiathèque, les laboratoires pour élèves, plus un spectacle son et lumière à 12 h et à 16 h (à 20 h, en plus le jeudi), qui accompagnent le visiteur sur les 4 niveaux de ce parcours initiatique, divisé en 3 actes : « la diversité du monde vivant », « l'évolution de la vie » et « l'homme, facteur d'évolution ».
Impossible de tout appréhender ; en revanche, cette Grande Galerie est un vrai plaisir des yeux : un spectacle dont vos enfants se souviendront. La vision de tous ces animaux les marquera certainement et leur fera prendre conscience de la diversité animale, même s'ils risquent de demeurer hermétiques devant de minuscules vitrines émergeant de l'obscurité, expliquant les principaux mécanismes de l'évolution. On peut bien sûr voir de nombreux animaux, parfois remarquables par leur taille, tel le bien connu squelette de baleine, le premier animal naturalisé à la fin du XVIIIe siècle : un rhinocéros, une girafe, etc., ou le dernier pensionnaire entré dans ce sanctuaire (visible au 1er niveau), l'éléphant Siam.
|●| ***Cafétéria*** au 1er étage. Menu-enfants autour de 6 €. Nourriture médiocre, mais vue sympa sur les troupeaux d'animaux naturalisés.

Où dormir ? Où manger ? Où déguster une glace ?

🏨 ***Hôtel Marignan :*** 13, rue du Sommerard, 75005. ☎ 01-43-54-63-81. • www.hotel-marignan.com • M. : Maubert-Mutualité. Chambres doubles à 67 € avec lavabo et 97 € avec douche ; quelques chambres triples et quadruples de 100 à 140 € ; petit dej' compris. Un rendez-vous des routards du monde entier depuis plus de 3 décennies. Il y a une salle à manger pour pique-niquer. Un four à micro-ondes et un frigo sont mis à disposition, ainsi qu'un lave-linge, un sèche-linge et une table à repasser. Accueil aimable, infos sur Paris, etc. Le patron offre à nos lecteurs venant en famille, et sur présentation du *Guide du routard,* un tour gratuit en bateau-mouche entre septembre et mars.

|●| ***Croq'O'Pain :*** 30, rue Geoffroy-Saint-Hilaire, 75005. ☎ 01-43-31-24-80. M. : Censier-Daubenton. Ouvert de 11 h à 18 h. Menu-enfants à 3 € (sandwich basique, croque-monsieur ou pizza) ; menus sur place de 5 à 6,50 € ; sandwichs de 3 à 4,50 €. Tout près du jardin des Plantes, la seule adresse de la chaîne qu'on vous citera, mais celle-ci est originale. Moins pour ses sandwichs très corrects qui vous calent un ado, comme le « Croq'n'Roll », ou même pour ses salades, qui plairont au reste de la famille, que pour ses trouvailles, comme les vins rouges bio ou la vraie crêpe bretonne finistérienne. Affiche style « Au bon beurre » amusante, vantant un demi-sel du nom de Gloaguen, on croit rêver ! Normal, le patron est breton. Il vous offrira même, sur présentation du *Guide du routard,* un verre de cidre de sa fabrication.

|●| ***Le Café Maure de la mosquée de Paris :*** 39, rue Geoffroy-Saint-Hilaire, 75005. ☎ 01-43-31-18-14. M. : Jussieu, Place-Monge ou Censier-Daubenton. Ouvert tous les jours de 9 h à 23 h 30 (pris d'assaut durant le week-end). Pâtisseries et thé à partir de 2 €. Véritable havre de paix, cet endroit vous transporte instantanément dans les jardins de l'Alhambra ou à la cour d'un riche calife, avec ses colonnes, ses arcades, ses belles faïences et son patio. Le thé à la menthe est servi comme là-bas dans de drôles de théières ventrues et de ravissants verres dorés. Exquises pâtisseries.

|●| ***Gelati d'Alberto :*** 45, rue Mouffetard, 75005. ☎ 01-43-37-88-07. M. : Place-Monge. Ouvert tous les jours de 12 h à 0 h 30 ; en hiver, de 11 h 30 à 15 h et de 18 h à 23 h. Fermé le lundi en septembre, octobre et de mars à mi-avril ; congés annuels : de novembre à février. Ici, les glaces se déguisent en rose épanouie pour les grands (à partir de 3 €), en bouton de fleur pour les petits (1,50 €). Alberto fabrique chaque matin une quinzaine de saveurs : les classiques (citron, framboise...), les gourmandes (crème caramélisée, Nutella...) et les originales (laissez-vous tenter par celle au yaourt ou les combinaisons pistache-banane ou mangue-yaourt). Très bon rapport qualité-prix-accueil.

6e ARRONDISSEMENT

★★★ ***Le jardin du Luxembourg :*** RER B : Luxembourg ; M. : Odéon, Vavin, Notre-Dame-des-Champs ou Rennes.

En plein cœur du Quartier latin, ce jardin au bout duquel on peut admirer les beaux bâtiments du ***Sénat*** (qu'on peut visiter, renseignements sur les horaires des séances publiques du lendemain : ☎ 01-42-34-20-01) offre de multiples facettes. Les uns y apprennent l'apiculture ou le jardinage, les autres y jouent au tennis. Certaines vieilles dames ont leur chaise quasi attitrée autour du bassin, des familles habitant aux alentours colonisent les pelouses libres et les bancs du jardin des Poètes pour d'alléchants pique-niques, sous l'œil gourmand d'une vingtaine de statues de reines et d'héroïnes de l'histoire de France.

Les rois de ce parc aux allées impeccablement alignées et ratissées, fréquentées par des pigeons affables, sont incontestablement les amoureux et les enfants.

– ***Guignol du Luxembourg :*** 100 bis, rue d'Assas, 75006. ☎ 01-43-26-46-47 (pour connaître le programme et les horaires). RER B : Luxembourg. Spectacles les mercredi, samedi, dimanche et pendant les vacances scolaires, le matin et l'après-midi. Venir à l'avance pour avoir une bonne place. Entrée : 4 €. Confortable puisque couvert et chauffé, donc cher. Malheureusement, les spectacles, dont le texte est parfois préenregistré, manquent beaucoup de spontanéité.

Où dormir ? Où manger ?

Hôtel Stanislas : 5, rue du Montparnasse, 75006. ☎ 01-45-48-37-05. Fax : 01-45-44-54-43. M. : Notre-Dame-des-Champs ou Saint-Placide. Chambres doubles de 57,95 à 60,95 € ; triples à 78 € ; une chambre pour 4 personnes à 104,60 €. Pensez à réserver ! Dans une rue assez calme. Cadre agréable. Petit hall charmant à l'arrivée, avec des affiches anciennes. Chaque chambre porte un nom de peintre et son numéro se présente sous la forme d'une palette de peinture en terre cuite vernie. Téléphone, douche, w.-c., TV satellite et double vitrage. Le petit dej' est servi au café-bar le *P'tit Stan,* fréquenté assidûment (?) par les élèves du collège d'à côté, comme en témoignent les photos épinglées au mur.

Buvette des Marionnettes du jardin du Luxembourg : ☎ 01-43-26-33-04. M. : Vavin ; ou RER B : Luxembourg. Ouvert de 9 h à 19 h en été et en fonction des horaires d'ouverture du jardin en hiver, c'est-à-dire en fonction de la tombée de la nuit. Congés annuels : en janvier. Menu-enfants à 11 € avec 2 crêpes (salée et sucrée) et une boisson ; plats de 10 à 13,50 € ; sandwichs de 3 à 4,60 €. Cartes de paiement refusées. Située à proximité du Guignol et de l'aire de jeux, cette buvette permet aux parents de souffler un instant, confortablement installés à une table sous les marronniers, pendant que leur progéniture s'amuse. Possibilité de déjeuner très convenablement dehors ou dedans selon la météo (croques-Poilâne variés et servis avec des crudités, salades composées, crêpes, plats du jour...). L'accueil et la rapidité du service dépendent du nombre de couverts : les week-ends d'été, il arrive que ça pèche un peu...

7e ARRONDISSEMENT

PARIS

La tour Eiffel : renseignements : ☎ 01-44-11-23-23. • www.tour-eiffel.fr • M. : École-Militaire, Bir-Hakeim, Trocadéro ; ou RER C : Champ-de-Mars-Tour-Eiffel. ♿ (jusqu'au 2e étage). Ouvert tous les jours de 9 h 30 à 23 h (minuit de mi-juin à fin août) ; l'accès par escalier s'arrête à 18 h 30 en dehors de l'été. Tarifs progressifs en fonction de l'étage : pour les adultes, 3,70 € pour le 1er étage, 7 € pour le 2e étage, 10,20 € pour le 3e étage ; pour les moins de 12 ans, respectivement 2,30, 3,90 et 5,50 € ; gratuit pour les moins de 3 ans. Pour ceux qui en ont le courage, tarif unique de 3,30 € pour grimper à pied jusqu'au 2e étage. L'accès au 3e étage par les escaliers est interdit pour des raisons de sécurité.

Si en été on peut attendre plus d'une heure pour obtenir ses billets, l'hiver, en revanche, l'accès est beaucoup plus rapide et la vue est superbe par un ciel d'azur et un froid piquant qui évite toute brume.

Il faut, d'entrée de jeu, enchaîner et aller jusqu'au dernier étage, à 276 m de haut. Par temps clair, la vue est époustouflante. Pour les amateurs de record, c'est une heure avant le coucher du soleil qu'il faut venir, puisque, selon les mesures effectuées, on parvient à voir à 60 km de distance. Attention, il y a toujours du vent en haut de la tour. Après un coup d'œil à l'amusante vitrine derrière laquelle Gustave Eiffel est en conversation pour l'éternité avec Thomas Edison, on redescendra au 2e, puis au 1er étage. À chaque fois, la perspective change. Pour des petites jambes solides, se contenter de descendre du 1er étage à pied, les escaliers ont beau être vastes, on a vite le tournis.

☞☞ ***Le musée d'Orsay :*** 62, rue de Lille, 75007. Entrée principale (musée et expositions) : quai Anatole-France (milieu du bâtiment, vers le Pont-Royal). ☎ 01-40-49-48-14 ou 48. • www.musee-orsay.fr • Minitel : 36-15, code ORSAY (0,20 €/mn). M. : Solférino ; ou RER C : Musée-d'Orsay. ♿ Ouvert les mardi, mercredi, vendredi et samedi de 10 h à 18 h, le jeudi de 10 h à 21 h 45 et le dimanche de 9 h à 18 h ; du 20 juin au 20 septembre, ouverture à 9 h tous les jours ; la vente des billets cesse toujours 45 mn avant la fermeture. Fermé le lundi. Entrée : 7 € (5 € le dimanche) ; 5 € de 18 à 25 ans ; gratuit jusqu'à 18 ans et gratuit pour tous le 1er dimanche de chaque mois. Possibilité de visites générales guidées (durée : 1 h 30). Il existe par ailleurs un choix très large de visites thématiques : par artiste, par genre, etc. Programme détaillé par semestre à demander au musée.

En installant les œuvres de la seconde moitié du XIXe siècle dans l'ancienne gare d'Orsay, le président Giscard d'Estaing n'entendait pas mettre les impressionnistes sur une voie de garage, mais au contraire leur offrir un cadre contemporain de leur art. Le pari est plus que réussi et les enfants, stupéfaits par l'ampleur du grand hall, se contenteraient volontiers de déambuler dans cet espace étonnant, peuplé pour l'essentiel de sculptures – monumentales pour certaines – et de tableaux de très grandes dimensions. Il faut cependant insister et les entraîner aux niveaux supérieurs, où les attendent notamment des chefs-d'œuvre signés Manet, Monet, Renoir, Degas, Van Gogh, Cézanne...

– ***Pour les enfants (dès 5 ans) :*** renseignements au ☎ 01-40-49-48-48.

– ***Visite guidée « pour le jeune public »*** avec un conférencier, pour les 5-7 ans, les 8-10 ans et les 10-12 ans, avec des thèmes tels que « Les Animaux », « En avant la musique »... les mercredi et samedi à 14 h 30, ainsi que durant les vacances scolaires. Durée : 1 h 30. Entrée : 7 € pour les enfants ; les parents, eux, paient seulement le droit d'entrée au musée.

– ***Visite guidée « en famille »*** le dimanche à 15 h. Durée : 1 h 30. Entrée : 6 € pour tous, plus l'entrée au musée pour les adultes. Inscriptions et réservations par téléphone.

– Il existe aussi des documents conçus pour les enfants : *Carnets-parcours-jeunes* et *Carnets-parcours-familles* (gratuits).

☞☞ ***Le musée Rodin :*** 77, rue de Varenne, 75007. ☎ 01-44-18-61-10. • www.musee-rodin.fr • M. : Varenne. ♿ (uniquement au rez-de-chaussée). Ouvert de 9 h 30 à 17 h 45 (16 h 45 du 1er octobre au 31 mars) ; fermeture des caisses 30 mn avant la clôture. Fermé le lundi. Le parc ferme à 18 h 45 d'avril à septembre et à 17 h 45 le reste de l'année. Musée : 5 € ; gratuit pour les moins de 18 ans. Parc : 1 € pour les adultes ; gratuit pour les moins de 18 ans. Visite-conférence gratuite le mercredi à 14 h 30. Durée : 2 h.

Le musée se trouve dans l'hôtel Biron, où s'était installé Rodin qui a fait don à l'État de l'ensemble de son œuvre ainsi que de ses collections personnelles. Il ne pouvait rêver meilleur cadre avec le magnifique jardin de l'hôtel. On y admirera donc non seulement des dessins, des sculptures *(Les Bourgeois de Calais, Le Penseur, Le Baiser...)* et des projets de Rodin, mais également des œuvres de Camille Claudel ainsi que des toiles de Monet, Van Gogh et autres artistes amis.

– ***Visites-ateliers :*** ☎ 01-44-18-61-24. De 6 à 10 ans. Le mercredi et pendant les petites vacances scolaires, de 14 h 30 à 16 h 30 ; programmation spécifique pour les grandes vacances. Entrée : 4,60 €. Inscription préalable nécessaire (un mois à l'avance). Il ne s'agit pas d'un cours de sculpture, mais de découvrir celle-ci tout en s'amusant. D'une durée de 2 h, elles sont

proposées par cycle de 3 ou 4 séances. Des thèmes comme le portrait, le corps en mouvement, mains, corps, visage, danse... servent de fil conducteur aux enfants, qui parcourent le musée et réalisent quelques croquis. Une fois dans l'atelier, on leur présente les outils et les techniques (attention les yeux !), et au boulot, les menottes dans la terre ou le plâtre pour des réalisations à exposer sur la commode de la chambre.
– Les mères de famille du quartier connaissent bien le ***parc*** de 3 ha, peuplé de statues du maître parmi lesquelles s'ébattent leurs enfants sous l'œil vigilant des gardiens.
|●| D'ailleurs, pourquoi ne pas admirer les œuvres du maître en déjeunant à la ***cafétéria*** ombragée située dans le parc du musée ?

Les égouts de Paris : face au 93, quai d'Orsay, 75007. ☎ 01-53-68-27-81. M. : Alma-Marceau ; ou RER C : Pont-de-l'Alma. Ouvert de 11 h à 16 h (17 h de mai à septembre). Fermé les jeudi et vendredi, ainsi que 2 semaines en janvier. Entrée : 3,80 € ; enfants jusqu'à 12 ans : 3 €. Durée de la visite : 1 h 15 environ.
Une visite insolite, dévoilant les dessous de Paris. Contrairement à ce que l'on pourrait penser, pas trop de mauvaises odeurs, pas de rats (la visite vous apprendra qu'ils sont de fidèles auxiliaires des égoutiers). L'audiovisuel, à la fin, très intelligemment réalisé, et le musée, qui retrace l'histoire de l'alimentation et de l'assainissement de la capitale, sensibiliseront les jeunes visiteurs à l'importance de l'eau et, plus généralement, aux problèmes de l'environnement.

Où manger ?

|●| ***Altitude 95 :*** au 1er étage de la tour Eiffel. ☎ 01-45-55-20-04. M. : Bir-Hakeim-Grenelle ; ou RER C : Champ-de-Mars-Tour-Eiffel. Ouvert tous les jours ; service jusqu'à 21 h. Menu-enfants très complet à 8 € ; menus à partir de 17,50 € le midi. Décor amusant donnant l'illusion que l'on est à bord d'un dirigeable (95 m au-dessus du niveau de la mer). Vue superbe sur Paris et cuisine bourgeoise bien honnête. Les enfants y sont très bien accueillis. Réservation chaudement conseillée.

8e ARRONDISSEMENT

L'Arc de Triomphe : pl. Charles-de-Gaulle. ☎ 01-55-37-73-77. M. et RER A : Charles-de-Gaulle-Étoile. Ouvert tous les jours, de 10 h à 23 h d'avril à septembre, de 10 h à 22 h 30 d'octobre à mars ; les caisses ferment 30 mn avant. Fermé à Noël, le Jour de l'an et le 1er mai, ainsi que les matinées des 8 mai, 14 juillet et 11 novembre. Entrée : 7 € ; de 18 à 25 ans : 4,50 € ; gratuit jusqu'à 17 ans. Visites-conférences : renseignements au Centre des monuments nationaux (☎ 01-44-54-19-30).
Avant de gravir les 284 marches qui permettent d'accéder à la terrasse de l'Arc de Triomphe, il faut en faire le tour afin de découvrir les 4 hauts-reliefs qui ornent ses piliers. Les bas-reliefs qui, en dépit de leur nom, sont accrochés très haut sous la corniche, sont à observer avec des jumelles.
L'intérieur de cet énorme monument réserve quelques bonnes surprises : une vue superbe depuis la terrasse à condition que le ciel soit dégagé (la table d'orientation est très bien faite) et une exposition sur l'histoire de sa construction (on y découvre, entre autres, qu'avant l'Arc, un projet d'éléphant géant avait été envisagé).

Le palais de la Découverte : av. Franklin-D.-Roosevelt, 75008. ☎ 01-56-43-20-20. • www.palais-decouverte.fr • Minitel : 36-15, code DÉCOU

VERTE. M. : Champs-Élysées-Clemenceau ou Franklin-D.-Roosevelt. Ouvert du mardi au samedi de 9 h 30 à 18 h et les dimanche et jours fériés de 10 h à 19 h. Fermé le lundi et certains jours fériés. Le ticket d'entrée donne accès aux salles d'expériences; entrée : 5,60 € pour les adultes et 3,70 € pour les enfants à partir de 5 ans; supplément pour tous de 3,10 € pour le planétarium; gratuit pour les moins de 5 ans. Séances du planétarium : 11 h 30, 14 h, 15 h 15 et 16 h 30; séance supplémentaire à 17 h 45 les week-ends, jours fériés et vacances scolaires. Séances du planétarium : à 11 h 30, 14 h, 15 h 15 et 16 h 30 du mardi au vendredi; séance supplémentaire à 17 h 45 les week-ends, jours fériés et vacances scolaires.

Centre culturel scientifique d'une conception originale, le Palais de la découverte a pour mission d'ouvrir le monde des sciences à tous, et plus particulièrement aux jeunes. Le Palais présente une large palette d'exposés remarquables, où l'expérience prime sur le discours. Et si les démonstrations d'électrostatique nous font toujours dresser les cheveux sur la tête, ne manquez pas, au gré de vos préférences, d'autres thèmes de physique, de sciences de la terre, de biologie qui feront peut-être naître au moins de la curiosité, voire des vocations. Les démonstrations sur les animaux, récemment rénovées, sont très appréciées.

Chaque salle est conçue comme une entité, avec des bornes interactives, des questions-réponses, des expériences. Projections de films également. Les graines de savants adorent. À ne pas manquer, la salle Eurêka où l'on peut tester toutes sortes d'instruments.

L'espace cybermétropole est le plus grand espace grand public dédié à Internet et au multimédia : 40 ordinateurs à la disposition du public pour découvrir gratuitement Internet ou les derniers CD-Roms scientifiques, pédagogiques et ludiques. Récemment créé, l'espace Planète-Terre, consacré aux sciences de la terre, devrait occuper à terme plus de 1 000 m^2. Pour l'instant, il présente une exposition permanente sur la météorologie, le climat et les problèmes relatifs à l'environnement, ainsi qu'une salle consacrée à l'évolution de notre terre et des espèces qui l'habitent. Enfin, on peut s'embarquer pour 45 mn dans le monde des planètes grâce au fabuleux planétarium qui peut accueillir 200 personnes, confortablement allongées dans leurs fauteuils sous sa voûte de 15 m.

– ***L'école de l'ADN :*** un lieu d'éducation à la génétique et à l'ADN, cette molécule qui est au cœur de l'actualité : séquençage du génome humain, OGM...

– ***Ateliers-juniors :*** pendant les vacances scolaires. De 8 à 12 ans. Tarif : 1,50 € en plus du droit d'entrée. Durée : 1 h 30. Pour les scientifiques en herbe, avec du vrai matériel de chercheur. Au programme : physique et biologie. Chaque atelier se déroulant dans une salle différente, on visite quasiment tout le musée.

– ***Atelier des petits internautes :*** à la cybermétropole, le mercredi après-midi. Les grands comme les petits y découvriront, grâce à des animateurs, des logiciels de jeux, des CD-Roms éducatifs et scientifiques ainsi qu'Internet.

Les marionnettes du Rond-Point des Champs-Élysées : à l'angle de l'avenue Gabriel et de l'avenue Matignon, 75008. ☎ 01-42-45-38-30. M. : Champs-Élysées-Clemenceau. Séances les mercredi, samedi, dimanche, jours fériés et pendant les vacances scolaires à 15 h, 16 h et 17 h. Tarif unique : 3 €.

La marionnette qui sert à illustrer le personnage de Guignol est exceptionnelle, puisque c'est la plus ancienne de Paris. Remarquer sa veste verte à parements rouges, bien différente de la brune redingote portée par le Guignol lyonnais. Enfin, les spectacles sont menés de vive voix, ce qui devient rare aujourd'hui... Chapeau!

Où dormir? Où manger?

🏨 ***Hôtel d'Argenson :*** 15, rue d'Argenson, 75008. ☎ 01-42-65-16-87. Fax : 01-47-42-02-06. • www.france-hotel-guide.com/h75008argenson.htm • M. : Saint-Augustin ou Miromesnil. Chambres doubles de 71,50 à 82,50 € avec douche ou bains; compter 96 ou 102 € pour 3 personnes, avec douche ou bains, et 119 € pour 4 personnes. Cet hôtel familial cache de grandes chambres de style haussmannien : hauts plafonds à moulures, meubles anciens, parfois même une cheminée. Si vous n'avez pas le sommeil trop léger – il n'y a pas de double vitrage –, préférez celles donnant sur le boulevard Haussmann, nettement plus spacieuses. Certaines ont même un petit balcon. Les chiens sont acceptés, ce qui est plutôt rare. Un très bon rapport qualité-prix, encore rehaussé par un accueil très présent. Enfin, le petit dej', servi dans la chambre, est offert à nos lecteurs, ainsi que 7 % de réduction sur présentation du *Guide du routard,* excepté le Jour de l'an.

|●| ***The Chicago Pizza Pie Factory :*** 5, rue de Berri, 75008. ☎ 01-45-62-50-23. M. : George-V. Ouvert tous les jours jusqu'à 1 h. Fermé le soir du 24 décembre, le 25 décembre à midi et le 1er janvier à midi. Menu-enfants à 9 €; formule à 8 € le midi; compter environ 17 € le soir. La *pan pizza* américaine n'a rien à voir avec sa rivale italienne : plus grasse, plus épaisse, elle a ses adeptes! Difficile d'en venir à bout, même à quatre. Dans cette immense salle en sous-sol typiquement US, tous les soirs, les serveurs (des étudiants) s'arrêtent en plein service et dansent sur une musique ricaine poussée à fond. Lors d'un anniversaire, ils éteignent la lumière et traversent la salle sur le *Happy Birthday* de Stevie Wonder jusqu'à l'heureux élu... Les gamins adorent. Chapeau pour le sens du spectacle! Puisqu'on en parle, ils en font le week-end pour les enfants, à 13 h et 14 h : marionnettes, ballons, clowns... Pour les parents, *happy hours* tous les soirs de 16 h à 20 h. Les pizzas aussi ont leurs « heures joyeuses » du lundi au vendredi de 16 h à 19 h. Enfin, des *doggy bags* sont à la disposition des chipoteurs et le café est offert à nos lecteurs.

|●| ***Dragons Élysées :*** 11, rue de Berri, 75008. ☎ 01-42-89-85-10. M. : George-V. Ouvert tous les jours de 12 h à 14 h 30 et de 19 h à 23 h 30. Formule déjeuner à 13 € en semaine; à la carte, compter 30 €. On connaissait le goût des Asiatiques pour les aquariums tropicaux, mais là, ils ont vraiment fait très fort! On mange sur des dalles de verre au travers desquelles on voit nager les poissons, chinois évidemment. À en juger par leurs mensurations, ils doivent être nourris au riz cantonais. En tout cas, ils ont l'air heureux ici, beaucoup plus d'ailleurs que dans le bocal de votre rejeton à la maison. Selon les tables, disposées sur plusieurs niveaux, on a une vue différente sur les bassins. Cascades glougloutantes, plantes vertes à profusion et néons rouges viennent compléter ce décor d'un kitsch extrême qui plaît tant aux gamins. Bon et copieux menu à midi qui rassasiera 2 enfants. Sinon, spécialités sino-thaïlandaises à la carte, mais les prix s'envolent vite. Un conseil : réserver ou venir tôt pour avoir une table « avec vue ». Service rapide.

9e ARRONDISSEMENT

Grévin : 10, bd Montmartre, 75009. ☎ 01-47-70-85-05; serveur vocal : ☎ 01-47-70-87-99. • www.grevin.com • M. : Grands-Boulevards. ♿ Ouvert tous les jours de 10 h à 17 h 30 (18 h pendant les vacances scolaires). Entrée : 15 €; de 6 à 14 ans : 9 €; gratuit pour les moins de 6 ans.

En 1882, alors que la photographie n'en est qu'à ses balbutiements, Arthur Meyer crée un musée de cire pour présenter aux Parisiens les célébrités du moment. Succès immédiat. Aujourd'hui encore, ces ancêtres des *Guignols* séduisent petits et grands en prenant soin de rester au goût du jour. Le musée a en effet été entièrement rénové récemment, toutes les salles ont été refaites et elles accueillent quelque 80 nouvelles statues, dont, entre autres : Catherine Deneuve, Isabelle Adjani, Sean Connery... Personnages qui amuseront sûrement les enfants 5 mn, mais pour le grand frisson, conduisez-les plutôt vers les scènes qui reconstituent l'histoire de France (évitez d'ailleurs d'y amener des enfants trop sensibles, ils pourraient être impressionnés par le regard de certains personnages... plus froid que nature).

Le palais Garnier : pl. de l'Opéra, 75009. ☎ 01-40-01-17-89 (standard) ou ☎ 0892-69-78-68 (0,34 €/mn; pour les informations et les réservations, de 9 h à 19 h). • www.opera-de-paris.fr • M. : Opéra. Visite libre tous les jours de 10 h à 17 h (accès possible jusqu'à 16 h 30), sauf le 1er janvier, le 1er mai, les jours de représentation en matinée ou en cas de manifestation exceptionnelle. Entrée : 6 €; gratuit pour les moins de 26 ans. Visite commentée tous les jours à 10 h 30, 12 h et 15 h : 10 €; pour les moins de 26 ans : 5 €.

Attention : d'importants travaux de rénovation des espaces publics vont perdurer jusqu'en 2004. Renseignez-vous avant votre visite sur les espaces visibles. Un conseil : venir entre 13 h et 14 h pour avoir une chance de visiter le théâtre lui-même, dont le plafond, peint par Chagall, reste le clou de la visite. En effet, il y a souvent des répétitions qui en empêchent l'accès. À l'heure du déjeuner, les petits rats quittent la scène. Si vous arrivez après 14 h, faites-vous préciser avant l'achat du ticket si le plafond est visible. On peut visiter le bâtiment et admirer à loisir le fameux plafond peint par Chagall et représentant 9 célèbres opéras et ballets, ainsi que l'escalier d'honneur ruisselant d'or. Avec des enfants, la visite commentée est plus intéressante, pour peu que le guide veuille bien distiller quelques anecdotes, depuis le célèbre fantôme imaginé par Gaston Leroux en passant par le fameux lac souterrain où l'on élève des truites (qui est en fait une retenue d'eau), les ruches situées sur le toit de l'opéra (ce n'est pas une légende et leur miel est vendu chez *Fauchon,* place de la Madeleine), etc. Pas question, malheureusement, d'assister à des répétitions.

– ***Le musée et la bibliothèque de l'Opéra :*** entièrement restaurés. Leur visite est couplée avec celle de l'Opéra, mais la salle de lecture de la bibliothèque ne se visite pas, excepté lors des journées du Patrimoine. Le musée comprend un espace d'expositions temporaires et une galerie permanente (partie haute) où sont exposés pastels et peintures consacrés à la danse et au ballet russe de l'Opéra. Enfin, le musée possède plusieurs milliers de reproductions de décors de théâtre miniaturisés du XIXe siècle, que l'on réalisait toujours ainsi avant de les construire en grand. Elles sont exposées par roulement.

– ***Ateliers :*** le mercredi en période scolaire et pendant les petites vacances. Durée : 1 h 30. Réservation 14 jours à l'avance au service « Animation et Jeune Public » : ☎ 01-40-01-22-46. De 5 à 12 ans. Entrée : 4 €. Visites-ateliers d'architecture : « Histoires d'opéras » met en scène un fantôme, qui leur sert de guide. « Le palais Garnier, un opéra richement décoré » leur propose de découvrir les techniques, les motifs et les matériaux de la décoration. Conférences-ateliers costumes : « Les costumes de l'opéra racontés aux enfants » leur permet de les voir de près; par la suite, ils collent des bouts de tissu sur une maquette pour réaliser leur propre costume. Enfin, « Mon billet d'opéra » est l'occasion pour eux de percer les secrets de ce laissez-passer et de s'essayer à la fabrication de leur propre billet.

Où dormir ? Où manger ?

Hôtel Le Rotary : 4, rue de Vintimille, 75009. ☎ 01-48-74-26-39. Fax : 01-48-74-33-42. • hotel.rotary@wanadoo.fr • M. : Place-de-Clichy. Chambres doubles de 35,50 à 40 € avec douche et w.-c. à l'extérieur ; 2 chambres plus spacieuses et à la déco plus recherchée à 55 et 58 €, dans lesquelles on peut ajouter un, voire deux lits d'appoint ; mieux vaut téléphoner quand même pour s'assurer des disponibilités. À première vue, le *Rotary* donne dans la discrétion, mais certainement pas dans la banalité. Chaque chambre est différente. La verte (dite chinoise) possède une très belle salle de bains dans les mêmes tons et un lit à baldaquin sculpté, tout à fait original ; la chambre marine est noyée dans un océan de kitsch ; chambres rouge, rose, blanche... impossible de broyer du noir. Celles donnant sur l'arrière (et notamment la chinoise et la marine) sont sombres, mais la déco intérieure est tellement géniale... La façade a été refaite et toutes les fenêtres ont un double vitrage. Accueil extrêmement sympathique. Du coup, on trouve beaucoup d'habitués qui se sentent ici chez eux. Alors, pensez à réserver.

TGI Friday : 8, bd Montmartre, 75009. ☎ 01-47-70-27-20. M. : Grands-Boulevards. ♿ Ouvert tous les jours de 12 h à minuit (1 h les vendredi et samedi). Menu-enfants à 7,20 € ; à midi, menus à 9,60 et 12 € ; le soir du dimanche au jeudi, menu à 12,50 € ; compter 19 € à la carte. *TGI Friday,* cela veut dire *Thanks God, It's Friday !* (« Dieu merci, c'est vendredi ! »). Trois bonnes raisons de manger ici. D'abord, le décor : un bric-à-brac invraisemblable importé d'Amérique. Les gamins se régalent à reconnaître ce qui est accroché au mur : une vieille ombrelle, une raquette, un cheval de bois, une selle, voire un véritable canoë ! Ensuite, l'accueil. Les serveurs, la plupart américains, ont un grand sourire accroché aux oreilles. Pour les anniversaires, ils défilent à la queue-leu-leu pour chanter un petit air à votre mouflet ravi ! Le dimanche, on lui propose même des animations : maquillage, jeux... Enfin, la cuisine, si elle n'est pas inoubliable, est néanmoins correcte (parents, essayez les *fajitas* que l'on compose soi-même), le menu-enfants pas cher du tout et... le soda à volonté. Une fois de temps en temps, on peut leur permettre ce plaisir, même s'il n'est pas diététiquement correct ! Café offert aux parents sur présentation du *Guide du routard.*

Le Valentin : 30-32, passage Jouffroy, 75009. ☎ 01-47-70-88-50. M. : Richelieu-Drouot ou Grands-Boulevards. ♿ Ouvert le lundi de 10 h à 19 h 30, du mardi au samedi de 9 h 30 à 19 h 30 et le dimanche de 10 h à 19 h. Plats autour de 12 € ; assiettes composées à partir de 9 €. Pas de menu-enfants, mais portions et plats adaptés aux petits appétits (filet de poulet grillé + pâtes ou autre accompagnement). Rendez-vous complice des enfants et des grand-mères, ce salon de thé est l'endroit idéal pour se remettre de ses émotions à la sortie du musée Grévin. Pour le goûter, le choix sera difficile entre les pâtisseries fines (meringues aux amandes, clafoutis aux poires, amandines à la framboise, etc.), les pâtes de fruits, chocolats et confitures maison. Mais consolez-vous, toutes ces bonnes choses sont également à emporter ! À midi, petits plats mijotés à l'ancienne, galettes de sarazin et salade. Pas donné, mais réellement délicieux. Café offert sur présentation du *Guide du routard.*

12e ARRONDISSEMENT

L'aquarium de la Porte Dorée : 293, av. Daumesnil, 75012. ☎ 01-44-74-85-00. Visites et ateliers : ☎ 01-44-74-85-01. M. : Porte-Dorée. Ouvert de 10 h à 17 h 30. Fermé le mardi. Entrée : 4 € adultes ; tarif réduit : 2,60 € ;

gratuit jusqu'à 4 ans.
Exit les très belles collections d'objets originaires d'Afrique, d'Océanie et de quelques îles lointaines, où Picasso venait parfois chercher l'inspiration : elles ont été soigneusement rangées en attendant d'être transférées, à l'automne 2004, dans le nouveau musée des Arts premiers, quai Branly. Du musée des Arts d'Afrique et d'Océanie, il ne reste que l'aquarium tropical situé au sous-sol. Un énorme effort de rénovation le hisse désormais parmi les meilleurs avec 300 espèces, 3000 individus, 300000 litres d'eau (en 100 bacs) et, tenez-vous bien, une rare collection de poissons primitifs, inchangés depuis 300 millions d'années.
La fosse à crocodiles ainsi que l'aquarium avec les requins remportent toujours beaucoup de succès auprès des enfants, sans oublier le bassin avec les tortues. Enfin, ne partez pas avant de leur montrer la gigantesque fresque qui décore la salle des Cinq-Continents et d'attirer leur attention sur le bâtiment lui-même et sa magnifique façade sculptée. Ils s'amuseront à y reconnaître toutes sortes d'animaux.

Le musée des Arts forains : 53, av. des Terroirs-de-France, 75012. ☎ 01-43-40-16-15. • www.pavillons-de-bercy.com • M. : Cour-Saint-Émilion. Quelques ouvertures exceptionnelles pour les individuels (renseignez-vous à l'avance), sinon visites organisées sur rendez-vous uniquement pour des groupes de 15 personnes au minimum. Entrée : 11,50 € ; enfants : 3,85 €. Installés à Bercy, dans des pavillons inscrits à l'inventaire des Monuments historiques, les merveilleux manèges anciens collectionnés par l'antiquaire Jean-Paul Favand tournent à nouveau, pour le plus grand bonheur des petits et des grands. Au son nostalgique de l'orgue de Barbarie, on retrouve ces manèges charmants sur lesquels se sont enivrés de vitesse nos arrière-grands-parents, juchés sur des animaux de bois (cochons enrubannés, chevaux, vaches, etc.). Sans oublier un époustouflant manège de vélos. S'y ajoutent 2 nouveaux espaces, superbement décorés. D'une part, les « Salons de Musique », qui mêlent instruments mécaniques anciens et figures en cire des principaux personnages de la vie artistique des années 1900. D'autre part, les « Salons Vénitiens », hommage à la capitale du carnaval et des arts de la rue : c'est carrément un palais vénitien et sa salle de bal qui sont mis en scène, revus et augmentés de manèges à gondole ou de la reconstitution d'un pont. Le tout, bien évidemment, tourbillonne et carillonne à qui mieux mieux. Un univers d'une haute poésie.

Le parc de Bercy : 41, rue Paul-Belmondo, 75012. M. : Bercy ou Cour-Saint-Émilion. Ouvert en 1994 et aménagé dans les anciens entrepôts à vin de Bercy, le parc se veut un jardin de la mémoire. On y trouve des arbres centenaires, d'anciennes allées pavées, ainsi que 4 entrepôts rénovés. Réalisé en plusieurs étapes et achevé en 1997, c'est, avec plus de 13 ha, l'un des deux plus grands parcs aménagés dans la ville depuis Haussmann. Ce jardin est divisé en 3 grandes parties et bordé au sud par une large terrasse plantée de tilleuls (le long du parc et de la voie express Georges-Pompidou) faisant face à la Bibliothèque nationale et dominant la Seine.

L'Opéra national de Paris-Bastille : 120, rue de Lyon, 75012. ☎ 01-40-01-17-89 ou 0892-89-90-90 (0,34 €/mn). • www.opera-de-paris.fr • M. : Bastille. Visite commentée sur rendez-vous à partir de 10 personnes. Durée : 1 h 30 environ. Entrée : 10 € ; 5 € pour les moins de 25 ans. Téléphoner au ☎ 01-40-01-19-70 pour connaître les jours et les horaires, qui varient en fonction des répétitions et des représentations.
C'est le soir qu'il faut admirer les formes géométriques si décriées. La visite permet de découvrir les remarquables aménagements intérieurs.
– **Spectacles jeune public :** en matinée ou en soirée. Informations et réservations : ☎ 0892-89-90-90 ou sur Internet (voir ci-dessus). À partir de 3 ans (selon les spectacles). Entrée : 16 € ; 5 € pour les moins de 13 ans. L'opéra

apparaît inaccessible à bien des adultes, alors encore plus pour leurs enfants ! Eh bien non, détrompez-vous, une équipe dynamique a fait beaucoup d'efforts en créant un programme spécialement pour eux. N'hésitez pas, vous y trouverez tous les styles : baroque, lyrique, contemporain, comptines, hip-hop... Et tous les genres : opéras, spectacles musicaux, concerts et danse. Et même des opéras joués par des enfants pour des enfants.

LE BOIS DE VINCENNES

Il se situe à Paris, eh oui ! C'est même la plus grande promenade parisienne, avec ses 995 ha. Accès par les métros Château-de-Vincennes, Porte-Dorée et Porte-de-Charenton ou les RER (ligne A) Joinville-le-Pont, Fontenay-sous-Bois et Nogent-sur-Marne. De belles balades, des lacs pour canoter et des pelouses pour pique-niquer. Mais la tempête qui a ravagé Paris et l'Île-de-France en décembre 1999 n'a pas épargné le bois de Vincennes, loin s'en faut. 50 000 arbres sont tombés ou ont dû être abattus. Le reboisement sera achevé en 2004, puis il faudra laisser Dame Nature agir.

Le Parc floral de Paris : route de la Pyramide, 75012. ☎ 01-55-94-20-20. • www.parcfloraldeparis.com • M. : Château-de-Vincennes. Entrées situées sur l'esplanade du château de Vincennes ou à proximité. Accès par le bus n° 112 de Château-de-Vincennes ou le n° 46. Ouvert tous les jours de 9 h 30 à 20 h de fin mars à fin septembre, jusqu'à 19 h la 1re quinzaine d'octobre, jusqu'à 18 h la dernière quinzaine d'octobre et en mars, et jusqu'à 17 h de fin octobre à fin février. Tarifs en dehors des périodes d'expos, soit de novembre à mi-mars : 0,75 € pour les adultes et 0,35 € pour les 6-18 ans ; compter le double le reste de l'année, pendant les expos ; gratuit pour les moins de 6 ans. Fauteuils roulants disponibles gratuitement pour les personnes à mobilité réduite.

Depuis 1969, l'art et la nature se côtoient dans ce superbe parc, qui accueille plus d'un million de visiteurs par an pour une belle promenade à travers 35 ha de verdure et de fleurs. À voir : la vallée des Fleurs, la pinède, le jardin des Quatre-Saisons (où l'on peut admirer des fleurs toute l'année), les bonsaïs, etc. Une grande aire de jeux attend les enfants, avec plus de 50 activités gratuites. À l'entrée, une sorte de toise permet de déterminer en fonction de leur taille les jeux auxquels ils ont droit, par un système de repères de couleurs. Transats disponibles gratuitement dans le parc.

Tous les jours de mi-mars à fin août et les mercredi, samedi et dimanche de septembre à octobre, attractions diverses, comme le circuit de tacots, les sulkys, les voitures électriques, la piscine à boules, les bateaux-mouches, location de parisiennes ou quadricycles, minigolf des monuments parisiens, etc. Animations gratuites les mercredi, samedi et dimanche (en saison) sur l'aire de jeux.

– *« Les Pestacles », Festival Jeune Public :* espace concerts Le Delta (1 500 places). De mai à septembre, le mercredi à 14 h 30. Accès libre. Près de 25 spectacles sont proposés aux enfants de 3 à 10 ans, selon l'envie : théâtre, mime, musique, chansons, clowns, marionnettes.

– *Théâtre Astral :* séances à 15 h le mercredi et à 16 h 30 les dimanche et jours fériés, ainsi que pendant les vacances scolaires. Relâche en décembre et janvier. Réservation impérative : ☎ 01-43-71-31-10. Tarif unique : 5,50 €. Le charmant théâtre Astral accueille les enfants de 3 à 8 ans, pour un spectacle qui change tous les 2 mois maximum.

– *La maison Paris-Nature :* pour tout savoir sur la nature à Paris.

➢ *Pavillon d'accueil et d'information (pavillon 1) :* ☎ 01-43-28-47-63. D'octobre à mars, ouvert du lundi au vendredi de 9 h 30 à 12 h et de 13 h 30 à 17 h, et le week-end et les jours fériés de 9 h 30 à 17 h ; d'avril à septembre, jusqu'à 17 h 30 en semaine, 18 h 30 le week-end et les jours fériés.

Paris-Nature a créé cette maison pour faire découvrir la nature parisienne à ses habitants. Vous y trouverez des programmes d'activités et des publications comme les affiches naturalistes ou les sentiers-nature (petits itinéraires pour trouver plantes et traces d'animaux dans un environnement où l'on ne les attend plus).

➢ *Biblio-ludothèque-Nature (pavillon 2) :* ♿ D'avril à septembre, ouvert le mercredi et pendant les vacances scolaires de 9 h 30 à 12 h et de 13 h 30 à 17 h 30, les samedi, dimanche et jours fériés de 13 h 30 à 18 h 30 ; d'octobre à mars, le mercredi et pendant les vacances scolaires de 9 h 30 à 12 h et de 13 h 30 à 17 h. Près de 10 000 livres et des jeux, tous sur la nature à Paris ! Un classement par couleur permet de repérer d'un coup d'œil le thème recherché (l'air et l'eau, la terre...). Et pour ne pas perdre le contact avec Dame Nature, une moquette vert gazon et des baies vitrées donnant sur de grands chênes. Que demander de plus ? Des ateliers ? Mais bien sûr ! Y'en a aussi, les mercredi, samedi et pendant les vacances scolaires, sur inscription.

➢ *Pavillon d'exposition (pavillon 5) :* d'octobre à mars, ouvert tous les jours de 13 h 30 à 17 h ; d'avril à septembre, du lundi au vendredi de 13 h 30 à 17 h 30 et les week-ends et jours fériés de 13 h 30 à 18 h 30. Une exposition interactive en place depuis le printemps 2000, intitulée « Seine de vie », permet de découvrir les animaux et les plantes du fleuve de la capitale.

➢ *Jardin des Papillons (pavillon 6) :* ouvert du 15 mai au 30 septembre de 13 h 30 à 17 h 30 (18 h les week-ends et jours fériés) et du 1er au 15 octobre de 13 h 30 à 17 h ; le reste de l'année, les papillons hibernent. Une quarantaine d'espèces propres à l'Île-de-France réunit tous les curieux, petits et grands, fascinés d'assister aux « naissances », à la nurserie, et stupéfaits de découvrir, côté jardin, toutes les « mauvaises herbes » dont se sustentent les papillons et surtout les chenilles. On pousse des portes de voile, et une petite leçon d'écologie appliquée débute dans un ballet silencieux. Le bel argus, le machaon, la piéride de la rave, la petite tortue se nourrissent de fleurs, pondent sur les massifs d'ortie ou de moutarde sauvage, dont les feuilles seront mangées par les bébés chenilles.

Les Magnolias : ☎ 01-48-08-33-88. Mêmes horaires que le parc. Menu-enfants autour de 8 € avec plat, boisson et dessert ; menus à 15 € avec 2 plats et 17 € avec 3 plats. Chouette terrasse ombragée par des... magnolias, évidemment. Sympa pour y goûter (thés *Mariage* à prix doux, gaufres, glaces...).

PARIS

Le parc zoologique : plusieurs entrées : porte de Paris, à l'angle de l'av. du Lac et de l'av. Daumesnil (M. : Porte-Dorée et bus n° 46) ; porte de Saint-Mandé, à l'angle de l'av. Daumesnil et de l'av. de Saint-Mandé (bus n° 46) ; tout à côté au 53, av. Saint-Maurice ; et porte de Charenton, ouvert les dimanche et jours fériés uniquement. ☎ 01-44-75-20-10. M. : Porte-Dorée ou Saint-Mandé-Tourelle. ♿ Bus nos 46, 86 ou 325. Ouvert tous les jours ; d'avril à septembre, de 9 h à 18 h ou 18 h 30 ; d'octobre à mars, jusqu'à 17 h ou 17 h 30. Entrée : 8 € ; de 4 à 16 ans : 5 € ; gratuit pour les moins de 4 ans. À l'entrée, demander le plan gratuit et renseignez-vous sur les naissances les plus récentes (il y en a près de 150 par an).

Lieu de promenade traditionnel des familles. Mieux que bien des zoos classiques, car le cadre où vivent les animaux est souvent inspiré de leur environnement naturel. Ce fut à sa création, d'ailleurs, une grande innovation. Immense rocher artificiel de 65 m, où évoluent mouflons à manchettes, markhors de l'Himalaya et vautours (dont le rôle est de chasser les pigeons !). On peut y accéder au choix par l'escalier (352 marches quand même) ou par l'ascenseur panoramique, et, à notre avis, cela vaut vraiment le détour puisque l'on monte à l'intérieur même du rocher. Le rocher dispose de 3 plates-formes d'observation et d'un belvédère pour le panorama sur

Paris. Quelques espèces fort rares sont rassemblées ici, comme le cerf du Père David, l'okapi, l'otarie à crinière, le propithèque couronné (cette variété de lémurien sera présente en 2004), etc. Le dimanche, il faut s'attendre à une sympathique cohue.
Possibilité d'assister aux repas des animaux : les pélicans sont servis à 14 h 15, les manchots à 14 h 30, les loutres à 15 h, les phoques et les otaries à 16 h.
Attention, avec des enfants très jeunes, certains animaux sont parfois assez loin (tant mieux pour eux, c'est qu'ils ont de la place !), les lions notamment, et donc difficiles à repérer.

Le bistrot du zoo : en face des girafes. ☎ 01-43-46-56-90. Menu-enfants autour de 7 € ; formule à 19 €.

La ferme de Paris : route du Pesage, bois de Vincennes (face à l'hippodrome), 75012. ☎ 01-43-28-47-63. RER A : Joinville-le-Pont. Ouvert d'octobre à mars les week-ends et jours fériés de 13 h 30 à 17 h ; d'avril à juin et en septembre, jusqu'à 19 h ; en juillet, août et pendant les vacances de printemps, du mardi au dimanche de 13 h 30 à 19 h. Entrée : 3,30 € ; de 6 à 18 ans : 1,60 €.
Pour ceux qui craignent que leurs enfants restent à jamais persuadés que les poulets naissent sans plumes et sous film plastique, une visite s'impose, puisqu'on peut y voir en liberté veaux, vaches, cochons, couvées. Cette ferme à vocation pédagogique possède sur 5 ha des installations agricoles traditionnelles. Un couple d'agriculteurs en assure le fonctionnement toute l'année. Il y a des périodes privilégiées pour venir, dont celles des naissances bien sûr. En mars, les veaux, les agneaux et les chevreaux font leurs premiers pas, un peu plus tard viennent les poussins, les canetons et les dindonneaux, et en septembre, les porcelets. Quelques grammes de campagne dans un monde de béton.

Où dormir ? Où manger ?

Lux Hôtel Picpus : 74, bd de Picpus, 75012. ☎ 01-43-43-08-46. Fax : 01-43-43-05-22. M. : Picpus. À quelques foulées de la place de la Nation, bien pratique. Chambres doubles de 45 à 57 € avec douche ou bains ; les belles chambres mansardées nos 637 et 638 du 6e étage s'offrent même aux familles au prix de 63 € pour 3 personnes, 68 € pour 4 personnes, plus 8 € pour la 5e personne ; petit dej' à 6 € – obligatoire à certaines périodes. Chambres vraiment nickel-chrome, spacieuses et raffinées. Sur le boulevard, double vitrage. Petit dej' copieux. En prime, un accueil charmant. Parking payant à l'intérieur de l'hôtel.

Barrio Latino : 46-48, rue du Faubourg-Saint-Antoine, 75012. ☎ 01-55-78-84-75. M. : Bastille. Brunch les dimanche et jours fériés de 12 h à 16 h : 26 € adultes et 15,50 € enfants. Cet énorme temple de la branchitude parisienne, à la déco latino gaie et élégante, propose une formule de brunch bien pensée avec des enfants. D'abord, le resto est spacieux et aéré, vraiment agréable ; il y a même un patio couvert. Superbe buffet à volonté, appétissant et abondant : viennoiseries, œufs, saucisses, viandes froides, saumon fumé et charcuteries, salades variées, délicieux guacamole, spécialités tex-mex, fromages, desserts... Très bien présenté et ultra-frais. Impossible de goûter à tout, d'autant qu'on vous sert en plus un plat chaud à table. Après avoir déjeuné avec les parents, les bambins à partir de 3 ans sont pris en charge par des animateurs à l'étage VIP : jeux, coloriage, dessins animés... le programme dépend du nombre d'enfants présents. Un peu cher, mais au final, on ne regrette pas ses euros !

|●| ***Viaduc Café :*** 43, av. Daumesnil, 75012. ☎ 01-44-74-70-70. M. : Bastille ou Gare-de-Lyon. ♿ Ouvert tous les jours de 9 h à 4 h (restauration servie jusqu'à 3 h). Le dimanche, jazz brunch à 21 et 24 €. Pour les enfants, possibilité de partager un brunch à deux. Après avoir flâné le long du viaduc des Arts en admirant le travail des artisans qui occupent maintenant les ateliers, ou arpenté la Coulée verte en hauteur, offrez-vous un peu de repos dans ce néo-bistrot. Aux beaux jours, deux agréables terrasses, dont une couverte et fermée. L'hiver, on se réfugie à l'intérieur, affalé sur un canapé, autour d'un plat ou d'un brunch complet le dimanche, de 12 h à 16 h. Apéritif maison, café ou digestif offert aux parents qui viendront avec le *Guide du routard* en poche.

14e ARRONDISSEMENT

Les catacombes de Paris : 1, pl. Denfert-Rochereau, 75014. ☎ 01-43-22-47-63. M. et RER B : Denfert-Rochereau. Ouvert le mardi de 11 h à 16 h et du mercredi au dimanche de 9 h à 16 h. Fermé les lundi et jours fériés. À déconseiller avant 10 ans. Entrée : 3,30 € ; 1,60 € de 14 à 26 ans. Apporter une lampe de poche pour observer les détails.
Les plus durs des petits durs frissonnent facilement en parcourant ce gigantesque ossuaire souterrain, où l'on déversa au XVIIIe siècle et jusque sous le Second Empire le trop-plein des cimetières parisiens, soit 5 à 6 millions de morts. On ne visite évidemment pas les quelque 350 km de galeries de ces anciennes carrières de calcaire. Cependant, le parcours de 45 mn, doté d'un nouvel éclairage, ne laisse rien perdre des empilements à base de crânes et de tibias, composés sur plus de 10 000 m² par les ouvriers qui furent chargés de ranger les ossements lorsque l'on décida sous Napoléon Ier de rendre les catacombes visitables. Et pour ajouter à l'ambiance morbide du lieu, le parcours est jalonné de sentences et de maximes sur la mort. Une promenade originale mais vraiment macabre, à déconseiller aux natures impressionnables et aux claustrophobes.

Où manger ?

PARIS

|●| ***Restaurant Justine de l'hôtel Méridien Montparnasse :*** 19, rue du Commandant-Mouchotte, 75014. ☎ 01-44-36-44-00. M. : Montparnasse-Bienvenüe ou Gaîté. ♿ Service de 12 h à 15 h 30. Brunch le dimanche midi de septembre à juin à 43 €, 20 € pour les 4-12 ans ; gratuit pour les moins de 4 ans. Chaises hautes pour les petits. Comment concilier l'invitation solennelle de l'oncle Paul à déjeuner un dimanche au restaurant et les tribulations d'une bande de petits diables ? En emmenant tout le monde au *Baby Brunch* du *Méridien Montparnasse,* qui pratique une astucieuse formule dominicale (vraiment pas donnée, mais ça vaut le coup pour une occasion). Un somptueux buffet, servi dans une vaste salle à demi couverte par une verrière et ouvrant sur un jardin dans un étonnant décor de tours, est proposé aux parents. L'accès au buffet est libre, avec en prime un coin pour les enfants, où abondent mini-hamburgers, *nuggets,* hot dogs, barbe à papa et pommes d'amour. Les gamins sont pris en main, dès qu'ils savent marcher, par des animateurs qui les emmènent se maquiller, chanter, jouer, danser, pendant que les adultes savourent tranquillement leur repas. Animations à thème certains dimanches (fêtes des Mères, des Pères, etc.).

15e ARRONDISSEMENT

Le musée Bourdelle : 18, rue Antoine-Bourdelle, 75015. ☎ 01-49-54-73-73. M. : Montparnasse-Bienvenüe (sortie « Place Bienvenüe ») ou Falguière. Ouvert de 10 h à 18 h. Fermé les lundi et jours fériés. Collections permanentes gratuites pour tous. Expositions temporaires : 3,30 € pour les plus de 27 ans ; 1,60 € pour les 14-26 ans ; gratuit jusqu'à 13 ans.

Il n'est pas un enfant qui ressorte de ce musée en affirmant qu'il n'aime pas la sculpture. Installé dans les ateliers et les jardins où Antoine Bourdelle a vécu et travaillé, ce musée merveilleusement mis en scène permet de pénétrer son univers créatif grâce à plus de 500 plâtres, marbres et bronzes. Le sculpteur fut l'assistant de Rodin et un des maîtres de Giacometti. Le cadre familier de son appartement a été conservé, et sa collection personnelle d'objets est exposée (terres cuites étrusques et grecques, statues du Moyen Âge et de la Renaissance, peintures de Monticelli, etc.), illustrant les goûts et les recherches d'Antoine Bourdelle. Une visite très vivante.

– **Ateliers :** les mercredi, samedi et pendant les vacances scolaires. À partir de 4 ans. Renseignements : ☎ 01-49-54-73-73. Réservation obligatoire. Durée d'une séance : 1 h 30 ou 2 h. Entrée : 19,50 € pour 3 séances ; 26 € pour 4 séances ; 58,50 € pour 9 séances. Possibilités aussi pour les jeunes handicapés, qui bénéficient d'animations adaptées. Le musée Bourdelle propose des ateliers passionnants. Ainsi, après la visite, pendant laquelle ils ont fait des croquis d'une ou de deux œuvres exposées, les enfants exécutent-ils un modelage sur les thèmes du portrait, du mouvement, de la mythologie, etc. Un autre atelier les sensibilise à des techniques différentes : terre, fil de fer, siporex, polystyrène, pâte à modeler. Autre atelier encore : chaque enfant apprend à réaliser un buste, après avoir observé avec l'animatrice la manière dont Bourdelle rendait les expressions et les sentiments de ses modèles. La liste est longue et variée, n'hésitez pas à demander le programme. Un mercredi par mois, une conteuse raconte les histoires merveilleuses des personnages mythologiques qui peuplent le musée : Hercule, le Centaure, Apollon... Entrée : 3,80 € (gratuit pour le parent accompagnateur).

Le parc André-Citroën : accès par la rue Balard, le quai André-Citroën, la rue de la Montagne-de-l'Espérou, la rue Cauchy, etc. M. : Javel-André-Citroën ou Balard ; ou RER C : Boulevard-Victor. Escale *batobus* quai André-Citroën. Ouvert tous les jours de 8 h 30 à 17 h 30 ; de mi-mai à fin août, ouvert de 8 h 30 (9 h les week-ends et jours fériés) à 19 h. Serre australe : angle des rues Saint-Charles et Balard, 75015. Ouvert tous les jours de 11 h à 17 h. Accès gratuit.

Inauguré fin 1992, le parc occupe les anciens terrains des usines Citroën et couvre 14 ha. C'est le seul parc ouvert directement sur la Seine. Ce parc dernier modèle réserve des perspectives souvent surprenantes avec ses ponts et ses escaliers coupés de cascades, ses jardins thématiques exclusivement voués à une couleur (or, argent, rouge, bleu, orange), ses confessionnaux de verre (petites serres isolées où... s'isoler) reliés au reste par de charmants petits ponts. Les jeux d'eau sont extraordinaires et les pelouses accessibles.

Aquaboulevard de Paris : 4, rue Louis-Armand, 75015. ☎ 01-40-60-10-00. M. : Balard. Bus : PC, nos 39 ou 42 ; arrêt Place-Balard. En voiture, prendre le périphérique et sortir à la porte de Sèvres ou à la porte de Versailles. Ouvert du lundi au jeudi de 9 h à 23 h, le vendredi de 9 h à minuit, le samedi de 8 h à minuit et le dimanche de 8 h à 23 h ; fermeture des caisses à 21 h. Entrée : 20 € ; enfants de moins de 12 ans : 10 €. Les enfants de 3 à

PARIS

11 ans doivent obligatoirement être accompagnés d'un adulte de plus de 18 ans. Slip de bain obligatoire pour les garçons (caleçons interdits).
Ce vaste ensemble, qui ressemble de l'extérieur à une usine avec ses tubulures à deux pas de l'héliport, est décoré intérieurement comme un paquebot de croisière. Outre les plaisirs balnéaires, un large éventail d'activités (gym, practice de golf, fitness, tennis, etc.) est proposé. Pas besoin toutefois d'être adhérent au club pour accéder aux différents bassins chauffés à 29 °C toute l'année, dotés de vagues, de cascades, de geysers, de bains bouillonnants, de canons à eau, de toboggans géants à l'américaine, de champignons d'eau, d'une rivière à contre-courant, de plages et de solariums. L'été, au bord du lagon bleu, une vraie plage de sable fin attend les amateurs de bronzage avec, en toile de fond, une authentique végétation tropicale, des paillotes et des transats. Difficile d'arracher les enfants à un tel paradis !
Pour déjeuner, restos de chaîne sur le pont-promenade.

Où dormir ? Où manger ?

Hôtel de la Paix : 43, rue Duranton, 75015. ☎ 01-45-57-14-70. Fax : 01-45-57-09-50. M. : Boucicaut ou Convention. Bus nos 39 et 49. Chambres doubles de 72 à 80 € avec douche ou bains ; chambres triples à 90 € ; chambres quadruples à 95 € ; petit dej' offert aux enfants. Hôtel très confortable et situé dans une rue très calme. Réception ornée d'une cheminée. Salle de petit dej' avec tables en fer forgé et petite fontaine. Chambres joliment décorées dans des tons chauds et vifs. Les salles de bains sont particulièrement soignées : marbre, sèche-cheveux et tout le toutim. Accueil familial. Bon rapport qualité-prix. Réduction de 10 % hors salons (porte de Versailles) sur présentation du *Guide du routard.*

Le Bistrot d'André : 232, rue Saint-Charles, 75015. ☎ 01-45-57-89-14. M. : Balard. À l'angle avec la rue Leblanc. Ouvert de 12 h à 14 h 30 et de 20 h à 22 h 30. Fermé le dimanche, ainsi que les 1er janvier et 14 juillet. Menu-enfants à 7 € ; menu à 12 € servi à midi en semaine ; à la carte, compter environ 22 € sans la boisson. L'un des seuls bistrots de l'époque Citroën encore debout dans ce quartier résolument moderne. Des prix d'avant-guerre pour du gigot au gratin dauphinois, du bœuf bourguignon, du confit de canard des Landes et pommes sautées... Une cuisine familiale telle qu'on l'aime. Bref, on est très fier d'avoir déniché cette adresse dans un quartier où il n'y a pas grand-chose. Un bon petit vin de Loire, cuvée de la maison. Apéritif maison offert aux lecteurs du *Guide du routard.*

16e ARRONDISSEMENT

Le musée d'Art moderne de la Ville de Paris : 11, av. du Président-Wilson, 75116. ☎ 01-53-67-40-00. • www.paris.fr/musees/mamvp • M. : Alma-Marceau ou Iéna. Ouvert du mardi au vendredi de 10 h à 18 h et les samedi et dimanche jusqu'à 19 h (selon les expositions). Fermé le lundi et les jours fériés. Gratuit pour les collections permanentes. Expositions temporaires : 1,60 € pour les 14-26 ans ; gratuit jusqu'à 13 ans. Attention, le musée subira des travaux de rénovation à partir d'octobre 2003 (pendant un an).
Plusieurs œuvres remarquables sont présentées au musée d'Art moderne, consacré, comme son nom l'indique, à l'art plastique du début du XXe siècle à nos jours. C'est ici que l'on peut voir les deux versions de la fameuse *Danse* de Matisse, l'étonnante *Fée électricité* de Dufy qui, forte de ses 600 m², est sans doute l'une des plus grandes peintures du monde, des toiles de Picasso, Braque, Derain, Max Ernst, Fernand Léger et les autres.

Tous les grands de l'art moderne, des fauves aux cubistes, sont là. En outre, de très intéressantes expositions sont périodiquement organisées.
– Dans les collections ou les expositions temporaires, des ***visites-animations suivies de courts ateliers*** sont proposées aux enfants de 6 à 12 ans les mercredi et samedi, de 14 h 30 à 16 h 30, et pendant les vacances scolaires (maintenues pendant la durée des travaux). Entrée : environ 7 €. Renseignements et inscriptions : ☎ 01-53-67-40-80.

Après la visite, on peut s'offrir un instant de détente entre les deux ailes du palais de Tokyo. On peut même boire un rafraîchissement ou carrément grignoter à la ***cafétéria*** (environ 8 € pour une quiche et une salade) qui, l'été, s'étend sur une vaste terrasse, avec vue sur de très belles statues et les exploits des passionnés de skate et de roller.

Le Musée national de la marine : pl. du Trocadéro, 75116. ☎ 01-53-65-69-69. • www.musee-marine.fr • M. : Trocadéro. ♿ (sauf pour certaines expos temporaires). Ouvert de 10 h à 18 h. Fermé le mardi, ainsi que le 1er mai, le 25 décembre et le 1er janvier. Entrée pour le musée et les expositions temporaires : 7 € ; 4 € de 8 à 25 ans. Demander le livret gratuit à compléter au cours de la visite (à partir de 8 ans).
Un des plus beaux ensembles muséologiques du genre au monde. Riche de pièces rares et superbes : maquettes de vaisseaux, figures de proue et décorations de poupe en bois doré de *La Réale,* galère-amiral sous Louis XIV, canot impérial de Napoléon, surmonté d'une gigantesque couronne, ou encore le foulard de Surcouf, émouvante relique...
– ***Visites-jeu :*** le dimanche à 11 h, à partir de 7 ans. Entrée : 8 € (adultes) ; pour les 6-18 ans : 6,10 €. Réservation : ☎ 01-53-65-69-53.
– ***Visites-atelier :*** le mercredi à 15 h, à partir de 7 ans. Entrée : 6,10 €. Réservation : voir ci-dessus.
– ***Animations du mercredi :*** à 15 h, pour les 8-12 ans. Durée : 1 h. Entrée : 6,10 €, entrée comprise. Réservation obligatoire également.
– ***Animations pendant les vacances :*** mêmes tarif et tranche d'âge que les animations du mercredi. Réservation au même numéro.
Librairie : très bon choix de livres, de jeux et d'objets en rapport avec l'univers marin.

LE BOIS DE BOULOGNE

Le jardin d'Acclimatation : ☎ 01-40-67-90-82. • www.jardindacclimatation.fr • M. : Sablons. Ouvert toute l'année de 10 h à 18 h (19 h de juin à septembre). Droit d'entrée : 2,30 € ; gratuit pour les moins de 3 ans et les handicapés. Demander le plan gratuit à l'entrée. Attention, la plupart des manèges et attractions sont payants : 2,30 € le ticket pour la majorité ; on peut acheter un carnet de 20 tickets pour 35 € ou de 30 tickets pour 45 €, mais certaines attractions ne participent pas à cette opération. Possibilité de pique-niquer sur place, de déjeuner ou de goûter dans un des restos du jardin.
➢ Les mercredi, samedi, dimanche, jours fériés et pendant les vacances scolaires, un train part toutes les 15 mn de la porte Maillot, se promène un peu dans le bois de Boulogne, puis vous dépose au jardin d'Acclimatation. De 11 h à 18 h (19 h de juin à septembre). Entrée : 4,60 € l'aller-retour + l'entrée au jardin.

Parents savants : *pourquoi « d'acclimatation » ?*

En 1860, Napoléon III inaugure le jardin, qui devient un lieu de détente familiale très prisé. Sa vocation première est, comme son nom le laisse deviner, d'acclimater les Parisiens à la nature. À la fin du XIXe siècle, avec les animaux, on exhibait des peuples indigènes. De 1877 à 1903, le succès ne se dément pas et Esquimaux, Lapons, Peaux-Rouges et Lilliputiens (nains d'Afrique) défilent. L'exotisme, très en vogue à l'époque du Second Empire, est aux portes de Paris. Les curieux ne sont pas les seuls à se précipiter, scientifiques et médecins se les arrachent également. Ces exhibitions ne cesseront réellement qu'en 1914 : difficile d'exposer au même titre que des animaux des peuples venus alors défendre l'Europe à nos côtés... Le jardin redevient alors sage comme une image, peuplé de « z'animaux » et d'attractions moins polémiques. Il fait partie des grands classiques incontournables, que les bambins découvrent de génération en génération. Si vous y avez passé du bon temps quand vous étiez enfant, vous aurez certainement envie, maintenant parent, de le faire connaître à votre progéniture. Les dernières rénovations n'ont fait que l'améliorer.

Le jardin d'Acclimatation a plusieurs vocations : c'est d'abord un lieu de promenade avec ses 18 ha propices à la détente, ses pelouses, ses allées fleuries, ses animaux et même son potager. C'est aussi un espace culturel et pédagogique, avec des ateliers vraiment originaux et bien conçus, le passionnant musée en Herbe et le récent Explor@dome (voir plus loin). Et puis, c'est bien sûr un lieu de distraction, idéal avec des tout-petits qui y trouveront, et c'est assez rare pour le signaler, des attractions sur mesure. Enfin, côté p'tits détails pratiques, rien n'est laissé au hasard, et même les toilettes sont adaptées aux petits fessiers.

– ***Les animaux :*** ils font partie de l'héritage du jardin. Outre les ours, les daims et la grande volière, il y a surtout la ferme, avec ses lapins, poules, coqs, oies, canards, cochons, ânes, moutons, chèvres, sans oublier les vaches. Sympa pour les tout-petits.

– ***Les attractions-clés :*** la *Rivière enchantée,* une des plus anciennes attractions du jardin (créée en 1927), récemment rénovée. À bord d'un petit bateau actionné par une authentique roue à aubes, on embarque pour une mini-croisière. Le *Tacot express,* circuit de montagnes russes (à éviter avant 4-5 ans), et le *circuit automobile,* où l'on apprend à piloter tout seul une mini-voiture avec de vraies commandes. Dans le même registre, la *Prévention routière,* où les enfants s'initient, à vélo, au code la route, sous la surveillance d'un moniteur de la préfecture de police, l'après-midi les mercredi, week-ends et vacances scolaires. Cette dernière « attraction » est gratuite.

– ***Les jeux et manèges :*** on commence par ceux qui sont gratuits. Une grande *aire* est divisée en 2 sections (petits et grands) avec un tas de jeux qui font le bonheur des enfants : toboggans, balançoires, bacs à sable, pataugeoire, tunnels, etc. Côté attractions payantes, des *manèges* en pagaille regroupés dans une sympathique ambiance de fête foraine, du carrousel de chevaux de bois aux tasses qui filent le tournis en passant par les autotamponneuses. Plusieurs manèges sont parfaits pour les petits à partir de 18 mois.

– ***Les spectacles :*** le traditionnel *Guignol* est gratuit ; séances les mercredi, week-ends, jours fériés et pendant les vacances scolaires, à 15 h et 16 h. Et puis des représentations variées au *théâtre* du jardin : ☎ 01-40-67-90-82.

– ***Les ateliers du jardin :*** les mercredi, samedi et tous les jours pendant les vacances scolaires. Pour les enfants de 3 à 12 ans. Renseignements et inscriptions : ☎ 01-40-67-90-82. Plusieurs formules pour 2 h ou une journée (13 € ou 33 €). Les ateliers sont devenus le cheval de bataille du jardin. Les enfants travaillent par petits groupes (au maximum 10), dans un cadre enchanteur aménagé pour eux : d'anciens pavillons du début du XXe siècle restaurés juste ce qu'il faut pour que plane encore une délicieuse ambiance de maison de campagne. Nombreux thèmes : le jardinage, la cuisine, l'art du parfum. Également des ateliers de musique, de théâtre, de calligraphie chinoise.

@ ***L'Explor@dome :*** ☎ 01-53-64-90-40. • www.exploradome.com • Entrée : 4,50 € ; tarif réduit : 3 €. Billet couplé expo + atelier : 7 €. L'Explor@dome est un espace interactif destiné à la découverte des sciences et du multimédia. On y fait des expériences scientifiques surprenantes comme le nuage en anneau ou la tornade, amusantes comme les illusions d'optique, mais toujours instructives. Une douzaine d'I-Mac permettent de s'initier à Internet, de consulter des CD-Roms éducatifs et de créer ses propres applications de multimédia dans le cadre d'ateliers et de stages de perfectionnement. D'autres ateliers offrent aux enfants l'occasion de manipuler, expérimenter et construire un objet qu'ils rapporteront chez eux : les illusions d'optique, les caprices du temps... Ils ont lieu les mercredi, samedi et dimanche, ainsi que tous les jours pendant les vacances scolaires à 10 h 30, 14 h et 16 h.

– ***Le musée en Herbe :*** à l'entrée du jardin d'Acclimatation. ☎ 01-40-67-97-66. Ouvert tous les jours de 10 h (14 h le samedi) à 18 h. Entrée en plus de celle du jardin : 3 € ; tarif réduit à 2,50 €. Forfait expo + atelier : 6 €. Révolutionnaire à sa création en 1975, un musée spécialement conçu pour les enfants, où vos petits diables, dès l'âge de 3 ans, pourront déployer toute leur énergie dans un cadre à leur mesure. Des expositions temporaires font découvrir l'art et le monde de manière pratique et pédagogique. Ici on joue, on touche, on sent, on fabrique et on manipule. On peut même se déguiser et sauter !

– ***Les ateliers*** ont lieu à partir de ces expositions temporaires, les mercredi, week-ends, jours fériés, à 15 h, et pendant les vacances scolaires à 14 h et 16 h. Compter 4,50 € l'atelier. Des *baby-ateliers* pour les 2 ans et demi-4 ans (avec les parents) ont aussi lieu le mercredi à 11 h et pendant les vacances scolaires tous les jours à la même heure. Entrée : 4,50 €.

|●| Sur place, ***aires de pique-nique*** et nombreuses possibilités pour boire un verre, grignoter un hot dog-frites ou déjeuner convenablement.

Où manger ? Où déguster une glace ?

|●| ***Yamazaki :*** 6, chaussée de la Muette, 75016. ☎ 01-40-50-19-19. M. : La Muette. Ouvert tous les jours de 9 h à 19 h. Sandwichs de 3 à 5,50 €. Côté salon de thé, au décor sobre, remarquables sandwichs, thé, café, sodas, tartes salées appétissantes et salades. Côté pâtisserie, d'irrésistibles choux, des *matsuris* fraise-chantilly, un superbe *cheesecake* et toutes sortes de douceurs exquises et bien françaises à prix imbattables pour le quartier. À noter que cette même enseigne existe à Tokyo.

|●| ***La Matta :*** 23, rue de l'Annonciation, 75016. ☎ 01-40-50-04-66. M. : La Muette. Ouvert jusqu'à 23 h. Fermé le dimanche. Compter 18 € sans la boisson ; pizzas de 9 à 14 €. Un instantané d'Italie caché au fond d'une des rues commerçantes de cet arrondissement bon genre (presque en face du *Passy Plaza*), qui vaut surtout pour ses pizzas généreuses et bien faites. Ce qui ne gâche rien, l'accueil est charmant et le service efficace.

|●| ***Pascal le Glacier :*** 17, rue Bois-le-Vent, 75016. ☎ 01-45-27-61-84. M. : La Muette. Ouvert de 10 h 30 à 19 h. Fermé les dimanche et lundi ; congés annuels : en août. 3,50 € le cornet double, 9,30 € le pot d'un demi-litre. Pascal Combette est un génial glacier dont les créations valent largement celles de chez *Berthillon*. Ce glacier exigeant, qui ne travaille que des fruits de grande qualité, arrête la production de certains parfums quand il ne trouve pas les fruits à la hauteur de son exigence. Ses sorbets orange sanguine, mirabelle, mangue... nous glacent de bonheur. Côté glaces, sa vanille de Tahiti, son chocolat noir-

cannelle titillent les papilles. *Pascal,* un glacier qui vous rendra givré.

|●| ***L'Auberge du Bonheur :*** carrefour de Longchamp, bois de Boulogne, 75016. ☎ 01-42-24-10-17. ♿ Près du champ de courses de Longchamp. Arrivé à la cascade, un restaurant très chic *(La Grande Cascade)* à l'architecture 1900 vert pâle vous fait face ; prendre l'allée de gauche contre ce beau bâtiment, le contourner, et vous voilà à *L'Auberge* qui sera celle du bonheur, heureux que vous êtes de l'avoir trouvée. Fermé le samedi et le soir en hiver ; congés annuels : en février. Menu-enfants à 18,50 € avec terrine de volaille ou salade de tomates, filet de bar ou côtes d'agneau et glace ; compter 30 € à la carte ; plat du jour à 17 €. Pour se donner l'illusion de déjeuner à la campagne sans quitter Paris, rendez-vous ici. L'hiver, un bon feu crépite dans la cheminée ; l'été, le service se fait dans le jardin à l'ombre des arbres. La cuisine est simple et sans mauvaise surprise (encore heureux, vu le prix !). Apéritif maison offert aux lecteurs du *Guide du routard.*

18e ARRONDISSEMENT

👥 ***La halle Saint-Pierre :*** 2, rue Ronsard, 75018. ☎ 01-42-58-72-89. • www.hallesaintpierre.org • M. : Anvers. ♿ Au pied du Sacré-Cœur et face au marché Saint-Pierre. Ouvert tous les jours de 10 h à 18 h. Entrée pour une expo : 6 € ; enfants : 5 €. Sur présentation du *Guide du routard,* le tarif réduit sera également appliqué aux adultes.

Les anciennes halles Saint-Pierre possèdent une superbe architecture métallique du XIXe siècle (style Baltard), très bien rénovée et dont l'habillage graphique a été confié à Speedy Graphito. La halle accueille des expositions temporaires autour de l'art brut, l'art singulier et l'art de notre temps, ainsi qu'une galerie d'art contemporain, un auditorium de 90 places (avec spectacles pour jeunes enfants de septembre à avril : théâtre, marionnettes, contes...) et une librairie (spécialisée dans l'art naïf, l'art brut, l'art populaire et un grand choix de livres d'art pour enfants). Un bémol, cependant : le prix trop élevé de l'entrée, que seuls les amateurs d'art brut ne regretteront pas.

– ***Ateliers juniors :*** sur réservation. ☎ 01-42-58-72-89. Les mercredi, week-ends et du lundi au vendredi pendant les vacances scolaires ; se renseigner pour les horaires. À partir de 4 ans. Entrée : 8 € (visite + atelier d'arts plastiques). Ateliers plastiques prolongeant la visite des expositions en cours, mais également des ateliers d'éveil musical à l'année et de danse orientale au trimestre.

– ***Spectacles pour enfants à l'auditorium :*** les mercredi, samedi, dimanche et vacances scolaires ; se renseigner pour les horaires. Autour de 4,50 €. Différents spectacles se succèdent de septembre à avril (théâtre, marionnettes, danse...).

|●| ***Cafétéria*** très agréable pour petits et grands (entrée libre), au rez-de-chaussée de la halle Saint-Pierre. Lumineuse avec ses grandes verrières et spacieuse. Quiches, viennoiseries, tartes sucrées (à partir de 4 €) tout en admirant les œuvres de jeunes peintres ou jeunes sculpteurs. En sus, jolie vue sur le dôme de Montmartre... si vous levez la tête.

👤 ***Redescendre avec le funiculaire de Montmartre (c'est plus spectaculaire) :*** fonctionne avec les tickets de métro, de 6 h 15 à 0 h 45 (toutes les 5 mn).

Où manger ?

🍽 ***L'Été en pente douce :*** 23, rue Muller, 75018. ☎ 01-42-64-02-67. M. : Anvers. ♿ Ouvert tous les jours de midi à minuit. Pas de menu-enfants ; à la carte, compter 15 € ; plat du jour et salades à 8 €, tartes salées à 5 €. Ce restaurant-glacier-salon de thé jouit d'une position exceptionnelle : sur une placette suspendue entre deux escaliers montmartrois et jouissant d'un accès aux jardins, il profite d'une fort belle terrasse couverte en hiver, champêtre en été. Bien au chaud dans la salle ou à l'ombre des parasols, on y déguste une cuisine simple et savoureuse : paupiette de dinde au saumon fumé sauce safranée, quiche aux légumes... Les plats varient selon les saisons. Bon accueil. Un seul hic : le soir, la salle est souvent enfumée. Avec des enfants, venir plutôt y déjeuner ou goûter. Une halte aux airs de dimanche à la campagne. Le soir et pendant l'été, pensez à réserver. Kir offert aux lecteurs du *Guide du routard.*

🍽 ***Cafétéria de la halle Saint-Pierre :*** lire plus haut.

19e ARRONDISSEMENT

*** ***La Cité des Sciences et de l'Industrie :*** 30, av. Corentin-Cariou, 75019. Informations : ☎ 01-40-05-80-00. Réservations : ☎ 0892-69-70-72 (0,34 €/mn). • www.cite-sciences.fr • M. : Porte-de-la-Villette (sortie directe sur la Cité). ♿ Parking souterrain. La Cité est ouverte de 10 h à 18 h (19 h le dimanche) ; la médiathèque, de 12 h à 18 h 45 (19 h 45 le mardi).

Attention, pour les expos à horaires fixes comme la Cité des Enfants, mieux vaut réserver, surtout en période de vacances scolaires.

La Cité propose à chacun de prendre conscience des enjeux de la recherche scientifique, des investissements industriels et des progrès de la technologie. Un site extraordinaire, à découvrir en plusieurs fois. Les enfants, quel que soit leur âge, seront toujours ravis d'y revenir. Le secret d'une telle réussite ? C'est l'un des rares endroits au monde où l'on apprend en s'amusant vraiment.

Ce complexe futuriste est un lieu interactif. Entre le visiteur et l'objet, il y a échange et participation. On ne se contente pas de regarder d'un œil morne, on pianote sur le clavier d'un ordinateur, on parle et la machine vous répond, on manipule sans cesse des boutons, des manettes, on scrute des écrans multicolores, on joue à refaire le monde...

– ***Explora :*** à partir de 7 ans. Entrée : 7,50 € ; de 8 à 25 ans : 5,50 €. Quels que soient les sujets abordés, des jeux, des panneaux, des expériences faciles sont proposés pour faciliter l'accès aux données scientifiques les plus pointues. Certaines attractions ont la préférence des enfants : les jeux de lumière, la fusée à eau, la pesée en apesanteur, l'éponge à sons, la parabole à sons, la maquette grandeur nature du *Nautile,* les nouvelles aventures de Gepetto, la tornade et, bien sûr, la station orbitale et les simulateurs de vol et de conduite automobile. Nombreuses expositions thématiques occupant les 1er et 2e niveaux.

– ***La Cité des Enfants :*** au niveau 0 (rez-de-chaussée). Ouvert du mardi au dimanche de 10 h à 18 h. Séances de 1 h 30. Entrée : 5 € par personne, enfant ou adulte (2 adultes maximum par enfant). Réservation conseillée : ☎ 0892-69-70-72 (attention, 1,60 € par personne en sus quand on réserve). Deux espaces permanents pour les tout-petits et les moyennement grands, et un espace pour des manifestations temporaires. Dans des structures extraordinaires et adaptées, les enfants apprennent en jouant. Que demander de plus ? Attention, les 2 espaces sont indépendants, vous ne pourrez donc pas naviguer de l'un à l'autre si vous avez des enfants appartenant aux 2 tranches d'âge.

– *Espace 3-5 ans :* « Premières découvertes ». Un ruisseau sert de fil conducteur pour 80 manipulations visant à tester ses sens, réparties en 9 thèmes, à expérimenter dans l'ordre ou dans le désordre, peu importe. L'avantage de commencer par la fin et d'aller à contre-courant, c'est qu'il y a moins de monde, forcément. L'embarras du choix et de l'enthousiasme, seul ou en groupe. Grue à piloter, ordinateurs simplifiés à programmer, parcours où l'on touche avant de voir, sols dur, mou, élastique... Maison à construire, en empilant des briques de mousse, en poussant son wagonnet sur un circuit, en actionnant le vide-gravats, etc. Des animations sont proposées en milieu de séance.

– *Espace 5-12 ans :* les choses deviennent plus sérieuses, on est grand quand même ! Alors on utilise un chariot travelling, dans un mini-studio son, pour réaliser un journal télévisé. On manipule des engrenages, une turbine, des robots. On fabrique un badge personnalisé. On découvre comment vivent les enfants des autres pays et on visite l'intérieur du corps humain, etc.

– *La médiathèque des enfants :* niveau 0. Ouvert du mardi au dimanche de 12 h à 18 h 45 (19 h 45 le mardi). Accès gratuit. Des mini-bibliothèques thématiques présentent un fonds très riche de livres, revues, B.D., films, logiciels éducatifs et cassettes. De nombreuses activités développent le goût des sciences, de la lecture et des bibliothèques en général. Accès à des consoles audiovisuelles. Le mobilier est adapté aux enfants. Tous les mercredis, des ateliers-jeux, des initiations à Internet, des conteuses racontent une « histoire de science ».

La Géode : devant la Cité des Sciences et de l'Industrie. ☎ 01-40-05-79-99 (répondeur). Réservation et programme : ☎ 0892-68-45-40 (0,34 €/mn). • www.lageode.fr • ♿ Ouvert du mardi au dimanche de 10 h 30 à 21 h 30 ; ouvert les lundis fériés et de vacances scolaires, séances toutes les heures. Interdit aux femmes enceintes de plus de 6 mois et demi. Entrée : 8,75 € ; enfants : 6,75 €. Possibilité de billets combinés. *Attention,* il est recommandé de réserver pendant les vacances scolaires.

Cette boule d'acier poli (première sphère parfaite construite dans le monde) vous transportera dans le futur... Elle abrite, en effet, une salle de cinéma où les spectateurs sont comme emportés par l'image grâce à un écran hémisphérique de 1 000 m² (on peut, par exemple, partir à bord d'une navette spatiale ou encore explorer la faune des abîmes de l'océan Pacifique). Le champ de vision couvre 180° et offre au spectateur plus qu'il n'en peut saisir. Effet saisissant de relief et action à couper le souffle.

Le Cinaxe : à 200 m de la Géode. Informations : ☎ 01-42-09-85-83. Ouvert du mardi au dimanche de 11 h à 17 h. Fermé le lundi. Séances toutes les 15 mn. Tarif réduit sur présentation du *Guide du routard* : 4,50 €. Bien qu'elles durent à peine 15 mn, les séances sont interdites aux enfants de moins de 4 ans et déconseillées aux femmes enceintes, aux cardiaques et aux épileptiques. On peut y ajouter ceux qui ont des vertèbres cervicales fragiles ! Les émotions sont plus brèves, mais encore plus fortes qu'à la Géode. En effet, la salle, montée sur vérins, bouge et suit les mouvements de l'image. Assez impressionnant !

La Cité de la Musique : 221, av. Jean-Jaurès, 75019. ☎ 01-44-84-45-45 (serveur vocal). • www.cite-musique.fr • M. : Porte-de-Pantin. ♿
La Cité possède une *salle de concert* modulable, prête à accueillir 1 000 mélomanes en herbe ou confirmés. Au programme, musique classique ou contemporaine, grosses pointures, mais aussi du jazz, des musiques du monde ou de la chanson. La Cité comprend également un *amphithéâtre* plus

intimiste, de 230 places, où ont lieu des concerts en liaison avec le musée : instruments anciens et de tous horizons.

– ***Spectacles musicaux « jeune public » :*** souvent le mercredi à 15 h. Tarif : 7 €. Réserver au : ☎ 01-44-84-44-84. Des spectacles (contes et théâtre musicaux, chanson...) qui font découvrir aux enfants des instruments et des traditions du monde entier.

– ***Atelier de gamelan en famille :*** le dimanche d'octobre à juin, à 14 h. Durée : 2 h. À partir de 6 ans. Renseignements et inscriptions : ☎ 01-44-84-44-84. Tarifs : 9 € par adulte et 7 € par enfant. Qu'est-ce qu'un *gamelan*? C'est l'orchestre traditionnel des îles indonésiennes de Java et Bali, rien moins qu'une vingtaine d'instruments : métallophones, gongs, tambours, vielle à deux cordes, xylophone et flûte de bambou. Vous pouvez venir y jouer en famille. Il n'est pas nécessaire d'être déjà musicien. Ici, on enlève ses chaussures, on s'assoit par terre et on apprend à l'oreille.

– La Cité de la Musique propose d'autres ***ateliers de pratique musicale*** (à l'année ou à la séance), un *atelier d'éveil musical* pour familiariser les 3-5 ans (accompagnés d'au moins un adulte) avec 150 instruments du monde entier et enfin des ateliers de percussions (pour les plus de 6 ans accompagnés d'un adulte). Demander leur brochure *Jeunes* pour plus de détails.

– ***Le musée de la Musique :*** ☎ 01-44-84-44-84. Ouvert du mardi au samedi de 12 h à 18 h et le dimanche de 10 h à 18 h. Fermé le lundi. Visite libre : 6,50 €; gratuit jusqu'à 18 ans (sauf pour les expos temporaires). Possibilité de visite avec conférencier (avec supplément).

Le musée de la Musique présente une superbe collection d'instruments qui permet de retracer la vaste histoire de la musique. Coiffé d'un audiocasque à infrarouges, on va de vitrine en vitrine, entendant ici un commentaire, là un air. En outre, des bornes interactives vous en apprennent beaucoup sur les musiciens et leur époque. On se prend très vite au jeu et on suit sans quasiment s'en apercevoir les 9 séquences consacrées à la musique, l'histoire, la société, les cultures, etc. Loin d'être réservé aux seuls mélomanes, ce musée « à écouter » constitue une merveilleuse introduction à la musique. On y passe un délicieux moment loin des bruits de notre monde moderne. Vraiment une belle réussite.

– Le musée de la Musique propose pléthore de ***visites à thèmes variés,*** toutes axées sur un des multiples aspects de la collection. L'inscription est recommandée. Téléphoner pour plus de renseignements ou demander leur brochure.

|●| Possibilité de grignoter et de boire un coup au ***Café de la Musique :*** ☎ 01-48-03-15-91. Ouvert tous les jours de 8 h à 2 h.

Les Buttes-Chaumont : 3 entrées : rue de Crimée, rue Manin, rue Botzaris. M. : Buttes-Chaumont, Botzaris et Laumière. ♿

Un des plus beaux parcs de la capitale, aux paysages extrêmement variés, doté d'un lac (artificiel) relié au canal Saint-Martin, de cascades et de ruisseaux. Ses allées au tracé sinueux traversent des sous-bois, escaladent des buttes rocheuses. Deux ponts franchissant des « ravins » permettent d'atteindre le mystérieux temple de la Sybille, juché sur une « falaise » de près de 90 m de haut. Trois aires de jeux pour les enfants. Promenades à dos de poney.

– ***Guignol Anatole :*** à côté des balançoires. ☎ 01-40-30-97-60. Théâtre en plein air ouvert (quand il fait beau) d'avril à octobre les mercredi, samedi et dimanche à 15 h et 16 h 30. Pendant les vacances scolaires, ouvert tous les jours. Fermé une semaine autour du 15 août. Durée moyenne d'un spectacle : 40 mn. Entrée : 3 €.

Où dormir ? Où manger ?

🏠 ***Hôtel de Crimée :*** 188, rue de Crimée, 75019. ☎ 01-40-36-75-29. Fax : 01-40-36-29-57. • www.hotelcrimee.com • M. : Crimée. Chambres doubles de 57 € avec douche à 60 € avec bains ; quelques chambres pour 3 personnes à 65 € et une chambre pour 4 personnes à 70 €. À deux pas du canal de l'Ourcq et du bassin de la Villette, et trois de la Cité des Sciences, un hôtel tout simple mais confortable avec w.-c., TV câblée, sèche-cheveux, clim' et double vitrage. Salle à manger au sous-sol, ornée de tableaux rapportés de Belgique. Accueil adorable et chambres impeccables. Parking payant à proximité de l'hôtel. De plus, ils offrent 10 % de ristourne le week-end et en juillet et août sur présentation du *Guide du routard*.

|●| ***Weber Café :*** allée de la Cascade, 75019. ☎ 01-42-00-00-45. M. : Buttes-Chaumont. Ouvert tous les jours de 11 h à 18 h (21 h d'avril à septembre). Sandwichs et crêpes salées de 3 à 4 €. Manèges pour les enfants. Chaises et tables de jardin en terrasse pour profiter de la vie et de la vue... Petits jeux à disposition pour les enfants.

LES HAUTS-DE-SEINE (92), proche banlieue ouest de Paris

LEVALLOIS-PERRET (92300) ET VILLENEUVE-LA-GARENNE (92390)

★ ***La maison de la Pêche et de la Nature :*** 22, allée Claude-Monet, sur l'île de la Jatte, 92300 ***Levallois-Perret.*** Renseignements et inscriptions : ☎ 01-47-57-17-32. • maisondelapeche.net • ♿ Accès par la passerelle piétonne, quai Michelet. Musée ouvert le mercredi de 10 h à 18 h et les samedi et dimanche de 13 h à 18 h. Entrée : 3,50 € ; moins de 16 ans : 2 €. Visite avec audioguide.

L'objectif premier de la maison de la Pêche et de la Nature, c'est de faire découvrir, aux adultes comme aux enfants, la nature et la protection de l'environnement. Dans une tour de 2 niveaux, on trouve l'***Aquarama.*** Au rez-de-chaussée, 18 aquariums d'eau douce où sont présentées les différentes espèces vivant dans les eaux de l'Hexagone : gardons, brochets, etc. Au 1er étage, une galerie didactique sur le milieu aquatique avec des panneaux interactifs présentant le cycle de l'eau, la faune et la flore, la gestion des milieux aquatiques, etc.

– Le ***musée de la Pêche*** proprement dit est situé au rez-de-chaussée du bâtiment principal. On y trouve dans la partie périphérique une collection hallucinante de matériel de pêche, du XIXe siècle à nos jours : 400 cannes à pêche, 600 moulinets, des poissons et animaux aquatiques naturalisés, etc. On se demande bien où ils ont été pêcher tout ça ! La partie centrale est réservée aux expositions temporaires et aux animations saisonnières.

★★ ***Le parc des Chanteraines :*** 46, av. Georges-Pompidou, 92390 ***Villeneuve-la-Garenne.*** ☎ 01-41-21-88-13. RER C : Gennevilliers ou autoroute A 86, sortie Villeneuve-la-Garenne. Entrée gratuite.

À cheval sur la Seine, ce parc est un poumon de verdure au cœur d'une des zones les plus industrialisées du département. Au total, 70 ha de vallons boisés, de bosquets et de plans d'eau où « chantent les rainettes », d'où son nom, sillonnés par un drôle de petit train qui passe par la ferme. Eh oui, il y a même une vraie ***ferme*** (☎ 01-41-21-88-12), avec des chèvres, des moutons, des poules, des dindons et un potager ! Mais les activités ne s'arrêtent pas là : les petits réclameront des tours de manège, tandis que les aînés s'initieront aux joies du poney (***poney-club :*** ☎ 01-40-85-86-26), les comédiens en herbe applaudiront ***Guignol*** (☎ 01-40-31-11-31) et passeront même de l'autre côté de la barrière au ***Cirque de Paris.*** Ce chapiteau offre aux enfants de 3 à 11 ans la possibilité de passer une journée complète au cirque. Réservation obligatoire une dizaine de jours à l'avance : ☎ 01-47-99-40-40. Ouvert les mercredi, dimanche et pendant les vacances scolaires. Journée complète (10 h-17 h), repas et spectacle compris : de 36,50 à 41 € ; enfants : de 29 à 34,50 €.

Dans un autre registre, le parc propose des activités aquatiques sur les différents plans d'eau : bronzette et baignade à la plage (ouverte du 1er mai au 30 septembre), nouvelle aire de jeux d'eau, voile, planche à voile, kayak, pêche à la ligne sur l'étang (sur autorisation) et même une fosse de plongée subaquatique de 19 m de profondeur (renseignements : ☎ 01-47-94-57-16) ! Pour les enfants de 12 ans et plus, initiation à la conduite d'une moto et tir à l'arc.

Où dormir ? Où manger ?

☗ ***Hôtel Espace Champerret :*** 26, rue Louise-Michel, 92300 ***Levallois-Perret.*** ☎ 01-47-57-20-71. Fax : 01-47-57-31-39. • espace.champerret.hotel@wanadoo.fr • M. : Louise-Michel. ♿ À 30 m du métro. Ouvert toute l'année ; réception 24 h/24. Chambres doubles à 66 € ; chambres pour 4 personnes à 85 € avec douche, 87 € avec bains ; gratuit pour les enfants de moins de 10 ans, chouette ! Dans une rue peu fréquentée le soir et encore moins la nuit, un hôtel de qualité, confortable et propret, avec patio fleuri, véranda et jardinet pour se détendre un moment. C'est sans histoire, c'est bien placé (métro), et l'accueil est charmant. Ascenseur. Chambres doubles avec tout le confort et double vitrage. Pour les familles, chambres avec mezzanine comprenant un grand lit et 2 petits. La réservation est recommandée, évidemment. Pour nos lecteurs, 10 % de réduction sur le prix de la chambre le week-end et de mi-juillet à mi-août.

I●I ***La Maïella :*** 54, rue de Villiers, 92300 ***Levallois-Perret.*** ☎ 01-47-58-58-46. M. : Anatole-France. Ouvert tous les jours de 11 h 45 à 14 h 30 et de 19 h à 23 h. Congés annuels : à Noël. Pizzas de 7 à 12 € ; à la carte, compter de 20 à 30 €. Pas de menu-enfants, mais des arrangements sont toujours possibles. Cette grande *trattoria* italienne ne désemplit pas. Les pizzas sont particulièrement appréciées, mais les pâtes ont aussi bonne réputation. Atmosphère bruyante et animée ; excellent accueil.

I●I ***Le Petit Poucet :*** 4, rond-point Claude-Monet, 92300 ***Levallois-Perret.*** ☎ 01-47-38-61-85. Sur l'île de la Jatte, dans le virage de la rue qui en fait le tour, extrémité est ; à côté de la maison de la Pêche et de la Nature (voir plus haut). Ouvert tous les jours jusqu'à 23 h (22 h 30 le week-end). Menu-enfants à 15 € ; formule à 19 € le midi en semaine, 28 € le soir et le week-end. Une adresse presque centenaire, un ancien caboulot champêtre devenu l'un des restos chico-branchés de l'île. Belle déco, cadre douillet où le bois domine et, surtout, trois terrasses pour les beaux jours, dont l'une sur pilotis en bord de Seine. Mais attention, tout ça a un prix ! Bonne cuisine française classique. Service efficace et ultra-rapide (appréciable avec des enfants). Mieux vaut réserver aux beaux jours.

BOULOGNE-BILLANCOURT (92100) ET SAINT-CLOUD (92210)

Le musée départemental Albert-Kahn : 14, rue du Port, 92100 **Boulogne-Billancourt.** ☎ 01-46-04-52-80. M. : Boulogne-Pont-de-Saint-Cloud. (galerie d'exposition et certaines parties du jardin). Ouvert du mardi au dimanche de 11 h à 18 h (19 h de mai à septembre). Fermé en fin d'année. Entrée : 3,30 € ; de 13 à 18 ans : 2,20 € ; gratuit pour les moins de 13 ans. Pour les enfants, une brochure d'aide à la visite est éditée à l'occasion de chaque exposition.

Le banquier Albert Kahn (1860-1940) fit fortune grâce à diverses opérations boursières et s'employa à réaliser son utopie : un monde où tous les peuples vivent en parfaite harmonie. Dans sa propriété de Boulogne, il fut à l'origine de la société *Autour du Monde* où se rencontraient les personnalités les plus en vue de l'époque, il rassembla *Les Archives de la Planète* (72000 autochromes, 183 km de séquences filmées prises dans une cinquantaine de pays du monde entre 1909 et 1931), qui illustrent les mœurs politiques et sociales de l'époque, et il créa de superbes jardins à scènes multiples à l'image du monde en paix dont il rêvait. La crise économique de 1929 causa sa ruine et mit un terme à cette vaste entreprise.

Aujourd'hui, le musée s'attache à faire vivre cette œuvre en organisant, à partir de ses collections d'images, des visites, des rencontres et des expos sur des questions d'actualité. *Les Archives de la Planète* se visionnent sur des écrans vidéo et c'est, avec le *jardin,* ce qui plaira aux juniors. Il faut s'y promener de préférence au printemps, lorsque les arbres fruitiers, les rhododendrons et les cerisiers du Japon sont en fleurs, ou en été pour les roses. Sur ses 4 ha voisinent deux forêts : une de cèdres bleus de l'Atlas, l'autre de sapins des Vosges, un verger, une roseraie, un jardin anglais avec ses buissons savamment ébouriffés et son *cottage,* un jardin à la française. La cerise sur le gâteau, un adorable jardin japonais avec ses petits ponts laqués, ses pas... japonais et même sa maison de thé.

Le parc de Saint-Cloud : M. : Pont-de-Saint-Cloud ou Pont-de-Sèvres. Ouvert tous les jours de 7 h 30 à 20 h (21 h au printemps et en automne, 22 h en été). Gratuit pour les piétons, 3,50 € pour les véhicules. Géré par le Centre des monuments nationaux (☎ 01-41-12-02-90 ; ouvert du lundi au vendredi de 9 h à 12 h et de 14 h à 18 h). ***Grandes eaux*** les dimanches de juin à 14 h, 15 h et 17 h.

Cet immense parc est évidemment un but de promenade et un lieu de pique-nique prisé par les Parisiens autant que par les banlieusards. Histoire de se mettre au vert sans aller très loin, en profitant des esplanades gazonnées et des allées boisées. La Grande Cascade, qui relie les parties basse et haute du parc, constitue bien sûr le clou de la balade (les fontaines ne sont malheureusement actionnées que les 4 dimanches de juin). Mais il y a aussi le beau bassin du Fer-à-Cheval et la terrasse de la Lanterne, que l'on atteint en empruntant l'allée de Chartres : c'est de là que la vue sur Paris est la plus belle. Pour les plus petits, il y a même un ***Guignol*** (allée de la Glacière ; ☎ 01-48-21-75-37).

Un resto sympa avec des enfants et pas trop cher, le *Café Valois,* est installé en plein cœur du parc.

– Jolie bâtisse à l'orée de la forêt, la ***ferme pédagogique du Piqueur*** ravira les petits urbains de tous âges avec son étable, sa basse-cour, son potager, son verger. Visite libre en famille (entrée : 1,50 €), mais aussi ateliers payants (inscription indispensable) pour les enfants comme pour les adultes. Les mercredi, samedi et dimanche, ainsi que pendant les vacances scolaires, de 14 h 30 à 16 h, des animateurs compétents et motivés sont là pour éveiller et sensibiliser les petits au monde de la ferme, de l'élevage, du jardinage, de l'agriculture... Ils pourront voir et caresser lapins, brebis, cochons, ânes, vaches... Prix des ateliers : 5 €. Entrée par la porte Verte, près de la gare de Garches. Programme et réservations : ☎ 01-46-02-24-53.

Où dormir ? Où manger ?

Hôtel Le Quercy : 251, bd Jean-Jaurès, 92100 ***Boulogne-Billancourt.*** ☎ 01-46-21-33-46. Fax : 01-46-21-72-21. • hotellequercy@wanadoo.fr • M. : Marcel-Sembat. ♿ Chambres doubles de 39 à 46 € avec douche ou bains ; compter autour de 70 € pour 4 personnes. La déco est un brin rétro et colorée, juste ce qu'il faut. On vous le recommande, car, en plus, c'est l'un des moins chers de Boulogne. Accueil souriant. Un petit dej' offert (par personne et par nuit) et 10 % de réduction sur le prix d'une chambre (uniquement le week-end) sur présentation du *Guide du routard.*

Restaurant Quai Ouest : 1200, quai Marcel-Dassault, 92210 ***Saint-Cloud.*** ☎ 01-46-02-35-54. ♿ Au niveau de l'aqueduc de l'Âvre. Ouvert tous les jours. Fermé les 25 décembre et 1er janvier. Brunch à l'américaine (sur réservation) à 12,50 €. Pour les enfants, demi-tarif sur les plats le reste de la semaine. Coussins rehausseurs pour les enfants. Dans une grande salle à la déco style entrepôt, c'est un des endroits branchés de ce coin de banlieue. Des tables installées près des fenêtres, belle vue sur la Seine. Que les amateurs de terroir pur jus passent leur chemin, on est dans le registre *world cuisine,* des entrées aux desserts. Beaucoup de salades, de pâtes ou de poissons préparés avec originalité. Mais les prix restent corrects pour ce genre d'endroit. Et le dimanche, les petits sont à la fête : pendant que leurs parents feront leur choix parmi les brunchs, ils assisteront à 13 h 30 à un spectacle de clown, suivi d'un atelier maquillage. Toujours beaucoup de monde, et il faut réserver avant d'y aller.

ISSY-LES-MOULINEAUX (92130)

Le Musée français de la carte à jouer-Galerie d'Histoire de la ville : 16, rue Auguste-Gervais. ☎ 01-46-42-33-76. • www.issy.com/musee • M. : Mairie-d'Issy. ♿ Ouvert les mercredi, samedi et dimanche de 11 h à 18 h, le jeudi de 14 h à 20 h et le vendredi de 14 h à 18 h ; en juillet et août, ouvert du mercredi au dimanche de 13 h à 18 h. Entrée : 3,80 € ; gratuit pour les moins de 18 ans et pour tous le 1er dimanche du mois ; tarif réduit à 3 € accordé à nos lecteurs sur présentation du *Guide du routard.* Visite guidée le dimanche à 15 h 30.

On pèse nos mots, l'un des plus beaux musées qu'on ait visités en banlieue, il a d'ailleurs obtenu le prix européen du musée de l'année 1999 ! Architecture particulièrement originale, puisqu'elle combine avec hardiesse les vestiges du pavillon d'entrée du château des Conti et un bâtiment moderne à la très belle esthétique. À l'intérieur, alliance harmonieuse du fer, de l'alu et du bois. Beau jeu des lumières et des volumes, remarquable muséographie ! Le seul musée de France à abattre ses cartes (et à vocation internationale incontestablement).

On y trouve bien évidemment des cartes à jouer, on vous explique leur fabrication, mais on y traite aussi de tous les domaines où ce symbole ludique est présent : le monde des joueurs, les applications graphiques, les arts décoratifs et du spectacle... Également une section d'histoire de la ville, vivante, pédagogique, didactique (dans le pavillon Conti). Outre la saga des grandes usines qui marquèrent la ville, on découvre des souvenirs de Matisse qui vécut et travailla à Issy, on suit l'évolution du paysage urbain.

Enfin et surtout, les temps héroïques de l'aviation sont évoqués au travers des premiers exploits (réalisés à Issy) des as de l'époque : Farman, Blériot et les autres.

– ***Ateliers pour enfants :*** à partir de 7 ans. Le mercredi à 14 h 30. Entrée : 5,50 € la séance. Pour les plus grands, initiation à une règle du jeu un dimanche tous les 2 mois de 15 h à 17 h 30, découverte d'un jeu un samedi par mois de 15 h à 17 h 30, ainsi qu'un spectacle de magie à 15 h un dimanche par mois.

Le parc de l'Île-Saint-Germain : 170, quai de Stalingrad. ☎ 01-40-93-44-94. RER C : Issy-Val-de-Seine; puis une dizaine de minutes de marche. Accès gratuit. Visite de l'intérieur de la *Tour aux figures* de mai à octobre les mercredi, samedi et dimanche à 15 h, 16 h et 17 h sur inscription préalable à l'office de tourisme d'Issy-les-Moulineaux (☎ 01-40-95-65-43). Entrée : 3 €; moins de 25 ans : 2,30 €; forfait famille à 7 € pour les parents et leurs enfants, quel qu'en soit le nombre!

Une île-jardin, jadis fréquentée par les peintres de la Belle Époque, aujourd'hui dominée par l'étrange *Tour aux figures* de Jean Dubuffet : la boucle est bouclée! Cette sculpture monumentale (24 m de haut sur 12 m de large) et colorée, qui bluffera sans doute les enfants, est creuse et se visite à l'intérieur. Aux 10 ha de parc existants sont venus s'ajouter 8 ha de verdure plus sauvage et spontanée, permettant l'aménagement d'espaces propices au développement d'espèces souvent disparues en ville et à la cohabitation d'oiseaux habitués des berges et autres petits mammifères.

On peut se régaler dans le récent *jardin de Découvertes* géré par la maison de la Nature des Hauts-de-Seine : un parcours ludique avant tout, mais aussi sensoriel et scientifique, où les enfants sont invités à toucher les plantes, à les sentir et parfois même à les goûter. Le jardin, qui regroupe différents espaces de culture comme le potager, la vigne, le jardin de plantes aromatiques ou la mare, a été conçu pour être visité de façon autonome, d'où une abondante signalétique avec des étiquettes à énigmes et des parcours de découvertes. Sans oublier les pelouses vallonnées, des aires de jeux, des tables de ping-pong, la maison de la Nature des Hauts-de-Seine, un poney-club (dans la vieille halle datant du XIXe siècle), etc.

Où manger?

L'Île : 170, quai de Stalingrad, 92130 ***Issy-les-Moulineaux.*** ☎ 01-41-09-99-99. RER C : Issy-Val-de-Seine. ♿ Ouvert tous les jours de 12 h à 15 h et de 20 h à minuit. Formule déjeuner à 17 € en semaine; menu-enfants à 12 €; à la carte, compter 40 €. Dans le pavillon Napoléon III du parc de l'Île-Saint-Germain, voici un élégant restaurant agrémenté d'une splendide verrière, qui fait place en été à une belle terrasse en plein air. Déco chic et branchée pour une cuisine à la fois simple et raffinée. Viandes tendres à souhait. Pour les enfants, un lieu particulièrement appréciable pour son espace et ses grands volumes où ils peuvent circuler sans gêner et, tout comme au *Quai Ouest,* le dimanche, c'est leur jour : avec un menu-enfants, une attraction de clown a lieu vers 13 h 30, suivie d'un atelier maquillage. Une agréable sortie familiale qui se poursuivra par une promenade dans l'île.

Issy-Guinguette : 113 bis, av. de Verdun, 92130 ***Issy-les-Moulineaux.*** ☎ 01-46-62-04-27. RER C : Issy. Fermé les samedi (sauf le soir en été), dimanche et lundi soir; congés annuels : en août et pendant les vacances scolaires de Noël. Menus-carte à 22 et 29 €. Bonne cuisine de bistrot, servie sur l'une des plus agréables terrasses qui soient, au milieu du vignoble d'Issy. Quelques plats vedettes : jarret de porc aux choux, poitrine de veau farcie, morue à la crème, etc. Pas de menu-enfants, mais des solutions de rechange comme une demi-entrecôte ou du jambon avec des frites. Le patron est affable et ne manque pas d'aller dire un mot à chacun. Réservation recommandée. Apéritif maison offert aux lecteurs du *Guide du routard.*

SCEAUX (92330)

⚲⚲ ***Le parc de Sceaux :*** ☎ 01-46-61-44-85 ou 01-47-02-52-22. Accès par le RER B, stations Bourg-la-Reine, Parc-de-Sceaux ou Croix-de-Berny. Grand parking devant l'entrée d'honneur.

152 ha de pelouses, de bois et de bosquets, agrémentés de nombreux bassins et d'un spectaculaire grand canal. Jeter un œil aux cascades, restaurées en 1992, dont les mascarons ont été sculptés par Rodin pour l'Exposition universelle de 1900. Les activités ici ne manquent pas : pêche le long du canal, parcours ludique basé sur l'histoire du domaine de Sceaux (sur la plaine de l'Orangerie), parcours d'orientation (cartes disponibles auprès des agents de surveillance du parc), sentier-nature (guide à l'accueil), sans oublier une très agréable piscine en plein air, entourée de pelouses, malheureusement prise d'assaut aux beaux jours.

|●| Près de l'aile sud du château, un kiosque-buvette propose des crêpes, des sandwichs et des boissons (il ouvre en fonction de la météo).

LA SEINE-SAINT-DENIS (93), proche banlieue nord-est de Paris

SAINT-DENIS (93200), LE BOURGET (93350) ET LA COURNEUVE (93120)

⚲ ***Le Stade de France :*** ZAC du Cornillon-Nord, 93216 ***Saint-Denis-La Plaine*** Cedex. ☎ 0892-700-900 (0,34 €/mn). • www.stadefrance.com • M. : Saint-Denis-Porte-de-Paris ; RER B : La Plaine-Stade-de-France, ou à la rigueur ligne D : Stade-de-France. Ouvert tous les jours (hors événements) de 10 h à 18 h.

Visite « Au cœur du stade » : 10 € ; 7 € pour les 6-12 ans. Départs toutes les heures de 10 h à 17 h.

Si, malgré la défaite de l'équipe de France lors de la dernière Coupe du monde, votre fiston continue de se faire appeler Zizou, une visite du Stade de France s'impose ! 80 000 places, tribunes basses et rétractables, pelouse immense et mâts itou : le gigantisme du SDF, comme l'appellent les titis d'ici, coupe presque le souffle en arrivant. La visite « Au cœur du stade » permet de revivre les grands moments de la vie du stade, dont la fameuse finale France-Brésil, mais aussi l'envers du décor (les vestiaires, les bords de pelouse, la tribune officielle...). De quoi donner des frissons à vos futurs champions !

⚲⚲⚲ ***Le musée de l'Air et de l'Espace :*** aéroport du **Bourget.** ☎ 01-49-92-70-62. ♿ En voiture : A 1, sortie Le Bourget, ou A 3, sortie Le Blanc-Mesnil. RER B : Le Bourget ; puis prendre le bus n° 152. Bus n°s 350 ou 152. Suivre le balisage « Musée de l'Air ». Ouvert du mardi au dimanche de 10 h à 17 h (18 h de mai à octobre). Entrée : 7 € ; gratuit pour les moins de 18 ans. Excellente librairie avec un grand choix de livres, des puzzles, des T-shirts, des insignes et des maquettes à réaliser.

Des premières ailes aux fusées *Ariane 1* et *5,* on trouve quelque 180 appareils, tous des prototypes et des originaux, dans ce gigantesque musée installé dans l'ancienne aérogare, sur le site de l'actuel aéroport du Bourget. Une belle exposition est tout d'abord consacrée aux premiers objets qui permirent à l'homme de s'élever dans les airs : les ballons, et à tout l'engouement qu'ils suscitèrent. Mais on vient surtout ici pour découvrir les plus vieilles machines à voler qui firent l'histoire de l'aviation (civile et militaire), y compris ces drôles de choses biscornues qui ont réussi l'exploit de s'arracher à la pesanteur pendant quelques secondes seulement. Ces prototypes intriguent beaucoup les enfants et sont bien mis en valeur. On continue de thème en thème, en passant par le hall de l'espace qui présente le premier *Spoutnik,* la fusée-diamant, ainsi que la cabine *Soyouz T6* de Jean-Loup Chrétien. On pénètre après dans l'extraordinaire salle des jets. Le *Mirage F1* « déshabillé » est fascinant, il suffit d'appuyer sur un bouton pour entendre une voix off expliquer l'essentiel du fonctionnement. Vient ensuite, cerise sur le gâteau, le hangar qui abrite le prototype 001 de *Concorde,* celui qui servit aux premiers essais. On se promène le nez en l'air sous l'élégante silhouette fuselée de cet oiseau avant de grimper dans l'étroite carlingue. Les enfants adorent. Le hangar renferme également des avions de la Seconde Guerre mondiale. C'est à l'extérieur que se dressent les maquettes grandeur réelle d'*Ariane 1* et d'*Ariane 5* entourées, entre autres, d'un *Mercure,* premier avion de ligne français à avoir été piloté par un équipage de femmes et d'un énorme Boeing 747.

– Il y a également un *planétarium* avec des séances le mercredi et le week-end. Pour connaître les horaires et réserver : ☎ 01-49-92-40-22.

🌳 ***Le parc départemental de La Courneuve :*** renseignements au ☎ 01-43-11-13-00. En voiture, A 1, sortie 4 ; ou A 3 puis A 86, sortie La Courneuve-Centre ; ou RN 301, direction La Courneuve. En bus, n° 249 à la porte des Lilas, arrêt Cimetière ; ou n° 250 au fort d'Aubervilliers, arrêt Parc-des-Sports ; ou encore n° 252 à la porte de La Chapelle, arrêt Cité-Floréal. Ouvert tous les jours du lever du jour à la tombée de la nuit.

Si vous avez de la chance, vous croiserez un héron, un cormoran ou un crapaud calamite. Le parc de La Courneuve, vaste de 400 ha, son grand lac et son vallon marécageux ont attiré toute une faune très peu urbaine. Ici, au creux des collines qui font oublier les cités toutes proches, on se croirait en pleine campagne. Et il y en a pour tous les goûts : les petits ont des aires de jeux, les sportifs leurs agrès, et les chiens leur « caniparc » ! Un parcours des lacs, en 21 tables explicatives, informe le promeneur sur les secrets de la faune et de la flore. Huit parcours d'orientation aux allures de jeux de piste ont été installés : on peut demander une carte topographique et une boussole à la maison du parc.

Le parc organise régulièrement des animations gratuites destinées au grand public. Il s'agit de sorties permettant de découvrir la faune et la flore du parc, certaines étant plus particulièrement des sorties ornithologiques. On compte tout de même ici plus de 140 espèces d'oiseaux ! Les autres sorties familiariseront les enfants avec les autres espèces : grenouilles, crapauds, lézards, tritons... Calendrier des sorties et inscriptions auprès du Comité départemental du tourisme : ☎ 01-41-60-74-64 ou 01-43-11-13-00.

Où manger ?

|●| ***Arts et Rencontres - café culturel :*** 11, allée des Six-Chapelles, 93200 ***Saint-Denis.*** ☎ 01-48-20-40-62. M. : Saint-Denis-Basilique. Juste derrière la basilique, il suffit de traverser le jardin, sur lequel donne la terrasse lorsqu'elle est sortie. Ouvert de 10 h à 20 h (après minuit les vendredi et samedi). Congés annuels : la 2e quinzaine d'août. Un petit café qui fait

tout ce qu'il peut pour mettre de l'ambiance dans le quartier. Clientèle plutôt ado, mais les plus jeunes apprécieront le cadre moderne et l'ambiance ludique. Plein de jeux sont à disposition, et les gamins du coin se retrouvent ici après les cours pour une partie d'échecs, de dames, de cartes... Pendant les vacances, il y a aussi des animations pour les enfants. On vient y fêter les rois, le carnaval... ou pour des après-midi-contes, magie ou des soirées-concert... Téléphoner pour avoir le programme. Bien sûr, on peut y déjeuner : sandwichs, croques, tartines chaudes, hamburgers, beignets de poulet, salades... L'après-midi, c'est sympa aussi pour un chocolat chaud et une pâtisserie.

|●| ***Le Wagon :*** 15 bis, rue Jean-Moulin, 93200 ***Saint-Denis.*** ☎ 01-48-23-23-41. M. : Saint-Denis-Basilique. Dans le centre, entre la basilique et la N 1, à côté du lycée Paul-Éluard et de la piscine (la Baleine). Ouvert du mardi au vendredi, à midi uniquement. Congés annuels : en juillet-août. Menu-enfants à 5 €; à la carte compter autour de 11 €. Étonnant restaurant installé dans un wagon rouge et bleu. Autre particularité : l'endroit est tenu par l'école de formation professionnelle. Serveuses et cuistots appliqués vous gâtent, et l'on mange à bon prix des plats traditionnels qui se tiennent. Pas de menu-enfants, mais, ici, on se fera un plaisir de concocter aux jeunes fines gueules un repas sur mesure avec les produits normalement proposés aux plus grands à la carte. Réservation recommandée. Apéritif maison ou café offert aux lecteurs du *Guide du routard.*

|●| ***Le Lapin sauté :*** 133, av. Paul-Vaillant-Couturier, 93120 ***La Courneuve.*** ☎ 01-48-36-38-52. ♿ Ouvert de 12 h à 14 h 30 et de 19 h à 22 h. Fermé le dimanche; congés annuels : en août. Menus à 24 et 33 €; demi-portions pour les enfants. Trois salles vastes et aérées pour un restaurant signataire de la charte « Art de vivre » en Seine-Saint-Denis, et situé sur la N 2, à 3 mn du parc de La Courneuve (lire plus haut). Une cuisine de poisson et fruits de mer savoureuse. Goûter la spécialité du chef : la sole « Tante Marie ». Resto un peu guindé et un peu cher, mais les bonnes adresses sont rares dans le coin. Café offert aux lecteurs du *Guide du routard.*

LE VAL-DE-MARNE (94), proche banlieue sud-est de Paris

LA QUEUE-EN-BRIE (94510) ET CRÉTEIL (94000)

👁👁 ***Le domaine départemental des Marmousets :*** chemin des Marmousets, 94510 ***La Queue-en-Brie.*** Accès gratuit. L'entrée au château, lorsqu'il abrite des expositions temporaires, est également gratuite.

Situé dans le *bois Notre-Dame,* le domaine constitue l'un des accès au massif forestier. Acquis en 1980 par le département du Val-de-Marne, laissé à l'abandon pendant des années, il est devenu, après réhabilitation, un parc magnifique de 7 ha où l'on peut passer une journée entière au vert, à condition d'avoir prévu un pique-nique. Priorité à la nature! Le bois Notre-Dame cache de nombreuses mares, et un jardin aquatique y a été aménagé dans un bassin artificiel. On peut y observer plus de 25 espèces de plantes depuis la passerelle spécialement prévue pour découvrir tous les aspects de cette flore particulière. À défaut d'explorer en détail les nombreuses allées et sentes des 2000 ha du bois Notre-Dame, on se promènera le long des douves, dans le jardin à la française et la glacière. Puis, en route pour suivre le *sentier pédagogique des Marmousets.* Parfaitement balisé (brochure éditée sous ce nom par l'ONF), il serpente sur près de 4 km dans le parc et la forêt. Un enchantement pour tous ceux que la vie de nos amis les insectes et les oiseaux fait vibrer.

lel Pas de restos dans le village, hormis les classiques *Courte-Paille, Pizza Hut...* des zones industrielles. En revanche, des barbecues ont été aménagés dans le parc. Il suffit d'apporter son charbon. Sympa, les brochettes pour le pique-nique !

La base de loisirs et de plein air de Créteil : rue Jean-Gabin, carrefour Pompadour, RN 186, 94000 **Créteil.** ☎ 01-48-98-44-56. M. : ligne 8, direction Créteil-Préfecture, stations : Créteil-L'Échat, Créteil-Université ou Créteil-Préfecture. Bus n°s 104, 107, 117, 172, 181, 217, 281, 308, 317, 392 (TVM) et 393. Entrée gratuite.
L'endroit, très fédérateur, a été baptisé « Créteil-City-Plage » par les gamins de la cité. Même si la baignade dans le lac est interdite car non surveillée, on ne s'y ennuie pas. Tous ceux qui aiment les sports liés à l'eau connaissent la base de loisirs et son plan d'eau de 42 ha où l'on peut pratiquer la voile et la planche à voile, le pédalo, le canoë-kayak, se laisser rouler par l'énorme vague de la piscine, glisser sur le toboggan aquatique, canoter... En prime, un mur d'escalade (en hiver seulement), une piste de vélocross, un parcours sportif, un restaurant et un coin pour les pêcheurs à la ligne. Tam-tam en fond sonore.

Où manger ?

lel ***Restaurant du Novotel :*** Le Lac, 94000 ***Créteil.*** ☎ 01-56-72-56-72. Fax : 01-56-72-56-73. ♿ Ouvert tous les jours de 6 h à minuit. Menus à 16 et 20,60 € ; menu-enfants à 9,15 € ; compter 20 € à la carte. Chaises hautes à disposition. Table à Lego pour les enfants. Rien de bouleversant dans l'assiette. Cela dit, la terrasse donnant sur le lac est très agréable pour un déjeuner familial et ensoleillé. Dommage que la piscine soit réservée aux clients de l'hôtel, question de sécurité.

L'HAŸ-LES-ROSES

(94240)

Le parc départemental de la Roseraie : rue Albert-Watel, 94240 **L'Haÿ-les-Roses.** ☎ 01-43-99-82-80. ♿ En voiture, N 7, N 20 ou A 86, puis D 126. RER B : Bourg-la-Reine ; puis bus n°s 172 ou 192. M. : Porte-d'Italie, puis bus n°s 186 ou 184 (n° 286 les jours fériés). Parc ouvert toute l'année, jusqu'à 17 h en hiver, 21 h l'été. Roseraie ouverte de mi-mai à mi-septembre tous les jours de 10 h à 20 h. Entrée : 3 € ; enfants : 1,50 €. Visites guidées (0,75 €) en semaine à 14 h 30 et le week-end à 10 h 30, 14 h 30, 16 h 30. Meilleure période de floraison : fin mai et juin. Aire de jeux futuriste.
– *La roseraie :* elle présente une collection de 3 100 espèces et variétés différentes. Au total, plus de 16 000 rosiers s'épanouissent en buissons et grimpants, en parterres multicolores, s'enroulent aux treilles et aux colonnes, dans une féerie de couleurs qui culmine au mois de juin. Au souci de l'esthétique s'ajoute celui de la pédagogie. Les espèces sont ordonnées en grandes familles, de façon chronologique.
– *Le parc :* il s'étire à flanc de coteau sur plus de 16 ha. Les flâneurs et les botanistes en herbe apprécieront la fraîcheur des grands platanes, la majesté des hêtres pourpres, les pins vénérables et d'autres espèces plus rares venues du Canada.

|●| ***La Gourmandine :*** c'est tout simplement la cafet' de la roseraie de L'Haÿ-les-Roses. Pour pas bien cher (de 3 à 6 €), on trouve tout ce qu'il faut pour une petite faim : sandwichs, croques, salades, boissons fraîches...

L'ESSONNE (91), au sud de Paris

LA FERTÉ-ALAIS (91590)

Le musée volant de l'Amicale Jean-Baptiste-Salis : aérodrome de *La Ferté-Alais.* ☎ 01-64-57-55-85. • www.ajbs.com • Ouvert le week-end de 14 h 30 à 17 h (18 h d'avril à septembre). Démonstrations en vol tous les week-ends sous réserve de la météo. Visite libre du musée : 4 €; de 6 à 14 ans : 1,50 €. Visites guidées en semaine sur rendez-vous : 6 €. Grand meeting pour la Pentecôte rassemblant des avions de collection venus de toute l'Europe.
C'est en 1909 que Louis Blériot traverse la Manche à bord de son avion. Trois ans plus tard, Jean-Baptiste Salis, alors âgé de 16 ans, décolle sur *La Libellule,* qu'il a lui-même restaurée, et entre dans la légende en survolant le premier le mont Blanc. En 1953, ce fou d'avions restaure un vieux Blériot et traverse à nouveau la Manche. À sa mort, son fils reprendra le flambeau. C'est ainsi que l'association et le musée verront le jour.
Aujourd'hui, ils sont toute une bande de passionnés à passer leurs week-ends les mains dans le cambouis pour redonner vie aux machines volantes les plus vétustes. Grâce à eux, 75 avions à hélice en pièces détachées sont redevenus, à force de persévérance, ces aéroplanes aux silhouettes surannées. C'est donc l'un des plus grands musées volants d'Europe. On suit pas à pas les débuts de l'aviation avec deux *Blériot* de 1909 et 1913, un *Morane H* et un *Caudron* de 1913 et 1914. On vibre au récit des exploits des pilotes de la guerre 1914-1918 aux commandes de leurs *Fokker Triplan,* de l'*Albatros,* du *Spad.* Puis on admire les avions de voltige de l'entre-deux-guerres, les premiers avions pour passagers touristes, avant de s'extasier devant les derniers chasseurs. Le plus extraordinaire est que tous ces avions volent et, la visite terminée, on assiste à un ballet aérien de vieux coucous.

Où manger?

|●| ***Le Relais de La Ferté-Alais :*** 12, pl. du Marché, 91590 ***La Ferté-Alais.*** ☎ 01-64-57-78-48. Ouvert de 6 h 30 à 20 h. Fermé le dimanche; congés annuels : en août. Plat du jour de 6 à 8 €; compter 12 € à la carte. Une salle de brasserie exposée plein sud, décorée de reproductions de Mucha et dotée d'une collection impressionnante de vieux percolateurs. La patronne nous a dit qu'elle adorait chiner, mais on s'en était douté. Pour les gamins, croque-monsieur, bavette-frites... Les parents opteront pour une bonne spécialité du Rouergue : les tripoux. Menus facilement adaptables aux familles. L'accueil est sympa et décontracté.

MILLY-LA-FORÊT (91490)

Le Cyclop de Tinguely : ☎ 01-64-98-83-17. • www.art-public.com/cyclop • À la sortie de Milly-la-Forêt, prendre la D 837 au rond-point, en

direction d'Étampes; fléchage à 200 m à droite. Ouvert de mai à octobre sur rendez-vous le vendredi de 10 h 15 à 13 h et de 14 h à 15 h 30, le samedi de 11 h à 13 h et de 14 h à 17 h, et le dimanche de 11 h à 13 h et de 14 h à 17 h 45; en octobre, dernière visite le samedi à 16 h 15, le dimanche à 17 h; en mai, juin, septembre et octobre, le jeudi sur rendez-vous de 10 h 15 à 13 h et de 14 h à 15 h 30. La visite est obligatoirement guidée pour l'intérieur du *Cyclop,* accessible aux enfants de plus de 10 ans. Entrée : 5,50 €; enfants : 3 €. Tout public pour l'extérieur.
Plus qu'étrange, cet étonnant amas de ferraille qui ressemble à une montagne d'inventions digne d'un Géo Trouvetout dans ses délires les plus fous. Cette sculpture monumentale de Jean Tinguely, Niki de Saint-Phalle et leur bande de copains est le résultat de 25 ans de réflexion et de bricolages ahurissants, illustrant « la recherche d'un acte gratuit et inutile ». Si les parents restent perplexes devant ce monstre de métal et de miroir qui crache régulièrement d'énormes boules et émet des bruits inquiétants, les enfants sont ravis de visiter les moindres recoins de ce labyrinthe extravagant, s'asseyant avec délice sur les sièges mouvants du théâtre, enchantés par le concert de grincements, de chuintements et de jeux d'eau qui accompagne cycliquement la mise en route du monstre. La construction a nécessité plus de 300 t d'acier que 3 hommes ont mis plus de 10 ans à monter.

Où manger?

|●| ***La Milliacoise :*** 41, pl. du Marché, 91490 ***Milly-la-Forêt.*** ☎ 01-64-98-63-49. Ouvert de 12 h à 14 h et de 19 h à 22 h. Fermé le lundi; congés annuels : les 3 premières semaines de janvier. Galettes de 5,10 à 9,30 € et crêpes de 3,20 à 6,90 €. Rehausseurs pour les enfants. Une petite crêperie-saladerie toute pimpante sur la place centrale de Milly. Grand éventail de galettes, tartiflettes, crêpes au bon rapport qualité-prix et un beau choix de salades composées. Pas de réservation. Terrasse ombragée l'été. Accueil familial et souriant.

LES YVELINES (78), à l'ouest de Paris

SAINT-GERMAIN-EN-LAYE (78100), MAISONS-LAFFITTE (78600), TRIEL-SUR-SEINE (78510) ET POISSY (78300)

Le château de Saint-Germain-en-Laye et le musée des Antiquités nationales : 78100 ***Saint-Germain-en-Laye.*** ☎ 01-39-10-13-00. ♿ Accès en RER, ligne A, direction Saint-Germain-en-Laye, station Saint-Germain, vous êtes au pied du château. Ouvert de 9 h à 17 h 15 (de 10 h à 18 h 15 les week-ends de mai à septembre). Fermé le mardi. Entrée : 4 €; gratuit pour les moins de 18 ans; gratuit pour tous le 1er dimanche de chaque mois. Plusieurs types de visites guidées sont proposées, dont une visite « parents-enfants », de 1 h destinée aux enfants accompagnés de leurs parents; des documents dits « aide à la visite parents-enfants », ainsi qu'un livret-jeux destiné aux enfants de 5 à 7 ans sont également disponibles. Les mercredi, samedi, dimanche et pendant les vacances scolaires, ateliers destinés aux enfants. Pour les amateurs d'émotions fortes, visite de 2 h du château et du parc avec passage sur les toits (d'avril à octobre, s'il ne pleut pas; sinon, c'est trop glissant).

– ***Le château :*** ce château de plaisance, élevé sur ordre de François Ier dans les années 1540, est bâti sur les soubassements d'un château fort construit par Louis VI le Gros en 1124. De cette origine médiévale ne subsiste que la base du donjon (à gauche, à l'entrée du musée). La Sainte-Chapelle fut élevée un peu plus tard, de 1230 à 1238, par saint Louis. Assez bien conservée, c'est l'élément architectural le plus remarquable du château. Elle aurait servi de modèle à la Sainte-Chapelle de Paris, et l'on peut y voir des têtes sculptées aux clefs de voûte (levez la tête, les enfants !) : l'une d'elles serait le seul portrait contemporain de saint Louis. C'est ici que Louis XIV passa la majeure partie de sa vie avant de partir pour Versailles, à l'âge de 40 ans. Le Roi-Soleil entreprit bien sûr de le transformer et confia la tâche à l'incontournable Mansart secondé par Le Nôtre, qui conçut une immense terrasse, un parc, et planta la bagatelle de 5 millions de jeunes arbres. Le château passa ensuite de main en main, jusqu'à Napoléon III qui le sauva de l'oubli en le restaurant selon les plans établis par François Ier. Les vastes salles abritent désormais le musée des Antiquités nationales.
– ***Le musée :*** d'une très grande richesse (c'est tout simplement le plus important fonds d'archéologie préhistorique au monde), ce musée est une formidable machine à remonter le temps. Les fans d'Astérix se passionnent pour les énigmes « Le guerrier gaulois » et « De Clovis à Dagobert », les enquêtes-jeux qui guident leur visite.
Les mercredi, samedi, dimanche et pendant les vacances scolaires, des ***ateliers*** (8 € par enfant et 12 € si un adulte l'accompagne) permettent à chacun de tester ses aptitudes aux travaux manuels : il faut une sacrée habileté pour fabriquer sa propre céramique ou manipuler les outils et armes préhistoriques !
D'autre part, des ***visites commentées*** de 1 h sont régulièrement organisées, spécialement destinées aux parents accompagnés de leurs enfants, des visites familiales en quelque sorte.

🙦🙦 ***Le château de Maisons-Laffitte :*** 2, av. Carnot, 78600 ***Maisons-Laffitte.*** ☎ 01-39-62-01-49. Trains depuis la gare Saint-Lazare direction Cergy-Pontoise ou RER A3 direction Cergy-le-Haut. Ouvert de 10 h à 12 h 30 et de 14 h à 17 h (18 h d'avril à mi-octobre). Fermé le mardi. Entrée : 6,10 € ; de 18 à 25 ans : 4,10 € ; gratuit pour les moins de 18 ans. Salon de thé le 1er dimanche du mois d'octobre à juin.
Réalisé pour René de Longueil, ambitieux commis du royaume qui voulait une demeure grandiose capable de rivaliser avec celles du roi mais sans leur gigantisme, le château de Maisons préfigure le style classique à la française. Sa construction, qui dura 10 ans, fut confiée à François Mansart, et il fut inauguré avec faste par Anne d'Autriche en 1651. Entouré d'un petit parc au dessin rigoureux, précurseur des jardins à la française, ce château est une merveille de sobriété et d'équilibre. Mais seuls les anciens plans (que l'on peut voir à l'intérieur) rendent compte de la majesté générale des lieux au XVIIe siècle, car les communs ont hélas disparu.
– ***Le musée du Cheval de course :*** dans les sous-sols du château. ☎ 01-39-62-01-49. Mêmes horaires que le château, et entrée comprise avec celle du château. Quoique moins riche et moins intéressant que le musée du Cheval de Chantilly, ce petit musée entraîne le visiteur à la découverte du monde du pur-sang et des courses. Un musée qui se révèle un bon complément à la visite du château, mais où on ne voit pas l'ombre d'un vrai cheval, dommage. Cependant, l'office de tourisme (☎ 01-39-62-63-64) organise à la demande, pour des groupes, des visites des écuries et du centre d'entraînement.

🙦 ***Le parc aux Étoiles et l'observatoire :*** 2, rue de la Chapelle, 78510 ***Triel-sur-Seine.*** ☎ 01-39-74-75-10. • assoc.wanadoo.fr/parcauxetoiles • ♿ (sauf pour la lunette). En voiture, A 3, sortie Poissy-Orgeval, direction Triel ; ou A 15, sortie Vauréal, direction Courdimanche, Boisemont, Triel (D 22). Fléché depuis la mairie. Le parking gratuit du parc aux Étoiles se trouve sur la gauche avant la descente sur Triel. Ouvert pour des visites guidées le mercredi à 15 h 30 et 17 h, le dimanche à 15 h, 16 h et 17 h ; pendant les vacances scolaires de la région parisienne, visites également du lundi au vendredi à 15 h 30 et 17 h. Fermé les jours fériés. Observations de nuit avec la grande lunette, tous les soirs suivant les conditions atmosphériques. Entrée : 6,50 €, 5,50 € le dimanche ; familles nombreuses et enfants de moins de 15 ans : 5,50 €, 4,50 € le dimanche ; gratuit pour les moins de 6 ans.

« Pourquoi les étoiles n'ont pas toutes la même couleur ? » ; « À quoi ressemblent les Martiens ? » ; « Est-ce qu'on peut vivre, nous, sur la Lune ? » Le jour où vous séchez face à la curiosité insatiable de votre « petit prince », direction le parc aux Étoiles ! En parcourant les 30 vitrines-dioramas en lumière noire, les 22000 étoiles en couleurs et en 3D, petits et grands se perdent dans les profondeurs de l'univers et revivent les grandes étapes de la conquête spatiale remarquablement mise en scène. Que l'on soit un disciple de Dark Vador ou un copain d'ET, on se passionne pour les secrets du ciel, grâce aux animateurs qui s'adaptent à l'âge et aux centres d'intérêt des visiteurs.

Enfin, au parc aux Étoiles de Triel, on pourra suivre les traces de Tintin, puisque la grande lunette permet de distinguer jusqu'aux cratères de la Lune !

Le musée du Jouet : 1, enclos de l'Abbaye, 78300 ***Poissy.*** ☎ 01-39-65-06-06. En voiture, prendre la N 13 ou l'A 13, sortie Poissy, puis direction centre-ville. Sinon, RER (ligne A5) direction Poissy, c'est le terminus. Ouvert du mardi au dimanche de 9 h 30 à 12 h et de 14 h à 17 h 30. Fermé les jours fériés. Entrée : 3,20 € ; enfants de 3 à 10 ans : 2 €.

C'est le supplice de Tantale : poupées, baigneurs, automates, lanternes magiques, soldats de plomb, jouets d'hier et d'avant-hier réunis là, merveilleusement mis en scène, déployant toute leur séduction dans les vitrines car, hélas pour les petits curieux, on ne touche pas. Et c'est bien normal, car il s'agit véritablement d'une collection d'une qualité rare, regroupant un millier de jouets anciens, la plupart en excellent état. Une vidéo retraçant l'historique du jouet, une borne interactive, une autre vidéo montrant les jouets en mouvement, et la salle de projection des lanternes magiques permettent de mieux comprendre l'univers du jouet et rendent la visite vraiment intéressante.

Où dormir ? Où manger ?

Havre Hôtel : 92, rue Léon-Desoyer, 78100 ***Saint-Germain-en-Laye.*** ☎ et fax : 01-34-51-41-05. Central. Chambres doubles avec douche ou bains, w.-c. et TV à 44,21 € ; chambre familiale comprenant 2 grands lits à 64 €. Petit hôtel propre et très bien tenu. Quelques chambres donnent sur le cimetière : ultra-calme ! Mais toutes bénéficiant du double vitrage, on est tranquille, même côté rue. Accueil aimable et attentionné. Une de nos bonnes vieilles adresses. 10 % de remise sur le prix de la chambre sur présentation du *Guide du routard*.

Pâtisserie Grandin : 13, rue Au-Pain, 78100 ***Saint-Germain-en-Laye.*** ☎ 01-34-51-00-56. Ouvert de 8 h 30 à 13 h et de 14 h à 18 h 30. Congés annuels : en août. On s'y retrouve pour croquer un « Debussy » ; il ne s'agit ni de dessiner le portrait du musicien ni de mordre un de ses descendants, mais de goûter à la savoureuse spécialité de chez *Grandin* (pâtisserie créée en 1822) : une pâte de macaron aux noisettes agrémentée de praliné aux raisins macérés au rhum. Cette douceur a ses accros qui dédaignent la quarantaine d'autres gâteaux proposés dans cette excellente maison. Une halte quasi obligatoire.

La Crêpière : 8, rue de La Salle, 78100 ***Saint-Germain-en-Laye.*** ☎ 01-34-51-09-91. Du château, se diriger vers l'office de tourisme ; la rue de La

Salle donne juste avant l'office, sur la gauche dans la rue Au-Pain. Ouvert tous les jours de 12 h à 18 h et de 19 h à 23 h ; le dimanche de 12 h à 23 h. Crêpes de 2,50 à 7 € ; à la carte, compter 10 € pour un repas. Toute petite crêperie qui ne paie pas de mine avec sa salle assez banale et ses quelques tables tout aussi quelconques en terrasse, mais qui propose de bien bonnes et copieuses galettes et crêpes, à prix raisonnables. Également des salades et des glaces. Impec' pour un déjeuner rapide et sympa avec les enfants.

LE CHÂTEAU DE VERSAILLES (78000)

Difficile (et dommage) de visiter le château du Roi-Soleil en un jour, surtout avec des enfants. Cependant, si vous n'avez pas le choix, voici comment organiser votre journée avec des gamins plutôt motivés : commencer par une visite commentée (« Les Petits Appartements de Louis XV et Louis XVI et l'opéra » s'impose).

Là, pause déjeuner (pique-nique autorisé sur la pelouse de la pièce d'eau des Suisses, ou cafétéria au niveau de l'entrée A – cour de la Chapelle –, ou resto *La Flottille* dans le parc, au bord du grand canal, voir plus loin la rubrique « Où dormir ? Où manger ? »).

➢ Puis visite des jardins en allant jusqu'aux Trianons (essayer de visiter le Grand) ; revenir au château (20 mn à pied) pour terminer la journée par « Les Grands Appartements ».

Accès

➢ ***En RER :*** ligne C5 (gare d'Austerlitz), direction Versailles-Rive-Gauche et Château-de-Versailles (terminus).

➢ ***En train :*** de Paris-Montparnasse, arrêt Versailles-Chantiers (30 mn de trajet environ). De Paris-Saint-Lazare, ligne Paris-La-Défense-Saint-Cloud, arrêt au terminus Versailles-Rive-Droite (30 mn environ). De la gare d'Austerlitz, trains pour Versailles-Chantiers et Versailles-Rive-Gauche (gare la plus proche du château). Durée du trajet : 20 à 30 mn. Horaires, infos trafic, tarifs par téléphone : ☎ 01-53-90-20-20.

N.B. : depuis les gares RER et SNCF versaillaises, des navettes spéciales *(Phébus)* mènent au château.

➢ ***En bus :*** ligne 171 au départ de Pont-de-Sèvres, jusqu'au château de Versailles ; arrêt Avenue-de-Paris. Informations : ☎ 0892-68-77-14.

➢ ***En voiture :*** de la porte d'Auteuil, A 13 direction Rouen, sortie n° 1 Vaucresson pour le château et le centre-ville, sortie n° 2 Versailles-Saint-Germain-en-Laye pour le parc et le canal. Quand on vient de Rambouillet ou d'Orly, accès possible par l'A 86, sortie Versailles-Château.

Horaires et tarifs

– ***Château :*** ♿ (1er étage). Ouvert de 9 h à 18 h 30 (17 h 30 d'octobre à avril). Fermé les lundi et jours fériés. Pour les « grands » : 7,50 € ; tarif réduit à 5,30 € tous les jours à partir de 15 h 30 ; gratuit pour les moins de 18 ans, sauf visites guidées. Ce droit d'entrée donne accès aux Grands Appartements en visite libre, et est obligatoire même si on ne les visite pas (par exemple, dans le cas où l'on choisit seulement de suivre une visite commentée de l'opéra, ou de faire la visite « Chambre du Roi »). Par ailleurs, les visites commentées et la visite « Chambre du Roi » donnent lieu à des suppléments (voir ci-dessous, « Organisation de la visite »). Gratuit le 1er dimanche de chaque mois d'octobre à mars (Grand Appartement du Roi, Grand Appartement de la Reine, galerie des Glaces, Grand et Petit Trianons uniquement).

– ***Trianons :*** ouvert tous les jours de 12 h à 17 h 30 (18 h 30 d'avril à octobre). Entrée : 5 €; tarif réduit : 3 €.
ATTENTION : dernière admission 30 mn avant la fermeture.

Informations

– ***Service d'information et d'action culturelle :*** ☎ 01-30-83-78-00. • www.chateauversailles.fr • Tous renseignements sur les visites commentées. Bien fait.
– ***Guichets d'information*** au point A et au point I; aller plutôt à ce dernier, il n'y a pas de queue, tandis qu'il y en a souvent une au point A.
– En région parisienne, Versailles et le musée d'Orsay sont les seuls musées nationaux ouverts le mardi : NE PAS Y ALLER CE JOUR-LÀ, foule considérable.

Parents savants : *un peu d'histoire...*

Est-ce le si raffiné château de Vaux-le-Vicompte, bâti par l'imprudent Fouquet et qui offusqua mais inspira Louis XIV, ou son horreur de Paris et des Frondeurs qui avaient empoisonné son enfance qui conduisit le Roi-Soleil à faire construire un immense château là où il n'y avait qu'un modeste pavillon de chasse? Les deux sans doute, ajoutés au royal désir d'avoir tous « ses nobles » sous la main dans un lieu clos, afin qu'ils n'allassent pas fomenter quelque complot dans son dos!
On retrouve à Versailles toute l'équipe de Vaux : Le Nôtre pour les jardins, Le Vau pour l'architecture, auquel succédera l'ingénieux Mansart qui travaillera pendant 30 ans au château (la fameuse galerie des Glaces, c'est lui), Le Brun pour le décor.
Après 1789, le château, vidé de tous ses objets d'art, ne sera plus jamais habité. En 1830, il est tout simplement menacé de destruction, mais Louis-Philippe le sauve in extremis en le transformant en musée (non sans avoir détruit de nombreux appartements).
Dans les années 1920, c'est aux Américains que le château doit sa survie, grâce aux donations Rockefeller. En 1953, le conservateur de l'époque mettra en place un système d'appels de fonds aux États-Unis et en France qui permettra de sauver définitivement la résidence du Roi-Soleil.

Organisation de la visite

Il y a plusieurs types de visites au château.
➢ ***Visite libre avec audioguide facultatif :*** circuit ***« Les Grands Appartements »,*** entrée A. Cet intitulé recouvre la partie la plus vaste, comprenant : la *Chapelle royale*; le *Grand Appartement du Roi*; la *galerie des Glaces*; le *Grand Appartement de la Reine*; et, mais pas tous les jours (uniquement s'il y a assez de personnel), deux galeries historiques : la *galerie du XVIIe siècle* et la *galerie des Batailles.* En option (3,50 €), un audioguide est proposé : nous le conseillons pour une première visite. Attention, l'audioguide se loue jusqu'à 16 h 15 en hiver et 17 h en été. Autre possibilité : un *Navipass* (5 €), un plan électronique de navigation. À faire de préférence en fin d'après-midi : moins de monde, moins cher, et le soleil éclaire la galerie des Glaces. Prévoir tout de même 2 h de visite.
➢ ***Visite libre avec audioguide obligatoire :*** circuit ***« Chambre du Roi »,*** entrée C. Supplément : 4 €; gratuit pour les moins de 10 ans (mais pas d'audioguide). Ce circuit comprend les *Appartements de Louis XIV,* dont la mythique *Chambre du Roi,* une (petite) partie de la *galerie des Glaces,* les *Appartements du Dauphin et de la Dauphine.* Moins de monde que dans

« Les Grands Appartements » et vraiment super (mobilier et tableaux formidables).

➢ ***Les visites commentées habituelles :*** 6 visites commentées sont programmées au moins une fois par jour, menées par des guides-conférenciers de la Réunion des Musées nationaux. Durée : de 1 h à 2 h. Réservation sur place le jour même, entrée D. Supplément : de 4 à 8 € selon la visite ; de 10 à 17 ans : tarif réduit ; gratuit pour les moins de 10 ans. Ces visites sont :

– *Les Petits Appartements de Louis XV, Louis XVI et l'opéra.*

– *Les Petits Appartements de Marie-Antoinette.*

– *L'opéra et la chapelle.*

– *Une journée de Louis XIV :* visite idéale pour les enfants car elle dure 1 h et est faite pour leur plaire. Elle comprend la Chambre du Roi, absente des Grands Appartements, et récemment restaurée.

– *À la découverte des Bosquets :* visite promenade. Tous les jours, de 10 h à 15 h 30 (renseignements : ☎ 01-30-83-77-80), sauf les jours de Grandes Eaux. Tarifs : 5 € ; 3,50 € pour les 10-18 ans. Achat des billets entrées A et D ; départ de la visite entrée F.

Les bosquets, ce sont ces « théâtres de nature » dans lesquels Louis XIV et sa cour écoutaient des concerts, dansaient le menuet ou s'offraient des gueuletons. Des salles de réception, en somme, mais en pleine verdure. Protégés par d'épais buissons, il est presque impossible de les deviner. Des 14 bosquets imaginés par Le Nôtre et Mansart, il en reste 9. On peut en visiter 5, dont le plus étonnant est celui dit « de l'Encelade », récemment restauré. Encelade, c'est ce géant qui voulut escalader le mont Olympe et fut enseveli sous l'Etna. Rutilant d'or, il hurle de douleur sous une avalanche de pierres. Il lançait autrefois vers le ciel un jet d'eau de 23 m, dernière menace du géant vaincu à l'adresse de Jupiter.

➢ ***Les visites commentées ponctuelles :*** sur réservation au ☎ 01-30-83-77-88, ou sur place le jour même, entrée D (dans la limite des places disponibles). Même tarif et même durée que les visites commentées habituelles. Ces visites se déroulent en semaine (visites thématiques, comme le jeu à Versailles) et le week-end (visites approfondies, par exemple l'art du paysage selon Le Nôtre), et abordent divers aspects de Versailles.

Gros avantage des visites guidées (et auquel donne également droit la visite « Chambre du Roi ») : l'accès prioritaire, ensuite, aux Grands Appartements.

➢ ***Programme spécifique réservé aux enfants :*** le mercredi après-midi (réservation le matin même : ☎ 01-30-83-76-20) et pendant les vacances de Noël, de Toussaint et de février le matin uniquement. La réservation téléphonique se fait la veille au ☎ 01-30-83-77-44. Les petits de 5 à 7 ans, pendant 1 h environ, écoutent les récits et les légendes du château, partent à la recherche des animaux dans le château ou encore suivent une journée de Louis XIV. Entrée : 2,70 €.

Quant aux plus grands (8 à 11 ans), ils ont droit à des ***visites commentées*** (4,20 €) ou ***visites-ateliers*** (5,50 €). Ces visites débutent par la découverte des appartements historiques, des cours ou des jardins selon le thème. Puis, les jeunes assistent à une projection de diapositives et ensuite découvrent les matériaux utilisés, pour les décors, par exemple : échantillons de bois, de feuille d'or, de tissus. Ils réalisent enfin un travail manuel. Durée totale de la séance : 2 h environ.

LE PARC DU CHÂTEAU DE VERSAILLES

Horaires, accès et tarifs

– Les jardins du château de Versailles sont ouverts tous les jours, toute l'année, de 7 h jusqu'au coucher du soleil (entre 17 h 30 et 21 h 30 selon les saisons). Accès payant d'avril à octobre de 9 h à 18 h : 3 € ; gratuit pour les

moins de 18 ans. En voiture individuelle, l'accès est payant toute l'année : 4,50 €.
– On peut passer des heures exquises à se promener dans les jardins du Trianon ou s'embarquer pour une marche de plusieurs kilomètres en faisant tout le tour du Grand Canal, interdit aux voitures.
– Le meilleur accès pour les promeneurs est celui de l'entrée dite de la porte Saint-Antoine. Pour l'atteindre facilement en voiture, prendre la sortie Versailles-Sud de l'auroroute A 13 et tourner à gauche en direction de Parly II, continuer tout droit jusqu'à la porte du parc à environ 2 km et garer gratuitement son véhicule à l'extérieur.
➢ Pour les mauvais marcheurs, un circuit spécial en petit train est proposé de mai à août. Départ à côté du restaurant *La Flottille.*
➢ On peut aussi découvrir le parc en calèche, à vélo ou en barque.

Animation enfants

– ***Ateliers de la ferme du Hameau de la Reine :*** les mercredi et samedi après-midi, de 13 h 30 à 16 h 30, et tous les jours pendant les vacances scolaires, ateliers d'éveil à la connaissance du monde animal pour les 5-10 ans. Entrée : 5 €. Réservation impérative : ☎ 06-07-36-50-54 ou 01-39-55-39-79. Les enfants se familiarisent avec la vie de la ferme, et apprennent à brosser un âne, donner du grain aux poules, conduire la vache à l'étable...

À voir

– ***Le parc :*** Louis XIV aimait tant ses jardins que ceux-ci ont été ordonnancés par Le Nôtre selon un axe est-ouest s'étirant de la galerie des Glaces jusqu'à l'horizon. Le long de cet axe sont disposés fontaines, parterres, bosquets et sculptures avec, en toile de fond, le Grand Canal qui, grâce à ses 3 réservoirs et les dizaines de kilomètres de canalisations qu'il alimente, permet aux fontainiers de faire jaillir les Grandes Eaux.
À l'écart des grandes perspectives, derrière le Petit Trianon, on découvre des jardins anglo-chinois réalisés par Richard Mique selon les désirs de Marie-Antoinette (qui y donna de nombreuses fêtes) et la petite ferme du Hameau, avec ses animaux familiers qui enchantent les petits enfants.
– ***Les Grandes Eaux :*** le dimanche d'avril à début octobre, le samedi de juillet à fin septembre, ainsi que le 8 mai, le jeudi de l'Ascension, le lundi de la Pentecôte et le 15 août. Entrée : 5,50 € ; familles nombreuses : 4 € ; gratuit pour les moins de 10 ans. Le billet donne un accès libre aux sessions de grandes eaux de 11 h à 12 h, de 15 h 30 à 17 h et de 17 h 20 à 17 h 30 (final au bassin de Neptune). Pour tous renseignements : ☎ 01-30-83-78-88.
Les eaux des fontaines des jardins du château, bassin de Neptune en tête, jaillissent en musique sur des mélodies de Lully, Charpentier et Delalande. Ce spectacle, désiré et institué par Louis XIV, avait pour but de faire découvrir à ses invités toutes les beautés du parc, en les menant le long d'un itinéraire précis. Les visiteurs d'aujourd'hui peuvent mettre leurs pas dans ceux du monarque et de sa cour et admirer la puissance des eaux domestiquées par l'ingénieux Le Nôtre il y a 3 siècles. Ce dernier, aidé de techniciens italiens géniaux, conduisit de gigantesques travaux d'adduction dont le point d'orgue était la célèbre *Machine de Marly,* construite entre 1670 et 1685.

Où dormir ? Où manger ?

🏠 ***Home Saint-Louis :*** 28, rue Saint-Louis, 78000 ***Versailles.*** ☎ 01-39-50-23-55. Fax : 01-30-21-62-45. Doubles de 36 € avec lavabo ou douche à 54 € avec bains ; chambre familiale (avec 1 grand lit, 2 lits superposés) à 66 €. En plein cœur du charmant quartier Saint-Louis, un hôtel tranquille et confortable (double vitrage, Canal +, téléphone direct). Chambres impeccables, quoique un peu sombres, régulièrement rénovées. En revanche, salles de bains assez petites. Accueil charmant et bon rapport qualité-prix.

lel ***La Flottille :*** au bord du Grand Canal, en plein cœur du parc du château. ☎ 01-39-51-41-58. Ouvert tous les jours de 8 h à 20 h. Formule à 23,50 €; plats du jour à 9,50 et 12 €; menu-enfants à 8,50 €. Le restaurant est situé juste en face d'une agence de location de bicyclettes et de l'embarcadère où, l'été, on peut louer une barque. Indiscutablement l'endroit le plus agréable qui soit, dans le parc, face au canal. En été, la terrasse s'installe juste au bord de l'eau. Deux salles et 2 types de restauration : brasserie et restaurant, un peu plus cher. Cuisine correcte dans l'ensemble et, en brasserie, des plats et des salades bien servis, qui suffisent pour déjeuner. Également des crêpes et pâtisseries.

– Plus économique : on peut aussi s'acheter un *panini* ou un sandwich à la ***cahute*** située à l'entrée du parc du château de Versailles, et aller le manger sur un banc, au bord du canal, voire à la terrasse du restaurant : les garçons le permettent volontiers s'il n'y a pas trop de monde.

THOIRY (78770), ÉLANCOURT (78990) ET SAINT-CYR-L'ÉCOLE (78210)

⚲⚲⚲ ***Le parc zoologique de Thoiry :*** 78770 ***Thoiry.*** ☎ 01-34-87-40-67. • www.thoiry.tm.fr • ♿ En voiture de Paris, prendre l'A 13; à l'embranchement A 13-A 12, prendre l'A 12 puis la N 12 en direction de Dreux, sortie Thoiry, puis suivre la D 76, puis la D 11 direction Thoiry. Ouvert tous les jours toute l'année, de 10 h ou 11 h à 17 h ou 17 h 30 (18 h de mai à fin août). Tarifs réserve africaine et jardins zoologique et botanique : 16,70 € pour les adultes et 12,50 € pour les enfants; gratuit jusqu'à 3 ans; 3,35 € de réduction accordée à nos lecteurs sur présentation du *Guide du routard* (offre limitée à 4 personnes). Le château se visite (mais intérêt limité) : 5,80 € pour les adultes et 5 € pour les enfants.

lel Possibilité de déjeuner sur place au restaurant-self ***L'Éléphant Gourmand,*** à l'entrée du parc à pied (ouvert de 12 h à 14 h). Menu-enfants à 7 €; plats à partir de 5 € (saucisses-frites par exemple). Également des sandwichs et des pâtisseries à l'heure du goûter. Terrasse.

– Sinon, aire de pique-nique à l'entrée de la réserve africaine (mais vue sur le parking...). Le pique-nique est théoriquement interdit dans le parc à pied.

Prévoir de passer une journée entière dans ce lieu extraordinaire. Mieux vaut arriver pour l'ouverture et commencer par la visite en voiture, surtout l'été (interdit de circuler vitres ouvertes). Des lions, des girafes, des zèbres, des singes, des ours... un zoo quoi, mais un zoo unique, ouvert en 1968 par le vicomte de La Panouse. Un circuit automobile sur 8 km permet de zigzaguer entre d'impressionnants animaux en liberté, chacun ayant son domaine réservé. On traverse les différents territoires très à l'aise, bien à l'abri dans sa petite voiture, même si on tremble de loin en voyant déambuler les immenses ours polaires en liberté dans un charmant petit bois (pas de panique, il y a une clôture électrique). Le reste de la visite se fait à pied : nos petits amis reçoivent dans leurs enclos que l'on traverse par d'astucieuses passerelles ou par un tunnel en verre, pour ce qui est des tigres, des lions ou des léopards des neiges. Au total, en une journée on voit quelque 800 animaux différents, de l'éléphant au rhinocéros, en passant par l'hippopotame et les Dragons de Komodo, et on apprend quelques notions d'écologie au passage lors de la visite de l'écosystème de la Rivière européenne où s'ébattent des espèces menacées, dont les loutres. Il y a aussi une grande aire de jeux en bois, une mini-ferme où les tout-petits pourront caresser des chèvres, et surtout le superbe parc du château boisé et fleuri, qu'il faut absolument découvrir à la fin de la journée. Curieusement, il est assez peu fréquenté et certaines de ses vastes pelouses (du côté du jardin d'automne par exemple) sont quasi désertes.

La France miniature d'Élancourt : 25, route du Mesnil, 78990 **_Élancourt._** ☎ 01-30-16-16-30. Depuis Paris, prendre l'A 13 (direction Rouen), puis l'A 12 direction Saint-Quentin-en-Yvelines, Dreux et enfin la direction Élancourt. Ouvert de fin mars aux vacances de la Toussaint de 10 h à 19 h ; le samedi en juillet et en août, nocturne jusqu'à 23 h 30 (et feux d'artifice en prime). Fermé les lundi et mardi en septembre, octobre et la 1re quinzaine de novembre (et également le vendredi en octobre et du 1er au 11 novembre). Entrée : 12,50 € ; de 4 à 16 ans : 8,80 € ; réduction de 1 € à nos lecteurs sur présentation du *Guide du routard*. Possibilité de forfait tout compris train + bus + entrée au parc : (en vente dans les gares SNCF et les gares du RER intra-muros)... Compter environ 2 h 30 de visite, au moins.

Pour se restaurer, deux *kiosques* où acheter des sandwichs, une aire de pique-nique aménagée, gratuite, ainsi qu'un restaurant d'un bon rapport qualité-prix, ***Les Provinces,*** permet de poursuivre, à table, le tour de l'Hexagone. Menu-enfants. Fermé de novembre à mars.

La France comme on ne l'a jamais vue. Sur une immense carte en relief sont regroupés, sous forme de maquettes au 1/30e, 160 monuments historiques, 15 villages typiques et des paysages caractéristiques, dont certains sont sillonnés par des trains, eux aussi modèles réduits. 15 000 m² de plans d'eau figurent les mers. Une superbe leçon de géographie et d'histoire à la fois. Les plus jeunes craquent pour la tour Eiffel de 10 m de haut, tout en fonte comme l'originale, et à laquelle il ne manque pas un boulon. On découvre le pont du Gard, on cherche les arènes d'Arles au fil des allées et les enfants ne se lassent pas de jouer à Gulliver et de regarder de haut le Sacré-Cœur ou le château de Versailles. Ces maquettes si minutieusement réalisées ont demandé des heures et des jours de travail : 15 000 h pour la seule tour Eiffel et 2 jours en moyenne pour une maison... moyenne. Également un musée de 1 000 m² entièrement consacré aux miniatures d'intérieur avec plus d'une cinquantaine de chefs-d'œuvre plus vrais que nature, dont le muséum d'Histoire naturelle, le temple de Tokyo, *Maxim's, Le Normandie...* à voir absolument.

La ferme ouverte de Gally : route de Bailly, 78210 **_Saint-Cyr-l'École._** ☎ 01-30-14-60-60. • www.gally.com • Prendre l'A 13, sortie Saint-Germain-Le Chesnay, puis direction Versailles, Noisy-Bailly et enfin Saint-Cyr-L'École. Ateliers et expositions ouverts les mercredi (après-midi), samedi, dimanche et jours fériés toute l'année et pendant les vacances scolaires, de 10 h à 12 h 30 et de 14 h à 18 h. Entrée : 3,30 € pour les adultes, 2,50 € pour les enfants de plus de 3 ans, et 2,50 € par activité en sus.
Du blé à la fabrication du pain, de la pomme au jus, du lait au beurre, les enfants font les apprentissages essentiels de la vie paysanne en compagnie d'animateurs, dans le cadre d'une ferme animalière traditionnelle. Les apprentis fermiers peuvent également fêter leur anniversaire ou participer à un atelier-goûter les après-midi des vacances scolaires (uniquement sur réservation).

➢ La ferme propose l'été un ***labyrinthe de maïs*** ; une chasse au trésor divertissante et pédagogique sur le thème de la vie paysanne, le tout sur quelque 2 ha. Ouvert de juillet à septembre (fermé certains jours). Entrée : 5 €; enfants 4 €.

La cueillette de Gally : route de Saint-Cyr-l'École, 78870 ***Bailly.*** Info cueillette (répondeur) : ☎ 01-39-63-30-90. À côté de la ferme de Gally. Ouvert tous les jours d'avril à novembre de 8 h à 20 h. Entrée gratuite.
On peut selon les saisons venir cueillir des fleurs, des fruits et des légumes. Amusant et pédagogique pour les enfants de cueillir ce qu'ils consommeront après à la maison!

RAMBOUILLET (78120)

Proche de Paris, Rambouillet semble pourtant déjà loin de la banlieue. La ville revêt plutôt l'aspect tranquille d'un gros bourg de province.
On y accède :
– ***en voiture :*** à 55 km de Paris. Prendre l'A 13, puis l'A 12, enfin la N 10 sortie Rambouillet.
– ***En train :*** 35 mn de trajet depuis la gare Montparnasse, direction Chartres.

Le Musée rambolitrain : 4, pl. Jeanne-d'Arc. ☎ 01-34-83-15-93. On peut s'y rendre en train depuis la gare Montparnasse en 30 mn pour les trains directs et 1 h pour les trains de banlieue. Ouvert du mercredi au dimanche et les jours fériés de 10 h à 12 h et de 14 h à 17 h 30. Entrée : 3,50 €; de 4 à 12 ans : 3 €; sur présentation du *Guide du routard,* 3 et 2 € respectivement.
Littéralement stupéfiant! Ce musée du modélisme ferroviaire et du train-jouet abrite plus de 4000 pièces de collection et retrace l'histoire du chemin de fer de ses premières heures à nos jours. Locomotives, wagons, diaporamas sur la vie du rail, chaque vitrine recèle des merveilles de trains-jouets évoluant dans un décor particulier. On a le souffle coupé lorsqu'on pénètre dans la caverne d'Ali Baba du lieu, à savoir la reconstitution fidèle d'un magasin de jouets parisien des années 1930. Mais les visiteurs ne sont pas au bout de leurs émotions : au 2e étage les attend un immense réseau où se croisent des dizaines de convois. Le clou de la visite. Et pour apprécier le trajet, des questionnaires ont été conçus pour les enfants.

L'espace Rambouillet : route de Clairefontaine. ☎ 01-34-83-05-00. Accès par l'A 10, sortir sur la D 27 direction Rambouillet; ou par la N 10, sortie Espace Rambouillet (juste après Rambouillet-Centre). D'avril à octobre, ouvert tous les jours de 9 h à 18 h (18 h 30 les week-ends et jours fériés); de novembre à mars, tous les jours sauf le lundi de 10 h à 17 h. Fermé de mi-décembre à mi-janvier. Entrée : 7,70 €; de 3 à 12 ans : 6,10 €; tarif réduit de janvier à mars.
La meilleure façon d'aborder ce vaste parc de 250 ha proposant un très vaste choix d'activités est de commencer par les biches et les cerfs, de déjeuner, d'assister à une exhibition de rapaces puis de partir se promener librement. Le domaine est divisé en 3 secteurs :
– *La forêt des Aigles,* avec présentation de rapaces en vol libre plusieurs fois par jour d'avril à octobre et l'observation de quelque 100 oiseaux de proie d'une trentaine d'espèces.
– *La forêt des Cerfs,* circuit d'initiation permettant d'admirer cerfs, biches, chevreuils et aurochs à partir d'un certain nombre de points d'observation.
– *La Forêt sauvage,* où l'on observe en toute liberté des animaux sauvages (daims, sangliers...) dans leur milieu naturel, au sein d'un parc de 180 ha judicieusement balisé, à parcourir à pied. Des animateurs à VTT signalent au visiteur le meilleur endroit pour voir les animaux.

Où manger ?

|●| ***Restaurant Bisson :*** 1, rue du Général-de-Gaulle. ☎ 01-34-83-23-82. Face à la place de la Mairie. Ouvert de 11 h 45 à 14 h 45 et de 18 h 45 à 22 h. Fermé le dimanche soir ; congés annuels : la 2e quinzaine d'octobre. Premier menu à 17,50 € en semaine ; autres menus à 20,50 et 30 € ; à la carte, compter 32 € ; menu-enfants à 8,50 €. Chaises hautes à disposition. Décidément, à Rambouillet la forêt est toute proche, la preuve : il y a même un arbre dans la salle de ce sympathique restaurant du centre-ville ! L'été, profitez du service en terrasse, bien exposée. Bonne cuisine traditionnelle : lapin à la moutarde, andouillette poêlée, tournedos Rossini, etc. Apéritif maison ou café offert aux lecteurs du *Guide du routard.*

LE VAL-D'OISE (95), au nord-ouest de Paris

AUVERS-SUR-OISE (95430), BUTRY-SUR-OISE (95430) ET CERGY-PONTOISE (95000)

Le château d'Auvers-sur-Oise : rue de Léry, 95430 ***Auvers-sur-Oise.*** ☎ 01-34-48-48-48 (serveur vocal) ou 45. • www.chateau-auvers.fr • Pour s'y rendre, A 15 par La Défense jusqu'à Pontoise, sortie Saint-Ouen-l'Aumône, puis direction Auvers par la D 4. Ouvert de 10 h 30 à 18 h (fermeture des caisses à 16 h 30) du 1er octobre au 31 mars, et de 10 h 30 à 19 h 30 du 1er avril au 30 septembre. Fermé le lundi. Entrée : 10 € ; de 6 à 18 ans : 6 € ; gratuit pour les moins de 6 ans ; forfait famille, 2 adultes et 1 enfant : 21 € ; forfait famille avec 2 enfants : 25 € ; 5 € ensuite par enfant supplémentaire.

– ***Parcours-spectacle « Voyage au temps des impressionnistes » :*** compter environ 1 h 30 de visite. Une façon originale et amusante d'aborder l'impressionnisme. On parcourt les salles du château, équipé d'un casque à infrarouges, au milieu de reconstitutions de décors et d'ambiances évoquant les thèmes favoris des impressionnistes. Ainsi sont évoqués tour à tour Paris au XIXe siècle, la mode et ses métiers, les cafés, le chemin de fer, etc. Aucune œuvre originale n'est présente ici, mais commentaire sonore, projection des œuvres, film vidéo, effets spéciaux, tout concourt à vous plonger dans l'univers de Degas, Renoir, Monet et les autres, et à vous faire comprendre leur modernité et la rupture que représentait ce mouvement pour l'époque. On est témoin d'une vente aux enchères quelque peu agitée, on assiste à une représentation de cabaret et on part même à la campagne en train. À la fin du voyage, possibilité de se restaurer dans la guinguette installée directement dans le musée. L'ensemble est intelligent, soigné, vivant et on ne voit pas le temps passer. Bref, un voyage au temps des impressionnistes pédagogique et passionnant, qui est en outre une excellente introduction à la visite d'Auvers. Le seul absent en était paradoxalement Van Gogh (qui passa les deux derniers mois de sa vie à Auvers et qui repose au cimetière du village), un manque comblé par un film 3D de 20 mn, intitulé *Le Regard de Vincent,* qui retrace les principales étapes de sa carrière et surtout donne le sentiment d'entrer littéralement dans ses toiles.

On trouve également dans le château un centre d'informations sur le Val-d'Oise, une boutique-librairie particulièrement bien fournie ainsi qu'un restaurant.

Où manger?

La Guinguette : dans le château, 95430 ***Auvers-sur-Oise.*** ☎ 01-34-48-48-48. ♿ Ouvert de 12 h à 14 h 30 (15 h le week-end). Fermé tous les soirs et le lundi sauf jours fériés; congés annuels : les 3 premières semaines de janvier. Menu-enfants à 8 €; plat du jour autour de 15 €. La visite achevée, on peut faire une étape à *La Guinguette*. La première pièce offre ses tables de bois dans la dernière salle de visite du château. Idéal pour boire un verre et manger un en-cas, mais vous pouvez aussi bien préférer la salle voûtée du XVIIe siècle. Service souriant et attentif. En haute saison, il est prudent de réserver.

Crêperie L'Auversoise : 11, rue du Général-de-Gaulle, 95430 ***Auvers-sur-Oise.*** ☎ 01-30-36-72-40. À gauche de l'hôtel de ville, face au marché. Ouvert du mardi au samedi de 12 h à 14 h et de 19 h à 21 h 30, et le dimanche de 12 h à 17 h. Fermé le lundi ainsi que pendant les vacances scolaires de Noël. Terrasse. À la carte, compter 11 € pour un repas. Cartes de paiement refusées. Déco genre bistrot. Crêpes de froment ou galettes de sarrasin plus ou moins garnies, selon votre appétit. L'accueil et le service sont très sympas et les familles sont les bienvenues. Mieux vaut passer un coup de fil peu avant midi.

Le musée des Tramways à vapeur et des Chemins de fer secondaires français (ex-musée des Transports de la vallée du Sausseron) **:** à l'extrémité du parking de la gare SNCF de Valmondois, 95430 ***Butry-sur-Oise.*** ☎ 01-34-73-04-40. • www.trains-fr.org/mtvs • Ouvert du 1er dimanche d'avril à la Toussaint les samedi (sauf en juillet et août), dimanche et jours fériés de 14 h à 18 h. Train à vapeur les 1er et 3e dimanches du mois ainsi que les jours fériés à 15 h, 16 h et 17 h. Entrée : 5 €; de 6 à 12 ans : 2 €; gratuit pour les moins de 6 ans.
Collection de locomotives et voitures des anciens chemins de fer départementaux qui desservaient nos campagnes de 1880 à 1960, remises en état de marche par des bénévoles amoureux du rail. Pour les faire évoluer et vous ramener dans le passé, un tronçon de 1 km d'une ancienne ligne a été reconstruit. La collection comprend 10 machines à vapeur, 5 locomotives Diesel, 22 voitures de voyageurs et de nombreux wagons de marchandises. Parmi ces véhicules, près d'une trentaine sont classés Monuments historiques.
➢ Deux petits circuits pédestres dans le Valmondois vous sont proposés et vous rentrez par le train suivant. Balade très sympa pour tous les âges.

La base de loisirs et de plein air de Cergy-Neuville : rue des Étangs, BP 1, 95001 ***Cergy-Pontoise.*** ☎ 01-30-30-21-55. En voiture, depuis La Défense, prendre l'A 86 puis l'A 15. Ouvert toute l'année de 9 h à 18 h. Les activités sont payantes. Accès aux parkings gratuit, sauf les week-ends et jours fériés, d'avril à septembre.
Les sablières ayant laissé derrière elles, dans une boucle de l'Oise, 6 vastes plans d'eau, l'ensemble a été transformé en un grand parc de loisirs. On peut courir, se promener à vélo, pique-niquer dans cet espace de 250 ha d'eau et de verdure. Principales attractions : les nombreuses activités aquatiques comme la planche à voile, le dériveur, la baignade, le toboggan géant de 150 m de long, le « stade d'eau vive » (de mai à août), qui est un parcours en forme de U, long de 250 m et qui permet la pratique du canoë, du

kayak, du raft et de la nage en eau vive (aussi bien pour les débutants que pour les plus sportifs, grâce au débit modulable de la rivière), etc. Et surtout, le téléski sur le petit étang des Hautebornes (d'avril à septembre) : pas de bateau mais un câble qui tire le skieur. C'est génial, à condition d'avoir beaucoup d'énergie : nombreuses chutes avant de réussir à faire un tour complet. Bien sûr, la base est très fréquentée le week-end à la belle saison. Compter environ 30 mn d'attente avant chaque tour au téléski. Nouveauté 2003 : un rocher d'escalade.

LA ROCHE-GUYON (95780)

La ville s'annonce de loin avec son donjon majestueux qui faisait partie de la ligne de défense du duché de Normandie.
On peut s'y rendre :
– ***en voiture :*** sortir de Paris porte d'Auteuil, puis A 13.
– ***En train :*** de Paris-Gare-Saint-Lazare, direction Rouen-Le Havre.

Le château de La Roche-Guyon : ☎ 01-34-79-74-42. Ouvert tous les jours; de mi-mars à mi-novembre de 10 h à 18 h (19 h les week-ends et jours fériés) pour le reste de l'année, téléphoner; vente du dernier billet 1 h avant la fermeture. Fermé pendant les vacances scolaires de Noël de la zone C. Tarifs visite libre : 7 €, 4 € pour les moins de 25 ans; gratuit pour les moins de 6 ans. Visite guidée le dimanche à 15 h : 1,50 € de plus.
Entièrement creusé dans la falaise de craie, le premier château médiéval de La Roche-Guyon était dissimulé aux regards ennemis. Construit au XIIe siècle, le donjon surplombe les vallées de la Seine et de l'Epte. Il est relié au manoir seigneurial, situé en contrebas, par un impressionnant passage secret. Au XVIIIe siècle, les ducs de La Rochefoucauld deviennent propriétaires du château et entreprennent de nombreux travaux. Entrée monumentale, grandes écuries, pavillons et terrasses se mêlent au chemin de ronde, à la tour de guet, à la herse ou à l'assommoir, vestiges du Moyen Âge.
Au XIXe siècle, l'abbé duc de Rohan fait régner une paix tranquille sur le domaine. Victor Hugo ou Lamartine aiment y séjourner.
En février 1944, Rommel et son état-major s'installent au château. Des casemates sont aménagées dans la falaise, à l'abri des regards. Le vieux château renoue avec sa vocation militaire.
– ***Animations (sur réservation) :*** visites nocturnes du château certains samedis soir du printemps; « Le château à ciel ouvert », animation pour petits et grands sur le thème de l'astronomie avec des séances en planétarium...

Où manger?

Crêperie La Cancalaise : 18, rue du Général-Leclerc, 95780 ***La Roche-Guyon.*** ☎ 01-34-79-74-48. Fermé les lundi et mardi hors saison, congés annuels de mi-décembre à mi-janvier. Compter 10 à 12 € pour un repas. Des petits repas de galettes et de crêpes fraîches à des prix doux dans la rue principale de ce lieu touristique. Le cadre est rustique, et l'on s'y sent vite à son aise. Petite terrasse sur la rue centrale de La Roche-Guyon. Il est préférable de réserver.

LA SEINE-ET-MARNE (77), à l'est de Paris

FONTAINEBLEAU (77300) ET SES ENVIRONS

À moins d'une heure de Paris en voiture, Fontainebleau peut faire l'objet d'une journée d'escapade. Connue pour son château, elle offre de multiples possibilités de balades à pied en forêt. Résidence de chasse puis résidence des rois, il semble que « résider » soit sa principale raison d'être. Fontainebleau semble en effet vivre toujours au rythme tranquille d'une résidence secondaire.

Plusieurs moyens d'accès :

– ***en voiture :*** A 6, sortie Fontainebleau. La ville est à 16 km de l'autoroute.

– ***En train :*** départ de Paris-Gare-de-Lyon. Descendre à Fontainebleau Avon (à environ 2 km de Fontainebleau).

♥♥ ***Le château de Fontainebleau :*** ☎ 01-60-71-50-70. Ouvert de 9 h 30 à 17 h (18 h de juin à septembre). Fermé le mardi, ainsi que les 1er janvier, 1er mai et 25 décembre. Visite du château gratuite le 1er dimanche du mois. À signaler pour les enfants dès 7 ans, 4 livrets-découverte gratuits pour visiter le château de manière ludique (lire plus loin).

Parents savants : ***le château de Fontainebleau***

Trente-quatre souverains français, depuis le XIIe siècle, sont venus séjourner à Fontainebleau en période de chasse. Au départ, Fontainebleau n'était qu'un relais de chasse royal. C'est François Ier qui en a fait un grand château, lui apportant toutes les modernisations architecturales de la Renaissance. La Joconde séjourna un temps dans la salle de repos des bains, où François Ier la contemplait après ses ablutions.

Napoléon lui-même ne résista pas à la beauté de cette extraordinaire résidence secondaire, où il retint le pape Pie VII en hôte forcé durant 19 mois! L'empereur y passa les derniers jours avant de faire ses fameux « adieux » à ses troupes dans la cour d'honneur, le 20 avril 1814, depuis le célèbre escalier à double révolution (il y a une marche de moins d'un côté que de l'autre, faites-les compter aux plus jeunes).

Louis-Philippe fut le premier souverain à entreprendre des restaurations, suivi par Napoléon III, présentant la collection personnelle de l'impératrice Eugénie. Depuis, les travaux n'ont jamais cessé.

– ***Grands Appartements et Musée chinois :*** ♿ Entrée : 5,50 €, 4 € le dimanche; de 18 à 25 ans : 4 €; gratuit pour les moins de 18 ans; gratuit pour tous le 1er dimanche du mois.

C'est ici que brillèrent les premiers feux de la Renaissance. De nombreux rois et empereurs séjournèrent dans ce château de 2000 pièces. En fait, chaque salle se rapporte à un souverain et tout, ou presque, est à regarder, du sol au plafond, les fresques murales comme les collections de peintures et d'assiettes. Les meubles sont nombreux puisque tout le château a été remeublé par Napoléon Ier. Louis-Philippe, puis Napoléon III, qui aimaient beaucoup Fontainebleau, firent aussi en leur temps restaurer et racheter beaucoup de choses.

– ***Petits Appartements et musée Napoléon Ier :*** Possibilité d'une visite guidée le matin ou l'après-midi, mais, hélas, il n'y a pas toujours assez de personnel pour assurer cette visite (téléphoner la veille au ☎ 01-60-71-50-60). Entrée : 3 €; de 18 à 25 ans : 2,30 €; gratuit pour les moins de 18 ans. Dans les Petits Appartements, dont le mobilier est resté en l'état, on pénètre dans l'intimité de l'Empire. Si l'on aime remonter le temps, sensations assurées.

– Imaginez un jeu de piste à travers 8 siècles! C'est le pari qu'a fait le musée pour s'adapter à ses turbulents visiteurs. À l'entrée, 4 ***livrets-jeux*** sont donnés, en fonction de leur âge : *Chasse au château* pour les 7-10 ans. Livret en main, ils courent d'une salle à l'autre à la recherche d'un tableau ou d'un élément décoratif à commenter ou à dessiner. *La Maison des souverains, Napoléon Ier à Fontainebleau* et *Les Dames de Fontainebleau* pour les plus grands. Là, ça se corse. Ces livrets font appel à la culture générale pour identifier un portrait ou un personnage mythologique. Pas de panique, le musée vient en aide aux parents cancres, toutes les réponses sont fournies dans les dernières pages du livret. Une aide bienvenue pour épater la petite galerie.

– ***Les jardins :*** Fermeture à 18 h en mars, avril et octobre, à 19 h de mai à septembre et à 17 h de novembre à février. Accès gratuit. On peut s'y promener à pied et aussi faire un ***tour en attelage*** au départ de la porte Dorée, de Pâques à la Toussaint.

Les magnifiques parterres du jardin furent dessinés par Le Nôtre. 19 sources alimentent le château par un ingénieux système de puits et d'aqueducs développé sous Henri IV, achevé au XVIIe siècle, par l'Italien Francini. Ce réseau permet d'irriguer les jardins et les fontaines. C'est à Henri IV que l'on doit le grand canal de plus de 1 km de long, bordé d'allées rectilignes ponctuées de carrefours en étoile.

Tout comme le château, les jardins ont été modelés au fil des modes architecturales. Il faut une bonne journée pour en apprécier tous les aspects.

La forêt de Fontainebleau : pour avoir une vue d'ensemble de la forêt (et même par temps clair, avec des jumelles, apercevoir la tour Montparnasse et la tour Eiffel), rendez-vous au site d'observation érigé au ***rocher Cassepot,*** au nord de Fontainebleau. On peut ensuite partir à la découverte des lieux au hasard ou au contraire programmer son circuit. Pour une première approche de la forêt (qui s'étend tout de même sur 17000 ha), l'office de tourisme de Fontainebleau (4, rue Royale, ☎ 01-60-74-99-99) propose la location d'un ***audioguide*** (3 € par personne, plus une caution) à prendre et à rapporter à l'office. Il faut donc se déplacer en voiture, puis se rendre au départ de la balade commentée par l'audioguide. Idéal avec des enfants, qui apprennent ainsi à connaître les spécificités de la forêt et de la région.

Voici les points les plus intéressants mais aussi les plus fréquentés :

➢ ***Les gorges de Franchard,*** qui offrent un superbe point de vue sur la forêt, sont le départ de plusieurs sentiers accessibles immédiatement et qui serpentent entre les bouleaux et les rochers.

➢ ***Le chaos et le désert d'Apremont*** fascinent généralement les enfants (meilleur accès par Barbizon).

➢ ***Les hauteurs de la Solle*** ménagent une très belle vue sur la futaie de hêtres du Gros-Fouteau.

➢ ***La croix du Calvaire*** permet de contempler la ville et le château.

➢ Plusieurs rochers de grès, offrant d'étonnantes ressemblances avec des animaux, peuvent également être le but d'une promenade comme le ***diplodocus*** (massif des Trois-Pignons), l'***éléphant*** (situé dans le bornage de Barbizon, près de la route des gorges d'Apremont) et la ***tortue*** (prendre au carrefour de l'Obélisque, la N 6 direction Sens, à 500 m sur la droite, carrière du Carrousel).

Considérée comme l'une des plus belles d'Europe, la 3e forêt la plus visitée de France reçoit plus de 10 millions de visiteurs par an. Revers prévisible à cette notoriété, les sites les plus connus ressemblent parfois aux Champs-Élysées certains week-ends de printemps.

■ ***A.N.E. en Forêt - Âne, Nature, Évasion :*** 20, allée de l'Écureuil, 77310 ***Saint-Fargeau-Ponthierry.*** ☎ 01-64-09-91-37 ou 06-80-06-05-85. • http://monsite.wanadoo.fr/ane_en_foret/ • (Point de départ des randonnées à Villiers-en-Bière, sur rendez-vous.) Compter 50 € par âne pour une journée et 90 € pour 2 jours. Une activité à découvrir en Seine-et-Marne et une autre façon de profiter de la forêt de Fontainebleau ! Idéal pour (ré)concilier le plaisir de la randonnée et la joie des enfants. Plus besoin de se torturer pour savoir qui va porter le sac à dos, le déjeuner, le goûter, l'eau, les vêtements de rechange et le petit dernier qui commence à être fatigué. C'est l'âne, pardi ! Quant à savoir qui va faire avancer l'âne, ça, c'est une autre histoire ! Enfin, si votre tête lui revient, il trottera à 4 km/h, soit largement de quoi profiter du paysage... De la simple balade dominicale au circuit de plusieurs jours.

Où manger ?

|●| ***Les Glaces :*** 15, rue Grande, 77300 ***Fontainebleau.*** ☎ 01-64-22-21-82. Ouvert tous les jours de 7 h à 1 h. Menus de 9,50 à 20 €. Accueil souriant, grillades à point et larges assiettées de frites font le bonheur des familles dans cette sympathique brasserie où l'on sert également des plats de qualité et d'excellentes glaces. Apéritif maison offert aux parents sur présentation du *Guide du routard.*

|●| ***La Petite Alsace :*** 26, rue de Ferrare, 77300 ***Fontainebleau.*** ☎ 01-64-23-45-45. ♿ Ouvert tous les jours de 12 h à 14 h et de 19 h à 22 h. Congés annuels : la 1re quinzaine de janvier et la 1re quinzaine d'août. Copieux menu-enfants à 12 € ; pour les grands, formule à 11 € le midi en semaine ; sinon, menus à 15, 25 et 30 € ; salades et tartes salées de 6 à 8 €. Chaises hautes à disposition. Gentil décor fait de tableaux et de cigognes. On y mange de bonnes spécialités alsaciennes et de succulentes tartes à l'oignon. Agréable petite terrasse aux beaux jours. Digestif maison offert aux lecteurs du *Guide du routard.*

|●| ***Le Caveau des Ducs :*** 24, rue de Ferrare, 77300 ***Fontainebleau.*** ☎ 01-64-22-05-05. ♿ Ouvert tous les jours. Congés annuels : les 2 premières semaines de janvier et d'août. Menu-enfants à 12 € ; menus à 19 € (sauf le samedi soir), 29 et 38 €. Chaises hautes à disposition. Si ce n'est pas Versailles, c'est du moins Fontainebleau ! Caves voûtées du XVIIe siècle, chandeliers et déco du temps jadis, on s'y croirait ! La cuisine est fine et classique, et le service dans le même ton. Une touche de Normandie dans l'assiette : magret de canard au vinaigre de cidre, tarte fine flambée au calvados... Une bien bonne table. Digestif maison offert aux lecteurs du *Guide du routard.*

➤ *DANS LES ENVIRONS*

🎥 ***Le musée du Père Noël :*** 17, rue de la Fromagerie, 77930 ***Chailly-en-Bière.*** ☎ 01-60-69-22-16. Ouvert de mi-mars à mi-janvier les mercredi, samedi et dimanche de 14 h à 18 h. Entrée : 4,50 € ; enfants : 2,25 € ; gratuit pour les moins de 4 ans.
Ce joli petit musée, installé dans une ferme en pleine campagne, ravira sûrement les plus petits, mais aussi tous ceux qui retrouvent leur âme d'enfant à l'approche de Noël. Malgré une présentation très naïve et une muséographie

inexistante, on prend plaisir à lécher les vitrines... Aucune œuvre d'art, mais une histoire du Père Noël, passionnante, à travers les âges et à travers le monde. Bienvenue au pays des Rois mages, de saint Nicolas, de la Befana, d'Odin, du Père Fouettard, de Hans Trapp de Sainte-Lucie ou encore de Santa-Claus... Et surtout, joyeux Noël !

LE CHÂTEAU DE VAUX-LE-VICOMTE

Accès :
– ***en voiture :*** A 6, A 4 ou A 5, sortie Melun-Sénart ou Melun.
– ***En train :*** pas simple. De Paris-Gare-de-Lyon, trains toutes les 30 mn jusqu'à Melun. Puis, de Melun jusqu'au château en taxi (7 km).

Sur la commune de ***Maincy*** (77950). ☎ 01-64-14-41-90. • www.vaux-le-vicomte.com • (pour le jardin et le musée des Équipages). Ouvert de fin mars à mi-novembre de 10 h à 18 h ; en mars, se renseigner auprès du service touristique. Fermé de mi-novembre à fin mars. De mai à début octobre, visite aux chandelles le samedi de 20 h à minuit (et le vendredi en juillet et août). Jeux d'eau de fin mars à fin octobre les 2e et dernier samedis du mois de 15 h à 18 h. Visite du château, du jardin et du musée des Équipages : 12 € ; enfants de moins de 16 ans : 9,50 €. Visite aux chandelles : 15 € ; tarif réduit : 13 € ; gratuit pour les moins de 6 ans.
Prévoir une journée pour profiter convenablement du château et de son superbe domaine (il y a un restaurant-cafétéria sur place, lire plus loin, et une aire de pique-nique à l'extérieur). C'est Fouquet, surintendant des Finances et proche collaborateur de Mazarin, qui fit construire le château de Vaux-le-Vicomte, employant les meilleurs artistes de son époque. Le faste du château, la beauté des jardins rendirent fou de jalousie Louis XIV, qui, 3 semaines après l'« inauguration » du château, fit arrêter Fouquet ; celui-ci termina ses jours à la forteresse de Pignerol. Pas si fou que ça quand même, puisque le futur Roi-Soleil s'inspira de Vaux pour la construction de Versailles, et chipa même à Fouquet toute son équipe : son jardinier (Le Nôtre), son architecte (Le Vau), son peintre décorateur (Le Brun), et même ses amis (Molière et La Fontaine) !
La visite est libre et suit un parcours parfaitement organisé. On y découvre, entre autres, la chambre réservée au roi, une superbe salle à manger à la table très joliment dressée, d'admirables salons entièrement meublés, la salle de bal et son plafond-coupole et, clou de la mise en scène, la cuisine et l'office, avec des mannequins extraordinairement réalistes (et ses volailles qui rôtissent !). Poussez jusqu'au *musée des Équipages,* installé dans les écuries. Une trentaine de voitures sont exposées avec chevaux harnachés, cochers et passagers.
Pour finir, la visite des 450 ha de jardins et de forêts s'impose, afin de découvrir la merveilleuse perspective du château et du jardin à la française, dessiné par Le Nôtre, « jardinier » débutant à Vaux. Possibilité de louer des voitures électriques de 4 places.
➢ Terminer la balade en naviguant à bord des *Nautils,* embarcations en forme d'animaux marins, le long de la Poêle, ce canal long de 1 000 m bordé d'un côté par les cascades et de l'autre côté par les grottes.

L'Écureuil : agréable self-service dans les communs du château, à la très belle poutraison. Plat du jour autour de 8 € ; pour les enfants, plat spécifique à 5,50 €. Tout est prévu pour l'accueil des enfants : chaises hautes, chauffe-biberon, etc. Grande terrasse. Beaucoup de monde en été (venir avant midi).

PROVINS (77160)

Même si elle ne joue plus le même rôle qu'autrefois, la ville haute de Provins se dresse toujours, altière, au sommet de son promontoire, protégée par ses 2 km de remparts (longs de 15 km autrefois) et son donjon du XIIe siècle. Il faut une journée pour épuiser les charmes de cette ville-musée, réputée pour ses roses et ses batailles à l'époque de la guerre de Cent Ans. La meilleure approche consiste à laisser sa voiture sur le parking gratuit voisin de l'office de tourisme, à 50 m de l'entrée de la cité médiévale, et à prendre le petit train qui mène jusqu'à la ville haute en s'arrêtant devant tous les lieux à visiter (fonctionne d'avril à novembre). On descend, on visite et on saute dans le train suivant.
On y accède :
– ***en voiture :*** A 4, sortie n° 13 (Serris), puis D 231 ou A 5, sortie n° 16 (Chatillon-la-Borde), puis D 408 et N 19. Ou bien encore prendre la N 19 (porte de Bercy) directe jusqu'à Provins.
– ***En train :*** trains directs au départ de Paris-Gare-de-l'Est. Compter 1 h 30 de trajet.

– Une ***fête médiévale*** a lieu tous les ans, en général le 2e week-end de juin, et rappelle la grande époque des foires dans la région. 2000 participants, artisans, acrobates, lanceurs de drapeau, cracheurs de feu, troubadours... D'autres fêtes dans l'année, renseignez-vous.
– Demander à l'office de tourisme le ***livret-jeux gratuit*** qui permet de faire une visite découverte au travers de jeux, questions, dessins et anecdotes. Un vrai voyage au temps des chevaliers, qui mène du pied des remparts aux souterrains en passant par des granges et des places qui illustrent la magie de l'époque médiévale.

La tour César : de novembre à mars, visite tous les jours de 14 h à 17 h ; d'avril à octobre, de 10 h à 18 h.
C'est un vrai donjon, théâtre d'affrontements lors de la guerre de Cent Ans.

Les souterrains : sous le palais des Comtesses, rue Saint-Thibault. D'avril à octobre, visites guidées pendant les vacances scolaires de la zone C tous les jours de 10 h 30 à 18 h ; en dehors des vacances, du lundi au vendredi à 15 h et à 16 h, et les week-ends et jours fériés de 10 h 30 à 18 h. Visites restreintes de novembre à mars. Entrée : 3,70 € pour les adultes et 2,20 € pour les enfants.
Les enfants font leur délice de ce surprenant réseau de caves communicantes où l'on se sent très vite perdu. Heureusement, on ne peut pas s'y aventurer sans guide. Caves, étroits boyaux, dont certains n'ont pas encore été explorés, vastes salles qui auraient servi de lieu d'initiation aux francs-maçons, réserves, cachettes, ces mystérieux souterrains sont riches d'histoire.

La grange aux Dîmes : rue Saint-Jean. De novembre à mars, ouvert les week-ends, jours fériés et vacances scolaires de la zone C de 14 h à 17 h ; d'avril à août, tous les jours de 10 h à 18 h ; en septembre et octobre, du lundi au vendredi de 14 h à 18 h et le week-end de 10 h à 18 h. Entrée : 3,40 € ; enfants de 5 à 12 ans : 1,90 €.
Encore une somptueuse construction qui servait à entreposer l'impôt, autrefois payé en nature, c'est-à-dire en grains. Cette exposition est aussi l'occasion de montrer des scènes de la vie quotidienne au Moyen Âge. Audioguidage avec plein d'anecdotes à disposition du visiteur. À ne surtout pas rater.
– ***L'apprentie famille :*** ateliers d'initiation aux arts médiévaux pour toute la famille. Au choix, atelier sur le vitrail, les blasons, la calligraphie. Au 1er étage de la grange aux Dîmes. Renseignements à l'office de tourisme : ☎ 01-64-60-26-26. Pendant les vacances scolaires de printemps et d'été de la zone C,

le week-end et les jours fériés à 15 h, 16 h et 17 h. Durée : 45 mn. Tarif : 3,10 € par personne.
Des enfants aux grands-parents, *L'apprentie famille* s'ouvre à tous pour une approche sympathique de l'art du Moyen Âge. Initiation au vitrail, à la calligraphie ou au blason, dans 3 ateliers distincts. Le matériel est fourni. Les places sont limitées mais chacun repart avec son œuvre (ou son chef-d'œuvre !).

Les remparts : 2 km de cet étonnant ouvrage d'art militaire construit entre les XIIe et XIVe siècles se découvrent en toute liberté. C'est au pied de ces remparts que sont donnés des spectacles d'avril à novembre (voir « Tous aux spectacles ! » plus loin).

Le musée de Provins et du Provinois : 7, rue du Palais. ☎ 01-64-01-40-19. De novembre à mars, ouvert les week-ends, jours fériés et pendant les vacances scolaires de la zone C de 14 h à 18 h ; d'avril à octobre, tous les jours de 14 h à 18 h (19 h en juillet et août). Entrée : 3,40 € ; enfants de 6 à 18 ans : 1,70 €.
Une très jolie maison romane parmi tant d'autres, qui abrite le musée de Provins et du Provinois. Les enfants frissonnent devant les outils du bourreau réunis dans une salle au 1er étage.

Tous aux spectacles !

Le Jugement de Dieu : ☎ 01-64-60-26-26. Tournoi de chevalerie au pied de la tour des Pourceaux, entrée porte Saint-Jean, le dimanche à 16 h de fin juin à mi-août et lors des journées du Patrimoine. Tarifs : 12,20 € ; enfants de 5 à 12 ans : 7,70 €. Un véritable spectacle de chevalerie, avec huées contre les méchants et danses médiévales.

À l'assaut des remparts : Démonstration de machines de guerre au pied de la tour des Pourceaux, de mi-avril à fin juin les week-ends (sauf les dimanches de tournoi en juin) et jours fériés à 16 h ; en semaine à 14 h 30, sauf le mercredi en mai et juin. Tarifs : 6,10 € (4 € pour les détenteurs d'un forfait-musée) ; pour les enfants de 5 à 12 ans : 4 €.
Les papas et les petits garçons ne résistent pas au spectacle de ces étranges machines destinées par le passé à faire tomber murailles et assiégés. Installées dans un camp militaire médiéval reconstitué, elles effectuent des tirs réels (assez impressionnant).

Les Aigles des remparts : à la porte de Jouy, au pied des remparts. ☎ 01-64-60-17-90. D'avril à novembre : l'après-midi ; horaires variables selon la saison. Tarifs : 7,70 € ; pour les enfants de 5 à 12 ans : 5,40 €.
Une extraordinaire exhibition de rapaces, en plein air, menée avec une époustouflante maestria par des oiseleurs dresseurs. Une démonstration qui vaut presque à elle seule qu'on vienne à Provins. On peut ensuite observer de très près les oiseaux de retour dans leur enclos.
– À noter, le dimanche et le lundi de Pâques, opération gratuite l'après-midi. L'office de tourisme remet aux enfants (jusqu'à 13 ans) une carte au trésor qui leur permet de trouver les œufs en chocolat. Si vous êtes dans le coin à ce moment-là, à vos paniers !

Où manger ?

Le Petit Écu : 9, pl. du Châtel, 77160 **Provins.** ☎ 01-64-08-95-00. Ouvert de 12 h à 14 h 30 et de 19 h à 21 h 30. Menu-enfants à 7 € ;

menus à 16 et 21 € ; le week-end, en saison, buffet d'inspiration médiévale à 18 €. Jolie maison sur la place principale de la cité. Cadre et cuisine sans surprise.

I●I ***Hostellerie de la Croix d'Or :*** 1, rue des Capucins, 77160 ***Provins.*** ☎ 01-64-00-01-96. Dans la ville basse. Fermé le dimanche soir, le lundi, le mercredi soir et le jeudi soir ; congés annuels : les 3 dernières semaines d'août. Menu-enfants à 10,40 € ; pour les grands, un menu à 22 € et un menu gastronomique à 31 €. Probablement la plus ancienne taverne de France, puisqu'on y servait déjà la cervoise en 1270 ! Terrasse. Salle à manger richement décorée, avec sa belle cheminée en bois sculpté.

DISNEYLAND RESORT PARIS

Indiscutablement, le prix d'une entrée à Disneyland Resort Paris reste encore le billet le moins cher du monde pour l'Amérique. Tout a été pensé pour qu'on y soit heureux. C'est un réel dépaysement, et ceux qui viennent pour la première fois restent bien souvent médusés devant les drôles de maisons du Vieux Sud qui bordent l'avenue principale du Parc Disneyland, *Main Street,* avec, en toile de fond, l'incroyable château de la Belle au Bois Dormant. Disons-le, une journée ne suffit pas à épuiser tous les plaisirs qu'offre le parc. Idéalement, il faudrait y passer un week-end, d'autant qu'au printemps 2002, 10 ans après l'ouverture de Disneyland Paris, a été inauguré un nouveau parc d'attractions, *Walt Disney Studios,* sur les coulisses du cinéma et du dessin animé.

Accès

➢ ***En voiture :*** par l'autoroute A 4 (porte de Bercy), sortie 14 (Parcs Disney – Paris-Chessy). Immense parking payant (assez loin de l'entrée des parcs, compter 15 bonnes minutes de marche). Notez bien l'emplacement de votre véhicule. Après le feu d'artifice en été, le rush des visiteurs vers la sortie provoque de sérieux embouteillages.

➢ ***En RER :*** ligne A4 ; descendre à la station Marne-la-Vallée-Chessy. Autour de 6 € l'aller, ce qui revient cher en famille.

➢ ***En avion :*** des cars payants relient les aéroports d'Orly et de Roissy-Charles-de-Gaulle à Disneyland Paris toutes les 30 à 45 mn (autour de 15 € pour les adultes, réductions enfants).

➢ ***En TGV :*** eh oui ! on n'a pas lésiné sur les moyens chez Disney ! Des TGV directs (au départ d'Avignon, Bordeaux, Bruxelles, Lille, Lyon, Montpellier, Nantes, Rennes...) desservent directement le parc ; arrivée à la gare de Marne-la-Vallée. Renseignements et réservations SNCF : ☎ 0892-35-35-35 (0,34 €/mn).

Infos utiles

– ***Renseignements :*** ☎ 01-60-30-60-30. ● www.disneylandparis.com ●

– ***Horaires :*** variables en fonction de la saison. L'ouverture se situe entre 9 h et 10 h, la fermeture entre 18 h en semaine en hiver et 23 h (20 h pour Walt Disney Studios) en juillet et août. Toujours se renseigner. Par téléphone (voir ci-dessus) ; sur Internet : ● www.disneylandparis.com ● ; ou sur Minitel : 36-15, code DISNEYLAND (0,34 €/mn).

– ***Un bon tuyau :*** pour éviter l'attente à l'entrée, mieux vaut acheter les passeports (billets) d'accès au parc à l'avance. Ils sont en vente sur le site Internet mais aussi dans les *Fnac,* chez *Virgin,* dans certains guichets RATP, par

Minitel (36-15, code DISNEYLAND), à l'office de tourisme de Paris par courrier ou dans l'un des Disney Store d'Île-de-France et de province.

Tarifs

N'oubliez pas qu'Onc' Picsou tient la caisse! C'est donc cher. Il existe deux types de passeports, pour 1 ou 3 jours (mais curieusement, pas de passeport 2 jours... Ben voyons, Mickey adore les enfants mais surtout le portefeuille des parents!). Gratuit jusqu'à 3 ans. Les enfants de moins de 7 ans doivent être accompagnés d'un adulte. ***Haute saison :*** de fin mars jusqu'à début novembre et pendant les vacances scolaires de Noël. ***Basse saison :*** de début novembre à mi-décembre, puis de début janvier à fin mars en fonction des vacances scolaires.
– ***Passeport pour 1 jour :*** valable pour le Parc Disneyland ou le Parc Walt Disney Studios. Si vous avez choisi le Parc Walt Disney Studios, vous aurez accès, durant l'été seulement, au Parc Disneyland 3 h avant sa fermeture. Tarifs : 39 €; de 3 à 11 ans : 29 €; un peu moins cher en basse saison. Très bon rapport qualité-prix pour le Parc Disneyland mais pas pour le Parc Walt Disney Studios, beaucoup plus petit.
– ***Passeport pour 3 jours :*** valable pour les 2 parcs à thèmes. Ce passeport offre une totale liberté de mouvement puisque vous pouvez naviguer à votre guise entre les 2 parcs. Tarifs : 107 € adultes et 80 € enfants.
– Il existe d'autres tarifs, si on désire rester plus longtemps ou si l'on vient régulièrement.

Où dormir?

Disneyland Resort Paris propose à proximité des deux parcs 6 hôtels assez chers. Dommage, il est impossible d'y dormir une seule nuit, on est obligé de réserver un forfait parc-hôtel d'un minimum de 2 nuits + 3 jours. Les fourchettes de prix indiquées ci-dessous à titre indicatif correspondent à ce forfait qui comprend 2 nuits avec petit dej' et l'accès illimité aux 2 Parcs Disney pendant 3 jours, sur la base de 2 adultes et d'1 ou 2 enfants (le prix indiqué est valable pour un adulte; 60 % de réduction pour les 3-11 ans, gratuit pour les moins de 3 ans).
Des navettes de bus gratuites vous déposent à l'entrée des parcs. Possibilité de prendre son petit dej' sur le site du Parc Disneyland (au restaurant *Walt's* et en compagnie des fameux amis de Mickey) une heure avant l'ouverture. Renseignements et réservations : ☎ 01-60-30-60-30.

Près de l'entrée des parcs

ÎLE-DE-FRANCE

🏠 ***Hôtel Santa Fe :*** ♿ 1 000 chambres, à partir de 189 € le forfait. Cet hôtel pour les (relativement) petits budgets semble vraiment perdu au cœur du désert du Nouveau-Mexique (États-Unis). Quelques chambres avec lits superposés, dessus-de-lit inspirés de l'art navajo. Espace de jeux pour les enfants dans les ruines reconstituées d'un village anasazi. Amusant restaurant en self-service *La Cantina,* comme un marché mexicain, très coloré, comme les plats d'ailleurs. Peut-être le plus fun du parc, avec sa pompe à essence et son vieux pick-up. Bar avec animation karaoké très animé le soir.

🏠 ***Hôtel Cheyenne :*** ♿ Séparé du précédent par un petit cours d'eau rebaptisé pompeusement Rio Grande. 1 000 chambres, à partir de 205 € le forfait. Dans un amusant décor de petite cité du Far West en 1860. Le mieux adapté pour une famille de 4 personnes, avec des chambres comprenant 1 grand lit et 2 lits superposés, et un petit dej' plantureux. Bon rapport qualité-prix et relativement proche du parc (accès par l'hôtel *New York*). Espace de jeux pour les enfants dans les palissades d'un fort en rondins, avec tour de guet et village indien. Promenades en poney, salle de jeux. Ambiance saloon également de rigueur au restaurant *Chuckwagon Café,* avec de copieuses assiettes de travers de porc, saucisses et poulet. Bar avec selles de cheval et musique country tous les soirs.

Sequoia Lodge : ♿ Environ 1 000 chambres de bon confort et quelques suites, à partir de 232 € le forfait. Inspiré de l'architecture de Frank Lloyd Wright et intégré au milieu de sa forêt de séquoias importés tout exprès d'Amérique, ce magnifique *lodge* est très dépaysant, avec son décor tout en bois, comme dans les Rocheuses. On s'attend à croiser des trappeurs dans les couloirs et à trouver des ratons-laveurs au bord de la superbe piscine. Jacuzzi, sauna et salle de remise en forme gratuits. Au restaurant *Beaver Creek Tavern,* spécialité de travers de porc. On peut aussi y emporter sa pizza dans la chambre. Bar doté de la plus grande cheminée d'Europe. Un peu plus près de l'entrée du parc que les deux précédents.

Newport Bay Club : ♿ Environ 1 000 chambres et quelques suites, à partir de 248 € le forfait. On ne serait pas étonné de croiser un des membres de la famille Kennedy sur le parcours de croquet tant l'atmosphère est bostonienne, notamment dans les très beaux restaurants d'ambiance marine donnant sur l'immense plan d'eau qui auraient tout à fait leur place à Cape Cod. Piscine, club de remise en forme, salle de musculation gratuite. Boutique avec de remarquables vêtements de sport.

Assez loin des parcs *(mais moins cher)*

Davy Crockett Ranch : ☎ 01-60-45-69-00. ♿ À partir de 209 € le forfait (tarifs plus intéressants sur la base de 6 personnes), petit dej' à emporter compris. Pas de navette pour les parcs (voiture indispensable). Une alternative intéressante pour ceux qui rêvent d'autre chose et n'envisagent pas obligatoirement de passer tout un week-end dans les parcs. Dans un charmant bosquet, ce ranch cache un hôtel de « maisons mobiles » à l'américaine avec salon, TV, téléphone, cuisine équipée, chambre, salle de bains et w.-c., une place de parking, une table et des bancs pour déjeuner à l'extérieur et un barbecue. On laisse la voiture à côté de son bungalow en rondins pour emprunter la navette de petits trains qui conduit au village tout proche où l'on trouve des restaurants (la *Crockett's Tavern,* construite en rondins de bois, dont la déco évoque les contes et légendes qui ont fait de Davy Crockett le roi de la conquête de l'Ouest, propose une bonne nourriture pas trop chère), une boutique d'alimentation, une immense piscine tropicale, la location de bicyclettes, etc. Également toutes sortes d'activités pour parents et enfants plus ou moins liées à la nature (équitation, tir à l'arc, tennis). Possibilité de voir des animaux sauvages (notamment des loups) et de découvrir le quotidien des Indiens. Dépaysement pionnier garanti aux portes de Paris.

LE PARC DISNEYLAND

Notre préféré des deux parcs.

Astuces

Une visite à Disneyland ne s'improvise pas. Inutile de préciser que toute la France et l'Europe entière s'y donnant rendez-vous (le « Royaume magique » est la première destination touristique européenne), mieux vaut éviter d'y aller en été, durant les vacances scolaires et les longs week-ends. À défaut de suivre ces conseils, on risque de se retrouver face à des files d'attente interminables. Certains jours de « pointe », c'est à peine si l'on parvient à voir 3 attractions dans la journée !

– Si vous venez avec des enfants de ***moins de 5 ans,*** sachez que le nombre d'attractions les concernant est vraiment limité et que l'adulte qui les accompagnera devra se priver de beaucoup de choses.

Préparer un planning d'attractions prioritaires en fonction de l'âge des enfants.

– ***Pour les 6-8 ans :*** commencer par *Fantasyland* avec « Peter Pan », « le manège des tasses d'Alice », « It's a Small World » ; continuer par *Discoveryland* avec le « Visionarium » et « Stars Tours », pour finir à *Adventureland* avec « l'arbre des Robinson » et « les Pirates ».

– ***Jusqu'à 10 ans environ :*** commencer par *Frontierland* et « Big Thunder Mountain », puis enchaîner avec « les Pirates ». Au passage, dans *Fantasyland,* s'arrêter au « labyrinthe d'Alice » et au « manège des tasses », continuer par « It's a Small World », puis terminer en beauté avec « Star Tours » ou « Chérie, j'ai rétréci le public ».

– ***Les plus de 10 ans*** se feront un devoir de démarrer avec les loopings d'« Indiana Jones », puis feront la queue patiemment pour « Big Thunder Mountain », visiteront la maison hantée avant de filer directement vers *Discoveryland.*

– ***Quant aux plus de 12 ans,*** ils se précipiteront vers *Discoveryland* pour « Space Mountain », « Chéri, j'ai rétréci le public » et « Stars Tours », puis, toujours courant, exploreront à fond *Frontierland.*

Il faut donc idéalement un adulte par tranche d'âge. Pour ne pas traîner un « ado » ronchon toute une journée, mieux vaut lui donner un plan et des lieux de rendez-vous à heures fixes (ou un portable) pour qu'il « vive sa vie » sans empoisonner le plaisir des petits.

– Restent les ***animations :*** on trouve dans le programme donné à l'entrée les horaires des shows, de la parade, des sorties des *characters* (les principaux personnages des dessins animés les plus célèbres). Pour ceux qui ont acheté leurs billets à l'avance, le plan du parc et le programme des animations de la journée sont disponibles au *City Hall,* bâtiment sur la gauche de la première place après avoir franchi les guichets. Pour une 1re visite, la plupart de ces spectacles semblent moins intéressants que les grandes activités, mais on peut aussi profiter de ces moments pour souffler un peu.

– Quand l'***ouverture*** est à 9 h, les caisses ouvrent dès 8 h 30. Le meilleur conseil que l'on puisse donner est de s'y présenter dès 8 h 15-8 h 30. En effet, les files aux diverses attractions sont réduites à l'ouverture. Faites au pas de course les attractions les plus visitées. Vous serez tranquille une petite heure (un peu plus à Fantasyland) et gagnerez ainsi 2 à 3 h de file d'attente. Ensuite, quand des milliers de visiteurs débarquent de tous côtés, allez vers les attractions les moins prisées.

– Autre super-tuyau : ceux qui décident de dormir dans un des ***hôtels*** de Disneyland Resort Paris se voient ouvrir les portes du parc dès 8 h en haute saison. Avantage énorme par rapport aux autres, qui permet de profiter de toutes les attractions les plus recherchées sans file d'attente.

– Le système ***FastPass*** permet de réduire l'attente aux attractions en réservant gratuitement son passage dans l'une d'elles. Pour l'instant, ce système ne s'applique qu'à 5 grandes attractions génératrices des plus longues files d'attente du parc : « Space Mountain », « Indiana Jones », « Big Thunder Mountain », « Star Tours » et « Peter Pan ». Le principe est simple et malin : après avoir passé les tourniquets de la file d'accès *FastPass* (située à l'entrée de l'attraction) et introduit son billet d'entrée au parc dans une machine, on récupère un ticket *FastPass* indiquant la tranche horaire d'une heure à laquelle on peut se représenter à l'attraction. À l'heure dite, il suffit d'emprunter directement la file *FastPass.* En général, on accède en quelques minutes à l'attraction. Un seul bémol : on est obligé de faire l'attraction avant de se présenter à une nouvelle file *FastPass.* Malin, Mickey !

À la découverte des mondes de Mickey

Voici les différents « mondes » Disney et leurs principales attractions.

MAIN STREET, USA

La grande rue face à l'entrée. Surtout des boutiques. À faire en dernier, à la fin de votre périple. Main Street évoque une grande rue de ville américaine du début du XXe siècle, sortie tout droit des souvenirs d'enfance de Walt Disney. C'est d'ici que partent les ***Main Street Vehicles,*** automobiles anciennes qui vous conduisent à Central Plaza, ou les tramways tirés par de magnifiques percherons.

FANTASYLAND

Dominée par le château, où un terrible dragon enchaîné se réveille de sa torpeur pour lancer des jets de fumée menaçants, cette partie du parc est surtout destinée aux tout-petits, qui y retrouvent tous leurs amis d'enfance... Ce pays féerique réunit des attractions inspirées de légendes et contes populaires, tels que *Blanche-Neige et les sept nains, Les Voyages de Pinocchio* et *Peter Pan's Flight.*

– ***It's a Small World :*** ♿ Le monde magique des poupées animées et chantantes. Cette très jolie attraction remporte tous les suffrages : petits et grands embarquent pour une mini-croisière à bord de bateaux-wagons qui voguent entre des poupées automates en costume traditionnel dans des décors évoquant chaque pays du monde. On en ressort la tête pleine d'images en fredonnant la mélodie, chantée dans une dizaine de langues, qui accompagne ce paisible périple.

FRONTIERLAND

Pour la petite histoire, des objets de 15 États américains différents ont été rassemblés pour contribuer à l'authenticité de Frontierland. Comme toujours chez Disney, le souci du détail est poussé très loin : le sol porte même les empreintes de fers à cheval !

– ***Phantom Manor :*** ♿ À gauche du lac, sur un promontoire, se dresse l'inquiétante maison hantée, reproduction de celle du fameux *Psychose* d'Hitchcock. Les cris succèdent aux grondements, les spectres aux vampires, jusqu'au frisson suprême provoqué par des hologrammes extraordinaires, réunis pour un bal morbide ! Mais soyez très attentif car cela va très vite. Les enfants impressionnables peuvent être effrayés par certaines visions.

– ***Big Thunder Mountain*** *(FastPass)* **:** ♿ Une course folle à bord d'un petit train type Far West. À toute allure, on parcourt les tunnels d'une mine avant de resurgir dans un village du temps de la ruée vers l'or. Le tout dans un étonnant décor de montagnes aux roches rouges qui évoquent Bryce Canyon. Émotion assurée. Attention, une taille minimum est requise, pour raison de sécurité, car ce train secoue beaucoup ses passagers : elle correspond en moyenne à celle d'un enfant de 4 ans, une toise à l'entrée évite toute discussion. Une de nos attractions préférées, d'autant plus que le parcours n'est pas trop court : on a le temps d'apprécier.

ADVENTURELAND

On y entre par une superbe casbah, où un chameau en bois sculpté sert de banc. La végétation d'inspiration tropicale, le grand bateau de pirate, l'arbre aménagé par les *Robinson suisses* (à escalader, en suivant tout un jeu de marches, pour découvrir les différentes pièces de la « maison ») ne sont que le prélude aux 2 attractions majeures de cette partie du parc :

– ***Pirates of the Caribbean :*** ♿ Vraiment fabuleux. Vous voilà parti sur une barque dans le monde des corsaires. Il fait nuit. Les villages de pêcheurs se succèdent, peuplés de pirates bizarres et inquiétants. Soudain, des coups de feu et de canon retentissent. Un navire pirate est en train d'accoster...

– ***Indiana Jones et le temple du Péril... à l'envers*** *(FastPass) :* dans un camp de base d'archéologues dans la jungle, des wagonnets dévalent à toute allure (54 km/h en moyenne) de mystérieuses ruines indochinoises, en sens inverse de la marche normale, voire la tête en bas. Le 1er looping dans l'histoire (vieille de 40 ans) des Parcs Disney. Spectaculaire et secouant. Pour les adolescents et les parents amateurs de sensations fortes (taille minimum requise, avec une toise à l'entrée, correspondant à celle d'un enfant de 10 ans environ).

DISCOVERYLAND

– ***Space Mountain*** *(FastPass) :* sans doute aujourd'hui l'attraction la plus connue du parc. Ses trains sillonnent l'espace dans une obscurité quasi totale, constellée d'étoiles et de planètes. Vous prenez place dans le train-fusée ; lentement, il se positionne à la verticale sur la rampe de tir. Boum ! Déflagration et mise en orbite immédiate, puis voyage intersidéral à vitesse grand V dans les entrailles du Space Mountain. Loopings ahurissants, virages ultra-serrés, vrilles, train d'enfer... vous ne comprenez plus rien. Essayez toutefois de garder les yeux ouverts, ça vaut la peine : effets laser, astéroïdes, étoiles, tout y est. Puis, ralentissement et clin d'œil de la lune attendrie, aimable hologramme. Ici aussi une taille minimum est requise, correspondant à peu près à celle d'un adolescent de 12 ans.

– ***Stars Tours*** *(FastPass) :* ♿ Point de départ d'un voyage intergalactique, grâce à la rencontre entre la technique des simulateurs de vol et la saga des films *Star Wars*. Ainsi prend-on place à bord d'un vaisseau spatial qui se soumet à la vitesse vertigineuse d'un voyage interplanétaire. On est piloté par un robot nommé RX24 (Rex pour les intimes), qui vous annonce d'emblée, pour vous mettre à l'aise, que c'est également son baptême de l'espace. On en frémit déjà ! Accélérations foudroyantes et capacité déconcertante à virer à 90°. Effets garantis. Vivement déconseillé aux femmes enceintes et aux voyageurs ayant des problèmes de lombaires ou de cervicales.

– ***Le Visionarium :*** ♿ On est accueilli par un robot. Puis, un écran de 360° (9 caméras simultanées !) vous propulse dans un périple à travers le passé, le présent et le futur de l'Europe où Jules Verne est l'acteur principal.

– ***Chérie, j'ai rétréci le public :*** ♿ Calé dans votre fauteuil, lunettes sur le nez, vous allez assister à la remise du trophée de l'Inventeur de l'année au fameux professeur Szalinski pour sa célèbre machine à rétrécir les objets (et occasionnellement les gosses). Mais la cérémonie est fortement perturbée par l'intervention de ses enfants. On ne vous en dit pas plus... Ouf ! Une attraction sympa et pleine d'humour qui plaira à toute la famille.

Où manger ?

Chez Mickey, il y en a pour tous les goûts et tous les prix. Tout au long des allées, on vous propose pop-corn salé ou sucré, bretzels, hot dogs, glaces,

etc. Dans chaque « monde », on peut manger des mets en rapport avec le thème : cow-boy et mexicain à Frontierland, exotique à Adventureland, etc. Un conseil, évitez impérativement la tranche horaire 12 h-13 h 30, si vous ne voulez pas faire 1 h de queue pour déjeuner. Vers 16 h-17 h, pour goûter, rebelote ! Conclusion : mieux vaut être décalé.
Quelques restos, bien que chers, méritent qu'on s'y arrête, surtout pour leur décor. Dans certains, on peut réserver sa table à l'avance (c'est d'ailleurs fortement recommandé). Comparativement à la qualité proposée, tout cela est quand même bien onéreux. Les gens de Disney n'apprécient pas beaucoup les pique-niques importés, mais personne n'ira fouiller votre sac à l'entrée...
Il existe plusieurs restaurants dans *Disney Village,* aux portes du parc (à l'extérieur). À midi, pour déjeuner, il y a généralement beaucoup moins de monde ici que dans le parc.

Dans l'enceinte du Parc Disneyland

|●| ***Colonel Hathi's Pizza Outpost :*** dans Adventureland. ♿ Menu-enfants à 5 €, sinon, menu à 10 €. Superbe maison coloniale entourée de végétation tropicale. Plusieurs terrasses sur différents niveaux, ombragées ou non, dont une donnant sur une cascade. Très agréable.

|●| ***Cowboy Cookout Barbecue :*** au fond de Frontierland, à droite avant le *Critter Corral.* ♿ Menu-enfants à 5 €, sinon menu à 9 €. Dans une immense grange pleine de charme. De vrais faux cow-boys sont là pour vous servir. *Spare-ribs* très corrects, *burgers,* poulet-frites et salades.

|●| ***L'Auberge de Cendrillon :*** dans Fantasyland. ♿ Premier menu à 28 € pour les adultes et menu-enfants à 10 €. Délicieusement frais en été. D'excellentes prestations dans un charmant décor inspiré par l'architecture du manoir de Cendrillon et des auberges de province françaises. Service adorable.

|●| ***Blue Lagoon :*** dans Adventureland. ♿ Premier menu autour de 25 € pour les adultes et menu-enfants à 10 €. On déjeune au cœur même du repaire des pirates, sous la voûte étoilée, au son des insectes tropicaux et du murmure des vagues. Cuisine d'inspiration exotique mais surfaite. On peut néanmoins regretter l'éclairage un peu trop tamisé censé entretenir l'illusion Caraïbes, ainsi que l'odeur chlorée qui émane de la rivière.

Dans Disney Village (accès gratuit)

|●| ***Rainforest Café :*** ♿ À la carte, compter 25 € ; pour les moins de 12 ans, menu à 14 €. Chaises hautes à disposition. Coloriages et verre-souvenir à emporter pour les enfants. Pas de réservation. On mange au cœur de la forêt équatoriale amazonienne peuplée d'animaux sauvages à moitié cachés. Éclairs, tonnerre et averses à intervalles réguliers. Salades, hamburgers et plats soi-disant exotiques mais bien garnis.

|●| ***La Légende de Buffalo Bill :*** ☎ 01-60-45-71-00. Fax : 01-60-45-71-01. ♿ Réservation très recommandée. Dîner-spectacle à 18 h 30 et 21 h 30 ; tarifs : 52 € ; pour les 3-11 ans : 32 €. Rehausseurs pour les enfants. Fabuleux spectacle qui fait revivre chaque soir l'épopée de la conquête de l'Ouest, avec cow-boys, bisons, « vrais » Indiens et faux William Cody, un homme assez peu respectable puisque responsable direct de la mort de dizaines de milliers d'Indiens de l'Ouest américain. Mais le rouleau compresseur de l'histoire est passé par là, alors ! Cuisine roborative mais assez quelconque ; repas texan compris dans le prix.

WALT DISNEY STUDIOS

Attenant au Parc Disneyland, ce 2e parc à thème, inauguré au printemps 2002, propose aux visiteurs de découvrir les coulisses du cinéma, de l'animation et de la télévision, à travers 4 « zones de production ». Un programme qui s'annonçait alléchant, mais voilà, une fois n'est pas coutume, Mickey, tu nous as déçus.

D'abord, le parc est petit à côté de son grand frère. Il n'y a qu'une dizaine d'attractions, et encore de qualité inégale. Certaines sont vraiment extra, d'autres beaucoup moins. Dans l'ensemble, ça manque de sensations et de magie.

Bref, on reste un peu sur sa faim et on attend avec impatience la création de nouvelles attractions qui viendraient dynamiser tout ça. Dernière chose : n'y amenez pas de trop jeunes enfants. C'est seulement à partir de 10-12 ans qu'ils seront intéressés.

FRONT LOT

On arrive sur une place néo-hispanique plantée de palmiers. Pour la petite histoire, cette espèce de palmiers a été sélectionnée pour sa résistance au froid (la Brie, c'est pas la Californie !) : ils poussent d'habitude sur les contreforts de l'Himalaya. Sur la gauche trône un réservoir d'eau de 33 m de haut, surmonté des fameuses oreilles de Mickey. Ce type de réservoir d'eau sert de repère traditionnel dans les studios de cinéma et celui-ci fait office de symbole du parc. Puis on pénètre obligatoirement dans le ***Studio 1***, reconstitution d'un Hollywood mythique (en fait un mini-centre commercial avec boutiques et restos).

ANIMATION COURTYARD

Cette zone est consacrée à l'art de l'animation, bref aux dessins animés qui sont à l'origine du succès de Disney.

– ***Animagique :*** Spectacle de marionnettes géantes utilisant des techniques de manipulation chinoise et des effets de lumière noire. On redécouvre des scènes de *Dumbo, Pinocchio,* du *Livre de la Jungle* et du *Roi Lion.* Parfait pour les enfants.

– ***L'Art de l'animation selon Disney :*** Après un best of des moments les plus émouvants des dessins animés des studios Disney, des animateurs aidés de vidéos expliquent comment on crée un personnage et des techniques d'animation. Dommage que cela soit si gnangnan. À la fin, par contre, une vidéo-karaoké permet de doubler soi-même un personnage de dessin animé (et ça, c'est marrant).

– ***Les Tapis volants*** *(FastPass)* ***:*** Manège classique sur le thème du dessin animé *Aladin.* Très court, mais plaira aux tout-petits.

PRODUCTION COURTYARD

Nous voilà dans les coulisses du cinéma et de la télévision.

– ***Cinémagique :*** Dans un théâtre des années 1930, un spectateur traverse l'écran et se retrouve involontairement mêlé à de grandes scènes de l'histoire du 7e Art. Un superbe hommage au cinéma européen et américain, du muet à *Titanic* en passant par *Le Grand Bleu* et *Un Homme et une Femme.* Drôle et émouvant. Tout ce qu'on aime.

– ***Television Production Tour à Walt Disney Television Studios :*** héberge les locaux de Disney Channel France. Peut-être aurez-vous la chance d'assister au tournage d'une émission en direct ; sinon, on reste sur sa faim.

– ***Studio Tram Tour avec Catastrophe Canyon*** *(FastPass)* ***:*** Une visite en tram des coulisses du parc, guidée sur un mini-écran par Irène Jacob et

Jeremy Irons. On passe d'abord devant des bouts de décor de films peu connus avant de découvrir l'envers des effets spéciaux avec *Catastrophe Canyon,* simulation réaliste et réussie d'un accident spectaculaire. Tout y passe, tremblement de terre, incendie. L'inondation est particulièrement impressionnante. La fin de la balade s'avère planplan : passage rapide devant l'atelier des costumes du parc puis dans le décor d'un Londres ravagé par une attaque de dragons (pas terrible).

BACKLOT

Cette dernière zone est tout spécialement consacrée aux effets spéciaux et aux cascades.
– ***Armageddon :*** après une rétrospective d'un siècle de trucages cinématographiques, on embarque dans la navette spatiale *Mir* pour vivre en direct l'effet d'une pluie de météorites. Beaucoup de bruit et de fumée. Pas mal, mais difficile d'avoir l'œil partout compte tenu de la configuration hémisphérique de la navette.
– ***Rock'n'Roller Coaster avec Aerosmith*** *(FastPass)* **:** enchaînement décoiffant de loopings et de vrilles sur les rythmes effrénés des guitares du groupe de rock Aerosmith. Pour vous mettre en condition, la vitesse de la « limousine » passe de 0 à 100 km/h en 2,8 secondes, ce qui correspond à l'accélération d'une Formule 1 ! C'est la seule attraction à (grosses) sensations des Walt Disney Studios. Le mélange est détonant (et épuisant !), on sort de là les jambes chancelantes. À faire en dernier si vous ne voulez pas être blasé le reste de la journée.
– ***Moteurs... Action ! :*** spectacles à heures fixes de cascades motorisées (voiture, moto et jet-ski), mis en scène par Rémy Julienne, le célèbre cascadeur. Dans un super décor de petit port méditerranéen, les scènes d'action s'enchaînent, mais en prime les cascades sont expliquées et les trucages dévoilés. Un écran géant permet de voir au final l'enchaînement des scènes une fois montées. Assez spectaculaire.

Où manger ?

Le Parc Walt Disney Studios étant à 5 mn à pied de ***Disney Village,*** on peut aussi sans problème y faire un saut de puce pour le déjeuner (lire plus haut la rubrique « Où manger ? » du Parc Disneyland).

Dans Walt Disney Studios

|●| ***Backlot Express :*** dans Backlot. Menu-enfants à 5 €; sandwichs autour de 4-5 €. Chaises hautes à disposition. Super décor : un immense magasin d'accessoires de cinéma, regroupés par genre. Vieilles plaques de rue, statues et bouts de colonnes en staff, maquettes, bibelots, et puis des pots de peinture partout. Sandwichs, quiches et salades (prix raisonnables).
|●| ***En coulisses :*** dans Studio 1. Menu-enfants à 5 €; autres menus de 6,90 à 11 €. Chaises hautes à disposition. Vaste cantine de cinéma reconstituée à la sauce Disney. Les façades ne sont que des décors et un tableau de bord permet de modifier soi-même les éclairages (quand ça veut bien marcher !). Et qu'est-ce qu'on mange ? Des pizzas et des *burgers,* entre autres.
|●| ***Rendez-vous des stars :*** dans Production Courtyard. Menu à 20 €; menu-enfants à 10 €. Chaises hautes à disposition. Le resto le plus chic des Walt Disney Studios. Belle bâtisse Art déco, vaste salle éclairée par une verrière. Aux murs, de grandes photos de stars d'Hollywood immortalisées en train de manger ! Formule self-service (qualité tout à fait correcte).
– On trouve également une douzaine de points de restauration ambulants dans le parc.

LANGUEDOC-ROUSSILLON

Voisin de l'Espagne, le Languedoc-Roussillon jouit d'un ensoleillement exceptionnel et de plages parmi les plus belles de France. Les stations balnéaires s'y sont développées tout au long du golfe du Lion à partir des années 1960 et 1970, pas toujours merveilleuses et laissant la part belle au béton, mais ayant malgré tout leur contingent de fidèles, ravis d'y revenir chaque été. Dans l'arrière-pays, des sites de premier ordre : Carcassonne, la grande cité médiévale, ou le pont du Gard, par exemple, à ne pas manquer. Et plus haut, vers les Cévennes et la Lozère, des virées nature avec la découverte de musées originaux ou de réserves abritant loups, bisons ou aigles royaux, un monde sauvage ici préservé.

Adresses utiles

Comité régional du tourisme du Languedoc-Roussillon : 417, rue Samuel-Morse, C579507, 34960 Montpellier Cedex 2. ☎ 04-67-22-81-00. Fax : 04-67-22-80-27. • www.cr-languedocroussillon.fr/tourisme • On y trouve tout ce qu'il faut savoir sur les 5 départements du Languedoc-Roussillon.

Comité départemental du tourisme de l'Hérault : av. des Moulins, 34184 Montpellier Cedex 4. ☎ 04-67-67-71-71. Fax : 04-67-67-71-77. Dans un quartier excentré (celui des facultés), au nord, pas facile à trouver.

Comité départemental du tourisme des Pyrénées-Orientales : 16, av. des Palmiers, BP 540, 66005 Perpignan Cedex. ☎ 04-68-51-52-53. Fax : 04-68-51-52-50. Central de réservation campings, hôtels et gîtes : ☎ 04-68-51-52-70. Fax : 04-68-51-52-79. Très efficace, le CDT fournit tous les renseignements sur simple demande : disponibilité des campings et hôtels, liste de « clévacances » (sélectionnées et vérifiées), brochures touristiques, itinéraires, etc.

Comité départemental du tourisme de l'Aude : conseil général de l'Aude, 11855 Carcassonne Cedex 9. ☎ 04-68-11-66-00. Fax : 04-68-11-66-01. • www.audetourisme.com • Compétent et bien documenté sur l'histoire et sur les randonnées.

Comité départemental du tourisme du Gard : 3, pl. des Arènes, BP 122, 30010 Nîmes Cedex 04. ☎ 04-66-36-96-30. Fax : 04-66-36-13-14. • www.tourismegard.com •

Comité départemental du tourisme de la Lozère : 14, bd Henri-Bourillon, 48001 Mende Cedex. ☎ 04-66-65-60-00. Fax : 04-66-65-03-55. • www.france48.com • On y trouve tout. Les listes des hôtels, des restos, des campings, des gîtes ruraux, des chambres d'hôte, des fermes-auberges, des gîtes d'enfants et bien d'autres choses encore : les possibilités de randonnées pédestres, d'équitation, de canoë-kayak, de spéléologie. Leurs prospectus sont généralement clairs et bien faits.

AUTOUR DE PERPIGNAN

• Tautavel, Centre européen de Préhistoire • Les Aigles de Valmy • L'aquarium de l'observatoire océanologique de Banyuls-sur-Mer • Le Canigou et ses fermes de découverte • Le parc animalier des Angles

Ancien royaume catalan, tout est plus net, intense. Car le soleil donne 300 jours par an ! Et c'est un inépuisable manteau d'Arlequin. Déjà, la côte

est double. Après les plages à bronzette d'Argelès et du Canet, elle se hachure de calanques roses où nichent des petits ports de rêve, comme Collioure.
Derrière, c'est la plaine brodée d'abricotiers puis les mailles serrées des vignes qui partent à l'assaut des coteaux brûlés par le soleil. De chaque côté du Canigou, 2 grandes vallées pyrénéennes – le Conflent et le Vallespir.

Tautavel, Centre européen de Préhistoire : av. Léon-Jean-Grégory, 66720 **Tautavel.** ☎ 04-68-29-07-76. • tautavel.reservation@wanadoo.fr • Prendre la D 117 Perpignan-Foix ; à la sortie d'Estagel, direction Tautavel (30 km de Perpignan). Ouvert tous les jours de 10 h à 20 h en juillet et août, le reste de l'année téléphoner pour les horaires. Entrée : 7 € ; enfants de 7 à 14 ans : 3,50 € ; 3 € pour les enfants sur présentation du *Guide du routard.*
Ce petit village a offert au plus célèbre des hommes un immense espace avec salle d'exposition, un auditorium, un labo de recherches et des réserves. La visite se fait avec récepteur audioguide (sauf en haute saison, aux heures de pointe : son direct quand il y a trop de monde). Commentaires instructifs et pas ennuyeux. Des dioramas reconstituent avec réalisme les scènes de la vie quotidienne de l'homme de Tautavel. La liaison avec la grotte permet de vivre en direct, depuis le musée, les découvertes des archéologues (d'avril à août). En sortant, arrêtez-vous à la boutique, il y a là un bouquin écrit par le conservateur du musée, Jacques Pernaud-Orliac, le *Petit Guide de la préhistoire,* ouvrage de vulgarisation très bien fait. En été, ateliers préhistoriques gratuits pour les enfants (poterie, peinture rupestre, allumage du feu...).

Où manger ?

La Carmagnole : 12, rue de la Révolution-Française, 66000 **Perpignan.** ☎ 04-68-35-44-46. ♿ Ouvert le midi du lundi au samedi et le soir du jeudi au samedi. Fermé le dimanche ; congés annuels : en août et fin décembre. Menus à 9 € le midi et à 15 € ; tartes salées avec salade verte à environ 6 €. Tout ce qu'il faut pour vos têtes blondes ! Rien de bien révolutionnaire dans ce charmant bout de restaurant où l'on a plaisir à prendre table (quelques-unes en terrasse sur l'étroite rue piétonne), mais pas non plus de quoi pendre les aristocrates à la lanterne. Le plat du jour copieux, les délicates tartes salées : courgettes-fromage, thon et thym, lardons-fromage, etc., ainsi que celles sucrées, dont la goûteuse banane-myrtilles, sont parfaits pour déjeuner avec plaisir et décontraction.

Les Aigles de Valmy : château de Valmy, 66700 **Argelès-sur-Mer.** ☎ 04-68-81-67-32. Sur la N 114 en direction de Collioure, prendre la sortie 12, Valmy. Ouvert d'avril à octobre, de 11 h à 18 h 30. Fermé le lundi sauf en juin, juillet et août. Entrée : 7,50 € ; enfants : 6 €.
Un spectacle de sensations où aigles, faucons, vautours évoluent en toute liberté au-dessus de vos têtes. Séances « rapaces » à 14 h 30 et 16 h 30 dans un amphithéâtre sonorisé (45 mn). Visite de la fauconnerie et rencontres avec les 54 rapaces que compte le domaine. En outre, séances « chiens de berger » à 11 h 30 et 15 h 30 : spectacle de chiens de conduite et de protection de troupeau (30 mn). Formidable !

Où manger ?

L'Amadeus : av. des Platanes, 66700 **Argelès-Plage.** ☎ 04-68-81-12-38. • www.lamadeus.com • À côté de l'office de tourisme. Fermé

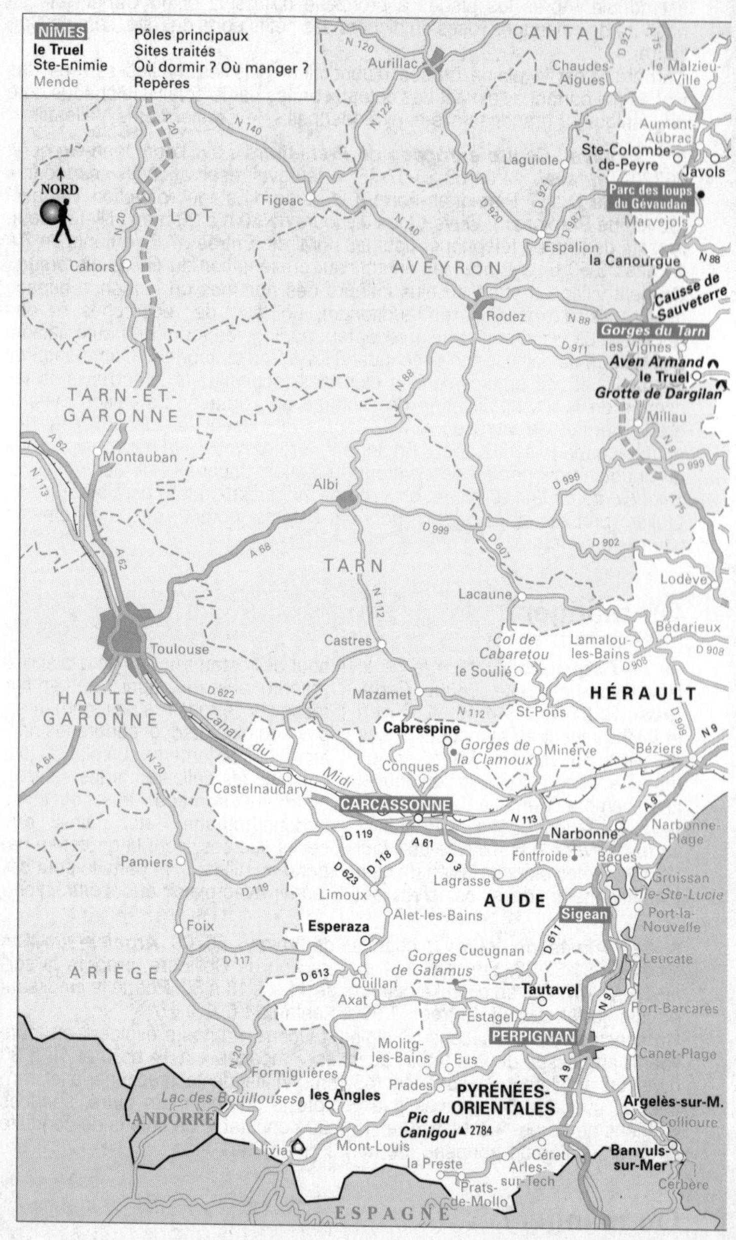
NÎMES
Pôles principaux
le Truel
Sites traités
Ste-Enimie
Où dormir ? Où manger ?
Mende
Repères
NORD
CANTAL
LOT
AVEYRON
TARN-ET-GARONNE
TARN
HAUTE-GARONNE
HÉRAULT
AUDE
ARIÈGE
PYRÉNÉES-ORIENTALES
ANDORRE
ESPAGNE
Aurillac
Chaudes-Aigues
le Malzieu-Ville
Aumont-Aubrac
Ste-Colombe-de-Peyre
Javols
Laguiole
Parc des loups du Gévaudan
Marvejols
Figeac
Espalion
la Canourgue
Causse de Sauveterre
Cahors
Rodez
Gorges du Tarn
les Vignes
Aven Armand
le Truel
Grotte de Dargilan
Millau
Montauban
Albi
Lodève
Lacaune
Bédarieux
Castres
Col de Cabaretou
Lamalou-les-Bains
le Soulié
Toulouse
Mazamet
St-Pons
Cabrespine
Gorges de la Clamoux
Minerve
Béziers
Conques
Canal du Midi
Castelnaudary
CARCASSONNE
Narbonne
Narbonne-Plage
Fontfroide
Bages
Pamiers
Lagrasse
Gruissan
Île-Ste-Lucie
Limoux
Sigean
Port-la-Nouvelle
Alet-les-Bains
Foix
Esperaza
Gorges de Galamus
Cucugnan
Leucate
Quillan
Tautavel
Axat
Port-Barcarès
Estagel
PERPIGNAN
Molitg-les-Bains
Eus
Canet-Plage
Formiguières
Prades
Lac des Bouillouses
les Angles
Argelès-sur-M.
Pic du Canigou
2784
Collioure
Llivia
Mont-Louis
Céret
Banyuls-sur-Mer
la Preste
Arles-sur-Tech
Prats-de-Mollo
Cerbère
N 120
N 122
N 140
A 20
N 20
D 921
A 75
D 920
D 987
N 88
D 911
A 62
N 113
A 68
D 999
D 607
D 902
N 112
D 908
D 622
D 909
N 9
A 64
A 9
D 119
A 61
D 118
D 623
D 3
D 611
D 117
D 613

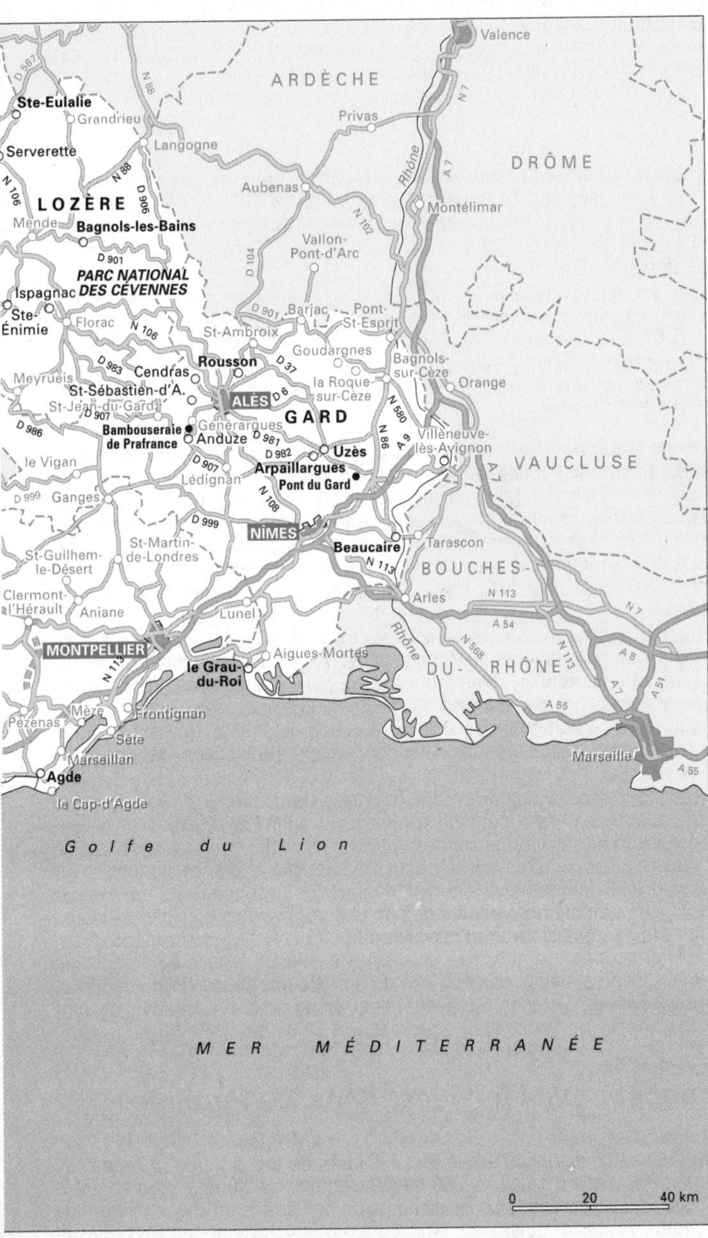
Valence
ARDÈCHE
DRÔME
LOZÈRE
GARD
VAUCLUSE
BOUCHES-DU-RHÔNE
Ste-Eulalie
Grandrieu
Serverette
Langogne
Privas
Aubenas
Montélimar
Mende
Bagnols-les-Bains
Vallon-Pont-d'Arc
PARC NATIONAL DES CÉVENNES
Ispagnac
Ste-Énimie
Florac
Barjac
Pont-St-Esprit
St-Ambroix
Goudargnes
Rousson
Cendras
Meyrueis
St-Sébastien-d'A.
St-Jean-du-Gard
Bagnols-sur-Cèze
Orange
la Roque-sur-Cèze
ALÈS
Bambouseraie de Prafrance
Générargues
Anduze
Uzès
Villeneuve-lès-Avignon
le Vigan
Arpaillargues
Pont du Gard
Lédignan
Ganges
NÎMES
Beaucaire
Tarascon
St-Martin-de-Londres
St-Guilhem-le-Désert
Arles
Clermont-l'Hérault
Aniane
Lunel
MONTPELLIER
Aigues-Mortes
le Grau-du-Roi
Mèze
Frontignan
Pézenas
Sète
Marseillan
Agde
le Cap-d'Agde
Marseille
Rhône
Golfe du Lion
MER MÉDITERRANÉE
0 20 40 km

les lundi et mardi (sauf en juillet et août) ; congés annuels : du 1er décembre au 12 février. Menu à 14 € avant 20 h ; autres menus de 19,50 à 42 € ; menu-enfants à 8,50 €. Dans ce restaurant à la déco claire et lumineuse, le chef mitonne une cuisine qui chante la Catalogne sans couac, ce qui est méritoire.

L'aquarium de l'observatoire océanologique de Banyuls-sur-Mer : av. du Fontaulé, 66650 ***Banyuls-sur-Mer.*** ☎ 04-68-88-73-39. De Perpignan, prendre la N 114 en direction de Port-Bou. Ouvert tous les jours de 9 h à 12 h et de 14 h à 18 h 30 (22 h en juillet et août). Entrée : 4 € ; enfants de 6 à 12 ans : 2 €.
Créé il y a plus d'un siècle, le centre d'étude de biologie marine de Banyuls est l'un des plus importants de France. On peut visiter l'aquarium de 40 bassins consacrés à la faune et la flore marines locales : poulpes, tortues, crustacés (énorme homard), murène, mérous, beaux cérianthes, corail rouge, anémones, etc. Par ailleurs, belle collection d'oiseaux naturalisés, comptant plus de 250 espèces.

Le Canigou et ses fermes de découverte : à une vingtaine de kilomètres au sud de Prades, au sud-ouest de Perpignan. Surtout, ne riez pas de ce nom d'aliment pour chiens ! En effet, les Catalans de France et d'Espagne respectent depuis toujours cette montagne... On allume encore traditionnellement les premiers feux de la Saint-Jean à son sommet, en présence de délégations venues des deux côtés de la frontière. Des flammes sont ensuite redescendues dans les villages pour les embraser à 22 h précises.
Montagne mythique, symbole religieux et social, le pic immaculé fut longtemps synonyme de légendes et d'exploits. Aujourd'hui encore, le Canigou réserve de nombreuses splendeurs à ceux qui s'y promènent. Riche d'une faune et d'une flore heureusement protégées, le massif offre également aux randonneurs de nombreux panoramas à couper le souffle, des routes spectaculaires, des gorges, des torrents, des sentiers praticables, des forêts de sapin...
Le Canigou dispose également de 5 *fermes de découverte.* Dotées d'une charte d'accueil, elles s'organisent autour d'activités précises : fermes-auberges, goûter à la ferme, vente directe de produits fermiers et sentiers de découverte. Les 5 hôtes agréés pour l'instant ont choisi ce concept pour expliquer aux visiteurs leur rôle d'aménageur de l'espace rural, développer un tourisme personnalisé et offrir des prestations à la fois agricoles et touristiques. Heureuse initiative qui permet de goûter de délicieux fromages frais, de la charcuterie maison ou des spécialités catalanes à base de produits de la ferme. Cadres magiques et sourire garanti. Pour les sites (Prats-de-Mollo, Saint-Laurent-de-Cerdans, etc.), les jours et horaires d'ouverture, se renseigner auprès de la chambre d'agriculture : ☎ 04-68-35-74-00.

Beaucoup plus à l'ouest dans les Pyrénées

Le parc animalier : pla del Mir, 66210 ***Les Angles.*** ☎ 04-68-04-17-20. • www.les-angles.com • Visites tous les jours de 9 h à 17 h (18 h en été). Entrée : 8 €. De 4 à 14 ans : 6,50 €. Avec un peu de chance, vous surprendrez l'œillade d'un cerf pour sa biche, vous devinerez la silhouette élancée d'un loup, ou celle, puissante, d'un ours, vous vous émerveillerez devant l'étonnant équilibre des mouflons, bouquetins et autres isards... et tremblerez devant les bisons. Toute la faune pyrénéenne est au rendez-vous sur les sentiers aménagés de ce parc unique dans les Pyrénées.

LA RÉSERVE AFRICAINE DE SIGEAN

Dans les environs : l'aquarium d'Agde

Le climat particulièrement ensoleillé du Languedoc-Roussillon était tout indiqué pour la création de cette « réserve africaine » pleine de girafes et de rhinos, qui est, avec Thoiry, l'un des parcs animaliers les plus visités de France. Un détour qui s'impose, donc, et l'occasion de varier les plaisirs entre baignade et bronzette sur les belles plages du golfe du Lion.

LA RÉSERVE AFRICAINE DE SIGEAN

À 15 km au sud de Narbonne par la N 9. ☎ 04-68-48-20-20. • www.reserveafricainesigean.fr • Ouvert tous les jours de 9 h à 16 h (18 h 30 en été). Entrée (pas donnée) : 19 €; enfants de 4 à 14 ans : 15 €. Comptez 3 h, mais vous pouvez y passer toute la journée. Restaurant panoramique au cœur du parc.

L'un des rares « espaces de liberté » pour animaux en France, sur près de 300 ha de garrigues et d'étangs. Créée en 1974 à l'initiative de Paul de La Panouse et de Daniel de Monfreid, la réserve accueille désormais plus de 4000 animaux, dont la moitié d'oiseaux, 1000 mammifères et le reste de reptiles. Nombreuses espèces en voie de disparition : lycaon, éléphants d'Asie et d'Afrique, âne de Somalie, rhinocéros blanc, ours du Tibet, tortue grecque, etc. Outre ces bébêtes devenues rares (on ne se demande plus à cause de qui...), le site choisi fait tout l'intérêt des lieux, avec sa végétation de type quasi africain et son superbe étang peuplé de flamants roses, rouges et blancs, de hérons, pélicans, oies sauvages, cygnes, etc.
À voir également sur le circuit à pied, les différents parcs dominant l'étang et menant à la « plaine africaine » et à l'île où vit un groupe de chimpanzés. On y trouve dromadaires, éléphants, zèbres, guépards, girafes, impalas, wallabies, cochons du Vietnam... ainsi que nombre d'oiseaux, paons et autres évoluant en totale liberté. Tout ce petit monde a l'air bien traité, il faut le reconnaître. L'espace et le soleil doivent aider, on n'est pas à Vincennes! En revanche, les parcs des ours et des lions font plutôt pitié. Ils ne se visitent qu'en voiture ou dans la navette gratuite de la réserve (tout comme les nouveaux parcs de la savane et de la brousse, où se côtoient rhinocéros et antilopes) et les dispositifs de sécurité ne se laissent pas oublier. Dommage.

Où dormir? Où manger?

Hôtel Le Régent : 15, rue de Suffren, 11000 **Narbonne.** ☎ 04-68-32-02-41. Fax : 04-68-65-50-43. • leregent@net-up.com • Ouvert toute l'année. Doubles de 35 à 44 € avec douche ou bains; triples autour de 54 €, quadruples autour de 57 €, comprenant 1 grand lit et 2 petits. Deux chambres ont une terrasse avec vue sur la ville. Un petit hôtel familial, propre et sans prétention, pratiquant des prix raisonnables. Beaucoup de charme, de simplicité et de gentillesse. Remise de 10 % à nos lecteurs de novembre à avril sur présentation du *Guide du routard.*

L'Estagnol : 5 bis, cours Mirabeau, 11000 **Narbonne.** ☎ 04-68-65-09-27. Fermé le dimanche, le lundi soir, ainsi que la 3e semaine de janvier. Formule à 9 € le midi; menus de 16 à 20 €; menu-enfants à 6 €. Une brasserie sympa. Cuisine de bonne facture à prix raisonnables. Pour ceux qui veulent manger rapidement en toute simplicité. Terrasse en été et chauffée en hiver. On y croise parfois les artistes qui viennent y dîner après le théâtre. Café offert à nos lecteurs sur présentation du *Guide du routard.*

➤ DANS LES ENVIRONS

L'aquarium d'Agde : 11, rue des Deux-Frères, 34300 **Agde.** ☎ 04-67-26-14-21. ♿ Dans le quartier de l'Avant-Port au Cap-d'Agde. Ouvert de 10 h à 23 h en été, de 14 h à 18 h hors saison. Entrée : 6 € ; enfants de 6 à 12 ans : 4 €.
Poissons tropicaux, requins et hôtes de la Méditerranée vous attendent dans ce bel aquarium comptant une trentaine de bassins.

Où manger ? Où déguster une glace ?

La Fine Fourchette : 2, rue du Mont-Saint-Loup, 34300 **Agde.** ☎ 04-67-94-49-56. Dans la ville même. Ouvert du lundi au samedi uniquement le midi, et le samedi soir. Fermé le dimanche ; congés annuels : entre Noël et le 1er janvier. Menus à 10 et 17,50 €. Pas de menu spécifique pour les enfants, mais le cuisinier s'arrange pour leur servir un petit plat sympa. Un peu en retrait des « grands boulevards » agathois et disposant d'une petite terrasse ombragée et fleurie, ce restaurant d'allure modeste permet de se sustenter à bon prix d'une bien honnête cuisine régionale et familiale : tarte à la sardine ou aux maquereaux, croustillant de pieds de porc... Service gentil de la patronne.

Ô Kakaô Beach : mail de Rochelongue, 34300 **Agde.** ☎ 04-67-26-52-01. Au Cap-d'Agde, sur la plage. Ouvert d'avril à fin septembre. Compter entre 3 et 15 €. Marie-Louise, maître-glacier, vous fera fondre avec ses délicieuses glaces. Les enfants en redemanderont, bien sûr ! Propose également des crêpes (sucrées et salées).

LA CITÉ MÉDIÉVALE DE CARCASSONNE

Dans les environs : le gouffre géant de Cabrespine • Le musée des Dinosaures à Esperaza

Le plus important ensemble médiéval de France, restauré par Viollet-le-Duc, émerveille tous ses visiteurs. L'un d'eux, Walt Disney, s'en inspira même pour créer le château de la Belle au Bois Dormant. Une sacrée référence ! Ce sont les Trencavel, noble famille également maîtresse d'Albi, de Nîmes et de Béziers, qui donneront son prestige à Carcassonne, du Xe au XIIe siècle, y construisant leur château.

LA CITÉ MÉDIÉVALE DE CARCASSONNE

La porte Narbonnaise, entrée principale de la cité, est un véritable château fort à elle seule. Avec ses deux tours à éperon de 30 m de haut (du XIIIe siècle), elle défend de manière autoritaire l'accès à la cité. En levant la tête, on aperçoit des trous qui supportaient les balcons de bois d'où on lançait sur l'assaillant pierres, huile bouillante, fagots enflammés... comme dans les films, quoi ! On aborde ensuite la rue Cros-Mayrevieille, du nom de l'érudit local qui aida au sauvetage de la cité. Elle monte directement au châ-

teau. Pittoresque avec son dallage et ses belles maisons, hélas aussi largement dénaturée par les boutiques vendant de tout (gourdes, jeux de cartes, T-shirts, épées en plastique, stylos, etc.) aux armes de Carcassonne.
– Cette rue mène au ***château comtal :*** ☎ 04-68-11-70-72. Du 1er avril au 30 septembre, ouvert de 9 h 30 à 18 h 30 ; d'octobre à mars, de 9 h 30 à 17 h. Attention : dernière admission 30 mn avant la fermeture. Fermé certains jours fériés. Parcours promenade de 30 mn sur les remparts. Entrée : 5,50 € ; gratuit pour les moins de 18 ans.
Notez qu'il existe une visite approfondie, dite visite-conférence, qui vaut le coup (et le coût !) : comprenant une visite du château, du rempart gallo-romain et des tours royales d'environ 1 h 30 à 2 h avec conférence historique de 20 mn, elle donne aussi droit au parcours promenade des remparts, qu'on pourra effectuer quand on voudra dans la journée (les 2 visites ne se recoupent pas et, au contraire, sont complémentaires) et à la visite du Musée lapidaire, de l'exposition permanente et de l'exposition temporaire. Bref, pour 4 € de plus que la « petite visite », mieux vaut prendre la visite-conférence si les enfants ne traînent pas les pieds. En saison, il y en a 5 par jour ; se renseigner.
Construit vers 1130 par les Trencavel, cet édifice de 80 m de long sur 40 m de large est une véritable « forteresse dans la forteresse ». Le château est plus qu'une résidence où l'on trouve le seigneur et sa suite. Il fait office de donjon et articule toutes les défenses de la cité. Il commande la vallée de l'Aude et surveille les alentours du haut de la tour Pinte. On y pénètre par un pont de pierre chevauchant des douves, dans une curieuse cour d'accès semi-circulaire (dite barbacane). Plusieurs fois remaniée par ses occupants successifs, la redoutable forteresse reste malgré tout un merveilleux témoignage de l'architecture militaire médiévale. On peut visiter l'enceinte intérieure, les remparts gallo-romains, les tours royales, les cours d'honneur et du Midi et les 2 corps de bâtiments (salles de l'époque féodale et d'autres, moins anciennes).
– ***Mémoires du Moyen Âge :*** chemin des Anglais (à l'extérieur du château, face à la porte Narbonnaise). ☎ 04-68-71-08-65. Ouvert tous les jours de 10 h à 19 h. Fermé entre Noël et le Jour de l'an. Entrée : 4 € ; enfants de 3 à 12 ans : 2,50 €. Vidéo et maquettes (très bien faites) présentent le Moyen Âge et la cité médiévale. Dans la vidéo de 15 mn, saisissant et plaisant raccourci de 1 000 ans d'histoire, d'architecture civile et militaire, et de mode vestimentaire. Le spectacle se poursuit avec un son et lumière dans la salle des maquettes, 3 reproductions de la cité, des Gallo-Romains au siège de 1240 – cette dernière scène étant assez captivante. Les enfants apprécient et les parents (qui sont souvent de grands enfants, les papas surtout) aussi.

Où dormir ? Où manger ?

■ ***Hôtel Astoria :*** 18, rue Tourtel, 11000 ***Carcassonne.*** ☎ 04-68-25-31-38. Fax : 04-68-71-34-14. À 150 m de la gare. Ouvert toute l'année. Chambres doubles de 20 à 24 € avec lavabo, de 34 à 38 € avec bains ; prix majorés de 2 € en juillet et août ; quelques chambres triples à 38 € et quadruples de 50 à 54 € en saison. Voici un hôtel spécial petits budgets aux chambres toujours propres, nickel, avec une bonne literie. Une adresse connue des cyclotouristes, qui y trouvent de quoi se reposer les mollets et les reins. Garage payant possible.

|●| ***Restaurant L'Escalier :*** 23, bd Omer-Sarrault, 11000 ***Carcassonne.*** ☎ 04-68-25-65-66. ♿ Service jusque tard le soir. Fermé le dimanche midi. Menus à 10 € le midi, de 16 à 20 € le soir ; menu-enfants à 6 €. Encore une pizzeria, certes, mais sachez que *L'Escalier* est un lieu avant d'être un restaurant. Pas simple de décrire la salle au dé-

cor helléno-mexicano-américano-cinéphile. On y mange à la fois grec, italien, créole et surtout mexicain. Les *fajitas* et le *chili* valent le déplacement. Accueil jovial et apéritif maison offert à nos lecteurs sur présentation du *Guide du routard.*

I●I ***Auberge de Dame Carcas :*** 3, pl. du Château, 11000 ***Carcassonne.*** ☎ 04-68-71-23-23. Fermé le lundi toute la journée et le mardi midi; congés annuels : en janvier. Menus à 13,50 et 23 €; menu-enfants à 9 €. De la place pour tout le monde, en terrasse, à l'étage ou dans la vieille cave voûtée. Un cadre rustique bien étudié, une cuisine ouverte sur la salle à manger et une cloche qui tinte pour dire merci! Menus et plats presque bon marché vu la qualité de la cuisine et la situation éminemment touristique. Menu régional et excellentes recettes au feu de bois, comme ce cochon de lait grillé au miel des Corbières, tout à fait exquis. Un signe qui ne trompe pas : quand les cuistots se mettent à table après le service, c'est pour se parler de... cuisine! Et ils font leur pain eux-mêmes pendant que vous dînez... Enfin, vins régionaux à des prix très doux. Kir offert à nos lecteurs sur présentation du *Guide du routard.*

➤ *DANS LES ENVIRONS*

🕵🕵 ***Le gouffre géant de Cabrespine :*** indiqué le long de la D 12. ☎ 04-68-26-14-22. • cabrespine@aol.com • ♿ En juillet et août, ouvert de 10 h à 19 h; en avril, mai, juin, septembre et octobre, de 10 h à 12 h et de 14 h à 18 h; en mars et novembre, l'après-midi. Fermé de décembre à février. Entrée : 7 €; enfants : 3,50 €. Tarif groupe pour les adultes sur présentation du *Guide du routard.*

Vraiment géant, ce gouffre : avec 250 m de profondeur et des dimensions extra-larges, la tour Eiffel y tiendrait presque! L'inconvénient est que l'éclairage du précipice produit un effet écrasant, donnant l'impression d'une profondeur moindre; et si l'on n'éclaire pas, on n'y voit rien du tout. Spectacle impressionnant tout de même. Par ailleurs, possibilité de randonnée spéléo de 5 h (sur réservation : ☎ 04-67-66-11-11).

🕵🕵 ***Le musée des Dinosaures :*** av. de la Gare, 11260 ***Esperaza.*** ☎ 04-68-74-02-08. Fax : 04-68-74-05-75. • musee.dinosaures@wanadoo.fr • ♿ À 20 km au sud de Limoux par la D 118. Ouvert tous les jours, de 10 h à 19 h en été, de 10 h à 12 h et de 14 h à 18 h hors saison. Entrée : 4,50 €; enfants : 3,50 €; tarif réduit sur présentation du *Guide du routard.*

Une étonnante exposition, qui vous permet de retrouver dans leur milieu naturel les maquettes des dinosaures qui peuplaient la vallée de l'Aude il y a 70 millions d'années. Vous y trouverez des squelettes grandeur nature (certains font plus de 11 m!), une vidéo sur les fouilles ou un diorama sur la vie de ces inquiétants monstres. Une exposition pour les petits comme pour les grands. À noter, un atelier de fouilles pour les enfants de 6 à 12 ans, tous les jours en juillet et août.

MONTPELLIER

Montpellier, ce n'est pas seulement la nouvelle cité du soleil construite par Ricardo Bofill *and co* pour être la vitrine de l'architecture mondiale de la fin du XXe siècle et du début du suivant, c'est aussi les calèches de l'Écusson (pour redonner son nom à la ville ancienne, qu'on appelle toujours ainsi, à cause de sa forme), les places où l'on mange en terrasse, les monuments éclairés la nuit, les fontaines, les espaces verts, le tramway libérateur qui a permis de chasser définitivement les voitures des rues du centre ancien... Cette ville change à vitesse grand V. Elle a plus de 1 000 ans d'existence mais s'est réellement réveillée il y a... 35 ans ! Radieuse, jeune, dynamique, la ville mérite aujourd'hui bien plus qu'un simple passage. Posez donc vos valises et vos bambins !

Parents savants : ***Montpellier, une ville pionnière dans les secteurs de pointe***

Centre universitaire international depuis le XIIIe siècle, Montpellier abrite l'une des plus anciennes facultés de médecine et la première à avoir reçu l'autorisation de disséquer des cadavres (au XIVe siècle).
Elle ne dément pas aujourd'hui sa vocation de centre de recherche, notamment dans les secteurs de pointe. Trois universités, plusieurs écoles d'ingénierie, un centre de recherche agronomique (Agropolis) et quantité de laboratoires de recherche médicale ou technologique. Les plus grandes industries y ont élu domicile : informatiques, pharmacologiques, chimiques, électroniques et même multimedia.

AGROPOLIS MUSEUM

951, av. d'Agropolis, 34000 ***Montpellier.*** ☎ 04-67-04-75-04. Fax : 04-67-04-13-69. Contact jeune public (animations, visites guidées et ateliers pédagogiques) : ☎ 04-67-04-75-14. • www.agropolis.fr • À 500 m du zoo du Lunaret, au nord de la ville. Par le tramway : direction « La Mosson », arrêt station Saint-Éloi puis navette « Agropolis-Lavalette ». Ouvert de 14 h à 18 h. Fermé le mardi. Entrée : 5 € ; tarif réduit : 3 €. Gratuit pour les moins de 10 ans. Différents types de visites guidées de 1 ou 2 h. Se renseigner au préalable. À partir de 6 ans. Sur place, un espace buvette bien pratique quand la soif n'attend pas !

Un lieu assez unique pour découvrir notre monde autrement, au travers de l'alimentation et des hommes qui la produisent. Il a été créé sur le site même de la communauté scientifique d'Agropolis par Louis Malassis, avec la collaboration de nombreux chercheurs. Son intention : présenter de façon intelligente l'histoire et le devenir de l'alimentaire à travers les agricultures du monde et les aliments. Pour ce faire, la visite s'articule autour de plusieurs grandes expositions permanentes :
– ***la fresque historique :*** c'est par elle que commence la visite. Si certains peuvent se contenter de passer devant en 10 mn, sachez qu'il existe un audioguide (payant : 1,50 €) de 2 h qui en vaut la peine (pour les plus âgés, cependant). C'est un vrai voyage de la nourriture dans le temps : de la découverte du feu et la domestication animale à l'internationalisation et à la diversification alimentaire. On y apprend comment la nourriture a évolué en fonction de la socialisation de l'habitat, des grandes découvertes industrielles ou de l'évolution des transports favorisant ainsi la spécialisation des pays dans certaines cultures et la circulation des aliments, l'intensification et l'internationalisation des cultures.
– ***Agriculteurs et agricultures du monde :*** par un jeu interactif de reconstitution de décors et d'éléments sonores à activer (sons de cloches des moutons des hauts plateaux de l'Atlas, interview de paysans nous parlant de leurs outils notamment), on entre, au sens propre comme au figuré, dans l'univers de différents paysans avec, pour chacun, un mode d'agriculture propre. De l'agriculture extensive du paysan marocain à l'agriculture industrialisée à haute productivité des pays d'Europe du Nord, en passant par la

culture intensive d'un paysan javanais, un tour du monde des agricultures bien illustré et enrichissant. Une bonne révision du programme de 5e !

– ***Les paysages agraires du monde :*** un diaporama sur grand écran pour mieux appréhender la diversité des milieux et comment les hommes ont façonné le paysage selon des contraintes environnementales, climatiques ou économiques. Bon, ce n'est pas la partie qui nous a le plus enthousiasmés, mais cela permet de se poser avant de poursuivre la visite.

– ***Aliments, nourritures et boissons du monde :*** le clou de la visite et la dernière-née des expositions permanentes du site. C'est un ensemble vivant et didactique qui permet de découvrir ou d'approfondir la diversité des aliments, cuisines et boissons du monde ainsi que leurs enjeux économiques, sociaux ou de santé. L'exposition s'articule en 3 temps, comme son nom l'indique : les aliments, les nourritures et les boissons.

Les aliments : à la manière d'un laboratoire de recherche, on pénètre dans un espace moderne et épuré, doté de tableaux explicatifs, de vitrines et d'écrans informatiques avec jeux interactifs pour les enfants afin d'appréhender les technologies alimentaires et le lien de l'alimentation à la santé. Un ensemble de 8 vitrines correspondant aux 8 grandes familles alimentaires complète l'apprentissage : les aliments glucidiques, protéiques, lipidiques, les fruits, les légumes, les produits laitiers, le sucre... Du produit de base au produit transformé, votre bambin saura tout des *corn flake's* qu'il mange tous les matins ! Et, pour conclure, un espace de projection de films de 15 mn sur des sujets alimentaires : le beurre, le lait, etc. Une bonne concrétisation de ce qui a été vu plus haut.

Les nourritures du monde : présente un premier module sur les styles alimentaires et une comparaison de la cuisine française en tant que pièce à vivre des années 1950 et d'aujourd'hui. Ces deux décors mettent en scène du mobilier, des objets et ustensiles qui rappelleront, cette fois-ci, bien des choses à certains parents nostalgiques ! L'espace « le monde à table » présente 6 coins du monde à travers 6 ambiances (reconstitutions de cuisines, objets représentatifs des préparations culinaires et une vidéo pour connaître les gestes propres à chaque type de cuisine et comprendre comment sont transformés les aliments suivant les pays). La cuisine française est symbolisée par une table dressée (joliment, d'ailleurs). Très instructif ! Et en prime, des fiches cuisine à consulter sur place. C'est parlant, c'est beau, c'est pédagogique. Bref, à ne pas louper. Ne pas rater non plus cette superbe fresque narrative, allégorie du monde à table. Au terme de cette visite, vous avez bien entendu compris que la nourriture est culturelle, et pas seulement un objet pour se nourrir.

Les boissons en tant qu'éléments socio-culturels et non pas seulement vitaux montrent à quel point boire est indissociable du manger. De beaux rayonnages et de belles collections traitent de l'eau, des boissons non alcoolisées, des boissons stimulantes (thé, café) et des alcools.

– ***Le banquet de l'humanité :*** il est le complément de l'exposition précédente et sans doute la partie la plus poignante. Car, au travers d'une immense table autour de laquelle sont attablés 8 couples de pays différents et aux modèles alimentaires différents, on réalise à quel point les habitudes alimentaires sont variées, mais aussi inégales, selon les parties du globe. Et si on apprend au terme de cette visite que la famine est de moins en moins fréquente, elle n'en reste pas moins un combat inachevé et permanent. Alors, les bout'chou, par respect, on ne jette pas la nourriture et on termine les assiettes !

Expositions temporaires (« Bien dans son assiette », « Histoires au fil du lait »), animations et ateliers cuisine (le mercredi, le week-end et pendant les vacances scolaires : « La Petite École du goût »), *cybermuseum,* vous allez vous régaler. Et, en sortant, si vous allez encore manger dans un fast-food, c'est que vous êtes vraiment irrécupérable !

LE PARC DE LUNARET

50, av. d'Agropolis, 34000 ***Montpellier.*** ☎ 04-67-54-45-23. De la gare, tram « La Mosson », descendre à Saint-Éloi, puis navette « Agropolis-Lavalette ». Ouvert de 9 h à 17 h (19 h en été). Fermé le lundi matin du 15 septembre au 15 mai. Gratuit.

Véritable parc méditerranéen, il accueille 750 animaux de 150 espèces différentes, en semi-liberté. Sur 80 ha, on trouve de grands enclos naturels, des volières, un sentier de découverte et 9 km de chemins pédestres. Une belle réussite puisqu'on peut décider d'y venir aussi bien pour voir des animaux (lions, ours, rhinocéros, pour ne citer que les derniers arrivés) que pour se relaxer ou faire son jogging. Ne pas manquer de descendre jusqu'à l'immense serre. Faune et flore exotiques garanties. En face, balade possible au bois de Montmour.

ATELIERS DE CUISINE

Pour une ville qui compte un nombre de chercheurs et un site de recherche agronomique uniques en Europe, un trois-étoilés Michelin et un musée entièrement consacré à l'art du bien manger, il n'est pas étonnant qu'une école de cuisine y ait vu le jour.
– *Atelier de cuisine :* 36 bis, av. Saint-Lazare, 34000 ***Montpellier.*** ☎ 04-67-79-07-68. • atelier@jardindessens.com • Deux séances chaque mercredi de 9 h à 12 h et de 14 h 30 à 17 h 30. Prix : 35 €. Enfants de 7 à 12 ans. Animé par des assistants de Jacques et Laurent Pourcel, les grands chefs du célèbre *Jardin des Sens,* l'atelier se donne pour mission de sensibiliser nos têtes blondes (et brunes) à l'art du bien manger. Chaque séance développe des thèmes choisis pour explorer les secrets des aliments, les sentir, les cuisiner et les goûter. Et dans une cuisine de grand meublée dernier cri, s'il vous plaît ! Le programme est alléchant : la brioche, menu autour de Pâques, les légumes ou fruits de printemps, l'olive, les sandwichs, les herbes, les confitures... Et nos petits repartent avec leur trophée ! Un succès qui ne se dément pas : réserver un bon mois à l'avance.

LES TERRASSES DU CORUM

L'opéra-palais des congrès imaginé par l'architecte Vasconi a fini par se fondre dans le paysage de la ville mutante. Vue extérieure : béton et granit rose. Vue intérieure : tout d'un hall d'aéroport. Il abrite heureusement un écrin : une superbe salle de 2000 places, l'opéra Berlioz. Et, tout au bout de l'esplanade, certainement le plus beau point de vue sur la ville. Accessible (gratuitement) à toutes les familles. Du 1er mai au 30 septembre de 10 h à 22 h ; du 1er octobre au 30 avril de 10 h à 19 h.
On y englobe d'un seul œil et sur 360° la ville et ses environs : les tours de la cathédrale Saint-Pierre et les immeubles rapprochés aux toits de tuiles qui représentent une extrémité du centre ancien. Un peu plus à droite (le nez vers le nord), le quartier de la Paillarde, aujourd'hui rebaptisé Mosson, célèbre pour son stade de foot et ses tours bâties dans les années 1970. À l'horizon, l'hortus et le pic Saint-Loup (à droite) et les Cévennes. À l'opposé, le lycée Joffre dans l'enceinte de l'ancienne citadelle, le fameux Triangle, point de repère entre le centre ancien et la ville nouvelle, et le grand centre commercial Polygone (appelé ainsi et rendant hommage au dieu Mercure parce qu'il prend place sur d'anciens champs militaires). Et la mer. Enfin, en contrebas de la terrasse, belle vue sur le jardin archéologique et les vestiges de l'ancienne église du Saint-Esprit, et la reconstitution d'une ancienne porte des remparts dont les fondations ont été redécouvertes au moment du tracé de la ligne de tramway.

PLANETARIUM GALILEE

Dans l'Odysseum, allée d'Ulysse, 34000 **Montpellier.** ☎ 04-67-13-26-26 pour connaître les horaires des séances de planétarium. • www.planetarium-galilee.com/plan.html • Entrée : 6 € pour tous.
Situé au cœur de l'Odysseum, un tout nouveau planétarium, forcément dernier cri, pour tout savoir sur les merveilles du monde stellaire. Boutique dédiée à l'astronomie.

Où dormir ? Où manger ?

Attention, les prix des chambres d'hôtel s'entendent sans la taxe de séjour. Comptez un supplément de 0,85 € par jour et par personne.

Hôtel d'Angleterre : 7, rue Maguelone, 34000 **Montpellier.** ☎ 04-67-58-59-50. Compter entre 43 et 45 € la double. De 46 à 53 € avec un lit supplémentaire et la quadruple à 58 €. Un bel hôtel, à la façade classique, de 4 étages (avec ascenseur, ouf !). En cours de rénovation totale (certaines chambres étaient encore défraîchies lors de notre passage) des murs au sol, en passant par les sanitaires et les parties communes. Il offre l'avantage d'une situation géographique privilégiée entre gare et place de la Comédie, et de beaux volumes dans les chambres pour les familles. L'accueil est à la fois discret et aimable. Bref, un hôtel hautement recommandable dans cette gamme de prix.

Hôtel Floride : 1, rue François-Perrier, 34000 **Montpellier.** ☎ 04-67-65-73-30. Fax : 04-67-22-10-83. Dans une rue calme à deux pas d'Antigone, mais un peu à l'écart du centre-ville. Chambres de 36 à 51 € pour une double ; 3 chambres triples à 50 € et 9 € pour un lit supplémentaire. Excellent accueil dans cet hôtel fonctionnel et très bien tenu, entièrement rénové et nouvellement repris. Petits déjeuners servis en terrasse l'été.

Hôtel du Palais : 3, rue du Palais-des-Guilhem, 34000 **Montpellier.** ☎ 04-67-60-47-38. Fax : 04-67-60-40-23. ♿ Dans l'Écusson, à 5 mn du centre. Chambres climatisées avec double vitrage de 57 à 66 € avec douche ou bains. Quelques chambres triples à 70 ou 80 €. Petit dej' copieux à 9 €. Idéalement situé, un très bel établissement du XIXe siècle tout près de la jolie place de la Canourgue, mais au calme. Hall d'entrée en peinture marbrée. Chambres coquettes avec TV, meublées de copies d'ancien qui lui confèrent un aspect provincial et chaleureux. Une très bonne adresse, offrant une ambiance familiale.

Le Bouchon Saint-Roch : 15, rue du Plan-d'Agde, 34000 **Montpellier.** ☎ 04-67-66-94-18. Fermé le dimanche. Trois menus de 8,70 à 16 €. Une petite terrasse dans une rue plutôt calme, une cuisine de maman, simple et chaleureuse, un accueil charmant ; on a bien aimé.

Au Bonheur des Tartes : 4, rue des Trésoriers-de-la-Bourse, 34000 **Montpellier.** ☎ 04-67-02-77-38. Fermé le soir et le dimanche. Assiettes composées entre 7,50 et 11 €. Dans le quartier piéton, en face d'un ancien hôtel particulier, se cache ce petit resto d'habitués. Le patron confectionne ses tartes salées en fonction des saisons et du marché. Bonne pâte, soit dit en passant et en parlant de ce qu'il y a dans l'assiette, bien sûr, que l'on soupçonne d'être confectionnée avec une giclée d'huile d'olive. Vin au verre pour accompagner et tarte sucrée au dessert. Importante carte de thés.

Brasserie du Corum : esplanade Charles-de-Gaulle, 34000 **Montpellier.** ☎ 04-67-02-03-04. Ouvert tous les midis, sauf le dimanche. Tartines + dessert du jour à 11 €. Trois espaces en un : galerie d'art, restaurant gastronomique et bar à vin. Choisissez cette dernière option qui propose, dans un cadre clair et aéré à l'étage, d'excellentes formules « tartines », rapidement servies au déjeuner. Et si les tartines ne plaisent pas, on s'arrangera toujours pour nourrir vos bambins avec un plat figurant sur la carte du resto. Si c'est pas de l'accueil, ça !

I●I ***Salon de Thé Latitudes :*** pl. de la Canourgue, 34000 ***Montpellier.*** Pas de téléphone. Ouvert du lundi au samedi de 9 h à 19 h 30. Thé à 3 € et jus de fruits frais pressés à 3,50 €. Traîner les enfants dans les salons de thé relève plus de la négociation que du véritable plaisir partagé. Pourtant, celui-là, aura bien des attraits pour séduire vos inépuisables galopins. La déco est minimaliste (pas de risque de casse), tout en bois tropical (c'est du robuste), et tables et chaises longues sont installées sur la place dès les beaux jours. Autant vous dire qu'entre jus de fruits frais et jeux sur la place (très calme et fraîche même en été), vos petits ne tergiverseront pas. Et vous non plus, d'ailleurs...

NÎMES ET LA PETITE CAMARGUE

Dans les environs : le pont du Gard • Le palais de la Mer • Les Aigles de Beaucaire • Le Monde merveilleux de Daudet

Que votre enfant soit latiniste ou pas, il faut visiter Nîmes, la « Rome française », notamment pour ses arènes et sa maison Carrée, et de là remonter jusqu'au pont du Gard, autre chef-d'œuvre gallo-romain, qui a survécu à près de deux millénaires d'histoire. Avec Arles (arènes, théâtre, forum), Nîmes constitue une étape essentielle, moins chère que le voyage à Rome. Au sud, vers la mer Méditerranée, la petite Camargue, avec ses rizières et ses taureaux, s'étend de Beaucaire à Aigues-Mortes, bastide édifiée par saint Louis. Des balades architecturales passionnantes, assurément !

¶¶¶ ***Les arènes de Nîmes :*** ☎ 04-66-76-72-77. En été, ouvert de 9 h à 18 h 30 ; le reste de l'année, de 9 h 30 à 17 h 30. Fermé le 1er mai, à Noël, le Jour de l'an et les jours de grand spectacle. Entrée : 4,45 € pour les adultes ; de 11 à 16 ans : 3,20 € ; gratuit pour les moins de 10 ans.

La *Colonia Augusta Nemausus* était déjà bien alimentée en eau par l'aqueduc du Gard (et son fameux pont) quand on décida de construire cet amphithéâtre, probablement à la fin du Ier siècle apr. J.-C., destiné essentiellement aux combats de gladiateurs. On fit venir des tonnes de pierres des carrières voisines de Roquemaillère et de Barutel.

Bien qu'effritée par les intempéries, la pierre des arènes a bien tenu le choc des siècles. Résultat : près de 2000 ans après sa naissance, c'est l'amphithéâtre le mieux conservé du monde romain. Inspirée du Colisée de Rome, son architecture est un modèle d'harmonie et d'équilibre. Des 75 amphithéâtres romains toujours debout à travers le monde, celui de Nîmes n'est qu'au 20e rang par la taille : une forme elliptique de 133 m sur 101 m.

C'est en 1863 qu'eut lieu la première corrida, qui fit scandale à l'époque. Depuis cette date, les corridas n'ont pas cessé. Outre les taureaux et les matadors, les arènes accueillent désormais des concerts de rock, de jazz, des cirques, des spectacles de théâtre et des manifestations sportives. Dotées d'un toit mobile de Plexiglas, de toile et d'aluminium (les Romains utilisaient déjà le velum), les arènes sont ainsi couvertes 6 mois de l'année, et même chauffées en hiver. Voilà la plus grande salle de spectacles du Languedoc-Roussillon. Une belle métamorphose.

Parents savants : *les arènes de Nîmes*

Les arènes proposent 24 000 places au total, réparties sur 34 niveaux de gradins. Remarquez l'ingéniosité de l'architecte romain qui a conçu l'amphithéâtre de telle manière que l'accès aux gradins *(cavea)* soit le plus aisé et le plus rapide possible. Les 2 étages d'arches cachent 5 galeries concentriques, sur plusieurs niveaux, et pas moins de 126 escaliers internes, réseau destiné à éviter les embouteillages de spectateurs à l'entrée comme à la sortie. Des sorties qui s'appellent ici des « vomitoires »... À l'époque romaine, les arènes étaient une immense salle de jeux en plein air, ouverte au peuple comme à l'élite de la ville. De sanglants combats de gladiateurs s'y déroulèrent mais aussi des courses de chars, de chevaux, des pantomimes. Les jeux cessèrent à la chute de l'Empire.

La maison Carrée : ☎ 04-66-36-26-76. En saison, ouvert de 9 h à 12 h et de 14 h 30 à 18 h 30 ; hors saison, de 9 h à 12 h 30 et de 14 h à 18 h. Entrée gratuite.
Ce n'est ni une maison, ni un carré ! mais un magnifique petit temple romain (rectangle de 25 x 12 m) admirablement conservé. Édifié au cœur du forum, entre l'an 3 et l'an 5 apr. J.-C., sous le règne d'Auguste, ce sanctuaire est dédié à Caius et Lucius César, « princes de la Jeunesse » et fils adoptifs d'Auguste. Le monument est inspiré de l'architecture du temple d'Apollon de Rome. Il aurait, en outre, influencé l'architecte de l'église de la Madeleine à Paris, qui fut bâtie sous Napoléon Ier. Curieusement, dans l'histoire, ce sont souvent les plus beaux monuments qui ont les destinées les plus folles. Ce temple romain a servi tour à tour de bureau aux consuls (1198), de maison d'habitation, d'écurie, d'église, et il a même abrité des fonctionnaires au XIXe siècle. Aujourd'hui, le temple des « princes de la Jeunesse » sert de salle d'exposition.

Où dormir ? Où manger ?

Auberge de jeunesse et camping : 257, chemin de l'Auberge-de-Jeunesse, 30000 ***Nîmes.*** ☎ 04-66-68-03-20. Fax : 04-66-68-03-21. • nimes@fuaj.org • À 2 km du centre, sur une des collines qui entourent Nîmes ; fléché à partir du jardin de la Fontaine ; au départ de la gare SNCF, bus n° 2, direction Alès-Villeverte (minibus de la gare à l'auberge après 20 h). Accueil de 7 h 30 à 23 h. Nuitée à 8,65 € environ. Repas à 8,50 €. En été, réservez ! Excentrée (et si vous êtes à pied ou à vélo, ça grimpe !) mais dans un quartier tranquille, à flanc de colline, au cœur d'un vaste parc planté de 80 espèces d'arbres (un arboretum). L'auberge a été entièrement rénovée en 2000. Dortoirs de 2, 4, 6 ou 8 lits dans le bâtiment principal ou dans des petits modules dans le parc, avec w.-c. à l'intérieur ou sur le palier. Clef électronique si vous avez décidé de rentrer à point d'heure. Cuisine à disposition, laverie, local à vélos, location de VTT et de scooters. La personnalité d'Andy est pour beaucoup dans la qualité de cette auberge exceptionnelle.

Résidence Grizot : 6, rue Grizot, 30000 ***Nîmes.*** ☎ 04-66-36-50-00. Environ 197 € le studio pour 2 personnes, pour une semaine. En plein centre, une résidence composée de 46 studios et appartements meublés, équipés de kitchenette et de salle d'eau (douche et w.-c.). Pour 1, 2 ou 4 personnes. Services en plus : gardienne, laverie, location de linge. Bon rapport qualité-prix. Pas de location à la nuit mais à la semaine seulement.

La Truye qui Filhe : 9, rue Fresque, 30000 ***Nîmes.*** ☎ 04-66-21-76-33. Ouvert uniquement le midi. Fermé le dimanche. Congés annuels : en août. Formules à 7 € proposant plat chaud + dessert et à 8 € avec une entrée en plus. Pour les enfants, le patron propose une petite portion du plat de leur choix ainsi qu'un dessert pour environ 4,60 €. C'est le plus ancien resto de la ville, puisqu'on tenait déjà auberge ici au XIVe siècle. On pouvait y dormir certains soirs dans la chambre de l'Ange... Superbe décor, donc (voûtes de pierre, patio) pour ce qui est aujourd'hui un... self. Très sympa pour les enfants !

➤ DANS LES ENVIRONS

Le pont du Gard : à 22 km au nord-est de Nîmes par l'autoroute et Remoulins. Parking payant, mais entrée gratuite. Construit par les Romains voici 2000 ans environ, ce viaduc alimentait Nîmes en eau potable. Le site a été entièrement réaménagé à la fin de la décennie 1990 : pont interdit à la circulation, chemins d'accès réservés aux piétons, parkings éloignés de l'édifice, centre d'exposition et d'animation culturelle à l'entrée du site. Ce dernier intéressera les enfants à la présence romaine en Gaule.
Mais attention, il s'agit du 5e monument le plus visité de France : plus d'un million de touristes s'y pressent chaque année ! On vous recommande de bien choisir l'époque, le jour et l'heure de votre venue. L'idéal : très tôt le matin, ou le soir vers 18 h. Évitez absolument d'y aller l'après-midi du 15 août par exemple, ainsi que les jours de pluie ou de grand vent.

Le palais de la Mer (Seaquarium) : av. du Palais-de-la-Mer, 30240 **Le Grau-du-Roi.** ☎ 04-66-51-57-57. ♿ Rive gauche. Ouvert tous les jours ; de janvier à avril et d'octobre à décembre, de 10 h à 18 h ; en mai, juin et septembre, de 9 h 30 à 19 h ; en juillet et août, de 10 h à 23 h. Vente des derniers billets 1 h avant la fermeture. Entrée : 8,60 € pour les adultes ; enfants de 5 à 15 ans : 5,80 €.
Vastes aquariums qui accueillent 200 espèces de poissons. Spectaculaire, les requins qui passent au-dessus de vos têtes (dans un tunnel de verre blindé, ouf !), les mérous géants de l'océan Indien et les poissons rares aux couleurs fluo. Le grand bassin à phoques et otaries est une autre attraction appréciée des enfants. Pour finir, voir l'intéressant musée de la Mer qui, lui, retrace la vie du Grau, évoque la pêche en mer... Section d'archéologie sous-marine avec les inévitables amphores.

Les Aigles de Beaucaire : château de Beaucaire, 30300 **Beaucaire.** ☎ 04-66-59-26-72. • www.aigles-de-beaucaire.com • À une vingtaine de kilomètres au nord d'Arles. Ouvert de mi-mars à la Toussaint, tous les après-midi sauf le mercredi ; pendant les vacances scolaires, ouvert tous les jours. Téléphoner pour les horaires des spectacles. Entrée : 7,50 € ; enfants : 5,50 €.
Un spectacle grandiose de rapaces en vol libre, présenté dans le cadre d'une mise en scène gallo-romaine. Aigles, vautours, milans, faucons : superbe ballet au-dessus de vos têtes.

Le Monde merveilleux de Daudet : rue des Anciens-Combattants, 30300 **Beaucaire.** ☎ 04-66-59-30-06. • www.p-d-d.com • ♿ Sur l'esplanade du château. Ouvert de Pâques à septembre de 14 h à 18 h, en été de 10 h à 18 h. Entrée : 6 € ; enfants de 5 à 12 ans : 4,60 € ; demi-tarif pour un enfant accompagné de ses parents sur présentation du *Guide du routard.*
Très bonnes mises en scène, avec automates, maquettes et sonorisation, du monde d'Alphonse Daudet. Ses fameux contes revivent ainsi, *L'Élixir du Père Gaucher, La Mule du pape, Le Curé de Cucugnan* ou *La Chèvre de monsieur Seguin...* Daudet lui-même nous parle, de sa table de travail. Diaporama également. Derrière le musée, les animaux de Daudet : daim, cerf, chèvre et un espace consacré au cheval de trait (diligence, sellier, écuries, etc.).

LA MINE-TÉMOIN D'ALÈS

Dans les environs : le préhistorama de Rousson • La bambouseraie de Prafrance • Le TVC (Train à Vapeur des Cévennes) • Le musée 1900 et le musée du Train et du Jouet • Le musée du Bonbon Haribo à Uzès

Entre garrigues et montagnes, Alès fut longtemps une cité minière, et sa mine-témoin, unique en son genre, en témoigne avec force. Reconvertie, embellie, inondée en septembre 2002, Alès affronte les turpitudes de l'histoire avec courage. Voilà un point de départ idéal pour partir à la découverte des secrètes Cévennes, ou rayonner dans le Gard intérieur.

LA MINE-TÉMOIN D'ALÈS

Chemin de la Cité-Sainte-Marie, Rochebelle, 30100 ***Alès.*** ☎ 04-66-30-45-15. Fax : 04-66-78-49-00. Sur une colline d'où l'on a une vue panoramique sur Alès. Ouvert du 1er avril au 11 novembre tous les jours de 9 h à 12 h 30 et de 14 h à 17 h 30 ; en juin, de 9 h à 18 h 30 ; en juillet et août, de 10 h à 19 h 30. Durée de la visite : 1 h 30. Dernier départ : 1 h 30 avant la fermeture. Entrée : 6,50 € ; enfants de 6 à 12 ans : 3,50 €.

De loin la première curiosité de la ville. Et sans doute l'un des plus surprenants musées d'archéologie industrielle de France. Fascinant ! Après avoir coiffé un casque, on emprunte au pied d'un authentique chevalement métallique, un ascenseur qui recrée les conditions dans lesquelles les mineurs allaient autrefois « au charbon ». Puis on parcourt à pied ces 650 m de galeries souterraines creusées entre 1945 et 1968 sous la colline de Montaud. On découvre les différentes méthodes employées dans les « tailles » (chantiers), de 1960 à 1880 : le pic, le marteau-piqueur, le rabot, la haveuse et les machines modernes. Au fur et à mesure que l'on avance dans ces ténèbres, on songe à Zola qui s'est inspiré d'une catastrophe minière dans *Germinal*. Et c'est toute notre ère industrielle qui prend forme dans la pénombre de ces étroits boyaux traversés par des rails et des wagonnets. Vous remarquerez tous les détails qui concernent la sécurité dans les mines : un téléphone antidéflagrant, une cloche à signaux. On y voit aussi un plan de tir avec les trous forés pour l'insertion des bâtons de dynamite. Bayard, cheval automate, mascotte de l'endroit, hoche la tête à l'approche des visiteurs et rappelle le rôle longtemps tenu par ses comparses au fond de la mine. « C'était un métier très dur, mais les mineurs aimaient conquérir les profondeurs de la Terre », vous expliquera-t-on. Devant le pavillon d'accueil, aire de pique-nique sous les pins à la libre disposition des visiteurs. Au départ de la mine, sentier de petite randonnée pédestre balisé « Le château du Sauvage » (15 km), passant près de l'arboretum de Sauvage, l'un des plus anciens de France.

Où dormir ? Où manger ?

▲ ***Camping La Croix Clémentine :*** à ***Cendras*** (30480). ☎ 04-66-86-52-69. • www.clementine.fr • À 4 km au nord d'Alès. Des panneaux l'indiquent. Camping 4-étoiles très bien équipé avec des emplacements ombragés et une grande piscine agréable. Restaurant, salle de jeux. Randonnées pédestres.

■ ***Hôtel Orly :*** 10, rue d'Avéjan, 30100 ***Alès.*** ☎ 04-66-91-30-00. Fax : 04-66-91-30-30. • hotelorly@t2u.com • Doubles de 36 à 43 €. Un hôtel très central tenu par un couple de jeunes souriants et pleins d'idées. À encourager vraiment. La façade extérieure date des années 1970, mais tout à l'intérieur a été rénové et arrangé avec goût. Nos chambres préférées : la n° 108 (2 fenêtres), la n° 106 (la plus grande) ou la n° 109 (style zen). Il y a aussi un studio avec kitchenette. Excellent rapport qualité-prix-emplacement.

Le Mas de Rochebelle : 44, chemin Sainte-Marie, 30100 **Alès.** ☎ et fax : 04-66-30-57-03. • www.masderochebelle.com • Chambres doubles de 50 à 75 € selon le confort et la saison. Table d'hôte : 20 € sur réservation seulement, un jour à l'avance. À 300 m environ de la mine-témoin d'Alès, à droite de la route en montant. Située à flanc de colline, dominant la ville, cette ancienne maison du directeur de la mine a été reprise par une famille accueillante. Les 5 chambres spacieuses (pour 2, 3 ou 4 personnes), décorées avec le plus grand soin, donnent sur le jardin (piscine). Loue également un gîte pour les familles.

Le Mandajors : 17, rue Mandajors, 30100 **Alès.** ☎ 04-66-52-62-98. Central, juste à côté de la place Gabriel-Péri. Attention, horaires stricts : de 12 h à 13 h 45 et de 19 h 30 à 21 h (22 h le samedi). Fermé le dimanche, la 1re quinzaine d'août et à Noël. Menus de 10 à 21 € environ; menu-enfants très complet à 6,50 €. La déco n'a sûrement guère changé depuis la dernière guerre, quand la patronne ravitaillait discrètement les résistants par la porte de derrière. Un chaleureux jeune homme officie désormais ici. Sa femme vient lui donner un coup de main (avec le sourire) le midi, mais le soir, salle comme fourneaux lui appartiennent souvent. Une vraie adresse comme on les aime. Digestif maison offert à nos lecteurs sur présentation du *Guide du routard.*

DANS LES ENVIRONS

Le préhistorama-musée des Origines et de l'Évolution de l'homme : chemin de Panissière, 30340 **Rousson.** ☎ 04-66-85-86-96. Sur la route entre Alès et Saint-Ambroix (D 904). De juin à août, ouvert tous les jours de 10 h à 19 h; le reste de l'année de 14 h à 18 h sauf le samedi. Fermé en décembre et janvier. Entrée : 5 €; enfants de 7 à 14 ans : 3 €; tarif groupe sur présentation du *Guide du routard.*

Enfin un musée vraiment insolite, scientifique et humoristique. Fâché avec les musées traditionnels qui ne montrent que des squelettes et des crânes derrière des vitrines, Eirik Granqvist, un sympathique Scandinave, a voulu recréer à sa façon l'univers de nos ancêtres il y a 4 millions d'années. Le résultat est surprenant. Ce consultant international est aussi un taxidermiste réputé (la taxidermie est l'art de naturaliser les animaux) et un artiste. Dans la pénombre de ce musée, on découvre une série de mannequins préhistoriques, tous fabriqués par lui selon la méthode Gerassimov, du nom de son inventeur. Elle fut expérimentée par la police soviétique pour reconstituer un visage à partir d'un crâne... Chaque personnage est réalisé ici en grandeur nature, à partir d'un mélange de résine de polyester et de fibres de verre. Scènes réalistes de la vie quotidienne : *Erectus* mange *Robustus,* femme allaitant sous sa cabane de branchage, *Homo Habilis* dépeçant une antilope, enterrement dans une famille... Enfin, une importante collection de fossiles met en évidence les différents stades d'évolution de l'apparition de la vie dans la mer jusqu'aux premiers mammifères qui côtoyaient, avant de les remplacer, les dinosaures.

La bambouseraie de Prafrance : domaine situé à 1,5 km au sud de Générargues et à 2 km au nord d'Anduze. ☎ 04-66-61-70-47. Fax : 04-66-61-64-15. • www.bambouseraie.com • Ouvert tous les jours de début mars

au 15 novembre, de 9 h 30 à 19 h 30 (durée de la visite : 1 h 30). Entrée : 6 € pour les adultes; enfants : 4 €. La visite commentée, facultative et gratuite, est utile : on comprend mieux les mystères du bambou. Ceux qui ont été subjugués par l'Asie seront envoûtés par cette petite jungle nichée au pied des Cévennes, le pays du châtaignier roi.
Ici, dans un domaine de 12 ha, ce sont plus de 150 variétés de bambous qui s'épanouissent sous le soleil du Midi. Parmi celles-ci, on trouve les bambous géants, les plus gros d'Europe. Ces *Phyllostachys pubescens* mesurent entre 20 et 25 m de haut. Leurs tiges atteignent parfois 20 cm de diamètre. Curieuse plante, ce n'est qu'une herbe originale et un peu folle! Certaines jeunes pousses jaillissent de terre et croissent à raison de 1 m par jour quand le temps est favorable. Une histoire extravagante comme cette bambouseraie. Votre visite contribue à la sauvegarde d'une espèce animale en voie de disparition dans le monde : il s'agit du panda de Chine. En effet, tous les 15 jours, un camion allemand vient prendre livraison d'un chargement de feuilles de bambou qu'il porte au zoo de Berlin pour y nourrir le panda, résolument obstiné à ne manger que ça... Y'a bon bambou!
On visite aussi le parc (séquoias géants), le village et le jardin asiatique (cases laotiennes), le labyrinthe végétal (bambous) et les pépinières (serres).

Parents savants : *le bambou*

Le bambou (mot d'origine malaise) est le matériau naturel le plus léger et le plus résistant qui soit. En Asie, il sert à tout : berceau du bébé, chapeau conique, barque, meubles, lit, etc. Sa fibre est aussi dure que l'acier : une résistance de 3500 kg/cm^2! Les bambous sont utilisés pour réaliser des constructions traditionnelles, mais aussi pour constituer des échafaudages légers et solides pour l'élaboration des immeubles modernes de grande hauteur. Les Chinois l'utilisent aussi dans la fabrication de la pâte à papier.
Le bambou sert également en cuisine. Tous les bambous donnent des pousses comestibles mais de qualités différentes. On peut les manger crues, bouillies, ou grillées.

➢ ***Le TVC (Train à Vapeur des Cévennes) :*** ☎ 04-66-60-59-00 ou 04-66-85-13-17. Fonctionne tous les jours, du 1er avril au 21 septembre. À partir du 23 septembre au 2 novembre, pas de départ le lundi. Le train circule d'Anduze à Saint-Jean-du-Gard et vice versa (avec un arrêt à la bambouseraie). On peut donc embarquer soit à Anduze, soit à Saint-Jean-du-Gard. Compter 4 allers-retours quotidiens. Adulte : aller simple à 10 € et aller-retour à 10,50 €. Enfants de 4 à 12 ans : 6 € l'aller simple et 7 € l'aller-retour. Vélos : 3 €. Une promenade d'une durée de 1 h 40 en authentique tchou-tchou, avec bruit et vapeur comme si on était dans un vieux film de l'Ouest américain.

Où dormir? Où manger dans le coin?

Camping Cévennes Provence : à Corbès-Thoiras, 30140 ***Anduze.*** ☎ 04-66-61-73-10. Fax : 04-66-61-60-74. • www.camping-cevennes-provence.com • D'Anduze, suivre la D 907 sur 3 km vers Saint-Jean-du-Gard. Puis à droite, la D 284, route de Corbès. Ouvert du 20 mars au 4 novembre. Forfait 2 personnes, une voiture et une tente : 15 € par jour. Probablement le plus beau camping du Gard et du Languedoc.

Dans un site superbe, il occupe une colline entière. Le Gardon au lit de galets coule dans la vallée. Très bon accueil. On plante sa tente sur des terrasses plates aménagées en escalier sur des versants ombragés (120 variétés d'arbres). On y trouve tout, c'est organisé comme un village : une épicerie libre-service, une rôtisserie, un bar, des téléphones, des machines à laver, une aire de jeux pour les enfants (ping-pong, tennis). Possibilité de se baigner dans la rivière en toute sécurité et de faire des promenades.

🏠 🍽 ***Chambres et gîtes Mas Le Brès :*** chez Carole et Michel Bonaventure, Le Brès, 30140 ***Saint-Sébastien-d'Aigrefeuille.*** ☎ 04-66-61-76-05. • http://perso.wanadoo.fr/lebres • D'Anduze, direction Générargues, à 3,5 km au nord. Puis sortir de ce village par la D 50, vers Saint-Sébastien-d'Aigrefeuille. À 300 m environ, prendre à gauche direction Le Mas-Icart et Le Brès. La route étroite monte à flanc de colline. La suivre jusqu'au bout. Accroché à flanc de coteau, dominant un vaste paysage de bois et de champs à perte de vue, *Le Brès* est composé de plusieurs maisonnettes en pierre imbriquées les unes dans les autres. Excellent accueil des Bonaventure, un couple très aimable (avec un joli nom de routard !) avec qui on sympathise vite. Ils ont de jeunes enfants avec qui on peut jouer. Elle était hôtesse de l'air, lui est musicien. Ils ont arrangé les chambres et les gîtes avec soin et avec tout le confort. Piscine dans le jardin. Table d'hôte à la demande.

🏠 ***Gîtes Les Jardins de Vallaurie :*** chez Marianne et Bernard Mesmin, L'Orange, 30140 ***Corbès-Anduze.*** • www.pourlesvancances.com • D'Anduze, prendre la route de Saint-Jean-du-Gard. Puis à droite après 3 km environ, suivre une petite route vers le village de Corbès. Passer la rivière (le Gardon), puis à gauche après le pont. C'est indiqué plus loin. Téléphoner avant. Ouvert toute l'année. De 216 à 630 € la semaine, selon la saison et le nombre de personnes. Les Mesmin vivent au milieu des bois dans le creux d'un vallon. Difficile de trouver plus calme. Lui est un ancien charpentier, elle se passionne pour la botanique : accueil d'une exquise gentillesse. Gîtes impeccablement arrangés pour 4 ou 6 personnes, avec 2 grandes chambres (salle d'eau et w.-c.) et cuisine.

★★★ ***Le musée 1900 et le musée du Train et du Jouet :*** moulin de Chalier, 30700 ***Arpaillargues.*** ☎ 04-66-22-58-64. À 4,5 km à l'ouest d'Uzès, sur la route d'Anduze. En juillet et août, ouvert tous les jours de 9 h à 19 h ; hors saison, de 9 h à 12 h et de 14 h à 19 h (se renseigner pour les jours d'ouverture). Entrée pour 1 des 2 musées : 5 € ; enfants : environ 4 € ; billet groupé pour les 2 musées : 9 € ; enfants : environ 6 € ; forfaits famille à partir de 4 personnes.

Le maître des lieux, Gaston Baron, aidé de ses fils, fait partie de ces gens qu'une passion anime et qui, pour elle, soulèveraient des montagnes. Victimes des inondations catastrophiques de septembre 2002, les Baron repartent à zéro ou presque, encore un signe de leur courage. Leur travail consiste à retrouver et à ranimer ces merveilleux objets qui révolutionnèrent l'activité humaine au siècle dernier. Le *musée 1900* expose ainsi les ancêtres de la locomotion (du « Grand Bi » au « Tacot de la Marne »), de la communication (incroyable agrandisseur en acajou long de 4 m, vieilles TSF), de la production agricole (monumentale moissonneuse-batteuse en action). Mais impossible de rendre ici la variété et la qualité de cette exposition. Hétéroclite et riche, elle ne donne cependant pas l'impression de fouillis ou de bric-à-brac. Il aura fallu la boulimie, le savoir-faire et la patience (30 ans de travail, 365 jours par an) de M. Baron pour y arriver.

La visite se poursuit avec le ***musée du Train et du Jouet,*** voisin du précédent musée. Très belles pièces qu'apprécieront les amateurs de jouets anciens (et les autres), et formidable train miniature (au 1/43) circulant à travers le Gard, des Cévennes à la Camargue : tout y est, les mines d'Alès, le phare d'Aigues-Mortes, et bien sûr le pont du Gard. De plus, la visite de ce musée est agrémentée par un jeu d'observation et de réflexion qui permet aux plus petits de profiter pleinement des collections présentées.

*** ***Le musée du Bonbon Haribo :*** pont des Charrettes, 30700 ***Uzès.*** ☎ 04-66-22-74-39. ♿ Juste avant d'entrer dans Uzès, à droite de la route venant de Remoulins. Du 1er juillet au 30 septembre, ouvert de 10 h à 19 h ; hors saison, de 10 h à 13 h et de 14 h à 18 h. Fermé le lundi ainsi que les 3 premières semaines de janvier. Entrée : 4 € ; enfants de 5 à 15 ans : 2 €. Lors des inondations de septembre 2002, la boutique fut submergée par les flots dévastateurs. Rénové et rouvert au public, le musée mérite toute votre attention. Dès votre entrée, on vous remet un petit sachet de bonbons et vous pouvez en déguster plusieurs variétés ! Ça commence bien ! Ici, c'est le paradis des enfants... et des parents !
Sur 3 étages, en vidéo, en exposition ou en reconstitution, on vous explique toute l'histoire de la célèbre marque et la fabrication de tous ces délices qui ont, un jour ou l'autre, bercé votre enfance. Un jeu de piste, pour les petits et les grands, permet d'apprendre tout en s'amusant. Les superbes affiches publicitaires pour la réglisse et les dizaines de contrefaçons, qui sont la rançon du succès, sont aussi à l'honneur. Impossible en tout cas de repartir sans son sachet de bonbons acheté en boutique. C'est le genre de musée qui vous rend tout à coup très, très gourmand !

LES GORGES DU TARN

Dans les environs : Utopix • La ferme expérimentale de Boissets • Le belvédère des Vautours • La grotte de Dargilan • L'aven Armand

LES GORGES DU TARN

*** Un des sites les plus spectaculaires de France, certainement, mais aussi un des plus envahis en été. Possibilité de louer un canoë-kayak et se laisser porter par le courant. À notre avis, ce moyen de découverte reste le meilleur, avec la marche évidemment. Pour les marcheurs, justement, le sentier rive gauche permet de longer les gorges plaisamment. Quant aux voitures, pas de problème, la seule et unique route des gorges leur est toujours ouverte. Et on pourra quitter les gorges pour visiter divers parcs animaliers – on n'a pas dit zoos – où sont préservés loups, bisons et autres vautours, animaux symboles d'une Lozère toujours belle et sauvage.

➢ ***La descente du Tarn en barque :*** ça vaut le coup. *Les Bateliers de La Malène* organisent ce genre de promenade plusieurs fois par jour. Allez les voir, à droite à l'entrée du pont. ☎ 04-66-48-51-10. Fax : 04-66-48-52-07. La balade dure 1 h (8 km environ). On descend par groupe de 4 ou 5 personnes dans une barque pilotée par un gars du pays qui vous fait un commentaire sur les gorges. Il utilise le moteur ou sa longue perche quand le niveau de l'eau est trop bas. En route, on découvre des coins sympas comme le goulot des Détroits où vivent castors et aigles (deux précisément, un couple), ou ce vieux hameau de *La Croze* auquel on accède uniquement en barque. Aucune route n'y conduit. Le propriétaire, un industriel lozérien du Nord de la France, a même installé un grand câble qui enjambe la vallée pour acheminer vivres et bagages. Le terminus de la promenade est au *cirque des Baumes,* un amphithéâtre naturel d'où jaillissent rocs, falaises, aiguilles et bouquets d'arbres. Une voiture ou une camionnette vous ramènera à votre point de départ, c'est-à-dire à La Malène. Un seul inconvénient :

le prix assez élevé (17 € par personne) et la nécessité de se regrouper (5 personnes maximum) pour descendre en barque. En été, venez de préférence dès 8 h 30.

Quelques petits conseils utiles

– Choisissez bien votre époque pour y aller. On vous le répète : pendant les grandes vacances, les gorges affichent complet.
– On trouve de quoi se loger sur le causse Méjean ou sur le causse de Sauveterre. À notre avis, la meilleure des solutions consiste à choisir une chambre dans un rayon de 15 à 20 km autour du Tarn. Pensez à réserver longtemps à l'avance et à demander si la demi-pension est obligatoire ou pas.
– Randonneurs, renseignez-vous sur les sentiers. Il y a de très belles balades à faire au départ de La Malène ou du Rozier.

Où dormir ? Où manger ?

Auberge du Moulin : 48210 **Sainte-Énimie.** ☎ 04-66-48-53-08. Fax : 04-66-48-58-16. Fermé du 15 novembre à fin mars. Resto fermé le dimanche soir et le lundi midi sauf en juillet et août. Doubles avec douche ou bains de 45 à 55 € ; 10,70 € le lit supplémentaire (n'hésitez pas, on peut en rajouter jusqu'à 2 par chambre). Menus de 14,50 à 28 €. Pas de menu spécifique pour les bambins, mais le cuisinier improvisera toujours quelque chose pour eux. Vieille maison en pierre, entièrement rénovée. Chambres offrant un confort moderne standardisé. Les nos 5, 6, 7 et 8 donnent sur le Tarn ou le jardin. Resto correct, même si la salle est un peu tristounette. Belle terrasse en été.

Au Galeton : 9, pl. Jules-Laget, 48320 **Ispagnac.** ☎ 04-66-44-24-75. Hors saison, ouvert le week-end uniquement. Pizzeria sympa, sur la jolie place d'Ispagnac. Pizzas bien sûr (au pélardon, aux tripoux), mais aussi salades, lasagnes, etc. Les enfants vont être ravis !

➤ DANS LES ENVIRONS

Utopix : à 10 mn de Sainte-Énimie, sur le causse de Sauveterre. ☎ 04-66-48-59-07. Entrée : 5 € (4 € pour les enfants). Une curiosité, c'est rien de le dire. Il s'agit d'une sorte de parc de loisirs artisanal, entourant une maison qui tient elle-même de l'œuvre d'art, un peu dans l'esprit du Palais du facteur Cheval. Le tout a été construit par M. Millet depuis 1979 et est exploité par sa famille. Comme dit si gentiment sa femme : « La maison était destinée à notre usage personnel, mais comme tout le monde voulait la visiter, c'est devenu en 1993 un site touristique, très apprécié en Lozère et même plus loin. »

La ferme expérimentale de Boissets : ☎ 04-66-48-48-85. Site ouvert tous les jours du 15 juin au 15 septembre, de 10 h à 18 h 30 ; hors saison, fermé le mardi. Entrée au départ de Sainte-Énimie, montée en 30 mn avec le petit train à 8 € ou sur le site même à 6 €.
À 975 m d'altitude, c'est tout un hameau traditionnel caussenard que le département a voulu faire revivre à travers un parcours de visite éclaté, fondé sur des maisons à thème (maison de la terre, du mouton, du blé, de la flore et de la faune, etc.). Chaque maison a sa propre scénographie et chaque visiteur un audioguide, s'il le désire.

Le belvédère des Vautours : 48150 **Le Truel.** ☎ 05-65-62-69-69. Dans les gorges de la Jonte, sur une plate-forme située à 4 km du Rozier en venant de Meyrueis (D 996). De mi-mars à mi-juin et de septembre à mi-novembre, ouvert de 10 h à 18 h (19 h en été). Entrée : 6 € ; enfants de 6 à 14 ans : 3 € ; gratuit pour les moins de 6 ans. Sorties nature, du 15 juin au 15 septembre : 6,50 € ; forfait famille : 16 €.

Réintroduits au début des années 1970 dans des volières au-dessus des gorges de la Jonte, les vautours-fauves sont aujourd'hui 120 à voler dans les Grands Causses. C'est du belvédère qu'on peut le mieux admirer ces impressionnants charognards (ainsi que quelques aigles et faucons), en louant des jumelles ou en s'inscrivant à des sorties de terrain payantes. Grâce au *Fonds d'intervention pour les rapaces* et au *parc national des Cévennes,* déjà partenaires fondateurs, une *maison du Vautour* vient d'ouvrir sur le site du belvédère. Des caméras installées dans la nature et téléguidées depuis la salle de projection vidéo permettent de participer à la vie des fauves (et à leur festin !) sans avoir à les approcher.

¶¶ ***La grotte de Dargilan :*** à 8 km à l'ouest de ***Meyrueis*** par une petite route qui grimpe sur le Causse Noir à la sortie de la ville. ☎ et fax : 04-66-45-60-20. Ouvert d'avril à septembre de 10 h à 12 h et de 14 h à 17 h 30, en juillet et août de 10 h à 18 h 30, et en octobre de 10 h à 12 h et de 13 h 30 à 16 h 30 ; hors saison, téléphoner. Entrée : 8 € ; enfants : 4 € ; le dernier dimanche de juin, c'est gratuit (mieux vaut venir tôt !).

Surnommée aussi la « grotte rose » à cause de la couleur particulière de ses cavités souterraines, la grotte de Dargilan possède l'une des plus vastes salles souterraines de France. Découverte en 1880 par un berger, explorée en 1888 par Martel, le pionnier de la spéléologie française, aménagée en 1890, Dargilan présente sur plus de 1 km l'ancien lit d'une rivière souterraine et un ensemble fantastique de concrétions, stalagmites en grandes orgues et de salles aussi étranges que spectaculaires.

¶¶¶ ***L'aven Armand :*** à environ 10 km au nord-ouest de Meyrueis par la D 986. ☎ 04-66-45-61-31. Ouvert en juin, juillet et août, de 9 h 30 à 19 h. Pause déjeuner hors saison et fermeture à 18 h. Entrée : 8 € par personne ; demi-tarif pour les enfants. En été, particulièrement entre le 15 juillet et le 15 août, il y a énormément de visiteurs. Il faut prévoir 45 mn d'attente, parfois 1 h et plus entre l'achat du billet et l'accès au funiculaire ! Un départ toutes les 15 mn pour 50 passagers.

Une des merveilles du monde souterrain, qui pourrait figurer au Patrimoine de l'humanité de l'Unesco. Découvert en 1897 par Louis Armand, serrurier au Rozier, et Édouard-Alfred Martel, l'aven fut ouvert au public en 1927.

Le funiculaire descend un long tunnel de 188 m qui débouche au pied du puits vertical par où descendirent jadis les explorateurs. La visite dure environ 45 mn ; elle se fait à pied, en compagnie d'un guide professionnel. La température interne du gouffre oscille entre 8 et 12 °C. Prévoir un vêtement chaud.

Sorti du funiculaire, on découvre alors cette immense salle (60 x 100 m, haute de 35 m), dont le sol est formé par un éboulis de pierre. Les eaux de pluie se sont infiltrées dans la croûte calcaire de la surface puis ont dessiné cette forêt vierge de concrétions aux formes fantastiques. Dans ce décor étrange, on peut voir autant de monstres pétrifiés, de fruits et légumes ciselés, de palmiers surréalistes que de pâtisseries saturées de crème au café... À vous de chercher votre bonheur dans ce rêve ténébreux. On peut y voir aussi des colonnes de choux-fleurs retournés et usés, des ribambelles d'assiettes ébréchées, empilées les unes sur les autres, des galettes bretonnes entassées, des foules de cactus géants, des piliers désagrégés d'églises baroques mexicaines, de lugubres totems défigurés par les millénaires... Tout un monde clos, crépusculaire et intemporel, où les siècles se comptent au goutte à goutte.

LES LOUPS DU GÉVAUDAN

Dans les environs : les Bisons de la Margeride • Le vallon du Villaret

LES LOUPS DU GÉVAUDAN

À *Sainte-Lucie* (48100). ☎ 04-66-32-09-22. Parc animalier situé à 9 km environ au nord de Marvejols. Prendre la N 9 en direction d'Aumont-Aubrac ; à 6,5 km, tourner à droite et continuer jusqu'au bout du chemin ; ou par l'A 75, sortie 37 Le Buisson, suivre les panneaux. Ouvert de février à décembre à partir de 10 h. Fermeture à 17 h l'hiver, 18 h en automne et au printemps, 19 h l'été. Fermé en janvier. Entrée : 6 € ; enfants : 3 € ; forfait famille : 16 €. Préférez les lundi, mercredi et vendredi, au moment où les soigneurs nourrissent les loups. Avec le nouveau parcours, vous pouvez prendre les loups en photo sans être continuellement gêné par le grillage. Pour les enfants, un questionnaire permet de découvrir de façon ludique la vie des loups. Les réponses sont à trouver tout le long du parcours à condition de savoir regarder et écouter.

Le paysage est superbe. On est à 1 100 m d'altitude. Au loin, les monts de la Margeride et de l'Aubrac. Bar et restaurant à l'entrée. Aire de pique-nique à proximité. *Maison du Loup* (petit musée) au-dessous du bâtiment. Houhouhou ! Ils ont les yeux vifs et perçants, deux oreilles pointues, un museau allongé, un collier de fourrure autour de la gueule et du cou, le poil noir, blanc ou beige (plus courant). Ce sont les loups ! Ici, on en compte près de 140, venus du Canada, d'Europe et de Mongolie, à rôder sur 5 ha et sur un autre parc d'une quinzaine d'hectares dédié à l'observation au sein d'une nature préservée. Un zoo ? Non. La première expérience de réintroduction de cet animal en France, où le dernier spécimen avait été tué au début du XXe siècle, dans le plus vaste parc d'Europe du genre.
C'est Gérard Ménatory, ex-journaliste au *Midi libre,* qui a décidé de réhabiliter le loup auprès de l'opinion. Aujourd'hui, sa fille et son équipe ont repris le flambeau, avec la même passion dévorante.
Vous apprendrez que : le loup n'attaque jamais l'homme (n'empêche qu'on reste quand même prudent...), qu'il a la plus grande sociabilité du monde animal, que la colombe est plus agressive que lui, qu'il peut vivre jusqu'à 15 ou 16 ans, que Charles Perrault et son Chaperon Rouge ont parachevé l'œuvre des idiots, que la bête du Gévaudan était un mythe, etc. Bref, que l'homme est un loup pour le loup. En sortant de là, on a presque envie d'avoir un petit loup chez soi. Bien sûr, on plaisante !
Préférez l'hiver pour faire la visite car il y a moins de monde que l'été et les loups sont plus visibles (ils ne supportent pas la chaleur) ; ou le printemps pour voir les louveteaux de l'année et les genêts en fleurs.
À proximité du parc, n'oubliez pas d'aller rendre visite aux cervidés et de leur apporter du pain, ils en raffolent.

LANGUEDOC-ROUSSILLON

Où dormir ? Où manger ?

Hôtel Le Portalou : pl. du Portalou, 48500 ***La Canourgue.*** ☎ 04-66-32-83-55. Fax : 04-66-32-92-54. • www.hotelleportalou.com • Dans le centre. Fermé en janvier. Chambres doubles de 31,70 à 40,70 € selon la saison. Menus de 10 à 13 €. Service le soir jusqu'à 22 h. Extérieurement, une grande maison bourgeoise de l'autre siècle (le XIXe). À l'intérieur, des chambres spacieuses et calmes, surtout celles donnant sur le parc. Beau jardin et terrasse sous la glycine. Remise où boucler les vélos et confiture maison. Petite restauration rapide et simple. Apéritif offert à nos lecteurs sur présentation du *Guide du routard*.

■ ●● ***Auberge Le Régimbal :*** 48130 ***Javols.*** ☎ 04-66-42-89-87. Chambres doubles à 46 €. Demi-pension à 44 € par personne. Dominant ce qui fut l'ancienne capitale gallo-romaine du Gévaudan pendant 8 siècles, l'auberge est un établissement neuf construit par les Mazet, qui ont réalisé là 8 chambres de bon confort, où l'on dort du sommeil du juste. Toutes donnent sur le village de Javols et les collines qui l'entourent, site exceptionnel où sont entreprises d'importantes fouilles archéologiques (exposition à la mairie, en été). Comme vous le dira la patronne, vous êtes ici en territoire gabale, du nom de la peuplade gauloise qui aurait implanté ici son chef-lieu, donnant ensuite des idées aux Romains, pas fous. Cuisine du terroir servie dans la salle à manger, près de la cheminée en granit.

■ ●● ***Chambres d'hôte chez Anne et Georges Pauc :*** Lasfonds, 48130 ***Sainte-Colombe-de-Peyre.*** ☎ 04-66-42-93-39. À 10 km d'Aumont-Aubrac, 4 chambres d'hôte dans une fermette traditionnelle aux murs en granit et aux toits de lauzes. Chambres doubles à 43 €. Même prix par personne en demi-pension. Repas sinon à 13 €. Accueil exemplaire.

■ ***Auberge Les Amarines :*** 48700 ***Serverette.*** ☎ 04-66-48-31-15. À la sortie du village, direction Saint-Chely. Menu-terroir à 14,50 €. Menu-auberge à 19 €. Cadre pittoresque et chaleureux, ambiance bon enfant et rustique, prix raisonnables font tout l'intérêt d'un détour par ce restaurant sans prétention, à la sortie de cette ancienne ville fortifiée construite sur un piton granitique, entre Margeride et Aubrac. Sans oublier la terrasse au bord de l'eau, évidemment.

➤ DANS LES ENVIRONS

¶ ***Les Bisons de la Margeride :*** 48120 ***Sainte-Eulalie.*** ☎ 04-66-31-40-40. Sortie 34 sur l'A 75. Pendant les vacances scolaires et les jours fériés, ouvert de 10 h à 19 h ; le reste de l'année, de 10 h à 12 h et de 14 h à 17 h. Voici les bisons d'Europe, importés du parc de Biélowieza en Pologne, dans un domaine de plus de 200 ha. Plus grand mammifère terrestre européen, le bison engloutit chaque jour plus de 30 kg de nourriture et peut peser jusqu'à 1 t ! La réserve en compte une quarantaine en semi-liberté. Vous pourrez les admirer soit à pied (du 1er mai au 31 août), soit en calèche ou en traîneau s'il neige (la visite guidée dure environ 50 mn, elle coûte 10 € par adulte et 5,50 € par enfant et comprend l'entrée du musée). Mais attention, on n'est pas assuré de voir des bisons, car les enclos sont vastes et ces bêtes s'éloignent parfois des calèches.
À l'entrée, vous ferez la connaissance de la bête à la *maison du Bison,* véritable musée du bison *bonasus,* l'un des rares représentants vivants de la préhistoire. On y apprend que Charlemagne le chassait volontiers, et on y voit 3 personnages de cire d'un bon réalisme : des Magdaléniens, nos ancêtres d'il y a 12 ou 14000 ans. Ne partez pas sans voir la projection et l'expo photos consacrée à la vie des bisons en Haute-Lozère. Pour les enfants, ne manquez pas non plus la grotte préhistorique reconstituée.

¶¶ ***Le vallon du Villaret :*** à 3 mn de ***Bagnols-les-Bains,*** en bordure du parc national des Cévennes. ☎ 04-66-47-63-76. • www.levillaret.fr • Depuis Mende, prendre la N 88 puis la D 901 en direction de Villefort. D'avril à début septembre, ouvert tous les jours de 10 h à 19 h ; de mi-septembre à début novembre, ouvert le week-end de 11 h à 18 h et tous les jours durant les vacances de la Toussaint ; fermeture des caisses 2 h 30 avant. Entrée : de

6,50 à 8 € selon la période et l'heure d'arrivée ; gratuit pour les enfants de moins de 1 m (passer sous la toise).
Une balade en boucle de 2 km dans un vallon de nature de 10 ha, entre arbres et torrent (avec des vraies truites !), jalonnée de ponts de corde, chemins de branches, jeux d'eau, toboggan, sculptures musicales et installations savamment concoctées par des artistes contemporains... Bref, un espace ludique et sensoriel qui plaira aux petits comme aux grands. Compter 3 h, le temps de décider vos enfants à repartir. Certains y passent même la journée. Une sortie très sympa. À mi-parcours, boutique, auberge et tour du XVIe siècle pour des expos d'art contemporain.

LIMOUSIN

Région hétérogène tant physiquement que culturellement, le Limousin n'évoque aucune image précise, sinon quelques clichés. C'est pourtant un coin de France à découvrir absolument en famille puisque les activités s'y prêtent parfaitement. D'ailleurs, de nombreux villages sont labellisés « Station Kid ». Région de tourisme vert, le Limousin dispose d'un réseau pédestre convenant parfaitement aux balades en famille. Mais il n'y a pas que de superbes randonnées à faire. Il y a aussi des musées dont l'originalité complètera votre registre classique, comme le musée de l'Électrification; des sites à vous couper le souffle : gouffre de la Fage, cascades de Gimel; un nouveau parc animalier fascinant abritant des loups; des sports nautiques et équestres pour tous les niveaux; sans oublier des fêtes et spectacles dans tous les villages, etc. En outre, la gastronomie limousine saura, on l'espère, vous donner l'envie de découvrir cette région située au cœur de la France.

Adresses utiles

- ℹ *Comité régional du tourisme :* 27, bd de la Corderie, 87031 Limoges Cedex. ☎ 05-55-45-18-80. Fax : 05-55-45-18-18. • www.tourismelimousin.com •
- ℹ *La Maison du Limousin :* 30, rue Caumartin, 75009 Paris. ☎ 01-40-07-04-67. Fax : 01-40-07-04-64. • mdulim@club-internet.fr • M. : Havre-Caumartin; RER : Auber. Infos, doc et réservations : l'antenne parisienne du comité régional du tourisme.
- ℹ *Comité départemental du tourisme de Haute-Vienne :* 4, pl. Denis-Dussoubs, 87031 Limoges Cedex. ☎ 05-55-79-04-04. Fax : 05-55-10-88-61. • www.tourisme-hautevienne.com •
- ℹ *Comité départemental du tourisme de la Creuse :* 43, pl. Bonnyaud, BP 243, 23005 Guéret Cedex. ☎ 05-55-51-93-23. Fax : 05-55-51-05-20. • www.cg23.fr •
- ℹ *Comité départemental du tourisme de la Corrèze :* maison du tourisme, quai Baluze, 19000 Tulle. ☎ 05-55-29-98-78. Fax : 05-55-29-98-79. • www.cg19.fr •

GUÉRET ET SES ENVIRONS

• L'observatoire-planétarium • Le Labyrinthe géant • Le parc animalier des Monts de Guéret • Le musée de l'Électrification

L'observatoire-planétarium : rue Paul-Louis-Grenier, 23000 ***Guéret.*** ☎ 05-55-81-23-23. • obs-astro.montsdegueret@wanadoo.fr • L'observatoire, équipé d'un télescope de 450 mm de diamètre (l'un des plus performants d'Europe !), propose des stages (environ 10 jours en juillet et août), des soirées et des week-ends. Les stages sont encadrés par des professionnels de l'Association française d'astronomie (c'est du sérieux). Au programme : séances de planétarium, observations astronomiques, coronographe pour l'observation du soleil, exposés, laboratoire photos, diaporamas... Ces stages s'adressent à tous les publics, y compris aux jeunes de 14 à 17 ans. Compter à partir de 510 € par personne en pension complète. Hébergement en centre de vacances.

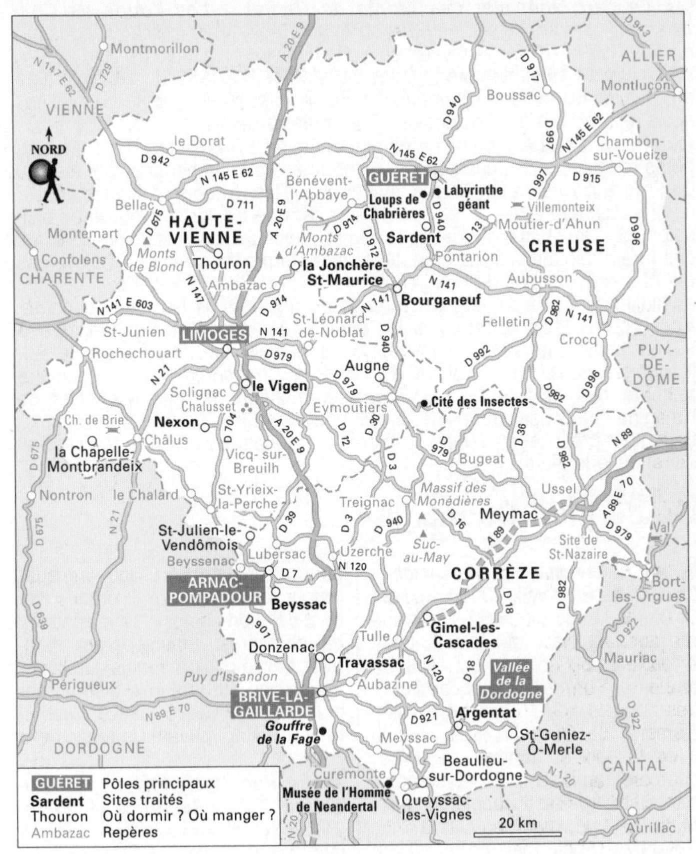

LIMOUSIN

Le Labyrinthe géant : à 3 km au sud de **_Guéret,_** en direction de Tulle-Bourganeuf. ☎ 06-24-47-37-02. Ouvert tous les jours de 13 h 30 à 19 h 30 de Pâques à la Toussaint, tous les jours pendant les vacances scolaires, les week-ends et jours fériés hors vacances scolaires. Entrée : 5 €; de 6 à 12 ans : 3 €; gratuit pour les moins de 6 ans.

Très à la mode en France depuis quelques années, les labyrinthes s'esquissent un peu partout, mais, entre nous, qui s'en plaindrait ? Ludiques, écolos, parfois instructifs comme ici, ces nouveaux centres d'attractions invitent les visiteurs à une quête pleine de surprises. À défaut de se perdre entre les haies touffues (les plantations sont encore récentes), on aborde le labyrinthe de façon originale. Dès l'arrivée, on choisit un thème (art, musique, architecture, connaissance de la Creuse, etc.), dont les réponses permettent de s'orienter dans le dédale. Des géants, des personnages mythiques, des héros légendaires à identifier jalonnent le parcours.

À l'extérieur, gigantesques jeux de l'oie, de dada. Également un petit jardin d'enfants. Des soirées contes et légendes sont organisées.

Le parc animalier des Monts de Guéret « Les Loups de Chabrières » : à 7 km au sud de ***Guéret.*** ☎ 05-55-52-14-29 (office de tourisme) ou ☎ 05-55-81-23-23. Ouvert en avril et mai tous les jours de 10 h à 18 h; du 1er juin au 15 septembre tous les jours de 10 h à 19 h; du 16 septembre au 31 mars les mercredi, samedi, dimanche, jours fériés et petites vacances scolaires de 13 h à 17 h. Entrée : 7 €; enfants de 4 à 12 ans : 5,50 €. Que trouve-t-on dans ce site récemment ouvert? Des loups! Alors que ces bêtes redoutées, pourchassées et exterminées par les hommes ont disparu de France il y a plus de 70 ans, aujourd'hui elles reviennent timidement sur leurs anciennes terres. Il se trouve en effet que les forêts limousines plaisaient bien aux loups et que les Limousins sont un peu nostalgiques devant ces forêts dépeuplées. La cruauté de ces mammifères ne relève-t-elle pas en effet souvent plus de la légende que de la réalité? En tout cas, ce parc animalier a décidé de les réintégrer et de mieux nous les faire connaître. Vous pourrez d'abord retrouver leurs traces à l'espace muséographique, à travers contes, légendes et mythes d'antan. Puis, une fois assuré de leur innocence, vous irez les voir vivre en *forêt de Chabrières,* allant, selon votre témérité, des espaces les plus organisés aux lieux les plus sauvages, de l'imaginaire à l'observation naturaliste. Fascinant! En été, différentes animations sont proposées : contes le mardi, sortie nature de nuit le mercredi et astronomie le jeudi...

Où dormir? Où manger?

Hôtel-restaurant de Pommeil : 75, rue de Pommeil, 23000 ***Guéret.*** ☎ et fax : 05-55-52-38-54. Dans une rue donnant place sur le rond-point Arfeuillère, où se trouve l'office de tourisme. Fermé le dimanche; congés annuels : du 15 juin au 7 juillet. Compter de 26 à 33 € la double avec lavabo et douche ou bains; chambre familiale à 35 € comprenant 3 lits; 10 € le lit supplémentaire. Menu à 11 €; menu-enfants à 7 €. Hôtel très simple mais propre et accueillant. Demander à voir les chambres, certaines ont été rénovées. Au menu, par exemple : escalope de veau à la crème et aux champignons creusois, noisetine. Collection de mignonnettes. Mieux vaut réserver, car l'hôtel ne compte que 9 chambres. Pour les lecteurs du *Guide du routard,* 10 % de réduction sur le prix des chambres à partir de 2 nuits de septembre à juin.

Hôtel Auclair : 19, av. de la Sénatorerie, 23000 ***Guéret.*** ☎ 05-55-41-22-00. Fax : 05-55-52-86-89. Chambres doubles de 47 à 49 € selon le confort; prévoir environ 52 € pour une triple et 54 € pour une quadruple, composée de 2 grands lits, petit dej' non compris. Une trentaine de chambres, meublées en rotin, avec tout le confort, tandis que la petite piscine offre un luxe bien agréable. L'hôtel possède aussi un restaurant. Parking payant à réserver à l'avance.

Le Pub Rochefort : 6, pl. Rochefort, 23000 ***Guéret.*** ☎ 05-55-52-61-02. Fermé le dimanche et le lundi midi. Menu du jour à 11 € le midi, 14 € le soir, plus la carte; menu-enfants à 7 €. Au cœur de Guéret, dans une rue piétonne et dans un cadre intime et chaleureux de vieilles pierres et de poutres ancestrales, voici un des rares restos sympas dans cette ville un peu endormie. Rien de délirant ni de mémorable dans l'assiette, mais le rapport qualité-prix est plus que correct et le service, comme la clientèle, affiche le sourire! Agréable terrasse dans la cour intérieure, prise d'assaut aux beaux jours. Apéritif maison offert sur présentation du *Guide du routard.*

Le musée de l'Électrification : route de la Cascade, 23400 ***Bourganeuf.*** ☎ 05-55-64-26-26 ou 24-33. Au sud de Guéret par la N 141, puis la D 13. Du 15 juin au 15 septembre, ouvert tous les jours sauf les dimanche et

lundi, de 10 h à 12 h et de 14 h à 17 h ; du 16 septembre au 14 juin, ouvert les 2e mercredi et jeudi de chaque mois, de 10 h à 12 h et de 14 h à 19 h ; toute l'année sur rendez-vous. Entrée : 2,50 € ; enfants : 1,50 €.
Petit musée bien fait pour comprendre, à l'aide de textes, dessins, photos et manipulations pratiques, le fonctionnement de l'électricité. Impossible de ne pas faire un saut ici quand on sait que Bourganeuf fut l'une des premières villes de France électrifiées, et que l'électricité, bon sang, on s'en sert aujourd'hui !

➢ ***Louer un âne :*** *Pays'Ane,* au Mondoueix, 23250 ***Sardent.*** ☎ 05-55-64-93-15. À une vingtaine de kilomètres au sud de Guéret. De Guéret, le plus simple est de prendre la direction Bourganeuf puis, juste avant Pontarion, de tourner à gauche, direction La Chapelle-Saint-Martial (D 13) : on tombe sur le village du Mondoueix. Géraldine loue des ânes à la journée ou à la semaine et propose différents circuits accompagnés ou non, principalement sur le Sud du département : Bourganeuf, Ahun, Millevaches, etc., mais aussi ailleurs à la demande. Pour une journée, un âne suffit à 5 ou 6 personnes, compter alors 45 € ; pour de plus longs périples, prévoir un âne pour 3.
Excellent compagnon de randonnée, l'âne bâté porte votre barda ou les jeunes enfants lorsqu'ils n'en peuvent plus ou quand ça les amuse. C'est en outre un bon moyen de découvrir tranquillement la Creuse, ses vallons, ses sentiers, ses senteurs et ses rus.
Géraldine fabrique aussi dans un four paysan du pain au levain et des petits pains que François vend sur les marchés ou à la ferme. Le vendredi, vers 18 h-18 h 30, Géraldine vous invite à l'enfournement du pain et fait découvrir la ferme pendant la cuisson. Géraldine et François proposent aussi un hébergement « accueil paysan » pour 4 ou 5 personnes (en chambres d'hôte, camping ou relais d'étape, réveil assuré par le coq et les ânes).
– À noter aussi que de nombreux ***spectacles pour enfants*** se déroulent ponctuellement dans le coin en été. Si donc, par hasard, vous êtes au bon endroit au bon moment, ça vaut le coup de vous arrêter. Quelques exemples séduisants : la *fête du Chemin* à Lupersat (mi-juillet), une sorte de balade festive où musique, théâtre et danse rythmeront votre itinéraire (☎ 05-55-67-88-58). La *fête de la Myrtille* à Chaumeil pour les gourmands (☎ 05-55-21-34-11). Les *contes de Perrault* à Tercillat (20 km au nord de Guéret). Toute l'année, la troupe du château du Puy de Tercillat présente des spectacles adaptés des contes de Perrault. Souvenirs d'enfance pour les parents ou textes au programme pour les jeunes, *Peau d'Âne* et d'autres vous feront vivre un moment magique et coloré (☎ 05-55-80-50-44).

Où manger ?

🍴 ***Domespace Grill :*** lieu-dit ***Le Verger.*** ☎ 05-55-41-74-57. Depuis l'office de tourisme de Guéret, prendre d'abord la direction Sainte-Feyre, puis Montluçon ; au lieu-dit Le Verger, repérer sur la gauche un dôme recouvert d'essences de châtaignier, sortes de tuiles en bois. Ouvert toute l'année. Fermé le dimanche. Menu à 12,50 € ; à la carte, compter de 20 à 25 € pour un bon steak (jusqu'à 500 g, il faut dire !) ; menu-enfants à 6 €. L'établissement a fait grand bruit à l'époque de son ouverture : architecture un peu originale, coincée entre une nationale et une départementale, bientôt une autoroute ? Un peu glauque, mais il paraît que c'est de la stratégie. Bref, le propriétaire du restaurant *Les Touristes* a lancé ce grill devenu à la mode et dédié comme il se doit à la viande : pavé de bœuf grillé, andouille de campagne grillée, jarret de cochon, etc. Intérieur tout en bois, couronné d'un petit train qui roule au-dessus de nos têtes dans le sens inverse du dôme, qui tourne parfois lui aussi lentement ! Bondé le midi, donc assez bruyant.

LIMOGES

Dans les environs : l'arboretum de La Jonchère • Nexon • Le musée de l'Automate • Le parc zoologique du Reynou • Le vélorail de Bussière-Galant • La cité des Insectes

Capitale de la porcelaine, ***Limoges*** propose 2 sites qui pourront intéresser vos enfants :

☞☞ *L'aquarium :* 2, bd Gambetta. ☎ 05-55-33-42-11. Ouvert toute l'année, tous les jours de 10 h 30 à 18 h. Entrée : 6 € ; enfants de 4 à 15 ans : 4,50 € ; gratuit pour les moins de 4 ans.
Intéressant aquarium, notamment par la présence d'espèces rares, poissons aveugles de grottes (en effet, n'ont point d'yeux ces bestiaux !), poisson-pierre comme une pierre, alors vous ne le voyez pas, et en allant vous baigner vous marchez dessus et vous tombez raide mort, vicieux n'est-ce pas ? Moins rares mais ne courant tout de même pas les rues (celles de France du moins) : piranhas, hippocampes, tortues de Floride, poisson vache, esturgeon aimant se faire caresser par les mômes (éclaboussures garanties...) et poissons électriques allumant des spots par un ingénieux système de captage de courant. 300 espèces en tout et 1 000 individus, d'Europe et d'ailleurs, d'eau douce ou de récifs coralliens. Décidément, cet aquarium est vraiment l'endroit idéal pour les enfants puisque, sur simple demande, ils reçoivent coloriages, rébus, points à relier, mots cachés, questionnaires, etc. Enfin, en téléphonant pour connaître l'heure précise, ils peuvent assister aux repas de toutes ces bestioles !

☞ *La cité des Arts et Métiers-musée des Compagnons :* 5, rue de la Règle. ☎ 05-55-32-57-84. • www.compagnons.org/musee/musee-limoges.htm • ♿ Dans la partie basse du jardin de l'évêché. De mi-juin à mi-septembre, ouvert tous les jours de 10 h 30 à 13 h et de 14 h 30 à 19 h ; hors saison, ouvert uniquement les mercredi, samedi et dimanche, de 14 h à 18 h. Entrée : 4 € ; de 12 à 18 ans, étudiants, demandeurs d'emploi, détenteurs du *Guide du routard* : 2 €.
Ce petit musée s'est installé dans l'ancien réfectoire des moines de l'abbaye de la Règle, datant de la fin du XVIIIe siècle. Bien sûr, les importants travaux de réfection ont été menés par les compagnons eux-mêmes. Le musée nu est donc à lui seul la vitrine d'un savoir-faire assez impressionnant. De nombreux chefs-d'œuvre y sont également exposés, comme cette réplique « à l'identique » (échelle 1/7) du clocher de l'église de Rochechouart, ou cet escalier inspiré du château de Chambord. Cet endroit est aussi un outil de promotion qui sensibilisera le grand public à un niveau de qualité rare de nos jours, et pourquoi pas, fera peut-être naître quelques vocations parmi vos enfants, qui sait ?

➢ ***Trains touristiques à vapeur en Limousin :*** en juillet et août, une quinzaine de voyages sont organisés entre Haute-Vienne et Corrèze depuis la gare des Bénédictins de Limoges. Tchou ! Tchou ! Une superbe loco TD 740 de 1932 tracte des wagons des années 1930 itou et vous mène de Limoges au plateau de Millevaches (Meymac, Ussel), dans les gorges de la Vienne (Eymoutiers, Saint-Léonard-de-Noblat)... Très apprécié. Programme et réservations auprès des offices de tourisme des villes traversées ou à la Maison du Limousin.

Où dormir ? Où manger ?

Hôtel Familia : 18, rue du Général-du-Bessol, 87000 ***Limoges.*** ☎ 05-55-77-51-40. Fax : 05-55-10-27-69. À deux pas de la gare, dans une rue tranquille. Chambres doubles avec douche autour de 40 € ; compter 48 € pour une triple. Certes, le quartier n'a pas grand charme, mais cet établissement, bien que modeste, a plus d'un atout : un accueil discret et souriant, une ambiance familiale, un calme rare à deux pas du centre. Puis des chambres à des prix vraiment honnêtes, simples, suffisamment spacieuses et surtout parfaitement entretenues. Petite réception, petit coup d'œil sur la cuisine où sont préparés les petits dej', puis on traverse la mignonne courette ombragée pour accéder aux chambres. Une gentille adresse. Réduction de 10 % accordée le week-end aux porteurs de ce guide.

Hôtel de la Paix : 25, pl. Jourdan, 83000 ***Limoges.*** ☎ 05-55-34-36-00. Fax : 05-55-32-37-06. Ouvert toute l'année, tous les jours. Doubles de 35 à 48 € avec douche ou bains ; triples et quadruples avec 2 grands lits à 55 €. Bien situé dans l'angle d'une place plutôt tranquille, surtout la nuit, et non loin de la gare ni des quartiers anciens. Dans le hall et la salle des petits dej', petit musée du Phonographe et de la Musique mécanique. Le patron a mis en scène son impressionnante collection. Puis, en étage, de vastes chambres, bien entretenues et régulièrement refaites. De charmants meubles dépareillés, parfois une cheminée ou une grande salle de bains. Rien de luxueux, mais un style rétro qu'on aime bien. Voilà un hôtel agréable à vivre, et où l'on est content de rentrer après une journée de tourisme. Une adresse sûre, un bon rapport qualité-prix. Accueil pourtant un peu sec. Garage payant. Réduction de 10 % sur le prix des chambres accordée aux lecteurs du *Guide du routard.*

Le Pont Saint-Étienne : 8, pl. de Compostelle, 83000 ***Limoges.*** ☎ 05-55-30-52-54. Ouvert toute l'année. Formules et menus de 13,50 à 31,70 € ; menu-enfants à 7,60 €. Drôle d'endroit que ce bar-tabac-journaux-PMU-restaurant limougeaud. Superbement situé en bordure de Vienne, doté d'une grande salle à l'étage, ainsi que d'une terrasse aux beaux jours, Le *Pont Saint-Étienne* propose une cuisine assez inventive et copieuse. Envie de rustique, d'exotisme ou d'un plat léger ? Tout le monde trouve son bonheur dans les menus aux énoncés carrément alléchants, de la « guillerette » (assiette de petits farcis froids et chèvre frais aux herbes sur coulis de betteraves rouges) à la « variation sur le colombo » (travers, joue et épaule de porc cuit avec le mélange d'épices antillais *colombo*). Réel effort de présentation pour un bar-resto. Vins un peu chers. Endroit très fréquenté, service parfois un peu dépassé. Réservez votre table à l'avance (aux beaux jours, de préférence en terrasse).

➤ DANS LES ENVIRONS

Au nord de Limoges

L'arboretum de La Jonchère : 87340 ***La Jonchère-Saint-Maurice.*** À 8 km au nord-est d'Ambazac. Entrée gratuite. Pour les visites guidées, se renseigner au ☎ 05-55-34-53-13.

Ouvert au public depuis 1990 et géré par l'Office national des forêts, l'arboretum de La Jonchère est certainement l'une des principales curiosités limousines. Initialement pépinière créée en 1884 par un « éminent agriculteur » et un paysagiste averti, MM. Gérardin et Laurent, le site, un temps

à l'abandon, présente maintenant en une agréable promenade entre étang, rus et fougères, une grande diversité d'arbres de quatre continents (l'Océanie seule n'étant pas représentée). Pinacés, taxiodacés, cupressacées, céphalotaxées, taxacées, fagacées et, tenez-vous bien, hamamelidacées jalonnent les allées où le visiteur peut s'arrêter à chaque pas, lire les plaques d'identité et observer chacun de ces végétaux. Vedette incontestée, le séquoia géant de Saint-Pétersbourg, un arbre gigantesque dont la cime se perd dans le ciel et les ramées.
Circuit de 2,5 km environ, où l'on peut passer 2 ou 3 h sans forcer. Indispensable – souhaitable en tout cas – : se munir de la plaquette éditée par l'ONF, un bouquin de 100 pages consacré à l'arboretum, excellemment réalisé, où de surcroît on apprend tout le b.a.-ba de la botanique (en vente au Comité départemental du tourisme de Limoges).

Où dormir ? Où manger ?

🏠 🍽 ***La Pomme de Pin :*** hameau de La Tricherie, 87140 ***Thouron.*** ☎ 05-55-53-43-43. Fax : 05-55-53-35-33. À 20 km au nord de Limoges. Fermé le lundi et le mardi midi ; congés annuels : pendant les vacances de février et en septembre. Doubles avec douche ou bains à 47 et 53 € ; pour les familles, une chambre avec 2 grands lits à 53 €. Menu à 13,50 € le midi en semaine ; autres menus de 22 à 32 € ; menu-enfants à 8 €. Juste à côté d'un étang perdu en pleine nature. Chambres très confortables et bien propres, avec vue sur la rivière. Charme d'une cuisine attractive et des grillades cuites devant vous au feu de bois dans une belle salle aux murs de pierre. Surprenante et excellente carte des vins. Service en terrasse aux beaux jours. Une des très bonnes adresses du département, aménagée dans un ancien moulin et d'anciennes filatures.

Au sud de Limoges

Nexon *(87800)* **:** à 20 km au sud de Limoges par la D 704. Soulignons d'emblée l'importance de ce site devenu récemment *pôle des Arts du cirque* (lieu conventionné par le ministère de la Culture et de la Communication) et doté dès lors d'un chapiteau permanent. En été, la manifestation *Les Arts à la rencontre du cirque* propose, dans son chapiteau dressé dans le parc du château de Nexon, divers spectacles et animations sur le thème du cirque (musique, théâtre, cinéma, librairie du cirque...). Pendant les vacances scolaires, les enfants de 8 à 14 ans et les adolescents peuvent pratiquer des stages d'initiation et de perfectionnement aux arts du cirque (de l'initiation à la formation professionnelle).
Professeurs et artistes de renommée mondiale dispensent aux stagiaires un enseignement global : acrobatie, danse, équilibre, assouplissement, fil, trapèze, jonglerie et, bien sûr, la voltige à cheval. En effet, la petite ville de Nexon fut réputée pour son élevage de chevaux depuis 1550, et plus particulièrement pour la célèbre race anglo-arabe. Renseignements : ☎ 05-55-58-34-71. Fax : 05-55-58-34-43. • www.cirquenexon.com •
Le château du XVIIe siècle, remanié au XIXe siècle, l'église et les anciennes écuries du haras peuvent être visités sur rendez-vous : ☎ 05-55-58-28-44.

Le musée de l'Automate : situé dans les dépendances du château de Brie, sur la route Richard-Cœur-de-Lion. ☎ 05-55-78-17-52. Ouvert tous les jours en juillet et août de 14 h à 19 h, ainsi que les dimanche et jours fériés en avril, mai et septembre. Ce petit monde animé s'adresse aux tout-petits, souvent intrigués par ces personnages qui bougent mécaniquement sans parler.

Le parc zoologique du Reynou : 87110 **Le Vigen.** ☎ 05-55-00-40-00. • www.parczooreynou.com • Par l'A 20, sortie 37. Entrée : 8 € ; enfants de 3 à 12 ans : 6 €. Ouvert d'avril à septembre, tous les jours de 10 h à 20 h ; d'octobre à mars, du mercredi au dimanche inclus, ainsi que tous les jours pendant les vacances scolaires (sauf le 25 décembre et le 1er janvier), de 10 h à 18 h.
Parc paysager et animalier de 30 ha, où vous pouvez admirer près de 120 espèces des 5 continents, soit plus de 500 animaux. Magnifique cadre impressionniste, constitué par le paysagiste André Laurent en 1877, avec cèdres, séquoias, tulipiers, végétaux rares et aussi rocailles, étangs et rivière anglaise... Le château campé dans le parc est classé Monument historique.

➢ **Le vélorail de Bussière-Galant :** au plan d'eau **Les Ribières,** 78230. ☎ 05-55-78-86-47. • www.velo-rail.net • À 7 km de Châlus, direction Saint-Yriex. Fonctionne le week-end de mai à octobre, le samedi, uniquement l'après-midi, et tous les jours en juillet et août de 10 h à 19 h. Forfait en saison à 19 € pour un vélorail (4 ou 5 personnes). Caution demandée pour les groupes. Réservation très recommandée.
Sur un tronçon de chemin de fer désaffecté, une promenade sympa à bord de chariots à pédales à travers la cambrousse. Lorsque deux chariots se croisent, eh non, ils ne se croisent pas, car il n'y a qu'une voie : priorité au chariot de retour ; on descend donc de l'engin pour le porter sur le bas-côté et on rigole bien.
Sur le trajet, aires de pique-nique, moulin, fontaine, pont sur la Dronne et Roche-qui-Pleure. 10 km aller-retour. Compter 2 h tranquillou (retour plus sportif, ça grimpe un peu sur la fin).

La cité des Insectes : 87120 **Nedde.** ☎ 05-55-69-10-87. • www.ecosphere.asso.fr • À 10 km à l'est d'Eymoutiers par la D 992. Ouvert de Pâques à la Toussaint les week-ends et jours fériés ; en juillet et août, tous les jours de 10 h à 13 h et de 14 h 30 à 18 h 30 ; ouvert aux groupes et sur réservation le reste de l'année. Entrée : 4,50 € ; enfants de 4 à 14 ans : 3 €.
En ce coin retiré et dans une vieille ferme retapée, une présentation *in situ* pour petits et grands du monde merveilleux des insectes. Ludique et pédagogique (avec ordinateurs et microscopes, c'est du sérieux !), on y voit toutes sortes de bestioles, papillons, fourmis, abeilles, etc., aussi bien en insectarium et noctarium (réservé aux noctambules à 6 pattes) qu'en milieu naturel. Des ruches, une mare et un petit parc entourent la ferme. Animateurs-entomologistes enthousiastes et compétents conduisent la visite.
De plus, l'été est ponctué de spectacles au théâtre de verdure, contes ou marionnettes, toujours sur le thème des insectes (par exemple, *Le papillon qui tapait du pied,* d'après Rudyard Kipling, ou *Comment monsieur Clémuche avala une mouche et tout ce qui s'ensuivit,* d'après un conte populaire japonais). Vraiment super.

Où dormir ? Où manger dans le coin ?

Chambres d'hôte chez Évelyne et Bernard Guérin : lieu-dit Lartimache, 87440 **La Chapelle-Montbrandeix.** ☎ 05-55-78-75-65. À 14 km à l'ouest de Châlus. Chambres doubles à 38 €, petit dej' compris ; chambres à 3 lits à 45 €, suite familiale pour 4 ou 5 personnes à 55 €, petit dej' compris. Table d'hôte à 10 € tout compris ; enfants de moins de 10 ans : 9 €. Trois chambres aménagées dans le grenier d'une ferme ancienne, poutres apparentes et senteurs boisées, en plein pays feuillardier. Calme assuré et balades à vélo ou parties de pêche (matériel prêté), on respire ! Très bonne table d'hôte. Charmant accueil. Apéro maison et café offerts à nos lecteurs, ainsi qu'une réduction de 10 % pour un séjour d'une semaine.

🏠 🍽 ***Le Ranch des Lacs :*** lieu-dit Vervialle, 87120 ***Augne.*** ☎ 05-55-69-15-66 ou 06-83-37-58-75. Fax : 05-55-69-59-52. À 9 km à l'ouest d'Eymoutiers. Prendre la route de Bujaleuf (D 14), passer Chassat puis, à la bifurcation suivante, tourner à gauche vers Négrignas; juste avant ce hameau, petite route à gauche menant à Vervialle. Ouvert toute l'année, mais téléphoner hors saison. Doubles à 34 €; nuitée à 12,50 € par personne en chambre familiale. Formule à 11 € le midi; menus de 15 à 30 €; menu-enfants à 7 €. Tenu depuis plusieurs années par un aimable couple belge, ce bar-restaurant-hôtel installé dans un ancien manège a conservé une atmosphère équestre, bois et selles décoratives, et se trouve littéralement perdu en pleine cambrousse : par la véranda, vue sur une vallée de la Vienne vierge de tout habitat, seulement verte et boisée, intacte. Au bar, grand choix de bières belges, et à table, différents menus avec de savoureuses incursions belges aussi : « coffret du boulanger » (pain de mie farci d'œuf brouillé aux herbes du jardin), « coucou de Malines » (blanc de volaille farci aux endives) ou « côte de veau gaumaise » (au gouda !) et, sur commande, moules-frites à volonté. Également présence étonnante (sous cette latitude) de spécialités africaines, car nos restaurateurs pas comme les autres arrivent du Congo plutôt que de Belgique. Enfin, heureuse attention, accueil spécial enfants avec espace jeux, Playmobil et Lego, et, mieux encore, des poneys que les gamins pourront caresser et nourrir, et même chevaucher pour un tour de village (gratuit, sous la responsabilité des parents). Ambiance familiale et bohème. Piscine prévue pour l'été 2003. Une adresse extra, mais extra deux fois. Et vive la Belgique ! Pour nos lecteurs, 10 % de réduction sur le prix de la chambre.

LE ROYAUME DU CHEVAL : ARNAC-POMPADOUR

Dans les environs : les cascades de Gimel

ARNAC-POMPADOUR ET SES HARAS

Ce nom curieux vient de la juxtaposition de ceux de deux communes distantes de quelques kilomètres : Arnac et Pompadour. Les Pompadours (habitants de la commune) n'apprécient qu'à moitié qu'on ait cru bon d'accoler le prestigieux nom de leur ville à celui des voisins, prêtant ainsi le flanc à de douteux calembours. Rendons à chacun des villages ce qui lui appartient. Car si Pompadour est célèbre pour sa marquise, son château, ses haras, ses courses de chevaux et son centre commerçant un peu chic, Arnac possède l'une des plus jolies églises romanes du département. Pour être complet, signalons que c'est à Pompadour que le *Club Med* installa son premier village rural, équestre en l'occurrence, en 1972, et que, bien avant, Richard Cœur de Lion donna son nom à une route qui commence ici et se poursuit en Haute-Vienne.

★★★ ***Les haras :*** 19230 ***Arnac-Pompadour.*** ☎ 05-55-98-55-47. • office.tourisme.pompadour@wanadoo.fr • Dans Pompadour. Visites toute l'année mais horaires variables, le mieux est de vérifier auprès de l'office de tourisme. Fermé à Noël, le 1er janvier, ainsi que les jours de courses ou de concours (en général, le dimanche). Visites guidées uniquement. Entrée : 4,50 €, donnant droit à la visite guidée des haras (1 h), des terrasses du château (30 mn), de la jumenterie (45 mn) et de l'hippodrome (45 mn; les marronniers qui le bordent seraient les plus vieux de France); on peut toutefois acheter des billets séparés pour les 4 visites; enfants : 2,50 €.

L'excellente visite vous conduira entre les box de ce beau bâtiment du XIXe siècle, où de magnifiques étalons prennent un peu de repos. Outre quelques anglo-arabes, dont Pompadour est le berceau, le haras possède quelques spécimens de percherons et autres chevaux de trait impressionnants, ainsi que les deux « criollos » que le président argentin Carlos Menem a offerts au président Jacques Chirac.
La visite se poursuit par la forge, la sellerie et le laboratoire d'insémination. Car rappelons que le rôle de ce haras national, comme des 22 autres que compte la France, est la reproduction. Pour ceux que ça intéresse, il leur en coûtera de 300 à 12000 € pour la saillie d'un anglo-arabe.

La jumenterie de la Rivière : 19230 ***Beyssac.*** ☎ 05-55-73-33-33. À 4 km de Pompadour. Fermé d'octobre au 10 février. Visite guidée toutes les 45 mn : du 10 février au 31 mars, de 14 h à 16 h 15 ; du 1er avril au 30 juin, de 14 h à 17 h ; du 1er juillet au 30 septembre, à 15 h, 16 h et 17 h ; jours de course, visites à 15 h et 16 h.

Parents savants : ***la naisance du poulain***

Les juments portent leurs petits 11 mois. La jument met bas (on dit qu'elle pouline) souvent la nuit, car elle préfère être au calme. À sa naissance, un poulain pèse de 25 à 45 kg. Il sort d'abord les sabots de devant, puis la tête, et enfin le reste du corps. Une à deux heures après sa naissance, il va essayer de se lever pour téter. Puis il commence à brouter pour être séparé de sa mère vers l'âge de 6 mois.

Les 330 ha de la jumenterie accueillent les futures et les jeunes mamans. C'est ici que les juments viennent se faire saillir, puis mettent bas et élèvent leurs poulains. Au printemps, il peut y avoir jusqu'à 400 bêtes dans les immenses prés qui entourent la maternité, où les juments, surveillées par une caméra, sont l'objet de tous les soins. La jumenterie s'est installée sur l'emplacement d'un château du XVe siècle dont il reste quelques ruines et une chapelle qui fut, un temps, transformée en box.

Où faire de l'équitation ?

■ ***Relais Al Garamaze :*** ferme de Garamaze, 19210 ***Saint-Martin-Sepert.*** ☎ 05-55-73-59-05. À quelques kilomètres au nord-est de Pompadour. Balades et randonnées avec un moniteur diplômé. Fait aussi relais d'étape.

■ ***Centre équestre du Pays de Pompadour :*** au domaine de Laleu, 19210 ***Lubersac.*** ☎ 05-55-73-32-70. Même genre de prestations. Également relais d'étape.

Où dormir ? Où manger dans l'Yssandonnais ?

Auberge de la Marquise : 4, av. des Écuyers, 19230 ***Arnac-Pompadour.*** ☎ 05-55-73-33-98. En face de la gare. Fermé le samedi midi et le dimanche soir. Menu à 10 € le midi en semaine ; autres menus à partir de 18 € ; menu-enfants à 8 €. Adresse populaire et pas chère, que nous avons retenue pour ses petits menus. Pratique, donc, si vous avez besoin de déjeuner à Pompadour. La salle a été joliment arrangée et la cuisine, plutôt terroir, est tout à fait correcte, vous ne devriez donc pas avoir de mauvaise surprise.

Auberge de la Mandrie : route de La Nouaille, 19230 ***Beyssac.*** ☎ 05-55-73-37-14. Fax : 05-55-73-

67-13. • www.la-mandrie.com • À 5 km du bourg en allant vers Périgueux. Fermé le dimanche soir de novembre à fin mars; congés annuels : en janvier. Doubles à 41 €; compter autour de 47 € pour 3 personnes et autour de 54 € pour 4 personnes. Menus à partir de 17 €, sauf le dimanche midi, puis de 20 à 31 €; menu-enfants à 8,50 €. Presque un hôtel-club, avec ses petits chalets disséminés dans un parc, autour d'une belle piscine chauffée et d'un espace jeux pour les enfants. Les chambres, toutes de plain-pied, possèdent une petite terrasse, une salle de douche ou de bains, TV et téléphone. Allez, elles ne sont pas si chères, et même si l'on a 2 ou 3 petites choses à redire sur la déco, on aime bien! À table, une cuisine régionale, parfois agrémentée de subtiles préparations. Citons l'île flottante de sandre au coulis d'écrevisses, le médaillon de lotte rôtie au cidre ou la terrine de foies de volaille aux pommes. À déguster en salle ou sur l'immense terrasse qui la prolonge. L'apéro est offert aux porteurs du *Guide du routard.*

Chambres d'hôte Domaine de la Roche : chez Mme Sourioux, 19210 ***Saint-Julien-le-Vendômois.*** ☎ et fax : 05-55-98-72-87. • michel.sourioux@wanadoo.fr • À la limite de la Haute-Vienne, à une dizaine de kilomètres au nord-ouest de Pompadour par la D 126. À 4 km du bourg; fléché. Ouvert toute l'année. Chambres doubles à 37 €; 2 chambres jumelles, idéales pour les familles, à 37 € + 11 € par enfant. Également un studio, disponible pour une location à la semaine : 145 ou 192 € selon la saison. Table d'hôte sur demande à 20 € sans le vin. 3 chambres au calme, dans une dépendance, confortables et bien équipées. Au grand calme, ce bel ensemble de fermes des XIIe et XVe siècles ayant appartenu à la famille d'Henri IV est aujourd'hui la propriété d'un couple charmant, dont le monsieur est issu d'une grande famille italienne. Dans la salle en pierre, on mange les excellents produits – canard et agneau – du domaine. On a bien aimé le petit dej' dans le fournil ou sous le bananier. L'accueil est excellent, et vos enfants s'amuseront bien pendant que vous vous goinfrerez. Apéritif offert à nos lecteurs, ainsi qu'une réduction de 20 % pour un séjour de 5 nuits.

DANS LES ENVIRONS

Les cascades de Gimel : 19800 ***Gimel-les-Cascades.*** ☎ 05-55-21-26-49. À 12 km au nord-est de Tulle. Ouvert du 1er mars au 1er novembre de 10 h à 18 h, tous les jours sauf le mercredi de 11 h à 18 h; en juillet et août, ouvert de 10 h à 19 h tous les jours. Entrée : 4 €; enfants de 6 à 14 ans : 3 €. En vous rendant sur ce site classé (un des plus visités de la Corrèze), vous ne pourrez plus nier la beauté et la grandeur de la nature, vous, petite poussière fragile face à cette cascade de 143 m qui se divise en 3 chutes véritablement spectaculaires : le Rodole, coulant à pic sur 38 m; le Grand Saut (à ne pas tenter!), haut de 45 m; enfin, et ça commence à faire vraiment peur, la Queue de Cheval, 60 m de chute à destination du gouffre de l'Inferno. Le chemin qui accède aux cascades est balisé; impossible, donc, de louper le site.

LA VALLÉE DE LA DORDOGNE

Le centre aquatique Le Splash • Les tours de Merle • Le musée de l'Homme de Neandertal

Le centre aquatique Le Splash : rue Louis-Bessou, 19400 ***Argentat.*** ☎ 05-55-28-31-70. Hors saison : ☎ 05-55-28-10-91. • www.argentat.fr • À

25 km au sud de Tulle, sur la N 120. Du 1er juillet au 31 août, ouvert tous les jours de 11 h à 20 h. Entrée : 2,75 € ; pour les enfants de 4 à 12 ans : 1,60 € ; gratuit pour les moins de 3 ans.
Lorsque le soleil vous assomme trop, jetez-vous à l'eau dans ce bassin de 580 m² équipé de plusieurs zones ludiques : toboggans et pentagliss, lagon pataugeoire pour les petits, spa et bassin réservé à la natation. Ce centre aquatique situé dans un immense complexe sportif (tennis, gymnase, stade, boulodrome et parcours de santé) a des airs de *Club Med*. Le Splash abrite également la base du Canoë-Kayak Club argentacois (ça en jette !) qui propose, pour environ 12 € la demi-journée, une initiation ou un perfectionnement à la pratique (en eau vive) de ce sport nautique. Les baignades sont surveillées par des maîtres-nageurs-sauveteurs.

Où dormir ? Où manger ?

Hôtel-restaurant Fouillade : 11, pl. Gambetta, 19400 **Argentat**. ☎ 05-55-28-10-17. Fax : 05-55-28-90-52. Fermé le lundi hors saison, ainsi que de début novembre à début décembre. Doubles de 23 à 38 € selon le confort ; 2 chambres familiales avec 2 lits doubles à 44,50 €. Menus de 11,50 à 24,50 € ; menu-enfants à 6,10 €. Voilà une maison séculaire qui entre, avec le nouveau millénaire, dans son 2e siècle d'existence. La cuisine va donc séduire encore quelques générations de gourmands, qui vont venir découvrir le confit de canard aux châtaignes, les cèpes farcis à la crème d'oseille ou la croustade aux girolles. On a été un peu moins enthousiasmé par les chambres, avec leur côté très *70's*, même si elles sont très propres.

La Vieille Auberge : 19220 **Saint-Geniez-ô-Merle**. ☎ 05-55-28-20-60. À une quinzaine de kilomètres à l'est d'Argentat. Fermé le lundi, ainsi que le mardi hors saison. Congés annuels : en janvier. Menus de 16 à 23 €. Menu-enfants à 7 €. Non loin des fameuses tours de Merle, une petite auberge couplée à une ferme équestre. Cadre rustique d'une salle parquetée où ronfle un gros poêle. Le patron est aussi à l'aise sur une selle que devant un fourneau. Cuisine régionale de bon niveau. On vous recommande le chou farci, le feuilleté d'asperges ou les excellents magrets au vinaigre de framboise. Café offert sur présentation du *Guide du routard*.

À voir encore dans la vallée de la Dordogne

Les tours de Merle : à environ 15 km à l'est d'Argentat. ☎ 05-55-28-22-31 et 27-67. • www.toursdemerle.com • Plusieurs accès. Pour les visites, garez-vous à l'un des 2 parkings sur la D 13. Un chemin permet l'accès à la billetterie et aux expositions. En juillet et en août, visite du château et du parc archéologique médiéval tous les jours de 10 h à 18 h ; en mai, juin et septembre, tous les jours de 14 h à 18 h ; de février à avril, et d'octobre à novembre, les dimanche, jours fériés et pendant les vacances scolaires de 14 h à 18 h. Fermé de décembre à janvier. Entrée : 5 € ; de 8 à 16 ans : 3 €. Prévoir de bonnes chaussures (site escarpé) et éviter les poussettes !

Parents savants : *la forteresse de Merle*

La forteresse de Merle remonte au XIe siècle. Son nom provient de *merulam*, qui signifie « fortifié ». Les premiers seigneurs bâtirent leurs châteaux au sommet des puys et prirent comme patronyme le nom du rocher. Du XIIe au XVe siècle, leur famille continua à construire, sur plusieurs générations, cette forteresse inexpugnable, entourée d'eau, au fond d'un vallon. Chacun faisait ériger sa tour-résidence, qu'on voulait plus impressionnante que celle du frère ou du cousin. La guerre de Cent Ans vit les Anglais prendre la citadelle et, peu après, l'avènement de l'artillerie sonna le glas de ce type de camps retranchés, particulièrement vulnérables dès lors qu'on pouvait les bombarder des hauteurs qui les dominaient. Les tours de Merle connurent une dernière heure de gloire quand les huguenots s'en emparèrent. Le repli des seconds fut l'oubli des premières.

La balade au milieu de ces tours en ruine est assez impressionnante (le parc fait 10 ha), même si c'est du site, émergeant de la forêt et que l'on voit très bien de la route, que le visiteur garde le souvenir. On grimpe au sommet du donjon roman et on découvre une pièce à vivre aménagée dans une autre tour. La légende prétend que, quelque part sous ses ruines, une partie du trésor des seigneurs pilleurs serait encore enfouie. Les enfants aimeront aussi se rendre dans la ferme archéologique reconstituée du XIVe siècle. Possibilité enfin de déguster des produits liés à l'*écosite* (confitures, légumes oubliés...). À voir également, le nouveau ***pont de Merle,*** entièrement réalisé en ossature de bois.
Plusieurs parcours de découverte partent de ce site. Pour une balade tranquille avec des jeunes, suivre le balisage vert (parcours Initiation) : 1 h 30 de randonnée facile. Pour tout renseignement concernant ces promenades : ☎ 05-55-28-22-31.

👁👁 ***Le musée de l'Homme de Neandertal :*** à ***La Chapelle-aux-Saints*** (19120). ☎ et fax : 05-55-91-18-00. • www.neandertal-musee.org • ♿ À 3 km au sud de Curemonte. Ouvert de Pâques à la Toussaint tous les jours de 14 h 30 à 18 h ; en juillet et en août, tous les jours de 10 h à 12 h et de 14 h à 18 h. Entrée : 4 € ; de 7 à 16 ans : 3 €.
Ce petit village a fait son entrée dans l'histoire en 1908, grâce à un individu qui avait vécu 40000 ans plus tôt : un homme de Neandertal. On le découvrit (enfin, son squelette) en cette même année (1908), blotti dans la caverne de Bouffia-Bonneval (sur le bord de la route, juste à la sortie du bourg). Dans le village, un très beau musée explique la vie de cet homme et de ses compagnons. En outre, ce musée est très bien conçu et présente de manière pédagogique toute la période néandertalienne. Allez vite voir les outillages de pierre trouvés sur le site et découvrir les gibiers chassés par l'homme de Neandertal.

Où dormir ? Où manger ?

⛺ ***Camping des Îles :*** 19120 ***Beaulieu-sur-Dordogne.*** ☎ 05-55-91-02-65. • jycastanet@aol.com • ♿ Ouvert de mi-avril à mi-octobre. À 100 m du centre, on y accède par un petit pont. Compter 12 € pour deux. C'est l'un des deux campings de Beaulieu, un peu plus cher que l'autre, mais les douches étant ici gratuites, on s'y retrouve. Cadre charmant au bord de l'eau, bien ombragé et très calme. Équipement correct (lave-linge, bar...) et sanitaires très bien tenus. Apéro maison offert à nos lecteurs.

🏠 🍽 ***Central Hôtel Fournié :*** 4, pl. du Champ-de-Mars, 19120 ***Beaulieu-sur-Dordogne.*** ☎ 05-55-91-01-34. Fax : 05-55-91-27-57. Fermé le mardi et du 5 novembre à fin mars. Chambres doubles de 45 à 50 € ; compter autour de 50 € pour une triple, 55 € pour une quadruple. Menus de 15,50 à 30 € ; menu-enfants à 10 €. Établissement familial un peu vieillot mais soigné, avec nappes blanches et fleurs fraîches. Cuisine classique et honnête. Ici, ça fleure bon le terroir et les beaux produits. Vous en serez persuadé en goûtant à l'escalope de foie gras au vinaigre balsamique et sa mique, à la fricassée de gésiers, à la blanquette de grenouilles et d'escargots, à la grillade de cochon au vinaigre de vin, à l'omelette aux cèpes, aux girolles ou aux truffes ou au soufflé glacé aux noix.

■ |●| ***Hôtel-restaurant Les Charmilles :*** 20, bd Saint-Rodolphe-de-Turenne, 19120 ***Beaulieu-sur-Dordogne.*** ☎ 05-55-91-29-29. Fax : 05-55-91-29-30. • www.auberge-charmilles.com • ♿ Fermé les mardi et mercredi sauf de mai à septembre, ainsi que le 25 décembre. Chambres doubles avec bains à 50 € ; triples à 60 € et quadruples à 70 €. Un peu à l'écart du flux touristique qui envahit Beaulieu en été, cette maison de pierre claire dégage un calme et une sérénité hors du commun. Dès l'entrée, la terrasse pleine d'arbres donne le ton. Les 8 chambres décorées avec goût ne sont pas en reste et à table, la fête se poursuit avec la tarte fine de rouget aux senteurs provençales, le croustillant de lotte aux aubergines, le magret de canard à la moutarde... Une bonne adresse de plus dans une ville qui n'en manquait pas. Apéritif ou café offert à nos lecteurs.

LE PAYS DE BRIVE

• Le gouffre de La Fage • Les pans de Travassac

★★★ ***Le gouffre de La Fage :*** ☎ 05-55-85-80-35 ou 81-14. À 2 km de Noailles et à 10 km au sud de Brive. Du 1er avril au 15 juin, ouvert de 14 h à 18 h 30 ; du 16 juin au 15 septembre, de 9 h 30 à 13 h et de 14 h à 19 h ; du 16 septembre au 10 octobre, de 14 h à 18 h. Fermé du 11 octobre au 31 mars, sauf pour les groupes et sur réservation. Visite guidée en été (environ 50 mn), libre hors saison. Entrée : 5,35 € ; enfants de 4 à 12 ans : 3,50 €.

Découvert en 1891 lors de la construction de la ligne Brive-Cahors, ce gouffre est exploité sur le plan touristique depuis 1961. Un grand espace planté de pins permet pique-nique et parking, tandis qu'un petit bar agréable accueille ceux qui n'ont pas prévu de panier.

Variée et spectaculaire, la visite de ce gouffre ravira les amateurs. On y pénètre par un escalier métallique qui descend dans l'aven au travers d'une luxuriante végétation. Les 600 m de galerie se divisent en 3 parties très différentes. D'abord (à gauche), un couloir étroit bordé de drapés de pierre ocre qui résonnent comme s'ils étaient creux. Le gouffre est remarquable pour les colonies de chauves-souris qui nichent ici. On dénombre 12 espèces sur les quelque 15 000 individus qui se retrouvent ici de novembre à mars. De l'autre côté de l'entrée (à droite), passé le porche antique où stalagmites et stalactites se sont rejointes, c'est une féerie de cristaux, « la forêt d'aiguilles ». En poursuivant, on parvient à un gisement paléontologique, un piège naturel où mammouths et lions vinrent mourir il y a des centaines de siècles. Un petit musée présente d'ailleurs quelques-uns des fossiles trouvés ici. Ce gouffre demeure certainement l'un des sites les plus exaltants de la région ; parents, enfants, n'attendez plus pour y aller. Et si tout s'effondrait un jour ?

★★ ***Les pans de Travassac :*** ☎ 05-55-85-66-33. Sortir de Donzenac par la D 920, direction Brive. Ouvert du 1er mai au 31 octobre ; en mai, juin, septembre et octobre, les dimanche et jours fériés de 14 h à 19 h : visites libres ou guidées à 14 h 30 et 16 h, sur rendez-vous pour les groupes ; du 1er juillet au 31 août, tous les jours de 10 h à 13 h et de 14 h à 19 h : visites libres ou guidées à 10 h 30, 14 h 30, 16 h et 17 h 30, sur rendez-vous pour les

groupes. Compter 1 h 30 à 2 h de visite. Entrée : 6,50 € pour les adultes ; 4 € pour les jeunes de 8 à 18 ans (gratuit en dessous).
Dans ces anciennes ardoisières, longues silhouettes de pierres élancées dans le ciel vieilles de 300 ans, découvrez le métier d'ardoisier, ses techniques et son environnement : puits (de la Girale, de la Fayotte), belvédères, plates-formes, filons (des Quatre-Maîtres, de la Jean-Guinotte...), perces, chantier (encore en activité), atelier-musée, église souterraine, galeries, passerelle de 30 m et bien sûr... sentiers et escaliers. Balade impressionnante et riche en sensations (mais en toute sécurité), avec des à-pics à plus de 100 m, vertigineux ! Buvette avec terrasse panoramique.

Où dormir ? Où manger ?

🏠 🍴 ***Hôtel La Gamade-restaurant Le Périgord :*** 19270 ***Donzenac.*** Hôtel : ☎ 05-55-85-71-07. Restaurant : ☎ 05-55-85-72-34. Fax : 05-55-85-65-83. Dans le bourg. Ouvert toute l'année, tous les jours. Doubles de 40 à 45 € ; possibilité de lit d'appoint pour les enfants. Menu du jour à 13 € ; autres menus de 17 à 58 € ; menu-enfants à 8 €. L'hôtel, une bâtisse couverte de vigne vierge, a été rénové avec goût et propose 9 chambres, 9 fois différemment charmantes. Au restaurant (à 50 m de l'hôtel), salle bourgeoise et plutôt élégante, avec petite terrasse face au village mais en bord de route. On peut tout aussi bien préférer manger au bar. Là, sous le regard à la sévère bienveillance de Mme Salesse, les habitués lèvent le coude et rompent le jeûne, tandis que les jolies serveuses filent doux en souriant. Apéritif offert aux lecteurs du *Guide du routard.*

LORRAINE

Région austère à première vue, la Lorraine réserve en fait bien des surprises. Semée d'imposantes forteresses médiévales, striée de torrents, la Lorraine nous rappelle que l'Allemagne et le Luxembourg sont tout proches. Couverte de vastes forêts de sapins et de chênes, sa nature riche et préservée a permis l'épanouissement d'une faune exceptionnelle (on y trouve des lynx et des ours !), et les amoureux des bêtes ne seront pas déçus. Les nombreuses activités qu'on peut y pratiquer permettent de s'amuser en famille tout en prenant un grand bol d'air. Mais si elles sont pour l'essentiel placées sous le signe de la faune et de la flore, l'histoire aussi est au rendez-vous, et châteaux et vestiges antiques nous rappellent que la Lorraine fut durant plusieurs siècles un duché brillant et que, longtemps avant, Celtes et Romains y vécurent. Un livre de route illustré et sympa à lire pour les enfants : *Chez toi en Lorraine* (éd. Hachette Jeunesse).

Parents savants : ***la Saint-Nicolas***

Saint Nicolas, le patron de la Lorraine, est fêté chaque année le 5 décembre. Saint Nicolas parcourt les rues avec sa hotte chargée de cadeaux et de friandises pour les enfants sages. Il est accompagné du père Fouettard qui poursuit les enfants désobéissants. La légende raconte que saint Nicolas aurait ressuscité 3 enfants tués pour être préparés comme de la viande par un boucher sans scrupules. Une chanson traditionnelle reprend l'histoire « Ils étaient trois petits enfants... » Aujourd'hui, la tradition se perpétue, saint Nicolas continue à distribuer des bonbons, mais c'est le Père Noël qui a pris la relève pour la distribution des jouets.

Adresses utiles

i ***Comité régional du tourisme de Lorraine :*** abbaye des Prémontrés, BP 97, 54704 Pont-à-Mousson. ☎ 03-83-80-01-80. Fax : 03-83-80-01-88. • www.crt-lorraine.fr • crt@cr-lorraine.fr •

i ***Comité départemental du tourisme de Meurthe-et-Moselle :*** 48, rue du Sergent-Blandan, BP 65, 54062 Nancy Cedex. ☎ 03-83-94-51-90. Fax : 03-83-94-51-99. • www.cdt-meurthe-et-moselle.fr • La brochure *Activités Jeunesse* éditée par le CDT recense, en plus des centres de loisirs, les visites à faire en famille.

i ***Comité départemental du tourisme de la Meuse :*** hôtel du département, 4, rue de la Résistance, 55012 Bar-le-Duc Cedex. ☎ 03-29-45-78-40. Fax : 03-29-45-78-45. • www.tourisme-meuse.com •

i ***Comité départemental du tourisme de la Moselle :*** hôtel du département, 1, rue du Pont-Moreau, BP 11096, 57036 Metz Cedex 1. ☎ et fax : 03-87-37-57-80. • cdt57@cg57.fr •

i ***Comité départemental du tourisme des Vosges :*** 7, rue Gilbert, BP 332, 88008 Épinal Cedex. ☎ 03-29-82-49-93. Fax : 03-29-64-09-82. • tourismevosges@wanadoo.fr •

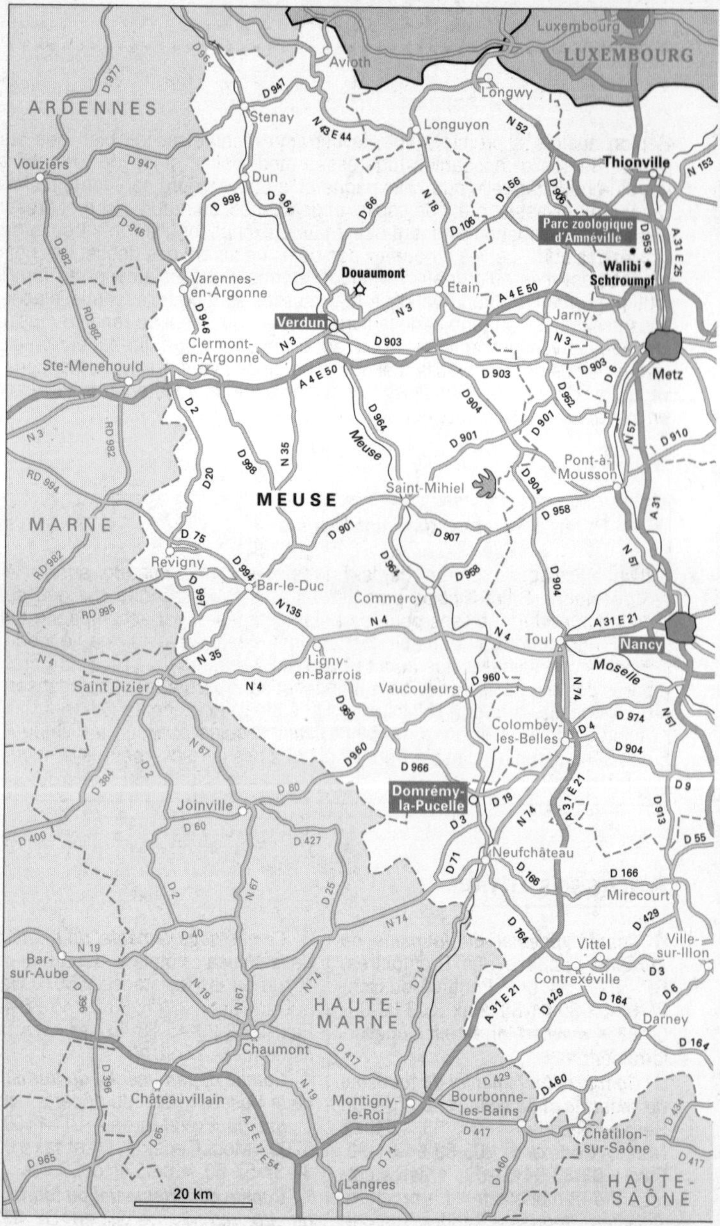

Luxembourg
LUXEMBOURG
ARDENNES
Avioth
Longwy
Stenay
Longuyon
Thionville
Vouziers
Dun
Parc zoologique d'Amnéville
Walibi Schtroumpf
Douaumont
Varennes-en-Argonne
Etain
Verdun
Jarny
Clermont-en-Argonne
Metz
Ste-Menehould
MEUSE
Pont-à-Mousson
Saint-Mihiel
MARNE
Revigny
Bar-le-Duc
Commercy
Toul
Nancy
Ligny-en-Barrois
Saint Dizier
Vaucouleurs
Moselle
Meuse
Colombey-les-Belles
Domrémy-la-Pucelle
Joinville
Neufchâteau
Mirecourt
Vittel
Ville-sur-Illon
Bar-sur-Aube
Contrexéville
HAUTE-MARNE
Darney
Chaumont
Châteauvillain
Montigny-le-Roi
Bourbonne-les-Bains
Châtillon-sur-Saône
HAUTE-SAÔNE
Langres
20 km

D 964, D 977, D 947, N 43 E 44, N 52, N 153, D 998, D 966, D 66, N 18, D 156, D 906, D 946, D 106, D 953, A 31 E 25, D 982, A 4 E 50, RD 982, N 3, D 903, D 6, D 2, D 904, D 952, D 901, N 57, D 910, D 20, N 35, RD 994, D 958, A 31, D 75, D 907, D 994, N 51, D 997, N 135, RD 995, N 4, A 31 E 21, N 74, D 960, D 974, D 966, N 67, D 384, D 4, D 9, D 60, D 19, D 913, D 400, D 3, D 427, D 55, D 71, D 166, D 25, D 429, D 40, N 19, D 164, D 396, D 14, D 417, D 65, A 5 E 17 E 54, D 460, D 434, D 965

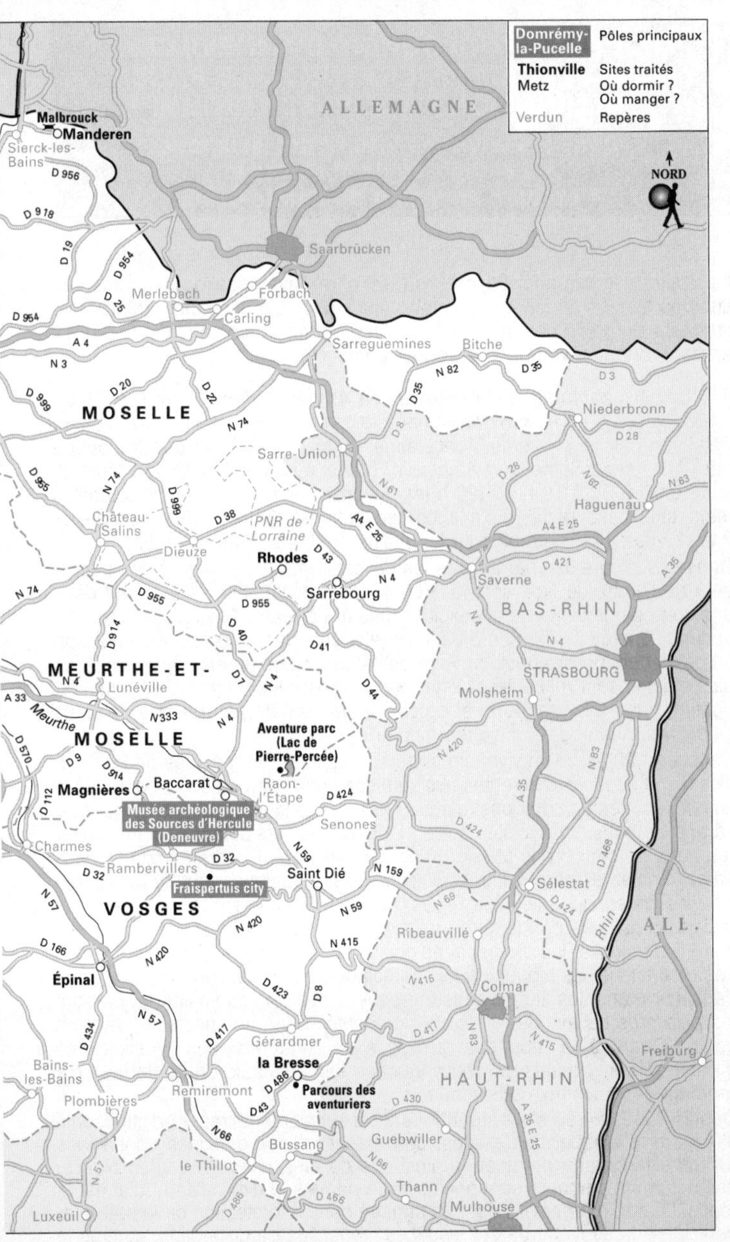
Domrémy-la-Pucelle
Pôles principaux
Thionville
Sites traités
Metz
Où dormir ? Où manger ?
Verdun
Repères
NORD
ALLEMAGNE
MOSELLE
MEURTHE-ET-MOSELLE
VOSGES
BAS-RHIN
HAUT-RHIN
ALL.
Malbrouck
Manderen
Sierck-les-Bains
Saarbrücken
Merlebach
Forbach
Carling
Sarreguemines
Bitche
Niederbronn
Sarre-Union
Haguenau
Château-Salins
Dieuze
PNR de Lorraine
Rhodes
Sarrebourg
Saverne
STRASBOURG
Molsheim
Lunéville
Aventure parc (Lac de Pierre-Percée)
Baccarat
Magnières
Raon-l'Étape
Musée archéologique des Sources d'Hercule (Deneuvre)
Senones
Charmes
Rambervillers
Fraispertuis city
Saint Dié
Sélestat
Ribeauvillé
Épinal
Colmar
Gérardmer
la Bresse
Parcours des aventuriers
Bains-les-Bains
Remiremont
Plombières
Freiburg
Guebwiller
Bussang
le Thillot
Thann
Mulhouse
Luxeuil
Meurthe
Rhin

LORRAINE

LE PARC ZOOLOGIQUE D'AMNÉVILLE, L'AQUARIUM IMPÉRATOR ET LE PARC D'ATTRACTIONS WALIBI-SCHTROUMPF

Dans les environs : Au fil des sciences • Le château de Malbrouck • Le parc animalier de Sainte-Croix

La petite ville d'Amnéville-les-Thermes offre l'avantage de regrouper un superbe zoo, un aquarium non moins splendide et, tout à côté, à Maizières-les-Metz, un grand parc d'attractions. Aussi serait-il dommage de ne pas s'y arrêter, surtout si vos enfants vous accompagnent.

Le parc zoologique d'Amnéville : à ***Amnéville-les-Thermes*** (57360). ☎ 03-87-70-25-60. • www.zoo-amnéville.com • À mi-chemin entre Metz et Thionville par l'A 31, sortie Mondelange, ou bien, en venant de Strasbourg, par l'A 4, sortie Semécourt-Amnéville. D'avril à septembre, ouvert tous les jours de 9 h 30 à 19 h 30 (20 h les dimanche et jours fériés) ; d'octobre à mars, tous les jours de 10 h à la tombée de la nuit. Entrée : 15 € ; enfants de 3 à 12 ans : 11 € ; gratuit pour les moins de 3 ans. Parking gratuit.
Dans une nature luxuriante, tous les descendants (ou presque) des passagers de l'arche de Noé sont là. Venus des 5 continents, ils évoluent dans une sorte de semi-liberté qui exclut cages et barreaux. Mais n'ayez crainte : aucun risque qu'un tigre de Sibérie se jette sur vous au détour d'un buisson ou qu'un ours polaire boulotte votre petit dernier : les normes de sécurité les plus strictes sont respectées. En déambulant sur les 3 km d'allées qui serpentent dans une grande forêt de chênes et de hêtres parsemée de plans d'eau, vous ne pourrez qu'être émerveillé...
Dans les 1 000 m^2 d'un vivarium tropical unique en Europe, plus de 200 reptiles de 50 espèces différentes évoluent dans un superbe décor ; on trouve là crocodiles géants, dragons d'eau, tortues exotiques, caïmans, iguanes, varans, pythons, anacondas, boas... Le parc des ours polaires fait frissonner (de froid, de peur ou de plaisir, on ne sait pas trop...) : derrière d'immenses baies vitrées, les géants immaculés évoluent à quelques pas du public, qui peut les observer jusqu'à 26 m sous l'eau. Au *Penguinland,* on assiste à des ballets aquatiques de loutres et de manchots dignes de ceux d'Esther William ! Sans oublier les dromadaires et les chameaux dans leur univers égyptien reconstitué, les hippopotames batifolant avec nonchalance et bonhomie dans leur étang, les flamboyants perroquets multicolores en liberté. Ce sont les plus gros du monde, et ils sont présentés dans un spectacle vraiment rigolo ! Quant à la tribu des fauves, c'est l'une des plus prestigieuses d'Europe. Les enfants peuvent toucher les animaux de la ferme, qui regroupe les animaux domestiques.
Depuis 2000, le zoo s'est agrandi de 3 ha supplémentaires, et d'imposants éléphants d'Afrique, des girafes, des zèbres et des antilopes sont venus rejoindre la savane d'Amnéville ainsi que de rarissimes rhinocéros blancs. Les différents parcours sont ponctués de panneaux explicatifs et d'aires de repos. Le zoo d'Amnéville est très engagé dans la protection de la nature et participe à la sauvegarde des espèces menacées de disparition, comme le chimpanzé, le loup à crinière ou le faucon pèlerin. Bref, un zoo splendide et intéressant, qui représente un espoir de survie pour beaucoup d'espèces en danger. Qui dit mieux ?

L'aquarium Impérator : à **Amnéville-les-Thermes** (57360). ☎ 03-87-70-36-61. • impérator-aqua@wanadoo.fr • À 200 m du zoo. Ouvert toute l'année du lundi au vendredi de 10 h à 12 h et de 14 h à 18 h, et les week-ends et jours fériés de 10 h à 19 h. Entrée : 8 €; enfants de moins de 12 ans : 5,50 €.

L'Impérator est un ensemble de 37 aquariums différents plus une serre tropicale. L'aquarium récifal est la reconstitution d'un récif corallien d'Indonésie : parmi les dizaines de coraux vivants aux nuances éclatantes évoluent des poissons de lagons multicolores beaux comme des soleils. Dans le bac aux requins (l'un des plus grands de France), le requin-taureau et le requin-citron côtoient les requins nourrices et le requin à pointe blanche dans un ballet silencieux. À les regarder batifoler, on aurait presque de la sympathie pour ces gentils squales... Un peu plus loin : hippocampes, barracudas, murènes, poissons-papillons, poissons-anges; parfois on se demande s'il s'agit bien de poissons, tant ils ont un aspect bizarroïde! On découvre l'ensemble dans une ambiance très sous-marine, assez reposante.

Quant à la grande serre tropicale, elle offre une végétation si luxuriante qu'on s'attend à voir Tarzan vous tomber dessus au détour de chaque baobab... Mais en fait, on y rencontre plutôt piranhas (super!), cichlidés (pardon?) et autres sympathiques bébêtes.

Dernière nouveauté de l'Impérator : la terrasse aux aquariums, un ensemble de 5 bassins qui accueillent les poissons d'Europe. On y découvre qu'il n'y a pas que la truite et le brochet, mais aussi le silure-glane, et on en passe... Également une parenthèse japonaise avec la ravissante carpe Koi.

Le parc d'attractions Walibi-Schtroumpf : voie Romaine, 57280 **Maizières-les-Metz.** ☎ 03-87-51-90-52. • www.sixflagseurope.com • Minitel : 36-15, code WALIBI. À mi-chemin entre Metz et Thionville par l'A 31, sortie Maizières-les-Metz, ou bien, en venant de Paris, par l'A 4, sortie Semécourt-Amnéville. Ouvert du 10 avril au 26 septembre de 10 h à 18 h (19 h ou 21 h en juillet et août). Entrée : 21,80 €; pour les enfants entre 3 et 11 ans : 16,75 €; gratuit pour les moins de 3 ans ou les enfants mesurant moins de 0,92 m. Parking : 5 €. Le parc dispose de sa propre gare et bénéficie d'une desserte adaptée à ses horaires d'ouverture. Pour tout renseignement : consulter le service Information Voyageurs de n'importe quelle gare SNCF (☎ 08-92-35-35-35, 0,34 €/mn).

Ce grand parc d'attractions, placé sous le signe des petits hommes bleus, vaut le détour et fait la joie des jeunes... et des moins jeunes. On y trouve plus de 30 attractions différentes, éparpillées sur 42 ha de verdure et de pièces d'eau. Pour les amateurs de grands frissons, étape obligée à l'*Anaconda,* la plus haute montagne russe en bois d'Europe, où on perd la tête à plus de 110 km/h. Si ça ne suffit pas : la *Vengeance de Gargamel* propulse ses victimes à 55 m de haut en 2,5 secondes. Pour finir, une petite tempête à bord du navire *Pirator* puis quelques tours de *Mistral,* et le tour est joué. Ceux qui ne craignent pas d'être éclaboussés dévaleront les pentes de l'*Aquachute,* les rapides du *Waligator* et la rivière *Odisséa.*

Mais... et les Schtroumpfs, dans tout ça? Ils sont bien là : petite balade en bateau sur leur île semée de champignons géants (leurs maisons, bien sûr), visite du *Village schtroumpf,* spectacle de *Schtroumpferies,* tasses géantes tamponneuses (pourquoi pas?...) du *Mokaschtroumpf,* promenade dans le train *Skyschtroumpf...* Mais ce n'est pas tout : son et lumière de fontaines musicales *(Concert'eaux),* cinéma en procédé showscan, restaurants, et on en passe... Au restaurant, il est même possible d'organiser un anniversaire et de schtroumpfer ses bougies, si les enfants sont au minimum 10.

De mai à septembre, les *Plongeurs de l'extrême* épatent petits et grands avec un spectacle vertigineux.

Pour les plus petits : spectacle de marionnettes et bon vieux manège traditionnel. Bref, tout ça, c'est schtroumpfement bien!

Où dormir ? Où manger ?

■ ***Hôtel La Pergola :*** 13, route de Plappeville, 57000 ***Metz.*** ☎ 03-87-32-52-94. Fax : 03-87-31-41-60. Traverser l'île de Saulcy et suivre la direction Plappeville. Doubles de 40 à 45 € selon le confort ; chambre familiale à 51 € pour 3 personnes, avec possibilité d'ajouter un lit supplémentaire à 6 €. Si l'on s'en tient à sa façade, cette maison passe totalement inaperçue. Or ce serait dommage de rater une telle adresse. Quand vous aurez vu ce petit jardin totalement isolé du monde, que vous aurez été réveillé par le chant des nombreux oiseaux qui nichent ici, vous aurez compris notre engouement pour *La Pergola*. Les chambres mansardées au dernier étage sont très sympas. Lits de cuivre, joli mobilier d'époque. Certaines salles de bains sont aussi grandes que les chambres. L'après-midi, salon de thé sous les arbres. Remise de 10 % sur le prix de la chambre pour les lecteurs du *Guide du routard*.

■ ***Hôtel Moderne :*** 1, rue Lafayette, 57000 ***Metz.*** ☎ 03-87-66-57-33. Fax : 03-87-55-98-59. Face à la gare de Metz, à 15 mn à pied du centre piéton. Doubles de 45 à 53 € avec douche ou bains ; compter 53 € pour 3 ou 4 personnes. Les chambres, modernes et fonctionnelles, ne manquent pas de charme pour autant. Les plus calmes donnent sur l'arrière. Certaines à 2 grands lits sont hyper-économiques. La patronne est très sympa. Parking payant. Remise de 15 % sur le prix de la chambre (hors week-ends et jours fériés) pour les lecteurs du *Guide du routard*.

I●I ***Restaurant Le Dauphiné :*** 8, rue du Chanoine-Collin, 57000 ***Metz.*** ☎ 03-87-36-03-04. Face à la cité administrative, dans une rue donnant sur le nord de la place d'Armes, à côté de la cathédrale. Ouvert le midi du lundi au jeudi, midi et soir les vendredi et samedi. Fermé le dimanche ; congés annuels : en août. Menus de 12,50 à 20 € ; menu-enfants à 7,50 €. Restaurant-salon de thé sans prétention. Décor de poutres apparentes et de reproductions de corps de métiers disparus. Cuisine simple et copieuse proposant un menu campagnard, des quiches lorraines...

➤ *DANS LES ENVIRONS*

Au fil des sciences : espace Jacques-Brel, pl. de la Gare, 57100 ***Thionville.*** ☎ 03-82-56-12-43. • www.aufilsciences.asso.fr • Ouvert du lundi au vendredi de 9 h à 12 h et de 14 h à 17 h, et le dimanche de 14 h à 18 h. Fermé le samedi. Entrée : 3 € ; enfants : 2 €.
Le centre de culture scientifique, technique et industrielle de Lorraine accueille ou organise ici plusieurs expos par an autour de thèmes variés (du lait à l'électrostatique, par exemple, les années passées). Des expos ludiques, souvent riches en expériences, pour tout public mais ciblées juniors.

Où dormir ? Où manger dans le coin ?

■ I●I ***Auberge de jeunesse :*** 3, pl. de la Gare, 57100 ***Thionville.*** ☎ 03-82-56-32-14. Fax : 03-82-56-16-06. • www.aj-thionville.com • Face à la gare mais planquée au cœur d'un petit parc. Accueil de 9 h à 10 h et de 17 h à 21 h. Avec la carte FUAJ (obligatoire et vendue sur place), nuitée à 8,50 €. Bâtiment genre grosse maison bourgeoise d'antan (mais c'était une infirmerie militaire...). Chambres de 2 à 8 lits gentiment rénovées récemment. Douche et w.-c. sur le palier.

Hôtel Central : 1, rue du Four-Banal, 57000 ***Thionville.*** ☎ 03-82-53-70-27. Fax : 03-82-53-23-34. Central effectivement, dans une rue piétonne. Doubles avec douche ou bains, TV (Canal +) à 48 € ; compter 70 € pour quatre personnes. Chambres joliment rénovées, qui respirent la joie de vivre avec leurs murs orangés et leurs tissus fleuris. Micro-ordinateurs connectés à Internet dans certaines. Petites suites pour les familles (jusqu'à 4 personnes). Petit dej' en terrasse quand le soleil est de la partie. Accueil tout simplement emballant.

Hôtel-restaurant des Amis : 40, av. de Bertier, 57000 ***Thionville.*** ☎ 03-82-53-22-18. Fax : 03-82-54-32-40. Sortie A 31 ; au rond-point, suivre la direction Cattenom. Tourner au 5e feu à droite, puis, au stop, encore à droite. Doubles autour de 40 € avec douche et de 45 € avec bains ; chambre familiale pour 4 personnes à environ 55 €. Menus de 11,50 à 25 €. Tout ce qu'on aurait pu dire sur cette grande maison à la façade recouverte de vigne vierge et de géraniums est évoqué dans son nom. La patronne, toujours prête à discuter, engagera la conversation avec vous comme si vous étiez des habitués. Hôtel très propre. Le repas campagnard est un régal. Servi dans une salle de resto récemment refaite (le patron – le chef – a peint lui-même la fresque qui court le long des murs), agrémentée de lustres alsaciens très travaillés. Parking.

Le château de Malbrouck : 57480 ***Manderen.*** ☎ 03-82-82-42-92. • malbrouck@cg57.fr • Près de la frontière luxembourgeoise. Par la N 153 depuis Thionville, puis la D 64. D'avril à septembre, ouvert de 10 h à 18 h (19 h le week-end) ; en mars, octobre, novembre et décembre, de 10 h à 17 h (18 h le week-end). Fermé le lundi ainsi que de mi-décembre à mi-mars. Entrée : 5,50 € ; tarif réduit : 4 € ; gratuit pour les moins de 16 ans. Visite guidée : 2,30 € en plus. Un quizz pour une découverte ludique du château est proposé à l'entrée pour les enfants entre 7 et 14 ans.

À la croisée de la France, de l'Allemagne et du Luxembourg, l'énorme château fort de Malbrouck (initialement Meinsberg), perché sur un éperon rocheux, en jette, c'est le moins qu'on puisse dire. Après 10 ans de travaux de restauration, le château a ouvert ses portes au public en 1998. Tout a été reconstitué le plus fidèlement possible, sans en rajouter. Cela n'aurait d'ailleurs pas été nécessaire : chef-d'œuvre d'architecture militaire, tout n'est que créneaux, mâchicoulis, meurtrières, donjons, tours, chemins de ronde. L'intérieur conjugue voûtes gothiques et cheminées d'époque avec une muséographie très moderne.

Le château se visite comme si l'on assistait à un spectacle : décors, films, dioramas, plans animés, mobilier interactif concourent à rendre la visite la plus intéressante et la plus vivante possible. On peut aussi participer à des visites théâtralisées avec un guide costumé qui joue le rôle d'un personnage ayant vécu au château. Et dans la cour parfois : combats de chevaliers, petits concerts, théâtre de rue, improvisations de comédiens. Enfin, une fois par mois : un grand « banquet du comte Arnold » donne l'occasion de goûter des spécialités du... XVe siècle. Pourquoi pas ? Pour plus d'infos sur ces banquets : ☎ 03-82-82-42-92.

Parents savants : *le château de Malbrouck*

Édifiée au VIIe siècle, reconstruite au XVe siècle par Arnold VI, comte de Sierck, cette imposante demeure doit son nom actuel au passage du général anglais John Churchill, duc de Marlborough, lors de la guerre de Succession d'Espagne. « Malbrouck s'en va-t-en guerre... » Oui, oui, c'est bien lui ! La légende dit que c'est avec l'aide du diable qu'Arnold de Sierck ne mit que 15 ans à faire reconstruire pareille forteresse et à faire fortune si vite. Qui sait ?... La légende est entretenue par la présence dans les sous-sols du château d'un mystérieux four, dont l'étude a prouvé qu'il servit à l'époque à des travaux de chimie.

Où dormir ? Où manger ?

🏠 |●| ***Hôtel-restaurant du Relais du Château Mensberg :*** 15, rue du Château, 57480 ***Manderen.*** ☎ 03-82-83-73-16. Fax : 03-82-83-23-37. Même accès que pour le château de Malbrouck. Congés annuels : début janvier. Doubles avec douche ou bains à 60 € ; demandez 2 chambres communicantes si vous venez en famille, celle des enfants vous coûtera 40 €. Menus de 16 à 45 € ; menu-enfants à 10 €. Dominée par le château de Mensberg (ou Malbrouck, comme vous voulez), cette auberge propose une quinzaine de chambres, véritables petits nids d'amour. Au rez-de-chaussée, une très belle salle de restaurant où l'on déguste, suivant la saison, quelques spécialités soignées. Si les prix sont un peu élevés, ils sont parfaitement justifiés. Parking. Accueil chaleureux.

Le parc animalier de Sainte-Croix : 57810 ***Rhodes.*** ☎ 03-87-03-92-05. • www.parcanimalier.com • ♿ Près de Sarrebourg, au sud-est de Metz par la D 955. Ouvert du 1er avril au 11 novembre, tous les jours de 10 h à 19 h. Entrée : 10 € ; enfants de 3 à 11 ans : 7 € ; gratuit pour les moins de 3 ans. Réduction de 1 € par personne sur présentation du *Guide du routard.* Visite commentée en train : 2 € supplémentaires par adulte, 1,50 € par enfant. Au resto : plats à partir de 6,20 € ; menu-enfants : 5 €. Aires de jeux et de pique-nique, boutique de la nature, maison d'accueil proposant des expositions thématiques. Parking.

Le parc animalier de Sainte-Croix est à la fois un zoo et une réserve. Les 100 ha de forêts, prairies et étangs qui le composent abritent une soixantaine d'espèces d'animaux sauvages européens (loups, ours, cerfs, chats sauvages...) et une vingtaine d'espèces domestiques en voie de disparition, qui y vivent toutes en semi-liberté. Les visites sont libres ou guidées, se font à pied ou en petit train.

Dans l'espace baptisé *Charlemagne,* on peut observer, du haut de miradors, les grands mammifères, tels des loups, et d'autres espèces introduites par l'homme, comme les bisons. À la *Ferme des Tout-Petits,* les enfants peuvent approcher et toucher les animaux domestiques. Il y a aussi l'*espace forestier,* consacré aux félins lorrains (en particulier le lynx), la *Grande Volière,* où cigognes et hérons voisinent avec ibis et bihoreaux, l'*observatoire,* l'*arboretum*...

Jeux interactifs, panneaux pédagogiques, programmes d'animations et conteurs animaliers permettent une approche à la fois intéressante, ludique et approfondie de la faune européenne. En juillet et août, plusieurs représentations par jour (théâtre, contes, marionnettes) sur le thème de la nature.

Où dormir ? Où manger dans le coin ?

🏠 ***Hôtel de France :*** 3, av. de France, 57400 ***Sarrebourg.*** ☎ 03-87-03-21-47. Fax : 03-87-23-93-57. Doubles à 35 € en formule économique, 45 € avec douche ou bains ; possibilité de loger jusqu'à 6 personnes en chambre ou en appartement : compter à partir de 65 € pour 4 personnes. Grand hôtel de 50 chambres bien tenu, même s'il n'a pas beaucoup de charme, idéal si l'on est en famille. L'accueil est sympathique. Juste à côté, le resto (appartenant à la même famille) pour la pension. Parking. Remise de 10 % sur le prix de la chambre pour les lecteurs du *Guide du routard.*

🏠 |●| ***Hôtel-restaurant les Cèdres :***

zone de loisirs, chemin d'Imling, 57400 ***Sarrebourg.*** ☎ 03-87-03-55-55. Fax : 03-87-03-66-33. De la N 34, prendre la sortie Zone de loisirs puis suivre le fléchage. Resto fermé le samedi midi et le dimanche soir. Congés annuels : du 22 décembre au 4 janvier. Doubles avec bains à 58,50 €; plein de possibilité pour les jeunes, des tarifs dégressifs en fonction de leur âge et du couchage : dans les chambres communicantes, compter par exemple 22,40 et 33,60 € pour 2 enfants de 3 à 6 ans et de 6 à 12 ans. Lit supplémentaire gratuit pour les enfants dans la chambre des parents. Menu à 10,70 € en semaine; autres menus de 19,40 à 34,10 €; menu-enfants à 9 €. Une adresse a priori pas très routarde, mais qui le devient dès qu'on a poussé la porte. L'architecture moderne s'harmonise parfaitement avec le cadre rural. Grandes salles spacieuses et calmes, mais qui manquent un peu d'intimité. Un piano, original avec son couvercle transparent et ses cordes apparentes, est à la disposition des virtuoses, ainsi qu'un billard. L'ambiance est familiale. Un très bon rapport qualité-prix. Parking.

|●| ***L'Auberge Maître Pierre :*** 24, rue Saint-Martin, 57400 ***Sarrebourg.*** ☎ 03-87-03-10-16. Traverser le chemin de fer, à la sortie de Sarrebourg, direction Morhange; ensuite, le fléchage est omniprésent. Fermé les lundi et mardi; congés annuels : de Noël à début janvier. Menus de 16 à 35 €; menu-enfants à 8 €. Spécialités lorraines appréciées. Le cadre est assez classique, l'ambiance agréable. Cuisine tex-mex au bar le soir.

LE PARC D'ATTRACTIONS DE FRAISPERTUIS CITY

Dans les environs : l'Imagerie d'Épinal
• Le parcours des Aventuriers à La Bresse

Fraispertuis City est l'autre grand parc d'attractions de Lorraine; à quelques kilomètres au nord de celui-ci, le musée archéologique des Sources d'Hercule est l'occasion d'une étape plus culturelle au cœur de la région.

LE PARC D'ATTRACTIONS DE FRAISPERTUIS CITY

À ***Jeanménil*** (88700). ☎ 03-29-65-27-06. • www.fraispertuis-city.fr • Au nord-est d'Épinal, à mi-chemin entre Rambervillers et Saint-Dié par la D 32. De juin à août, ouvert tous les jours de 10 h à 18 h 30; en septembre, le dimanche; se renseigner pour les horaires d'avril et mai, les vacances scolaires et les jours fériés. Fermé d'octobre à Pâques. Entrée famille : 10,50 € par personne; gratuit pour les enfants en dessous de 1 m! Très belle route pour s'y rendre. On passe par le col du Haut-du-Bois, en pleine forêt et tout en zigzag.

Autrefois simple étang de pêche à la truite, puis guinguette style western, c'est devenu un parc d'attractions, tenu par une famille qui a le mérite de résister à Disney et aux Schtroumpfs. Fraipertuis City, comme son nom l'indique, c'est le Far West en plein cœur des Vosges, et on s'attend vraiment à se faire scalper par un Apache au détour d'un sapin! Bonne vieille recette classique mais efficace du parc d'attractions à la sauce cow-boy... Les incontournables montagnes russes prennent tout naturellement ici le nom évocateur de *Grand Canyon.* Accrochez-vous, ça déménage! Si vous aimez avoir peur et que cela ne vous a pas suffi, vous ne serez pas en reste, plein d'autres tortures très western vous attendent : rodéo (évidemment), *flum* (on ne vous en dit pas plus mais attendez-vous à être éclaboussé), cyclone, blizzard, super TGV (une touche de chauvinisme ne fait jamais de mal) et, dans un genre plus corsaire, l'inévitable bateau-pirate. Tout ce qu'il faut aussi pour les plus petits : pony express, baby boules, carrousel enfants... Bref, on trouve de tout ici, jusqu'à la réplique (un peu réduite, quand même) du mont Rushmore !

|●| Côté casse-croûte, il y en a aussi pour tous les goûts : plusieurs restos et snacks proposent des plats américains, mexicains et italiens. Aires de pique-nique abritées, boutiques, infirmerie, local pour bébés, change, téléphone, parking et facilités pour les handicapés. Très populaire dans la région.

➤ *DANS LES ENVIRONS*

L'Imagerie d'Épinal : 42 bis, quai de Dogneville, 88000 ***Épinal.*** ☎ 03-29-31-28-88. Ouvert toute l'année, du lundi au samedi de 9 h à 12 h et de 14 h à 18 h 30, les dimanche et jours fériés de 14 h à 18 h 30 et de 9 h à 19 h non-stop en juillet et août (sauf le dimanche matin) ; visite guidée du lundi au samedi à 9 h 30, 11 h, 15 h et 16 h 30, les dimanche et jours fériés à 15 h et 16 h 30. Fermé le 25 décembre et le 1er janvier. Entrée : 4,70 € ; de 6 à 16 ans : 1 € ; gratuit pour les moins de 6 ans. Parking gratuit.

Parents savants : ***l'image d'Épinal***

Située en plein cœur des Vosges, l'Imagerie d'Épinal est un lieu unique au monde. Et il s'agit là d'une digne vieille dame puisque, créée au XVIIIe siècle, elle est aujourd'hui âgée de plus de 300 ans. Respectable aussi car, derrière cet aspect enfantin et ludique qui fit sa réputation, elle fut aussi influente : au XIXe siècle, les « images d'Épinal » furent ce que bien des historiens appellent aujourd'hui le « quatrième pouvoir », par sa force de propagande, d'information et de communication. Aujourd'hui, l'Imagerie continue à fabriquer des images à l'ancienne, mais plusieurs artistes contemporains créent des images nouvelles.

La visite du musée permet de voir les anciens instruments de fabrication, les archives de la maison, de nombreuses images (bien sûr !). Les techniciens font des démonstrations avec explications au public. De quoi ébahir les petits, et même les plus grands.
Chaque année, à Pâques, se déroule la *fête des Images,* durant laquelle des dizaines de personnes costumées font revivre la tradition imagière avec simplicité et bonne humeur (pour plus de renseignements : ☎ 03-29-31-28-88).

Où dormir ? Où manger ?

Azur Hôtel : 54, quai des Bons-Enfants, 88000 ***Épinal.*** ☎ 03-29-64-05-25. Fax : 03-29-64-00-40. Du musée d'Art, traverser le pont sur le canal (et non sur la Moselle), c'est le quai à droite. Congés annuels : du 23 décembre au 3 janvier. Doubles à 30 € avec douche, 41 € avec douche et w.-c., 45 € avec bains ; compter 60 € pour une quadruple avec 1 grand lit et 2 petits... Chambres irréprochables. La n° 16 dispose d'une mezzanine et d'un petit salon. Chambres sur l'arrière ou côté rue (avec vue sur un canal transformé en parcours de canoë-kayak), mais bien insonorisées. Accueil particulièrement chaleureux, convivial et plein de petites attentions. Pas de resto.

|●| ***Restaurant Le Pinaudré :*** 10, av. du Général-de-Gaulle, 88000 ***Épinal.*** ☎ 03-29-82-45-29. Face à la gare SNCF. Fermé le vendredi soir, le samedi midi et le dimanche ; congés annuels : en août. Impeccable menu en semaine à 11,50 € ; autres menus de 14,50 à 27 €. Pour les enfants, c'est à la demande : la carte, des pâtes ou une viande et

des frites. Une adresse discrète (malgré sa nouvelle devanture toute verte). Il serait pourtant dommage de la rater. Salle climatisée plutôt agréable (dans le genre bistrot contemporain), même si elle n'est pas très grande. Cuisine traditionnelle habilement tournée. Pas mal de poisson et de fruits de mer dans les menus comme dans la carte.

➢ ***Le parcours des Aventuriers :*** 78, rue du Hohneck, 88250 ***La Bresse.*** ☎ 03-29-25-62-62. • www.bol-d-air.fr • À 2,5 km de La Bresse en direction de Colmar par le col de la Schlucht. Ouvert de mi-juin à mi-septembre tous les jours de 9 h 30 à 18 h 30 ; d'avril à octobre, les week-ends, jours fériés et vacances scolaires. Entrée : 18 € ; de 12 à 16 ans : 15 € ; de 8 à 12 ans : 12 € ; moins de 8 ans : 10 €.
Vivre l'aventure et jouer les Tarzan d'arbre en arbre, en tyrolienne, sur des ponts de singe, sur plots, rondins, câbles, etc. En tout, une centaine d'exercices possibles répartis sur 3 ha de forêt. Sécurité garantie. Combinaison fournie à l'entrée et deux longes au harnais. Avant de commencer le parcours, briefing de 10 mn et démonstration des moniteurs sur les principes de sécurité. Après, on prend en charge soi-même sa sécurité, mais des moniteurs sont présents tout au long du parcours. Bref, autonomes sous surveillance. En parallèle à ce parcours des Aventuriers, un sentier pédagogique vous fera découvrir les richesses culturelles du coin (faune, essences d'arbres, etc.).
En résumé, le sport intelligent. Également un mini-parc des Aventuriers pour les 4-8 ans qui en avaient assez de se morfondre quand leur grand frère ou grande sœur s'en donnait à cœur joie. Les enfants dans ce cas sont à la charge des parents.

DOMRÉMY-LA-PUCELLE

Quoi que l'on en pense, Domrémy est l'un des berceaux de l'histoire de France. Connu dans le monde entier, le site accueille chaque année des dizaines de milliers de visiteurs. Et pourtant, rien de démesuré dans le village, une certaine quiétude continue à planer sur les quelques âmes qui peuplent l'endroit durant l'année. Le superbe Centre johannique, nouvellement installé, ne dépare pas l'harmonie du lieu.

La maison natale de Jeanne d'Arc et le Centre johannique : ☎ 03-29-06-95-86. ♿ Du 1er avril au 30 septembre, ouvert tous les jours de 9 h à 12 h et de 13 h 30 à 18 h 30 ; du 1er octobre au 31 mars, tous les jours sauf le mardi, de 10 h à 12 h et de 14 h à 17 h. La maison natale est fermée les 25 décembre et 1er janvier, le Centre johannique du 1er ou 20 janvier. Entrée : 3 € ; de 6 à 10 ans : 1,50 € ; gratuit pour les moins de 6 ans.
La maison natale est d'origine mais remaniée. Elle fut achetée en 1818 par le département des Vosges à un vieux grenadier, Nicolas Gérardin, qui refusait de la vendre à un comte prussien qui lui en offrait le triple. La porte de la maison est surmontée d'un arc trilobé flamboyant, qui entoure 3 écussons : les armes de France sont entourées, à droite par celles de Jeanne, à gauche par les 3 socs de charrue des Thiesselin. Autant dire que cela a été ajouté au fil du temps, comme la niche où l'on aperçoit une statue de Jeanne agenouillée. La 1re pièce est assez spacieuse, avec une cheminée ancienne. C'est dans cette pièce que notre bonne Jeanne travaillait et accueillait les pauvres pour leur faire l'aumône. Rien d'étonnant dans cette maison, si ce n'est une certaine ambiance feutrée et recueillie.

Le Centre johannique

Le Centre johannique-centre d'interprétation et son animation permanente « Visages de Jeanne » vous entraînent dans un univers d'images, de son et de lumière qui vous plonge en plein Moyen Âge. Nous avons beaucoup aimé ce lieu auquel il faut consacrer presque 2 h. Pour les enfants trop jeunes, on pourra éviter le dernier audiovisuel.
La visite du Centre se divise en 3 parties :
➢ ***Le Livre d'or :*** un audiovisuel de 20 mn retrace simplement la vie de Jeanne d'Arc.
➢ ***La Grande Galerie :*** elle permet de comprendre le contexte dans lequel a vécu Jeanne, grâce à une mise en scène particulièrement réussie. La Grande Galerie est constituée elle-même de 4 sous-ensembles :
– *la galerie des portraits :* après avoir entendu la corne de brume, vous entrerez dans cette galerie où la mise en lumière ajoute un peu de mystère à la découverte de l'album des portraits des grands du XIXe siècle. Cette disposition est rythmée par des cabinets dits enluminés car décorés de reproductions de miniatures. Chaque cabinet est consacré à un thème : la chevalerie, la foi et les croyances, la représentation de la mort, le royaume et le roi. Une façon d'expliquer la société médiévale d'alors, à la fois si simple et si complexe. Les jeux de son et de lumière sont particulièrement réussis. Les textes qui accompagnent les illustrations sont tirés des grands classiques de l'époque (*Chanson de Roland,* poésies de François Villon, etc.) ou des travaux des médiévistes, tel Jacques Le Goff.
– *La Chambre des rois* ou l'enjeu dynastique : vous voici presque au théâtre, un théâtre immobile, pour écouter les personnages en costumes, Armagnacs et Bourguignons qui retracent les grands moments de l'histoire médiévale.
– *La rue de la Chevauchée :* de nouveau sur un mur, se déroule l'histoire de la chevauchée de Jeanne, de Vaucouleurs à Rouen. Le parcours est ponctué de photos d'actrices ayant interprété le rôle au cinéma (c'est le personnage qui, après Napoléon, a donné lieu au plus grand nombre de films) ; 2 cabinets enluminés évoquent l'un les fléaux de la guerre, l'autre la réalité de la chevalerie.
– *La cour de Justice :* les 2 procès de Jeanne d'Arc (à 20 ans de distance) sont ici évoqués ; on écoutera avec émotion la supplique écrite par la mère de Jeanne pour demander la réhabilitation de sa fille, lors du 2e procès.
➢ ***L'audiovisuel :*** il présente le pays, l'enfance de Jeanne mais aussi l'« après-Jeanne », les paysages lorrains, les textes des écrivains sur la Pucelle, etc. Très réussi.

Où dormir ?

⛺ ***Camping municipal :*** chemin de Santilles, 88630 ***Domrémy-la-Pucelle.*** ☎ et fax : 03-29-06-90-70. Ouvert du 1er juin au 1er septembre. Adulte : 1,37 €. Emplacement : 1,37 €. Taxe de séjour : 1,37 €. Un camping très simple dans la verdure, derrière les imposantes maisons de la rue principale. Les arbres, pour la plupart, viennent juste d'être plantés. Sanitaires suffisants.

🏠 ***Chambres d'hôte chez Mme Mathieu :*** 25, rue Principale, 88630 ***Domrémy-la-Pucelle.*** ☎ 03-29-06-94-29. Dans une maison neuve à la sortie de Domrémy, à gauche, en venant de Neufchâteau. Compter 40 € pour 2 personnes. Deux chambres confortables toutes récentes, une rose pour 3 personnes et une bleue, qui dispose d'une entrée indépendante, pour un couple. Déco sans histoire. Très clean et accueil cordial de Mme Mathieu.

NANCY

Après s'être baladé dans l'agréable parc de la Pépinière, après avoir admiré la magnifique place Stanislas, on pourra se dépayser au musée-aquarium, se cultiver (il faut bien un peu) au musée des Beaux-Arts et se régaler les yeux à la chocolaterie Batt.

Le muséum-aquarium : 34, rue Sainte-Catherine. ☎ 03-83-32-99-97. D'avril à août et tous les dimanches de l'année, ouvert de 10 h à 12 h et de 14 h à 18 h ; de septembre à mars, ouvert de 14 h à 18 h. Entrée : 4,55 € ; de 6 à 16 ans : 3,05 € ; gratuit pour les moins de 6 ans.
500 espèces, rapportées des quatre coins du globe, sont présentées ici. Les jeunes ne resteront pas insensibles au camaïeu de couleurs offert par la faune des récifs coralliens. Ici, on a cherché à respecter le milieu naturel, tout particulièrement celui des Caraïbes. La faune tropicale des eaux douces est aussi représentée (Amazone, Afrique...). Saviez-vous que les couleurs des poissons sont un moyen d'expression pour eux, qui peut refléter des sentiments tels que la colère ? Surprenant ! Attention la section zoologie est fermée jusqu'en 2004 pour cause de rénovation.

Le musée des Beaux-Arts : 3, pl. Stanislas. ☎ 03-83-85-30-72. Ouvert tous les jours sauf le mardi, de 10 h à 18 h. Entrée : 4,57 € ; demi-tarif de 12 à 18 ans ; gratuit pour les moins de 12 ans.
Voici un musée qui, a priori, n'est pas spécialement destiné aux enfants, mais sa richesse en fait un intermède culturel incontournable dans la région, d'autant plus qu'il a su s'adapter aux jeunes. Il n'est pas toujours évident de faire apprécier les beaux-arts à des petits. Pour les intéresser, des livrets (vendus 1,52 €) ont été réalisés autour de plusieurs thèmes (le cheval, l'enfance, les portraits...). Une partie s'adresse aux parents et, au verso, une version simplifiée guide les enfants le long d'un parcours ludique.
Intéressant à noter, des visites guidées spécialement pour les mômes sont organisées le 1er dimanche de chaque mois de 10 h 30 à 11 h 30. Gratuites et sans inscription préalable, ces visites s'adressent aux enfants de 6 à 10 ans et sont organisées autour de thèmes variés.

La chocolaterie-confiserie Batt : 30, rue du Tapis-Vert. ☎ 03-83-35-70-00. Réservation indispensable puisque les visiteurs individuels se joignent à un groupe. Environ une visite par jour. Participation de 4 € par personne.
Assis sur des gradins, vous observerez le chocolatier qui, en un tour de passe-passe, vous transforme adroitement farine, œufs et autres ingrédients en bergamotes ou macarons ! De quoi donner l'eau à la bouche à tous les gourmands qui vont pouvoir goûter à toutes les spécialités de Nancy ! Rien qu'à y penser, on se lèche déjà les babines, miam !

Où manger ?

Le Vaudémont : 4, pl. Vaudémont, 54000 ***Nancy.*** ☎ 03-83-37-05-70. Fermé le lundi. Congés annuels : 15 jours en octobre. Menu à 6,90 € le midi en semaine ; autres menus de 14 à 20 € ; menu-enfants à 8 €. Incontestablement un bon rapport qualité-prix à Nancy. La cuisine est ici copieuse, simple et savoureuse. Le 1er prix est en fait une formule complète avec entrée, coq au riesling ou jambonneau sur choucroute, fromage et dessert ! Le service est adorable et la déco très réussie. C'est aussi une des terrasses les plus sympas de la ville (génial pour les enfants), sur une jolie place au pied de la rue gourmande et à quelques pas de la place Stanislas.

À LA LIMITE DES VOSGES

• Le musée archéologique des Sources d'Hercule • Le vélorail à Magnières • Aventure Parc

Le musée archéologique des Sources d'Hercule : à ***Deneuvre*** (54120). ☎ 03-83-75-22-82. ♿ Juste à côté de Baccarat, au sud-est de Nancy et de Lunéville par la N 59. Ouvert de début mai à fin septembre, tous les jours de 10 h à 12 h et de 14 h à 18 h ; pendant les vacances scolaires locales, les week-ends et jours fériés de 14 h à 17 h. Entrée : 3,10 € ; gratuit pour les moins de 12 ans ; sur présentation du *Guide du routard,* entrée à 2,30 €.

Au IIe siècle apr. J.-C., deux sources voisines sont transformées en lieu de culte dédié au dieu romain Hercule : on édifie plusieurs grands bassins de pierre, des petits temples à colonnes pour les abriter, on érige statues et stèles... Jusqu'au IVe siècle, les pèlerins viennent nombreux et parfois de loin. À partir de l'an 375, le christianisme ayant remplacé les cultes païens, le sanctuaire est démoli. Les fouilles menées de 1974 à 1986 ont permis d'exhumer les restes du lieu de culte.

Aujourd'hui, un musée gallo-romain présente la reconstitution grandeur nature du sanctuaire (mais pas sur son emplacement exact, car les sources sont toujours en activité) : 2 bassins antiques remis en eau, sculptures d'Hercule, copies des temples, objets retrouvés lors des fouilles. Une muséographie intelligente et intéressante pour les enfants, basée sur les bruits, les couleurs, les contacts et la lumière, qui permet d'imaginer un tant soit peu ce qu'était le culte d'Hercule il y a 1 800 ans. Mais pourquoi Hercule ? Figurez-vous que c'est ici qu'on a retrouvé la plus grande concentration de statues d'Hercule d'Europe.

Où dormir ? Où manger ?

Hôtel-restaurant de l'Agriculture : 54, rue des Trois-Frères-Clément, 54120 ***Baccarat.*** ☎ 03-83-75-10-44. Fermé le vendredi soir, le samedi et le dimanche soir. Doubles avec douche à 30 € ; chambre triple à 36 €. Menus de 10,50 à 20 € ; à la carte, compter environ 26 € ; menu-enfants à 7 €. Légèrement à l'écart du centre et donc loin des touristes venus par cars entiers visiter le musée, vous trouverez là un bien joli hôtel de campagne. Chambres simples mais fraîchement décorées. À ce prix-là, les w.-c. sont sur le palier. L'ambiance familiale de la maison attire également une clientèle locale qui trouve ici une bonne cuisine et un accueil chaleureux.

Hôtel des Vosges : 53-57, rue Thiers, 88100 ***Saint-Dié.*** ☎ 03-29-56-16-21. Fax : 03-29-55-48-71. Près de la cathédrale. Ouvert 24 h/24 (veilleur de nuit). Doubles à 25,90 € avec douche, 38,10 € avec bains ; chambre pour 4 personnes avec 2 grands lits à 45,75 €. Hôtel classique, accueillant, un peu vieillot mais bien tenu. 30 chambres peu à peu rénovées au confort varié. Les chambres sur cour sont plus calmes et spacieuses. Parking payant.

➢ ***Vélorail ou draisines :*** association *Val-de-Mortagne,* 54129 ***Magnières.*** ☎ 03-83-72-34-73. À une quinzaine de kilomètres à l'ouest de Baccarat par la D 22 puis la D 47. Ouvert d'avril à septembre de 9 h à 12 h et de 14 h à 19 h ; en juillet et août, de 9 h à 19 h. Location d'une draisine : 9,50 € l'heure, 38 € pour 5 h et 60 € la journée ; réduction de 1,50 € par heure et par engin sur présentation du *Guide du routard.* Il est préférable de réserver.
C'est sur 25 km d'une ancienne voie ferrée (désaffectée, vous vous en seriez douté), au cœur de la vallée de la Mortagne, qu'on découvre à son rythme la région. Le principe est convivial puisqu'il s'agit d'une petite voiture à pédales dans laquelle peuvent prendre place 4 personnes. Bref, idéal pour les parents qui veulent faire découvrir à leurs bambins les sites historiques et naturels de la région. Pour faire une halte, on enlève tout simplement la draisine des rails pour ne pas gêner le trafic. On vous rassure, on est loin des embouteillages urbains ! Si vous prévoyez un pique-nique, le plus sympa est de s'éloigner de la voie pour casser la croûte. Les enfants adorent !
Autre possibilité pour se restaurer : au départ des draisines où un ancien wagon de train a été aménagé en restaurant, *Le Wagon du Pré Fleury.*

AVENTURE PARC

Près du lac de Pierre-Percée, au lieu-dit ***La Roche-des-Corbeaux.*** ☎ 03-83-76-04-31. • www.sma-lacs-pierre-percee.fr • Interdit aux enfants de moins de 8 ans. Ouvert tous les jours en juillet et août de 9 h 30 à 18 h ; le reste de l'année, ouvert le week-end et les jours fériés de 10 h 30 à 17 h. Fermé de début novembre à fin mars. Entrée : de 12 à 17 € selon l'âge des participants.

Le principe : se prendre pour Tarzan le temps d'une balade musclée dans les arbres. Compter 2 à 3 h de parcours. Un itinéraire parsemé de jeux sportifs : saut de Tarzan (justement !) qui consiste à se jeter dans le vide, attaché à une corde (quand même !), pour atterrir dans un filet, tyrolienne, passerelles, etc. Des moniteurs encadrent les jeunes sur le parcours. Amusant pour toute la famille, et particulièrement pour les jeunes qui pourront se familiariser à l'escalade tout en étant assuré. Saut à l'élastique. Du parc, belle vue sur le lac. Snack en été.

VERDUN

Dans les environs : le fort et l'ossuaire de Douaumont

L'évocation des champs de bataille de Verdun est un douloureux souvenir dans la mémoire des Français. On a eu beau changer de millénaire, personne n'a oublié les affrontements de la célèbre bataille, qui figure parmi les plus violentes de l'histoire. Depuis, nombreux sont ceux qui arpentent ce paysage lunaire en pensant à un ancêtre disparu. Sur place, les enfants découvriront avec émotion ce qu'ils auront appris auparavant dans leur livre scolaire ou de la bouche de leurs ancêtres.
En famille, le vélo est une solution agréable pour visiter les champs de bataille. Les routes sont idéales pour ce moyen de transport, et ainsi, vous pourrez concilier balades et circuit culturel.
– Pendant les mois de juin et juillet, à certaines dates, a lieu à Verdun un ***spectacle son et lumière.*** Pour les dates et les réservations, s'adresser à

l'association *Connaissance de la Meuse.* ☎ 03-29-84-50-00. Le spectacle se déroule à 22 h 30 sur le site Connaissance de la Meuse, dans les anciennes carrières. Durée du spectacle : 1 h 15. Entrée : 16 € ; de 12 à 18 ans : 12 € ; gratuit pour les moins de 12 ans. Possibilité de repas sous le chapiteau pour 10 €. Sur le thème de la Première Guerre mondiale. Intéressant pour les parents ; carrément spectaculaire pour les enfants, même les plus jeunes !

Pour tous renseignements, adressez-vous à l'***office de tourisme de Verdun :*** pl. de la Nation, 55100. ☎ 03-29-86-14-18. Fax : 03-29-84-22-42. • www.verduntourisme.com •

Et puis, pour faire diversion, n'oubliez pas que Verdun est la capitale de la dragée depuis le XIIIe siècle. Comme les enfants vous en réclameront certainement, on vous donne tout de suite l'adresse incontournable en la matière :

Dragées Braquier : 50, rue du Fort-de-Vaux, 55100 ***Verdun.*** Ouvert du lundi au vendredi. Visite du fabricant de dragées avec dégustation à la clé à 9 h 30, 10 h 30, 14 h 30 et 15 h 30. Tarif : 2 € par personne. Paiement et réservation auprès de l'office de tourisme (voir ci-dessus).

LA CITADELLE SOUTERRAINE

Av. du 5e-R.-A.-P. ☎ 03-29-86-14-18. Ouvert tous les jours de 9 h à 12 h 30 et de 13 h 30 à 18 h. Durée : 30 mn. Entrée : 5,50 € ; enfants : 2,30 €.
Le côté vivant de la citadelle plaira beaucoup aux enfants. Concept original, c'est en petit train que parents et enfants font un bond dans le passé et retrouvent la vie quotidienne des soldats et civils pendant la Grande Guerre, grâce à un parcours sillonnant 15 galeries. Le long de la promenade, c'est une véritable ville souterraine qu'on découvre, avec la reconstitution d'une boulangerie, d'une tranchée... C'est également ici qu'a été désigné le soldat inconnu, inhumé sous l'Arc de Triomphe à Paris.
Une visite intéressante qui interpelle les plus jeunes grâce à l'effort de reconstitution.

Où manger ?

Restaurant Le Picotin : 38, av. Joffre, 55100 ***Verdun.*** ☎ 03-29-84-53-45. Fermé le dimanche soir. Menu à 10 € en semaine ; autres menus à 15 et 25 € ; menu-enfants à 6 € avec un choix varié de plats. Si vous aimez le calme, il vaut mieux manger dans la salle, la terrasse sur la rue étant assez bruyante. À l'intérieur, décoration très gaie, très « Montmartre », avec une cheminée où un feu flambe quand il fait froid. Menus proposant une cuisine de bonne qualité, gentiment inventive et joliment présentée. Les amateurs de viande commanderont le tournedos 1900.

Le Forum : 35, rue des Gros-Degrés, 55100 ***Verdun.*** ☎ 03-29-86-46-88. Fermé le mercredi soir et le dimanche. Menus le midi en semaine à 10 €, puis de 12,50 à 28,50 €. Délicat. Voilà le mot-clé de cet excellent petit restaurant de centre-ville. Cuisine simple, franche, fraîche, gaie (salpicon de volaille flambé au cognac, rôti de lotte à la crème de persil...), alliant une pointe de modernité dans la réalisation et la présentation de recettes issues du terroir. Même si la salle est assez réussie, les claustrophobes éviteront le sous-sol voûté, charmant mais un brin oppressant. Menus d'un excellent rapport qualité-prix.

➤ DANS LES ENVIRONS

Le fort de Douaumont : d'avril à septembre, ouvert tous les jours de 10 h à 18 h ; d'octobre à mars, ouvert de 10 h à 13 h et de 14 h à 17 h ; horaires susceptibles d'être modifiés, se renseigner.
C'est le fort le plus vaste et le mieux armé. De nombreux hommes y vécurent pendant la guerre, mais c'est aussi le tombeau de centaines de soldats qui y périrent lors d'une explosion. La visite se fait sur 2 niveaux de galeries. Les observatoires, la soute à munitions, le poste de commandement sont visibles et intéresseront les enfants, particulièrement les garçons !
Moins imposant que le fort de Douaumont, le fort de Vaux se visite également.

L'ossuaire de Douaumont : ☎ 03-29-84-54-81. • www.verdun-douaumont.com • D'avril à septembre, ouvert tous les jours de 9 h à 17 h 30 (18 h 30 en juillet et août) ; d'octobre à mars, ouvert de 9 h à 12 h et de 14 h à 17 h 30. Entrée à la salle de projection : 3 €. Toutes les 30 mn, film de 20 mn sur l'« Héroïsme du combattant de Verdun ». Instructif pour les enfants comme pour les parents.
Peut-être le plus émouvant, car on est ici au cœur du champ de bataille, dans un secteur encore largement dévasté. Légèrement surélevé, exposé au vent, le site n'en est que plus imposant. Par une rude journée d'hiver, on imagine plus précisément les conditions cauchemardesques dans lesquelles ont vécu des dizaines de milliers de soldats. Le paysage est évocateur : les collines sur lesquelles courent vos enfants sont en réalité les trous d'obus, qui ont créé de véritables cratères ! L'ossuaire en tant que tel, ce vaste mausolée, abrite les restes de 130 000 soldats non identifiés. Quant au cimetière où reposent 15 000 âmes, il est poignant de constater qu'un grand nombre de soldats n'avaient guère plus de 18 ans quand ils ont été tués. De nombreux panneaux explicatifs donnent des détails précis sur les batailles.
On peut continuer l'itinéraire en se rendant au ***mémorial de Verdun,*** installé dans l'ancienne gare de Fleury et où sont exposés armes et documents.

MIDI-PYRÉNÉES

S'étirant sur 8 départements, la région Midi-Pyrénées offre aux visiteurs un vaste programme. Vaste comme les centaines d'espèces animales qui peuplent parcs, zoos, fermes, forêts et réserves ; vaste comme les milliers de végétaux qui colorent superbement les paysages et enchantent vos balades ; vaste comme les prodiges de la nature, gouffres, avens, grottes, cascades, rochers sculptés, étalés là, sous vos yeux, pour votre plus grand bonheur ; vaste comme autant de parcs d'attractions, bases de loisirs, musées, châteaux, villages pittoresques campés de-ci de-là pour divertir les petits, intéresser les grands ; vaste enfin comme tous ces noms dont la seule évocation bouleverse vos cinq sens, vous plongeant instantanément en Midi-Pyrénées et marquant le début de votre voyage, riche en couleurs, sons, odeurs, spectacles visuels et tactiles : la région Midi-Pyrénées, c'est Rocamadour, Padirac, Reptiland, la forêt des Singes, la cité de l'Espace, le musée de la Mine, Micropolis, le parc de la Préhistoire, le chaos de Montpellier-le-Vieux, le cirque de Gavarnie... N'oubliez pas votre carte et suivez le guide...

Adresses utiles

i ***Comité régional du tourisme Midi-Pyrénées :*** 54, bd de l'Embouchure, BP 2166, 31022 Toulouse Cedex 02. ☎ 05-61-13-55-55. Fax : 05-61-47-17-16. • www.tourisme-midi-pyrenees.com • crt.midi-pyrenees@wanadoo.fr • Le CRT édite une brochure, *Guide accueil toboggan,* qui répertorie des gîtes adaptés aux familles avec de jeunes enfants.

i ***Comité départemental du tourisme de Haute-Garonne :*** 14, rue Bayard, BP 845, 31015 Toulouse Cedex 06. ☎ 05-61-99-44-00. Fax : 05-61-99-44-19. • www.tourisme-haute-garonne.com •

i ***Comité départemental du tourisme du Lot :*** 107, quai Cavaignac, BP 7, 46001 Cahors Cedex. ☎ 05-65-35-07-09. Fax : 05-65-23-92-76. • lelot@wanadoo.fr • Écrire pour tout renseignement.

i ***Maison départementale du tourisme de l'Aveyron :*** 17, rue Aristid-Briand, BP 831, 12008 Rodez. ☎ 05-65-75-55-70. Fax : 05-65-75-55-71. • aveyron-tourisme-cdt@wanadoo.fr • Le CDT édite chaque année un guide, *Aveyron Junior,* répertoriant intelligemment autour de plusieurs thèmes (balades, châteaux, parcs à thème...) les activités à pratiquer en famille dans le département. Vous pouvez vous le procurer dans les hôtels, les campings et dans les offices de tourisme du département.

i ***Comité départemental du tourisme de Tarn-et-Garonne :*** 7, bd Midi-Pyrénées, BP 534, 82005 Montauban. ☎ 05-63-21-79-09. Fax : 05-63-66-80-36. • cdt82@wanadoo.fr •

i ***Comité départemental du tourisme du Tarn :*** 41, rue Porta, BP 225, 81006 Albi Cedex. ☎ 05-63-77-32-10. Fax : 05-63-77-32-32. • documentation@cdt-tarn.fr •

i ***Hautes-Pyrénées tourisme-environnement :*** 11, rue Gaston-Manent, BP 9502, 65950 Tarbes Cedex 9. ☎ 05-62-56-70-65. Fax : 05-62-56-70-66. • www.cg65.fr •

i ***Comité départemental du tourisme de l'Ariège :*** 31 bis, av. du Général-de-Gaulle, BP 143, 09004 Foix Cedex. ☎ 05-61-02-30-70. Fax : 05-61-65-17-34. • www.ariegepyrenees.com •

i ***Comité départemental du tourisme du Gers :*** 3, bd Roquelaure, BP 106, 32002 Auch. ☎ 05-62-05-95-95. Fax : 05-62-05-02-16. • www.gers-gascogne.com •

ROCAMADOUR ET SES ACTIVITÉS

Dans les environs : le moulin de Cougnaguet • Préhistologia • Les grottes de Lacave • Le gouffre de Padirac • Reptiland • Le chemin de fer du Haut-Quercy • Le musée de l'Automate • Le parc animalier de Gramat

Rocamadour est le 2e site le plus visité de France après Le Mont-Saint-Michel. Sur une immense falaise, dominant les gorges de l'Alzou, de superbes maisons médiévales et les sanctuaires du célèbre pèlerinage, accrochés au roc, défient les lois de l'équilibre. Faites l'excursion de nuit, en petit train, face au site illuminé : les enfants n'en dormiront que mieux ensuite. Un joli moment à partager.

La Féerie autour du Rail : sur le plateau, 46500 **_L'Hospitalet._** ☎ 05-65-33-71-06. ♿ Ouvert des Rameaux à la Toussaint, tous les jours de 10 h à 12 h et de 14 h à 18 h ; 8 séances par jour en juillet et août ; hors saison, se renseigner. Durée : 45 mn. Entrée : 6,50 € ; enfants : 4,50 € ; sur présentation du *Guide du routard* : 5 € par adulte et 3 € par enfant.
Le dada de Robert Mousseau, ce sont les maquettes automatisées. Son installation force le respect. Très beau spectacle son et lumière auquel vous assistez dans une salle climatisée, confortablement assis sur une tribune mobile transformée en tapis magique. La vie d'un pays au cours d'une journée est représentée avec le travail, un mariage, un incendie avec les pompiers qui s'activent, toutes sortes de sports, une fête foraine, des spéléologues qui descendent à la découverte d'un gouffre... au total, plus de 200 animations. On en oublierait presque le mouvement des trains ! Différentes voix commentent les scènes ; salle des commandes digne de la NASA. Un spectacle émouvant et pédagogique qui enchantera petits et grands.

Le rocher des Aigles : près du château. ☎ 05-65-33-65-45. Ouvert en juillet et août de 13 h à 18 h (4 démonstrations en vol toutes les heures) ; du 1er avril au 31 octobre, de 13 h à 17 h (3 démonstrations) ; en octobre et novembre, une seule démonstration du lundi au samedi, à 15 h, et deux le dimanche, à 15 h et 16 h. Entrée : 6,50 € ; enfants : 4 €.
Démonstration de rapaces en vol. Étonnant de majesté. Un spectacle épatant, une variété impressionnante d'aigles, faucons, vautours... Des gens motivés et passionnés, qui délivrent de vrais messages (écologie, respect, etc.) et tentent de changer les sales images qui collent aux plumes de ces splendides volatiles depuis la nuit des temps. Le rocher des Aigles accueille les oiseaux blessés, les soigne avant de les relâcher ; c'est aussi le plus grand centre de reproduction d'Europe.

La forêt des Singes : ☎ 05-65-33-62-72. • www.rocamadour.com • ♿ Juste avant d'arriver à L'Hospitalet en venant de Gramat. Ouvert du 1er avril au 11 novembre, tous les jours ; en avril, mai, juin et septembre, de 10 h à 12 h et de 13 h à 18 h ; en juillet et août, de 10 h à 19 h ; du 1er octobre au 11 novembre, du lundi au samedi de 13 h à 17 h et les dimanche, jours fériés et vacances scolaires de 10 h à 12 h et de 13 h à 17 h. Entrée : 6,50 € ; enfants : 4 €.
Près de 150 singes en liberté dans un parc de 10 ha, tous de la même race : les magots, ou macaques de Barbarie. On observe les singes. Et les macaques nous singent ! Toujours beaucoup de succès auprès des gosses, qui trouvent là l'occasion d'observer une société animale bien troublante et

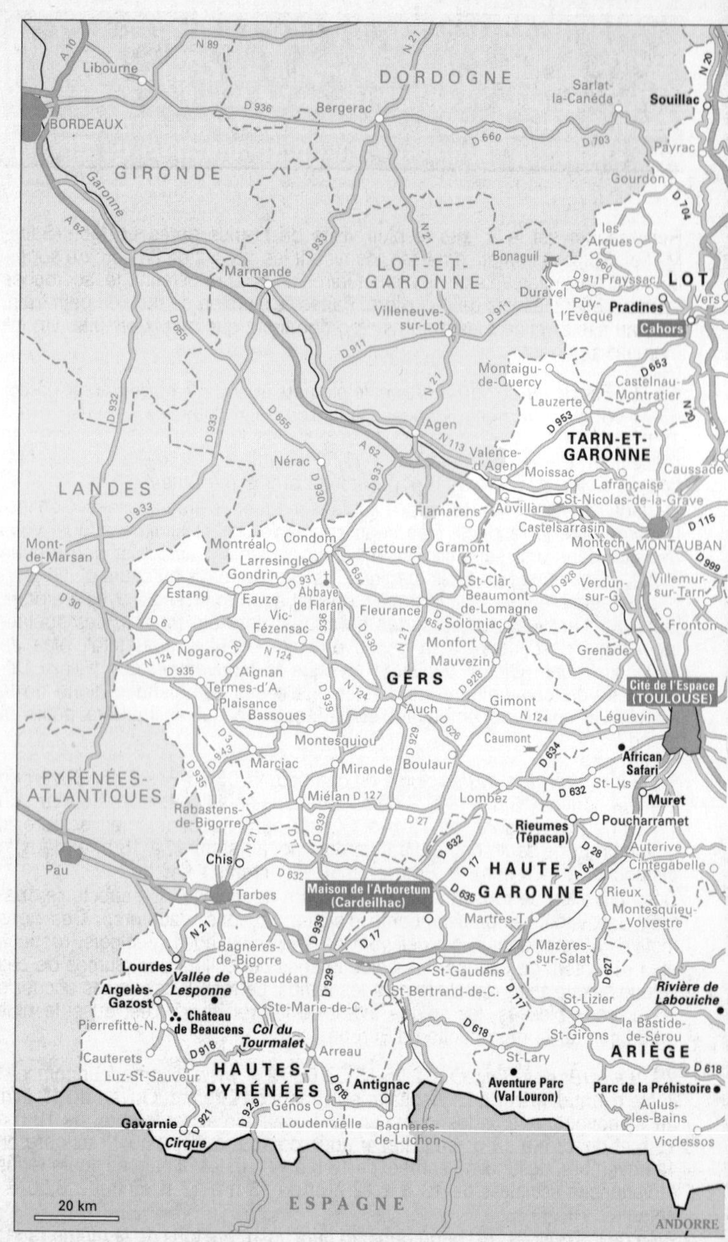
DORDOGNE
GIRONDE
LOT-ET-GARONNE
LOT
TARN-ET-GARONNE
LANDES
GERS
PYRÉNÉES-ATLANTIQUES
HAUTE-GARONNE
HAUTES-PYRÉNÉES
ARIÈGE
ESPAGNE
ANDORRE
BORDEAUX
Libourne
Bergerac
Sarlat-la-Canéda
Souillac
Payrac
Gourdon
les Arques
Bonaguil
Marmande
Prayssac
Duravel
Puy-l'Évêque
Pradines
Cahors
Villeneuve-sur-Lot
Montaigu-de-Quercy
Castelnau-Montratier
Lauzerte
Agen
Valence-d'Agen
Moissac
Lafrançaise
Caussade
Nérac
St-Nicolas-de-la-Grave
Auvillar
Flamarens
Castelsarrasin
Montech
MONTAUBAN
Mont-de-Marsan
Montréal
Condom
Larresingle
Gondrin
Lectoure
Gramont
St-Clar
Verdun-sur-G.
Villemur-sur-Tarn
Estang
Eauze
Abbaye de Flaran
Vic-Fézensac
Fleurance
Beaumont-de-Lomagne
Solomiac
Fronton
Nogaro
Monfort
Mauvezin
Grenade
Aignan
Termes-d'A.
Plaisance
Bassoues
Auch
Gimont
Cité de l'Espace (TOULOUSE)
Léguevin
Montesquiou
Caumont
African Safari
Marciac
Mirande
Boulaur
St-Lys
Muret
Miélan
Lombez
Rabastens-de-Bigorre
Rieumes (Tépacap)
Poucharramet
Chis
Auterive
Cintegabelle
Pau
Tarbes
Maison de l'Arboretum (Cardeilhac)
Rieux
Montesquieu-Volvestre
Martres-T.
Lourdes
Bagnères-de-Bigorre
Mazères-sur-Salat
Vallée de Lesponne
Beaudéan
St-Gaudens
Argelès-Gazost
St-Bertrand-de-C.
Rivière de Labouiche
Château de Beaucens
Ste-Marie-de-C.
St-Lizier
Pierrefitte-N.
Col du Tourmalet
St-Girons
la Bastide-de-Sérou
Cauterets
Arreau
St-Lary
Luz-St-Sauveur
Antignac
Aventure Parc (Val Louron)
Parc de la Préhistoire
Génos
Aulus-les-Bains
Gavarnie
Loudenvielle
Bagnères-de-Luchon
Cirque
Vicdessos
20 km

Cahors Pôles principaux
Pradines Sites traités
Sénergues Où dormir ? Où manger ?
Laguiole Repères
NORD
CANTAL
LOZÈRE
AVEYRON
GARD
TARN
HÉRAULT
AUDE
PYRÉNÉES-ORIENTALES
MER MÉDITERRANÉE
Gouffre de Padirac
Martel
Lacave
Moulin de Cougnaguet
Rocamadour
Gramat
l'Hospitalet
Causse de Gramat
Cardaillac
Musée Champollion (Figeac)
Marcilhac
Sauliac
Decazeville Musée de la Mine
Conques
Sénergues
Soulages-Bonneval
Calmont-d'Olt
Espalion
Mondalazac
Rodez
Sainte-Radegonde
Pradinas
Najac Base de Loisirs
Micropolis la cité des Insectes
Verrières
St-Bauzély
Chaos de Montpellier-le-Vieux
Monestiés
Cap Découvertes (Blaye-les-Mines)
Lescure-d'Albigeois
Saint-Affrique
Ste-Eulalie-de-Cernon
Roquefort-sur-Soulzon
Gaillac
Brens
St-Ferréol
Foix
Montgaillard
Tarascon-sur-Ariège
Grotte de Niaux
Unac
Orlu
Aurillac
Loubressac
St-Céré
Lacapelle-Marival
Entraygues-sur-T.
Laguiole
Estaing
Aubrac
Mende
St-Come-d'Olt
St-Geniez-d'Olt
Ste-Eulalie-d'Olt
Marcillac
Salles-la-Source
Espagnac
Cenevières
St-Cirq-Lapopie
Villeneuve
Rignac
Belcastel
Limogne-en-Q.
Villefranche-de-Rouergue
Caylus
St-Antonin-Noble-Val
Varen
Sauveterre-de-R.
Cordes-sur-Ciel
Bruniquel
Carmaux
Castelnau-de-Montmirail
Monclar-de-Quercy
Saint-Juéry
ALBI
St-Jean-d'Alcapiès
St-Sernin-sur-Rance
Millau
le Vigan
Florac
Giroussens
Graulhet
Lavaur
Lacaune
Puylaurens
Castres
Revel
Mazamet
Nailloux
Carcassonne
Béziers
Narbonne
Limoux
Montségur
Ax-les-Thermes
Perpignan
D 703
D 940
N 140
N 122
D 922
D 920
D 921
D 987
D 41
D 19
D 1
D 994
D 911
N 88
A 75
N 106
D 926
D 922
D 115
D 902
D 907
D 999
D 989
A 68
D 964
D 607
D 631
N 112
D 622
D 909
N 126
D 2
N 113
A 61
D 118
N 9
A 9
D 623
D 119
D 625
D 117
N 116

de leur donner à manger dans la main le pop-corn distribué à l'entrée. Les visites sont libres, mais des guides-surveillants ont été tout spécialement formés pour vous renseigner à tout moment. En outre, des panneaux explicatifs jalonnent le parcours.

La maison des Abeilles : ☎ 05-65-33-66-98. À 300 m du site de Rocamadour, près de la forêt des Singes. En juillet et août, ouvert de 11 h à 19 h ; hors saison, les mercredi, dimanche, jours fériés et pendant les vacances scolaires de 14 h à 17 h. Entrée : 5 € ; enfants : 3 €.
Une réalisation professionnelle de qualité pour enrichir ses connaissances sur la vie des abeilles et le métier d'apiculteur. À la fin de la visite commentée, vous aurez peut-être la chance de déguster une confiserie à base de miel. Aire de pique-nique tout près.

Le musée du Jouet ancien automobile : ☎ 05-65-33-60-75. À l'entrée de la cité médiévale, près de la porte du Figuier. Ouvert d'avril à septembre, tous les jours de 10 h à 12 h et de 14 h à 18 h. Entrée : 4 € ; enfants : 2 € ; réduction de 20 % sur le billet d'entrée sur présentation de ce guide.
Pour les nostalgiques de l'enfance et pour tous les enfants, un autre rendez-vous, cette fois avec les voitures à pédales et autres jouets magiques des années 1950-1960. Quelques pièces rares du début du XXe siècle, dont une Rosalie des années 1930.

Où dormir ? Où manger ?

Hôtel Terminus des Pèlerins : rue principale, pl. de la Carretta, 46500 ***Rocamadour.*** ☎ 05-65-33-62-14. Fax : 05-65-33-72-10. Fermé parfois le jeudi, et de début novembre à fin mars. Chambres doubles avec tout le confort de 44 à 56 €, chambres pour 3 ou 4 personnes à 58 €. Menus de 11,50 à 21 € ; menu-enfants à 8 €. Accueil sympathique et service efficace pour ce charmant hôtel au cœur de Rocamadour. Au restaurant, cuisine de bonne tenue mettant à l'honneur le canard et les produits du terroir. Apéritif offert sur présentation du *Guide du routard.*

Chez Anne-Marie : rue de la Canonnerie, 46500 ***Rocamadour.*** ☎ 05-65-33-65-81. Ouvert toute l'année. Fermé le soir en janvier. Menus de 11,50 à 23 € ; menu-enfants à 7,50 €. Situé près de l'hôtel de ville, ce restaurant propose une cuisine correcte à des prix raisonnables. Mignonne salle et agréable terrasse sur la vallée. Parmi les spécialités régionales, le rôti de porc mariné aux baies de genièvre, la poularde quercynoise et, bien sûr, l'incontournable mais non moins succulent gâteau aux noix. Si après ça, vous avez encore faim ! La patronne chouchoute les enfants de routards et leur réserve quelques charmantes attentions (sirop, couches-culottes, petits pots, lait, table à langer à disposition...). L'établissement fait aussi bar.

Le Troubadour : Belveyre, 46500 ***L'Hospitalet.*** ☎ 05-65-33-70-27. Fax : 05-65-33-71-99. À 800 m de L'Hospitalet en direction d'Alvignac. Fermé de mi-novembre à mi-février. Chambres doubles avec douche ou bains de 50 à 70 € ; compter de 60 à 80 € pour 4 personnes selon la saison. Menu à 23 € et carte ; menu-enfants à 8 €. Cette grande maison en pierre blanche, éloignée de la route, est une véritable aubaine pour ceux qui ne veulent pas subir les délires touristiques estivaux de Rocamadour. C'est l'adresse idéale pour séjourner tout près du site, au calme et dans un environnement verdoyant. Chambres tout confort au décor fleuri, fraîches en été. Piscine avec vue superbe sur le causse. Au restaurant (climatisé), bonne cuisine traditionnelle. Attention, n'oubliez pas de réserver. Un plus : de mi-février à fin juin, 10 % de réduction sur le prix de la chambre à nos lecteurs (hors week-ends fériés) sur présentation du *Guide du routard.*

➤ DANS LES ENVIRONS

Le moulin de Cougnaguet : 46350 **Calès.** ☎ 05-65-38-73-56. À 13 km à l'ouest de Rocamadour. Ouvert d'avril à mi-octobre, tous les jours ; d'avril à septembre, de 10 h à 12 h et de 14 h à 18 h ; en octobre, de 10 h 30 à 12 h et de 14 h à 17 h ; le reste de l'année, ouvert sur rendez-vous pour individuels et groupes. Entrée : 3 € ; enfants : 1,50 €.
Arrêtez-vous pour profiter de la vallée de l'Ouysse, si belle et si secrète avec ses résurgences et ses moulins. Vous avez la possibilité d'aller voir notamment ce beau moulin à eau fortifié, coincé entre l'Ouysse et les rochers. Très bucolique. Démonstration de mouture à chaque visite.

Préhistologia : 46200 **Lacave.** ☎ et fax : 05-65-32-28-28. À 5 km de Rocamadour. Ouvert en avril, mai et juin de 10 h à 12 h et de 14 h à 18 h ; du 1er juillet au 25 août, de 10 h à 18 h 30 ; du 26 août au 30 septembre, de 10 h à 12 h et de 14 h à 17 h 30 ; enfin, les dimanches d'octobre et pendant les vacances de Toussaint, de 14 h à 17 h si le temps le permet. Entrée : 6,40 € ; enfants : 3,96 €.
Reconstitution grandeur nature de l'apparition de la vie dans l'océan jusqu'à un village du néolithique avec ses habitats et scènes de la vie, grâce à cette importante collection de sujets préhistoriques (la plus importante d'Europe, paraît-il). Voici quelques-uns des 150 sujets reproduits, qui vous donneront l'illusion de retourner des millions d'années en arrière : le Dinychtys, poisson de 9 m de long ; le Parasorolophus, un dinosaure qui a eu la chance de ne jamais avoir besoin d'aller chez le dentiste puisque ses dents se renouvelaient lorsqu'elles étaient usées et qu'il pouvait ainsi en avoir jusqu'à 15 000 ! Le fameux et terrible tyrannosaure de 14 m de long et pesant 12 t, celui-là même qui exécutait des pas de 4,50 m ; le brachiosaure, véritable bête noire du parc si l'on sait que sa réalisation a duré 6 mois, nécessité 30 t de béton pour les fondations, 110 m de poutrelles métalliques pour l'armature et 6 t de matériaux composites ! En sortant de là, soyez sûr que vous bénirez vos inoffensifs animaux domestiques pour certains, et que vous n'aurez plus jamais peur des chiens pour d'autres.

Les grottes de Lacave : 46200 **Lacave.** ☎ 05-65-37-87-03. • www.grottes-de-lacave.com • À quelques kilomètres au nord-ouest de Rocamadour, au pied d'une falaise. Téléphoner pour connaître les horaires. Durée de la visite : environ 1 h 30. Entrée : 7 € ; de 5 à 14 ans : 5 €. Départ en petit train, pour la plus grande joie des enfants.
Belles grottes découvertes au début du XXe siècle. Succession de salles (12 au total) alignant des concrétions aux formes les plus étranges. *Salle du Dôme,* de 60 m de haut. Curieuse *colonne aux pattes d'araignée. Salle du Lac* où les concrétions se reflètent admirablement dans l'eau. Pour finir, la *salle des Merveilles* (2 000 m^2) offre effectivement le merveilleux spectacle de ses concrétions continuant à briller de leurs mille feux sous les effets d'un jeu de lumière noire.

Le gouffre de Padirac : 46500 **Padirac.** ☎ 05-65-33-64-56. • www.gouffre-de-padirac.com • Situé à 2 km au nord du petit village de Padirac. Ouvert du 1er avril au 9 juillet et en septembre de 9 h à 12 h et de 14 h à 18 h ; du 10 juillet au 31 juillet, de 9 h (8 h 30 en août) à 18 h 30 ; et du 1er octobre à la Toussaint, de 10 h à 12 h et de 14 h à 17 h. Visite guidée d'environ 1 h 30 ou plus, selon l'affluence. Entrée : 8 € ; de 6 à 12 ans : 5 €.
L'une des plus grandes curiosités géologiques françaises. Très touristique. En haute saison, il vaut mieux y aller avant 10 h 30 ou le week-end. L'entrée n'est pas donnée, mais le fond du gouffre vaut la peine d'être vu. Il s'agit

d'un puits naturel provoqué par l'effondrement de la voûte d'une immense grotte, puisque la cavité fait aujourd'hui 35 m de large et 75 m dans sa plus grande profondeur.

À 103 m de profondeur (où vous aurez le choix de descendre alternativement les 3 tronçons en ascenseur ou par un sympathique escalier métallique en colimaçon qui ne compte que 431 marches !), balade en barque plate sur une rivière sur 500 m environ. Elle mesure de 6 à 10 m de large entre des falaises atteignant parfois 50 m de haut, la température de l'eau est constante à 10,5 °C, celle de la grotte est toujours de 13 °C. Au *lac de la Pluie,* on peut admirer la *Grande Pendeloque,* immense stalactite rouge, haute de 75 m et qui descend jusqu'au niveau de l'eau. *Salle des Grands Gours,* la rivière s'ouvre en une série de bassins créés par des barrages de concrétions. Pour finir, dans la *salle du Grand Dôme,* la voûte à 94 m est l'une des plus hautes d'Europe. On grimpe alors par une passerelle pour admirer de superbes points de vue sur les lacs, avant de retourner aux barques et à la rivière. Veillez d'ailleurs à bien retenir le numéro de votre barque avant de la quitter (telle est la consigne si vous ne voulez pas rester au fond du gouffre). Autre recommandation d'amis, pendant la balade sur la rivière, faites votre plus beau sourire car vous serez photographié ! Le correspondant étranger de votre enfant sera peut-être ravi de rapporter une photo souvenir de Padirac dans son pays, *won't he ?*

Padirac Loisirs : à proximité du gouffre. ☎ 05-65-33-45-15. Ouvert tous les jours du 27 juin au 3 septembre de 11 h à 20 h. Entrée : 4,50 € ; de 3 à 18 ans : 4 €. Piscine de 1000 m^2, toboggans aquatiques, jeux gonflables, trampolines, aires de jeux et de pique-nique.

Où dormir ? Où manger ?

Padirac Hôtel : 46500 ***Padirac.*** ☎ 05-65-33-64-23. Fax : 05-65-33-72-03. • www.padirac-hotel.com • Juste à côté du gouffre, vous vous en doutiez. Fermé du 2e dimanche d'octobre à fin mars. Nombreux types de chambres doubles de 21 à 39 € selon le confort ; compter environ 42 € la chambre pour 4 personnes avec 2 grands lits, douche et w.-c. Menus de 11 à 35 € ; menu « bambino » à 7 €. Hôtel très touristique. Mais même les jours de grosse affluence, l'accueil reste de qualité. Chambres simples et correctes, avec ou sans confort. On peut aussi se restaurer de manière conséquente et plutôt traditionnelle. Belles portions dès les premiers menus. Apéritif maison offert sur présentation du *Guide du routard.*

Reptiland : RN 140, 46600 ***Martel.*** ☎ 05-65-37-41-00. • info@reptiland.fr • En juillet et août, ouvert de 10 h à 18 h ; hors saison, de 10 h à 12 h et de 14 h à 18 h. Fermé le lundi de septembre à juin, ainsi que du 31 décembre à mi-février. Entrée : 6,50 € ; de 4 à 16 ans : 4 €.

Pour ceux qui apprécient les reptiles... et ceux qui en ont peur, car ici Pancho Gouygou ne se contente pas de vendre un billet et de montrer des reptiles. L'endroit n'est ni un cirque ni un zoo. Il fait découvrir les reptiles comme personne, sensibilise le public et dispense un véritable enseignement. Serpents, lézards, tortues, crocodiles et scorpions, également quelques araignées. Possibilité de « désensibilisation » pour les gens souffrant de phobie (dans ce cas, téléphoner pour plus de renseignements). On appelle Pancho « l'homme qui parle aux crocodiles ». Une visite s'impose.

➢ ***Le chemin de fer du Haut-Quercy :*** 46600 ***Martel.*** ☎ 05-65-37-35-81. Départ de la gare de Martel : si vous optez pour le train Diesel, venez en juillet et août, tous les jours sauf le lundi à 14 h 30 et 16 h, ainsi que le jeudi en

avril, mai, juin et septembre à 14 h 30. Tarifs : 6 € l'aller-retour; enfants de 4 à 12 ans : 3,50 €.
Si vous préférez voyager en train vapeur, venez le dimanche et les jours fériés d'avril à septembre et le mercredi du 14 juillet au 15 août. Le trajet dure environ 1 h 30. Départ à 14 h et 16 h. Tarifs : 9 € l'aller-retour; enfants de 4 à 12 ans : 5 €; tarif groupe sur présentation du *Guide du routard.*
Les voies de chemin de fer du début du XXe siècle ont été réhabilitées et vous aurez le plaisir d'emprunter de vieilles michelines pour circuler sur la falaise à plus de 80 m de haut en corniche. Un splendide voyage dans l'espace et le temps à la découverte de la Dordogne et de ses châteaux.

Où dormir ? Où manger ?

Auberge des 7 Tours : av. de Turenne, 46600 ***Martel.*** ☎ 05-65-37-30-16. Fax : 05-65-37-41-69. • www.auberge7tours.com • Ouvert tous les jours du 15 juin au 30 septembre. Restaurant fermé le mercredi, ainsi que le samedi midi, hors saison. Chambres de 29 à 52 €. Menus de 13 à 32 €, les premiers menus à couleur plus régionale. À 100 m du centre, un petit hôtel de 8 chambres, toutes rénovées et gentiment personnalisées, un peu à l'écart du restaurant. Nouvelle bonne table du Lot lancée par un jeune couple ayant déjà pas mal bourlingué, entre la Bourgogne et l'Australie. D'où une cuisine qui, elle aussi, dépasse les frontières et saute allègrement des aiguillettes de canard au miel et thym, au kangourou Rossini. Ici, c'est madame qui est en cuisine et son mari en salle. Terrasse aux beaux jours.

Les Trois Chats : rue de la Remise, 46600 ***Martel.*** ☎ 05-65-37-10-12. Au-delà de la porte fortifiée donnant sur l'avenue J.-Lavayssière. Chambres doubles à 40 €, petit dej' compris; nombreuses possibilités pour les familles : des chambres triples, d'autres dans lesquelles on peut encore ajouter un lit pour enfant, ou encore un gîte d'étape (à 11 € par personne si vous n'avez pas votre sac de couchage). Petites remises sur les prix pour les familles. Sympa ! Dans une maison médiévale donnant sur un jardin avec treilles. La patronne adore les chats (d'ailleurs, sur sa pancarte, il y a trois minets) et, si vous voulez lui faire plaisir, complétez sa collection de cartes postales représentant des chats envoyées du monde entier. Accueil charmant. En mai, juin et septembre, 10 % de remise sur le prix des chambres pour nos lecteurs.

Le musée de l'Automate : pl. de l'Abbaye, 46200 ***Souillac.*** ☎ 05-65-37-07-07 ou 05-65-32-71-00. En juillet et août, ouvert tous les jours de 10 h à 19 h; en juin et septembre, de 10 h à 12 h et de 15 h à 18 h; en avril, mai et octobre, mêmes horaires, mais fermé le lundi; le reste de l'année, ouvert de 14 h à 17 h, fermé les lundi et mardi. Ouvert les jours fériés. Entrée : 5 €; de 5 à 12 ans : 2,50 €. Aire de pique-nique à disposition. Parking gratuit.
Le plus important musée de France dans ce domaine. Jouets, personnages et scènes animées, mécanismes; musée climatisé, salle de projection, documents divers. Toute l'histoire de l'automate, du premier d'avant 1870 aux robots d'aujourd'hui.

Où dormir ? Où manger ?

Hôtel Le Quercy : 1 rue de la Recège, 46200 ***Souillac.*** ☎ 05-65-37-83-56. Fax : 05-65-37-07-22. • www.le-quercy.fr • À deux pas du centre-ville, mais dans un quartier calme, au bord de la rivière, chambres doubles

confortables avec terrasse (sauf au dernier étage), à 49 €. Petit dej' servi en chambre. Possibilité de demi-pension avec *La Vieille Auberge* voisine, de 50 à 64 €. Piscine avec transats pour les grands et petit jardin avec jeux pour les enfants. Parking devant l'hôtel.

Chambres d'hôte La Ferme : lieu-dit Les Cuisines, à la sortie de la ville, sur la gauche, direction Sarlat, 46200 ***Souillac.*** ☎ 05-65-37-68-25. Chambres doubles à 45 €, petit dej' compris (réduction à partir de 2 nuits), à l'étage de la maison des propriétaires. Craquerez-vous pour la belle bleue, la vert tendre ou la suite jaune et bois ? Salle agréable pour le petit dej', avec les confitures maison. Grand jardin avec un coin pour faire trempette, sur le bord de la Dordogne. Une adresse tonique.

Le parc animalier de Gramat : route de Cajarc, 46500 ***Padirac.*** ☎ 05-65-38-81-22. • gramat.parc.animalier@wanadoo.fr • À 3 km de Gramat, sur la D 14. Du 15 avril au 30 septembre, ouvert de 9 h 30 à 19 h ; du 1er octobre au 14 avril, de 14 h à 18 h. Entrée : 7 € ; de 5 à 14 ans : 4,50 €. Repas des loups tous les jours à 11 h 30 en juillet et août.
Sur 40 ha, 150 espèces, 1000 animaux d'Europe en semi-liberté : loups, cerfs, ours bruns, lynx, bisons... et quelques rares spécimens de poules ou de porcs, parce qu'il n'y a pas que les espèces sauvages qui sont en voie de disparition ! Buvette avec petite restauration.

➢ ***Visions sur le causse de Gramat :*** randonnée pédestre de 10,5 km. 3 h aller-retour sans les arrêts ni la visite du parc animalier de Gramat. Variante courte : 4 km. 1 h 15. Parking au parc animalier de Gramat. Facile, ce circuit très familial est possible également à VTT ou à cheval. Balisage : vert, jaune. Contact : office de tourisme de Gramat. ☎ 05-65-38-73-60.
À l'entrée sud de Gramat, prenez la D 14 en direction du parc animalier de Gramat (1,5 km, parking). Visite du parc animalier (voir ci-dessus). Du parking, repartez à pied par le chemin pédestre qui longe la D 14 en direction de Gramat. L'itinéraire bifurque à gauche pour longer le camping de Gramat et une *cazelle,* construction ronde en pierre sèche qui servait d'abri aux bergers du causse. Le chemin se poursuit, encadré par deux murets où s'entassent les calcaires. Un croisement permet de revenir à gauche plus rapidement (4 km en boucle du parking) au point de départ. Mais ce serait dommage. Vous continuerez donc sur votre droite par un sentier ombragé qui débouche sur une route et à un hameau. À l'entrée de celui-ci, reprenez à gauche. Un pigeonnier en plein champ rappelle cet élevage traditionnel, autrefois très répandu dans le Sud-Ouest. Toujours sur la gauche, le sentier traverse le causse désert, très fleuri au printemps, pour déboucher à la ferme de Cuzouls et à son pigeonnier. Toujours à gauche, pour remonter par de beaux paysages vers le Roc d'Arène et son curieux front de falaises rocheuses. Bientôt, un chemin sur la droite permet de revenir aux Molières et aux haras nationaux. Vous retrouverez un large chemin qui ramène à Longayries. La D 14 longe le parc animalier de Gramat jusqu'au parking.

LE MUSÉE CHAMPOLLION À FIGEAC

Dans les environs : le Musée éclaté • Le musée de plein air du Quercy

LE MUSÉE CHAMPOLLION

Rue Champollion, 46100 ***Figeac.*** ☎ 05-65-50-31-08 ou 05-40. Installé dans la maison natale de Champollion, datant du XIIIe siècle pour le bâtiment et du XVIIe siècle pour le rez-de-chaussée. Ouvert toute l'année ; en juillet et

août, tous les jours de 10 h à 12 h et de 14 h 30 à 18 h 30 ; de mars à juin, en septembre et octobre, tous les jours sauf le lundi, aux mêmes heures ; de novembre à février, tous les jours sauf le lundi, de 14 h à 18 h. Fermé le 25 décembre, le 1er janvier et le 1er mai. Le mardi, en été, visite guidée de 10 h à 11 h par une conservatrice guide-animatrice qui sait communiquer sa passion. Visite libre : 3 € ; de 7 à 18 ans : 2 € ; visite guidée : 4,50 €. Entrée à 5 € pour les enfants s'ils participent aux ateliers.

Ville natale de Champollion, Figeac se devait de consacrer un musée à son illustre enfant. Au sein même de la maison où naquit Champollion, ce musée abrite des pièces exceptionnelles. Il s'organise en 3 salles. On apprend dans la première que Champollion maîtrisa très tôt le latin, le grec et l'hébreu. Cette connaissance des langues et de leur structure, combinée au hasard (la découverte de la pierre de Rosette) et à de nombreuses heures de travail, lui permit de déchiffrer le système des hiéroglyphes. Il avait 32 ans et avait commencé son étude à l'aube de ses 17 ans... À remarquer sur l'un des murs : le moulage de la pierre de Rosette dont l'original se trouve au British Museum, à Londres. La deuxième salle (au 1er étage) est consacrée à l'écriture égyptienne. Enfin, dans la dernière (au 2e étage), vous vous familiariserez avec les dieux et les rites funéraires de l'Égypte ancienne.

– Pour les enfants de 6 à 10 ans, des ***ateliers*** à thème (les dieux égyptiens, les hiéroglyphes, la naissance de l'écriture, le royaume d'Osiris...) sont proposés durant l'été le jeudi à 10 h. Pour participer à ces ateliers d'une durée de 2 h, s'inscrire sur place ou téléphoner.

Parents savants : *Champollion et l'Égypte*

Quand Champollion déchiffre la pierre de Rosette rapportée de la campagne d'Égypte par le grand physicien Monge, il n'a jamais franchi la Méditerranée. C'est en 1828 que son rêve se réalise. Il se rend en Égypte, accompagné d'un groupe de savants et de scientifiques. Durant ce voyage, il obtient de Mehemet Ali, vice-roi d'Égypte, la promesse de donner à la France un obélisque de Louxor afin de contribuer à éveiller les Français à l'art égyptien. Le transport de l'obélisque fut une véritable galère, et il n'arriva à Paris qu'en 1833, un an après la mort de Champollion. Il se dresse aujourd'hui place de la Concorde à Paris.

Où dormir ? Où manger ?

Hôtel des Bains : 1, rue du Griffoul, 46100 ***Figeac.*** ☎ 05-65-34-10-89. Fax : 05-65-14-00-45. • www.hoteldesbains.fr • Chambres doubles de 39 à 60 € avec douche ou bains ; compter de 52 à 67 € pour 3 personnes et de 58 à 67 € pour 4 personnes. Comme amarré aux rives du Célé, cet ancien établissement de bains publics a été transformé en un hôtel de 21 chambres. Parmi elles, 10 offrent une belle vue sur la rivière, et certaines ont même un balcon. Chaque année, les patrons rénovent quelques chambres ; dommage que la déco soit un peu passe-partout. En revanche, calme assuré, pourtant à deux pas de la vieille ville. Accueil sérieux. Les cyclotouristes sont les bienvenus. Apéritif offert sur présentation du *Guide du routard.*

La Cuisine du Marché : 15, rue Clermont, 46100 ***Figeac.*** ☎ 05-65-50-18-55. Fermé le dimanche. Réservation hautement conseillée. Formule à 14 € le midi en semaine ; menus à 21 et 34 € et carte ; menu-enfants à 8 € avec viande ou poisson, une pâtisserie ou une glace. Un établissement qui tranche avec la majorité des autres restaurants du département. Les mets proposés sont travaillés devant vous dans la cuisine, partiellement ouverte sur la salle. Les meilleures matières premières sont sélectionnées, puis cuisinées avec précision et souci de légèreté. Couleurs, saveurs, odeurs, vraiment, *La Cuisine du Marché* n'a pas usurpé son nom ! Foie gras poêlé, filet d'ombre-chevalier et desserts d'une grande finesse ; goûtez au dôme de fruits rouges, par exemple. Selon votre choix, vous assisterez aux petits spectacles gourmands que sont les flambages et découpages, rarissimes de nos jours. Apéritif offert sur présentation du *Guide du routard.*

|●| *La Puce à l'Oreille :* 5 et 7, rue Saint-Thomas, 46100 ***Figeac.*** ☎ 05-65-34-33-08. Au cœur de la vieille ville, à deux pas de la halle. Fermé le lundi sauf en juillet et août. On vous conseille de réserver. Formule à 12,20 € sauf le dimanche, puis 5 menus, de 15,30 à 31,30 € ; menu-enfants à 8 € comprenant une assiette de charcuterie ou de crudités, une viande ou du poisson accompagné de légumes verts ou de riz et un dessert. Cuisine appliquée. Papillote de sandre à l'huile de noisette vanillée, magret de canard à la confiture d'oignons. Plats bien présentés, assiettes chaudes, service dynamique et souriant, avec en plus de charmantes attentions qui font la différence.

|●| *Chambres et table d'hôte du Domaine des Villedieu :* 46100 ***Boussac.*** À 10 km à l'ouest de Figeac. ☎ 05-65-40-06-63. Fax : 05-65-40-09-22. • www.villedieu.com • Quatre chambres étonnantes de 50 à 92 €, en pleine campagne. Menus de 23 à 42 €. Compter 22 € par personne pour la demi-pension. Coup de cœur pour cette magnifique ferme avec ses dépendances préservées et transformées en chambres au charme certain. Piscine, potager, balades, de quoi s'occuper sainement avant de passer à table, pour savourer une cuisine pleine de jolies surprises, réalisée désormais par le fils de la maison, sous le regard mi-amusé mi-sérieux d'un couple parental peu banal. Même le foie gras poêlé ou le cassoulet n'ont pas, ici, le même goût qu'ailleurs. Quant aux enfants, ils ont de la place pour jouer et même pour participer à la cuisine, s'ils ont envie de bien faire. Terrasse aux beaux jours, avec environnement bucolique à souhait, ou salle très agréable, avec vue sur les bocaux et produits maison, qui ont le don de vous mettre en appétit. Achat de conserves possible (s'il en reste !).

➤ DANS LES ENVIRONS

★★ *Le Musée éclaté :* 46100 ***Cardaillac.*** ☎ 05-65-40-15-65 ou 10-63. À 3 km de la N 140 et à 10 km au nord de Figeac. Du 1er juillet au 31 août, ouvert tous les jours sauf le samedi, de 15 h à 19 h ; en septembre, une visite unique à 15 h ; le reste de l'année, sur rendez-vous. Entrée : 3 € ; enfants : 1,50 €.

Ce Musée éclaté, idée géniale d'une poignée d'habitants amoureux de leur village et de leur patrimoine culturel, se révèle l'un des plus intelligents, l'un des plus émouvants que l'on connaisse.

En voici donc le principe : au lieu de rassembler tous les objets en un seul endroit où ils risquent de perdre beaucoup de leur spécificité, tout est resté en l'état : meubles, outils, objets domestiques demeurent où ils ont toujours vécu. Ce qui fait que ça respire, ça vit encore. On dirait presque que le fabricant de compotes ou le vieil instituteur viennent juste de quitter leur maison ou leur classe. Visite guidée à travers les ruelles pour découvrir le séchoir à châtaignes, le four à pain, la vieille école, etc. Vous serez étonné du nombre d'objets, d'outils et de techniques qui vous étaient inconnus jusqu'à présent. Commentaires enthousiastes et chaleur de l'accueil font de cette visite un moment vraiment très sympa.

Le musée de plein air du Quercy : 46330 **Sauliac-sur-Célé.** ☎ 05-65-22-58-63. • museedepleinairduquercy@wanadoo.fr • Entre Cahors et Figeac sur la D 662. Ouvert de Pâques à la Toussaint tous les jours sauf le samedi ; en avril, mai, septembre et octobre, de 14 h à 18 h ; en juin, juillet et août, de 10 h à 19 h. Entrée : 8 € ; de 10 à 21 ans : 4 €.
Découverte de fermes anciennes sur 50 ha, avec leurs cultures et leurs animaux (observation d'une ruche en activité). 30 musées thématiques sur tous les sujets de la vie rurale traditionnelle, tels que le musée des Poteries et du Cuivre, le musée du Feu ou encore le petit musée du Jouet. En été, animations pour adultes et enfants : travaux agricoles et artisanaux anciens, démonstration de tracteurs, fabrication du pain...

Où dormir ? Où manger dans le coin ?

Chambres d'hôte Les Tilleuls : à **Marcilhac-sur-Célé** (46160). ☎ 05-65-40-62-68. Fax : 05-65-40-74-01. À quelques kilomètres au nord de Sauliac. Fermé de mi-novembre à mi-décembre. Chambres doubles de 38 à 40 €, petit dej' compris. Réservation plus qu'obligatoire pour cette adresse au très beau rapport qualité-prix. Dans une ravissante maison quercynoise, avec un petit parc ombragé devant. Chambres très agréables et confortables. Goûtez aux confitures maison (plus de 24 variétés...) réalisées par la maîtresse des lieux, doyenne ô combien dynamique des propriétaires de chambres d'hôte de la région. Gîtes également.

Restaurant des Touristes : à **Marcilhac-sur-Célé** (46160). ☎ 05-65-40-65-61. Repas servis à heures fixes (12 h 30 et 19 h 30) autour de 16 €. Attention ! il est indispensable de réserver. La patronne mitonne, depuis des années déjà, de bons petits plats familiaux suivant son humeur et son inspiration. Tomates farcies, bourguignon, sauté de veau, coq au vin, etc. Terrasse sous la tonnelle et atmosphère très sympa. Une adresse surprenante.

CAHORS : LE MARCHÉ TRADITIONNEL

Dans les environs : Cap Nature

Évidemment, il y a plein de choses merveilleuses à voir à Cahors, préfecture du Lot et seule véritable grande ville du Quercy. Mais comme notre mission aujourd'hui est de satisfaire en priorité les juniors, on va gentiment les dispenser de visiter la ville (charge à leurs parents de le faire). À moins qu'ils n'aient envie de jeter un œil au quartier ancien des Badernes (qui ne signifie rien d'autre que « bas quartier ») ou à celui des Soubirous (autre nom étonnant, signifiant cette fois qu'on arrive dans la ville supérieure). L'important, c'est de venir un jour de marché pour découvrir ce marché traditionnel, classé parmi les 100 plus beaux de France.

Le marché traditionnel de Cahors : pl. de la Cathédrale. Il a lieu les mercredi et samedi matins. Flânez au milieu des étalages, respirez ces bonnes odeurs de produits régionaux, faites le plein de couleurs et de bruits, et offrez à vos enfants un pastis, une fois n'est pas coutume, puisqu'il s'agit ici d'une délicieuse pâtisserie !

Le pont Valentré : un pont fortifié unique en France, inscrit au patrimoine mondial de l'Unesco. Construit au début du XIVe siècle au cours des guerres franco-anglaises. L'histoire raconte que pour arriver à ses fins, l'architecte dut pactiser avec le diable, et le malin fut ainsi sculpté dans la pierre, d'où son surnom de « pont du diable ». Système défensif presque parfait : 3 tours carrées de 40 m de haut, grandes arches gothiques, massifs avant-becs crénelés. Il fut si dissuasif que même les Anglais ne l'attaquèrent pas. À deux pas, départ des bateaux pour une mini-croisière (voir ci-dessous).

➢ ***Balade en bateau sur le Lot :*** embarquement tous les jours d'avril à octobre à la base de Cahors, avec la compagnie *Safaraid.* ☎ 05-65-35-98-88. Départs à 11 h, 15 h, 16 h 30 (et 18 h en saison uniquement). Tarifs : 8,50 €; moins de 12 ans : 4,50 €. Durée : 1 h 30 environ. Attention! Ne fait que le tour de la boucle de Cahors. Sinon, les mardi et vendredi, croisière en bateau (et balade en train) toute la journée entre Cahors et Saint-Cirq-Lapopie. Tarifs : 24,50 €; enfants : 12,25 €. Possibilité de restauration.

➢ ***Quercyrail :*** renseignements, place de la Gare (☎ 05-65-23-94-72) ou à l'office de tourisme. Balade sur la voie ferrée qui longe le Lot à bord d'une antique micheline. Pour retrouver le charme des tortillards d'antan. De Cahors au château de Cenevières (visite passionnante du château), les lundi et jeudi en juillet et août; départ de la gare SNCF à 13 h 30, retour à 18 h 30. Tarif : 19 €. De Cahors à Cajarc, autre balade train + bateau le dimanche d'avril à octobre et les samedi et dimanche en juillet et août; départ à 9 h; retour à 18 h 30. Tarif : 23 €.

Où dormir? Où manger?

🏠 ***Hôtel À l'Escargot :*** 5, bd Gambetta, 46000 ***Cahors.*** ☎ 05-65-35-07-66. Fax : 05-65-53-92-38. Fermé dimanche soir hors saison, 15 jours fin novembre et 15 jours en février. Chambres doubles à partir de 47 €. Au premier regard, la devanture de l'établissement semble assez banale. Ne vous y fiez pas! Les chambres sont situées dans une annexe toute proche, donc très calmes. Toutes ont une déco très réussie, avec leurs meubles sur mesure et leurs rideaux assortis. Côté sommeil, la literie est d'un confort optimal. Par la fenêtre, vue sur l'église ou sur des jardins particuliers. Notre coup de cœur : la n° 9 (à 58 €) avec sa fenêtre à baies géminées et sa mezzanine. Petit dej' copieux. Accueil sympathique. Sur présentation du *Guide du routard,* réduction de 10 % à partir de 2 nuitées sauf en juillet et août.

🏠 ***Hôtel de France :*** 252, av. Jean-Jaurès, 46000 ***Cahors.*** ☎ 05-65-35-16-76. Fax : 05-65-22-01-08. • www.hoteldefrance-cahors.fr • ♿ Dans l'avenue menant à la gare, à deux pas du pont Valentré. Fermé 15 jours fin décembre. Chambres doubles de 40 à 60 €. Moderne et fonctionnel. 80 chambres spacieuses et impeccablement entretenues. Toutes sont très bien équipées, certaines ont la clim', et les plus calmes sont côté cour. L'ensemble n'a pas plus de charme qu'un hôtel de chaîne, mais on ne vient pas ici pour séjourner. Accueil courtois et réservé.

🏠 🍴 ***Le Lamparo :*** 76, rue Clemenceau (pl. de la Halle), 46000 ***Cahors.*** ☎ 05-65-35-25-93. Fax : 05-65-23-83-45. • www.lamparo.com • Chambres de 42 à 62 €; réduction hors saison. Fermé le dimanche. Formule à 11 € le midi. Menus à 15 et 20 €. Coup de cœur pour ces chambres colorées et aménagées avec soin dans un vieil immeuble entièrement rénové. Coin cuisine discret, bel aménagement intérieur, mobilier chaleureux et belle salle de bains. Idéal avec des enfants sages. En dessous, restaurant appartenant aux mêmes propriétaires, où l'on se régale autant avec une pizza maison qu'avec un filet de bœuf au foie gras. Les 2 salles ne désemplissent pas, toutes les générations trouvent leur compte avec les différents menus, le service est speed mais pas très triste pour autant, c'est rien de le faire remarquer.

➤ DANS LES ENVIRONS

Cap Nature : à côté du stade municipal de ***Pradines,*** 1er vrai village de la vallée du Lot que vous découvrirez à 4 km de Cahors, en prenant la route des vignobles. ☎ 05-65-22-25-12. Ouvert tous les jours en été de 10 h à 21 h et les week-ends en basse saison. Fermé de la Toussaint à Pâques. Dernière entrée 2 h avant la fermeture du parc. Entrée : 17 € (et 15 € pour les 8-16 ans). 2 h 30 de détente ou plutôt de sensations diverses (ponts de singe, mur de corde, saut de Tarzan). Ici, le souci de la performance passe loin derrière le plaisir de la découverte et l'émotion d'avoir effectué un parcours sécurisé dans une nature devenue, c'est sûr, un peu plus proche.

Où dormir ? Où manger dans le coin ?

Chambres et table d'hôte : chez Véronique Stroobant, à Belaye, 46140 ***Marliac.*** ☎ 05-65-36-95-50. Fax : 05-65-31-99-04. À 10 km de Prayssac. Suivre la D 45 en direction de Montcuq ; après le château de Cousserans, tourner à droite, direction Fargues-Farguette. Ouvert toute l'année sur réservation. Chambres doubles à 51 et 61 €, petit dej' compris. Repas à 15 €. Des meubles en bois, de style nordique, et une belle collection de B.D. rappellent les origines belges de l'accueillant jeune couple, installé dans cette massive ferme quercynoise du XVIIIe siècle, quelque peu perdue dans la campagne. Calme absolu et chambres très agréables. Cuisine qui oublie souvent, à dessein, le riche Sud-Ouest. Menu rien que pour les enfants, qui passent à table avant leurs parents pour mieux profiter de la piscine.

TOULOUSE ET LA CITÉ DE L'ESPACE : LE BEAU MANÈGE DU JARDIN DE COMPANS CAFFARELLI

Dans les environs : African Safari • L'aquarium de Muret • Tépacap • Le lac de Saint-Ferréol

Capitale de la région Midi-Pyrénées, Toulouse véhicule l'image d'une cité dynamique, à la tête des industries et technologies de pointe (Concorde, Airbus, etc.). Mais « la Ville Rose » est aussi une ville profondément humaine et agréable. Il fait bon de parcourir à pied son centre-ville quasi intact, ses ruelles charmantes, ses édifices somptueux.

LA CITÉ DE L'ESPACE

Av. Jean-Gonord, 31000 ***Toulouse.*** ☎ 05-62-71-64-80. • www.cite-espace.com • À 7 km du centre par la route de Castres (N 126), sortie 17 sur la rocade en direction de Montpellier ; sortie 18 en direction de Bordeaux. En bus, n° 19 de la gare ou de la place Esquirol qui s'arrête devant le week-end, les jours fériés et en période de vacances scolaires (sinon, arrêt Place de l'Indépendance, puis 20 mn de marche), ou bus n° 16 que l'on prend au Capitole ou à la place Esquirol (arrêt Cité de l'Hers), ou encore, le bus n° 77 (à la station de métro Jolimont) avec un arrêt (sauf le dimanche) place de la Liberté, à 1,5 km de la Cité de l'Espace.

De février à fin août, ouvert du lundi au vendredi de 9 h à 18 h ; les week-ends, jours fériés et périodes de vacances scolaires (toutes zones), ouvert jusqu'à 19 h. Le reste de l'année (à l'exception des vacances et jours fériés), fermé le lundi. Entrée : 12 € ; pour les moins de 25 ans, seniors et chômeurs : 10 € ; enfants de 6 à 12 ans : 9 € ; forfait famille : 36 € pour 2 adultes et 2 enfants ; pour les visites guidées 4 € supplémentaires. Ticket valable pour la journée. Compter au minimum une demi-journée pour la visite.

Coréalisée par les instances publiques régionales (mairie, conseil général...) et des entreprises liées à l'espace (Alcatel, Aérospatiale, Météo France...), la Cité nous a beaucoup plu.

Il y a 4 espaces à voir. Dès votre arrivée, une hôtesse vous accueille et vous précise lieux et horaires des différents « rendez-vous ». Dès lors, libre à vous de vous concocter un petit programme maison ou de suivre un guide pendant 1 h 15.

– Vous irez prendre l'air dans le ***parc de la Cité,*** déambulant dans le « jardin astronomique », dans le « labyrinthe de la galaxie », dans l'« allée de l'infini ». Là, vous apprendrez à lire l'heure grâce au soleil, à vous situer sur terre, et surtout, vous pénétrerez à l'intérieur d'un modèle d'essai au sol de la station *Mir* et découvrirez de près les conditions de vie et de travail des cosmonautes (on notera au passage la différence entre la nourriture dans l'espace des Russes, des Américains et des Français...). Un peu plus loin, se dresse une copie grandeur réelle (53 m de haut) de la fusée *Ariane 5.*

– ***Le planétarium*** constitue un deuxième espace digne d'être visité. En y arrivant tôt, de préférence le matin (il faut réserver), on peut voir, sans trop d'attente, un petit film sur l'espace et la présentation des planètes visibles le jour de la visite.

– Puis, il ne faut pas rater le ***Terr@dome.*** Séances toutes les 40 mn, sans réservation. C'est une sphère de 25 m^2 dans laquelle on pénètre, après avoir effectué un surprenant voyage, dans un vaisseau spatial. Vous voilà placé en orbite, sur une passerelle circulaire suspendue dans le noir étoilé et vous évoluez autour de la Terre, tel un véritable astronaute. Ce spectacle dure 30 mn, et on comprend tout sur la formation de notre bonne vieille planète !

– Le quatrième pôle est consacré aux ***expositions*** sur l'univers, sur l'histoire de l'homme dans l'espace, etc., avec plein de jeux interactifs. Bon... certains sont peut-être un peu compliqués pour vos chères têtes blondes mais d'autres sont vraiment drôles (comme cette expérience épatante et certainement inoubliable – allez... un brin ridicule aussi – du saut sur la Lune).

En résumé, un peu cher mais un espace ludique et intelligemment didactique. Tout cela servi par une remarquable muséographie due à l'équipe de la *Cité des Enfants,* au parc de la Villette.

Évidemment, on trouve sur place un restaurant et un snack. Mais on peut aussi pique-niquer juste à proximité : agréable espace vert avec une petite aire de jeux pour les enfants.

Le Beau Manège du jardin de Compans Caffarelli : en bordure du boulevard Lascrosses, face à la cité administrative. Certes, le jardin de Campans Caffarelli vaut bien une petite promenade pour son joli jardin japonais très zen, ses joyeux canards qui s'ébattent dans l'eau... Mais les tout-petits auront certainement les yeux qui pétillent devant le *Beau Manège,* situé juste en bordure de la place de l'Europe. Et effectivement, c'est un bien beau manège qui a vu le jour grâce à un chantier de réinsertion professionnelle. Ses formes étonnantes semblent sortir tout droit d'un véritable conte de fées. Impossible de ne pas donner une petite caresse à la croupe du rhinocéros, au ventre du poisson... Fonctionne tous les jours sauf les lundi et jours fériés à partir de 14 h.

Où dormir? Où manger?

🏠 ***Hôtel Croix-Baragnon :*** 17, rue Croix-Baragnon, 31000 ***Toulouse.*** ☎ 05-61-52-60-10. Fax : 05-61-52-08-60. Réception au 1er étage. Chambres doubles avec 1 ou 2 lits, douche, w.-c. et TV de 31 € (côté rue) à 33 € (côté cour). Deux chambres familiales pour trois à 36 €. L'hôtel se situe en plein centre, pas loin d'une belle maison romane du XIIIe siècle et de la cathédrale Saint-Étienne. Il n'est d'ailleurs pas non plus dénué de charme, avec son petit escalier extérieur couvert de plantes. Les chambres sont confortables, mais pour une pincée d'euros supplémentaires, préférez celles avec fenêtre sur cour. Excellent accueil et l'ambiance ferait presque penser à celle de colocataires d'un même immeuble... Petit dej' servi devant la réception, à la bonne franquette.

🏠 ***Hôtel des Arts :*** 1 bis, rue Cantegril, 31000 ***Toulouse.*** ☎ 05-61-23-36-21. Fax : 05-61-12-22-37. À l'angle de la rue des Arts. Chambres doubles de 27 à 31 €; compter environ 35 € pour une triple, 40 € pour une quadruple avec 2 grands lits. Dans ce quartier pittoresque et très central, pas loin du magnifique musée des Augustins, voilà un hôtel à l'ancienne assez tarabiscoté (au début, on s'y perd), avec un petit cachet. Chambres assez spacieuses et plaisantes, avec douche et w.-c. sur le palier ou privés, certaines avec cheminée et parfois double vitrage. 5 % de remise sur le prix des chambres sur présentation du *GDR*.

🏠 ***Hôtel Royal :*** 6, rue Labéda, 31000 ***Toulouse.*** ☎ 05-61-12-41-41. Fax : 05-61-12-41-53. Ouvert toute l'année. Chambres doubles de 46 à 61 € avec douche ou bains, en fonction de la taille. Chambres familiales pour 4 personnes de 69 à 84 €. Toutes avec AC. Couloirs et *lobby* tout blanc, décoré de suspensions de bois et de miroirs biseautés qui donnent de la chaleur à l'établissement. Calme malgré la proximité de la rue de Strasbourg. Bon accueil et grande propreté. Un établissement bien dans sa catégorie et avantageux pour les familles de 4 personnes dans la même chambre.

🍽 ***Le Ciel de Toulouse :*** au 6e étage des *Nouvelles Galeries,* à l'angle des rues Lapeyrouse et Montardi, 31000 ***Toulouse.*** ☎ 05-34-45-98-98. Ouvert du lundi au samedi de 11 h à 18 h. Menus de 8 à 11 €; menu-enfants à 5,40 € (avec un steak-frites ou jambon blanc), un dessert et une surprise comprise! On n'hésite pas une seconde à citer cette cafétéria, perchée sur le toit des Nouvelles Galeries. Salle amusante sous une voûte de néons, très années 1970, avec de longs comptoirs en U qu'arpentent les serveuses en tenue, et où s'attablent tout ce que le quartier compte d'employés. Les touristes, eux, préfèrent le soleil écrasant de la terrasse panoramique avec table d'orientation qui domine les toits de la Ville Rose. Prix imbattables : menus du déjeuner (de 11 h à 15 h) hyper copieux. Honnête cuisine de cantine. Salon de thé l'après-midi, glaces, pâtisseries. Personnel pléthorique et souriant. Espérons que les travaux prévus sauront préserver l'âme du lieu...

🍽 ***La Pastasciutta :*** 35 bis, rue Gabriel-Péri, 31000 ***Toulouse.*** ☎ 05-61-62-69-39. Fermé les samedi midi et dimanche; le midi en juillet et août. Compter autour de 13 € pour un repas en prenant une petite pizza. Attention! Les tables sont au coude à coude, la salle bruyante quand elle est pleine (ce qui arrive souvent). Accueil et décor chaleureux (des fanions pendent au plafond comme le linge dans une rue de Naples). Trois tailles de pizzas, la plus petite devrait convenir à l'estomac de vos chères têtes blondes : elle est déjà conséquente! Apéritif ou café offert à nos lecteurs.

🍽 ***Restaurant de l'Émulation Nautique :*** allée Alfred-Mayssonié, sur l'île du Ramier, 31000 ***Toulouse.*** ☎ 05-61-25-34-95. Fermé les dimanche soir et lundi de mai à mi-septembre (tous les soirs le reste de l'année) et de Noël à début janvier. Menus à 11 € le midi en semaine, 15 € le samedi et dimanche midi ; le soir, à la carte uniquement, compter autour de 20 €. Pour les enfants, plat à 7 €. Ce club nautique (l'un des trois plus anciens de France) possède un chouette restaurant avec une agréable terrasse près de l'eau sous les platanes : allez-y donc de préférence avec vos enfants lorsqu'il fait beau. L'intérieur offre un cadre moderne et élégant où l'on se sent bien. La carte alterne bonnes grillades, honnêtes poissons et salades. Accueil et service décontractés. Une jolie petite adresse. Apéritif maison offert à nos lecteurs sur présentation du *Guide du routard.*

➤ DANS LES ENVIRONS

African Safari : 41, rue des Landes, 31830 ***Plaisance-du-Touch.*** ☎ 05-61-86-45-03. À 15 km au sud-ouest de Toulouse. En voiture, route d'Auch puis suivre fléchage Parc zoologique. En bus, n°s 65 ou 67, puis 2 km de marche. Ouvert tous les jours, de 9 h 30 à 20 h du 1er avril au 30 septembre et de 10 h à 18 h du 1er octobre au 31 mars. Entrée : 9 € ; enfants de 2 à 10 ans : 6 €.
Une véritable réserve africaine qui se visite en voiture (30 mn) sur 2 km de pistes, où l'on observe autruches, zèbres, antilopes, pélicans, lions, rhinocéros, etc. Un agréable zoo (avec des espèces venues des 5 continents) plus classique complète le circuit, ainsi qu'une ferme avec ses animaux traditionnels. Spectacles quotidiens d'otaries du 1er avril au 30 août à 11 h 30, 15 h 30 et 17 h 30 (sauf jours de relâche, se renseigner), sinon, on peut observer ces gentilles bébêtes glisser au fond de leur bassin derrière de grandes vitres... Habituellement, les enfants adorent et restent collés devant. Bref, un coin ombragé et sympa pour oublier le stress de la ville.

L'aquarium de Muret : 13, rue Cugnot, ZI Joffréry, 31600. ☎ 05-61-51-50-59. • www.aquarium-muret.com • ♿ En venant de Toulouse, sortie Muret puis direction ZI Nord. Ouvert tous les jours en été de 10 h à 12 h et de 14 h à 19 h ; uniquement l'après-midi lors des autres vacances scolaires ainsi que les mercredi, samedi et dimanche toute l'année. Entrée : 7 € ; de 3 à 14 ans : 4 € ; 6 € pour les adultes et 3,50 € pour les enfants sur présentation du *Guide du routard.* Visite guidée très intéressante et gratuite l'après-midi.
L'aquarium est installé dans une magnifique bâtisse de 1729, à deux pas du site de la bataille de Muret. Dommage que la ZI vienne presque la toucher. Le propos de cet aquarium, créé sur une initiative privée, est de faire connaître les poissons de la Garonne et des rivières pyrénéennes. Plus de 35 espèces, parmi lesquelles anguilles, saumons, brochets, silures, tanches, sandres, perches, gambusies s'ébattent tranquillement dans les bassins. Celui des esturgeons et des carpes est assez impressionnant. Cette belle petite collection est complétée par une galerie tropicale avec des poissons du monde entier, dont les célèbres piranhas. Dans le parc extérieur, joliment aménagé, deux bassins tactiles permettent de toucher esturgeons, carpes Koi, poissons rouges et même des tortues (sachez qu'avec beaucoup de douceur, vous aurez plus de chance de caresser ces petites bêtes !). Pour les adeptes de sensations fortes, un aquarium circulaire sert de quartiers d'été aux piranhas ; c'est là que vous pourrez assister à leur repas en été. Pour finir une promenade dans le parc à destination d'un petit étang botanique et paysager (près de 30 espèces de bambous différents !) vous fera le plus grand bien.
N'oubliez pas de saluer de notre part chèvres, ânes, moutons, etc. Non, non, vous ne rêvez pas... il s'agit tout simplement de modèles réduits (en chair et en os !) reconnus comme les plus petits spécimens du monde !

Tépacap : 31370 ***Rieumes.*** ☎ 05-62-14-71-61. • www.tepacap.fr • À 40 km au sud-ouest de Toulouse, à la sortie du village, en direction de l'Isle-

en-Dodon. De juin à septembre, ouvert tous les jours de 9 h 30 à 19 h ; sinon ouvert les mercredi, week-ends, jours fériés et vacances scolaires de 10 h à 18 h ; fermé de décembre aux vacances d'hiver. Entrée : 21 € ; juniors de 1,30 m à 1,45 m : 19 € ; « pitchouns » de 4 à 7 ans : 10 €. Prévoir au minimum une bonne demi-journée.
Original parc d'attractions ancré au milieu d'une forêt de 120 000 m^2, où la plupart des activités se passent dans les arbres. Le monde des Pitchouns propose une vingtaine de jeux à 3 m de hauteur, à faire à partir de 4 ans sous la surveillance d'un adulte. Dans le monde vertical, les plus grands pourront s'éclater dans les arbres avec des passerelles en bois, des sauts de Tarzan, des descentes en tyrolienne. Toutes sortes de jeux aériens pour profiter de la forêt et tester son agilité. Enfin, clou du parc : le *Monde Obscur,* un parcours sonorisé long de 140 m à exécuter dans le noir complet. Lampes de poche et autres ruses dans le genre à bannir !
Petite aire de pique-nique. Possibilité de se restaurer sur place (sandwichs).

Où manger ?

|●| ***Restaurant du Lac :*** chemin de la Serre, à ***Poucharramet*** (à 4 km par la D 43). ☎ 05-61-91-89-60. ♿ Fermé tous les soirs du lundi au jeudi, sauf en juillet et août. Menu à 9,50 € le midi en semaine, vin et café inclus. À la carte, on fera un bon repas pour environ 20 €. Menu-enfants à 6,80 €. Petit resto accueillant, au bord d'un lac, au grand calme et apprécié dans le coin. Spécialités de grillades au feu de bois, de plats à base de canards (non, ils ne viennent pas du lac !). Les enfants peuvent gambader un p'tit coup (oh... pas bien loin) pendant que les parents finissent tranquillou leur café. Bref, un p'tit resto bien sympa.

Le lac de Saint-Ferréol : à environ 3 km de Revel par la D 629 et à 60 km de Toulouse par la D 2 ou bien par l'A 61 (sortie Revel). Base de loisirs, baignade surveillée en saison estivale et attractions. De nombreuses activités sont proposées : mini-karts électriques dès 3 ans, minigolf, aéro-trampo, VTT, accro-branche, escalade, kayak, planche à voile, équitation... et plein d'autres choses (*attention,* réservation nécessaire pour certaines activités). Stages également possibles. Renseignements : *Le Bivouac,* ☎ 05-34-66-00-99 ou 06-07-41-16-00 et *Club nautique de Saint-Ferréol,* ☎ 05-61-83-54-68 ou 06-63-16-54-02. Ouvert tous les jours en été de 9 h à 19 h ; possibilité de pratiquer certaines activités au printemps et en automne : se renseigner.

LE SUD DE LA HAUTE-GARONNE

• La maison de l'Arboretum • Descente en canoë-kayak

La maison de l'Arboretum : 31350 ***Cardeilhac.*** ☎ 05-61-88-90-69. À environ 10 km au nord de Saint-Gaudens. Le massif forestier est ouvert tous les jours, en entrée libre. La maison de l'Arboretum, quant à elle, est ouverte en juillet et août tous les jours sauf les lundi et samedi de 14 h à 19 h, et en septembre et octobre le dimanche uniquement, de 14 h à 19 h. Visite guidée de l'Arboretum : 5 € (à 15 h, pour un minimum de 5 personnes) ; gratuit pour les moins de 12 ans.
Il existe 4 bonnes raisons de vous rendre à l'Arboretum. D'abord parce que le Sud de la Haute-Garonne est souvent mal connu. Or, vous, ami routard,

vous songez à en découvrir toujours plus. Ensuite, parce que l'Arboretum, étalé sur 13 ha, contient une centaine d'espèces provenant de 4 continents. Or, vous, fidèle routard, n'avez de cesse d'aller toujours plus loin, de dépasser les frontières, traverser les pays et avoir ainsi un échantillon des végétaux de votre planète. Troisième raison, parce qu'un massif forestier de 1 000 ha s'ouvre pour vous avec ses sentiers balisés. Or, vous, voyageur au long cours, aimerez entrer en contact avec la nature et choisir un type de promenade pédestre, équestre, ludique (deux circuits jeux pour les 3-6 ans qui doivent chercher le lutin Ilex et un autre pour les 7-12 ans, qui, eux, partent à la recherche de la cabane du lutin) ou sportive. Enfin, parce que la maison de l'Arboretum met à votre disposition des guides avertis, et que vous, routard érudit, après avoir fait travailler votre corps, vous pourrez exercer votre tête. Week-end autour des produits de la forêt en octobre : animation, dégustation, etc.

– ***Canoë-kayak :*** base de plein air d'***Antignac.*** ☎ 05-61-79-19-20. À 4 km de Luchon. Ouvert d'avril jusqu'aux vacances de Toussaint. Pour tous les niveaux : de l'initiation aux descentes sportives. Excellent encadrement et matériel fourni (combinaisons, gilets, casques, etc.). Seul impératif : savoir nager ! Pour le reste, faites-leur confiance, Luchon est labellisé « Station Kid », et vos enfants sont donc dans de bonnes mains. Balades en raft également. Week-ends toniques sur la rivière Noguera Pallaresa, au milieu de paysages superbes.

RODEZ

Dans les environs : le château du Colombier • Conques • Le musée régional de Géologie Pierre-Vetter • Le musée de la Mine Lucien-Mazars • Le parc animalier de Pradinas • La base de loisirs de Najac • Le château de Calmont-d'Olt • L'abbaye de Bonneval

De Villefranche de Rouergue à Espalion en passant par Rodez, l'Aveyron est une véritable terre de contrastes, comme l'évoquent les dépliants touristiques. Ici, c'est vraiment le pays des grands espaces, et vous y découvrirez un environnement très bien préservé, parfaitement adapté pour vos petiots. Les offices de tourisme se soucient d'ailleurs tout particulièrement de nos bambins en proposant diverses activités en saison (bien se renseigner) et en mettant à leur disposition de nombreux livrets pour bien découvrir les différents pays et villes du département.

RODEZ

L'office de tourisme (☎ 05-65-68-02-27) a eu l'idée géniale de se préoccuper intelligemment des enfants entre 7 et 12 ans, afin de laisser aux parents un peu de temps libre. C'est dans cette optique que les jeunes visiteront Rodez sur le thème suivant : ***Sur les pas d'un enfant au Moyen Âge.*** Puisque ces visites ont lieu en juillet et août le mercredi matin à 10 h, les parents pourront aller faire un tour au marché en même temps, place du Bourg. Mieux qu'une baby-sitter, non ?

Le musée Fenaille : 14, rue Raynaldy, 12000 ***Rodez.*** ☎ 05-65-73-84-30. • musee-fenaille@wanadoo.fr • Ouvert tous les jours de 10 h à 12 h et de 14 h à 18 h, sauf le lundi. Ouvert de 13 h à 19 h le mercredi et samedi et de 14 h à 18 h le dimanche. Entrée : 3 € ; réductions. Visite guidée possible sur réservation.

Voilà presque 15 ans qu'on l'attendait ce joyau culturel, dont Rodez avait besoin. Inauguré en juillet 2002, il présente la plus importante collection en Europe occidentale de statues-menhirs, dont « la dame de Saint-Sernin », la plus connue. Tout commença grâce à l'abbé Hermet, qui par un jour de 1888 découvrit cette première statue et lui donna ce nom. Vieilles de plus de 5000 ans, dans l'ensemble découvertes dans le Sud du département, ces œuvres restent encore une vraie énigme. Quand et quelles civilisations pouvaient bien être à l'origine de ces sculptures? Petits menhirs joliment sculptés, on y distingue bien ceux illustrant un homme ou une femme... voire les deux? et où ne sont jamais représentées ni les oreilles, ni la bouche. Le musée Fenaille c'est aussi 3 étages retraçant l'archéologie et l'histoire du Rouergue : casque de cavalier et chapiteau gallo-romain en bronze, mosaïque, vitraux, tapisseries... et l'hôtel particulier de Jouéry avec son puits et ses balustrades en bois. Spacieux et esthétique, on peut le visiter à la carte selon son temps et ses envies, et coupler son billet avec le musée Denys-Puech situé tout près (4 €). Espaces interactifs et multimédia dont une salle d'animations pour les enfants et un livret découverte pédagogique.

Où dormir? Où manger?

|●| ***La Taverne :*** 23, rue de l'Embergue (la plus vieille rue de la ville), 12000 ***Rodez.*** ☎ 05-65-42-14-51. • www.tavernerodez.com • ♿ Fermé le dimanche, les jours fériés et le samedi midi hors saison. Congés annuels : 2 semaines début mai et 15 jours en septembre. Menu à 10 € le midi en semaine et un grand menu-carte à 14,50 €. Vitraux en façade, salle voûtée au sous-sol, et en déco, une belle collection de dessins de personnages de B.D. dédicacés. Cuisine régionale, copieuse et parfumée. Au gré des saisons : entrecôte au roquefort, *farçous, picaucels,* tripoux, aligot, pain perdu et son coulis de fraise. Prix raisonnables mais attention à certains suppléments dans les menus. Grande terrasse à l'arrière, bien au calme, sur jardin. Apéritif (le Rince-Cochon) offert aux lecteurs du *Guide du routard.*

🏠 |●| ***Le Saloon Guest Ranch :*** Landrevrier, 12850 ***Sainte-Radegonde.*** ☎ 05-65-42-47-46. Fax : 05-65-78-32-36. • www.le-saloon.com • À 6 km à l'est de Rodez, direction Sainte-Radegonde, puis Landrevier-Inières (indiqué). Ouvert le soir sur réservation uniquement et le dimanche midi. Chambres toutes équipées de 50 à 60 €; petit dej' à 7 €. Menus à 18 et 27 €. Voilà un morceau d'Amérique en plein cœur de l'Aveyron! Alain Tournier a réussi à concrétiser son rêve : un saloon plus vrai que nature et 15 ha de terre aveyronnaise pour ses chevaux, une passion authentique. À l'intérieur, on apprécie son sens du détail : mobilier en acajou, tissus rouges Far West et au plafond, tapis, photos... Évidemment, on y mange de la viande, une des meilleures du coin : entrecôtes épaisses, *spare-ribs,* côtes de bœuf grillées au feu de bois. Chambres spacieuses et décor western plutôt luxueux. Piscine avec vue sur la campagne et Sainte-Radegonde. Accueil amical. Possibilité de profiter des chevaux et des nombreuses activités proposées par Alain, comme les sympathiques sorties quad récemment mises en place, mais n'oubliez pas de réserver. Apéritif maison offert sur présentation du *Guide du routard.*

➤ DANS LES ENVIRONS

À l'ouest de Rodez

Le château du Colombier, parc médiéval : 12330 ***Mondalazac.*** ☎ 05-65-74-99-79. À 17 km au nord-ouest de Rodez sur la D 27. De Pâques à fin

septembre, ouvert tous les jours de 10 h à 18 h ou 20 h selon la saison ; d'octobre à Pâques, ouvert le mercredi, samedi et dimanche, de 14 h à 17 h. Fermé de mi-novembre à fin janvier. En juillet et août, visites du château avec animations.
Si l'on aime les animaux, l'histoire, les jardins et les jeux, le château du Colombier comblera toute la famille : un parcours en semi-liberté dans « le bestiaire vivant » pour découvrir ours, lions (au cœur de l'Aveyron !), loups, singes ou rapaces ; « le jardin d'Eden » coloré de plantes médiévales (labyrinthe en préparation), et un impressionnant château moyenâgeux recelant chevaliers et herboristes. Nombreux spectacles, animations, jeux médiévaux pour les plus jeunes. Pour une journée en extérieur qui ravira les petits et les plus grands.

Bien entendu et même si nous n'avons pas la place de lui consacrer tout un chapitre dans un guide destiné avant tout aux juniors, vous ne manquerez pas de vous arrêter à ***Conques,*** à 37 km au nord-ouest de Rodez, chef-d'œuvre du Moyen Âge. Si vos charmants rejetons ne sont pas forcément sensibles à l'art médiéval et à l'histoire religieuse, ils apprécieront le plongeon dans le temps, la promenade au cœur d'une cité à l'homogénéité quasi parfaite, et l'absence de véhicules.

Où dormir ?

Gîte Domaine de Sénos : 12320 ***Sénergues.*** ☎ 05-65-72-91-56. • www.gites-aveyron.com • Sur le GR 65, à la sortie du village de Sénergues situé à 6 km à l'est de Conques. Compter 11 € la nuitée par personne en dortoir, 14 € par personne en chambre. Demi-pension à 25 €. Petit dej' à 4,50 €. Réductions enfants. Repas possible sur demande. Une vingtaine de lits en dortoir ou en chambres de 2, 4 ou 8 personnes, dans une ancienne école religieuse remise à neuf. Accueil chaleureux d'Isabelle et de toute sa petite famille qui met la main à la pâte pour faire de ce gîte une adresse de qualité. Terrasse, chaises longues, jeux pour enfants et vue sur toute la région. Réservation recommandée l'été.

Le musée régional de Géologie Pierre-Vetter : 12300 ***Decazeville.*** ☎ 05-65-43-30-08. À un peu plus de 40 km au nord-ouest de Rodez. Ouvert du mardi au samedi de 10 h à 12 h et de 14 h à 18 h. Entrée : 3 € ; 2,60 € sur présentation du *Guide du routard ;* enfants de moins de 14 ans : 1,80 €. Adapté aux 7-14 ans, le musée initie les enfants à la géologie au travers de divers ateliers : techniques de fouilles, expérimentation sur le volcanisme, séismes... Organisation également de sorties sur le terrain.

Le musée de la Mine Lucien-Mazars : à ***Aubin*** (12110), à 4 km au sud de Decazeville. ☎ 05-65-43-58-00 ou 05-65-63-14-11 (mairie). ♿ (partiellement). De début juin à mi-septembre, ouvert tous les jours de 10 h à 12 h et de 15 h à 18 h ; hors saison, ouvert le week-end et les jours fériés de 15 h à 18 h. Entrée gratuite pour les individuels. Réaménagé en 2000 et installé sur les lieux historiques de l'exploitation, ce musée regorge de documents d'archives, photos, d'outils divers utilisés par les mineurs. Au sous-sol, reconstitution d'une galerie montrant les différents types d'étayage utilisés et le travail des mineurs. Simulation d'un coup de grisou (presque comme si vous y étiez !). Vidéo. Et n'oubliez pas de rapporter un morceau de charbon en souvenir !

Le parc animalier de Pradinas : ☎ 05-65-69-96-41. Fax : 05-65-69-91-66. À quelques kilomètres au nord-ouest de la charmante Sauveterre-de-Rouergue. Du 15 novembre à fin mars, ouvert le dimanche et pendant les

vacances scolaires de 14 h à 18 h; en avril, mai et juin, tous les jours de 14 h à 19 h (11 h le week-end); en juillet et août, tous les jours de 10 h à 20 h; de septembre à mi-novembre, de 14 h à 19 h (11 h le week-end). Entrée : 7,50 €; enfants de 3 à 14 ans : 4 €; 2,90 € par enfant sur présentation du *Guide du routard.*
Grand parc de 20 ha où cerfs, loups, lynx, antilopes, lamas, kangourous, sangliers, chevreuils, daims, mouflons et bisons se promènent en semi-liberté. Plus de 300 animaux à observer. Pour les enfants, petite ferme avec lapins, chèvres, cochons d'Inde... mais aussi jeux sur bornes interactives, vidéo et exposition concernant bois et cornes des cervidés. Selon les saisons, vous aurez la possibilité de parcourir le parc, non plus à pied mais en petit train.

– ***La base de loisirs de Najac :*** renseignements et réservations, ☎ 05-65-29-73-95. À 25 km au sud de Villefranche-de-Rouergue. Excellents encadrement et équipement pour les sports nautiques, canoë-kayak et rafting. Initiation et hébergement (camping et gîte d'étape). Avec, en amont, la base nautique de *Monteils* et, en aval, *Laguépie.* Descente en eau calme ou en eau vive suivant son expérience (retour assuré, bien entendu). Location de canoës-kayaks pour les randonnées libres.

Où dormir? Où manger dans le coin?

|●| ***La Salamandre :*** rue du Barriou, 12230 ***Mondalazac.*** ☎ 05-65-29-74-09. À l'entrée de la rue qui mène au château. Ouvert toute l'année sauf un mois en hiver et le mercredi hors saison. Menus à 6,10 € (plat du jour), 9,20 € (formule plat du jour + dessert), 15 ou 19 €. Accueil très gentil dans ce restaurant sans prétention mais à la cuisine franche, de terroir (saucisses, magret, salades, tarte aux champignons, fromages de pays...), offrant surtout une impressionnante vue sur le château depuis la terrasse arrière. Magique! Les produits sont frais et du coin, les desserts maison, et le jeune patron est revenu au pays après avoir fait ses « classes » dans les brasseries parisiennes.

⌂ |●| ***Le Belle Rive :*** Le Roc-du-Pont, 12270 ***Najac.*** ☎ 05-65-29-73-90. Fax : 05-65-29-76-88. • hotel.bellerive.najac@wanadoo.fr • ♿ Fermé de la Toussaint à début avril. Chambres doubles de 48 à 52 € selon la vue, avec douche ou bains. Demi-pension : 48 à 51 € par personne. Menus de 15 à 35 €. Splendide cadre de verdure au pied de la bastide, au calme, dans l'un des méandres de la rivière. Un hôtel agréable, équipé dans un environnement propice au repos et à la détente : piscine, tennis, billard, et baby-sitting si besoin donnent d'ailleurs à l'endroit un petit côté club de vacances familial pas désagréable. Chambres claires et plaisantes. Exemple de menu : filet de sandre au jus de veau, pavé de bœuf d'Aubrac au jus de truffe, fromage de pays et dessert maison. Que demande le peuple?... une promenade digestive! Service en terrasse aux beaux jours. Apéritif offert à nos lecteurs sur présentation du *Guide du routard.*

À l'est de Rodez

👁👁 ***Le château de Calmont-d'Olt :*** 12500 ***Espalion.*** ☎ 05-65-44-15-89. • www.calmontdolt@free.fr • ♿ Pour s'y rendre depuis Espalion prendre la route de Rodez, puis c'est fléché. Ouvert en mai, juin et septembre de 10 h à 12 h et de 14 h à 18 h; en juillet et août, de 9 h à 19 h et pendant les vacances scolaires de février, de Pâques et de la Toussaint de 14 h à 18 h. Entrée : 3,81 €; enfants : 3,05 €. Sur présentation du guide, tarif enfant appliqué à toute la famille.
Dominant toute la région avec son superbe panorama, voici le château et la visite qui vous catapultent dans le Moyen Âge. Édifié aux XIe et XIVe siè-

cles, il a appartenu aux puissants seigneurs de Calmont. Une enceinte flanquée de 8 tours l'entoure complètement. Autour du château ont été reconstituées machines de guerre infernales du Moyen Âge (catapulte, archerie, couillard) animées par des « chevaliers » du château. Combats, techniques de défense... dans une ambiance conviviale et familiale. Alors, à vos heaumes et cottes de maille ! Nombreuses animations et spectacles pour les plus jeunes, avec un diplôme de Chevalier à la clé.

*** L'abbaye de Bonneval :*** à 8 km au nord d'Espalion, route de Saint-Flour. À 3 km, indiqué sur la droite. Au fin fond d'une vallée, une surprenante abbaye cistercienne, fondée en 1147, qui ne se visite pas, mais qui abrite des sœurs qui ont transformé le lieu en... chocolaterie depuis 1878 ! Ça se sent à des kilomètres à la ronde, et on ne s'en plaint pas quand on arrive dans leur petite boutique où elles vous présentent leur gamme de tablettes. Fournies en cacao par des moines camerounais, elles font un chocolat à l'ancienne qui est un régal.

Où dormir ? Où manger dans le coin ?

Le Marmotel : près du bourg de Saint-Geniez-d'Olt, sur la D 988. ☎ 05-65-70-46-51. Fax : 05-65-47-41-38. • www.marmotel.com • Ouvert de début mai à mi-septembre. Emplacement camping pour deux de 22 à 25 €. Compter 290 € par semaine pour un bungalow de 2 ou 3 personnes en pleine saison. Autres formules de chalets plus grands. Luxueux camping en pleine nature. Deux belles piscines climatisées, tennis, nombreuses animations pour les enfants, restauration. Apéritif offert à nos lecteurs sur présentation du *Guide du routard.*

L'Eau Vive : 27, bd de Guizard, 12500 **Espalion.** ☎ 05-65-44-05-11. Fax : 05-65-48-06-94. Fermé le dimanche soir et le lundi sauf en juillet et août, ainsi qu'une quinzaine de jours début janvier et de mi-novembre à début décembre. Chambres doubles ou triples de 40 à 54 € ; possibilité de rajouter gratuitement un petit lit pliant. Menus de 11 €, en semaine, à 41 € ; menu-enfants à 8,50 €. Sa façade ocre à colombages genre chalet d'opérette permet de repérer facilement cette maison d'exception dans laquelle on aimerait vraiment avoir son rond de serviette. On s'en pourlèche encore de bonheur. Côté chambres, la moitié ont été entièrement rénovées, les autres, encore « dans leur jus », sont les moins chères, équipées d'une douche. Ensemble bien tenu et très bon accueil. Apéritif offert sur présentation du *Guide du routard.*

Le Méjane : 8, rue Méjane, 12500 **Espalion.** ☎ 05-65-48-22-37. À deux pas et demi du pont médiéval, sur la rive gauche. Fermé le mercredi et le dimanche soir hors saison, le lundi en juillet et août, et pendant les vacances de février. Formule avec plat du jour à 15 € le midi en semaine ; 3 menus de 21 à 34,50 € ; menu-enfants à 10,50 €. Resto sympa, tenu par des jeunes proposant une cuisine régionale revisitée façon « nouvelle ». Déco intérieure dont certains pourraient dire qu'elle est de mauvais goût. Bon rapport qualité-prix. Réservation recommandée.

VERS LE CAUSSE DU LARZAC

• Micropolis • Le chaos de Montpellier-le-Vieux • Le vélorail du Larzac • Le pays de Roquefort • Pastoralia

Micropolis, la cité des Insectes : 12780 **Saint-Léons.** ☎ 05-65-58-50-50. Fax : 05-65-58-50-58. • www.micropolis.biz • Extrêmement bien flé-

ché, situé entre Millau et Rodez, sur la D 11, à 19 km au nord-ouest de Millau et à 45 km au sud-est de Rodez. En juillet et août, ouvert tous les jours de 10 h à 19 h ; en juin et septembre, tous les jours sauf le lundi, de 10 h à 18 h ; le reste de l'année, tous les jours sauf le lundi, de 11 h à 17 h. Fermé en janvier et février. Entrée (visite + projection d'un film) : 9,40 € ; enfants de 5 à 17 ans : 7 € ; sur présentation du *Guide du routard* : 8,60 € par adulte et 6,20 € par enfant.
La grosse attraction du département, un véritable pôle qui attire une foule de touristes. Là encore, si vous pouvez commencer la visite dès l'heure d'ouverture, ce sera mieux. Micropolis, c'est un corps de bâtiment ultra-moderne, épousant l'environnement naturel. Ça tombe bien lorsqu'on veut parler de la vie des insectes. Des lignes horizontales ondulantes et plus de rectitude dans les verticales, c'est beau. Une rampe d'accès toute de béton travaillé fait office de sas. On oublie le monde extérieur en traversant ce large boyau façon Le Corbusier, on change d'univers. Une fois dans la cité, les différences d'âge et de taille sont comme gommées. Chacun, petit ou grand, part découvrir à son rythme le site, selon son envie et ses centres d'intérêt. À l'origine du projet, le département qui a acheté les rush (partie du film non utilisée et inédite projetée en salle) du film *Microcosmos*. De là, l'idée de réaliser un site dans l'esprit et la continuité du film. Et d'un seul coup, plein de fausses idées sont balayées : saviez-vous par exemple que l'araignée, le mille-pattes ou le cloporte ne sont pas des insectes ? Puis on fait des rencontres, de la ruche géante aux différents types de fourmilières, toutes comme de grands vivariums, en passant par de nombreuses bornes interactives. Un petit bonjour aussi à la punaise des bois, appelée gendarme (la voilà, la micro-police !). On s'étonne, on frissonne, on se passionne. Ruche géante en extérieur, serre à papillons tropicaux (où l'on peut assister à la sortie de chrysalide des nouveaux papillons), 40 vivariums présentant des insectes dans une salle voûtée en terre crue ainsi qu'une quinzaine de nids de fourmis observables sur grand écran. À coup sûr, des vocations vont naître. On apprend en découvrant, les insectes ont tant à nous livrer si l'on prend le temps de les observer. Jean-Henri Fabre, entomologiste et célébrité locale, le savait bien. S'il voyait Micropolis, il n'en croirait pas ses yeux. Quel bel hommage aussi !

*** ***Le chaos de Montpellier-le-Vieux :*** à 16 km de Millau. ☎ 05-65-60-66-30. Pour s'y rendre, de Millau, prendre la superbe D 110 qui s'envole vers le causse Noir et livre un panorama unique sur Millau ; site de Montpellier-le-Vieux bien indiqué ; une petite route y mène. Ouvert de fin mars à début novembre de 9 h 30 à 18 h (19 h en juillet et août). Entrée : 5 € ; enfants de 6 à 13 ans : 3 €. Un petit train commercial situé en dehors du circuit pédestre permet l'accès du site aux personnes âgées et handicapées. Avec le billet, on vous remet un plan complet du site proposant différentes balades à effectuer suivant vos forces et le temps dont vous disposez. Méfiez-vous, en été, le soleil tape fort !
Un fantastique chaos de roches qui fait irrésistiblement penser aux ruines d'une ville fantôme pétrifiée. Sur un promontoire escarpé, sur 120 ha environ, des milliers de roches étrangement découpées ou déchiquetées dégringolent des pentes abruptes. Effet saisissant ! Leurs formes rappellent parfois curieusement des portes antiques, des monuments déchus ou des figures familières (humaines ou animales). À interpréter suivant son imagination. Au printemps, des myriades de fleurs, dont plusieurs variétés rares. L'itinéraire principal, balisé en rouge, demande un peu moins de 2 h. Une variante courte (30 mn) permet d'accéder avant tout au point de vue du Dominal. L'itinéraire bleu (balisé en bleu et rouge) est le plus facile (pas d'escalier) et très rapide (30 mn). Il mène au belvédère. Enfin, au bout du parcours rouge, pour ceux qui veulent prolonger l'enchantement, prendre l'itinéraire jaune (balisé en jaune).

Même si vous êtes un peu loin de ce site, nous vous conseillons vraiment de vous y rendre. D'abord parce que c'est magnifique et sauvage et qu'on ne se lasse jamais de contempler les merveilles que produit la nature. Ensuite, parce que c'est une balade agréable qui convient à tout le monde, petits et grands.

Où dormir ? Où manger ?

⛺ 🍽 ***Camping à la ferme La Tacherie :*** à ***Saint-Beauzély,*** à quelques km au nord de Millau. ☎ 05-65-62-00-38. Compter 15 € par jour pour 2 adultes et 1 enfant en camping. Ferme-élevage de brebis laitières pour la fabrication du roquefort, qui propose également des animations : conduite du troupeau, traite... Piscine, pataugeoire et jeux pour les enfants. À disposition : sanitaires, coin cuisine, lave-linge, barbecue.

🏠 ***La villa des Pins :*** hameau de Conclu, 12520 ***Verrières.*** ☎ 05-65-58-82-32. Fax : 05-65-58-82-34. À 15 km au nord de Millau. Compter 85 € pour 4 personnes, petit dej' compris. Possibilité de table d'hôte, 17 € par adulte et 9 € par enfant. Quatre chambres claires et spacieuses (2 chambres pour 4 personnes et 2 chambres pour 3 personnes) qui s'ouvrent sur un grand parc. Piscine et pataugeoire pour les plus jeunes. Grande salle commune avec cheminée. Jeux intérieurs et extérieurs pour les enfants. Bref, une adresse idéale pour les familles.

➢ ***Le Vélorail du Larzac :*** gare (désaffectée) de ***Sainte-Eulalie.*** ☎ 05-65-58-72-10 ou 06-81-66-63-49. Sur les hauteurs de la ville à 2 km en sortie de ville en direction du Viala-du-Pas-de-Jaux. Bien indiqué. Ouvert toute l'année sur réservation et de Pâques à Toussaint avec une permanence sur le site. De 12 à 14 € selon le parcours ; gratuit pour les moins de 12 ans. Sur réservation uniquement.
Voilà notre coup de cœur dans le Larzac. Premièrement parce que Jean-Paul, instigateur de ce beau projet, est sympa, et parce qu'en plus la balade est très agréable, familiale et ne demande pas un entraînement spécifique, bien au contraire. À l'origine, une voie ferrée peu utilisée, abandonnée puis récupérée par l'armée avant que notre « chef de gare » suggère d'en racheter ce tronçon pour en faire un vélorail. Banco, l'armée adore et cautionne le projet. On peut donc, tout en pédalant à quatre par vélo, surplomber la vallée, traverser des viaducs et des tunnels ou découvrir un cirque ruiniforme (rochers sculptés). Simple et convivial. Départ à heure fixe, compter 2 h, prévoir une casquette et une bouteille d'eau.

🚶 ***Le pays de Roquefort :*** intéressant pour les familles et surtout pour les enfants, un passeport est distribué à l'office de tourisme de Roquefort (☎ 05-65-58-56-00). Sympa et pratique, ce guide donne plein de tuyaux pour des vacances en famille. Les juniors de 6 à 12 ans seront ravis d'avoir des informations adaptées à leur âge sur les visites et les jeux à faire dans la région. Si vous avez décidé de tout savoir sur ce fromage qui participe à la réputation mondiale de la France en matière de gastronomie, ne tardez plus à vous rendre dans ces caves, et n'oubliez pas votre petite laine : la température sous terre oscille entre 8 et 13 °C !
– ***Visite des caves de Roquefort :*** 12250 ***Roquefort-sur-Soulzon.*** À environ 20 km au sud de Millau. Prendre la direction Saint-Affrique-Albi. Deux caves assurent la visite :
– *Société :* ☎ 05-65-59-93-30. Visite tous les jours sauf à Noël et le Jour de l'an. Téléphoner pour les horaires d'ouverture. Entrée : 2,30 €. Visite guidée d'1 h avec maquette animée, vidéos, son et lumière, parcours dans le dédale des caves, explication en long, en large et en travers de la confection du fromage, et (vous l'avez bien mérité) dégustation finale. Font également bar à fromage de Pâques à fin septembre.

– *Papillon :* ☎ 05-65-58-50-08. En juillet et août, visite tous les jours de 9 h 30 à 18 h 30; de septembre à juin, de 9 h 30 à 11 h 30 et de 13 h 30 à 17 h 30. Entrée gratuite. Parfois pas mal d'attente, mais la visite vaut vraiment le coup.

Parents savants : ***l'origine du roquefort***

Le roquefort serait né d'une histoire d'amour. Un jeune pâtre du Causse, tombé amoureux d'une jolie bergère, en oublia son morceau de pain et son caillé de brebis dans un coin de la roche du Combalou. Lorsqu'il retrouva par hasard ses victuailles quelques mois plus tard, son caillé était couvert de veinures vert-bleu, ensemencé spontanément par la moisissure du pain. Le berger goûta et trouva le résultat délicieux.

Pastoralia, le monde des Brebis : la Cazotte, 12400 ***Saint-Affrique.*** ☎ 05-65-98-10-23. • c3r@wanadoo.fr • Indiqué en sortie de ville sur la droite, en direction d'Albi. De l'autre côté de la Sorgues. Ouvert du lundi au vendredi de 10 h à 12 h et de 14 h à 18 h; tous les jours de 10 h à 18 h de fin avril à début septembre. Entrée : 3,80 €; réductions. Environ 1 h 30 de visite. Dans une bergerie à l'architecture moderne, découvrez le monde réel de la brebis : techniques d'élevage, la traite, les races, les produits qui découlent de son élevage (viande, peau, laine, lait). Conçu avant tout de façon extrêmement pédagogique et ludique, vous serez conquis par les petites brebis et vous dégusterez votre part de roquefort désormais d'un autre œil. Vidéo sur le roquefort et les brebis de Lacaune et enclos extérieur pour rencontrer la star.

Où manger?

Restaurant La Pourtanelle : 12250 ***Saint-Jean-d'Alcas.*** ☎ et fax : 05-65-49-44-87. Ouvert toute l'année. Menus de 13,50 à 19 €. Au cœur de cette surprenante cité, une petite auberge à l'accueil chaleureux et à la cuisine tout aussi douce. La pause y est agréable, et on se prélasse autour de ces tables en bois à discuter avec Didier, tout en dégustant du confidou, des tripoux aux cèpes, une bonne assiette de charcuterie, un morceau de roquefort ou le dessert du jour. Vraiment sympa.

CAP'DÉCOUVERTES

Dans les environs : la ferme animalière de Bellevue • Le muséum d'Histoire naturelle de Gaillac • Le TMG

CAP'DÉCOUVERTES

À ***Blaye-les-Mines*** (81400). ☎ 05-63-80-15-00. • www.capdecouverte.com • Près de Carmaux, à une dizaine de kilomètres au nord-est d'Albi. Ouvert tous les jours de 10 h à 20 h en juillet et août. Se renseigner pour les autres périodes de l'année. L'accès au site est libre, mais les activités sont payantes. Dévalkart : 3 € par passage; luge : 3 €; téléski nautique : 2,80 €; location de vélo pour une demi-journée : 9 €; ski (remontée et location de matériel) : 11 € par adulte pour une demi-journée. Entrée au musée de la

Mine : 7 € par adulte, 4 € par enfant (5 à 11 ans). Forfait parc des Titans + jardin du Carbonifère : 4 € par adulte, 2,50 € par enfant. Forfait musée de la Mine + parc des Titans + jardin du Carbonifère : 8,80 € par adulte et 5 € par enfant.

L'ex-mine à ciel ouvert de Carmaux a été reconvertie en pôle multi-loisirs, pour la plus grande joie des amateurs de glisse. Dans un site impressionnant, sur les flancs de ce cratère artificiel, le plus grand d'Europe (240 m de profondeur et 1 400 m de diamètre), on peut pratiquer toute l'année une quinzaine de disciplines différentes. À vous de choisir ; luge sur rail sur 800 m de descente à 40 km/h, piste de ski synthétique, tyrolienne de 1 200 m de long, mais aussi Dévalkart (des karts sans moteur dotés de pneus à basse pression).

Ceux qui préfèrent la glisse sur l'eau n'ont pas été oubliés. Il suffit de prendre le télésiège pour descendre vers le lac et profiter des bassins ludiques et des toboggans, du téléski nautique, ou tout simplement de la plage de sable.

Autre atout de Cap'Découvertes : 35 km de pistes cyclables mais aussi pour les ados un stade de skate de 1 200 m².

Cap'Découvertes comprend également 2 autres pôles ; l'un dédié à la mémoire de la mine et l'autre au spectacle.

– Le 1er pôle regroupe le *parc des Titans,* exposition impressionnante des gigantesques machines qui ont creusé la mine à ciel ouvert, le *jardin du Carbonifère,* parcours évoquant l'évolution des espèces végétales depuis l'ère du carbonifère jusqu'à nos jours, ainsi que le *musée de la Mine* qui existait déjà auparavant. Des travaux d'agrandissement et de modernisation ont permis de mettre en place un véritable parcours spectacle qui présente la vie quotidienne des mineurs, ainsi qu'une histoire des flux d'immigration, le tout avec des effets spéciaux (simulation d'un coup de grisou) réussis et des documents sonores bien choisis. L'ensemble donne une reconstitution fidèle et efficace (on s'y croit) des sensations et du travail des mineurs de fond. Le musée retrace l'évolution des techniques de l'exploitation du charbon du XIXe siècle jusqu'à l'époque moderne : depuis la lampisterie à l'exploitation « au jour », en passant par la gare souterraine des wagonnets, les galeries de creusement, les chantiers d'abattage mécanisés, les engins camions tracto-chargeurs et... la machine de creusement sur chenille « alpine mixer ». On y apprend plein de choses passionnantes : que le Tarn était, en 1900, le 2e département industriel de France, que l'immigration de travailleurs d'Europe de l'Est était organisée avec soin (on faisait même venir des instits du pays pour que les Polonais n'apprennent pas le français et ne côtoient pas les agitateurs syndicalistes). Les travailleurs vivaient dans des cités séparées, par nationalités : il y en avait près de 40 différentes, et Solages, le proprio auquel s'opposa Jaurès, jouait habilement des unes contre les autres. Un moment bien passionnant !

– Le 2nd pôle s'intéresse au spectacle : un espace de 20 ha est destiné à accueillir de grandes manifestations estivales, un théâtre de verdure près du lac a été aménagé pour toutes sortes de spectacles son et lumière. Et les amateurs de musique actuelle ne manqueront pas de se procurer le programme des 2 salles de spectacle de la maison de la Musique.

Où dormir ?

Camping municipal : au bord du Cérou, 81640 ***Monestiès-sur-Cérou.*** ☎ 05-63-76-19-17. • monesties@wanadoo.fr • Ouvert du 15 juin au 15 septembre. Compter 8 € pour deux. Très bien situé. 22 beaux emplacements (oui, c'est petit !) noyés dans la verdure et rafraîchis par le

Cérou. Tennis pas très loin. Bon marché. S'il n'y a personne à l'accueil, pas de problème : faites comme chez vous et plantez la tente, le responsable passera plus tard.

La ferme animalière de Bellevue : ☎ 05-63-76-11-77. Bien indiqué depuis la route de Cordes et du Ségur. Ouvert tous les jours. Entrée : 5 € plein tarif pour la visite seule; 7 € pour visite, utilisation de l'aire de pique-nique, piscine et aire de jeux.
Ici, on se bat pour la préservation de pas mal de races en voie de disparition. Découvrez 100 races différentes. Il y en a d'étonnantes : mouton à quatre cornes, cochon laineux du Vietnam, chèvre angora, highland écossais, kangourou, wallaby, lama, paon blanc, etc. Possibilité de repas campagnard, coin pique-nique, cochon à la broche (sur commande). Aire de jeux. Piscine à la disposition des visiteurs. Également un resto ouvert tous les jours : cochon à la broche tous les dimanches au déjeuner, ainsi que les jours fériés (de 23 à 43 € par personne, entrée, dessert et vin compris); en semaine, les produits de la ferme. Ils viennent d'ouvrir des dortoirs, assez spartiates mais propres (19 € par personne) qui peuvent être un bon plan pour les familles nombreuses. Accueil adorable. Apéro, café, petit dej' et 10 % sur le prix de la chambre pour nos lecteurs.

Où dormir ? Où manger ?

Chambres d'hôte Le Pignié : chemin du Pignés, 81380 ***Lescure-d'Albigeois.*** ☎ 05-63-60-44-31. • lepignie.deschamps@wanadoo.fr • À 5 km du centre-ville d'Albi, à gauche en allant vers Carmaux; mal fléché. Fermé pendant les vacances de la Toussaint. Chambres doubles à 43 et 45 €, petit dej' compris. Une belle propriété albigeoise où trois corps de bâtiments entourent une jolie piscine. Chambres toute neuves, vastes et indépendantes, avec de belles salles de bains. Également une table d'hôte à 14 €. Barbecue sur la terrasse à disposition des hôtes. Accueil très aimable (même le chien est sympa). Apéro offert sur présentation de ce guide.

Le muséum d'Histoire naturelle de Gaillac : 2, pl. Philadelphe-Thomas. ☎ 05-63-57-36-31. De Pâques à la Toussaint, ouvert tous les jours sauf le mardi, de 10 h à 12 h et de 14 h à 18 h; le reste de l'année, ouvert le vendredi et le week-end aux mêmes horaires. Entrée : 2,30 €. Mal indiqué : pour y aller, du centre de Gaillac prendre la direction Graulhet-Toulouse; à peine sorti de la vieille ville, on franchit un pont : le musée se trouve à 100 m de ce pont, sur la droite de la chaussée.
Le docteur Philadelphe Thomas légua en 1911 sa demeure et sa collection à la ville de Gaillac. Ses collections, devrait-on dire, car elles sont multiples : insectes, reptiles, oiseaux, crustacés, minéraux, fossiles... Extrêmement étonnant. Sur les trois niveaux de cette bâtisse à l'atmosphère fantastique, plusieurs milliers d'éléments sont exposés, classifiés et étiquetés de la main même du docteur Philadelphe Thomas. Charme désuet des noms latins et des pleins et déliés de la plume. Invraisemblables boîtes scientifiques où sont épinglés des peuples d'insectes, charançons divers, scarabées, termites... Cigales magnifiques et goliath à faire peur. Quant à la scolopendre mordante, monstrueux mille-pattes de 30 cm, mieux vaut la voir ici que la trouver dans son lit : morsure foudroyante.
Autre curiosité, la vitrine des palmipèdes. On n'est guère habitué à voir les oies, canards et autres cygnes ailleurs que barbotant dans les étangs des jardins publics. Ici, ils se tiennent en rangs, par dizaines, naturalisés, immobiles depuis des lustres, et il y a quelque chose d'étrange et morbide dans

cette exposition. Superbe crâne d'*Entelodon magnum* : 35 millions d'années et toutes ses dents ! Unique en Europe dans cet état de conservation.
On notera aussi la richesse insoupçonnée des classifications : ainsi des mollusques, subdivisés en gastéropodes (« gastéwopodes », dirait Pollux) et lamellibranches (moules, huîtres, etc.), et pouvant être à hélice némorale, lactée, etc. Quelle science ! Et quelle patience ! Vraiment, ce Philadelphe Thomas nous a impressionnés. Sa maison est d'ailleurs le plus important musée d'Histoire naturelle de la région Midi-Pyrénées et l'un des tout premiers en France pour sa valeur scientifique.

Le TMG *(Train miniature gaillacois)* **:** direction Cordes, puis à 2,5 km à gauche, chemin de Toulze, le TMG se trouve sur la gauche de la route. ☎ 05-63-41-00-93. Entrée : 2 € pour les enfants de 4 à 10 ans, 3,50 € pour les adultes. En été, fonctionne tous les jours de 14 h à 18 h ; le reste de l'année, le week-end (d'octobre à mars, le dimanche, et dès le 1er avril, aussi le samedi), les jours fériés et pendant les vacances scolaires.
Vous connaissiez le TGV, eh bien voici le TMG. Nostalgie, quand tu nous tiens ! Tous anciens de la SNCF, des amoureux du rail ont reproduit gares et voies ferrées régionales sur un plateau d'environ 10 m x 4 m. 1 000 m de voies, 50 locos et 200 wagons, et toute la technique ferroviaire (commandes centralisées et tableau de bord plein de boutons lumineux, on se croirait dans un Boeing)...
– Et les vrais amateurs iront aussi voir le réseau (plus petit mais plus réaliste) de l'*Amicale gaillacoise de Modélisme ferroviaire* : 4, rue du Boutgé. Près du parc Foucaud. Ouvert en juillet et août tous les jours de 15 h à 18 h. Entrée : 2 €. Association dissidente, ce qui entretient une saine émulation.

Où dormir ?

Les Chalets de Fiolles : route de Montans, 81600 ***Brens.*** ☎ 05-63-57-69-67. Fax : 05-63-57-65-22. • langues.loisirs81alt@wanadoo.fr • ♿ De Gaillac, prendre la D 87 en direction de Lavaur ; à moins de 3 km, tourner à droite (bien indiqué). Par l'A 68 (Albi-Toulouse), sortie 9. Ouvert toute l'année. Compter 50 € la nuit. En pleine campagne, en bord de Tarn, beaux chalets proposant 2 chambres, salle de bains, cuisine équipée, terrasse, etc. Fort bien tenu. En outre, prix encore plus intéressants à la semaine et au mois. C'est aussi une école de langues, donc plein d'étrangers. Accueil sympathique, calme assuré (ancienne propriété viticole), salle commune, lave-linge, jeux pour enfants, barques pour se promener sur le Tarn, etc. Pour nos lecteurs, un vin de Gaillac et une peinture personnalisée offerts pour tout séjour d'une semaine.

TARASCON-SUR-ARIÈGE : LE PARC DE LA PRÉHISTOIRE, LA GROTTE ET LE MUSÉE PYRÉNÉEN DE NIAUX

Dans les environs : la ferme aux Ânes • La maison des Loups • Les forges de Pyrène • La rivière de Labouiche

Avec 13 grottes ornées de peintures rupestres, l'Ariège dispose d'un patrimoine exceptionnel, que son conseil général a voulu mettre en valeur avec la création de ce parc.

LE PARC DE LA PRÉHISTOIRE

Au lieu-dit ***Lacombe,*** route de Banat, 09400. ☎ 05-61-05-10-10. Accès fléché au départ de Tarascon. Ouvert de début avril à mi-novembre tous les jours de 10 h à 18 h (20 h en juillet et août, 19 h le week-end et les jours fériés). Entrée : 9 €; de 5 à 18 ans : 5,50 €; forfait famille : 25 €.

En pleine nature, planté au milieu d'un formidable terrain de jeux pour les enfants (cascades et torrents, lac, labyrinthe végétal ou labyrinthe des sons avec 3 parcours sonores différents : bruits d'animaux, bruits d'insectes et de la nature, parcours musical) s'élève un bâtiment futuriste : le *Grand Atelier.* L'intérieur est vaste, sombre et silencieux, si ce n'est le bruit de gouttes d'eau qui s'écrasent sur le sol. Une grotte? Oui, celle de Niaux (dont la visite s'avère idéalement complémentaire) mise en scène grâce à une technologie résolument moderne plutôt que platement reconstituée.
Le long de l'émouvante *dune des Pas* où des empreintes de pieds d'enfants sont inscrites depuis des milliers d'années, débute pour le visiteur, casque à infrarouges sur les oreilles, un fabuleux voyage dans le temps : diaporama géant sur l'universalité de l'art préhistorique, jeux d'eau, son et lumière, rencontre en vidéo avec des scientifiques (l'occasion, enfin, de tout comprendre à la datation au carbone 14!), longue maquette en coupe de la grotte pour montrer le lent cheminement de ces Magdaléniens qui ont traversé 800 m de galeries pour, enfin, trouver un lieu à la hauteur de leurs ambitions artistiques, le *salon Noir.* Le parcours s'achève, bien sûr, devant les 20 m de paroi de ce fameux salon Noir. Un fac-similé sur lequel bouquetins et bisons ont été dessinés – sous le regard vigilant de Jean Clottes, LE spécialiste de Niaux – tels qu'il y a 12000 ans, retrouvant des détails effacés par le temps sur les originaux. Saisissante expérience que de découvrir ce salon Noir, dans une lumière qui évoque la flamme tremblante d'une torche. On ne s'étonnerait guère d'y rencontrer un de nos lointains ancêtres mettant la dernière touche à son œuvre!
Le parc a instauré des ateliers à vocations pédagogique, ludique et scientifique. Un animateur exécute une démonstration en public, avec explication de sa démarche. Puis il invite les enfants à participer activement à l'apprentissage de ces techniques. Les jeunes ont la chance de pouvoir pratiquer : fouilles archéologiques (après avoir compris les méthodes de quadrillage du site, de décapage, photographie et carroyage); initiation au lancer sur des cibles représentant des animaux de la préhistoire, grâce à des propulseurs, redoutables armes de chasse des Magdaléniens (projection à plus de 100 m, pour une vitesse de 50 m/s) fabriquées en bois de renne et terminées par un crochet; atelier de peinture pariétale : une fois la paroi humidifiée et le dessin tracé, chacun choisit colorants et ustensiles (doigts, pinceaux archaïques, tampons de peau), puis commence son chef-d'œuvre, qu'il ne pourra pas emporter... Il existe encore un atelier pour apprendre à tailler des silex et en faire des outils. Enfin, les amateurs du feu apprendront deux techniques primitives d'allumage, soit par percussion entre éléments minéraux, soit par friction de morceaux de bois. Vous qui avez toujours rêvé de jouer aux hommes des cavernes et d'exercer vos mains plus ou moins agiles, le parc de la Préhistoire vous attend!
Le Bouquetin : dans le parc. Premier menu à 12 € et menu-enfants à 8 €.

LA GROTTE DE NIAUX

À 4 km au sud-ouest de Tarascon (sur la D 8), puis petite route montant en lacet. ☎ 05-61-05-88-37. De juillet à septembre, visites toutes les 45 mn, en groupes de 20 personnes, de 9 h 15 à 11 h 30 et de 13 h à 17 h 30; hors saison, visites à 11 h, 14 h 30 et 16 h. Réservation obligatoire toute l'année. Entrée : 9 €; enfants : 5,50 €. Pass famille : 25 €.

¶¶ L'entrée de la grotte est impressionnante, comme le sont les galeries à l'intérieur (ne pas oublier sa petite laine). Niaux est considérée comme l'une des plus importantes grottes d'Europe pour la qualité de ses peintures rupestres. D'époque magdalénienne (12000 ans av. J.-C.), elle n'a d'égale que celle de Lascaux. Dans le *salon Noir,* on peut admirer bisons, chevaux, bouquetins peints dans les tons noirs avec un vigoureux réalisme et une grande variété de détails. Surtout, les artistes de l'époque firent la preuve de leur immense talent en mettant à profit les contours naturels de la roche pour créer relief et perspective. D'autres salles sont ornées de signes mystérieux.

LE MUSÉE PYRÉNÉEN DE NIAUX

À 3 km de Tarascon. ☎ 05-61-05-88-36. Bien signalé. Ouvert tous les jours ; en juillet et août, de 9 h à 20 h ; en avril, mai, juin et septembre, de 9 h à 12 h et de 14 h à 19 h ; d'octobre à mars, de 10 h à 12 h et de 14 h à 18 h. Entrée : 6 € ; de 5 à 12 ans : 3 € ; sur présentation du *Guide du routard* : 5 € par adulte.

¶ C'est le grand musée d'arts et traditions populaires de l'Ariège, édifié pièce par pièce par Max et Denise Dejean, des passionnés d'ethnographie et de leur région. Ici, vous découvrirez des outils et des objets domestiques insolites, le plus souvent peu connus et toujours pittoresques. En contrepoint, des photos des métiers d'autrefois et de superbes portraits de paysans et artisans locaux.

Où dormir ? Où manger ?

Hôtel Confort : 3, quai Armand-Sylvestre, 09400 ***Tarascon-sur-Ariège.*** ☎ et fax : 05-61-05-61-90. En plein centre mais au calme, au bord de l'Ariège. Chambres doubles de 30 à 45 € ; chambres familiales à 42 € pour 3 personnes, 48 € pour 4 personnes en haute saison. Possibilité de demi-pension de 36 à 42 € par personne. Accueil charmant. 14 chambres qui donnent toutes sur le jardin. Petite cour intérieure. Cuisine d'inspiration régionale. Garage et parking privé fermé la nuit.

Hostellerie de la Poste : 16, av. Victor-Pilhes, 09400 ***Tarascon-sur-Ariège.*** ☎ 05-61-05-60-41. Fax : 05-61-05-70-59. Dans la rue principale. Ouvert toute l'année. • www.paysdetarascon.com/hostelleriedelaposte • Chambres de 36 à 42 € ; pour 4 ou 5 personnes, compter autour de 54 €. Menus de 10,70 à 30 €, dont un menu tout fromage à 13 € ; menu-enfants à 7 €. Établissement construit sous Napoléon III. Une terrasse ombragée s'ouvre sur un jardin au bord de l'Ariège. Sur l'arrière, les chambres ont un petit balcon agréable. Salle à manger au décor rustique. Plat du terroir : l'*azinat,* la potée de chou ariégeoise. À la carte : pièce d'agneau au four aux gousses d'ail, filet de bœuf à la ficelle, etc. Café offert sur présentation du *Guide du routard.*

➤ *DANS LES ENVIRONS*

➢ ***La ferme aux Ânes :*** 09250 ***Unac.*** ☎ 05-61-64-44-22. • www.la-ferme-aux-anes.com • Au sud-est de Tarascon par la N 20 jusqu'à Luzenac, puis à gauche jusqu'à Unac. Organisation de balades d'un ou plusieurs jours dans la région, sur de vieux sentiers (tous balisés et sûrs) de paysans ou de contrebandiers. Possibilité de réserver les logements en amont, location de matériel, accompagnateur, etc. Une façon originale de découvrir l'Ariège. Pour une journée, possibilité d'être accompagné.

La maison des Loups : 09110 **Orlu.** ☎ 05-61-64-02-66. • www.maisondesloups.com • À 25 km d'Andorre et au sud-est de Tarascon par la N 20 puis la D 22. Ouvert d'avril à juin tous les jours de 10 h à 17 h 30, en juillet et août tous les jours de 10 h à 19 h, en septembre et octobre tous les jours sauf lundi et mardi de 11 h à 17 h. Entrée : 5,50 €; enfants de 4 à 12 ans : 4 €.

Au total, 25 loups répartis dans 4 enclos de 2 ha, que l'on peut suivre dans leurs déambulations ainsi que durant leurs repas depuis des observatoires en bois. Il y a 4 territoires distincts : le territoire des loups d'Europe, celui des loups du Canada, des loups Mackenzie et le territoire des louveteaux. Mais ce vaste parc de 6 ha se compose aussi d'un auditorium (sur les loups évidemment), d'un sentier découverte spécial traces d'animaux, de 3 domaines habités par d'autres animaux moins sauvages, d'un jardin botanique, mais aussi d'un lac avec ses canards et ses truites, sans oublier une aire de jeux pour les enfants (balançoires, toboggan...), etc. Rien à dire, la maison des Loups est vraiment faite pour les enfants.

Les forges de Pyrène : 09000 **Montgaillard.** ☎ 05-34-09-30-60. À 5 km au sud de Foix sur la N 20. À l'entrée du village, ancienne forge « à Martinet » rachetée par le département. En haute saison, ouvert tous les jours de 10 h à 19 h; en basse saison, ouvert du mardi au vendredi de 13 h 30 à 18 h et le week-end de 10 h à 18 h, fermé le lundi. Fermé en janvier. Entrée : 7 €; de 12 à 16 ans : 5,50 €; de 6 à 12 ans : 3 €; tarif groupe accordé à nos lecteurs.

En parfait état de marche. Sur un site de 5 ha, présentation très scénique de quelque 125 métiers d'autrefois; animations.

La rivière de Labouiche : à 6 km au nord de Foix, sur la route de Vernajoul. ☎ 05-61-65-04-11. Ouvert du 1er avril au 11 novembre; de la Pentecôte à fin juin et en septembre, de 10 h à 12 h et de 14 h à 17 h; en juillet et août, journée continue de 9 h 30 à 18 h; d'octobre au 11 novembre, ouvert uniquement de 14 h à 17 h. Entrée : 7,50 €; enfants : 5,50 €; tarif groupe sur présentation du *Guide du routard.*

Rivière souterraine découverte en 1908 et explorée par Norbert Casteret en 1935. Véritable réseau souterrain, avec 5 niveaux de galeries, des affluents, des avens, des siphons, deux cascades. La visite s'effectue à 60 m sous terre, en barque, sur une longueur de 1 500 m.

Où dormir? Où manger dans la région?

Hôtel Lons : pl. G.-Dutilh, 09000 **Foix.** ☎ 05-61-65-52-44. Fax : 05-61-02-68-18. • hotel-lons-foix@wanadoo.fr • ♿ Dans la vieille ville, à deux pas du Pont-Vieux. Restaurant fermé les vendredi soir et samedi midi hors saison; établissement fermé de mi-décembre à mi-janvier. Doubles de 40 à 55 €; chambres familiales de 56 à 69 € avec 2 grands lits. Menus de 12 à 20 € avec buffet et cassoulet ariégeois; à la carte, un peu plus cher; menu-enfants autour de 7 €. Le charme discret de l'hôtel classique de province. À noter, la très belle salle de petit dej' aux baies vitrées donnant sur l'Ariège.

Le Jeu de l'Oie : 17, rue de la Faurie, 09000 **Foix.** ☎ 05-61-02-69-39. Fermé le samedi midi et le dimanche hors saison. Menus à 8,60 et 9,50 €. Un magret, une salade, une tarte pour moins de 15 €; menu-enfants à 6,10 €. Avec un nom pareil, les enfants vont vouloir y aller. Accueil sympa, service rapide, ambiance agréable. L'idéal pour qui ne veut pas se poser de questions existentielles... et veut bien manger! Apéritif offert sur présentation de ce guide.

FAUNE ET FLORE EN HAUTES-PYRÉNÉES

• Aventure Parc • Le moulin de Saoussas • Le cirque de Gavarnie • Le jardin botanique du Tourmalet • Le donjon des Aigles • La colline aux Marmottes • Randonnées dans la vallée de Lesponne • L'aquarium de Lourdes

Aventure Parc : Val-Louron. ☎ 05-62-99-99-01. • www.aventure-parc.com • Au sud-est de Saint-Lary. Ouvert en juillet et août tous les jours de 10 h à 19 h ; en juin et septembre les week-ends et jours fériés, de 10 h à 18 h. Entrée : 15,24 € ; enfants de 8 à 12 ans : 10,67 €.
Aventure Parc est un parc dédié à toute la famille, dans la mesure où les activités proposées sont de niveaux différents. Dès votre arrivée, rendez-vous au chalet d'accueil pour enfiler la combinaison qui vous est fournie (c'est plus fun et ça évitera de trouer ou salir vos vêtements) et vos chaussures de sport personnelles indispensables pour évoluer dans les arbres. Ensuite, le personnel du parc vous informera sur les consignes de sécurité : équipement, présentation du parc et des parcours, démonstration du matériel et explication du code couleurs. Exemple : à chaque repère rouge on met les mousquetons rouges et à chaque repère vert on met la poulie verte et les gants. Vous verrez, c'est pas sorcier. Voilà, vous êtes prêt, en forme, tranquille (car sous contrôle visuel des animateurs en permanence), alors à vos marques, partez !
Un 1er parcours d'une vingtaine de jeux est destiné aux enfants de 8 à 12 ans (ils doivent avoir 8 ans révolus et mesurer au minimum 1,30 m), et 3 autres s'adressent aux juniors et aux adultes : roulettes, plans inclinés, tonneaux, sauts de Tarzan, ponts suspendus, etc. Tous les parcours sont conçus afin d'évoluer de plus en plus haut dans les arbres.

Le moulin de Saoussas : ☎ 05-62-99-90-50 ou 64-17 (le soir). Dans la vallée de Louron, à Loudenvielle, suivre le chemin sur la gauche à la sortie du village en direction de Génos (juste avant le camping). Ouvert en juillet et août tous les jours de 10 h 30 à 12 h et de 16 h à 18 h 30 ; hors saison, sur rendez-vous. Durée de la visite : 1 h. Entrée : 4 €. Enfants et lecteurs du *Guide du routard* : 2 €.
Construit peu après la Révolution pour approvisionner en eau les habitants de la haute vallée du Louron, ce moulin vient d'être superbement reconstitué. Les meules ont repris du service, par ailleurs outils et objets divers ont été rassemblés pour illustrer les métiers traditionnels du Louron (menuisier, sabotier, ardoisier, berger, etc.). À l'extérieur, pêche à la truite et animaux de la ferme... pour le plaisir des plus jeunes.

➢ **_Le cirque de Gavarnie :_** à 51 km au sud de Lourdes, par la N 21 puis la D 921. L'un des plus visités de l'histoire du tourisme en France et l'un des plus impressionnants cirques de montagne d'Europe. Tout le monde le connaît, et pour cause, il est absolument magnifique. Les sentiers pour y accéder à pied sont parfaitement indiqués. Sachez seulement que pour les paresseux, ou les moins robustes, il est possible de faire la balade à dos d'âne ou à cheval (de mai à octobre), moyennant environ 15 € l'aller-retour (en 2 h, avec une pause de 20 mn).

Le jardin botanique du Tourmalet : dans le virage du Pont-de-la-Gaubie, entre le col du Tourmalet et Barèges. ☎ 05-62-92-18-06 ou 05-62-32-80-95. Ouvert du 15 mai au 15 septembre tous les jours de 10 h à 19 h. Entrée : 4 € ; enfants de 4 à 12 ans : 3 €.

2 ha de rochers, landes, tourbières, pelouses, etc., reconstitués minutieusement par un jeune horticulteur d'Ossun, sympa et peu avare de son temps. On y découvre la flore sauvage pyrénéenne presque dans son ensemble, ainsi que 300 plantes étrangères. Très intéressant, d'autant que petits et grands peuvent s'amuser à remplir des fiches pédagogiques sur les plantes tout en faisant la visite. Chaque jour (à 15 h, 16 h et 17 h), un animateur répond à vos questions.

Le donjon des Aigles : dans l'imposante ruine du château de ***Beaucens*** (65400). ☎ 05-62-97-19-59. Au sud d'Argelès-Gazost. Ouvert de Pâques à septembre de 10 h à 12 h et de 14 h 30 à 19 h ; en juillet et août, présentations tous les jours et démonstrations de vols tous les après-midi : à 15 h 30 et 17 h en juillet, à 15 h, 16 h 30 et 18 h en août. Entrée : 8 € ; enfants de 5 à 11 ans : 5 € ; réduction de 10 % sur présentation du *Guide du routard.*
Dans un site historique (du XIe siècle), présentation pédagogique et originale d'une collection d'oiseaux de proie et tous les après-midi, spectacle animalier présenté sur fond musical.

La colline aux Marmottes, parc animalier pyrénéen : à l'entrée d'***Argelès-Gazost*** en venant de Lourdes, à côté du supermarché *Champion.* ☎ 05-62-97-91-07. En juillet et août, ouvert tous les jours de 9 h à 20 h ; hors saison, de 9 h à 12 h et de 14 h à 18 h. Fermé de la Toussaint à Pâques (sauf pendant les vacances scolaires de février). Entrée : 7 € ; enfants de 4 à 12 ans : 5 €.
Dans le musée d'Histoire naturelle, faune d'Europe (marmottes, grands tétras, mouflons et isards notamment), ainsi qu'une très belle section d'animaux d'Afrique et du Grand Nord américain. Noter la taille de l'orignal... tout simplement impressionnant. Et puis, bien sûr, petit parc animalier à flanc de colline avec marmottes, isards bouquetins, mouflons, chevreuils, grands tétras. Tous vivants et en bonne santé. En tout, 10 espèces pyrénéennes. Et bientôt, quelques ours bruns, des loutres et des écureuils roux...

➢ **Randonnées dans la vallée de Lesponne :** à cheval sur les communes de Beaudéan et de Bagnères-de-Bigorre, le long de la D 29.
– **Randonnée au lac Bleu** *(altitude 1 968 m)* **:** départ du parking-terminus du Chiroulet, 10 km après l'entrée de la vallée. Parfaitement bien balisé, le sentier vous fera découvrir, 900 m plus haut et près de 2 h 30 plus tard, des eaux d'un bleu intense (par beau temps s'entend). Paysage minéral. Pas mal de monde en été ainsi que les week-ends de printemps. Par forte chaleur, partir de préférence tôt le matin (peu d'ombre). Refuge non gardé en bordure de lac.
– **Boucle « Entre cascade et torrents » :** départ du village de Lesponne. Prendre le sentier des granges d'Altala, derrière l'église, et poursuivre par le chemin des gardes forestiers à travers forêts de hêtres et estives. Après 1 h 30 de marche facile, vous découvrez la belle ***cascade de Magenta*** depuis la passerelle de Montaigu. Retour par le chemin empierré en rive droite de l'Adour. Pour les plus pressés, possibilité de se rendre à la cascade en voiture. Poursuivre la D 29 vers le Chiroulet sur 4 km, puis tourner à droite après le parc de Barane. 10 mn de marche le long d'un large sentier, et le tour est joué.

L'aquarium de Lourdes : 71, av. Alexandre-Marqui, 65100 ***Lourdes.*** ☎ 05-62-42-01-00. Ouvert toute l'année de 10 h à 18 h (horaires modulables suivant les saisons). Entrée : 7,50 € ; de 4 à 16 ans : 5,50 €.
Un grand aquarium d'eau douce avec des bassins géants et près de 130 espèces de poissons. Vous dévalerez le torrent de montagne jusqu'à l'embouchure de l'Adour en 1 h 30 pleine de découvertes : bassins tactiles, carpes géantes, esturgeons, saumons, brochets.

Où dormir ? Où manger ?

■ ***Le Bon Repos :*** 13, route du Hautacam, 65400 ***Argelès-Gazost.*** ☎ 05-62-97-01-49. Fax : 05-62-97-03-97. • www.bonrepos.com • À 1 km du centre-ville. Fermé de mi-octobre à fin avril (sauf vacances scolaires de Noël, février et Pâques). Chambres doubles de 30 € côté rue à 45 € côté jardin ; également des locations de studios et appartements équipés de kitchenette, tous avec vue sur le parc ; parfait pour les familles ! Vieil hôtel familial sympathique. Chambres dans les tons rose ou bleu, bien tenues. Piscine. 10 % de réduction sur le prix des chambres en mai sur présentation du *Guide du routard.*

|●| ***Le Casaou :*** 44, av. des Pyrénées, 65400 ***Argelès-Gazost.*** ☎ 05-62-97-01-26. Premier menu à 15 € sauf les dimanche midi et jours fériés ; autres menus de 32 à 38 € ; menu-enfants autour de 8 €. Le (grand) restaurant de l'hôtel *Le Miramont,* presque au prix d'un petit resto, en tout cas pour les premiers menus. Pierre, le fils de la patronne, est aux commandes en cuisine, tandis que son épouse dirige le service. Les mets changent au rythme des saisons. Clientèle d'habitués qui viennent et reviennent encore. Bonne nouvelle car, à part ce resto, pas grand-chose à se mettre sous la dent à Argelès !

■ |●| ***La Ferme Saint-Ferréol :*** 65800 ***Chis.*** ☎ 05-62-36-22-15. Fax : 05-62-37-64-96. ♿ Sur la route de Rabastens-de-Bigorre (N 21), au nord de Tarbes. Restaurant fermé les samedi midi et dimanche soir sauf en juillet et août. Chambres doubles ou familiales de 31 à 61 €. Cinq menus de 16 à 39 €. Chartreuse du XVIIIe siècle terrée au fond d'un parc avec terrasse, où Chateaubriand séjourna quelques jours. Adresse agréable, malgré des chambres un peu vieillottes et un accueil qu'on aimerait un poil plus souple et un rien moins commerçant. Bonne nourriture régionale et desserts raffinés. Apéritif maison offert à nos lecteurs sur présentation du *Guide du routard* et 7e nuit gratuite (après 6 jours en pension ou demi-pension).

NORD-PAS-DE-CALAIS

Chapeautant la France de ses deux départements, la région Nord-Pas-de-Calais aime les enfants et veille à la qualité de leurs vacances. C'est en effet le comité régional du tourisme du Nord-Pas-de-Calais qui est à l'origine (depuis 1992) de l'instauration du label « Station Kid » (voir les « Généralités ») visant à garantir l'accueil des enfants et de leur famille dans les stations touristiques de l'Hexagone. Et aujourd'hui, la région peut se vanter d'avoir 9 stations de vacances qui possèdent ce label. Son importante façade maritime est jalonnée de ports de pêche qui sont autant d'occasions de découvrir la vie des marins et l'importance de la protection des océans. Le vent qui balaie ses côtes bordées de dunes et de longues plages permettra aux plus sportifs de pratiquer le char à voile, tandis que les autres piloteront leur cerf-volant. Plus à l'intérieur des terres, une visite dans la région sera l'occasion de faire connaître à vos enfants ce qui fit, il n'y a pas si longtemps, la richesse de la région : l'extraction du charbon et le travail dans la mine.

Adresses utiles

i ***Comité régional du tourisme :*** 6, pl. Mendès-France, BP 99, 59028 Lille Cedex. ☎ 03-20-14-57-57. Fax : 03-20-14-57-58. Le CRT publie une brochure très bien faite, *Nautisme en Nord-Pas-de-Calais,* qui présente toutes les activités praticables dans, sur ou près de l'océan, du char à voile aux sorties pêche.

i ***Comité départemental du tourisme du Pas-de-Calais :*** trésorerie Wimille, BP 79, 62930 Wimereux. ☎ 03-21-10-34-60. Fax : 03-21-30-04-81. • www.pas-de-calais.com • C'est juste à côté du grand château d'eau vert et blanc. Le Pas-de-Calais a eu la bonne idée de baliser 58 itinéraires pour pouvoir découvrir le département et plus particulièrement la Côte d'Opale à vélo en empruntant des pistes cyclables ou des routes peu fréquentées. Ces circuits longs de 20 à 40 km font toujours une boucle. Particulièrement adaptés aux familles : « Autour du beffroi » (région de Béthune), « Le plat pays » (du côté de Richebourg), « Les parcs » (nord du bassin minier, départ de Wingle), « Les grandes plaines » (sud d'Arras), « Les moulins » (région d'Oye Plage, à l'est de Calais), « La Madelon » à Groffliers-Waben (au sud de Berck).

i ***Comité départemental du tourisme du Nord :*** 6, rue Gauthier-de-Chatillon, BP 1232, 59013 Lille Cedex. ☎ 03-20-57-59-59. Fax : 03-20-57-52-70. • www.cdt-nord.fr • Représentant les héros légendaires à l'origine de la création des cités, la tradition des géants, gigantesques mannequins d'osier, est restée très vivace dans le Nord. Si vous allez dans la région, n'hésitez pas à vous procurer le calendrier de leurs sorties : *L'Année des géants,* auprès du CDT pour connaître les dates et les lieux de leur passage. Vos enfants s'en souviendront...

EN REMONTANT LA CÔTE D'OPALE

• Le parc d'attractions de Bagatelle • Aqualud • Mareis • Aréna • Nausicaä • Le musée du Transmanche • La réserve naturelle du platier d'Oye

LE PARC D'ATTRACTIONS DE BAGATELLE

À ***Merlimont*** (62155). ☎ 03-21-89-09-91. • www.bagatelle.fr • Entre Berck-sur-Mer et Le Touquet-Paris-Plage, sur la D 940 ; sur l'A 16, prendre

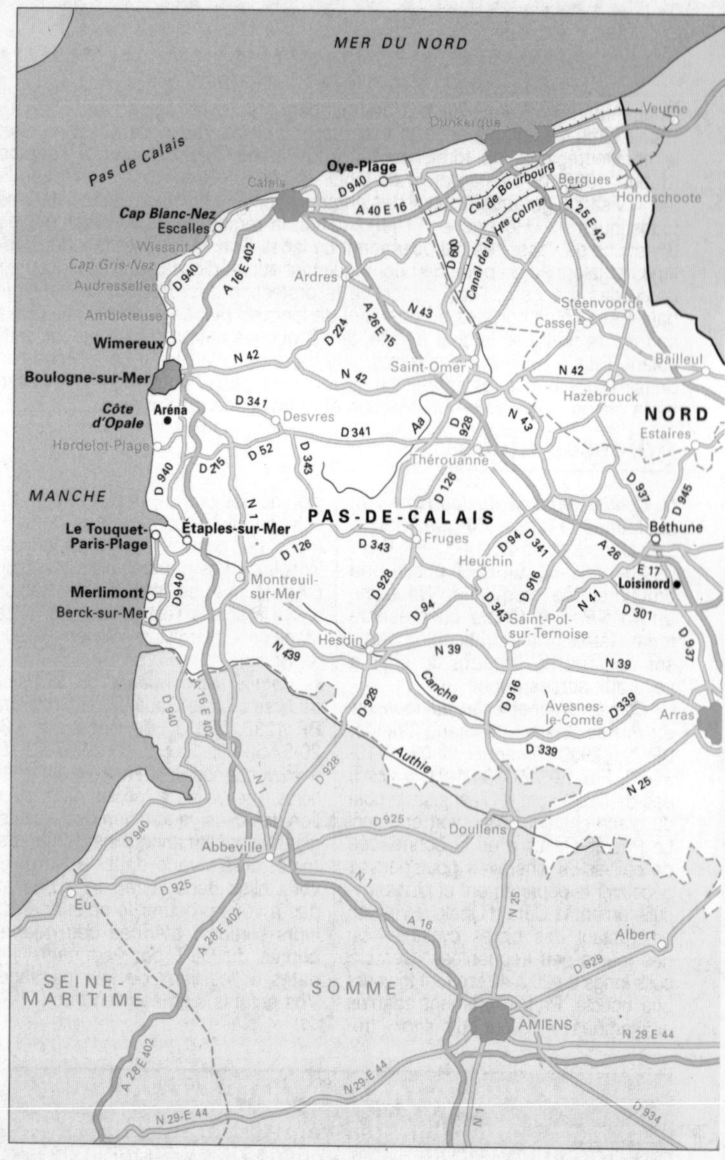

MER DU NORD
Pas de Calais
Dunkerque
Veurne
Oye-Plage
Calais
Bergues
Hondschoote
Cap Blanc-Nez
Escalles
Wissant
Cap Gris-Nez
Audresselles
Ambleteuse
Wimereux
Boulogne-sur-Mer
Côte d'Opale
Aréna
Hardelot-Plage
MANCHE
Le Touquet-Paris-Plage
Étaples-sur-Mer
Merlimont
Berck-sur-Mer
Ardres
Steenvoorde
Cassel
Saint-Omer
Bailleul
Hazebrouck
NORD
Estaires
Desvres
Thérouanne
PAS-DE-CALAIS
Béthune
Loisinord
Fruges
Heuchin
Montreuil-sur-Mer
Hesdin
Saint-Pol-sur-Ternoise
Avesnes-le-Comte
Arras
Canche
Authie
Doullens
Abbeville
Eu
Albert
SEINE-MARITIME
SOMME
AMIENS
Cal de Bourbourg
Canal de la Hte Colme
Aa
D 940
A 40 E 16
A 25 E 42
A 16 E 402
D 600
N 43
A 26 E 15
D 224
N 42
D 341
D 928
D 52
D 215
D 343
N 1
D 126
D 937
D 945
D 94
A 26
E 17
D 916
N 41
D 301
N 439
N 39
D 339
N 25
D 925
A 16
A 28 E 402
D 929
N 29 E 44
D 934

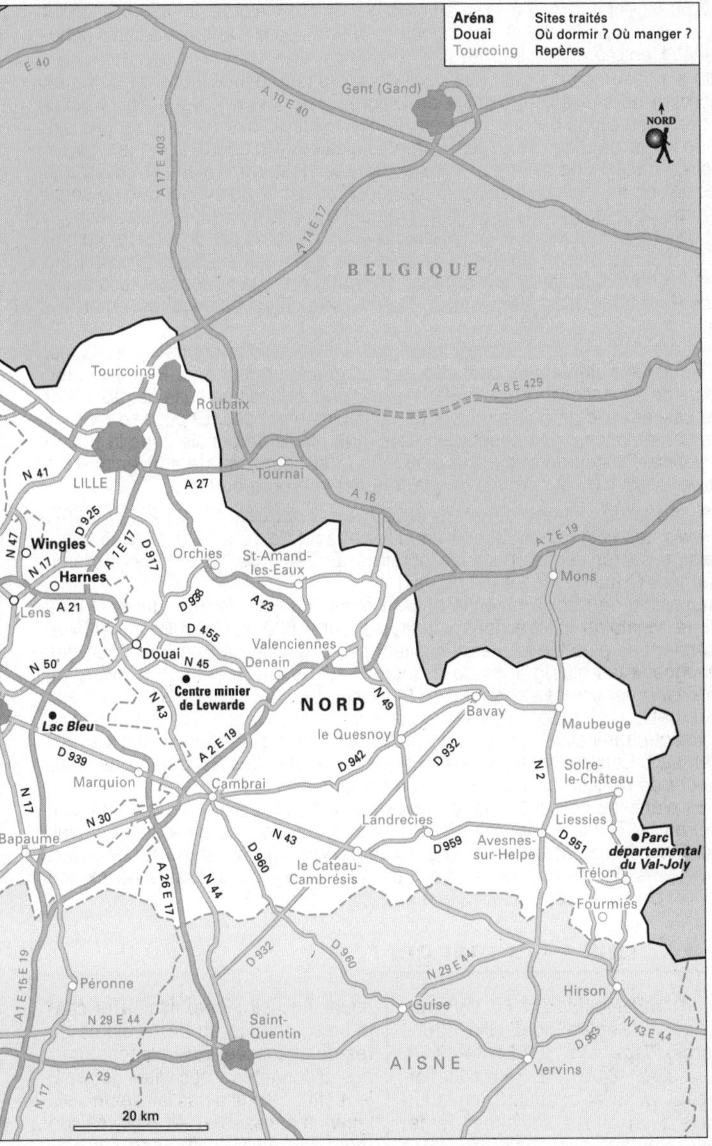

NORD-PAS-DE-CALAIS

la sortie 25. Ouvert du 13 avril au 28 septembre, de 10 h à 18 h 30. Entrée : 17,50 € ; enfants de 3 à 11 ans : 14,50 €. Entrée majorée de 0,50 € en juillet et août. Sur présentation du *Guide du routard* : pour 2 entrées adultes achetées, 1 entrée enfant offerte.

On s'amuse comme des fous dans ce vaste parc d'attractions de 26 ha en bordure de mer et à proximité de la forêt. Extrêmement fréquenté, c'est le doyen des parcs de ce genre en France. Son histoire est amusante : des industriels de Tourcoing, les Parent, installèrent d'abord quelques balançoires dans le parc de leur maison de vacances qu'ils venaient de transformer en pension de famille. C'était en 1955, et ils pensaient que ce serait sympa pour les gamins... Et ainsi, ajoutant d'année en année des attractions et des manèges de plus en plus importants, l'endroit est devenu le premier parc d'attractions du Nord-Pas-de-Calais, et a été racheté par le groupe Parc Astérix. Avec, toujours présente au milieu du parc, la résidence secondaire des Parent, qui n'auraient jamais imaginé, avec leurs balançoires, en arriver là !

Le parc propose près d'une cinquantaine d'attractions pour tous les âges, auxquelles s'ajoutent un petit cirque, un jardin et un petit zoo. Pour les amateurs de sensations fortes, le *Raft* les entraînera dans une suite de rapides et de cascades, dont on ne revient pas complètement sec. Et pour se reposer de ses émotions, des spectacles de cirque pleins de poésie avec la troupe *Imagine*. Restaurants, aire de pique-nique et boutiques de souvenirs. Une super ambiance qui prouve que la fête est le propre du Nord.

Aqualud : front de mer, 62520 **Le Touquet.** ☎ 03-21-90-07-07. • www.aqualud.com • Ouvert en juillet et août de 10 h 15 à 17 h 45. Hors saison, se renseigner pour les horaires. Entrée : de 16 à 18 € la demi-journée. Gratuit pour les moins de 1 m.

Impossible de rater l'immense bâtisse pyramidale sur le front de mer ! Plus d'une vingtaine d'attractions nautiques sur 4000 m² séduiront petits et grands. Les plus téméraires n'hésitent pas à dévaler le *kamikaze,* l'un des toboggans les plus grands de France. D'autres naviguent sur *la rivière du Rocher* ou encore s'amusent à se faire peur sur *l'île aux Pirates.* Quant aux plus petits, ils ne sont pas en reste avec le *kid's lagon* : des jeux rigolos aquatiques installés sur *le pont du Gallion* (sous surveillance des parents bien sûr). Et après toutes ces aventures nautiques, *Les Boucaniers* se chargeront de remplir les ventres des plus affamés !

– Et n'oubliez pas que c'est à **Berck-sur-Mer,** située à une vingtaine kilomètres du Touquet (classée « Station Kid »), que sont organisées, en avril, les ***Rencontres internationales de cerfs-volants,*** un grand rendez-vous avec près de 500000 visiteurs venus admirer les cerfs-volants du monde entier. Un magnifique spectacle à partager en famille.

Où dormir ? Où manger ?

Hôtel-restaurant Le Voltaire : 29, av. du Général-de-Gaulle, 62600 **Berck-Plage.** ☎ 03-21-84-43-13. Fax : 03-21-84-61-72. Fermé le mardi sauf en juillet et août. Congés annuels : vacances scolaires de février. Doubles avec bains de 29 à 43 € ; compter 52,50 € pour 3 personnes, 62 € pour 4 personnes. Menu-enfants à 6,10 €. Les chambres, rénovées, sont irréprochables : spacieuses et bien insonorisées. La déco fait dans le contemporain pratique. Accueil jeune, sympa et chaleureux, comme au bar à bières du rez-de-chaussée. En revanche, hormis d'honnêtes spécialités locales, le resto ne nous a pas laissé un souvenir impérissable. Apéritif maison (hors saison) ou café offert sur présentation du *Guide du routard.*

L'Auberge du Bois : 149 av. Quettier, 62600 **Berck-sur-Mer.** ☎ 03-21-09-03-43. De Berck-Plage, direction Berck-Ville et à gauche au 1er gros rond-point. Fermé les dimanche soir et lundi; congés annuels : en janvier. Menus de 14 à 31,50 €. Les enfants peuvent choisir à la carte : on leur servira de petites portions pour environ 9 €. À Berck, tout le monde connaît *L'Auberge du Bois,* mais on dit plus volontiers « Chez Ben », car le patron compte ici autant (ou davantage) que les murs ou l'assiette. Bar-restaurant à la grande salle à manger aux tons chauds, simple et agréable. Sur commande uniquement, de très beaux plateaux de fruits de mer. Bonne spécialité de choucroute de la mer, franche et copieuse. Service fort gentil. Bref, une petite adresse sympa.

MAREIS, LE CENTRE DE LA PÊCHE ARTISANALE

À ***Étaples-sur-Mer*** (62630), bd Bigot-Descelers. ☎ 03-21-09-04-00. • www.mareis.fr • ♿ Ouvert tous les jours de 9 h 30 à 18 h 30; en juillet et août, tous les jours jusqu'à 20 h. Entrée : 7,20 € en haute saison, 6,20 € en basse saison; enfants de 3 à 12 ans : 4,80 €, 4,20 € en basse saison. Parking de 140 places devant le centre.

Cet espace de 2000 m² installé dans une ancienne filetterie est entièrement consacré au monde de la mer, et plus particulièrement aux pêcheurs étaplois, fiers de leur longue tradition de pêche artisanale. Au milieu du XIXe siècle, 1 habitant sur 5 était marin, et plus de 40 bateaux dépendaient du port. Vous découvrirez la vie d'un marin tout au long d'une semaine sur terre et sur mer. La visite, sous la conduite d'un guide passionnant, lui-même ancien marin-pêcheur (comptez 1 h 30 environ), se déroule autour de plusieurs thèmes : la construction navale, les activités des femmes des marins, la formation des marins, la vie à bord lors des campagnes de pêche et l'économie précaire de cette activité avec les quotas imposés par l'Union européenne. Vous embarquerez tous ensemble sur un chalutier grandeur réelle pour vivre avec les pêcheurs une tempête (simulée évidemment!) et comprendre les risques du métier. Quatre aquariums (dont 2 bassins tactiles) qui jalonnent le parcours permettent également de découvrir les fonds marins de la côte et les espèces pêchées par les marins. Une visite intéressante pour sensibiliser le grand public au monde maritime et faire découvrir aux enfants la dure vie des travailleurs de la mer.
Ceux qui ont le pied marin pourront embrayer sur une sortie en mer à bord de la vedette *Ville d'Étaples,* soit pour une simple promenade de 50 mn environ (6,40 €; enfants : 4,20 €), soit pour une sortie pêche (45,80 €, par personne). Réservation à l'office de tourisme : ☎ 03-21-09-56-94.

■ ***Centre nautique de la Canche :*** bd Bigot-Descelers, 62630 ***Étaples-sur-Mer.*** ☎ 03-21-94-74-26. • cn.canche@wanadoo.fr • Ouvert toute l'année. Stages selon les horaires de marées : planche à voile, char à voile, Optimist, catamaran, kayak de mer...

ARÉNA-CENTRE D'INTERPRÉTATION DE L'ENVIRONNEMENT

À ***Ecault,*** chemin de la Warenne, 62360 Saint-Étienne-au-Mont. ☎ 03-21-10-84-30. • arena-ecault@wanadoo.fr • Situé entre Hardelot et Boulogne. Ouvert du 1er mars au 31 mai et du 1er septembre au 31 octobre de 10 h à 12 h 30 et de 14 h à 18 h, et du 1er juin au 31 août fermeture à 19 h. Fermé le lundi. Entrée : 3,50 €; de 7 à 16 ans : 2,50 €; gratuit pour les moins de 7 ans.

Installé en bordure des dunes et de la forêt d'Ecault, cette maison de la nature sensibilise les visiteurs, petits et grands, aux richesses naturelles de la Côte d'Opale, plus particulièrement la découverte du monde caché de la dune à travers une exposition interactive. Des sentiers de randonnées permettent également une découverte de ce site naturel. Le centre propose aussi des expos temporaires et des animations.

NAUSICAÄ-CENTRE NATIONAL DE LA MER

Bd Sainte-Beuve, 62200 **Boulogne-sur-Mer.** ☎ 03-21-30-99-99. • www.nausicaa-sea-centres.com • www.nausicaa.fr • A 16, sortie 3 Boulogne nord-Nausicaä. Au bord de la plage, à l'entrée du port. Ouvert tous les jours ; en juillet et août, de 9 h 30 à 20 h ; de septembre à fin juin, de 9 h 30 à 18 h 30. Fermé partiellement en janvier et le jour de Noël. Points de vente en dehors du site pour éviter les queues lors des grandes affluences. Entrée : 10,50 €, majorée à 12 € en haute saison ; enfants de 3 à 12 ans : 7,50 €, majorée à 8,50 € en haute saison ; réductions étudiants, familles, demandeurs d'emploi et handicapés. Audioguides disponibles. Derniers billets délivrés 1 h avant la fermeture. Astuce : tarif dégressif en fin de journée, un billet acheté après 17 h est valable jusqu'au lendemain midi (demander le tampon). Possibilité de billet groupé avec d'autres sites de la région comme Bagatelle, Mareis ou Aqualud (voir plus haut). Restaurant avec menu-enfants à 7 €. Parking de 220 places gratuit le long de la plage. Parking : 1,52 € l'heure. 120 places en parking souterrain payant avec accès direct au centre. 260 places au parking Moulin-Wibert relié à Nausicaä par une navette gratuite toutes les 5 mn en juillet et août.

Dans un bâtiment contemporain, sur le front de mer. 12 000 m² de surface d'exposition, 36 aquariums (soit 4,5 millions de litres d'eau de mer) et 10 000 animaux marins, 60 000 watts (soit la moitié de l'éclairage nocturne d'un terrain de football) pour éclairer la reconstitution d'un platier corallien : ces quelques chiffres en préambule pour situer un peu ce qu'est Nausicaä (au nom emprunté à l'une des héroïnes de *L'Odyssée* d'Homère).

Mais Nausicaä ne saurait être réduit à quelques aquariums remplis de poissons (même superbes). Ce complexe fait aussi appel à toute la technologie moderne (écrans tactiles, 3D, etc.) pour sensibiliser ses visiteurs à la gestion des mers et des océans. Bonne idée quand on sait (enfin, on l'a appris à Nausicaä !) qu'un Terrien sur deux vit à moins de 60 km de la mer (les trois quarts de la population mondiale en 2020, d'après de récentes estimations). Et effectivement, des photos aériennes de la baie de Tokyo à la reconstitution d'un fond marin pollué, Nausicaä donne à réfléchir : on fera attention aux gestes les plus anodins la prochaine fois qu'on se baladera sur une plage (un simple galet retourné peut détruire un écosystème).

Toutefois, les concepteurs de Nausicaä ne pratiquent pas le terrorisme écolo et plaident plutôt pour une gestion raisonnée des ressources maritimes. La pêche y est bien sûr (Boulogne oblige) évoquée : reconstitution d'un bâtiment de pêche au large, gigantesque aquarium pyramidal où évoluent des sérioles comme prises au piège dans un filet...

Mais ce qui plaira aux enfants, ce sont les plus grosses bébêtes : l'aquarium aux requins (avec le bon gros requin-taureau de 190 kg pour 2,90 m de long, affectueusement surnommé Mémère) est franchement spectaculaire (les commentaires de vos voisins feront obligatoirement référence aux *Dents de la mer*). On sortirait presque son maillot de bain à fleurs d'hibiscus pour s'installer à la terrasse du bar du *Tropical Lagoon Village.* Les lions de mer s'amusent comme des fous dans la reconstitution de leur réserve californienne. Et les raies qui se laissent gentiment gratouiller le ventre sont irrésistibles !

Très riche médiathèque pour ceux qui veulent compléter la visite. Également une salle de projection. Et bien entendu, une librairie et une boutique dédiées à la mer. Bref vous l'aurez compris, Nausicaä s'adresse à toute la famille et vaut vraiment le déplacement à lui tout seul.

Où se baigner ?

Pour une baignade, on vous conseille ***Wimereux,*** à 5 km au nord de Boulogne, classé « Station Kid ». De jolis villas balnéaires de la fin du XIXe siècle jalonnent ses rues, et une superbe digue-promenade entièrement piétonne longe sa belle plage entièrement recouverte à marée haute.

Où dormir ? Où manger ?

Hôtel Alexandra : 93, rue Thiers, 62200 ***Boulogne-sur-Mer.*** ☎ 03-21-30-52-22. Fax : 03-21-30-20-03. Congés annuels : de fin décembre à fin janvier. Doubles de 43 € avec douche à 58 € avec bains ; chambre familiale à 63 €. Dans une rue où l'on échappe un peu à la circulation automobile du centre-ville, un ancien petit hôtel familial tenu par un jeune patron accueillant. Chambres toutes pimpantes, décorées avec de l'idée (murs jaune citron, tissus fleuris) et confortables (literie OK, salles de bains petites mais fonctionnelles). Encore quelques petits trucs à fignoler (un double vitrage côté rue, par exemple...), mais une adresse qu'on a bien aimée. Réservation conseillée en haute saison et les jours de fête.

Hôtel Faidherbe : 12, rue Faidherbe, 62200 ***Boulogne-sur-Mer.*** ☎ 03-21-31-60-93. Fax : 03-21-87-01-14. Congés annuels : fêtes de fin d'année. À deux pas du port. Doubles à 40 € avec douche, de 50 à 55 € avec douche ou bains (satellite et Canal +). Bien situé, même si le quartier, reconstruit après la guerre, n'a aucun charme. Accueil souriant de la patronne. Victor, le mainate de la maison, amusera beaucoup les enfants. Petit salon cossu de style victorien fort plaisant. Chambres toutes différentes, de bon confort et de bon goût. 10 % de remise sur la chambre aux lecteurs du *Guide du routard.*

Brasserie L'Océan : 100, bd de la Mer, 62200 ***Boulogne-sur-Mer.*** ☎ 03-21-83-17-98. ♿ Menus de 15,80 à 31,30 €. Menu-enfants à 10,60 €. Chaises hautes à disposition. Paradoxalement, sur la Côte d'Opale, les restos vraiment au bord de la mer sont aussi difficiles à trouver qu'un ours blanc dans la savane. En voilà pourtant un. Superbement situé : posé au-dessus de la plage, avec des baies vitrées largement ouvertes sur la mer (et non pas l'océan...) et une terrasse pour les beaux jours. Il pourrait d'ailleurs profiter de sa situation, ce resto-là. Mais non : la carte n'est pas ruineuse pour qui se contentera de moules-frites, d'un *welsh,* d'une salade géante, voire d'une simple omelette. Poisson et fruits de mer sont d'une belle fraîcheur, la cuisine d'une honnête rectitude et le service fait son boulot. Et, mazette, quelle vue ! Apéritif maison ou café offert aux lecteurs, sur présentation du *Guide du routard.*

La Dalle II : 16, rue du Doyen, 62200 ***Boulogne-sur-Mer.*** ☎ 03-21-83-29-29. Dans une pittoresque petite rue qui descend de la place Dalton, petite échoppe très populaire chez les Boulonnais. Sandwichs et *kebabs* à emporter. Compter environ 7 € pour un repas complet. Produits frais et sérieux. À signaler l'existence d'une *Dalle I,* 26, rue des Religieuses-Anglaises, vers le parking Saint-Louis.

Sucré-Salé : 13, rue Monsigny, 62200 ***Boulogne-sur-Mer.*** ☎ 03-21-33-81-82. À côté du théâtre. Service le midi uniquement sauf le dimanche matin pour la vente à emporter. Compter 10 € pour un repas complet. Salon de thé (logiquement un peu cosy) où l'on pourra déjeuner de bonnes salades et autres tartes salées. Ou des plats plus terroir : marmite boulonnaise, feuilleté de poissons, ficelle picarde ou la spécialité de la maison : la tartiflette descendue de ses montagnes. Aux beaux jours, terrasse sur la rue piétonne. Autre adresse à Hardelot (en saison uniquement). Café offert à nos lecteurs sur présentation de ce guide.

Le Portelois : 42, quai Duguay-

Trouin, 62480 ***Le Portel.*** ☎ 03-21-31-44-60. À la limite de Boulogne, au sud-ouest. Suivre (en faisant trois fois le tour du Portel !) la direction de la plage. Fermé le lundi (sauf en juillet et août); congés annuels : décembre. Menus de 10,70 à 24,40 €; menu-enfants à 7,20 €. Un vrai resto de bord de mer. De la salle panoramique, on a du mal à détacher les yeux de l'étendue marine juste troublée par les vestiges d'un fort oublié là par Napoléon. La cuisine ne peut pas non plus s'empêcher de regarder de ce côté-là : pas moins de 22 spécialités de moules : à l'ancienne, à la flamande, pékinoises (!), hongroises (!!). Une vraie bonne adresse de moules-frites que les enfants pourront déguster avec les doigts. Pas mal de poisson aussi. Quelque peu désorganisé le week-end. Café offert sur présentation du *Guide du routard.*

LE MUSÉE DU TRANSMANCHE

👁👁 ***Mont d'Hubert,*** au ***cap Blanc-Nez*** (62179). Renseignements : ☎ 03-21-82-32-03. Ouvert au public du 20 avril au 5 septembre tous les jours sauf le lundi de 14 h à 18 h. Entrée : 3,80 €; enfants : 3 €.

Installé dans un ancien blockhaus construit par l'armée allemande, ce petit musée présente de façon plutôt ludique (le visiteur peut grimper dans une nacelle de montgolfière, sur le pont d'un caboteur...) tous les moyens employés par l'homme pour traverser le détroit, des navires gaulois au percement d'Eurotunnel.

Ce musée évoque évidemment toutes les « premières » : Blanchard, en ballon le 2 mars 1784 en 2 h 20 (il termina sa traversée à moitié nu, ayant dû jeter par-dessus bord ses vêtements afin de gagner un peu d'altitude) et Blériot, bien sûr, en avion (nombreux documents d'époque). Tous les projets de liaison permanente sont évidemment évoqués ici, des plus rudimentaires aux plus délirants, utopies de doux rêveurs comme très sérieux projets d'ingénieur.

Incroyable, d'ailleurs, l'imagination déployée par certains : la palme de la persévérance revient à un certain Aimé Thomé de Gamond (véritable initiateur du tunnel sous la Manche), qui inventa successivement un tunnel de tubes métalliques, une voûte sous-marine en béton, un bac flottant, un isthme artificiel, un pont mobile, un pont-viaduc... Était-il amoureux d'une jolie lady? Film anglo-français sur la construction du tunnel et ses bâtisseurs.

Où dormir? Où manger?

⛺ ***Camping Cap-Blanc-Nez :*** rue de la Mer, 62179 ***Escalles.*** ☎ et fax : 03-21-85-27-38. ♿ Au creux du cran (vallon) d'Escalles, à 500 m de la plage. Ouvert d'avril à mi-novembre. Autour de 11 € l'emplacement pour deux; ajouter 1,50 € par enfant. Assez bien situé. Comme beaucoup de campings du Pas-de-Calais, plein de caravanes et mobile homes installés à l'année, mais quelques emplacements sont réservés au passage. Restauration et bungalows (demi-pension possible).

🏠 🍴 ***Hôtel-restaurant À l'Escale :*** rue de la Mer, 62179 ***Cap Blanc-Nez.*** ☎ 03-21-85-25-00. Fax : 03-21-35-44-22. • www.hotel-lescale.com • ♿ Restaurant fermé le mercredi d'octobre à février; congés annuels : une semaine début mars et une douzaine de jours fin décembre. Doubles de 32 à 50 €. Menus de 13 à 34 €; menu-enfants à 10 €. Chambres très bien tenues, de bon confort et plutôt jolies. Essayez d'en obtenir une dans l'annexe, maison en pierre aux murs mangés par le lierre. Celles de l'hôtel sont plus en bord de route, au-dessus du bar et du resto, donc plus bruyantes. Jardin avec jeux pour enfants et chaises longues. Demi-court de tennis, location de VTT. On a connu le resto en bien meilleure forme...

LA RÉSERVE NATURELLE DU PLATIER D'OYE

i ***La maison dans la Dune :*** 1005, route des Dunes, 62215 ***Oye-Plage.*** ☎ 03-21-82-65-50. Ouvert au printemps et en été, tous les jours de 9 h à 19 h. Toutes infos sur la réserve. Visites guidées du platier d'Oye le 1er dimanche de chaque mois à 9 h 30 (durée : 2 h 30). Pour toute visite guidée, renseignements à la maison du patrimoine à Gravelines : ☎ 03-28-51-84-84.

i ***Office de tourisme des rives de l'Aa :*** Espace Dolto, 62215 ***Oye-Plage.*** ☎ 03-21-46-43-47 ou 03-28-51-94-00. • www.tourisme.fr/gravelines • gravelines@tourisme-norsys.fr • Ouvert toute l'année du lundi au vendredi de 9 h à 12 h. Un chalet d'accueil est ouvert au platier d'Oye en juillet et août de 10 h à 12 h et de 14 h à 18 h.

À une quinzaine de kilomètres au nord-est de Calais, accès fléché depuis Oye-Plage. Un site unique : l'ancien delta de l'Aa (400 ha) s'est transformé au fil des siècles en un polder naturel. L'homme s'est contenté de parachever le travail de la nature en fermant en 1925 par une digue le cordon dunaire de 3,5 km qui isole le polder de la mer. Des dunes que la mer sape inexorablement (on croise, sur la petite route de la réserve, une ancienne tour de béton du mur de l'Atlantique, à côté de laquelle la tour de Pise a l'air droite !).
Avec ses 158 ha, classés réserve naturelle depuis 1987 et propriété du Conservatoire du littoral, le platier d'Oye réunit une grande variété de milieux naturels : plage de sable, dunes blanches ou grises, prés-salés où paissent des vaches et des poneys Highlands importés d'Écosse. Le platier d'Oye est aussi le paradis des oiseaux : ils y nichent (vanneau huppé, canard souchet, tadorne de belon) ou y hivernent (canard siffleur, bécassine). Les oiseaux migrateurs (oie cendrée, spatule blanche...) s'y offrent également volontiers une halte.
À l'entrée de la réserve, un ancien blockhaus transformé en observatoire permet d'avoir une vue d'ensemble de la réserve, qu'on découvrira ensuite grâce à un sentier balisé (compter 2 h) et jalonné de panneaux explicatifs.

Où manger ?

Auberge de l'Étoile : 916, route de l'Étoile, 62215 ***Oye-Plage.*** ☎ 03-21-35-67-71. Ouvert le midi du mardi au dimanche ainsi que les soir du week-end. Fermé le lundi. Menus de 14 à 30 € ; menu-enfants à 10 € très varié. Cadre plaisant pour une cuisine fort bien troussée. Plats parfois traditionnels, mais toujours avec une patte très personnelle. Goûter à la choucroute de la mer ou encore à la brochette de Saint-Jacques au beurre blanc. Beaux desserts, dont un succulent parfait à la chicorée. Apéritif maison offert à nos lecteurs.

SUR LES PAS DES MINEURS : LE CENTRE HISTORIQUE MINIER DE LEWARDE

Dans les environs : le parc départemental du Val-Joly • Le lac Bleu • Le musée de l'École et de la Mine • Le parc de nature et de loisirs de Wingles, Douvrin et Billy-Berchau • Loisinord

Région durement frappée par la fermeture de ses mines, le Nord-Pas-de-Calais a su avec intelligence, sensibilité et dynamisme mettre en valeur son patrimoine et créer de nouvelles activités sur ce qui fit la richesse de la région au XIXe siècle.

LE CENTRE HISTORIQUE MINIER DE LEWARDE

Fosse Delloye, 59287 ***Lewarde.*** ☎ 03-27-95-82-82. • www.chm-lewarde.com • À 8 km à l'est de Douai. Pour s'y rendre : depuis Douai, direction Valenciennes (la N 45); bien fléché. De mars à octobre, ouvert tous les jours de 9 h à 19 h 30; de novembre à février, de 13 h à 19 h; les dimanche, jours fériés et vacances scolaires, de 10 h à 19 h (vente des derniers billets 2 h avant la fermeture). Fermé les 1er mai, du 1er novembre à Noël et en janvier. Compter 3 h de visite : 1 h 30 de visite libre avec animation et 1 h 30 de visite guidée. Entrée : 9 € de novembre à février, 10,20 € de mars à octobre. Nous conseillons d'effectuer d'abord la visite libre pour bien s'imprégner du contexte social et politique de la mine (et puis, on a l'esprit plus disponible et les jambes plus vaillantes qu'après la visite guidée!). Chaque été, le musée organise des ateliers thématiques pour les enfants, bien entendu en rapport avec la mine et l'énergie, dans le cadre du festival « Festivole ». Cafétéria, restaurant *Le Briquet* et boutique-librairie.

En Nord-Pas-de-Calais, la dernière mine cessa de fonctionner en 1990. On devine l'émotion de la dernière descente au fond. Une page d'histoire se tournait depuis que Jacques Desandrouin découvrit à Anzin, le 24 juin 1734, après 20 ans de forage, la 1re veine de charbon exploitable. Le bassin minier devait par la suite couvrir un douzième de la surface des deux départements et produire quelque deux milliards de tonnes de charbon. La période la plus active se situant entre les années 1930-1960, avec une production moyenne annuelle de 30 millions de tonnes.

– ***La visite libre :*** expo d'une telle richesse qu'on ne peut bien sûr tout décrire ici. En voici les grands axes. D'abord, l'administration : le bureau du directeur, celui des géomètres, le bureau-comptable et petite expo sur la façon dont une famille dépensait son argent. Puis, les 3 siècles d'histoire de la mine, articulés autour de 3 maquettes de fosse qui ont fonctionné du XVIIIe au XXe siècle : le travail des mineurs, la mécanisation et l'industrialisation, les grandes grèves, l'émigration, les catastrophes... Ensuite la vie quotidienne des hommes et des femmes de la mine : les loisirs (colombophilie, combats de coqs, tir à l'arc, jeu de billon, etc.), maquettes de logements miniers qui montrent l'évolution de l'habitat ouvrier, les traditions (la fête de Sainte-Barbe, patronne des mineurs, le patois...).

Avant d'entrer dans le triage-criblage, gros bloc de charbon qu'un vieux mineur en visite reconnut un jour : il l'avait extrait pour l'Exposition universelle de 1937! Projection d'un film d'une vingtaine de minutes sur la formation du charbon et le fonctionnement d'une mine.

De l'autre côté de la cour, derrière la verrière, expo de machines diverses. Pour finir, l'écurie de la fosse Delloye dans laquelle étaient préparés les chevaux pour la descente. On peut admirer des locomotives et des wagons grandeur nature, qui transportaient le charbon, sur le réseau ferroviaire de la fosse Delloye.

– ***La visite guidée :*** d'abord, assez émouvant, ce sont d'anciens mineurs qui assurent la visite. On ne peut rêver mieux en termes de vécu, d'anecdotes et de passion toujours vive pour leur ancien métier! Départ depuis la célèbre salle des Pendus. (Les vêtements étaient suspendus en l'air pour prendre moins de place et bénéficier de l'air chaud des souffleries pour le séchage.) Visite de la lampisterie, un lieu important dans le parcours du mineur. Puis, départ en petit train pour les bâtiments industriels. Vie et conditions de travail des trieuses (les *cafus*), avec projection d'une vidéo exceptionnelle. Sur les 1 100 t de charbon extraites, on en obtenait 620 de grande qualité. Descente dans les galeries. Toutes les machines, compresseurs et autres, en état de fonctionner. Techniques des tirs de mines et leurs dan-

gers. Progression des techniques d'extraction également, depuis le pic à mains nues et casque de cuir jusqu'aux énormes « plateaux-rabots » ou soutènement marchant avec verrins.
Bref, 1 h 30 que les enfants ne voient guère passer, surtout lorsque le guide-mineur sait y ajouter ses propres anecdotes, souvent teintées d'un peu d'émotion et de nostalgie.

Où dormir ? Où manger ?

Hôtel Volubilis : bd Vauban, 59500 ***Douai.*** ☎ 03-27-88-00-11. Fax : 03-27-96-07-41. • www.hotelvolubilis.fr • Venant de Tournai, au débouché du pont de Lille. Fermé le dimanche soir ainsi que les soirs fériés. Chambres doubles à 58 € ; compter 68 € pour une triple. Pas de vraies chambres pour les familles, mais vous pouvez en demander deux côte à côte. Beau petit dej'-buffet à 8 €. Menus de 16,50 € à 30 €. Aux limites de la ville, on pense d'abord à un hôtel de chaîne. Eh bien, ce n'en n'est pas un. Archi plutôt plaisante, intérieur frais et coloré, chambres de bon confort (TV satellite, films payants). Cuisine correcte. Parking extérieur clos. Café offert sur présentation du *Guide du routard.*

La Galletery : 30, rue Merlin-de-Douai, 59500 ***Douai.*** ☎ 03-27-97-37-04. Fermé le dimanche et le lundi soir ainsi que 3 semaines en août. Menus à 8,30, 9,60 et 11 € ; menu-enfants à 5,50 € avec une galette, une boisson et une crêpe sucrée au choix. Cadre agréable et propret pour de bonnes salades, crêpes ou galettes à l'ancienne. Apéritif maison offert aux routards porteurs de leur guide préféré.

DANS LES ENVIRONS

Le parc départemental du Val-Joly : dans l'Avesnois, tout à l'est du département. Pour s'y rendre : en juillet et août, bus réguliers depuis Fourmies et Avesnes (horaires à la maison du parc). C'est d'abord le plus grand plan d'eau du Nord de la France (180 ha), lac de barrage créé sur l'Helpe majeure dans les années 1960. Tout autour, nature parfaite, aucune faute de goût. Royaume des activités de plein air. Base nautique (possibilité de stages, cours particuliers), piscine à 2 bassins avec toboggan aquatique, tir à l'arc, balades sur l'eau en pédalo, barques ou petits bateaux électriques, centre VTT (120 km de circuits balisés, location de vélos, station de lavage, douches, etc.), minigolf, maison du cheval (baptême poney), formules groupes, etc.

Maison du parc : BP 25, 59740 ***Liessies.*** ☎ 03-27-61-83-76. • www.valjoly.com • Ouvert tous les jours ; en juillet et août, de 9 h à 19 h (20 h les dimanche et jours fériés) ; en avril, mai, juin et septembre, de 9 h à 12 h 30 et de 13 h 30 à 18 h ; en basse saison, horaires un poil plus courts. Toutes les infos sur les activités du parc et le logement.

Où dormir ?

Camping : dominant le lac. Fermé en janvier et février. Réservation à la Maison du parc ou à l'accueil sur place. Compter 13,20 € pour 2 adultes et la tente, 2,50 € pour les enfants de moins de 12 ans ; petit supplément électricité. Trois étoiles. Confortable et garantissant des emplacements de 90 m^2.

Location de chalets : réservation

à la Maison du parc. Chalets pour 3 ou 4 personnes ou pour 5 ou 6 personnes. Plusieurs formules selon le chalet : à la semaine, au mois. En basse saison, tarifs dégressifs. Forfait nettoyage de fin de séjour et forfait location de draps en option. Chalets bien séparés, dans un coin arboré, ouverts sur la nature et confortables. Coin cuisine équipé.

⚲ ***Le lac Bleu :*** à 10 km à l'est d'Arras, 62118 ***Roeux.*** Une ancienne carrière devenue lac artificiel, aux eaux d'une couleur singulièrement bleue (surtout par temps ensoleillé). On y extrayait de la craie, et ce fond crayeux explique ce bleu inhabituel. Le site est joli, la nature y reprend peu à peu ses droits. On fait le tour du lac en une petite heure de marche, on peut aussi y pratiquer quelques sports nautiques. Beaucoup de monde aux beaux jours. Possibilité de restauration sur place, à *L'Auberge du Lac.*

⚲⚲ ***Le musée de l'École et de la Mine :*** école Diderot, 24, rue Montceau-les-Mines, 62440 ***Harnes.*** ☎ 03-21-20-46-70. À 6 km au nord-est de Lens (route de Lille, N 17, et à droite vers Harnes à 4 km). Dans le centre du village ; attention, de l'extérieur, le musée ressemble à une maison de ville quelconque, on peut passer devant sans le remarquer. Ouvert les mardi et jeudi de 14 h à 17 h sur rendez-vous uniquement. Entrée : 2 €.
Un petit musée vraiment chouette : dans cette maison, la chambre est transformée en café de mineurs, le salon en pièce d'expo sur la géologie et la technologie de la mine, et les caves... en galeries reconstituées ! Étonnant et très bien fait. Quel travail d'avoir installé tout ce matériel, ces poutres et ces étançons, ces berlines, ces perforateurs et perforatrices, etc. ! Et l'on découvre tous les outils et objets de mineurs, et que ceux-ci ne partaient pas travailler sans emporter dans leur musette leur *boutelot* de café (gourde) et leur *briquet* (casse-croûte). Vidéo de 25 mn retraçant l'histoire de la mine (de la formation du charbon à la mine moderne), avec une évocation de la silicose (maladie professionnelle du mineur). On visite pour finir une salle d'école des années 1900 et une salle didactique avec mobilier et éléments d'époque. Cartes et « gaillettes » de charbon (1 et 2 €). Une bonne sortie culturelle.

⚲ ***Le parc de nature et de loisirs de Wingles, Douvrin et Billy-Berchau :*** à 8 km au nord de Lens par la route de Lille par La Bassée (N 47). ☎ 03-21-40-89-41. Vaste espace de 150 ha conquis sur les friches industrielles. Sentiers de marche et de VTT, kayak, planche à voile, tir à l'arc, tennis, minigolf, aire de pique-nique...

⚲⚲ ***Loisinord :*** 62290 ***Nœux-les-Mines.*** Station de ski : ☎ 03-21-26-84-84. Base nautique : ☎ 03-21-26-89-89. Au nord de Béthune. Station de ski ouverte du lundi au vendredi de 10 h à 18 h 30 et le week-end de 10 h à 20 h ; en périodes de vacances scolaires, tous les jours de 10 h à 19 h. Pour la base nautique, ouvertures différentes selon les activités (ski nautique, pédalo, canoë, stages de planche à voile...), se renseigner.
Complexe d'activités sportives assez originales en Nord-Pas-de-Calais intérieur : ski alpin et ski nautique ! La piste de ski, synthétique et jaune fluo, a été aménagée sur un ancien terril. On y trouve des pistes bleues, rouges... et noires (à bosses) ainsi qu'une piste d'initiation pour les débutants, avec des téléskis. Il y a même une piste-enfants avec un tire-fil : le tout est bien sympa et a été classé par le CRT comme « Site incontournable ».
Attention, ça fait plus mal de tomber ici que sur de la neige ! Il y a même un moniteur de l'École du ski français qui donne des cours. Petite restauration sur place, au *Dahu.* Également un minigolf de 18 trous.

Où manger dans le coin?

|●| ***Le Poulailler :*** 39, Grand-Place, 62400 ***Béthune.*** ☎ 03-21-68-58-58. Menus de 13,40 à 18 €; menu-enfants à 7 € proposant au choix du poulet, du jambon, des œufs au plat, des *potatoes*... et un dessert. Petite adresse bien sympathique, bleu et jaune clair, proprette, pour de copieuses assiettes : quart ou demi-poulet (volaille de Liques) accompagné de frites ou haricots verts et salade, ou belle omelette au maroilles... Il y a des habitués. Service aimable de ces dames. Impeccable pour déjeuner ou dîner simplement.

NORMANDIE

Il y a mille ans, la « France » était l'Île-de-France, et la Normandie un pays viking. Aujourd'hui, l'Île-de-France est une grande zone urbaine et la Normandie est la campagne de Paris. Idéale pour les familles, cette région a le mérite d'offrir à la fois des paysages variés pour les yeux de tous, de célèbres plages pour la détente et des sites culturels et originaux pour les juniors. Un circuit dans le Calvados associera à la visite du monde souterrain la découverte d'univers animaliers et des balades sur la côte. Plus au nord, on pourra aussi profiter des différentes richesses nichées dans les méandres de la Seine.
Bref ! Que ce soit pour dénicher de jolis coquillages, visiter une ferme et découvrir les traditions locales, faire du vélo en famille ou simplement se détendre au bord d'une plage, la Normandie vous offre, à vous et à vos chères têtes blondes, de quoi passer d'excellents moments ensemble.

Adresses utiles

- ***Comité régional du tourisme de Normandie :*** 14, rue Charles-Corbeau, 27000 Évreux. ☎ 02-32-33-94-00. Fax : 02-32-31-19-04. • www.normandy-tourism.org • Édite de nombreuses brochures thématiques bien faites dont celle intitulée *Normandie, à pied, à vélo, à cheval.*
- ***Comité départemental du tourisme de Seine-Maritime :*** 6, rue Couronné, BP 60, 76420 Bihorel-lès-Rouen. ☎ 02-35-12-10-10. Fax : 02-35-59-86-04. • www.seine-maritime-tourisme.com •
- ***Comité départemental du tourisme de l'Eure :*** 3, rue du Commandant-Letellier, BP 367, 27003 Évreux Cedex. ☎ 02-32-62-04-27 ou 0810-27-00-27. Fax : 02-32-31-05-98. • www.cdt-eure.fr • www.tourism-eure.com •
- ***Comité départemental du tourisme du Calvados :*** 8, rue Renoir, 14000 Caen. ☎ 02-31-27-90-30. Fax : 02-31-27-90-35. • www. calvados-tourisme.com •
- ***Comité départemental du tourisme de la Manche :*** maison du département, route de Villedieu, 50008 Saint-Lô. ☎ 02-33-05-98-70. Fax : 02-33-56-07-03. • www.manchetourisme.com •
- ***Comité départemental du tourisme de l'Orne :*** 86, rue Saint-Blaise, BP 50, 61002 Alençon Cedex. ☎ 02-33-28-88-71. Fax : 02-33-29-81-60. • www.ornetourisme.com •

LE MÉMORIAL DE CAEN

Dans les environs : Musée et sites archéologiques de Vieux-La-Romaine • La maison de la Mer à Courseulles-sur-Mer • La maison de la Baleine à Luc-sur-Mer • Natur'aquarium à Trouville • Mer et Désert à Villerville • Le Naturospace à Honfleur

LE MÉMORIAL DE CAEN *(Un musée pour la Paix)*

Esplanade Dwight-Eisenhower. ☎ 02-31-06-06-44. • www.memorial-caen.fr • Accès en voiture : par le boulevard périphérique nord (sortie 7) ;

très bien fléché du centre-ville (c'est à 5 mn). Bus n° 17 direct de la gare SNCF. Ouvert tous les jours de 9 h à 19 h en moyenne saison, 20 h de mi-juillet à fin août et 18 h au cœur de l'hiver. Fermé la 1re semaine de janvier et le 25 décembre. Vente des derniers billets 1 h 15 avant la fermeture du site. Entrée : 16,60 € toute l'année; de 10 à 18 ans et pour les familles nombreuses : de 12 à 14,30 € selon la période; gratuit pour les moins de 10 ans. Forfait entrée au Mémorial + resto à 29 € (intéressant avec des enfants car formule buffet). Compter au minimum 3 h de visite, mais en fait on peut parfaitement y passer la journée. Astuce : si vous arrivez après 13 h, il est possible de revenir le lendemain matin avec le même billet, jusqu'à 13 h. Une bonne formule avec des enfants, qui permet de « digérer » tranquillement la première partie, avant de visiter la seconde le lendemain. Intéressant à partir de 10 ans.

Il existe par ailleurs un forfait « Mémorial + visites guidées des plages du débarquement », une demi-journée au Mémorial et une demi-journée d'excursion en monospace, autour de 68 €. Intéressant pour ceux qui n'ont pas de véhicule... et qui ont quelques moyens.

Inauguré le 6 juin 1988 (date symbolique) par François Mitterrand, le Mémorial de Caen est devenu l'un des passages incontournables en Normandie. Un centre pédagogique et un outil de réflexion sur la folie humaine; un centre de réflexion sur le thème : « Comment favoriser la paix? »

Pour faire simple, on peut dire qu'il se divise en 2 grandes parties : d'une part tout ce qui se rapporte à la Seconde Guerre mondiale, et d'autre part tout ce qui touche à l'après-guerre (guerre froide, propagande est-ouest, les crises ouvertes entre les deux blocs...) pour terminer par l'évocation de nouvelles voies pour la paix. En tout, plus de 4500 m² d'espaces consacrés au XXe siècle à partir de 1918.

Le plus cohérent semble de visiter ces 2 parties dans l'ordre chronologique.

Le bâtiment proprement dit, construit sur les restes d'un bunker de commandement allemand, est une massive bâtisse en pierre de Caen. Premier symbole : la grande fracture centrale, évoquant la percée opérée par les Alliés dans le mur de l'Atlantique.

– Dans le grand hall central, le ***Cercle du Temps,*** mur circulaire couvert des noms de philosophes qui ont compté dans l'histoire. Deuxième fracture : une ligne rouge indique l'apparition de la « pensée » antisémite. La visite peut commencer... On pénètre dans un sombre corridor qui ira en s'inclinant tout au long d'un brillant exposé consacré aux racines de la Seconde Guerre mondiale.

On voyage de la ***Faillite de la paix*** à la ***Guerre mondiale/Guerre totale,*** en passant par ***La France des années noires.*** En vrac : affiches de l'effort de guerre, armes sous plastique (encore un symbole), photo de l'impact de la première bombe A testée (au mur : une lettre d'Einstein), les préparatifs de l'opération Overlord (vus du côté britannique), etc. Uniformes, vêtements de l'époque, maquettes de porte-avions, de V1, photos en noir et blanc, véhicules militaires... Plusieurs films projetés.

Dans la 2e partie du musée, un peu moins pédagogique, on découvre ***Le monde à l'heure de la guerre froide*** et ***Les mondes pour la paix.*** On prend conscience des destructions et de la vie durant la ***guerre froide.*** Films sur les moyens de propagandes est/ouest.

– Puis place au ***temps de paix*** avec sa représentation dans des petits kiosques, de 6 manières différentes par 6 cultures fortes : gréco-romaine, chrétienne, juive et arabe, culture primitive, hindouiste-jaïn et bouddhiste, et enfin chinoise et japonaise. Pas mal fait même si les textes demandent beaucoup d'attention pour que l'on ne s'y perde pas.

On termine par le ***message de la terre,*** une présentation des 3 mondes mis en danger par l'homme depuis un bon demi-siècle : les forêts tropicales, l'Antarctique et les fonds marins.

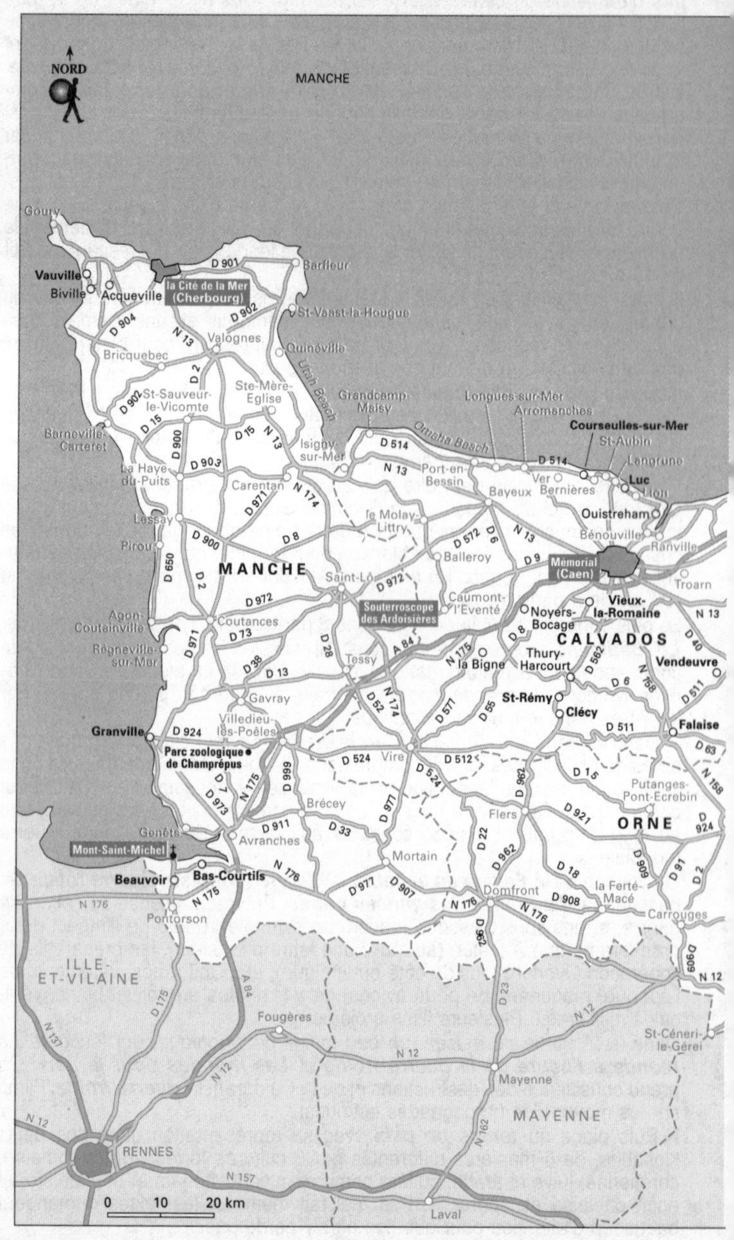
NORD
MANCHE
la Cité de la Mer (Cherbourg)
Mémorial (Caen)
Souterroscope des Ardoisières
Parc zoologique de Champrépus
Mont-Saint-Michel
MANCHE
CALVADOS
ORNE
ILLE-ET-VILAINE
MAYENNE
Goury
Vauville
Biville
Acqueville
Barfleur
St-Vaast-la-Hougue
Quinéville
Valognes
Bricquebec
St-Sauveur-le-Vicomte
Ste-Mère-Eglise
Utah Beach
Barneville-Carteret
La Haye-du-Puits
Carentan
Isigny-sur-Mer
Grandcamp-Maisy
Omaha Beach
Longues-sur-Mer
Arromanches
Courseulles-sur-Mer
St-Aubin
Langrune
Luc
Lion
Ver
Bernières
Port-en-Bessin
Bayeux
Ouistreham
Bénouville
Ranville
Troarn
Lessay
Pirou
le Molay-Littry
Balleroy
Saint-Lô
Caumont-l'Eventé
Noyers-Bocage
Vieux-la-Romaine
Agon-Coutainville
Coutances
Régneville-sur-Mer
Tessy
la Bigne
Thury-Harcourt
Vendeuvre
St-Rémy
Clécy
Falaise
Gavray
Villedieu-les-Poêles
Granville
Vire
Putanges-Pont-Ecrebin
Brécey
Flers
Genêts
Avranches
Mortain
Beauvoir
Bas-Courtils
Pontorson
Domfront
la Ferté-Macé
Carrouges
Fougères
St-Céneri-le-Gérei
Mayenne
RENNES
Laval
0 10 20 km

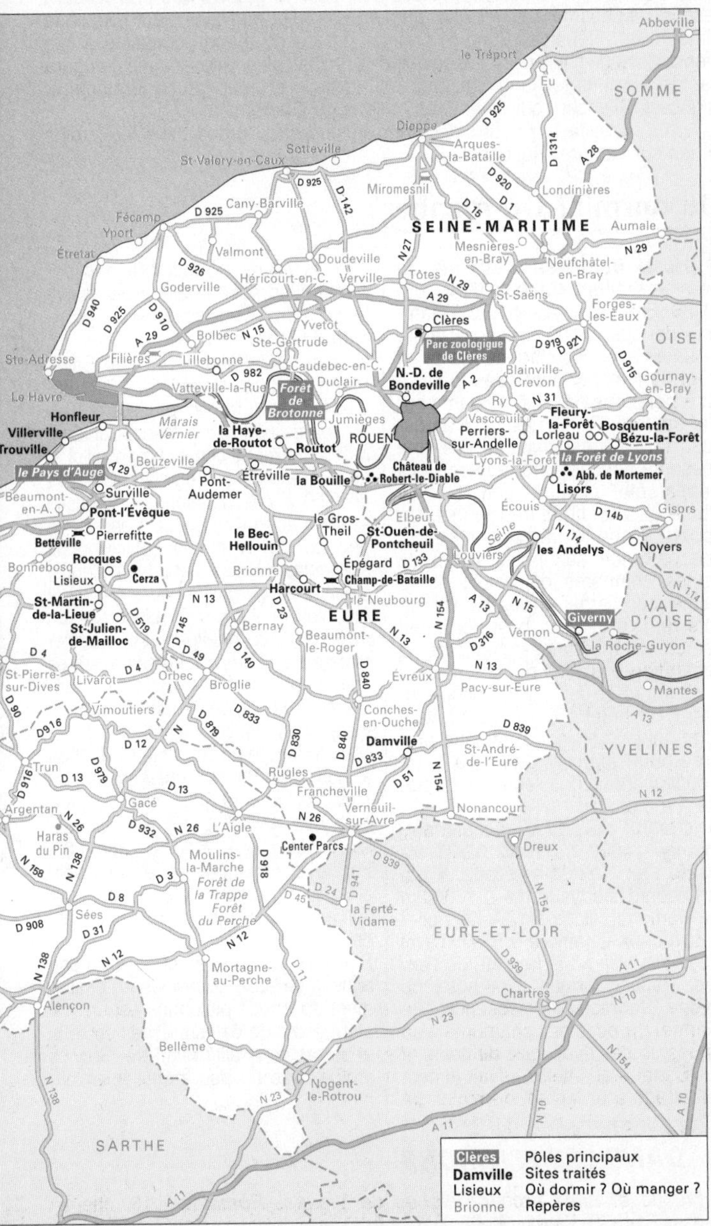

SEINE-MARITIME
EURE
SOMME
OISE
VAL D'OISE
YVELINES
EURE-ET-LOIR
SARTHE
ROUEN
Abbeville
le Tréport
Eu
Dieppe
Arques-la-Bataille
Londinières
Sotteville
St-Valery-en-Caux
Miromesnil
Fécamp
Yport
Étretat
Cany-Barville
Valmont
Doudeville
Aumale
Mesnières-en-Bray
Neufchâtel-en-Bray
Hericourt-en-C.
Verville
Tôtes
St-Saëns
Goderville
Forges-les-Eaux
Yvetot
Clères
Parc zoologique de Clères
Bolbec
Ste-Gertrude
Ste-Adresse
Filières
Lillebonne
Caudebec-en-C.
N.-D. de Bondeville
Blainville-Crevon
Gournay-en-Bray
Le Havre
Vatteville-la-Rue
Duclair
Forêt de Brotonne
Ry
Honfleur
Villerville
Trouville
Marais Vernier
la Haye-de-Routot
Jumièges
Routot
Vascœuil
Perriers-sur-Andelle
Fleury-la-Forêt
Lorleau
Bosquentin
Bézu-la-Forêt
Lyons-la-Forêt
la Forêt de Lyons
le Pays d'Auge
Beuzeville
Étréville
la Bouille
Château de Robert-le-Diable
Abb. de Mortemer
Lisors
Beaumont-en-A.
Surville
Pont-Audemer
Pont-l'Évêque
Écouis
Gisors
Betteville
Pierrefitte
le Gros-Theil
Elbeuf
le Bec-Hellouin
St-Ouen-de-Pontcheuil
les Andelys
Noyers
Bonnebosq
Rocques
Cerza
Lisieux
Brionne
Épégard
Louviers
Champ-de-Bataille
Harcourt
le Neubourg
St-Martin-de-la-Lieue
St-Julien-de-Mailloc
Bernay
Beaumont-le-Roger
Giverny
Vernon
la Roche-Guyon
St-Pierre-sur-Dives
Livarot
Orbec
Broglie
Évreux
Pacy-sur-Eure
Mantes
Vimoutiers
Conches-en-Ouche
Damville
St-André-de-l'Eure
Trun
Rugles
Gacé
Francheville
Verneuil-sur-Avre
Nonancourt
Argentan
Haras du Pin
L'Aigle
Center Parcs
Dreux
Moulins-la-Marche
Forêt de la Trappe
Forêt du Perche
la Ferté-Vidame
Sées
Mortagne-au-Perche
Chartres
Alençon
Bellême
Nogent-le-Rotrou
Seine
A 28
A 29
A 2
A 13
A 11
A 10
N 29
N 31
N 15
N 114
N 13
N 154
N 26
N 138
N 158
N 12
N 10
N 23
N 27
D 925
D 1314
D 920
D 1
D 15
D 142
D 926
D 940
D 910
D 982
D 919
D 921
D 915
D 14b
D 133
D 23
D 145
D 49
D 140
D 519
D 316
D 840
D 4
D 90
D 916
D 12
D 819
D 833
D 830
D 51
D 839
D 979
D 13
D 932
D 918
D 3
D 8
D 908
D 31
D 24
D 45
D 941
D 939
D 11
Clères — Pôles principaux
Damville — Sites traités
Lisieux — Où dormir ? Où manger ?
Brionne — Repères

Il est alors temps de prendre un peu d'air avec ***la galerie des prix Nobel :*** ressortir du bâtiment principal et prendre l'escalier ou l'ascenseur jusqu'à la plate-forme inférieure. C'est le premier musée au monde consacré à ces bienfaiteurs de l'humanité. Le couloir des prix les plus récents a été inauguré par deux femmes (Aung San Suu Kyi, la belle et courageuse Birmane, et Rigoberta Menchu, qui défend les Indiens du Guatemala).
– Après la visite, on peut s'accorder un temps de repos dans les jardins situés sur l'arrière. Reposant.

Où dormir ? Où manger ?

≜ ***Hôtel Bernières :*** 50, rue de Bernières, 14000 ***Caen.*** ☎ 02-31-86-01-26. Fax : 02-31-86-51-76. Chambres doubles de 39 € avec douche, à 42 € avec douche ou bains et w.-c. ; chambres familiales pour 4 ou 5 personnes à 51 €. Cet immeuble austère (l'architecture d'après-guerre...), situé dans une rue très passante, cache une adresse qui s'apparente plus à une maison d'hôte qu'à un hôtel traditionnel. Un accueil d'une extrême gentillesse, une patronne aux petits soins, de petites chambres douillettes et au calme sur l'arrière (double vitrage côté rue), et un bon petit dej'. Seul bémol : dans certaines chambres, la séparation entre les douche/w.-c. et la chambre se fait par un simple rideau ! Un hôtel 1 étoile qui en vaut largement deux, notre adresse préférée pour dormir à Caen. 10 % de réduction pour nos lecteurs d'octobre à mars.

≜ ***Otelinn :*** av. du Maréchal-Montgomery, 14000 ***Caen.*** ☎ 02-31-44-34-20. Fax : 02-31-44-63-80. • otelinn-caen@libertysurf.fr • ♿ À 300 m du Mémorial, dans la ZA La Folie-Couvrechef. Chambre à 53 € d'avril à octobre et à 43 € le reste de l'année. Parking gratuit. Cet hôtel de chaîne (confort et absence de charme) propose des chambres bien tenues, toutes avec salle de bains et TV (Canal + et satellite). Nuit et petit dej' offerts à un enfant de moins de 12 ans (dans la chambre des parents). L'adresse pratique par excellence si l'on veut séjourner à proximité du Mémorial.

|●| ***Les Canotiers :*** 143, rue Saint-Pierre, 14000 ***Caen.*** ☎ 02-31-50-24-51. Ouvert le midi et jusqu'à 18 h (le soir de mi-juillet à mi-août uniquement). Fermé le dimanche en juillet et août et le lundi midi en hiver. Galettes de 3,50 à 7 €, omelettes et grosses salades entre 6 et 8 €. Un endroit un peu *british,* avec une petite touche scandinave. Nappes et rideaux fleuris, bibelots dans le style Laura Ashley et meubles en bois clair. L'adresse du midi où les habitués du quartier mangent salades, omelettes et autres crêpes ou crumbles dans une ambiance cosy. L'après-midi, salon de thé avec un chocolat d'anthologie. Accueil à l'image de l'endroit. Café offert à nos lecteurs sur présentation du *Guide du routard.*

|●| ***Pizza Amalfi 2 :*** 23, rue Vauquelin, 14000 ***Caen.*** ☎ 02-31-86-08-09. Fermé le dimanche et le lundi soir, ainsi qu'en octobre en général et une semaine aux alentours de Noël. Plats de pâtes et pizzas entre 8 et 12 €. Rien que de très banal pour ce lieu mais la terrasse ombragée au croisement de 2 rues piétonnes est un vrai atout. Plats de pâtes fraîches copieux et pizzas de qualité régulière. Service rapide mais un peu irrégulier en humeur.

➤ *DANS LES ENVIRONS*

Musée et sites archéologiques de Vieux-la-Romaine : 13, chemin Haussé, 14930 ***Vieux.*** ☎ 02-31-71-10-20. • vieuxlaromaine@cg14.fr • À 10 km au sud de Caen, sortie 10 (Eterville). Ouvert de janvier à juin et de septembre à décembre du lundi au vendredi de 9 h à 17 h et le week-end de 10 h à 18 h. En juillet et août, ouvert tous les jours de 10 h à 18 h. Fermé le

1er mai, les 1er et 11 novembre et pendant les vacances de Noël. Entrée : 3 €; tarif réduit à 1,50 €; gratuit pour les moins de 15 ans.
Il y a 2000 ans, le village de Vieux était une ville romaine répondant au nom d'Aregenua, capitale du peuple des Viducasses. Des recherches archéologiques sont conduites sur le site de Vieux depuis l'époque de Louis XIV.
Le musée, construit au croisement de deux rues antiques, présente une vision claire et ludique de l'archéologie : l'accent est mis sur l'exposition du quotidien des habitants de l'époque (les colonnades, peintures et mosaïques sont replacées en situation) et on peut tenter d'ouvrir une serrure antique ou encore s'essayer à l'écriture gallo-romaine !
Un autre pôle important de la visite est celui des sites restaurés, comme la *Maison au Grand Péristyle,* présentée dans le cadre d'un jardin archéologique. Résidence d'un riche notable, elle date de la fin du IIe siècle et se distingue notamment par le luxe de son ornementation intérieure.
Et puis, Vieux-la-Romaine est un site vivant, puisque les recherches sur la ville antique sont encore en cours et que l'on peut y visiter un lieu de fouilles (en été seulement). Il s'agit du quartier du théâtre, assez densément bâti.
Enfin, c'est toute une ville romaine qui se dévoile peu à peu au cœur de la campagne normande : un théâtre antique, des thermes, une *domus* dotée d'un ensemble lapidaire exceptionnel, un quartier artisanal et commercial, un aqueduc... qui ne représentent finalement qu'une toute petite partie de ce que fut Aregenua à son apogée !

La maison de la Mer : pl. Charles-de-Gaulle, 14470 ***Courseulles-sur-Mer.*** ☎ 02-31-37-92-58. ♿ En mai et juin, ouvert tous les jours de 9 h 30 à 13 h et de 14 h à 19 h ; en juillet et août, tous les jours de 9 h à 19 h ; de septembre à avril, tous les jours sauf le lundi, de 10 h à 12 h et de 14 h à 18 h et d'octobre à janvier, ouvert l'après-midi seulement. Entrée : 6 € ; enfants (de plus de 5 ans) : 4,50 €. Dans un tunnel de 100000 l d'eau (dont 10000 au-dessus des têtes !) évoluent la faune marine locale, mais également des tortues marines, un homard bleu, etc. Sans compter des spécimens vraiment étonnants, venus du monde entier : murex couvert d'arêtes, tritons, casques des Caraïbes, turbots nacrés, bénitier de 100 kg, etc. Superbe collection de coquillages, de toutes les formes. La visite est complétée par un petit film.

La maison de la Baleine : parc de l'Hôtel-de-Ville, 45, rue de la Mer, 14530 ***Luc-sur-Mer.*** ☎ 02-31-97-55-93. ♿ En juillet et août, ouvert tous les jours de 10 h à 12 h et de 14 h à 19 h ; en juin, tous les jours de 14 h à 18 h ; en avril, mai et septembre, les week-ends, jours fériés et pendant les vacances scolaires de 14 h 30 à 18 h. Entrée : tarif spécial de 1,25 € pour nos lecteurs sur présentation du *Guide du routard.*
Installée dans un agréable parc plein d'oiseaux et avec quelques animaux (volailles et chèvres). On y a aussi exposé le squelette de la baleine échouée à Luc en 1885. La maison abrite un amusant petit musée évoquant l'univers des cétacés. Le tunnel d'entrée donne l'impression de pénétrer dans le ventre d'une baleine... À l'intérieur, légendes et anecdotes sur les baleines, mémorandum sur la chasse et la protection des cétacés, etc.

Où dormir dans le coin ?

Hôtel de la Plage : 39-41, av. Pasteur, 14150 ***Ouistreham.*** ☎ 02-31-96-85-16. Fax : 02-31-97-37-46. • hoteldelaplage@aol.com • À Riva-Bella ; à 100 m de la plage, près du centre piéton. Parking clos. Congés annuels : de mi-novembre à mi-février. Chambres doubles avec douche ou bains (TV dans la plupart d'entre elles) de 45 à 59 € suivant la saison. Installé dans une ancienne villa balnéaire du XIXe siècle à la façade fleurie de géraniums. Chambres claires et à la déco discrète, rénovées pour la plupart. Quatre chambres familiales (pour 4 personnes). Petit dej' servi sur la terrasse aux beaux jours. Pas de resto, mais micro-ondes et frigo à disposition. Pour les lecteurs du *Guide du routard,* 10 % de réduction sur les chambres hors saison.

Natur'aquarium : 17, rue de Paris, 14360 **Trouville.** ☎ 02-31-88-46-04. • www.natur-aquarium.com • Sur la plage, pas très loin du casino. Ouvert tous les jours ; de Pâques à juin, en septembre et octobre, de 10 h à 12 h et de 14 h à 18 h 30 ; en juillet et août, de 10 h à 19 h 30 ; de novembre à Pâques, de 14 h à 18 h. Entrée : 6,50 € ; enfants de 6 à 14 ans : 4,50 € et de 3 à 5 ans : 3,50 €. Possibilité avec ce billet d'avoir une entrée gratuite à « Mer et Désert » à Villerville (voir ci-dessous).
Répartie dans 75 aquariums et vivariums, une faune locale et tropicale parmi laquelle on remarque les poissons multicolores des mers de corail et bien sûr les requins. Également une vingtaine de vivariums consacrés aux reptiles, mygales, grenouilles et tritons en provenance de différentes forêts équatoriales. Bien sûr, les gamins ont un certain penchant pour « P'tit Roi », la mascotte de l'établissement. À l'entrée, chaque enfant reçoit un petit questionnaire-jeu adapté à son âge, qu'il devra remplir. Il sera corrigé en sortant !

Mer et Désert : route de la Corniche, 14113 **Villerville.** ☎ 02-31-81-13-81. Sur la D 513 à la sortie de Trouville, direction Honfleur. Ouvert durant les vacances scolaires, les week-ends de Pâques à octobre et tous les jours en juin, juillet et août, de 14 h à 18 h. Entrée : 4 € ; de 5 à 16 ans : 3 €. Entrée gratuite sur présentation d'un billet de l'aquarium de Trouville (lire plus haut) de moins d'une semaine.
Grosse collection (plus de 2000 pièces) de coquillages, rarissimes pour certains, très communs pour d'autres. Des vitrines et des aquariums illustrent l'écologie des eaux douces de France. Intéressants espaces qui expliquent comment plantes et animaux parviennent à coloniser les déserts ou illustrant la fragilité des savanes et les risques de désertification. Pour faire participer les petits, demandez le petit jeu à l'entrée : ils devront retrouver les différentes espèces présentées !

Le Naturospace : bd Charles-V, 14600 **Honfleur.** ☎ 02-31-81-77-00. Ouvert d'octobre à mars tous les jours de 10 h à 17 h 30 et de mai à septembre tous les jours de 10 h à 19 h. Entrée : 6,85 € ; enfants de 3 à 14 ans : 5,10 €. Un jardin équatorial où vivent en liberté plus d'un millier de papillons. Congés annuels : en décembre et janvier.

Où dormir ? Où manger ?

Hôtel de la Paix : 4, pl. Fernand-Moureaux, 14360 **Trouville.** ☎ 02-31-88-35-15. Fax : 02-31-88-28-44. • hoteldelapaix@hotmail.com • Face au pont qui mène à Deauville. Fermé 15 jours fin janvier. Chambres doubles avec douche ou bains de 40 à 55 €. Chambres familiales de 54 à 72 € selon le nombre de personnes et la saison. Établissement accueillant et très bien tenu. Chambres mignonnes, insonorisées et tout confort. Les plus grandes (avec vue sur le port) sont logiquement les plus chères. Garage pour motos. Un petit dej' par chambre offert aux lecteurs du *Guide du routard.*

Il Parasole : 2, pl. Fernand-Moureaux, 14360 **Trouville.** ☎ et fax : 02-31-87-33-87. Face au pont qui mène à Deauville. Ouvert tous les jours ; service de 12 h à 15 h et de 19 h à minuit. Plat du pêcheur à 10,50 € et menu à 15,90 €. Compter 23 € à la carte. Menu-enfants à 7,50 €. Un resto italien au joli décor marin. Couleurs fraîches et agréables, tant dans la salle que dans les assiettes. *Bruschetta* tricolore, *piccata* piémontaise, *fritto misto,* et quelques pizzas et pâtes : une vingtaine au choix à la carte.

LE SOUTERROSCOPE DES ARDOISIÈRES

Dans les environs : le musée du Chemin de fer miniature • Les fosses d'Enfer à Saint-Rémy • Automates Avenue • Le château de Falaise

LE SOUTERROSCOPE DES ARDOISIÈRES

À ***Caumont-l'Éventé*** (14240). ☎ 02-31-71-15-15. ♿ Accès par l'A 84, sortie 41 ou 42, et suivre la direction de Caumont-l'Éventé. Ouvert d'octobre à avril de 10 h à 17 h tous les jours sauf lundi. En juillet et août, ouvert tous les jours de 10 h à 18 h. Entrée : 8 et 4 € pour les enfants. Billet couplé souterroscope-exposition : 9,45 € et 4,50 € pour les enfants de 4 à 12 ans. Visites guidées toutes les 10 mn. Attention, prévoir une petite laine l'été, car il fait environ 12 °C là-dessous !

Visite surprenante d'une « grotte » en pleine Normandie, située sur d'anciennes ardoisières qui fonctionnaient à l'époque de Zola (de 1850 à 1890). Un casque sur la tête, vous parcourez les 400 m de galeries souterraines, animées par des lacs aux eaux féeriques tandis que les rochers sont illuminés par d'étranges couleurs. Le son et la lumière vous guident dans ce parcours initiatique qui vous mène tout droit vers le fameux « arc en terre » animé par des jeux d'eau.

– Après ce spectacle, n'hésitez pas à emmener vos bambins à l'exposition permanente *Les Dents de la Terre*. Ici, collection de cristaux géants et de pierres précieuses. Enfin, 3,5 ha d'aire de détente, un petit restaurant touristique ainsi que des boutiques.

Où dormir ? Où manger ?

Chambres d'hôte et gîtes Ferme de la Cordière : chez Anne-Marie et Philippe Flaguais, route de Cheux, 14120 ***Noyers-Bocage.*** ☎ et fax : 02-31-77-18-64 et ☎ 06-81-17-48-89. • www.vacances-flaguais.com • Par la D 174, à 500 m de Noyers. Chambres à 41 € pour 2 et à 58 € pour 4 personnes. Elles portent toutes des noms de fleurs. Notre préférence va à *Églantine*. Également 3 gîtes de 2 à 6 personnes et de 215 à 375 € selon la saison et la taille du gîte. Il y a aussi un club d'équitation, si bien que l'on peut organiser différents types de randos. Anne-Marie propose les « week-ends relax à la ferme » qui comprennent le logement, 5 h d'équitation et l'accès à la piscine (comme pour tous les hôtes). Accueil sympathique et chaleureux.

Auberge de la Cordière : route de Cheux, 14120 ***Noyers-Bocage.*** ☎ 02-31-77-97-38. Fax : 02-31-77-01-77. • www.lacordiere.com • ♿ Au même endroit que les chambres d'hôte du même nom. Fermé le lundi, et en soirée les mardi et dimanche. Congés annuels : de Noël à mi-janvier et pendant les vacances scolaires de février. Chambres doubles de 30 € (avec douche uniquement) à 38 € (avec sanitaires complets). Menus de 13 à 31 €. Dans la campagne normande, halte dans un cadre agréable (plan d'eau, tennis). Au programme : grillades au feu de bois ou petits plats normands. Café offert à nos lecteurs sur présentation de ce guide.

Chambres d'hôte La Vauterie : chez Mme Simone Laiman, 14260 ***La Bigne.*** ☎ et fax : 02-31-77-

95-21. Par la N 42, prendre direction La Bigne au croisement de Jurques. Chambres doubles à 38 €. Table d'hôte à 13 € (apéritif compris). Dans une belle ferme, 4 jolies chambres personnalisées, toutes différentes et toutes charmantes. Certaines sont familiales. Compter 12 € par personne. La plus grande et la plus romantique, *Ravel,* jouit d'une jolie vue sur la campagne et les pommiers du voisin. On aime bien *Yang* aussi, pour sa déco moderne. Dans toutes les chambres, on peut admirer les œuvres de Jean-Pierre Daveluy, le compagnon de Simone, artiste peintre et céramiste. Les repas sont concoctés en partie avec les produits du jardin. Accueil vraiment cordial et convivial des proprios, qui sauront aussi vous indiquer les nombreuses balades à faire dans les environs. De bons moments en perspective.

➤ DANS LES ENVIRONS

Le musée du Chemin de fer miniature : 14570 ***Clécy-Le Vey.*** ☎ 02-31-69-07-13. ♿ Entre les bords de l'Orne et Clécy-Centre. De Pâques à fin septembre, ouvert tous les jours de 10 h à 12 h et de 14 h à 18 h (18 h 30 en juillet et août; fermé le lundi en septembre); le reste de l'année, ouvert le dimanche uniquement, de 14 h à 17 h ou 17 h 30 (pendant les vacances de la Toussaint et de Pâques, ouvert tous les jours). Fermé de début décembre à fin février. Entrée : 4,50 €; enfants : 3 €.
Sur plus de 300 m², des centaines de wagons, locos, maisonnettes et décors divers, pour faire rêver les petits et les grands enfants. Cela dit, atmosphère archi-touristique.
Après la visite, vous pourrez déguster quelques crêpes au cidre fermier dans la cave creusée d'un ancien four à chaux ou sur la terrasse.

Les fosses d'Enfer : maison des Ressources géologiques de Normandie, 14570 ***Saint-Rémy-sur-Orne.*** ☎ 02-31-69-67-77. Sur la D 562, entre Flers et Caen, à environ 25 km de Caen. D'avril à mai, ouvert tous les jours sauf le mardi, de 10 h à 12 h et de 14 h à 18 h; de juin à septembre, de 10 h à 18 h 30; d'octobre à mars, tous les jours sauf le mardi, de 14 h à 17 h 30. Fermé en décembre et janvier. Entrée : sur présentation du guide, 3,10 € au lieu de 4,60 €; 2,30 € pour les enfants.
Sur le site d'une ancienne mine de fer, un musée pédagogique très bien conçu, qui raconte l'évolution de la région au travers des ressources de son sous-sol. Une excellente idée, qui rappelle que « la géologie est présente dans chaque instant de la vie quotidienne » : chauffage au charbon, ardoises des maisons, béton, carrosseries ou simple eau minérale ! Toute l'histoire de cette science défile sous vos yeux, documents à l'appui (en vrac). Après la visite, un itinéraire fléché vous conduit par un sentier de découverte à un ancien site minier (les fosses d'Enfer), avec visite du gisement et de la cité ouvrière. Une bonne initiative, hommage aux travailleurs qui firent vivre la région à l'époque où l'on produisait ici le meilleur minerai de Normandie !

Où dormir ? Où manger dans le coin ?

Camping du Traspy : rue du Pont-Benoit, 14220 ***Thury-Harcourt.*** ☎ 02-31-79-61-80. Fax : 02-31-84-76-19. Au nord de Saint-Rémy. Ouvert de mi ou fin avril à mi-septembre. Autour de 12 € l'emplacement pour 2 personnes avec un véhicule. Forfait famille (jusqu'à 6 personnes) en juillet et août : 97 € la semaine. Au cœur d'une vallée, au bord d'une rivière, dans un coin très, très sympa. Sanitaires impeccables. Tout le confort d'un 4-étoiles. Patron accueillant, qui saura vous indiquer les randos à faire dans le coin et aussi les bonnes petites adresses. Tarifs préférentiels pour le centre aquatique voisin (toboggan géant, cascades, etc.).

Chambres d'hôte et gîtes ruraux La Ferme du Vey : famille Leboucher, 14570 **Clécy-Le Vey.** ☎ 02-31-69-71-02. Fax : 02-31-69-69-33. • pbrisset@online.fr • Ouvert toute l'année. Chambres doubles avec douche ou bains à 33 €, petit dej' compris. Gîtes selon la capacité (groupe) et la saison de 190 à 600 € la semaine. Le *Club Med* du tourisme vert local, dirigé par une vraie dynastie du coin, qui règne sur 7 gîtes ruraux et 2 gîtes de groupes, dans différentes fermes et même un manoir ! S'y prendre à l'avance, c'est vite complet. Sinon, quelques chambres d'hôte mignonnes dans le manoir. Vente de calvados, de pommeau et de cidre.

Auberge du Chalet de Cantepie : à 500 m du bourg, 14570 **Clécy.** ☎ 02-31-69-88-88. Fermé le lundi hors saison. Congés annuels : de début janvier à début février. Menus à 18 € (sauf le dimanche), puis de 23 à 35 € ; menu-enfants à 10 €. Quand on arrive, on est déjà sous le charme de cette maison traditionnelle. Le chef concocte une cuisine fine et raffinée qui est une ode sans faille au terroir de Normandie. Pas donné, mais une des meilleures tables de la région. Coupe de pétillant offerte au dessert sur présentation du *Guide du routard.*

Automates Avenue : bd de la Libération, 14700 **Falaise.** ☎ 02-31-90-02-43. • www.automates-avenue.com • À côté de l'office de tourisme. D'avril à octobre, en décembre et pendant les vacances scolaires (toutes zones), ouvert tous les jours de 10 h à 12 h 30 et de 13 h 30 à 18 h ; le reste de l'année, ouvert uniquement les week-ends et jours fériés. Fermé de la 2e semaine de janvier à la 1re semaine de février. Entrée : 3 € pour nos lecteurs (au lieu de 4,60 €) sur présentation du *Guide du routard.*

Depuis qu'un fabricant d'automates a proposé au *Bon Marché* de créer une vitrine animée pour rendre hommage à Peary, premier homme à atteindre le pôle en 1909, des générations de gamins se sont collé le nez aux vitrines des grands magasins parisiens. Cet épatant musée en a récupéré une dizaine (créées entre le début du XXe siècle et les années 1950), mise en scène dans un décor franchement réussi qui évoque les rues du vieux Paris. La *Sérénade à la fée* signée Peynet (oui, celui des Amoureux) avec un crabe qui se fait les ongles (pardon, les pinces !) ou la poétique *Naissance des poupées* de Jean Effel s'adressent à ceux qui ont gardé une âme d'enfant et à leurs rejetons. Mais on resterait des heures devant les deux vitrines inspirées par Dubout : le très drôle *Tour de France* ou le *Marathon de la danse,* à l'ambiance très *On achève bien les chevaux,* avec ses grosses bonnes femmes si caractéristiques et son pianiste délirant. Une nouvelle vitrine a été installée en 1999, créée par la célèbre maison Roullet et Descamps : *le Couronnement de la Rosière,* mettant en scène une tradition villageoise qui consistait à attribuer une couronne de roses à la jeune fille la plus vertueuse du village. Un musée magique qui nous replonge quelques instants dans nos rêves d'enfant.

Le château de Falaise : ☎ 02-31-41-61-44. À l'entrée de Falaise en arrivant de l'ouest. Ouvert tous les jours d'avril à septembre de 10 h à 18 h (jusqu'à 19 h en juillet et août). Fermé les mardi et mercredi à partir du 1er octobre. Fermé également en janvier (après les vacances scolaires) et le 25 décembre. Entrée : 5 € ; enfants (jusqu'à 16 ans) : 3 €. Visite guidée incluse dans le prix (selon disponibilité). Parcours audioguidé : 1 h.

Sur son éperon rocheux, se dresse une imposante forteresse construite au XIe siècle par Guillaume le Conquérant, transformée et agrandie au siècle suivant et achevée sous Philippe Auguste. Les 3 donjons sont protégés par les 15 tours de l'enceinte castrale. La plupart des tours sont du XIIIe siècle. Hautes murailles, épaisses à certains endroits de 4 m. Un immense donjon se distingue du reste des remparts. Cet édifice médiéval a rouvert au public après 10 ans de travaux de rénovation, qui n'ont d'ailleurs pas fait l'unanimité. Il est vrai que les énormes blocs de béton disposés sur la façade rappellent plus le mur de l'Atlantique que l'esthétique médiévale. En revanche, on a bien aimé (on va se faire quelques copains, là !) certaines audaces de l'architecte comme, dans la grande salle noble de l'étage *(l'Aula),* les planchers disparus qui ont laissé la place à du verre translucide. La visite vous balade dans la tour Talbot, qui a peu ou prou retrouvé son aspect du XIIIe siècle, sous les gracieuses voûtes de la salle haute, dans les salles basses baignées d'une belle lumière avant de grimper sur la plate-forme du grand donjon d'où l'on a une chouette vue sur la campagne environnante. Une mise en scène fait revivre le château et ses illustres occupants : animations, projections, maquettes, musique et commentaires. Un spectacle permanent qui plaira aux enfants.

Où dormir ? Où manger ?

🏠 |●| ***Hôtel-restaurant de la Poste :*** 38, rue Georges-Clemenceau, 14700 ***Falaise.*** ☎ 02-31-90-13-14. Fax : 02-31-90-01-81. • hotel.delaposte@wanadoo.fr • Fermé le dimanche soir et le lundi. Congés annuels : en janvier. Chambres doubles de 49 à 52 € avec douche ou bains. Chambres pour 3 personnes à 65 € et chambres communicantes à 92 €. Demi-pension possible. Menus de 16 € (sauf le dimanche) à 36 €. Une hôtellerie sympathique. Plusieurs chambres ont récemment été refaites à neuf. Au resto, une cuisine simple et traditionnelle (panaché de poissons sauce au cidre par exemple). 10 % de réduction pour nos lecteurs sur le prix des chambres de début septembre à fin décembre et de fin janvier à fin mai.

LE PAYS D'AUGE

• Le château de Betteville et le musée de l'Automobile • Le centre de loisirs et la ferme du Houvre à Pont-L'Évêque • Parc animalier La Dame Blanche • Le domaine Saint-Hippolyte • Cerza, site zoologique • Le château de Vendeuvre

Le Pays d'Auge, c'est la bouffée d'oxygène de la Côte Fleurie. Quelques parcs animaliers rappellent la richesse agricole de ce bocage, avec notamment les belles vaches normandes aux pis généreux. Sans oublier les fameux pommiers ! Au milieu des Douets (des petits ruisseaux), on trouve aussi de beaux châteaux qui feront rêver futurs princes et princesses.

¶¶ ***Le château de Betteville et le musée de l'Automobile :*** ☎ 02-31-65-05-02. À 1 km au sud de Pont-l'Évêque, sur la droite, en direction de Lisieux. Ouvert d'avril à septembre tous les jours de 10 h à 12 h 30 et de 13 h 30 à 18 h (de 10 h à 19 h en juillet et août) et en octobre et novembre tous les jours de 14 h à 18 h. Entrée : 6 € ; enfants de 4 à 14 ans : 3 €.
Heureux propriétaire que celui de cette sublime demeure historique, qui a enfin concrétisé son rêve : réunir l'une des plus belles collections françaises de voitures anciennes. Belle réussite pour un ancien mécanicien... Le musée est installé dans une magnifique grange du XIIe siècle, restaurée et agrandie pour caser toutes les voitures : plus de 100 modèles sur près de 2 500 m^2 !

On commence la visite en musique avec un gigantesque orgue de Barbarie de 1900, puis un grand bi de 1898, un authentique taxi de la Marne (utilisé dans différents films), un Zèbre A. Plus loin, reconstitution d'un atelier Peugeot des années 1920. Enfin, les monstres mécaniques : Lincoln, Zéphyr, Ford T, Cadillac 30 (modèle rarissime), etc. Parmi les curiosités : une Citroën modèle « Croisière jaune » (à chenillettes), une Trabant prêtée par Simone Veil, une Isetta Velam des années 1950, en forme d'œuf, une Packard de 1937 ayant appartenu à l'actrice Gaby Morlay, la Delaunay-Belleville du maréchal Joffre et une Panhard-Levassor ayant servi à Arsène Lupin (dans le feuilleton TV). Et prochainement, une collection de Bentley. Exposition de plus de 5000 modèles réduits.
Les apprentis Fangio pourront s'essayer à la conduite de karts ou de Lotus sur le circuit du château.

Le centre de loisirs : 14130 ***Pont-l'Évêque.*** Juste en face du château de Betteville. Renseignements : ☎ 02-31-65-29-21. Entrée payante en haute saison : 2 € par adulte, 1 € pour les enfants.
Endroit sympa pour des activités nautiques en famille ou en club. Il y a en effet autour de ce petit lac une école de voile pour tous (à partir de 6 ans), des locations de kayaks, de planches à voile... Également un centre équestre et un poney-club.

La ferme du Houvre : juste à côté du lac, 14130 ***Pont-l'Évêque.*** ☎ 02-31-65-01-00. Entrée : 2 €; enfants de 4 à 8 ans : 1,50 €.
Dans cette ferme typiquement augeronne et autour d'un manoir du XVIe siècle, une ferme pédagogique qui réjouira petits et grands. Des cochons (dont un énorme!), des lapins, des canards, des percherons, des vaches, des oies... la Normandie, quoi! Le tout sur un parcours de 800 m, bordé par un petit ruisseau. Boutique de produits fermiers.

Où dormir? Où manger?

Camping du Lac : au sud de ***Pont-l'Évêque.*** Direction Lisieux, par la D 48. À 20 mn à pied du centre, mais le cadre en vaut la chandelle. ☎ 02-31-65-29-21. • www.normandie-challenge.com • Ouvert de Pâques à fin octobre. Forfait 2 personnes et une tente à 16 €. Près du lac (gare aux moustiques). 280 emplacements. Plage de sable sympa pour les enfants. Activités nautiques (payantes). Un peu bruyant les soirs de fêtes au resto voisin.

Chambres d'hôte Le Prieuré Boutefol : route de Rouen, 14130 ***Surville.*** ☎ et fax : 02-31-64-39-70. • leprieure-boutefol-colin@wanadoo.fr • À la sortie de Pont-l'Evêque, prendre la direction Rouen. À 800 m après le supermarché *Intermarché,* sur la gauche. Chambre familiale pour 4 ou 5 personnes de 110 à 120 €. Dans un écrin de verdure sur 3 ha, un prieuré et ses écuries transformés en maison de caractère. Laetitia Colin, l'heureuse propriétaire, propose 4 chambres en étage, qui répondent au doux nom des saisons, toutes uniques et décorées avec soin. Et elle a un goût inné de la déco! Les tentures s'unissent allègrement aux poutres et aux murs peints dans des tons marins, champêtres ou fleuris. Sofas, baignoires d'antan (les gamins adoreront!), lits douillets et vue sur le parc ne font qu'accroître le charme de ces lieux. Aire de jeux centrale. Confort total. Sans parler de l'accueil, adorable. Et pour ne rien gâcher, les futurs apprentis mécanos adoreront les vieilles autos du propriétaire. Notre coup de cœur!

Le Bistrot Normand : à ***Coquainvilliers.*** ☎ 02-31-62-60-54. En venant de Pont-l'Evêque, sur la D 48, à l'entrée du village, prendre la 1re à droite direction Manerbe et l'espace Boulard. Ouvert midi et soir tous les jours de Pâques à fin septembre. Le reste de l'année, le midi en semaine, midi et soir le week-end. Menu-enfants à 8 €. Fondue au pont-l'évêque ou au camembert pour 11 €. Formule complète, cidre compris, à 23 €. Un bistrot pas comme les autres où l'on mange tout simplement dans de vieux tonneaux de calva ! Serveuses joviales (portant la veste des vachers du Pays d'Auge, pas très seyante pour ces dames !), et plat du jour de bonne facture – sans atteindre non plus des sommets – comme le boudin noir et sa compote ou le saumon sauce au cidre. Une halte sympa. Visite de la distillerie gratuite en fin de repas.

I●I ***Auberge des Deux Tonneaux :*** à ***Pierrefitte-en-Auge,*** sur la D 48 en venant de Pont-l'Evêque. ☎ 02-31-64-09-31. À deux pas de l'église. Fermé les dimanche soir et lundi (sauf pendant les vacances scolaires de la zone C). Congés annuels : de mi-novembre à fin mars. Menu à 25,80 € ; à la carte, compter 35 €. Menu-enfants à 9,30 €. Petite maison du XVIIe siècle au toit de chaume, dont on se demande un peu comment elle tient debout. Quand le soleil est de la partie, adorable terrasse sous les pommiers. L'intérieur est tout aussi pittoresque : grosse cheminée, cuivres aux murs et nappes à carreaux. Cuisine de terroir comme la tourte tiède au pont-l'évêque, la terrine de l'auberge aux foies de volaille (excellente !) ou, la grosse affaire de la maison, le poulet fermier farci et rôti (entier, donc pour 4 personnes et à commander 4 h à l'avance). Pots de cidre tirés du tonneau. Une auberge de campagne très appréciée des Parisiens en goguette et même de quelques stars. Apéritif maison offert à nos lecteurs sur présentation du *Guide du routard.*

☙☙☙ ***Parc animalier La Dame Blanche :*** à ***Saint-Julien-de-Mailloc,*** route d'Orbec (D 519). ☎ 02-31-63-91-70. ● http://perso.normandnet.fr/damebl ● Ouvert tous les jours d'avril à fin septembre de 10 h à 19 h et d'octobre à avril de 10 h à 17 h sauf le lundi. Fermé en décembre et janvier. Entrée : 5 € ; enfants : 3 € ; gratuit pour les moins de 3 ans. Quelle belle initiative ! Cette association est une clinique animalière. C'est ici qu'atterrit la faune locale en détresse physique. Mais on vient pour visiter le parc animalier dont les entrées financent les opérations de secours de la clinique.

Ce parc, qui est aussi un conservatoire des races locales et étrangères, rassemble une quantité et une variété de bêtes à poil et à plume tout simplement unique en Normandie. On déambule ainsi au milieu des bêtes tout en s'extasiant sur certaines d'entre elles. Notre préférée ? Le jacob, sorte de bélier à 4 cornes. Ou bien l'émeu, dont la femelle émet un cri proche du tambour. À découvrir d'urgence. En plus, vous ferez une bonne action.

☙☙ ***Le domaine Saint-Hippolyte :*** à ***Saint-Martin-de-la-Lieue,*** route de Livarot (D 579), à 4 km au sud de Lisieux. ☎ 02-31-31-30-68. ● genois @wanadoo.fr ● Ouvert tous les jours de mai à septembre de 10 h à 18 h. Visites guidées à 11 h, 14 h et 16 h. Entrée un peu chère : 5,50 € pour un adulte ; enfants : 4,30 €.

Dans la vallée augeronne où serpente la Touques, une ferme pédagogique en activité pour mettre en valeur le patrimoine normand. Explication de la chaîne de fabrication de l'herbe au fromage en passant par les inévitables vaches normandes ou encore de l'exploitation des vergers locaux. Joli cadre : pommiers et bâtiments du XVIe siècle. Le parcours est semé d'interrogations existentielles du type « Pourquoi les vaches portent-elles des boucles d'oreilles ? » ou « Pourquoi le lait est-il blanc ? » et vous apporte les réponses progressivement. Après l'effort intellectuel, réconfort des papilles avec dégustation gratuite de produits du terroir. Tout de même !

☙☙ ***Randonnées équestres :*** à ***Rocques.*** À 3 km de Lisieux, sur votre droite, sur la D 579. À défaut de visiter un haras, promenez-vous dans le bocage normand à cheval ou à poney. Balades sympas et agréables au travers d'un site éclatant de verdure, bordé de lieux de méditations. Au calme donc ! L'heure à cheval : 14 € ; à poney, compter 10 €. Renseignements : *La Chevauchée*, ☎ 02-31-32-29-92.

🗝🗝 ***Cerza, site zoologique :*** 14100 **Hermival-les-Vaux.** ☎ 02-31-62-15-76. De Lisieux, direction Pont-Audemer, puis c'est fléché sur 9 km. Ouvert tous les jours de 9 h 30 ou 10 h jusqu'à 17 h 30, 18 h 30 ou 19 h selon la saison ; les caisses ferment 2 h avant. Fermé en décembre et janvier. Entrée à tarif réduit sur présentation du *Guide du routard* : 8,40 € ; enfants de 4 à 9 ans : 4,70 € ; gratuit pour les moins de 4 ans. Animations pédagogiques pour les enfants.
Le site de Cerza n'est pas un zoo classique, mais un parc d'une cinquantaine d'hectares, dont le but est la sauvegarde des espèces menacées. Un zoo moderne, quoi. Sur de vastes espaces, les herbivores africains comme les rhinocéros, les zèbres et les girafes cohabitent. L'environnement de chacun est respecté. Des abris d'observation vous garantissent une parfaite visibilité pour observer les fauves d'Afrique ou les panthères du Sri Lanka. Une organisation et un projet remarquables !
Compris dans le prix de l'entrée, un mini-safari en train vous emmène pour un tour commenté du parc. Si vous souhaitez déjeuner sur place, restaurant sous une serre tempérée ou aire de pique-nique abritée.

NORMANDIE

➤ DANS LES ENVIRONS

Certes c'est un peu excentré par rapport à notre parcours, mais vos enfants vous en seront très reconnaissants ! Voici l'un de nos coups de cœur dans la région :

🗝🗝🗝 ***Le château de Vendeuvre :*** 14170 **Vendeuvre.** ☎ 02-31-40-93-83. ♿ (musée et jardin). À 30 km de Lisieux et à 6 km au sud de Saint-Pierre-sur-Dives, par la D 511 vers Falaise. Sur la droite. Bien fléché. De mai à fin septembre, ouvert tous les jours de 11 h à 18 h (18 h 30 en juillet et août) ; du 1er mars au 1er mai et du 1er octobre au 11 novembre, uniquement les dimanche et jours fériés et pendant les vacances scolaires de la Toussaint et de Pâques, de 14 h à 18 h. Entrée : 7,80 € ; enfants : 6,20 €. Visite du jardin : 5,40 et 4,20 €. Assez cher, mais vous pouvez y passer toute la journée sans vous ennuyer. Possibilité de pique-niquer à proximité (mais pas dans le parc). Restauration sur place possible en haute saison. Jeu de questions-réponses pour les enfants : demandez un exemplaire !
Élégante demeure du XVIIIe siècle dans un joli parc avec jardins à la française et jeux d'eau « surprise », qui jaillissent du bec des colombes ou de la gueule des tortues. Gare à Cléanthe d'ailleurs...! Une grotte aux coquillages, un pont chinois, un jardin psychologique comme au XVIIIe siècle. Vous n'êtes pas au bout de vos découvertes et les enfants s'en donnent à cœur joie. Ils adoreront les luxueux salons au mobilier d'époque, qui reconstituent à l'aide d'automates la vie d'une famille aristocratique du XVIIIe siècle. Ne pas manquer le lustre de la salle des pastels avec son poisson rouge. Sans oublier le bourdaloue de la chambre d'honneur, pot de chambre que les gentes dames portaient avec elles au cours des longs, très longs sermons du père Bourdaloue pour ne pas être prises au dépourvu ! Au sous-sol du château, une cuisine d'époque qui a gardé ses odeurs et ses vieilles habitudes. Au passage, jeter un œil à la collection de niches prodigieuses : on n'imaginait pas tant de possibilités pour héberger Médor !
Mais l'endroit est aussi réputé pour son ***musée des Meubles miniatures*** (situé dans l'orangerie du château), unique en son genre : plus de 700 chefs-d'œuvre de meubles miniatures, du monde entier, construits à partir des mêmes matériaux que leurs modèles grandeur nature. La plupart datent des XVIe et XIXe siècles, car les apprentis artisans avaient alors coutume de réaliser ces « chefs-d'œuvre de maîtrise ». On peut donc admirer ici des spéci-

mens aussi originaux (le lit construit spécialement pour le chat d'une fille de Louis XV!) qu'admirables (une armoire peinte ayant appartenu à Sissi en personne)...

Où dormir? Où manger dans le coin?

🏠 ***Azur Hôtel :*** 15, rue au Char, 14100 ***Lisieux.*** ☎ 02-31-62-09-14. Fax : 02-31-62-16-06. • www.azur-hotel.com • Chambres familiales avec douche ou bains (TV satellite et Canal +) de 85 à 105 €. Un 3-étoiles décoré dans un esprit clair, fleuri et plein de couleurs. Chambres agréables, bien équipées, claires et propres avec, pour les enfants, sofa ou lit simple. Accueil gentil. Très jolie salle de petit dej', d'ailleurs offert à nos lecteurs (un par chambre et par nuit, hors jours fériés).

🏠 🍽 ***La Coupe d'Or :*** 49, rue Pont-Mortrain, 14100 ***Lisieux.*** ☎ 02-31-31-16-84. Fax : 02-31-31-35-60. • www.la-coupe-d-or.com • Fermé les vendredi et dimanche soir (hors saison). Congés annuels : 1re quinzaine de janvier. Chambres doubles avec douche ou bains à 44 €; triples à 50 €. Demi-pension obligatoire les longs week-ends : à partir de 53 € par personne. Menus de 10,50 € le midi en semaine à 29 €; menu-enfants sympa (qui change du steak-frites!) à moitié prix. Un hôtel classique dans une ambiance conviviale et bien tenu, au cœur de cette ville souvent remplie de pèlerins. Chambres propres à la déco classique et simple mais confortable. Accueil souriant et agréable. Apéritif maison offert sur présentation du *Guide du routard.*

🍽 ***Aux Acacias :*** 13, rue de la Résistance, 14100 ***Lisieux.*** ☎ 02-31-62-10-95. Fermé les dimanche soir et lundi (sauf jours fériés), ainsi que les 2 dernières semaines de novembre et le jeudi hors saison. Menus de 15 € (sauf le samedi soir et les jours fériés) à 44 €. Menu-enfants à 6 €. Compter 38 € à la carte. Difficile de résister à cette bonne adresse du centre de Lisieux, au décor très cosy. C'est frais, agréable et original comme la cuisine : bar rôti à la fleur de sel, filet de bœuf poêlé au jus de truffes... Service précis et souriant. Café offert sur présentation du *Guide du routard.*

LE MONT-SAINT-MICHEL

Dans les environs : la maison de la Baie • Le reptilarium du Mont-Saint-Michel • Le parc zoologique de Champrépus • L'aquarium de Granville

LE MONT-SAINT-MICHEL

👪👪👪 Plus de 3 millions de visiteurs chaque année font de ce modeste rocher le site le plus fréquenté de France, que se disputent Bretons et Normands. Avec de jeunes enfants, éviter absolument la haute saison (crise de nerfs garantie), et préférer l'automne ou, encore mieux, l'hiver. Là, vous serez tranquille et vous pourrez profiter de cet endroit magique.

Garez votre voiture à l'extrémité de la digue, juste avant l'entrée du Mont (parking payant : 4 €). Bien vérifier les panneaux indiquant si le parking est submersible ou non à l'heure de la marée. Évidemment, c'est bien plus chouette et beaucoup plus écolo de laisser votre véhicule à l'entrée de la digue et de faire le trajet à pied, mais gardez vos ressources pour la suite, ça grimpe et on a rarement vu autant de marches. Poussette à bannir; adopter plutôt un porte-bébé dorsal avec des enfants en bas âge.

Parents savants : *les fameuses marées du Mont-Saint-Michel*

Ce sont les plus fortes d'Europe, aussi rapides, dit-on, qu'un cheval au galop (il s'agirait plutôt de la vitesse d'un homme au galop... seulement à mi-marée, et lors des plus grandes marées de l'année uniquement !). L'explication scientifique est la suivante : les masses d'eau des océans se gonflent grâce à l'attraction combinée du Soleil et de la Lune et se dégonflent quand cette attraction diminue. Ainsi, la mer monte et descend deux fois par jour (6 h pour monter, 6 h 30 pour descendre). À cause de la position de la Lune qui change et à cause de la Terre qui tourne sur elle-même, il y a un décalage de 50 mn des horaires de marées d'un jour à l'autre. À cause aussi de la distance de la Terre à la Lune qui varie, la force des marées varie selon les mois de l'année. Attendez, on n'a pas encore abordé le cas particulier de la Manche où les marées répondent (en plus de l'attraction du Soleil et de la Lune) aux violents coups des marées de l'Atlantique, sous la forme d'une onde qui part de Brest jusqu'à Dunkerque. Cette onde heurtant perpendiculairement le Cotentin, son amplitude est plus importante dans la baie du Mont-Saint-Michel. Avec ses fonds très plats, la succession des vagues se transforme rapidement en vague unique à l'approche du Mont-Saint-Michel, avec alors une vitesse de 10 km/h...
Pendant les grandes marées, la mer peut s'éloigner jusqu'à 18 km du fond de la baie. Pour toutes ces raisons, ne vous aventurez jamais seul à pied dans la baie (guide obligatoire). Chaque année des accidents mortels s'y produisent.

NORMANDIE

L'abbaye

Les p'tits détails pratiques

– ***Horaires d'ouverture :*** de mai à août, de 9 h à 19 h (dernière entrée à 18 h) ; de septembre à avril de 9 h 30 à 18 h (dernière entrée à 17 h). Fermé les 1er janvier, 1er mai et 25 décembre.
– ***Trois types de visite possibles pendant la journée*** (les tarifs mentionnés sont en plein tarif ; gratuit jusqu'à 17 ans et pour tous le 1er dimanche, du mois d'octobre à mars) :
➢ *la visite libre :* 7 €, avec, si on veut, les commentaires éclairés d'un guide sur un parcours limité (compter 1 h). C'est la formule que l'on recommande avec de jeunes enfants.
➢ *La visite « conférence » :* 4 € en plus de la simple entrée. Un conférencier passionnant vous entraînera dans une découverte approfondie de cette invraisemblable abbaye (durée d'environ 2 h). À faire absolument si vous avez le temps et des enfants d'au moins 10-12 ans (et intellos !).
➢ *La visite audioguidée :* 4 € en plus de l'entrée simple. Peu pratique avec des gamins.
– ***Pendant la soirée :*** possibilité de visites nocturnes d'avril à septembre.

Suivez le guide !

Les enfants sont en général bluffés par la beauté du site et par la grandeur de cette magnifique abbaye, réalisée après la guerre de Cent Ans. La prouesse technique de cette audacieuse construction, qui repose en grande partie sur une plate-forme artificielle, en équilibre au sommet du rocher, les épatera. Les moines bénédictins se révélèrent de remarquables bâtisseurs, doublés d'étonnants ingénieurs : les blocs de granit acheminés par bateau depuis les îles Chausey, à 40 km, furent hissés au sommet du Mont après avoir été taillés.

Les commentaires intéressants et vivants des guides permettent de mieux leur faire comprendre la vie des moines au Moyen Âge. Une abbaye, c'est un lieu à la fois fermé et ouvert : fermé sur le monde extérieur et réservé à la prière et au travail des moines, et en même temps ouvert aux pèlerins. On visite successivement la ***grande nef*** et son ***chœur,*** reconstruit au XVe siècle dans le plus pur style gothique flamboyant, après l'effondrement du chœur roman. En passant dans le ***cloître,*** on pénètre dans la ***Merveille,*** c'est-à-dire dans un ensemble de 6 salles réparties sur 3 étages, dont la construction fut commencée en 1211 et achevée 17 ans plus tard. Tous les murs étant en porte-à-faux, il était indispensable de construire quelque chose de léger. Le ***réfectoire*** (la cantine des moines) surprend par sa taille et ressemble plutôt à une église avec sa voûte. Les moines y prenaient en silence leur repas toujours frugal en écoutant la lecture d'un texte sacré. Juste en dessous, la majestueuse ***salle des Hôtes,*** réservée aux invités de marque (parmi lesquels de nombreux rois de France), a perdu sa couleur bleue mais possède toujours ses deux gigantesques cheminées dans lesquelles on pouvait faire rôtir plusieurs agneaux de prés-salés. La visite continue avec l'impressionnante ***crypte des gros piliers*** qui soutient le chœur de l'abbaye, ***la grande roue,*** installée au XIXe siècle pour monter la nourriture des prisonniers (eh oui, l'abbaye servit un temps de prison), le ***promenoir des moines*** et la ***salle des chevaliers*** (ou ***scriptorium***), où les moines faisaient leurs travaux d'écriture.

Parents savants : ***une journée de la vie d'un moine bénédictin***

Selon la règle de saint Benoît, le travail et la prière étaient les occupations principales des moines de Saint-Michel. En été, les moines se levaient vers 0 h 30 (oui !) pour se coucher vers 18 h 45. En hiver, ils se levaient plus tard et se couchaient plus tôt. Leur journée était rythmée par des temps de prière réguliers (près de 5 h en tout), des travaux d'écriture, d'enluminure et de jardinage, et tout de même deux petites siestes !

Après la visite, redescendez par les remparts pour la vue sur la baie. Et si vous pouvez, revenez vous y promener le soir, lorsque tout est désert et que les marchands de souvenirs ont tiré leur rideau de fer. Les murs de l'abbatiale, illuminés, surgissent alors dans la nuit comme une armure de pierre et l'archange aux ailes dorées se dresse au milieu des étoiles. Magique...

Où dormir ? Où manger ?

Évitez de dormir sur le Mont, même si c'est tentant. Les hôtels sont souvent complets, les chambres pas terribles, et la note plutôt salée. On vous propose l'option bucolique qui permet de démarrer la journée dans l'une des plus jolies campagnes qui soient, côté prés-salés ou côté bocage, au choix. Et puis, découvrir le Mont dans l'écrin de sa baie par un beau matin...

■ ***Chambres d'hôte :*** chez Damien et Sylvie Lemoine, 82, rue du Mont-Saint-Michel, 50220 ***Courtils.*** ☎ 02-33-60-06-02. Fax : 02-33-60-66-92. Avant d'arriver à Courtils, sur la route de la baie (la D 275, en venant du Mont-Saint-Michel). Fermé de mi-novembre à mi-décembre. Chambre pour 4 personnes à 48 €, petit dej' compris. Ce jeune couple élève des moutons de prés-salés. Vous l'aurez donc deviné, les chambres (bien tenues) ont une splendide vue sur les prés-salés (et les moutons) et, tenez-vous bien, sur le Mont-Saint-Michel ! Pas de table d'hôte mais un petit coin cuisine est à votre disposition (avec frigo, micro-ondes, vaisselle...).

🍴 ***Crêperie La Sirène :*** au Mont. ☎ 02-33-60-08-60. Fermé en janvier. En montant vers l'abbaye sur la gauche, au 1er étage d'un magasin de souvenirs. Un escalier en colimaçon vous mène à une petite crêperie aux prix pas exagérés. À la carte, compter environ 12 €. Malheureusement, la qualité des crêpes nous a laissés sur notre faim. Eh oui, on est au Mont-Saint-Michel...

➤ DANS LES ENVIRONS

👁👁 ***La maison de la Baie :*** au *Relais de Courtils*, au ***Bas-Courtils.*** ☎ 02-33-89-66-00. À 9 km du Mont. Accès par la route de la Baie (D 275, puis D 43) en direction d'Avranches. En avril, mai et pendant les vacances scolaires, ouvert tous les jours de 14 h à 18 h; de juin à septembre, tous les jours de 10 h à 18 h. Entrée : 4 €; enfants : 1,60 €.
Une présentation intéressante de la formation et de l'évolution du Mont-Saint-Michel depuis 20000 ans à travers un parcours audioguidé très bien fait. Projection de films, panneaux explicatifs vous permettront de remonter le temps pour parcourir les grandes étapes de l'histoire de la Baie. Accueille également de belles expos temporaires de photos ou de peinture, liées à la Baie sous tous ses aspects. Observatoire avec table d'orientation au fond du jardin offrant une vue imprenable sur le Mont, la Baie et les moutons des prés-salés.

👁 ***Le reptilarium du Mont-Saint-Michel :*** 62, route du Mont-Saint-Michel, 50170 ***Beauvoir.*** ☎ 02-33-68-11-18. • www.le-reptilarium.com • Ouvert tous les jours : d'avril à septembre, de 10 h à 19 h; d'octobre à mars, de 14 h à 18 h (uniquement le week-end en janvier). Entrée : 6,50 €; de 13 à 18 ans : 5,50 €; de 4 à 12 ans : 4,50 €.
Des crocos, des tortues et autres serpents au pays du Mont-Saint-Michel ?... Depuis 1994, grâce à la passion de Jean-Pierre Mace, des centaines de reptiles ont trouvé domicile près de la perle normande. Dans un espace couvert de 1 000 m², près de 200 reptiles (boas, varans, pythons, caméléons, crocodiles...) évoluent dans des vivariums, quasiment à portée de main : des ponts suspendus, échelles, tunnels, pyramides et tours de verre permettent en effet d'observer au plus près les gentilles bébêtes. Une opportunité qui ravira les plus jeunes. À l'extérieur, un jardin paysager accueille pour sa part une vingtaine d'espèces de tortues terrestres et aquatiques, dont d'impressionnantes tortues géantes des Seychelles (de 100 à 200 kg tout de même !). Bref, un petit coin d'exotisme en terre normande pas déplaisant.

👁👁 ***Le parc zoologique de Champrépus :*** à 8 km à l'ouest de Villedieu-les-Poêles, sur la route de Granville. ☎ 02-33-61-30-74. • www.zoochamprepus.com • Pendant les vacances de février et d'octobre à début novembre, ouvert tous les jours de 13 h 30 à 18 h; d'avril à septembre, tous les jours de 10 h à 19 h. Fermé après les vacances de la Toussaint jusqu'en janvier. Compter 2 h de visite. Entrée : 9,60 €; enfants de 3 à 12 ans : 5,30 €; sur présentation du *Guide du routard :* 8,50 €, et 4,80 € pour les enfants.
Fondé en 1957 grâce à la passion de Lucien Lebreton, ancien agriculteur et grand-père des actuels proprios, ce parc animalier est aujourd'hui l'une des plus belles attractions du genre dans le département. Loin du concept du zoo-exhibition, la philosophie de la famille Lebreton est de favoriser le bien-être de ses hôtes et de contribuer à la préservation d'espèces en voie d'extinction. Ainsi, ce très joli parc paysager de 6 ha, planté de nombreuses essences exotiques et agrémenté de ponts suspendus pour les Indiana Jones en herbe, accueille une cinquantaine d'espèces animales. Des panneaux pédagogiques et informatifs (plutôt bien faits) ponctuent la balade. Un

certain nombre de ces espèces participe à un programme d'élevage en vue de leur conservation : baudets du Poitou, ânes du Cotentin, moutons d'Ouessant, canards de Rouen (qui peuplaient autrefois nos campagnes françaises et sont ici rassemblés dans une petite ferme qui plaira beaucoup aux tout-petits), et puis, en vrac, oryx d'Arabie, tigres de Sumatra, panthère de Perse, babiroussa des îles Célèbes, lémuriens de Madagascar... Tous ces hôtes se sentent visiblement fort bien ici, vu le nombre des naissances enregistrées. Il faut dire que les guépards, tigres, zèbres, chimpanzés, yacks, lamas, et autres perroquets évoluent dans un cadre adapté et d'une rare qualité. Bref, une vraie réussite et de quoi passer un délicieux moment, conjuguant plaisir des yeux et pédagogie, contribuant ainsi à une meilleure connaissance du patrimoine naturel de notre planète. Possibilité de se restaurer sur place (de Pâques à fin septembre), de pique-niquer, d'assister au goûter des animaux (en saison), et, pour les plus petits, de s'ébattre dans une piscine à balles, sauter sur des structures gonflables, etc.

L'aquarium, le musée des Coquillages, le palais des Minéraux et le jardin des Papillons : promenade du Roc, 50400 **Granville.** ☎ 02-33-50-19-83. • www.aquarium-du-roc.com • Tout au bout de la ville haute, sur la pointe du Roc. Horaires compliqués : en janvier, ouvert le dimanche ; en février-mars et d'octobre à mi-novembre, de 9 h 30 à 12 h 30 et de 14 h à 18 h ; d'avril à septembre, de 9 h 30 à 19 h ; le reste du temps, le dimanche de 10 h 30 à 12 h 30 et de 14 h à 18 h. Même billet pour la totalité : 6,80 € ; enfants de 4 à 14 ans : 3,40 €. Sur présentation du *GDR,* 6,20 € et 3 €. Quatre petits musées insolites réunis au même endroit qui intrigueront et amuseront petits et grands.

– *Le musée des Coquillages :* vous n'imaginez pas tout ce qu'on peut faire avec des coquillages. Au niveau de la technique, ça frôle parfois le chef-d'œuvre, mais visuellement, c'est tout de même très kitsch. Ça tombe bien, les enfants adorent le kitsch. Mosquée du Caire, temple d'Angkor, maison de poupées, masques, la *Vénus* de Botticelli, etc., mis en scène de façon féerique, avec tout un jeu de lumières. Certains tableaux ont nécessité 50 000 coquillages à eux seuls et 12 mois de travail !

– *L'aquarium :* précédé d'un petit musée de la Mer (souvenirs divers, coquillages, peintures, gravures, maquettes de bateaux, dont le *Titanic* et la *Calypso,* poissons naturalisés et coraux). Dans l'aquarium, bel éventail de poissons : chirurgiens, rascasses volantes, balistes, hippocampes, grondins striés, poissons-clowns, piranhas et mérous (énormes !), ainsi qu'un bassin de poissons des côtes normandes. Quelques amusantes otaries achèvent le parcours.

– *Le jardin des Papillons :* découverte très pédagogique et toujours esthétique de l'univers des papillons et des insectes.

– *Le palais des Minéraux :* bois silicifiés, séquoias minéralisés, pyrites, énormes géodes d'améthyste, cristaux de toutes sortes sont mis en valeur, parfois superbement mis en scène.

En sortant, ne manquez pas de faire un tour dans la *vieille ville* (la haute ville) et de remonter tranquillement jusqu'à la *superbe plage,* située entre le casino et la pointe du Lude. Tout au bout, jeter un œil à l'exceptionnel *jardin de falaise Christian Dior,* qui est public.

Où manger ?

Crêperie L'Échauguette : 24, rue Saint-Jean, 50400 **Granville.** ☎ 02-33-50-51-87. Fermé le mardi et le mercredi midi sauf en période de vacances. Congés annuels : 4 semaines après le 11 novembre et 1 semaine en mars. Compter 10 € (6 € pour un enfant). Dans le dédale de jolies petites rues de la haute ville (la vieille ville) se cache cette charmante petite crêperie de derrière les fagots. Accueil gentil comme tout et atmosphère chaleureuse. Les crêpes y sont délicieuses, particulièrement les gratinées, mais les grillades au feu de bois, préparées devant vous, sont très bien aussi. Pour les enfants, plein de galettes toutes simples et pas chères. Kir normand offert à nos lecteurs. Une bien bonne petite adresse.

LA CITÉ DE LA MER À CHERBOURG

Dans les environs : Ludiver à Flottemanville-Hague • Balades sur la presqu'île de la Hague • Le château et le jardin de Vauville

Une région peu connue et pourtant riche en activités pour les enfants. Cherbourg a su dynamiser son image de ville portuaire et militaire avec l'ouverture récente de la Cité de la Mer, formidable complexe dédié à l'aventure sous-marine. À quelques kilomètres de là, la presqu'île de la Hague (tristement connue pour son énorme usine de retraitement des déchets nucléaires, la *Cogéma*) est une Irlande en miniature : des villages de cartes postales, des landes peuplées de roussins, ces moutons à tête noire typiques de la région et une côte déchirée à découvrir le long du sentier des douaniers.

LA CITÉ DE LA MER

★★★ La Cité de la Mer, située dans l'ancienne gare transatlantique, est LA grande attraction cherbourgeoise. Renseignements : ☎ 0825-00-50-50 ou 02-33-20-26-26. • www.citedelamer.com • ♿ (accès limité dans le sous-marin). Parking gratuit. Ouvert toute l'année (sauf le 25 décembre, le 1er janvier et 3 semaines en janvier). De début juin à mi-septembre, ouvert de 9 h 30 à 19 h, de mi-septembre à fin mai, ouvert de 10 h à 18 h. Fermeture des caisses 1 h avant. Entrée de mai à septembre : 13 €; pour les 6-17 ans : 9,50 €; gratuit en dessous. Un peu moins cher le reste de l'année. Attention, pour des raisons de sécurité, les enfants de moins de 6 ans n'ont pas accès au *Redoutable.*

Parents savants : *la gare transatlantique de Cherbourg*

C'est un élément essentiel du patrimoine cherbourgeois. Le bâtiment de la gare, de style Art déco, est considéré comme l'un des plus élégants de France. Quatre trains pouvaient y entrer en même temps. La gare accueillit jadis les passagers du *Titanic,* du *Queen Mary* et bien sûr du *France.* Inscrite depuis 1989 à l'inventaire des Monuments historiques, la gare transatlantique a subi d'importants travaux de rénovation et accueille depuis le printemps 2002 la Cité de la Mer. Dans le hall rénové, tout près de l'entrée, on peut encore voir les traces de rails des trains.

La Cité de la Mer a pour vocation d'expliquer et de partager l'aventure des hommes sous la mer, depuis les mythes et légendes jusqu'aux sous-marins et aux techniques d'océanographie les plus modernes. La visite se fait de

haut en bas, comme une plongée sous-marine. Difficile de tout appréhender avec des enfants en une seule visite. Compter 3 h au minimum avec des gamins motivés, 2 h avec les plus jeunes. Appelée à évoluer dans l'avenir, la Cité de la Mer est pour l'instant articulée autour de deux pôles principaux :
– ***un pôle océan*** (c'est par lui que commence la visite) qui retrace la complexité du monde sous-marin et les relations que, de tout temps, de Léonard de Vinci au commandant Cousteau, l'homme a entretenues avec l'univers sous-marin. Le tout illustré de manière didactique et ludique avec force photos, vidéos, bornes interactives, maquettes, quizz pour les enfants... Au centre, l'incroyable aquarium abyssal de 12 m de haut représentant une faille sous-marine et accueillant quelque 3000 poissons multicolores de Tahiti, pour la plupart concentrés en surface (plus on descend, moins il y a de vie). Pour résister à la pression de l'eau, les vitres font 35 cm d'épaisseur ! Et puis, d'autres bassins plus petits avec des méduses translucides, des murènes, des requins et d'impressionnants crabes-araignées du Japon, ainsi qu'un bassin tactile qui permet aux enfants d'approcher les poissons des côtes normandes. Le bassin des nautiles – ces cousins des calamars qui vivent jusqu'à 750 m de profondeur et fonctionnent exactement comme des sous-marins – fait la transition entre le pôle océan et le pôle sous-marin.
– ***Un pôle sous-marin,*** dont la vedette incontestée est évidemment ***Le Redoutable,*** 1er sous-marin nucléaire français, lancé à l'arsenal de Cherbourg en 1967 par de Gaulle et désarmé en 1991. Installé en cale sèche, c'est aujourd'hui le plus grand sous-marin visitable au monde. En 45 mn (qui passent à toute allure), équipé d'un audioguide qui diffuse les commentaires du commandant de bord, on arpente les 128 m du bâtiment pour revivre de façon très réaliste le quotidien d'une patrouille en mer. Même les bruits et l'odeur sont au rendez-vous. Incroyable d'imaginer que 130 personnes cohabitaient là-dedans pendant 70 jours ! On visite ainsi les postes de commandement (avec leviers, boutons, et des kilomètres de tuyaux), la salle des torpilles, les cabines spartiates de l'équipage, le carré des officiers, la cafétéria, le mini-hôpital avec son bloc opératoire, sans oublier, bien entendu, le périscope. Rappelons que les enfants de moins de 6 ans n'ont pas accès au *Redoutable.* Mais les plus grands seront fascinés. Un audioguide adapté aux juniors devrait voir le jour courant 2003.
À la sortie du *Redoutable,* une section sur l'histoire, les techniques de fabrication et la vie quotidienne à bord des sous-marins. Là encore, l'accent a été mis sur la pédagogie et le jeu : rien de tel qu'une démonstration toute bête pour comprendre le principe de la poussée d'Archimède. Enfin, des simulateurs permettent aux enfants de piloter virtuellement un sous-marin en plongée.
Dans la halle des trains, on trouve, outre la billetterie, un restaurant (voir « Où manger ? » plus bas), un bar, une boutique, un bureau de poste, le tout dominé par le bathyscaphe *Archimède,* qui réalisa en 1962 une plongée à 9545 m dans la fosse des Kouriles au Japon.

➢ ***Le tour de la rade de Cherbourg :*** la vedette *La Véga* (80 places) permet une sympathique balade commentée de 1 h à 1 h 30. Tarif pour 1 h : 7 € ; 3,30 € jusqu'à 12 ans. Fonctionne d'avril à fin septembre, départs à 14 h, 15 h 30 et 17 h. Réservation recommandée. Renseignements et réservations : ☎ 02-33-93-75-27. Embarcadère à Port-Chantereyne, ponton J.

Où dormir ? Où manger ?

Côté hébergement, on vous conseille plutôt les chambres d'hôte de la presqu'île de la Hague (notre coup de cœur), à quelques kilomètres de Cherbourg. Lire plus loin.

🍽 ***Le Quai des Mers :*** c'est le resto de la Cité de la Mer, ouvert midi et soir. La solution la plus pratique pour déjeuner si vous venez à Cherbourg pour ça. ♿ Menus à partir de 13,90 €; menu-enfants à 7,90 €. Spécialités de poisson, fruits de mer, moules de Barfleur-frites, à déguster dans le superbe cadre de cette ancienne gare transatlantique. Chaises hautes à disposition.

🍽 ***Brasserie Le Commerce :*** 42, rue François-Lavieille, 50100 ***Cherbourg.*** ☎ 02-33-53-18-20. ♿ Service continu de 11 h à minuit. Fermé le dimanche. Premier menu (normand) à 12 €, menu-enfants à 6,50 €. Située dans le centre-ville, cette grande brasserie comblera les appétits insatiables. Les plats qu'on y sert sont en effet simples, de qualité et surtout copieux. De plus, service efficace et atmosphère agréable et décontractée. C'est donc souvent bondé. Apéro offert sur présentation du *Guide du routard.*

➤ DANS LES ENVIRONS

👁👁 ***Ludiver, l'observatoire-planétarium du cap de la Hague :*** à ***Flottemanville-Hague,*** près de la route Cherbourg-Beaumont. ☎ 02-33-78-13-80. • www.ludiver.com • Ouvert en juillet et août tous les jours de 10 h à 19 h; de septembre à juin, en semaine de 9 h à 13 h et de 13 h 30 à 18 h, les week-ends et jours fériés de 14 h à 18 h. De 2 à 4 séances de planétarium par jour selon la période. Billet couplé musée + planétarium : 6 €; de 7 à 18 ans : 4,50 €; gratuit pour les moins de 7 ans. Point boissons et espace pique-nique.

Un complexe tout beau tout neuf, entièrement dédié à tout ce qui régit l'univers : les planètes, les étoiles, le temps, la météo... On peut observer les étoiles de 3 manières différentes : au cours des séances de planétarium (7000 étoiles projetées sur une voûte de 10 m de diamètre), grâce aux maquettes situées dans la salle de l'Univers de l'espace muséographique, et évidemment en direct avec les télescopes situés à l'extérieur (des observations ont lieu 2 soirs par semaine sur réservation). Petit ou grand, on y apprendra, ou réapprendra en tout cas, une foule de choses qu'on avait oubliées depuis l'école primaire. Qu'est-ce que la tectonique des plaques? Comment se forment les nuages? Comment fonctionne le système solaire? Autant de questions sérieuses qui remettent les pieds sur terre quand on a tendance à être dans la lune!

➢ ***Balades sur la presqu'île de la Hague :*** des villages et des paysages superbes. À voir absolument : les falaises de *Landemer,* le charmant village *d'Omonville-la-Rogue, Port-Racine,* le plus petit port de France (adorable), *Goury,* le lieu le plus touristique de la Hague, situé tout au bout du cap et surnommé « le bout du monde », la spectaculaire baie d'*Ecalgrain,* le *Nez-de-Jobourg,* les impressionnantes *dunes de Biville...*

Pour les amateurs de randos pédestres, le *sentier des douaniers* (GR 223) longe toute la presqu'île, sur 43 km, et offre des points de vue extraordinaires. Au départ de Goury, possibilité de faire une petite boucle allant de Goury à Ecalgrain. Durée : 2 h, facile avec des enfants. Renseignements à l'office de tourisme de Goury (ouvert de Pâques à mi-octobre et lors des petites vacances scolaires; ☎ 02-33-04-50-26).

👁👁 ***Le château de Vauville et son jardin botanique :*** 50440 ***Vauville.*** ☎ 02-33-10-00-00. • jbotvauville@wanadoo.fr • Ouvert en mai et juin les mardi, vendredi, week-ends et jours fériés; l'été, tous les après-midi de 14 h à 18 h; en septembre les mardi et week-ends. Visites guidées uniquement (adaptées aux enfants dès 6 ans, sur le thème des senteurs, en téléphonant à l'avance). Entrée : 6 €; sur présentation du *Guide du routard* : 5 €.

Seul le jardin botanique se visite, pas le château. Face à la mer, ce petit bijou de végétation (pas si petit que ça : 40 000 m²), créé par les parents des actuels propriétaires, Guillaume Pellerin et Cléophée de Turckheim, abrite aujourd'hui plus de 900 espèces exotiques. Tantôt une petite palmeraie, tantôt un délicieux et surprenant jardin d'eau, le tout ondulant paisiblement vers la mer. Mais comment ont-ils réussi à faire pousser tout ça au cœur des landes de la Hague ? Tout simplement en créant des barrières végétales qui protègent les plantes des tempêtes de l'hiver. Les proprios, passionnants et passionnés, se mettront en quatre pour rendre la visite vivante avec des enfants. Demandez-leur de vous faire goûter l'étonnante plante au goût de chewing-gum ! Un dépaysement à ne rater sous aucun prétexte.

Où dormir ? Où manger dans le coin ?

🏠 🍽 ***Chambres d'hôtes La Bélangerie*** : chez M. et Mme Geoffroy, 50440 ***Acqueville***. ☎ 02-33-94-59-49. • www.labelangerie.com • Compter 36 € pour 2 et 54 € pour 4 personnes (petit dej' compris). Fait également gîte d'étape (14,60 € par personne). Table d'hôte le soir à 14 € (vin compris), 8 € pour les moins de 6 ans. En pleine campagne, dans un joli manoir du XVIe siècle, 3 chambres d'hôte pour 2, 3 ou 4 personnes. Celle pour 4 personnes est très spacieuse et sa salle de bains aussi (w.-c. à l'étage). Accueil très chaleureux des proprios, des grands-parents gâteaux qui savent ce que chouchouter des enfants veut dire. Table d'hôte extra, avec produits de la ferme et poisson de la région, sans oublier les formidables confitures de Marie-Claude au petit dej'. Les enfants adoreront la grande basse-cour avec canards, oies, poules, dindons, paons...

🍽 ***Les Dunes*** : dans le bourg de ***Biville***. ☎ 02-33-93-31-73. Fermé les dimanche soir et lundi. Menu à 9,45 € ; plat-enfants autour de 4 €. Un bar-resto-épicerie sans chichis, proposant un petit menu tout simple mais bon et copieux, avec, par exemple : salade de chèvre chaud, cuisse de canard au cidre-frites maison et banane flambée. Ils peuvent aussi vous préparer des sandwichs pour le pique-nique. Accueil gentil tout plein.

CIRCUIT EN FORÊT DE BROTONNE

Dans les environs : le domaine d'Harcourt • Le château du Champ-de-Bataille • Le moulin Amour • Le Chocolatrium

LA FORÊT DE BROTONNE

Cette forêt, domaniale depuis Philippe Auguste, abrite surtout des hêtres, chênes, bouleaux, charmes et quelques pins. Elle fait partie intégrante du parc naturel régional de Brotonne, regroupant une soixantaine de communes, de l'Eure et de la Seine-Maritime. Traversée par le GR 23 d'est en ouest, prolongée par la boucle du marais Vernier. Nombreux sites, villages et écomusées à visiter.

Le four à pain : 27350 ***La Haye-de-Routot***. ☎ 02-32-57-07-99. ♿ En juillet et août, ouvert tous les jours de 14 h à 18 h 30 ; en avril, mai, juin et septembre, les dimanche et jours fériés de 14 h à 18 h 30 ; en mars, avril, octobre et novembre, les dimanche et jours fériés de 14 h 30 à 18 h. Entrée : 1,80 € ; enfants : 1,50 € ; gratuit le dimanche pour les moins de 16 ans.

Ce four de 1845 est remis en route, de mars à novembre le dimanche et les jours fériés de 14 h à 16 h, pour fabriquer à nouveau du pain selon les méthodes traditionnelles. Le bon plan est de s'inscrire pour un des stages d'une journée qui comprennent le pétrissage, la cuisson et la dégustation de votre propre fournée, avec la haute assistance du maître du four, fort sympa, qui excelle dans sa partie. Chaleur ambiante, au double sens du terme... À faire avec des petits routards gourmands.

Le musée du Sabot : 27350 ***La Haye-de-Routot.*** ☎ 02-32-57-59-67. Mêmes heures d'ouverture que le four à pain. Entrée : 2 €; enfants : 1,80 € (gratuit le dimanche pour les moins de 16 ans). Possibilité de billet couplé avec la visite précédente.
Installé dans une demeure traditionnelle du Roumois du XVIIe siècle au toit de chaume. Pittoresque collection de sabots de toute la France et de quelques pays voisins. Film vidéo. Là, malheureusement on ne peut pas confectionner ses sabots... ou même assister à leur fabrication, car le sabotier est un métier qui n'est hélas plus enseigné.

La maison du Lin : 27350 ***Routot.*** ☎ 02-32-56-21-76. Au sud de Hauville et de la forêt de Brotonne. Au rez-de-chaussée de la mairie. En juillet et août, ouvert tous les jours de 14 h à 19 h; en avril, mai, juin et septembre, ouvert tous les jours sauf le mardi, de 14 h à 18 h 30; en octobre, ouvert le dimanche de 14 h à 18 h. Entrée : 2,30 €; de 8 à 16 ans, 1,50 €; tarif spécial de 1,22 € pour nos lecteurs sur présentation du *Guide du routard.*
La Haute-Normandie est toujours la première productrice de lin d'Europe, une fibre qui nous vient des Égyptiens. Sept salles d'expo et un audiovisuel font revivre son histoire, sa culture et toutes ses applications artisanales et industrielles. Belle boutique qui ravira les amateurs de nappes et de torchons.

Où dormir? Où manger?

Chambres d'hôte : chez Mme R. Dagorn, hameau Les Benards, 27350 ***Étreville.*** ☎ 02-32-57-45-74. Compter 38 € pour 2 personnes, environ 46 € pour 3, petit dej' compris; si vous êtes 4, demandez les 2 chambres communicantes. Adorable ferme normande située en pleine campagne, à 2 km de Bourneville. Maison à colombages entourée d'une grande pelouse. 3 chambres décorées, un peu vieillissantes toutefois, dont une avec mezzanine. Table et barbecue à la disposition de tous. Très calme. 10 % de réduction sur le prix de la chambre pour nos lecteurs.

La Venise normande : 4, rue Clémencin, 27500 ***Pont-Audemer.*** ☎ 02-32-41-45-50. En saison, ouvert tous les jours; hors saison, fermé les mercredi et dimanche. Fermé en janvier. Formules déjeuner à 7,60 et 10,80 €; menus à 15,10 et 22,40 €; menu-enfants à 4,80 €. Une ruelle piétonne et son petit pont charmant. C'est là, dans l'une des plus anciennes maisons de Pont-Audemer. Une restauration rapide, oui, mais tout est frais : les pizzas, les pâtes et les galettes bretonnes. Nombreuses salades. C'est aussi le spécialiste de la pierrade du coin. Accueil attentionné. La preuve : espace de jeux pour les enfants et salle de toilette pour bébés. Les parents sont contents... et nous aussi, pour l'ensemble.

➤ *DANS LES ENVIRONS*

Le domaine d'Harcourt : 27110 ***Harcourt.*** ☎ 02-32-46-29-70. Du 15 juin au 15 septembre, ouvert tous les jours, de 10 h 30 à 18 h 30; de début mars au 15 juin et du 15 septembre au 15 novembre, tous les jours

sauf le mardi, de 14 h à 18 h. Possibilité d'horaires plus larges pour 2003. Visite libre pour les individuels : 4 €; enfants : 2,50 €.
Construite au XIVe siècle, cette forteresse caractéristique de l'architecture militaire normande ravira à coup sûr les chevaliers en herbe. Les murs d'enceinte, protégés par des douves profondes, ont conservé deux tours de défense. Dans la cour, puits à roue du XIVe siècle. À l'intérieur, expo sur l'histoire du château, au fil des superbes salles au rare mobilier. Dans la vaste forêt qui l'entoure, on trouve un *arboretum* (plantation d'arbres d'espèces variées) de toute beauté, considéré comme le plus ancien de France, rassemblant 400 essences, notamment des séquoias et de magnifiques cèdres du début du XIXe siècle. Et puis des hêtres tortillards, cyprès chauves... Bien agréable balade au milieu de ces arbres acclimatés sous nos tropiques. Grâce au plan (le demander à l'accueil), impossible de se perdre. Itinéraire balisé sur le site. Animations médiévales l'été.

🕯🕯🕯 ***Le château du Champ-de-Bataille :*** à 5 km au nord-ouest du Neubourg par la D 83, à ***Sainte-Opportune-du-Bosc,*** 27110 ***Le Neubourg.*** ☎ 02-32-34-84-34. ♿ (pour le jardin). Visite de début mai à fin septembre tous les jours de 14 h à 18 h. Uniquement le week-end en mars, avril, octobre et novembre. Entrée qui comprend la visite des cuisines et des jardins (et c'est déjà pas mal !) : 6 €.
Au milieu d'un parc de 100 ha, superbe château ducal du XVIIe siècle, l'une des plus fastueuses demeures de Normandie, habitée et ouverte au public. L'intérieur, richement décoré et meublé, ne se visite qu'à titre privé (et c'est très cher !), mais les cuisines sont tout bonnement époustouflantes ! Pour se défouler les pattes après la visite, prenez le temps de profiter du jardin à la française : le jardin des Dieux et sa mythologie gréco-romaine. Parterres avec boulingrins, statuaire italienne, labyrinthes zodiacaux, bassins, grand canal... Un site majeur de l'Eure.

🕯🕯 ***Le moulin Amour :*** 27370 ***Saint-Ouen-de-Pontcheuil.*** ☎ 02-32-35-80-27. • www.avpn.asso.fr • Du Neubourg, prendre la D 840 direction Elbeuf (8 km). À gauche D 86 (parking). Ouvert en mai, juin et septembre, les dimanche et jours fériés de 14 h 30 à 18 h 30 ; tous les jours sauf le lundi de mi-juillet à fin août, aux mêmes horaires. Entrée : 3,50 € ; réductions sur présentation du *Guide du routard.* Visite guidée le dimanche sur demande (durée : 1 h).
Dans un cadre bucolique, voici le dernier des 17 moulins à eau de la vallée de l'Oison. On assiste en direct et en vrai à la fabrication de la farine de meule. Expositions dans les salles de ce moulin au joli nom (l'ancien meunier). Agréable promenade près du plan d'eau et dans le jardin botanique.

🕯 ***Le Chocolatrium - Initiation au Chocolat :*** av. de Conches, 27240 ***Damville.*** ☎ 02-32-35-20-75. Au sud du département. Ouvert du mardi au samedi de 10 h à 18 h (fermé une semaine en avril et de début juillet à début août) ; boutique ouverte toute l'année du lundi au samedi. Entrée : 5 € ; réductions.
Cet espace entièrement dédié au chocolat a ouvert à côté de la fabrique du fameux artisan chocolatier Michel Cluizel. Une expo vous raconte sous forme de B.D. toutes les étapes de la fabrication, depuis la cabosse du cacaoyer jusqu'à la tablette de chocolat, ce qui rend la visite tout à fait accessible aux enfants. Puis une vidéo dévoile les secrets d'une culture difficile et du choix crucial des assemblages de fèves. Enfin, on voit un petit bout du laboratoire et les ultimes raffinements que les chocolatiers font subir à ces petites bouchées. D'ailleurs la boutique est là, à la sortie, diablement tentante. Michel Cluizel a souhaité ce Chocolatrium dans le but de mieux faire connaître le chocolat et surtout d'éduquer le consommateur en lui faisant prendre conscience des énormes différences de qualité. On regrettera pourtant qu'aucun atelier de dégustation ne vienne appuyer cette démarche, qu'on aurait aimée un peu plus sensorielle. Le musée s'avère un peu froid, bien loin de l'idée que l'on se fait du chocolat, mais où, techniquement, on apprend plein de choses.

Où dormir? Où manger dans le coin?

- *Chambres d'hôte La Paysanne :* chez M. et Mme Lucas, 8, rue de l'Église, 27110 ***Épégard.*** ☎ et fax : 02-32-35-08-95. Au nord du Neubourg, suivre la direction du château du Champ-de-Bataille par la D 83 (5 km). Chambres doubles à 35 € avec douche et w.-c., petit dej' compris. Dans une grande ferme normande du XVIIe siècle et sa belle pelouse, des chambres agréables et nickel avec tout le confort. Séjour avec coin cuisine. Petit dej' remarquable et copieux (fromage, yaourt, brioche maison). À pied d'œuvre pour visiter le château du Champ-de-Bataille et celui d'Harcourt.
- *Center Parcs Les Bois-Francs :* à 9 km au sud-ouest de Verneuil-sur-Avre (27130), tout au sud du département. Renseignements et réservations au ☎ 0825-802-804. • www.centerparcs.com • Autour de 400 € le week-end. Un monde tropical sous une bulle géante en pleine Normandie, voilà qui n'est pas courant! Destiné à tous ceux qui veulent se détendre en famille pendant quelques jours. Hébergement en cottages (avec terrasse) de différentes catégories, pour 4, 6 ou 8 personnes, spacieux, très confortables et bien équipés. Compris dans l'hébergement, l'accès au parc aquatique tropical, un dôme de verre chauffé à 29 °C toute l'année, où petits et grands goûteront aux joies des glissades, jacuzzi et autres saunas. Parmi les activités payantes : équitation, golf, vélo (super balades à faire dans la région), pédalo, tennis, tir à l'arc et la « Forêt de l'Aventure », un parcours où l'on s'élance d'arbre en arbre, attaché par un harnais à un câble. Également des activités d'intérieur comme du squash, bowling, billard, stretching... À *Center Parcs,* les enfants sont chouchoutés. En plus des activités sportives, des ateliers de cuisine, de cirque, de magie, etc. sont organisés pendant les vacances scolaires.
- *Le Vieux Brabant :* 27370 ***Le Gros-Theil.*** ☎ 02-32-35-51-31. Du Neubourg, prendre la D 83 (nord-ouest) sur 10 km. Face à l'église. Fermé le mercredi et pendant les vacances scolaires de février. Premier menu à 11 €; autres menus de 19 à 39 €. Une auberge rustique avec des recettes de toujours, mitonnées avec amour. Coq au vin mémorable mais la carte propose des plats mieux adaptés au goût des tout-petits. Aux beaux jours, quelques tables sont sorties dans l'agréable jardin fleuri. Également 3 chambres au fond du même jardin, pour dépanner.

Où faire du cheval?

- *Centre équestre du Bec-Hellouin :* ☎ 02-32-44-86-31. • fbarbot@aol.com • À 300 m du village sur la droite, sur la route de Pont-Audemer. Pour les randonnées, essayer de téléphoner la veille. Balade à l'heure, environ 18,50 € ou à la journée, 58 €. Poneys pour les enfants de 4 à 12 ans. Possibilité de stages week-end ou semaine (avec hébergement en dortoirs pas cher). Une adresse idéale pour faire de l'équitation en famille, à deux pas de la magnifique abbaye du Bec-Hellouin.

LA MAISON DE MONET À GIVERNY

Dans les environs : Château-Gaillard aux Andelys

LA FONDATION CLAUDE-MONET (La maison de Monet)

Rue Claude-Monet, 27620 ***Giverny.*** ☎ 02-32-51-28-21. • www.fondation-monet.com • Ouvert du 1er avril au 31 octobre. Visite de la maison et

des jardins de 9 h 30 à 18 h. Fermé le lundi sauf jours fériés. Interdit aux animaux. Entrée : 5,50 € pour la maison et les jardins, 4 € pour les jardins seulement; enfants de 7 à 12 ans : 3 €. Si possible, éviter la cohue du week-end. Il y a 3 moments propices pour faire la visite : à l'ouverture, donc à 9 h 30 précises, ou même un petit quart d'heure avant (si c'est un dimanche), pour avoir le nez collé au guichet; entre 12 h et 14 h pendant que les restos sont pris d'assaut (c'est légèrement plus calme) ou en fin d'après-midi vers 16 h 30 ou 16 h 45 (pas plus tard, vous n'auriez plus le temps de tout voir).
On a restitué à la maison et aux jardins leur aspect d'origine. Aux amoureux de Monet, signalons quand même qu'il n'y a ici aucune œuvre originale du peintre. On vient seulement observer le cadre de vie et surtout admirer les superbes jardins fleuris du maître qui détourna les eaux de l'Epte pour alimenter son petit univers japonais. Les enfants seront sans doute séduits par l'explosion de couleurs des innombrables parterres de fleurs mais seront tout autant touchés par la maison du maître. On peut y admirer sa magnifique cuisine aux murs recouverts de céramique. Un peu plus loin, au fond du jardin, l'étang des nénuphars, où Monet peignit les *Nymphéas.*
En sortant, prenez le temps d'une balade dans le joli bourg de Giverny. Et allez donc boire un verre à *l'hôtel Baudy,* ancien lieu de résidence des peintres américains qui vinrent suivre les traces de Monet.

Où manger?

|●| ***Les Nymphéas :*** rue Claude-Monet, 27620 ***Giverny.*** ☎ 02-32-21-20-31. Face à la maison de Monet. Service non-stop de 9 h à 19 h; pas de restauration le soir. Fermé le lundi, sauf jours fériés, et en période de fermeture de la maison de Monet. Menus de 14 à 22 €; à la carte, entrées et plats de 6 à 18 €. Endroit idéal pour combler un petit creux après la visite de la maison et des jardins de Monet. Ambiance bistrot avec ses tables en marbre. Beaucoup de salades composées. Préférer la terrasse qui donne sur le jardin fleuri de la cour, de l'autre côté de l'établissement. Accueil routinier en période d'affluence. Succès oblige...

➤ *DANS LES ENVIRONS*

🏛🏛 ***Château-Gaillard :*** 27700 ***Les Andelys.*** ☎ 02-32-54-04-16 (mairie, poste 214). On s'y rend à pied de la rue Richard-Cœur-de-Lion, par un chemin pas trop fatigant qui démarre au centre du Petit-Andely, ou en effectuant un long détour en voiture par Le Grand-Andely et les collines environnantes. Bien indiqué. Ouvert du 15 mars au 15 novembre, tous les jours sauf le mardi et le mercredi matin, de 10 h à 13 h et de 14 h à 18 h. Entrée : 3 €; enfants : 2 €; gratuit pour les moins de 10 ans.
Du parking, là-haut, vue globale sur le château, la Seine et le bourg. En fait, on peut très bien se balader au milieu des ruines et tout autour sans avoir à payer l'entrée. Le billet donne accès au donjon et à quelques tourelles un peu mieux conservées, mais quand on n'est pas spécialiste, ça n'apporte pas grand-chose de plus et la vue est tout aussi belle juste à côté. Forteresse édifiée par Richard Cœur de Lion, duc de Normandie et roi d'Angleterre, pour prévenir les attaques de Philippe Auguste, roi de France. Aujourd'hui, le château est en ruine et il offre l'une des visions les plus magiques de la vallée de la Seine, digne des images de château hanté des B.D. de Walt Disney, d'où sortent des nuées de chauves-souris sur fond de ciel violacé. À l'époque de son édification, les promoteurs furent zélés et rapides. Sa construction prit tout juste un an. Le site fut choisi en raison de l'escarpement et de la configuration stratégique du pay-

sage ; mais comme on le sait, les nobles ont toujours su allier raison, fonction et esthétisme. Richard se serait écrié, l'œuvre achevée : « Que voilà un château gaillard ! », d'où le nom...
Rusé, Philippe Auguste attendit la mort de Richard pour attaquer le château en 1204. Après un siège de plusieurs mois, l'assaut fut donné. La chute de Château-Gaillard allait précipiter celle de Rouen, et Philippe Auguste reconquit la Normandie. Tout est bien qui finit bien.

Où dormir dans le coin ?

Camping-caravaning municipal L'Île des Trois Rois **:** 27700 ***Les Andelys,*** en bordure de Seine, presque au pied du pont enjambant le fleuve. ☎ 02-32-54-23-79. Fax : 02-32-54-58-11 (mairie). Ouvert du 1er avril au 31 octobre. Pour 2 personnes, une voiture et une tente, compter 13 €. Bien situé, avec un petit étang d'un côté et la Seine de l'autre. Pas beaucoup d'ombre et une flopée de caravanes.

Gîte rural **:** chez Mme Ginette Goethals, hameau des ***Noyers.*** ☎ 02-32-39-53-38. À quelques kilomètres au nord-ouest des Andelys. Bien indiqué dans le hameau. Selon la saison, à la semaine de 194 à 373 € et pour un week-end de 185 à 210 €. À l'extrémité d'un admirable corps de ferme superbement restauré qui était à l'origine un monastère, un gîte tout confort devant une grande pelouse, pouvant accueillir 6 ou 7 personnes. Calme total.

LA FORÊT DE LYONS

Dans les environs : le musée de la Ferme et des Vieux Métiers • Le musée de la Ferme de Rome • L'abbaye de Mortemer • Le château de Fleury-la-Forêt et son musée de la Poupée

LA FORÊT DE LYONS

Une forêt splendide (malheureusement fortement touchée par la tempête de l'hiver 1999), un des plus beaux coins proches de la région parisienne. C'est une forêt « claire », c'est-à-dire à majorité de hêtres plusieurs fois centenaires, aux troncs élancés qui laissent passer tous les rayons du soleil. Luminosité des sous-bois sans égale. Les possibilités de promenades sur de petites routes désertes sont illimitées. De nombreux virages offrent des points de vue merveilleux sur d'adorables villages où églises normandes et colombiers se disputent un quart de ciel. On ne peut rêver mieux pour une virée en famille. Chaque halte est une occasion d'apprendre et de découvrir des choses nouvelles et merveilleuses. Difficile de dire qui sera le plus ravi, des parents ou des enfants ! Point de départ de la promenade : Lyons-la-Forêt, l'un des plus beaux villages de Normandie. Tellement beau que Claude Chabrol le choisit comme décor pour son film *Madame Bovary*. Ensuite musées insolites, abbaye cistercienne, châteaux et jardins... il y en a pour tous les goûts et toutes les saisons.

➤ *DANS LES ENVIRONS*

Le musée de la Ferme et des Vieux Métiers : à ***Bosquentin,*** à 7 km de Lyons-la-Forêt (nord-est). Direction D 14, Fleury-la-Forêt. ☎ 02-32-48-

07-22. Ouvert de Pâques à novembre, uniquement les samedi, dimanche et jours fériés, de 14 h 15 à 18 h 30. Entrée : 5 €.
Allez donc faire la visite de cette vieille grange qui rassemble des centaines d'objets du passé, témoignant avec humour et tendresse de tous les corps de métiers liés à la vie paysanne. Un musée coup de cœur, vivant et passionnant. Sympathique buvette pour faire une pause cidre-tarte aux pommes.

Le musée de la Ferme de Rome : 27480 **Bézu-la-Forêt.** ☎ 02-32-49-66-22. • www.fermederome.com • De Lyons prendre la D 6 jusqu'à La Neuve-Grange pour rejoindre la D 316. Tourner à gauche vers Morgny et Bézu. Venant de Bosquentin, il faut sortir du hameau de Rome (facile à trouver, tous les chemins y mènent...). Ouvert de Pâques à la Toussaint les samedi, dimanche et jours fériés de 14 h à 18 h 30 ; tous les jours en juillet et août. Tarif : 2 € ; enfants : 1 €.
Du petit pot à beurre du Chaperon du conte à la charrette qui était tractée par un âne ou un chien pour apporter les produits laitiers aux marchés du voisinage en passant par la jolie petite collection de vaisselle émaillée. Visite commentée de 30 mn par un agriculteur qui a passé sa vie à faire son beurre. Propose également sur place des collations champêtres. Rural, bon enfant et à la bonne franquette... Un endroit sympa et décontracté pour déguster une bonne crêpe sous les arbres.

L'abbaye de Mortemer : à **Lisors** (27440), près de Lyons-la-Forêt. ☎ 02-32-49-54-34 ou 37. Ouvert toute l'année. Le parc est accessible tous les jours de 11 h (14 h en basse saison) à 18 h 30. Entrée (parc, musée, train) : 6 € ; enfants de 6 à 16 ans : 5 €. Compter 4 € pour le parc seul ; 2 € pour les enfants. Visites guidées de Pâques à fin septembre tous les jours de 14 h à 18 h ; dernier départ à 17 h (en général). Durée : 45 mn environ + 15 mn de promenade en petit train. Le reste de l'année, visites guidées uniquement les week-ends et jours fériés, de 14 h à 17 h 30.
Tapies dans un vallon séduisant, au détour d'une route étroite, on aperçoit les ruines d'une ancienne abbaye cistercienne, dans un environnement exceptionnel. La visite de Mortemer peut être jumelée avec celle du château de Fleury-la-Forêt. Selon nous, il serait dommage de se contenter de visiter le parc. La découverte de l'abbaye vaut vraiment le coup.
L'abbaye tire son nom de la « mer morte » (marécages) qui inondait la région jadis. Il ne reste que quelques pans de l'église du XIIe siècle. Au rez-de-chaussée, on distingue encore le mur de la salle capitulaire. S'attarder sur le pigeonnier du XVIIIe siècle à la remarquable charpente de bois de châtaignier. Dans les sous-sols, grâce à un système audiovisuel, on passe en revue des scènes de la vie des moines : outils, four à pain, cellule monacale ainsi qu'une petite fontaine Sainte-Catherine, détournement de la source du même nom. Noter, sur le mur, les petits mots envoyés par les jeunes filles ayant trouvé mari après leur passage ici. Touchant ! Plusieurs pièces ont été ingénieusement aménagées pour présenter les contes et légendes liés à l'abbaye ou à la région, grâce à un système de son et lumière. Fort bien fait, et les mômes sont vraiment ravis.
Dans la région, l'abbaye a la réputation d'être hantée. Mathilde, femme de l'empereur d'Allemagne, Henri V, puis de Geoffroi Plantagenêt, comte d'Anjou, y fut enfermée à cause de son inconduite. On dit qu'on l'aperçoit aux abords de l'étang, les nuits de pleine lune. Pendant la Révolution, les sans-culottes égorgèrent les quatre derniers moines, au milieu des barriques de vin. On prétend que, pour l'éternité, les fantômes des religieux vont du cellier au pigeonnier. Voilà qui est gai !
Dans le fond du parc, un étang avec de nombreux oiseaux et des daims. Un petit train (tiré par un tracteur !) longe la pièce d'eau.

– ***Grand festival médiéval*** qui se déroule sur plusieurs mois avec différentes animations : comédie musicale, village médiéval, théâtre et même un grand son et lumière en juillet et août avec plus de 150 figurants costumés...

🎭🎭 ***Le château de Fleury-la-Forêt et le musée de la Poupée :*** à 7 km au nord-est de Lyons-la-Forêt. ☎ 02-32-49-63-91. Du 15 juin au 15 septembre, ouvert tous les jours de 14 h à 18 h (visites guidées); le reste de l'année, ouvert seulement les dimanche et jours fériés. Entrée : 6 €; enfants de plus de 6 ans : 5 €; comprenant la visite du château, du parc, de son labyrinthe de maïs, ainsi que des caves et des souterrains et du musée de la Poupée. De ce château classique à l'austère façade en brique rouge et silex, on visite 12 pièces meublées de différents styles mais datant globalement du XVIIe siècle, c'est-à-dire de l'époque du château, bien que le mobilier ait été apporté après par les actuels propriétaires. Bureau Louis XV, chambre Empire, cuisine du XIXe siècle.
Mais le coup de cœur des enfants (et des petites filles plus encore) sera à coup sûr pour le *musée de la Poupée.* C'est aussi la passion de la châtelaine. Il y en a des centaines, certaines d'une inestimable valeur. Toutes les époques, tous les pays et toutes les scènes de la vie sont évoqués. Au 2e étage, présentation des activités artisanales de jadis liées à la vie du château : fabrication du cidre, rémouleur, laitière... Dans la cour du château, voir encore le *lavoir,* bien reconstitué, avec ses personnages qui lavent, du linge blanc brodé qui sèche...

NORMANDIE

Où dormir dans le coin?

🏠 ***Gîte rural Le Lavoir :*** chez Jean Raillard, 8, rue de la Forêt, 27910 ***Perriers-sur-Andelle.*** Réservation par les Gîtes de France d'Évreux : ☎ 02-32-39-53-38; et pour les week-ends, directement chez le proprio : ☎ 02-32-49-07-39. • jean.raillard@tak.fr • À 8 km de Lyons-la-Forêt par la D 6 et la D 18; c'est au coin du 1er virage, juste après le pont, au no 6. Compter de 169 à 297 € la semaine selon la saison et 119 € le week-end en moyenne saison. Deux gîtes ruraux aménagés dans des jolies fermettes de style local (le studio est un ancien lavoir, placé sur une rive de l'Andelle). Apéritif offert à nos lecteurs.

🏠 ***Chambres d'hôte :*** chez M. et Mme Paris, 27480 ***Lorleau,*** au hameau de Saint-Crespin (suivre la pancarte). ☎ et fax : 02-32-49-62-22. Au nord de Lyons-la-Forêt (4 km) par la D 132. Chambres doubles à 41 €, tout confort, petit dej' compris, aménagées dans l'ancienne étable indépendante. Dans une région verdoyante et vallonnée qui se prête à la douceur de vivre. Petit dej' copieux avec les fromages de la ferme. Les hôtes peuvent disposer d'une kitchenette. Grand calme. Accueil sympa. Réduction de 10 % sur le prix de la chambre à partir de 2 nuits consécutives sur présentation de ce guide.

LE PARC ZOOLOGIQUE DE CLÈRES

Dans les environs : le musée des Sapeurs-Pompiers de France • Le château de Robert-le-Diable • Le musée industriel Corderie-Vallois • La Bouille

LE PARC ZOOLOGIQUE DE CLÈRES

Renseignements : ☎ 02-35-33-23-08. À deux pas de la vieille halle, facile à trouver. Ouvert tous les jours de mars à novembre de 10 h à 19 h; de 10 h à

17 h 30 en octobre et de 13 h 30 à 17 h en novembre. Fermeture des caisses 1 h avant. Entrée : 4,60 € ; de 3 à 16 ans : 3 €. Une entrée gratuite pour une entrée payante, sur présentation du *Guide du routard.* Possibilité de visite guidée, sur réservation uniquement. Un billet unique permet la visite du parc, ainsi que le musée des Sapeurs-Pompiers de France (à Montville) et le musée industriel Corderie-Vallois (à Notre-Dame-de-Bondeville) pour un prix très attractif.

Ce site admirable s'étend sur 13 ha et abrite un château Renaissance, un manoir du XVe siècle et les ruines d'un château féodal. Tout autour s'ébattent en quasi-liberté antilopes, biches, canards, paons, grues, émeus, flamants roses... et kangourous. En cage, quelques superbes gibbons et oiseaux de toute provenance, tandis que la demeure abrite des volières où virevoltent quelques spécimens rares. Balade extra dans une nature domestiquée avec intelligence... Ce parc vaut le détour !

Où manger ?

Le Flamant Rose : pl. de la Halle, 76690 ***Clères.*** ☎ 02-35-33-22-47. Fermé le soir, le mardi toute la journée et de mi-novembre à fin décembre. Premier menu à 9 €, autres menus de 12,50 à 18 €. Au *Flamant rose,* la simplicité est au rendez-vous avec des plats régionaux et quelques classiques de brasserie (saumon fumé, magret de canard au cidre). Café offert sur présentation du *GDR.*

➤ *DANS LES ENVIRONS*

Le musée des Sapeurs-Pompiers de France : 76710 **Montville.** ☎ et fax : 02-35-33-13-51. ♿ À 6 km au sud de Clères par la D 155. D'avril à octobre, ouvert tous les jours de 13 h à 18 h ; de novembre à mars, ouvert les samedi et dimanche après-midi, ou sur rendez-vous. Entrée à tarif spécial pour nos lecteurs (sur présentation du *Guide du routard*) : 3 € (au lieu de 3,80 €) ; moins de 12 ans : 1 € (au lieu de 1,50 €).
Dans un immense bâtiment moderne. Des passionnés y ont retracé l'histoire des soldats du feu à travers de nombreux objets et véhicules : pompe à main, pompe à bras, fourgon mixte, échelle géante, insignes, casques, images d'archives, etc. Un bel hommage à ces hommes qui consacrent leur vie à sauver celle des autres.

Le château de Robert-le-Diable : à 18 km au sud de Rouen, dans les environs de La Bouille, à 2 km de Moulineaux en remontant la Seine. ☎ 02-35-18-02-36. De mars à août, ouvert tous les jours de 9 h à 19 h ; de septembre à mi-novembre, tous les jours sauf le lundi, de 10 h à 17 h environ. Fermé de mi-novembre à février selon la météo. Entrée : 4 € ; enfants de 3 à 13 ans : 2,50 €.
Château fort du XIe siècle, entouré de mystères et d'autoroute. Incroyablement situé au bord de l'A 13, sa silhouette nous est familière – mais que sait-on de lui, hein ? Pas grand-chose à vrai dire... Qui était Robert ? Le père ou le fils de Guillaume le Conquérant, ou encore un esprit sorti de l'imagination populaire ? Quelle est l'origine de son sobriquet diabolique ? Est-ce en raison d'un tempérament belliqueux, comme la rumeur le laisserait entendre ? Enfin, pourquoi ne peut-on pas accéder au château depuis l'autoroute, qui passe à une portée de flèche du pont-levis ? La forteresse fut détruite plusieurs fois : elle contrôlait l'accès à Rouen. La dernière restauration en date est plus pittoresque que rigoureusement historique. Scènes de l'épopée viking avec mannequins de cire dans les souterrains, vue panoramique sur la Seine depuis le donjon. Une visite qui passionnera les enfants.

Le musée industriel Corderie-Vallois : 76960 **Notre-Dame-de-Bondeville.** ☎ 02-35-74-35-35. ♿ À 6 km au nord de Rouen par la N 27. Ouvert de 13 h 30 à 18 h. Mise en marche des machines à 14 h, 15 h, 16 h, 17 h (dernière admission). Fermé certains jours fériés. Entrée : 3 € ; gratuit pour les moins de 18 ans.
Construite en 1820 en pans de bois, l'usine fut d'abord une filature puis, de 1881 à 1978, une corderie industrielle. L'ensemble des machines (datant pour la plupart de 1880) et les agencements ont été conservés et fonctionnent pour le public. Rare.

La Bouille *(76530)* **:** coincée dans les méandres de la Seine, La Bouille est un ancien port de mer, situé à une quinzaine de kilomètres en aval de Rouen, sur la rive gauche de la Seine. Au XVe siècle, le village est un carrefour animé, encombré de diligences, de voiliers au long cours et d'attelages de chevaux halant péniblement de lourds bateaux le long du fleuve. Avec les premiers bateaux à vapeur débarquent les peintres et les promeneurs du dimanche.
Le site reste éminemment touristique, et on le comprend : il permet une plongée directe dans l'époque médiévale et semble respirer un autre air. Allez à la recherche de la plus belle maison à colombages, de l'encorbellement le plus majestueux, du pignon le plus pittoresque et du... menu gastronomique le plus alléchant. Eh oui ! à La Bouille, on a gardé du passé une bonne tradition culinaire...

➢ **Bacs réguliers de La Bouille à Sahurs :** toutes les 20 mn, de 6 h à 22 h. De *Sahurs* : même fréquence, mais à partir de 6 h 05 et jusqu'à 22 h 05.

Où dormir ? Où manger dans le coin ?

Hôtel Andersen : 4, rue Pouchet, 76000 **Rouen.** ☎ 02-35-71-88-51. Fax : 02-35-07-54-65. • www.hotelandersen.fr • Près de la gare. Chambres doubles de 38 à 50 € ; chambres familiales avec 2 grands lits à 55 €. Dans une vieille maison, un très joli hôtel. Beaucoup de goût dans la déco et beaucoup de gentillesse et de chaleur dans l'accueil. Les chambres, claires et ravissantes, ont été entièrement décorées dans un style rappelant un peu la Révolution ou le Directoire, mais avec tout le confort moderne, avec TV et câble. Pas de réception, pour un contact plus direct et plus chaleureux. Bref, on se sent chez soi.

La Toque d'Or-Le Grill : 11, pl. du Vieux-Marché, 76000 **Rouen.** ☎ 02-35-71-46-29. Ouvert tous les jours. Au grill, une formule à 9 € sauf le samedi et une autre à 11 € permettent de se restaurer à tout petits prix ; au restaurant, menu-enfants à 6 €. Situation stratégique, puisque c'est sur cette même place que les Anglais brûlèrent notre pauvre Jeanne. Cette belle maison normande propose 2 formules : au rez-de-chaussée, resto plus chic pour clientèle bourgeoise, et, au 1er étage, formule « gril » dans la grande salle à manger à colombages. Certes, la cuisine n'est pas celle d'en bas, mais le rapport qualité-prix est indéniablement bon.

PAYS DE LA LOIRE

En Pays de la Loire, la Bretagne donne la main aux Charentes, la Normandie épouse le Val de Loire, le Poitou et lance ses racines en Île-de-France. Bref, un sacré mélange de coutumes et de traditions, qui sont prétexte à un voyage culturel pour les parents et à une virée ludique pour les enfants. Marais et bocages, plages de sable et côtes de granit, vallées et montagnettes, châteaux lumineux et campagnes noires... Les paysages sont variés et les activités nombreuses. Zoos, écomusées, parcs d'attractions, sites historiques, etc. La région Pays-de-la-Loire recèle des trésors d'activités-détente et éducatives pour les enfants et toute la famille.

Adresses utiles

ℹ ***Comité régional du tourisme des Pays de la Loire :*** 2, rue de la Loire, BP 20411, 44204 Nantes Cedex 2. ☎ 02-40-48-24-20. Fax : 02-40-08-07-10. • www.enpaysdelaloire.com •

ℹ ***Comité départemental du tourisme de Loire-Atlantique :*** 2, allée Baco, 44000 Nantes. ☎ 02-51-72-95-30. Fax : 02-40-20-44-54. • www.cdt44.com • Vous pouvez acheter des guides : *Promenades et Randonnées, Balades à vélo et Itinéraires équestres.* Autour de 11 € le guide.

ℹ ***Comité départemental du tourisme de la Mayenne :*** 84, av. Robert-Buron, BP 1429, 53014 Laval Cedex. ☎ 02-43-53-18-18. Fax : 02-43-53-58-82. • www.tourisme-mayenne.com • Demander les guides de randonnées, qui proposent 10 circuits accessibles en famille et très bien balisés.

ℹ ***Comité départemental du tourisme de la Sarthe :*** 40, rue Joinville, 72000 Le Mans. ☎ 02-43-40-22-50. Fax : 02-43-40-22-51.

ℹ ***Comité départemental du tourisme de l'Anjou :*** maison du tourisme, pl. Kennedy, BP 32147, 49021 Angers Cedex 02. ☎ 02-41-23-51-51. Fax : 02-41-88-36-77. • www.anjou-tourisme.com • Vous pouvez d emander par courrier ou sur place :
– la liste des sites participant à l'opération *Sur la piste de l'enfant Roy,* qui permet aux 7-12 ans de découvrir les châteaux, les musées et autres sites du département en s'amusant grâce à des fiches-jeux;
– la brochure *Invitation en Anjou,* qui présente les activités du département et propose de très belles cartes pour se repérer et trouver des églises, des moulins, des musées à visiter sur sa route.

ℹ ***Comité départemental du tourisme de Vendée :*** 8, pl. Napoléon, BP 233, 85006 La Roche-sur-Yon Cedex. ☎ 02-51-47-88-20. Fax : 02-51-05-37-01. • www.vendee-tourisme.com •

SAINT-NAZAIRE

Dans les environs : Guérande et les marais salants • L'Océarium du Croisic

Un bon point de départ pour aborder la ville est d'aller flâner sur le pont de Saint-Nazaire, pour la vue panoramique. Long de 3 356 m, il a été inauguré en 1975. C'est un pont à haubans, d'une suprême élégance, car son profil en long suit une douce et harmonieuse voûte qui le fait s'élever à 61 m au-dessus de la Loire et son tracé ondule en « S ». Les bas-côtés ont été aménagés en piste cyclable.

ESCAL'ATLANTIC À SAINT-NAZAIRE

C'est un tout nouvel équipement touristique et culturel qui a ouvert en 2000 à l'intérieur de l'ancienne base sous-marine de ***Saint-Nazaire,*** un énorme bunker en béton. Une multitude d'activités sont proposées pour tous les âges et tous les goûts. Des animations et des expositions temporaires donnent envie de revenir sur ce site déjà très riche.

Horaires et tarifs

Il y a une billetterie centrale pour l'ensemble des sites (dans la base sous-marine, à côté de l'office de tourisme). C'est ici qu'il faut réserver ses visites, dont certaines sont guidées. Renseignements et réservations : ☎ 0810-888-444 (n° Azur). • www.saint-nazaire-tourisme.com • Ouvert tous les jours d'avril à octobre de 9 h 30 à 12 h 30 et de 13 h 30 à 18 h 30 (19 h en juillet et août) ; le reste de l'année, ouvert de 10 h à 12 h 30 et de 14 h à 18 h, sauf les lundi et mardi. Congés annuels en janvier. Tarifs d'entrée variables selon les sites. 10 % de réduction à partir de la 2e visite et même un tarif famille avec 25 % de réduction.

– ***Escal'Atlantic :*** en plus des horaires de journée (voir ci-dessus), nocturnes uniquement en été les mardi et samedi : embarquement de 20 h 30 à 21 h 30. Entrée : 11,40 € pour les adultes ; enfants : 9 €. Pour nos lecteurs, 1 entrée enfant gratuite (4 à 12 ans) pour 2 entrées adultes achetées, sur présentation du *Guide du routard.*
À l'intérieur de l'énorme bunker en béton, vous entrez dans une immense coque de paquebot pour une croisière dans le temps. Un petit tour dans les cabines pour se reposer, dans la salle des machines où il fait chaud, dans le spacieux bar ambiance *Love boat* pour se montrer ou encore dans la salle à manger où la scénographie avec des extraits de films se poursuit à l'intérieur des assiettes. On dit bonjour au commandant et au personnel de bord qui vous montre le chemin. La visite se termine par une vidéo de 10 mn, forte en émotions... Chut, c'est un secret.

– ***Le sous-marin Espadon :*** visite guidée uniquement (25 mn). Entrée : 7,60 € ; enfants : 5,30 €. Le ticket se prend en arrivant à la billetterie centrale et il faut impérativement se présenter à l'heure indiquée. Ce bâtiment, construit au Havre en 1958, qui a fait des dizaines de fois le tour de la terre et a été le premier à naviguer sous la banquise, livre ses secrets. Ambiance confinée dans les couloirs. La visite guidée fait une large place aux anecdotes de la vie à bord, pour le plus grand bonheur des enfants pour qui les explications techniques ont moins d'attrait. On a même droit aux bruits qu'entendaient les marins : un jour un lancement de torpille, un autre jour un banc de crevettes en goguette. Une visite que les enfants adorent.

L'écomusée de Saint-Nazaire : entrée gratuite. ☎ 02-51-10-03-03. Ouvert tous les jours d'avril à octobre, fermé les lundi et mardi de novembre à mars, congés annuels en janvier. À proximité d'une ancienne écluse qui servait de base aux sous-marins nazis, ce petit musée (assailli parfois par les cars de touristes) s'avère très intéressant et surtout très bien aménagé. On y présente la faune et l'histoire de l'estuaire, et surtout les chantiers navals. Qui dit chantiers navals dit également reconversions. Vers les hydravions, notamment, dont on peut voir les jolies maquettes des essais en soufflerie. À l'étage, qui intéressera plus les grands que les petits, on trouve une

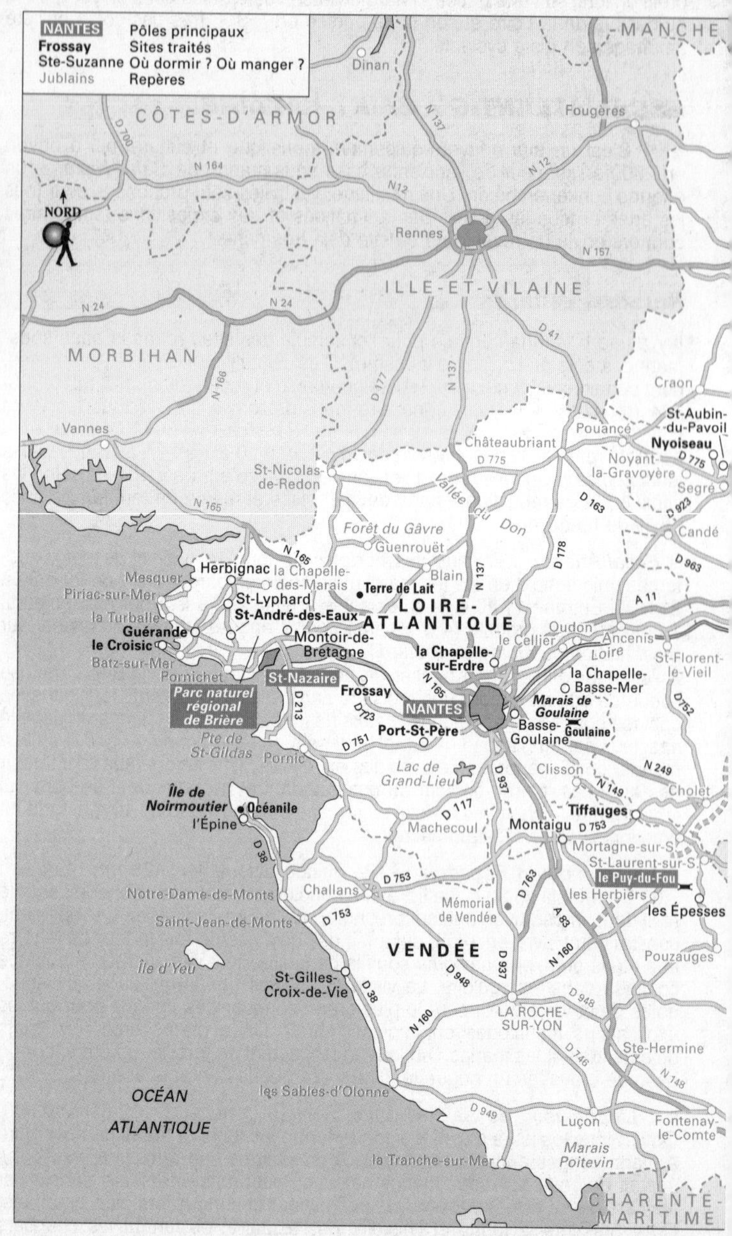

NANTES Pôles principaux
Frossay Sites traités
Ste-Suzanne Où dormir ? Où manger ?
Jublains Repères
NORD
CÔTES-D'ARMOR
MANCHE
ILLE-ET-VILAINE
MORBIHAN
LOIRE-ATLANTIQUE
VENDÉE
CHARENTE-MARITIME
OCÉAN ATLANTIQUE
Dinan
Fougères
Rennes
Vannes
Craon
Pouancé
Châteaubriant
St-Aubin-du-Pavoil
Nyoiseau
Noyant-la-Gravoyère
Segré
St-Nicolas-de-Redon
Vallée du Don
Forêt du Gâvre
Guenrouët
Candé
Blain
Mesquer
Herbignac
la Chapelle-des-Marais
Terre de Lait
Piriac-sur-Mer
St-Lyphard
la Turballe
St-André-des-Eaux
Guérande
le Croisic
Batz-sur-Mer
Pornichet
Montoir-de-Bretagne
St-Nazaire
Parc naturel régional de Brière
Frossay
Oudon
le Cellier
Ancenis
Loire
la Chapelle-sur-Erdre
St-Florent-le-Vieil
la Chapelle-Basse-Mer
Marais de Goulaine
Goulaine
NANTES
Basse-Goulaine
Port-St-Père
Pte de St-Gildas
Pornic
Lac de Grand-Lieu
Clisson
Cholet
Île de Noirmoutier
Océanile
l'Épine
Machecoul
Tiffauges
Montaigu
Mortagne-sur-S.
St-Laurent-sur-S.
le Puy-du-Fou
Notre-Dame-de-Monts
Challans
Mémorial de Vendée
les Herbiers
les Épesses
Saint-Jean-de-Monts
Île d'Yeu
Pouzauges
St-Gilles-Croix-de-Vie
LA ROCHE-SUR-YON
Ste-Hermine
les Sables-d'Olonne
Luçon
Fontenay-le-Comte
Marais Poitevin
la Tranche-sur-Mer
N 137
N 12
N 164
D 700
N 157
N 24
D 41
N 166
D 177
D 775
N 165
D 163
D 923
D 178
D 963
A 11
D 752
D 213
D 723
D 751
N 249
N 149
D 117
D 937
D 753
D 38
D 763
A 83
N 160
D 948
D 746
N 148
D 949

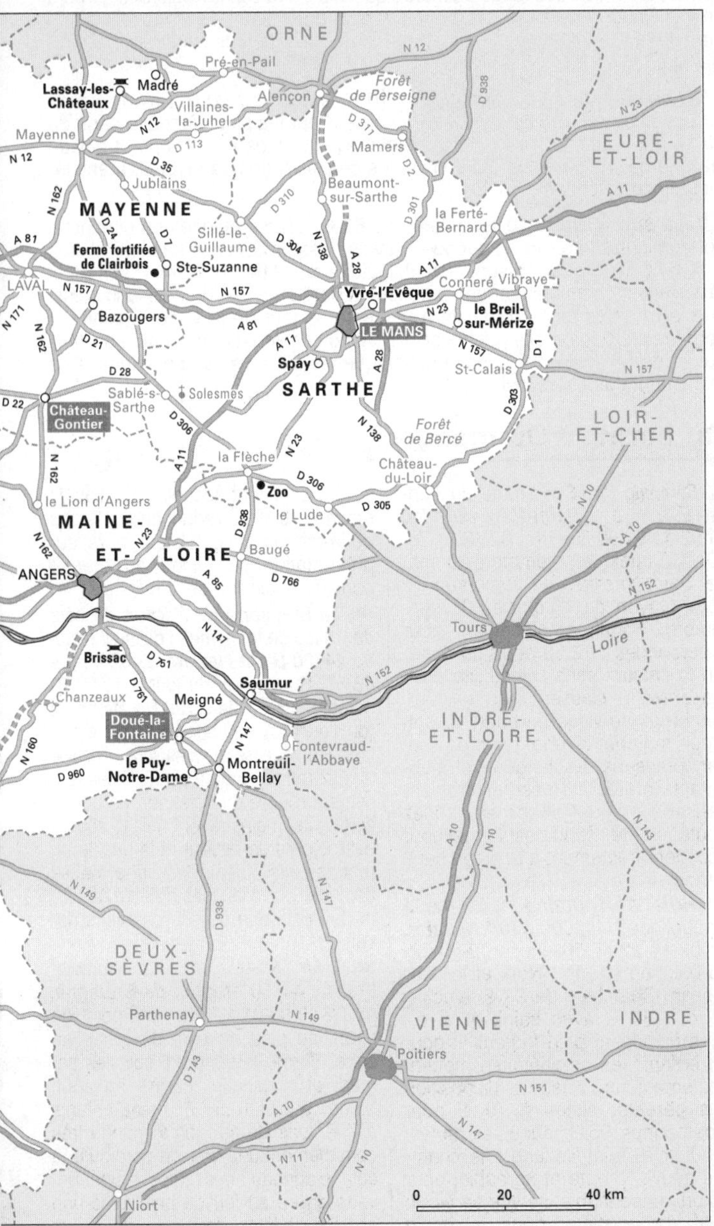

PAYS DE LA LOIRE

bonne illustration des luttes ouvrières qui valurent à Saint-Nazaire le surnom de « la Rouge ». Les enfants, pour leur part, préféreront les plans reliefs animés de la ville et les maquettes des célèbres paquebots construits à Saint-Nazaire.

Les chantiers de l'Atlantique : 10 €; enfants : 7,60 €. Prévoir 1 h 45 ou 2 h 15 de visite selon la formule choisie. Pour les plus grands, à partir de 10-12 ans et déjà curieux, visite guidée avec arrivée en minibus et balade sur une galerie piétonne qui domine les chantiers des paquebots. Franchement impressionnant.

Le site Airbus : 10 €; enfants : 7,60 €. Visites guidées un dimanche après-midi par mois et en période estivale, jusqu'à 6 visites hebdomadaires à 10 h 30 et 15 h 30. Réservation obligatoire au ☎ 0810-888-444; lors de la réservation, communiquer son adresse, la date et le lieu de naissance ainsi que le n° de sa pièce d'identité à présenter le jour de la visite. Également pour les pré-ados, visite guidée de 1 h 30 des ateliers de fabrication de l'Airbus et de l'Aérothèque, avec moult maquettes d'avions. Un bel exemple de tourisme industriel réussi.

Où dormir? Où manger?

Camping de l'Ève : route du Fort-de-l'Ève, à ***Saint-Marc-sur-Mer.*** ☎ 02-40-91-90-65. Fax : 02-40-91-76-59. À quelques kilomètres au nord de Saint-Nazaire, en remontant la côte. Ouvert du 1er mai au 30 septembre. Forfait emplacement pour 2 personnes : 12,50 et 14,50 € selon la saison, sans l'électricité. Emplacements classés par couleur, nombreux services en haute saison (supermarché, laverie, point presse, bar, brasserie, boulangerie et club-enfants gratuit!). Réservation indispensable, vous vous en seriez douté, en été. Et un petit tunnel pour accéder directement à la plage sans danger.

Hôtel de Touraine : 4, av. de la République, 44600 ***Saint-Nazaire.*** ☎ 02-40-22-47-56. Fax : 02-40-22-55-05. Fermé entre Noël et le Jour de l'an. Chambres de 24 € avec lavabo à 38 € avec bains et w.-c.; elles disposent d'un fauteuil-lit pour un enfant; les propriétaires mettent également un lit-bébé à disposition des parents; suites à 76 € pour 4 personnes, 95 € pour 6 personnes. Trouver à Saint-Nazaire une chambre neuve, propre et agréable, pour un prix raisonnable, se voir servir un petit dej' copieux dans le jardin quand il fait beau et s'offrir un repassage de chemise sans supplément est suffisamment rare pour être signalé. Excellent accueil, vous l'aviez deviné! 10 % de réduction sur le prix de la chambre d'octobre à mars, sur présentation du *Guide du routard* pour un minimum de 2 nuits.

La brasserie du Ponton : à côté de l'office de tourisme et d'*Escal'Atlantic,* 44600 ***Saint-Nazaire.*** ☎ 02-40-66-43-57. Suggestion du jour à 10,50 €, compter 16 € à la carte. En attendant (on l'espère) de regagner son extraordinaire terrasse panoramique, l'équipe du *Ponton* continue à accueillir les touristes à l'heure du déjeuner. Le décor, certes, fait moins rêver, mais le sourire est toujours de rigueur et la qualité au rendez-vous. Idéal pour une pause déjeuner entre la visite d'*Escal'Atlantic* et de *l'Espadon* ou des chantiers navals.

L'Air Bleu : 3, rue Anatole-France, 44550 ***Montoir-de-Bretagne.*** ☎ 02-40-90-01-17. Au rond-point de Gron, au pied du pont de Saint-Nazaire. Fermé le vendredi soir, les samedi et dimanche. Fermé en août. Menus à 9 et 10,50 €; menu-enfants à 7 €. L'air de rien, on y mange très correctement une côte de porc ou une côte d'agneau, des chipos, une bavette grillée au feu de bois avec une assiette de frites, des vraies de vraies. Café offert à nos lecteurs sur présentation du *Guide du routard.*

➤ DANS LES ENVIRONS

GUÉRANDE ET LES MARAIS SALANTS

Ils s'étalent en fait sur plusieurs communes. Et si on parle toujours de Guérande, par facilité et aussi parce que la plus grande part du marais se trouve sur son territoire, ce n'est pas une raison pour oublier les communes voisines, dont l'histoire est tout autant liée à la culture du sel. Et si Saillé et Pradel dépendent de Guérande, des amours de hameaux comme Kervalet ont été rattachés à Batz-sur-Mer, autre centre paludier. Si le vent souffle parfois fort dans ces marais, il faut absolument venir s'y perdre, à pied, à vélo, voire en voiture. Les couleurs y sont exceptionnelles. On y trouve toutes les nuances de gris, d'argent, de bleu, de vert (une seule couleur en breton : *glaz,* la couleur du ciel et de la mer), le mauve des bruyères et le blanc du sel bien sûr...

Terre de sel - Espace Sel et Nature : Pradel, 44350 **Guérande.** ☎ 02-40-62-08-80. • www.seldeguerande.com • D'avril à juin et en septembre, ouvert tous les jours de 10 h 30 à 12 h 30 et de 14 h 30 à 18 h ; en juillet et août, ouvert de 9 h 30 à 12 h 30 et de 14 h 30 à 19 h ; d'octobre à mars, ouvert de 10 h 30 à 12 h 30 et de 14 h 30 à 17 h (18 h pendant les vacances scolaires) et fermé le lundi (sauf jours fériés). Compter 5,40 € pour une visite commentée des marais (comprenant l'entrée à l'expo) et 3,10 € pour l'expo seule. Il existe une formule intermédiaire avec expo et commentaire sur la saline à 4,40 € ; réductions pour les enfants de 6 à 12 ans.
Ce tout nouvel espace, entièrement dédié au sel et aux marais, est le fruit d'un partenariat entre paludiers et animateurs nature. La visite combine, de façon très intelligente, une salle pédagogique retraçant la vie du marais au fil des saisons et la mise en pratique sur le terrain. Le but est avant tout de montrer le lien intime qui existe entre les hommes et leur environnement. De nombreux panneaux s'adressent directement aux enfants.
On peut aussi partir (sur réservation) à la découverte d'une saline en compagnie d'un paludier, qui vous parlera de son métier et vous en montrera les gestes, ou d'un animateur nature qui mettra plus l'accent sur la faune et la flore. En été, il y a environ 4 visites par jour. Prévoir une tenue adéquate (chaussures de marche et des vêtements qui ne craignent rien) et largement 1 h 30. Pour observer les oiseaux, mieux vaut choisir une visite matinale (ou une des nocturnes proposées en été). Du bâtiment principal, vue panoramique sur les marais et expos temporaires (à vocation scientifique ou artistique).

Les remparts de Guérande : ils entourent la ville sur 1,4 km. Édifiés aux XIVe et XVe siècles, ils sont aujourd'hui recouverts de mousse et de lichen qui ne font que contribuer au cachet médiéval de la ville. Attention aux petits grimpeurs, ici on admire exclusivement !

Le musée de la Poupée et des Jouets anciens : 23, rue de Saillé, 44350 **Guérande.** ☎ 02-40-15-69-13. Du 1er mai au 1er novembre, ouvert tous les jours de 10 h 30 à 12 h 30 et de 14 h à 18 h 30 ; du 2 novembre au 30 avril, tous les jours de 14 h à 18 h. Fermé du 8 janvier au 8 février. Entrée : 4 € ; 2 € pour les enfants de 6 à 10 ans ; gratuit pour les moins de 6 ans ; réduction sur présentation du *Guide du routard* : 2,50 € pour les adultes, 1,30 € pour les enfants.
Une très belle collection privée de poupées, dînettes en Gien, Saint-Amand, Lunéville, meubles et vêtements. Les mises en scène des poupées au jardin ou au salon sont très réussies.

Où dormir ? Où manger ?

⚠ ***Camping Le Pré du Château de Careil :*** château de Careil, 44350 ***Guérande.*** ☎ et fax : 02-40-60-22-99. • www.pays-blanc.com/camping-careil • Route de La Baule, 2e route à droite après le rond-point. Ouvert du 5 mai au 30 septembre. De 9 à 11,30 € par jour l'emplacement et le véhicule, plus 4 € par adulte et 2,50 € par enfant. Cadre superbe, vous êtes en effet dans le parc d'un château splendide qui date du XIVe siècle. Emplacements ombragés. Très bien équipé. Piscine.

|●| ***Restaurant Les Remparts :*** 14-15, bd du Nord, 44350 ***Guérande.*** ☎ 02-40-24-90-69. Fax : 02-40-62-17-99. Face aux remparts, près de la porte Saint-Michel. Fermé le dimanche soir et le lundi sauf en juillet et août. Menus de 17 à 26 € ; menu-enfants à 9,50 €. Cuisine soignée et raffinée. Bon rapport qualité-prix-accueil dans cette ville touristique. Apéritif maison offert à nos lecteurs sur présentation du *Guide du routard.*

|●| ***Crêperie Le Roc Maria :*** 1, rue des Halles, 44350 ***Guérande.*** ☎ 02-40-24-90-51. Ouvert toute l'année. Excellentes galettes et crêpes ! Les galettes les plus élaborées constituent des repas à elles toutes seules ; mais aussi des salades, etc. Les enfants vont adorer. Cadre médiéval sympathique. Bon accueil.

À faire

L'Océarium du Croisic : av. de Saint-Goustan, 44490 ***Le Croisic.*** ☎ 02-40-23-02-44. • www.ocearium.fr • ♿ Sur la presqu'île du Croisic, après Saint-Nazaire et La Baule, toujours vers l'ouest. En juin, juillet et août, ouvert de 10 h à 19 h ; de septembre à mai, ouvert de 10 h à 12 h et de 14 h à 18 h. Fermé en janvier. Entrée : 9,50 € ; enfants : 7 €.

Plus qu'une simple attraction pour petits et grands, c'est un véritable observatoire de l'Atlantique qui mérite qu'on s'attarde un peu dans les 5 branches de cette grande maison en forme d'étoile de mer. Le « tunnel sous la mer » donne vraiment l'impression de marcher au fond de l'eau. À ne pas manquer également, l'« île Vancouver », qui présente des poissons du Canada. De nombreuses animations sont proposées, comme le repas des manchots à 11 h, 15 h et 17 h. En 2003, création d'un nouveau pavillon « les requins d'Australie ».

Où dormir ? Où manger ?

⚠ ***Camping de l'Océan :*** Les Frauds, 44490 ***Le Croisic.*** ☎ 02-40-23-07-69. Fax : 02-40-15-70-63. ♿ À 1,5 km du centre par la jolie route de la Pointe. Près de la mer. Ouvert d'avril à septembre. Réserver en été. Forfait à 25 € pour un emplacement et 2 personnes ; ajouter 2,50 € par enfant de moins de 7 ans et 4 € par enfant de plus de 7 ans. Grand terrain bien tranquille, doté de toutes les commodités. Parc aquatique et tennis. Jeux pour les enfants.

⌂ |●| ***Les Nids :*** 15, rue Pasteur, 44490 ***Le Croisic.*** ☎ 02-40-23-00-63. Fax : 02-40-23-09-79. • www.hotel.lesnids.com • Fermé d'octobre à mars. À partir de 53,40 € la chambre double avec douche, 63 € avec bains, et possibilité d'ajouter un lit supplémentaire pour 8 € ; 2 chambres familiales pour 4 personnes à 96 € et 2 chambres communicantes à 92 €. Demi-pension obligatoire en saison, de 48 à 61,50 €. Les chambres sont nickel et l'accueil professionnel. Piscine intérieure. Jardin. Aires de jeux. Apéritif maison offert sur présentation du *Guide du routard.*

Crêperie Le Relais du Duc de l'Aiguillon : 21, pl. Lepré, 44490 ***Le Croisic.*** ☎ 02-40-62-94-62. Dans une jolie demeure du XVIe siècle face à la mairie. Pas de menu mais des prix raisonnables pour la presqu'île : compter 5 € pour une galette salée, 2,50 € pour une beurre-sucre. Salle typique aux poutres apparentes et aux murs « rouge de Guérande ». On peut y venir déguster une crêpe à toute heure... et il y en a pour tous les goûts (environ trente). La fraîcheur des produits (régionaux), l'accueil sympathique ainsi que le service rapide et efficace nous ont particulièrement plu. Galettes et crêpes généreuses d'un très bon rapport qualité-prix. Terrasse agréable aux beaux jours. Que demander de plus ?

LE PARC NATUREL RÉGIONAL DE BRIÈRE

Dans les environs : Terre de Lait

LE PARC NATUREL RÉGIONAL DE BRIÈRE

Cet immense marécage au-dessus de La Baule et de Saint-Nazaire, que les pluies d'automne transforment en une vaste étendue d'eau, a plus d'un tour dans son saç pour surprendre les petits et les grands visiteurs : milliers d'oiseaux avec des espèces rares, promenades sur l'eau ou à cheval... Un immense terrain de jeu où l'on ne s'aventure qu'après avoir consulté une carte pour ne pas se perdre dans les méandres de ses innombrables canaux.

Maison du tourisme de Brière : 38, rue de la Brière, 44410 ***La Chapelle-des-Marais.*** ☎ 02-40-66-85-01. Ils vous renseignent sur toutes les activités possibles et vous distribuent 3 dépliants utiles (guide pratique, terroir et nature).

La maison de l'Éclusier : à ***Rozé.*** ☎ 02-40-91-17-80. De juin à septembre, ouvert tous les jours de 10 h 30 à 13 h et de 14 h 30 à 18 h 30 ; horaires allégés le reste de l'année. Entrée : 3 € ; réductions.
Autour de maquettes, d'animations, d'aquariums, de vidéo, on plonge dans l'histoire et le milieu naturel du marais.

Le parc animalier : à ***Rozé.*** ☎ 02-40-91-17-80. À 800 m à droite après avoir franchi le pont sur le canal. Ouvert de juin à octobre de 9 h à 18 h. Entrée : 3 € ; réductions.
Dans un espace protégé de 25 ha, un parcours de 1,5 km vous entraîne entre roseaux et prairies à la découverte des insectes, batraciens, reptiles vivant dans le marais.

Le parc ornithologique de Ker Anas : 44117 ***Saint-André-des-Eaux.*** ☎ 02-40-01-27-48. Ouvert d'avril à octobre tous les jours de 14 h 30 à 18 h 30 ; en juillet et août, de 10 h à 18 h 30. Entrée : 5,50 € ; enfants de 5 à 12 ans : 3 €.
Un étonnant voyage de 1 km en compagnie d'une centaine d'espèces d'oiseaux : cygnes, oies, sarcelles et autres canards. Très sympa.

La chaumière des Marionnettes : 44410 ***Mayun.*** ☎ 02-40-53-22-40. Sur la commune de La Chapelle-des-Marais. Ouvert les samedi, dimanche et jours fériés de 14 h à 19 h ; tous les jours pendant les vacances scolaires. Entrée : 2 €.
Dans une très belle chaumière à l'ancienne, des centaines de marionnettes à découvrir. Beaucoup de sorcières et autres personnages imaginaires

construits à partir d'objets de récup'. Possibilité de stages pour apprendre à fabriquer les marionnettes. Un lieu magique.

➢ ***Promenade en barque :*** sur un chaland traditionnel manœuvré à la perche, les promeneurs en barque vous emmènent sur les canaux. Oiseaux, plantes, chaumières... la quiétude du lieu est saisissante. La maison du tourisme de Brière (voir plus haut) propose des adresses qui ont obtenu le label du parc régional pour la qualité de leur guidage, leur accueil et l'authenticité de leurs prestations. Compter 7 € par adulte.

Où dormir ?

Camping Les Brières du Bourg : sur la D 47, à 300 m du village de ***Saint-Lyphard.*** ☎ 02-40-91-43-13. Fax : 02-40-91-43-03. Ouvert du 1er avril au 30 septembre. Forfait emplacement + 2 personnes en saison : environ 10 €. Au bord d'un plan d'eau. Confort 3 étoiles. 110 emplacements dont 20 « grand confort ». Boisé et bien situé. Équipements sportifs à proximité.

Chambres d'hôte, Chez M. et Mme Fresne : 12, rue Jean-de-Rieux, Marlais, 44410 ***Herbignac.*** ☎ et fax : 02-40-91-40-83. • www.pays-blanc.com/noe-marlais • D'Herbignac, prendre la D 47 vers Saint-Nazaire. Au cœur du parc. Chambres pour deux à 46 € ; pratique pour une famille, une belle suite pour 4 personnes à 75 €, avec un lit-bébé en plus. À l'étage d'une longère. Décoration soignée. Salle d'eau et w.-c. privés. Jardin avec jeux (balançoire, table de ping-pong...). Bon rapport qualité-prix. 10 % de réduction sur le prix de la chambre hors saison pour nos lecteurs porteurs du *Guide du routard* à partir de 3 nuits consécutives.

➤ *DANS LES ENVIRONS*

Terre de Lait : domaine de la Ducherais, 44750 ***Campbon.*** ☎ 02-40-56-74-66. • www.terredelait.com • À 10 km de Savenay au nord-ouest de Nantes (par la N 165). En juillet et août, ouvert tous les jours de 10 h à 13 h et de 14 h à 19 h ; d'avril à juin, en septembre et octobre, les dimanche, jours fériés et tous les jours pendant les vacances scolaires, ouvert de 10 h 30 à 12 h 30 et de 14 h à 18 h 30. Fermé de la Toussaint à Pâques. Entrée : 6,50 € ; enfants : 4 €. C'est une découverte du lait très ludique et drôle que l'on vous propose ici. On se transforme en goutte de lait pour se balader dans le corps de la vache, dans le tank à lait, dans l'écrémeuse (où ça bouge drôlement) pour sortir par un frigo géant : quel voyage ! Pendant que les plus grands se penchent sur l'aspect plus technologique de la production du lait, les enfants se retrouvent dans une ferme rien que pour eux pour ramasser les bottes de paille, conduire le tracteur (pour de faux), traire une fausse vache et 1 000 autres activités. Pour finir, tout le monde se retrouve autour d'un bon verre de lait pour se requinquer de ses aventures. On peut aussi se balader sur 4 ha au milieu de vrais cochons, vaches, chèvres, ânes...
Restauration à l'extérieur du parc et jeux pour les enfants autour de l'auberge.

AUTOUR DE NANTES

• Le jardin des Hespérides • Le Sentier des Daims • Planète sauvage • Le château de Goulaine

Nantes est une ville qui plaira aux enfants : son château des Ducs-de-Bretagne, avec ses douves impressionnantes, son superbe musée des Beaux-

Arts, où les Kandinski sont légion, son muséum d'Histoire naturelle, réputé, son jardin des plantes à côté de la gare, pour patienter, et son passage Pommeraye, unique en France. Mais on trouve aussi tout autour de la ville parcs et jardins qui feront la joie de vos chérubins.

Le jardin des Hespérides : La Hautière, 44240 **_La Chapelle-sur-Erdre._** ☎ 02-40-72-03-83. À quelques kilomètres au nord de Nantes, sur la D 69. Sortie La Chapelle-sur-Erdre sur le périphérique, c'est fléché. Visite du jardin de mai à octobre; visite accompagnée tous les jours à 16 h; le dimanche, départs toutes les heures de 14 h à 18 h. Entrée : 6,80 €; de 5 à 15 ans : 4,10 €.
Un voyage au pays des fruits. Fruits connus d'aujourd'hui, avec les fraises et les framboises, mais aussi fruits d'hier ou du lointain, comme les prunes des Incas. On regarde, on touche et on goûte en compagnie des animateurs très pédagogues. Et bien sûr, la visite s'achève par la dégustation d'un cocktail de fruits frais.
La ferme fruitière de La Hautière, qui existe depuis 1810, est le lieu de production de fruits mais aussi de confitures, de sorbets et autres délices. Vente tous les jours de 9 h à 12 h 30 et de 14 h à 19 h.

Parents savants : _au travail, Hercule !_

Les pommes d'or du jardin des Hespérides représentent l'avant-dernier des travaux d'Hercule. Hercule devait cueillir les fruits exquis qui étaient gardés par les Hespérides, filles du géant Atlas et d'un dragon nommé Ladon. On lui avait conseillé de ne pas prendre les fruits lui-même mais de laisser faire Atlas. Hercule lui proposa donc en échange de le décharger de la voûte céleste. Atlas alla chercher les pommes pendant que Hercule tuait le dragon. Mais à son retour le géant ne voulut plus reprendre le fardeau. Rusé, Hercule demanda à Atlas de porter le fardeau le temps qu'il se mette un coussin sur la tête. Atlas, naïf, posa les pommes et reprit la voûte, ce qui permit à Hercule de récupérer les fruits d'or et de gagner ainsi l'immortalité.

Le sentier des Daims : La Poitevinière, 44320 **_Frossay._** ☎ 02-40-39-75-06. Entre Nantes et Saint-Brévin-les-Pins, Frossay est situé sous l'estuaire de la Loire. Sur la D 78, route de Saint-Père-en-Retz. Ouvert en juillet et août tous les jours de 10 h à 18 h 30 et d'avril à juin et de septembre au 11 novembre de 14 h 30 à 18 h 30. Entrée : 6 €; enfants de 3 à 12 ans : 4,50 €.
Découverte des cerfs et des daims, ces princes de la forêt dans le domaine d'Abel, un parc verdoyant de 15 ha. On se promène à pied ou encore en train à travers les arbres et autour du plan d'eau où grouillent des canards, des carpes et des grenouilles. C'est impressionnant d'approcher ces animaux de si près. Animations pédagogiques nombreuses pour sensibiliser les enfants au respect de la nature.

Planète sauvage : 44710 **_Port-Saint-Père._** ☎ 02-40-04-82-82. • www.planetesauvage.com • Entre Nantes et Pornic, au sud de la Loire, sur la D 761. Ouvert de mi-mars à mi-novembre tous les jours de 10 h à 16 h (17 h 30 de juin à août). Entrée : 15 €; enfants de 3 à 12 ans : 10 €. Visite commentée en bus safari, avec supplément de 5 € par adulte et de 4 € par enfant. Il faut venir en voiture pour pouvoir passer aux caisses et se promener dans le parc; sinon, vous devez prendre le bus safari sur réservation. Possibilité de restauration rapide.
2000 animaux, venus des 5 continents, vivent ici en liberté « contrôlée ». Tigres, éléphants, girafes... Ne laissez pas votre vitre ouverte lorsque les lions

se mettent à rugir. La *piste Safari* est longue de 10 km... Mais au bout, de nombreuses autres activités vous attendent. À la *Cité marine,* l'après-midi en haute saison, un grand show aquatique de 45 mn avec des otaries et des pingouins. Dans l'*arche des Reptiles,* iguanes, pythons et crocodiles vous donnent le grand frisson. Sur la *route des Épices,* odeurs et saveurs surprennent les sens. Il y a même un *atelier maquillage* pour ressembler à un tigre ou un zèbre... Sans oublier le parcours de la jungle, 200 m de passerelle de liane pour découvrir la forêt des singes. Sensations garanties.

🚶 ***Le château de Goulaine :*** à 15 km au sud-est de Nantes. ☎ 02-40-54-91-42. Visite guidée. Ouvert de 14 h à 18 h. Du 16 juin au 15 septembre, ouvert tous les jours sauf le mardi ; de Pâques au 15 juin et du 16 septembre au 1er novembre, uniquement les week-ends et jours fériés. Entrée : 7 € ; enfants de plus de 8 ans : 2,50 € ; sur présentation du *Guide du routard* de l'année : entrée adulte à 6 €.
Superbe demeure du XVe siècle, passée à travers la Révolution sans dommages et qui appartient à la même famille depuis 1 000 ans. C'est le dernier château de la Loire avant l'estuaire. Riche décor intérieur. Le château est surtout connu pour sa volière de papillons tropicaux, ainsi que pour sa très belle exposition sur la biscuiterie LU (tableaux, affiches, objets, etc.).

➢ ***Les marais de Goulaine :*** 1 500 ha qui hébergent canards, foulques et hérons cendrés. Très chouette. Ils se découvrent à pied sur les sentiers, en été, quand les marais sont asséchés, ou en barque sur les canaux qui sillonnent le marais et qui servaient autrefois au transport des vins ou des pierres vers Nantes (renseignements à la mairie de Haute-Goulaine : ☎ 02-40-54-92-22). Flore variée, dont le roseau appelé ici rouche. Les marais de Goulaine sont aussi la plus grande frayère à brochets d'Europe. Le pont de l'Ouen est le seul point possible pour traverser les marais, entre Haute-Goulaine et Le Loroux-Bottereau.

– ***Espace de loisirs « Les rives de Loire » :*** une aire de jeux, de pique-nique et de pêche, avec plusieurs sentiers pédestres et un port miniature. Possibilité de louer de petits bateaux électriques bien rigolos, répliques de grands paquebots, auprès de Patrick Berrais : ☎ 02-40-03-69-55. Tous les jours à partir de 11 h en juillet et août et tous les week-ends de mai à octobre. Réduction accordée aux lecteurs du *Guide du routard.*

Où dormir ? Où manger ?

🏠 🍴 ***Chambres d'hôte, Chez Martine et Yvonnick Lecomte :*** Le Bois-Fillaud, 44450 ***La Chapelle-Basse-Mer.*** ☎ 02-40-33-30-74. Compter 40 € pour 2 personnes, 10 à 15 € par personne supplémentaire. Table d'hôte sur réservation : 20 €. Spécialités de la région. Dans les communs d'une maison du XVIIIe siècle, face aux coteaux de la Loire. Possibilité de loger dans une « suite familiale », avec 2 chambres, salle de bains et kitchenette. Digestif maison offert sur présentation du *Guide du routard.*

🍴 ***Villa Mon Rêve :*** route des Bords-de-Loire, 44115 ***Basse-Goulaine.*** ☎ 02-40-03-55-50. ♿ Sur la D 751. Fermé 15 jours en novembre et en février. Formule à 20 €, sauf les dimanche et jours fériés, et menus de 26 à 38 €. Magnifique menu-enfants gastronomique à 10,50 €. Une institution dans la région, tenue depuis plus de 20 ans par Cécile et Gérard Ryngel. Cadre agréable au milieu des arbres avec une terrasse très appréciée en été. Cuisine de tradition : bar aux girolles, cuisses de grenouilles au gros-plant et jus de viande, poisson du jour au beurre blanc. Belle sélection de muscadet. Excellent accueil. Café et digestif maison offerts sur présentation de ce guide.

LE MUSÉE DE L'AUTOMOBILE ET LE MUSÉE VERT AU MANS

Dans les environs : le parc récréatif de Papéa-City • Le domaine animalier de Pescheray • Le jardin des Oiseaux • Le parc zoologique du Tertre Rouge

LE MUSÉE DE L'AUTOMOBILE DU MANS

Circuit des 24 Heures du Mans. ☎ 02-43-72-72-24. • www.sarthe.com • Ouvert toute l'année, tous les jours de 10 h à 18 h (19 h de juin à septembre). Entrée : 6 €; de 12 à 18 ans : 5 €; de 7 à 11 ans : 2 €.

La visite du circuit des 24 Heures automobiles est à recommander pour toute la famille. Il vous sera possible d'emprunter en voiture une partie du circuit : la fameuse ligne droite des Hunaudières, le virage de Mulsanne, le virage d'Indianapolis, le virage d'Arnage. À l'entrée principale du circuit, le musée de l'Automobile de la Sarthe est un peu l'enfant chéri des merveilleux fous roulants de l'Automobile Club de l'Ouest. Sur 5000 m², 115 véhicules, dont une vingtaine de motos et 30 bolides de course historiques, font saliver les visiteurs de tous âges. Ferrari, Porsche, Matra. Courage, elles sont toutes là, rutilantes sous les spots, ces célèbres voitures qui accrochèrent à leur palmarès la course mythique. Mais pas seulement...
Un véritable voyage, spectaculaire et passionnant, au pays de l'automobile attend les amateurs de vieilles voitures qui se réjouiront des 85 voitures anciennes et autres cycles et motocycles que le musée abrite également. Impressionnantes Cadillac des années 1950, Rolls-Royce chromées 1920, lignes élégantes des coupés Hispano.
Un secteur plus technique fait de la visite une remarquable promenade didactique, de la vapeur à la robotique. Maquettes animées, galerie de portraits, plots vidéo d'évolution technique et d'histoire, espaces cinéma, jeux interactifs, mur d'images mobiles constituent autant de découvertes, dans un circuit qui chemine parmi un siècle de véhicules de tourisme et de compétition.

Parents savants : *pourquoi 24 heures ?*

Parce que telle est la durée de cette mythique course d'endurance dont le départ et la clôture sont théoriquement donnés à 16 h. Le gagnant est celui qui totalise le plus de tours (environ 300) sur un circuit de 13,535 km. Depuis 1923, les plus grandes écuries automobiles du monde, Ferrari, Porsche, Matra s'y mesurent chaque année au mois de juin devant un public de passionnés. La 1re édition de la course fut remportée par une Chenard-et-Walker pilotée par Lagache et Léonard. Ils accomplirent 128 tours, soit une distance de 2209 km à une moyenne de 92 km/h.

Le musée Vert du Mans : 204, av. Jean-Jaurès, 72100 ***Le Mans.*** ☎ 02-43-47-39-94. Ouvert du lundi au vendredi de 9 h à 12 h et de 14 h à 18 h, et le dimanche de 14 h à 18 h. Fermé le samedi. Entrée : 2,80 €; étudiants : 1,40 €; gratuit pour les moins de 18 ans; demi-tarif le dimanche.
Dernier-né des musées du Mans, rénové très récemment, le musée Vert, situé dans une ancienne école édifiée au XIXe siècle, présente des reconsti-

tutions de milieux naturels. On découvre la faune actuelle, ainsi que des fossiles disparus de nos régions. Un musée qui joue à fond la carte éducative : manip' dans les expositions temporaires, projection de films animaliers... Idéal pour les enfants.

Où dormir ? Où manger ?

🏠 🍴 ***Green 7 Hôtel :*** 447, av. Georges-Durand, 72100 ***Le Mans.*** ☎ 02-43-40-30-30. Fax : 02-43-40-30-00. • www.hotelgreen7.com • À l'entrée du Mans sur la route de Tours. À 1 700 m de l'entrée du circuit des 24 Heures du Mans et du musée de l'Automobile. Resto fermé les vendredi soir et dimanche soir, ainsi que 3 semaines en août. Chambres doubles à partir de 50 € ; 2 chambres familiales pour 4 personnes à 68 €, lit supplémentaire à 12 €. Menu à 14 € en semaine ; autres menus de 21 à 32 € ; menu-enfants à 8 €. Mettez-vous au vert, voire au calme, dans cet hôtel relooké contemporain. Accueil décontracté (on peut le dire !). Un parc avec quelques jeux pour vos bambins. Sur présentation du *Guide du routard,* réduction de 10 % accordée à partir de 2 nuits sauf en mai, juin et septembre.

🏠 ***Hôtel de la Pommeraie :*** 314, rue de l'Éventail, 72000 ***Le Mans.*** ☎ 02-43-85-13-93. Fax : 02-43-84-38-32. ♿ Sortez du Mans par la route de Paris (N 23), puis fléchage ; à l'*Auberge de Bagatelle,* tournez dans la rue de Douce-Amie. Ouvert toute l'année. Chambres doubles à 36 € avec douche ou bains ; chambres familiales à 42 €, plus 11,50 € par personne supplémentaire. Pas trop loin du centre en voiture, cet hôtel respire le calme et la tranquillité. Un havre de paix avec parc et arbres superbes, au point qu'on en oublie l'architecture plutôt banale. Accueil sympathique. Insonorisation et rénovation des chambres en cours. Parking. Apéritif maison offert à nos lecteurs sur présentation du *Guide du routard.*

🍴 ***Crêperie Le Blé en Herbe :*** 48, Grande-Rue, 72000 ***Le Mans.*** ☎ 02-43-28-39-00. Fermé le lundi midi de mars à septembre, le lundi midi et le dimanche d'octobre à février ; congés annuels : entre Noël et le Jour de l'an. Galettes entre 2,50 et 5,50 €, repas complet autour de 9 €. Bien que située dans un coin on ne peut plus touristique, voilà une petite crêperie sympa qui mérite vos faveurs. En hiver, on dîne dans la cave voûtée ; en été, sur la terrasse. Accueil lunatique. Apéritif maison offert à nos lecteurs sur présentation du *Guide du routard.*

🍴 ***Le Berry :*** 27, pl. de la République, 72000 ***Le Mans.*** ☎ 02-43-28-46-07. Formule à 7,50 € le midi en semaine ; menus de 12 à 19,70 €, le dernier comprenant tout : apéro, vin, café ; menu « bambino » à 5,80 € ; il y a même une formule cinéma à 12 € : un plat et une place de cinéma valable dans tous les cinémas de la ville ! 8 recettes de moules-frites très appréciées. Terrasse quand il ne fait pas un temps de cochon (vieille plaisanterie locale). Et d'abord, un peu de pluie n'a jamais empêché d'apprécier les rillettes du Mans et autres charcuteries du pays. Encore qu'ici, les spécialités viennent d'ailleurs. Du Berry ? Mais non, quelle idée, de Corse ! Comme le patron. On peut aussi se régaler d'une bonne grosse salade.

➤ *DANS LES ENVIRONS*

🎠 ***Le parc récréatif de Papéa-City :*** 72530 ***Yvré-l'Évêque.*** ☎ 02-43-89-61-05. À quelques kilomètres à l'est du Mans. À côté de l'abbaye de l'Épau et de l'arche de la Nature. Ouvert de début avril au 16 septembre les mer-

credi, samedi, dimanche et jours fériés (tous les jours du 30 juin au 4 septembre) de 10 h 30 à 18 h 30. Entrée : 8 €; gratuit pour les moins de 3 ans. Sur place, restauration rapide, bar, glaces pour les gourmands.
Parc d'attractions pour enfants et adultes sur 20 ha ombragés. Plan d'eau (4 ha), royaume des pédalos, super-toboggans aquatiques, pataugeoire, mini-ferme, et plus de 20 manèges et attractions. Les gosses peuvent jouer les Lucky Luke, les Dalton ou les Calamity Jane, selon leur humeur, au village Far West, et s'offrir des sensations fortes avec le Train de la mine... ou bien encore faire les grands dans le circuit de tacots 1900.

Le domaine animalier de Pescheray : 72370 ***Le Breil-sur-Merize.*** ☎ 02-43-89-87-77. À 20 km au sud-est du Mans. Ouvert tous les jours, téléphoner pour connaître les horaires. Entrée : 8,50 €; enfants de 4-12 ans : 6 €.
Parc forestier d'un château du XVIe siècle où vous pourrez observer des animaux de la faune européenne comme des loups, des lynx. Également un golf de 18 trous. Aire de jeux et aire de pique-nique, avec en saison, possibilité de restauration.

Le jardin des Oiseaux : 72700 ***Spay.*** ☎ 02-43-21-33-02. À 10 mn au sud-ouest du Mans, direction Angers. D'avril à octobre, ouvert tous les jours de 10 h à 20 h; hors saison ouvert les mercredi, samedi et dimanche de 13 h à 17 h et tous les jours pendant les vacances scolaires de 10 h à 17 h. Entrée : 6,10 €; enfants de 3 à 12 ans : 3,80 €. Spectacle de marionnettes à 16 h tous les jours en juillet et août et les mercredi et dimanche d'avril à septembre. Compter 2 h de visite. À visiter plutôt le matin ou en fin d'après-midi en cas de chaleur, car les animaux se cachent du soleil.
Pour admirer quelque 200 espèces d'oiseaux en majorité exotiques, du colibri au perroquet en passant par le faisan vénéré ou le marabout. Des petits panneaux instructifs avec des questions-réponses agrémentent le parcours. On peut même entrer dans les volières pour approcher les oiseaux. Avant de partir, dites bonjour pour nous à Tico et Arthur, les mainates beaux parleurs. Espace pique-nique, buvette et aire de jeux.

Le parc zoologique du Tertre Rouge *(72200)* : ☎ 02-43-48-19-19. Au sud du département, entre Le Mans et Angers. De mai à septembre, ouvert de 9 h 30 à 19 h; d'octobre à avril, de 10 h à 12 h et de 13 h 30 à 17 h 30, en juillet et août de 9 h 30 à 20 h. Entrée : 14 €; enfants de 3 à 11 ans : 10,50 €. Resto sur place.
Un parc vraiment enthousiasmant, qui fait partie de cette nouvelle génération de zoos dont l'objectif est de reconstituer le mieux possible l'environnement naturel de leurs pensionnaires. Que de changements en quelques années ! À côté d'une partie traditionnelle, avec des animaux dans des enclos, on trouve des îles et des espaces où évoluent à l'air libre les animaux. De l'île aux oiseaux (avec 30 espèces rares) à l'île aux primates, du parc pour guépards à la plaine africaine, on se promène « en liberté » dans ce zoo qui ne compte plus les naissances, d'où ces nombreux « bébés » qui font aussi le charme du lieu. Plusieurs fois par jour, le zoo s'anime autour du nouveau complexe aquatique de *Marine World* : 3 bassins où otaries de Californie, manchots de Humbolt et loutres asiatiques s'en paient une tranche. Vous pouvez également découvrir des loups blancs de l'Arctique, uniques en Europe ainsi que les grizzlis présentés au milieu de cascades et de forêts de conifères.
Prenez votre temps – il y a un resto sur place (un bon, ce qui ne gâche rien) – pour tout voir. Petit musée des sciences naturelles avec 500 animaux naturalisés de la faune régionale.

Où dormir ? Où manger dans le coin ?

🏠 🍽 ***Relais Henri IV :*** lieu-dit ***La Transonnière.*** ☎ 02-43-94-07-10. Fax : 02-43-94-68-49. À 2 km au nord-est de la ville, sur la route du Mans (N 23). Fermé les dimanche soir et lundi. Congés annuels : pendant les vacances de février et la 1re semaine de novembre. Chambres doubles de 35 à 42 € avec douche ou bains ; triples à 42 € ; lit supplémentaire à 9 €. Menus de 13,50 à 28 € ; menu-enfants à 8 €. Situé en marge de la ville, un peu en retrait de la route, un *Logis de France* proposant des chambres claires, propres et insonorisées (elles sont en rénovation pour certaines). Bonne cuisine servie dans une salle tapissée de plus de 200 moules à chocolat et de sujets en chocolat ! De quoi déjà vous faire saliver. Le chef, en effet, est un passionné de la fève de cacao et vous pourrez juger de ses talents en goûtant, par exemple, son millefeuille maison. Bon accueil. Apéritif maison offert à nos lecteurs sur présentation du *Guide du routard.*

🏠 🍽 ***Hôtel-Motel Papea :*** Bener, N 23, 72530 ***Yvré-l'Évêque.*** ☎ 02-43-89-64-09. Fax : 02-43-89-49-81. À 5 km à l'est, bien indiqué sur la route de Paris. Chalets de 2 à 5 personnes de 30 à 52 € ; petit dej' à 5 €. Plateau-repas sur commande et pour dépanner : 8 €. Tout près de l'abbaye de l'Épau, une vingtaine de chalets confortables, disséminés dans un joli parc. Idéal pour se mettre au vert à deux pas de la ville. Accueil sympathique et insolite, les lapins vous faisant un brin de conduite et les proprios un brin de conversation (quand ils sont en forme, les uns comme les autres !) jusqu'à la porte de ce qui sera votre maison. Parking. Un petit dej' par nuit est offert à nos lecteurs sur présentation du *Guide du routard.*

LE REFUGE DE L'ARCHE

Dans les environs : le domaine de la Petite Couère • La ferme fortifiée de Clairbois • Le château de Lassay

LE REFUGE DE L'ARCHE

Route de Ménil, 53200 ***Château-Gontier.*** ☎ 02-43-07-24-38. • www.refuge-arche.org • Au sud de la Mayenne, entre Angers et Laval. Ouvert toute l'année, toute la journée de mars à octobre, seulement l'après-midi de novembre à février. Les horaires varient selon les mois. Entrée : 5 € ; enfants de 4 à 11 ans : 3 €.

Sur 14 ha d'espaces verts, l'arche abrite plus de 800 animaux dans un cadre préservé qui respecte leur vie de groupe. Pas de grillage ni de barreaux, pas de dressage ni de spectacle de cirque, ici on observe et on écoute les animaux. Grotte des reptiles, volière des oiseaux, aquariums, singes, lions, tigres... Ce sont 200 espèces que l'on apprend à connaître.
Les responsables de l'Arche accueillent les animaux de la faune locale trouvés blessés ou malades. Lorsque c'est possible, ils sont ensuite relâchés dans leur milieu naturel. Les animaux domestiques ou exotiques, devenus trop encombrants pour leurs propriétaires, sont également accueillis et installés dans de grands espaces. C'est idéal pour prendre de jolies photos.
Aire de jeux pour les enfants, aires de pique-nique aménagées et buvette (sans alcool).

Où dormir ? Où manger ?

🏠 🍽 ***Hostellerie de Mirwault :*** rue du Val-de-Mayenne, 53200 ***Bazougers.*** ☎ 02-43-07-13-17. Fax : 02-43-07-66-90. Au nord de Château-Gontier. À 2 km de Bazougers, fléché depuis le centre. Restaurant fermé les lundi et mercredi ; congés annuels : de janvier à mars. Chambres à 46 € avec douche ou bains ; 12 € pour le lit supplémentaire (gratuit pour les moins de 5 ans) ; chambres familiales pour 4 personnes à 61 €. 1er menu à 12 € le midi en semaine ; menus « gastronomiques » de 15 à 25 € ; menu-enfants à 9 €. Perdue dans la campagne, sur les bords de la Mayenne, une adresse de charme tenue par les Mitchells, un couple d'Anglais. Les 11 chambres ont tout le confort et une vue sur la rivière, à un prix étonnant vu la qualité de l'ensemble. Importante clientèle britannique. Un petit détail très *british* : le salon de lecture feutré pour les parents. Et le jardin pour les enfants... La cuisine, elle aussi, mérite le détour. Les plats phares de la maison : la terrine de lapin au pommeau, le filet de sandre rôti au beurre de cidre et la pintade au cidre de Mayenne. Bref, un endroit idéal pour se ressourcer. Digestif maison offert à nos lecteurs sur présentation du *Guide du routard.*

➤ *DANS LES ENVIRONS*

👥 ***Le domaine de la Petite Couère :*** 49500 **Nyoiseau.** ☎ 02-41-61-06-31. Au nord de l'Anjou, près de la Mayenne, sur la D 71, au nord-ouest de Segré. De mai à mi-septembre, ouvert tous les jours de 10 h à 19 h ; de février à avril et de mi-septembre à mi-novembre, les dimanche, ponts et jours fériés de 10 h à 19 h. Entrée : 10 € ; enfants de 3 à 11 ans : 4,50 €. Pour les enfants de moins de 7 ans, 3 tours de manège gratuits.
Superbe domaine, un vrai village d'antan sur plus de 80 ha. Plus de 40 reconstitutions des modes de vie du début du XXe siècle avec, dans l'ordre ou presque : *le musée du Tracteur et du Matériel agricole,* du Titan Harvester de 1912 au tracteur des années 1950, en passant par le Robust, dont la silhouette ressemble à une locomotive à vapeur ; les voitures à pédales et une quarantaine à moteur, Torpédo, Cabriolet, Limousine ; *les manèges anciens* ; l'*école* reconstituée dans les moindres détails, carte de France, encriers en porcelaine, etc. ; l'*épicerie,* avec des épices aux essences fortes et l'inévitable *estaminet* avec l'ancêtre des juke-box, de l'absinthe... mais aussi les lessiveuses, une trentaine de machines de 1880 à 1945, comme la Merveilleuse ; la *mairie* avec la machine à écrire par pantographe ; la *saboterie* industrielle, le *coiffeur barbier* et sa gamme de produits ; la petite *chapelle,* avec son curé, le *mini-musée d'Objets insolites.*
Et enfin, en petit train ou par des sentiers jalonnés, découvrez quelque 400 espèces d'animaux en semi-liberté ! Daims, chèvres, baudets... Une merveille.
➢ ***Sur la piste de l'enfant Roy :*** les 7-12 ans sont chargés de résoudre une enquête policière pour découvrir qui a commis le vol qui met le village sens dessus dessous. Élémentaire...

Où dormir ? Où manger dans le coin ?

🏠 🍽 ***Chambres d'hôte de la Grange du Plessis :*** pl. de l'Église, 49500 ***Saint-Aubin-du-Pavoil.*** ☎ et fax : 02-41-92-85-03. À 3 km au nord de Segré. Accès derrière le presbytère du XVIIe siècle. Ouvert toute l'année.

Chambres doubles à 55 €, petit dej' compris; compter environ 12 € par personne supplémentaire. Dans une ancienne grange totalement restaurée et au calme, 4 chambres de très bon confort, presque luxueuses, avec poutres apparentes, grand lit ou lits séparés, belle salle de bains, TV et même une bouilloire pour le thé. La plus grande peut accueillir 4 personnes avec son canapé convertible. Grande salle à manger et salon très agréables. Possibilité de table d'hôte sur réservation. Une balançoire et un petit âne attendent les enfants. Bon accueil. En prime, 10 % de réduction sur le prix de la chambre pour nos lecteurs sur présentation du *Guide du routard.*

La ferme fortifiée de Clairbois : centre médiéval et culturel du Maine « Spectacle et chevalerie », à La Ferté-Clairbois, 53270 **Sainte-Suzanne.** ☎ 02-43-01-42-15. À 45 km à l'ouest du Mans. Se renseigner pour les horaires. Visite animée : 7 €; enfants et groupes : 5 €. Spectacle : 10 €; enfants et groupes : 9 €; 1 € de réduction sur présentation du *Guide du routard.*
Retour au Moyen Âge avec la visite du « chatelier ». Palissades, donjon avec pont-levis, tours de guet reconstituées, chapelle, four, forge, etc., et un étonnant jardin médiéval. Vous découvrirez tout ça au cours de la visite, et vous pourrez goûter aux joies du pilori, vous essayer aux jeux de la guerre du bon vieux temps, ou boire dans un hanap de l'hypocras, à accompagner d'une pâtisserie d'époque, à l'occasion du banquet dans l'*Aula Leonorum.* Ne pas manquer le jardin, conçu sur le modèle du paradis perdu. À 15 h et 17 h 30 les dimanche et jours fériés de Pâques à septembre, spectacle *L'Attaque du donjon.* Repas médiévaux à partir de 15 €.

Où manger ?

Restaurant L'Auberge de la Cité : 7, pl. Hubert-II, 53270 **Sainte-Suzanne.** ☎ 02-43-01-47-66. Accès par la D 7. Fermé le lundi et le mardi soir (sauf en juillet et août); congés annuels : en janvier et une semaine fin septembre-début octobre. Menus à 10 et 15 € et carte; menu-enfants à 6,50 €. La maîtresse des lieux cuisine fort bien et se passionne pour la cuisine médiévale (sur commande). Normal, les murs de son restaurant datent du XIVe siècle. Apéritif maison ou café offert à nos lecteurs sur présentation du *Guide du routard.*

Le château de Lassay : 53110 **Lassay-les-Châteaux.** ☎ 02-43-04-71-22. Tout au nord du département. Visite commentée intérieure et extérieure (45 mn) tous les jours de juin à septembre de 14 h 30 à 18 h 30; ouvert aussi le week-end de Pâques et les week-ends de mai. Entrée à environ 4 €; moins de 12 ans : 2 €.
Un château fort comme dans les leçons d'histoire, solidement installé face à son étang et resté en l'état depuis le XVe siècle. De grandes et grosses tours massives en granit rouillé du pays, un superbe pont-levis et un intérieur conservé qui permet de se projeter au temps des chevaliers en parcourant la cuisine, la chambre à coucher, la salle d'armes et bien d'autres encore. Dans les ruelles constituées de vieilles maisons, au pied du château, on part à la recherche des gargouilles et des loups taillés dans la pierre.

Où dormir ? Où manger dans le coin ?

La Ferme du Chemin : 53250 **Madré.** ☎ 02-43-08-57-03. Au nord-ouest de Lassay par la D 34, direction Couterne. Puis à droite, La Baroche-Gondouin, D 214 (10 km). Ouvert tous les jours de 10 h à 19 h.

Chambres doubles à 36 €; compter 7 € par lit supplémentaire. Gîte et couvert à prix doux : autour de 27 € la demi-pension. Menu-enfants à 6 €. À la fois écomusée et centre de randonnée équestre. Pour retrouver le temps où la vie s'écoulait au rythme du cheval, Jean-Yves Moche – un ancien de Sciences-Po qui a bien tourné – a fait d'une ancienne métairie du XVIIIe siècle une vraie auberge, à la fois lieu de mémoire et de vie. Dans cette ferme-musée du temps qui passe, on ne le voit vraiment pas passer. En hiver, quand il ne fait plus bon mettre le nez dehors en calèche, on a même droit à du théâtre.

|●| ***Restaurant du Château :*** 37, rue Migoret-Lamberdière, 53110 ***Lassay-les-Châteaux.*** ☎ 02-43-04-71-99. Derrière le château : c'est pratique et pas cher. Fermé les dimanche soir, lundi soir et 15 jours en août. Menu ouvrier complet à 8,25 €, quart de vin compris, le midi du lundi au samedi; autres menus à 10,50 et 13,75 €, avec visite du château incluse pour ce dernier; menu-enfants à 5,35 €; puisqu'on vous dit que c'est pas cher! Béatrice et Hervé accueillent dans leur langue natale les Anglais de passage et en bon français les *Frenchies* en balade et les ouvriers du coin. Tout ce petit monde cohabite agréablement autour de bons plats maison. C'est tout le talent de nos deux jeunes tourtereaux. Réservation souhaitable. Café offert à nos lecteurs sur présentation du *Guide du routard.*

DOUÉ-LA-FONTAINE

Dans les environs : le musée de la Soie vivante • Le musée du Champignon • Le château de Brissac

En introduction aux activités de l'Anjou, un grand coup de chapeau à l'opération ***Sur la piste de l'enfant Roy,*** qui permet aux 7-12 ans de découvrir les lieux sous forme de jeux, énigmes, devinettes... dans une quarantaine de sites. Un exemple à suivre.

DOUÉ-LA-FONTAINE

☆☆☆ ***Le parc zoologique de Doué-la-Fontaine :*** 103, route de Cholet, 49700. ☎ 02-41-59-18-58. Ouvert des vacances de février aux vacances de la Toussaint. En hiver de 10 h à 18 h et en été de 9 h à 19 h. Entrée : 12 €; enfants : 6 €. 10 % de réduction sur présentation du *Guide du routard.* Ticket valable pour la journée. *Zoo Pass* valable un an : 26 €; enfants : 16 €. Compter 3 h de visite.
Cadre assez rare de sites escarpés, anciennes carrières de falun, caves cathédrales baignées par la nappe phréatique et abondante végétation. Toutes les conditions pour recréer le milieu naturel le plus proche de la réalité ont été recherchées (parcs paysagers, îles luxuriantes, immenses volières, utilisation des vitrages, etc.). Beaucoup d'animaux réputés pour se reproduire très difficilement en zoo ont répondu à l'objectif en procréant justement de façon harmonieuse, ou même de façon tout à fait exceptionnelle. C'est ainsi que le parc zoologique de Doué se fixe principalement comme mission la reproduction d'espèces en grand danger de disparition et leur réintroduction en milieu naturel, comme le lynx ou les vautours-fauves (ou griffons). Ainsi, tous les ans, de jeunes vautours-fauves de Doué sont relâchés en France. Cette dimension écologique apparaît clairement dans la démarche du zoo : nombreux panneaux explicatifs détaillés, tableaux des naissances et création du Naturoscope à l'entrée. Devenu un véritable

conservatoire d'espèces menacées, le zoo accueille et présente plus de 600 animaux, dont 40 espèces font l'objet de programmes de conservation internationaux.
En 2001, pour les 40 ans d'existence du zoo, Pierre Gay et son équipe ont décidé de soutenir 40 projets de conservation *in situ*. Ces projets concernent des espèces et des écosystèmes du monde entier intégrant des objectifs de développement durable et la protection d'un milieu ou d'une espèce.
Des présentations spectaculaires combinent bien-être de l'animal et plaisir du visiteur. Nos coups de cœur sont allés à la volière des Roussettes, aux îles des Singes, à la crique des Manchots, à la fosse aux charognards des Vautours-Fauves (où l'on peut pénétrer), aux lémuriens malgaches, aux varis, particulièrement émouvants, et au canyon des Léopards.
À l'entrée, un panneau indique l'heure de repas des animaux, on peut donc composer son itinéraire en fonction de ce que l'on désire voir : des vautours se jeter sur une carcasse de bœuf, les manchots ou les loutres pêcher leurs poissons, etc. Sinon, parcours bien ficelé puisque, en prenant toujours les allées de droite, on voit toutes les bêtes et on ne se perd jamais. Nous conseillons d'ailleurs vivement l'achat de la brochure où, outre le plan de la visite, vous découvrirez les portraits commentés de chacun des pensionnaires. Vraiment intéressante !
Pour conclure, nos lecteurs photographes, par la diversité et l'originalité des angles de vue, y réaliseront des clichés tout à fait inhabituels. Un zoo décidément pas comme les autres...
➢ ***Sur la piste de l'enfant Roy :*** avec un document spécialement conçu pour les enfants, les naturalistes en herbe doivent retrouver les animaux qui se cachent derrière les phrases « Je vis en pleine liberté... je suis très gourmand... » On trouve les réponses à la boutique du zoo.

Le musée des Commerces anciens : 49700 ***Doué-la-Fontaine.*** ☎ 02-41-59-28-23. ♿ En mai, juin, septembre, ouvert de 9 h 30 à 12 h et de 14 h à 19 h ; en juillet et août, de 9 h à 19 h ; en mars, avril, octobre et novembre, ouvert de 9 h 30 à 12 h et de 14 h à 19 h et fermé le lundi ; congés annuels : de mi-novembre à mi-mars. Entrée : 5,80 € ; de 6 à 16 ans : 3,80 €.
Vitrine de chapeaux à l'ancienne, mercerie, parasolerie... Les boutiques d'antan ne manquent pas de charme, comparées à nos supermarchés d'aujourd'hui. Idéal pour montrer aux enfants comment vivaient leurs grands-parents. À l'issue de la visite, ils pourront même se photographier en casquette ou chapeau melon.
➢ ***Sur la piste de l'enfant Roy :*** la mission des petits curieux dans ce musée des petites boutiques, c'est de faire leurs commissions comme en 1920. Des produits miracles à la droguerie, du sucre à l'épicerie... mais ce n'est pas si simple de se repérer parmi les emballages d'antan. Prêts à relever le défi ?

Où dormir ? Où manger ?

Camping municipal Le Douet : route des Blanchisseries, 49700 ***Doué-la-Fontaine.*** ☎ 02-41-59-14-47. Direction Angers par la D 761. Ouvert d'avril à septembre. Compter environ 8 € pour 2 personnes et une tente. 2 étoiles. Près de 200 emplacements. Assez ombragé. Piscine.

Le Caveau : 4 bis, pl. du Champ-de-Foire, 49700 ***Doué-la-Fontaine.*** ☎ 02-41-59-98-28. De mi-avril à mi-septembre, ouvert tous les jours ; hors saison, ouvert du vendredi soir au dimanche soir, ou sur réservation. Menu à 10 € le midi en semaine ; autre menu à 19 €, vin et café compris ; menu-enfants à 10 €. Au cœur de la ville, un troglo chaleureux pour déguster des fouaces ô combien délicieuses aux rillauds, au fromage de chèvre ou plus simplement au beurre d'Anjou. Menu très complet et sympa pour les enfants. Soirées-théâtre à l'occasion. Cette équipe-là a plus d'une fouée dans son sac!

🏠 🍽 ***Chambres d'hôte Troglodytes de la Fosse :*** Forges, ***Meigné-sous-Doué.*** ☎ 02-41-50-90-09 ou 06-85-65-58-10. À quelques kilomètres de Doué, par la D 214. Chambres doubles de 44 à 58 €; pour les chambres familiales, le prix est calculé sur la base d'une chambre double plus 17 € par personne supplémentaire. Table d'hôte à 20 € sur réservation; moins de 10 ans : 10 €. Si vous recherchez un peu de confort au milieu de nulle part (il n'y a vraiment que le *Troglo de la Fosse* et quelques maisons ici!), ainsi qu'une piscine pour lézarder au soleil (en espérant qu'il y en ait), voici l'endroit idéal. Huit chambres agréables et colorées dans une grande et belle bâtisse disposée autour de la piscine (chauffée). Utilisation d'une cuisine en supplément si l'on souhaite se faire des repas, ou table d'hôte. La propriétaire réalise aussi des pièces de verre thermoformé, vous aurez peut-être le plaisir de manger dedans! Apéritif offert sur présentation du *Guide du routard.*

➤ DANS LES ENVIRONS

👁👁 ***Le musée de la Soie vivante :*** La Paleine, 49260 ***Le Puy-Notre-Dame.*** ☎ 02-41-38-42-38 ou 28-25. À 7 km à l'ouest de Montreuil-Bellay. Ouvert de mi-mai à mi-octobre tous les jours sauf le lundi, de 10 h à 12 h et de 13 h 30 à 18 h; en juillet et août, ouvert aussi le lundi après-midi. Entrée : 4 €; enfants : 2,50 €.
Tout savoir sur l'élevage du ver à soie? C'est possible. Ici, un couple de passionnés fait revivre la tradition des magnaneries, la 1re manufacture ayant été créée à Tours par Louis XI. Tout le cycle de la ponte à la montée du cocon vous est expliqué. On y voit aussi de fabuleux métiers à tisser, comme le métier à passementerie.
➢ ***Sur la piste de l'enfant Roy :*** avec le questionnaire spécialement conçu pour les enfants, les petits curieux doivent reconnaître les matières d'un T-shirt, d'une polaire, d'un foulard; remplir un jeu de mots croisés et répondre à toute une série de devinettes. C'est tellement plus passionnant en jouant!

👁👁 ***Le musée du Champignon :*** à 3 km de ***Saumur*** sur la D 751 en direction d'Angers. ☎ 02-41-50-31-55. Visite libre ou guidée du 15 février au 15 novembre tous les jours de 10 h à 19 h. Entrée : 6,50 €; enfants de 5 à 14 ans : 4 €.
Une découverte dans les règles de la culture du champignon que l'on dit de Paris, une exposition sur les champignons sauvages et une maison troglodytique spécialement pour les enfants avec une collection d'objets-champignons.
On termine la visite par une dégustation de champignons frais que l'on peut aussi acheter au kilo.
➢ ***Sur la piste de l'enfant Roy :*** comestibles ou dangereux? Pour que les enfants ne se trompent pas, ils remplissent au fur et à mesure de la visite une fiche-jeu qui leur propose aussi de résoudre quelques énigmes champignonesques.

Où dormir?

🏠 ***Relais du Bellay :*** 96, rue Nationale, 49260 ***Montreuil-Bellay.*** ☎ 02-41-53-10-10. À 12 km au sud-est de Doué-la-Fontaine, par la D 761. Fermé le dimanche soir d'octobre à Pâques. Chambres doubles de 48 à

73 €; 12,20 € par lit supplémentaire. Grande vieille maison angevine possédant un certain charme et fort bien située. Chambres confortables. Certaines donnent sur le château et les remparts. Grand jardin bien agréable avec piscine, couverte en cas d'intempérie. Accueil convivial et détendu. Salle de fitness, sauna, hammam, jacuzzi pour repartir en pleine forme. Réduction de 10 % offerte toute l'année à nos lecteurs sur présentation du *Guide du routard.*

Le château de Brissac : 49320 **Brissac-Quincé.** ☎ 02-41-91-22-21. Au sud d'Angers. Ouvert d'avril à juin, puis de mi-septembre à octobre de 10 h à 12 h et de 14 h 15 à 17 h 15, et en juillet et août de 10 h à 18 h. Fermé le mardi. Entrée : 8 €; enfants : 6 €; gratuit pour les moins de 8 ans. Entrée du parc seul : 3,50 €.
La famille Brissac habite ce château à l'architecture originale depuis 1502. De destructions inachevées en construction moderne, le bâtiment ne manque pas charme avec ses 2 grosses tours à mâchicoulis d'époque et une façade style Renaissance. On visite la chambre, les cuisines médiévales et le jardin en jouant à être duc et duchesse.
➢ ***Sur la piste de l'enfant Roy :*** ce sont toujours les petits secrets des grands monuments qui sont les plus amusants pour les enfants. Inscriptions dans les plafonds, fenêtre cachée, chambre mystérieuse ou animaux cachés dans la tapisserie... Sauront-ils résoudre l'énigme qui les conduira à la pièce mystère?

Où manger dans le coin?

La Toscane : 17, rue Saint-Laud, 49000 **Angers.** ☎ 02-41-88-48-49. Fermé le dimanche, le lundi soir et 3 semaines de mi-septembre à début octobre. Menu à 8,70 € le midi en semaine; autres menus à 10,50 et 15 €, pâtes de 6 à 7,50 € et pizzas de 5 à 8 €; menu-enfants à 8 €. Située dans l'une des rues piétonnes les plus animées d'Angers, une adresse agréable pour se restaurer en terrasse aux beaux jours. Service sympathique. À l'intérieur, cadre plutôt banal, mais l'attraction est dans l'assiette. Un choix important de pizzas ou de pâtes servies en portions généreuses. Bonnes salades également. Bon accueil.

LE PUY-DU-FOU

Dans les environs : le château de Gilles de Rais • Le Village vendéen miniature • Océanile de Noirmoutier

LE PUY-DU-FOU

À une vingtaine de kilomètres au sud de Cholet. L'endroit tire son nom du latin *podium fagi* qui signifie « le hêtre sur la colline ». À l'origine, il s'agit seulement d'un château du XVe siècle, construit par un certain Guy du Puy-du-Fou. Si, ça existe! De cette époque ne subsistent que le bâtiment carré ainsi qu'une tour à mâchicoulis. Le reste du château date du XVIe siècle. Aujourd'hui, c'est « Chouanland »! On y trouve un spectacle qui se veut « le plus grand d'Europe ».
– ***La Cinéscénie :*** ☎ 02-51-64-11-11. • www.puydufou.com • info@puydufou.tm.fr • De fin mai à début septembre, à 22 h; se renseigner sur les dates précises. Réservation obligatoire. Entrée : 21 €; enfants de 5 à 13 ans : 10 €. Ou alors, pour les accros, un forfait Cinéscénie + 1 jour au Grand Parc : 36,70 €; enfants de 5 à 13 ans : 16,50 €.

De loin, les mauvaises langues parlent d'un délire. Une fois qu'on a vu le spectacle, on doit bien dire qu'on reste bluffé par ce grand film en plein air où plus de 1 000 acteurs bénévoles racontent l'histoire de la Vendée. Lumière, feu d'artifice, cascades, effets spéciaux. On ne fait ni dans le détail ni dans la dentelle, mais ça ne laisse pas indifférent. Depuis 1978, plus de 6 millions de personnes ont vu le spectacle. Et il y a plus de 14000 spectateurs chaque soir d'été.

Le Grand Parc : ouvert le week-end en mai et tous les jours du 1er juin au 14 septembre, de 10 h à 19 h. Entrée : 23 €; enfants de 5 à 13 ans : 12 €. Une cité médiévale, un village du XVIIIe siècle, un moulin entièrement reconstitué, le tout sur 40 ha avec acteurs (toujours bénévoles) en costumes et cascadeurs pour faire croire au spectateur ébahi qu'il vient de plonger dans le Moyen Âge. Spectacles de fauconnerie, de chevalerie, musiciens, carillon animé, mais également, pour le côté écolo, un arboretum, un conservatoire animalier et un sentier de la vie des pierres (oui, oui, des pierres !). Sans oublier des arènes de 6000 places où s'affrontent les lions et les gladiateurs entre deux courses ou parades romaines. C'est le grand retour des jeux du cirque... Nouveauté 2003 : le bal des oiseaux fantômes.
Les pique-niques ne sont pas autorisés dans le Grand Parc, mais seulement aux abords du parking. Restauration rapide sur place.

Où dormir?

Chambres d'hôte La Devinière : chez Susanne et Denys Bouquin, 20, rue du Puy-du-Fou, 85590 ***Les Épesses.*** ☎ 02-51-57-30-46. Fax : 02-51-57-39-93. • suzanne.bouquin@wanadoo.fr • Compter 75 € la nuit en chambre double avec douche et w.-c., ou 85 € pour la chambre avec mezzanine, petit dej' compris; compter 20 € supplémentaires par enfant. Belle maison dans laquelle on entre par un petit chemin entouré d'arbres et de murs de pierre. M. Bouquin est président de l'office de tourisme. Il a, avec sa femme, aménagé 3 belles chambres d'hôte spacieuses et confortables. On peut y loger à trois, quatre, sans problème. Une piscine dans le parc. Réserver très, très longtemps à l'avance. Réduction de 10 % en semaine sur présentation du *Guide du routard.*

➤ *DANS LES ENVIRONS*

Le château de Gilles de Rais, dit Barbe Bleue : 85130 ***Tiffauges.*** ☎ 02-51-65-70-51. • www.chateau-barbe-bleue.com • Entre Nantes et Cholet; à une vingtaine de kilomètres au sud-ouest de Cholet par la D 753. Ouvert du 1er avril au 16 septembre. Entrée : 7 €; enfants de 6 à 13 ans : 5 €; réduction sur présentation du *Guide du routard* : 5,50 € pour les adultes.
3 h de spectacle et d'animations dans le château de Barbe Bleue, une enceinte ovoïde de 700 m sur 3 ha, avec un donjon du XIIe siècle qui surplombe le site médiéval. Machines de guerre, maquette animée, diaporama, laboratoire d'alchimie, camp d'entraînement au tir à l'arc, à l'arbalète et aux joutes... Ici, le visiteur est acteur lorsqu'il n'écoute pas avec des frissons dans le dos l'histoire de Gilles de Rais, dit Barbe Bleue. Un plongeon dans le Moyen Âge.

Le Village vendéen miniature : rue du Moulin-Vieux, 85130 ***Tiffauges.*** ☎ 02-41-30-22-25 ou 02-51-65-71-94. ♿ Ouvert de mars à mai les dimanche et jours fériés de 14 h à 19 h, en juin et septembre du lundi au

vendredi de 10 h à 12 h et de 14 h à 18 h, de décembre à février du mardi au samedi de 14 h à 18 h et le dimanche de 14 h à 19 h ; se renseigner pour les périodes de vacances. Entrée : 4,50 € ; enfants de 5 à 13 ans : 3 € ; réduction de 1 € sur présentation du *Guide du routard.*
Toute la Vendée traditionnelle en un clin d'œil. C'est ce que propose ce joli petit musée où des scènes de la vie d'autrefois sont reconstituées avec minutie. Plusieurs corps de métiers qui ont disparu mais aussi des métiers qui ont évolué : maître d'école ou coiffeur. Des centaines de santons proposent un échantillon du vêtement vendéen. L'architecture est également à l'honneur, avec de belles maquettes reproduites en granit, tuffeau et schiste puis recouvertes de tuiles et d'ardoises. Un voyage dans le temps très intéressant. Pour les groupes d'enfants, une petite visite guidée avec questionnaire leur est proposée.

Où manger dans le coin ?

●● ***Restaurant de la Digue :*** 9, rue des Abreuvoirs, 85600 ***Montaigu.*** ☎ 02-51-06-34-48. Au bord de la Maine, sur la gauche en descendant vers le pont. Fermé le lundi toute la journée et le mardi soir ; en hiver, le mardi soir, le mercredi toute la journée et le samedi midi. Pizzas autour de 8 € ; menus de 13 à 25 € ; menu-enfants à 10 €. Des pizzas, mais aussi des grillades servies dans l'une des 2 salles rustiques ou en terrasse, séparée de la rivière par une petite route peu fréquentée. Idéal pour la balade digestive.

Océanile de Noirmoutier : 85330 ***Noirmoutier-en-l'Île.*** ☎ 02-51-35-91-35. Au sud de la commune de Noirmoutier-en-l'Île, au nord-est de la péninsule. Ouvert du 16 juin au 10 septembre, de 10 h à 19 h.
Ce parc sur le thème de la mer et des bateaux propose, dans une eau chauffée à 28 °C, de nombreuses attractions aquatiques : torrents, vagues, cascades, toboggans, rivière lente, geyser, pentagliss, bains à remous, pataugeoires, bassins couverts, rivière à bouées. Pour vous détendre et vous amuser en famille avec vos bambins.

Où dormir ? Où manger dans le coin ?

Camping municipal de la Bosse : 85740 ***L'Épine*** *(sur Noirmoutier).* ☎ 02-51-39-01-07. Fax : 02-51-39-33-12. Ouvert du 1er avril au 30 septembre. Forfait à 10,50 € pour deux en saison. Pas étonnant que ce camping ait un tel nom, il y a effectivement des bosses partout ! On y dort cependant très bien et on apprécie le doux bruit de la mer, les pins, le sable. Juste derrière une dune s'étale langoureusement une grande plage qui fera le bonheur de vos enfants.

●● ***Auberge la Chaumière :*** à ***Orouët.*** ☎ 02-51-58-67-44. Fax : 02-51-58-98-12. • chaumiere-sarl@wanadoo.fr • De Saint-Jean-de-Monts, sur la D 38 en direction de Saint-Gilles-Croix-de-Vie, en retrait de la route, 3 km avant Le Pissot. Ouvert de mars à octobre. Chambres de 47 à 71 € selon le confort et le nombre de personnes. Demi-pension de 53 à 61 €, obligatoire de mi-juillet à mi-août à partir de 3 jours. Menus de 17,50 à 43 € ; menu-enfants à 11 €. Tenue par toute une famille, c'est le fils de la maison qui cuisine (bon et bien ; goûtez, si vous le pouvez, à l'anguille sautée). Architecture mi-moderne mi-ancienne (toiture de chaume recouvrant le resto), agréable. Les chambres très confortables et aux tons gais donnent pour la plupart sur la piscine, certaines de plain-pied, d'autres avec un petit balcon ou une loggia. Atmosphère familiale.

●● ***Les Voyageurs :*** 3, quai du Port-Fidèle, 85800 ***Saint-Gilles-Croix-***

de-Vie. ☎ 02-51-55-10-12. À 50 m sur la droite de l'autre côté du pont de la Concorde. Ouvert toute l'année, de 11 h à 23 h en haute saison. Menus de 10 €, le midi en semaine, à 25,50 € ; assiette du pêcheur à 20 € ; menu-enfants à 8 € avec un *Kinder-Surprise* à la fin du repas. À l'intérieur d'une grosse maison bourgeoise d'apparence sage, une déco hallucinante composée d'anciens jeux de plein air provenant de brocantes : ballons de foot et de rugby, souliers de cuir, rollers, vieilles affiches... On y vient, un peu comme dans une brasserie, manger des spécialités de la mer. Notre meilleure assiette de la mer dans le coin (fraîcheur, quantité, prix). Apéritif maison offert sur présentation du *Guide du routard.*

PICARDIE

Que d'aventures passionnantes et d'histoires terribles se sont passées sur les terres de la Picardie ! Le parc Astérix, la Mer de Sable, de nombreux châteaux princiers sont présents pour vous faire revivre avec passion les vies folles de nos héros. Les enfants auront de quoi laisser leur imagination s'envoler à travers ce riche passé. Passionnés d'histoire ou d'art mais aussi inconditionnels du sport, vous trouverez en Picardie de quoi satisfaire votre goût de la découverte. Pour les petits sportifs, profitez des nombreux espaces verts qui sillonnent la région. Faites-les à pied, à vélo ou pourquoi pas à cheval ? Il faut absolument découvrir les allées cavalières de Compiègne ainsi que celles de Chantilly et son Musée vivant du Cheval. Quant aux écologistes en culotte courte, ils seront comblés avec le magnifique parc ornithologique du Marquenterre et ses oiseaux.

Adresses utiles

■ ***Comité régional du tourisme de Picardie :*** 3, rue Vincent-Auriol, 80011 Amiens Cedex 1. ☎ 03-22-22-33-66. Fax : 03-22-22-33-67. • www.picardietourisme.com •

■ ***Comité départemental du tourisme de l'Oise :*** 19, rue Pierre-Jacoby, BP 80822, 60008 Beauvais Cedex. ☎ 03-44-45-82-12. Fax : 03-44-45-16-19. • www.oisetourisme.com •

■ ***Comité départemental du tourisme de la Somme :*** 21, rue Ernest-Cauvin, 80000 Amiens. ☎ 03-22-71-22-71. Fax : 03-22-71-22-69. • www.sommetourisme.com •

■ ***Comité départemental de l'Aisne :*** 24-28, av. Charles-de-Gaulle, 02007 Laon Cedex. ☎ 03-23-27-76-76. Fax : 03-23-27-76-89. • www.aisne.com •

LE PARC ASTÉRIX

Dans les environs : la Mer de Sable à Ermenonville • Chantilly : le Musée vivant du Cheval, l'hippodrome, le château et le parc

LE PARC ASTÉRIX

30 ans après les premiers exploits de notre petit Gaulois à moustaches, dessiné par le duo Uderzo-Goscinny, est né le parc Astérix. À l'aube du XXIe siècle, recréer un village gaulois à 30 km de Lutèce, vous nous direz, ils sont fous ces Gaulois ! Pourtant, aujourd'hui, le parc Astérix est le 2e parc d'attractions familiales en France et accueille chaque année près de 2 millions de visiteurs. De taille humaine, il est sympathique comme tout, bon enfant, comme on aime et surtout pas prétentieux pour un sou. Astérix et son gros copain attendent les enfants dès l'entrée. En outre, le décor est parfaitement réussi et de menhir en hutte à toit de chaume, on a vraiment l'impression d'être entré dans la B.D.
Côté attractions, il y en a pour tous les âges : du manège de chevaux de bois au vertigineux *Goudurix,* tout le monde s'y retrouvera. Enfin, un grand bravo pour les spectacles. Rondement menés et de qualité, ils sont d'ailleurs deve-

nus le menhir de bataille du parc. Pour la visite, suivez le druide. En avant, c'est partix !

Comment y aller ?

De Paris

➢ ***En voiture :*** à 30 km au nord de Paris, par l'A 1, sortie directe parc Astérix.
➢ ***En RER :*** ligne B3, descendre à Roissy-Charles-de-Gaulle 1 ; puis navettes payantes et identifiées parc Astérix ; départ toutes les 30 mn de 9 h 30 à 13 h 30. Retour du parc Astérix à partir de 16 h 30 toutes les 30 mn jusqu'à 18 h 30 (autour de 6 € ; enfants : environ 4,50 €).
Forfait parc Astérix « Tout compris » en vente dans la plupart des gares RER et SNCF de Paris. Il comprend le trajet aller-retour métro et RER, le transfert en navette jusqu'au parc et le billet d'entrée : 36 € ; enfants de 3 à 12 ans : 25 €.

De province

➢ ***En TGV :*** TGV directs depuis la province (Bordeaux, Dijon, Lille, Lyon, Marseille, Montpellier, Nantes, Rennes, Toulouse, Tours...) et à destination de la gare Aéroport-Charles-de-Gaulle TGV. Renseignements et réservations SNCF : ☎ 08-92-35-35-35 (0,34 €/mn).

Les petits détails pratiques

– ***Renseignements :*** ☎ 08-92-68-30-10 (0,34 €/mn) ou ☎ 03-44-62-30-30. • www.parcasterix.fr • Minitel : 36-15, code PARCASTERIX (0,34 €/mn).
– ***Dates d'ouverture :*** de début avril à mi-octobre.
– ***Horaires :*** très variables suivant les jours et les saisons ; il est préférable de téléphoner pour se renseigner. En général, de 9 h 30 ou 10 h à 18 h ou 19 h. En avril, juillet et août, ouvert tous les jours ; en mai et juin, fermé certains lundi et vendredi (téléphoner) ; en septembre et octobre, ouvert seulement les mercredi, samedi et dimanche.
– ***Tarifs :*** 31 € ; enfants de 3 à 11 ans : 23 € ; gratuit pour les moins de 3 ans. *Carte Saison* (valable pour un nombre illimité de visites ; prévoir une photo d'identité) : 65 € ; enfants de 3 à 11 ans : 45 € ; gratuit pour les moins de 3 ans. Intéressante, car rentable à partir de 2 entrées.
– ***Services divers :*** parking payant (5 €). Distributeur de billets, poste et téléphone : dans la partie couverte de la rue de Paris. Chenil : à l'extérieur du parc, 6,10 €. Bureau de change : au *Crédit Latin,* à gauche de l'entrée du parc. Consigne, location de poussettes et fauteuils pour handicapés, point de rencontre, objets trouvés : à l'accueil visiteurs, tout de suite à droite après l'entrée du parc. Centre médical. Relais bébé.
– ***Bon plan :*** si vous le pouvez, venez au parc Astérix de préférence le samedi matin plutôt que le dimanche et en début de saison (avril-mai), il y a nettement moins de monde.
Pour éviter les files d'attente, une seule solution, aller à contre-courant. Le matin en arrivant, commencez par les attractions secondaires, celles dont on ne parle pas particulièrement, puis enchaînez avec un ou deux spectacles, ce qui devrait vous occuper jusque vers 14 h. Après une pause déjeuner tardive (la tranche horaire 12 h-13 h 30 étant saturée, on la boude sans remords), pourquoi ne pas faire enfin les attractions à sensations, celles qui vous secouent les tripes (à condition d'y avoir été mollo sur le cassoulet au sanglier...) et terminer cette journée riche en aventures assis tranquillou devant un spectacle ?

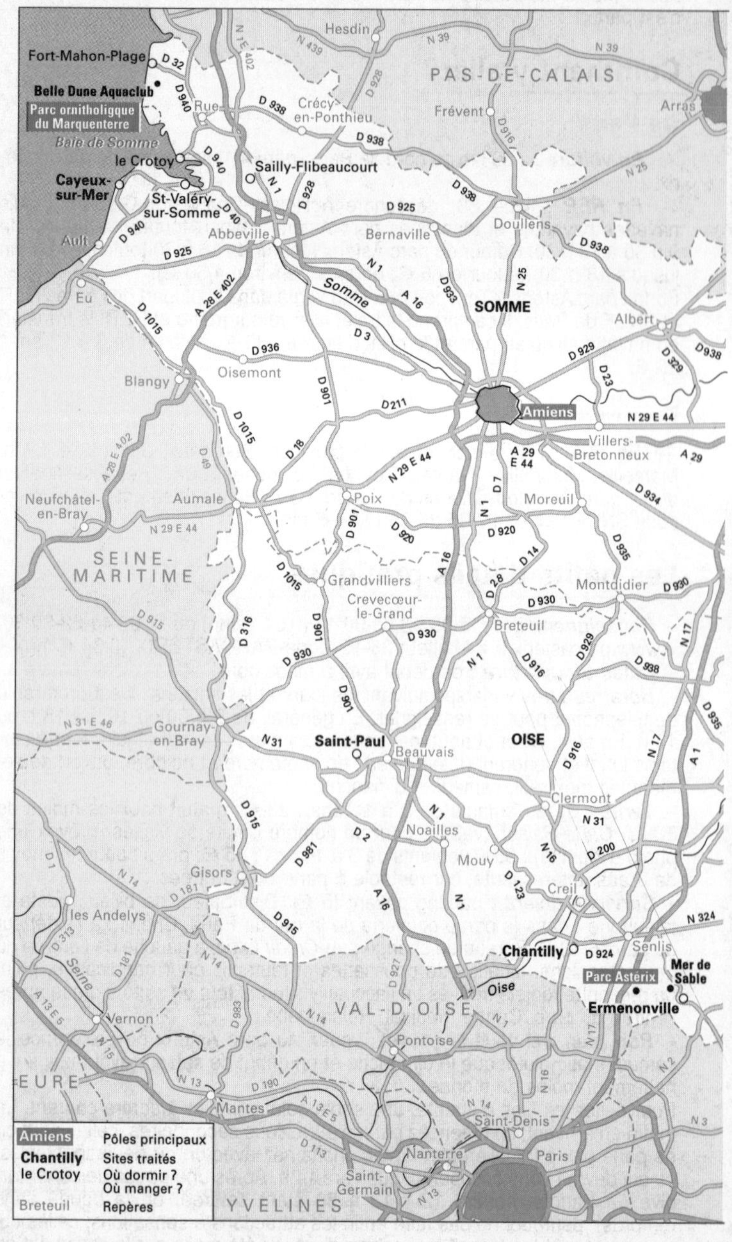

Hesdin
PAS-DE-CALAIS
Fort-Mahon-Plage
Belle Dune Aquaclub
Parc ornitholigque du Marquenterre
Baie de Somme
Rue
Crécy-en-Ponthieu
Frévent
Arras
le Crotoy
Cayeux-sur-Mer
St-Valéry-sur-Somme
Sailly-Flibeaucourt
Abbeville
Bernaville
Doullens
Ault
Eu
Somme
SOMME
Albert
Oisemont
Blangy
Amiens
Villers-Bretonneux
Neufchâtel-en-Bray
Aumale
Poix
Moreuil
SEINE-MARITIME
Grandvilliers
Crevecœur-le-Grand
Breteuil
Montdidier
Gournay-en-Bray
Saint-Paul
Beauvais
OISE
Clermont
Noailles
Mouy
Gisors
Creil
les Andelys
Seine
Chantilly
Senlis
Parc Astérix
Mer de Sable
Ermenonville
Vernon
VAL-D'OISE
Oise
Pontoise
EURE
Mantes
Saint-Denis
Nanterre
Paris
Saint-Germain
YVELINES
Amiens Pôles principaux
Chantilly Sites traités
le Crotoy Où dormir ? Où manger ?
Breteuil Repères

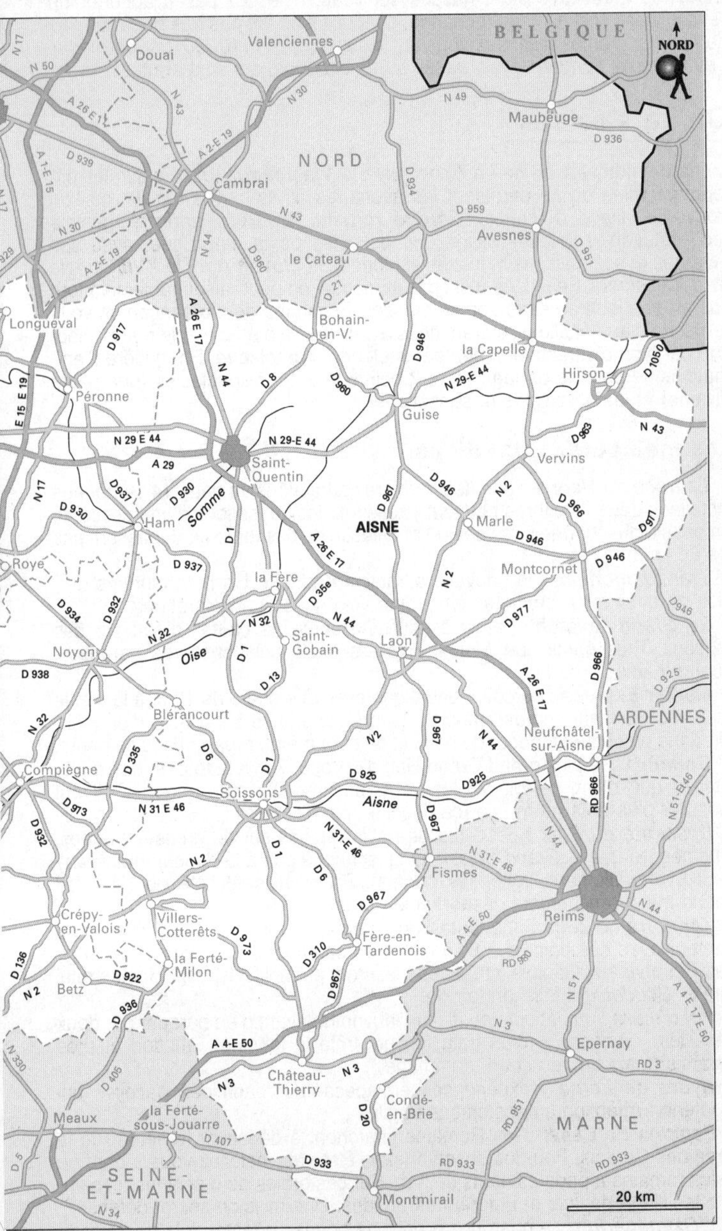
BELGIQUE
NORD
Douai
Valenciennes
Maubeuge
NORD
Cambrai
Avesnes
le Cateau
Longueval
Bohain-en-V.
la Capelle
Hirson
Péronne
Guise
Saint-Quentin
Vervins
Ham
Somme
AISNE
Marle
Roye
Montcornet
la Fère
Saint-Gobain
Noyon
Oise
Laon
Blérancourt
ARDENNES
Neufchâtel-sur-Aisne
Compiègne
Soissons
Aisne
Fismes
Reims
Crépy-en-Valois
Villers-Cotterêts
Fère-en-Tardenois
la Ferté-Milon
Betz
Epernay
Château-Thierry
Condé-en-Brie
Meaux
la Ferté-sous-Jouarre
MARNE
SEINE-ET-MARNE
Montmirail
20 km

Certaines attractions étant basées sur l'eau, n'hésitez pas à apporter un K-way, voire un T-shirt de rechange, surtout s'il ne fait pas très beau. En cas de mauvais temps, rabattez-vous sur les spectacles *(10000 ans de magie, Les Stars de l'Empire, Main basse sur la Joconde)* qui sont abrités.

On va s'éclater !

Le parc Astérix est divisé en 7 secteurs : la ***Via antiqua*** (qui évoque les différentes villes où se déroulent les aventures d'Astérix), la ***Gaule,*** où l'on trouve le village d'Astérix, l'***Empire romain,*** la ***Grèce antique*** (géniale reconstitution d'un petit village sur les côtes de la mer Égée, avec ses tavernes et ses maisons blanches et bleues), le ***Moyen Âge, le XVIIIe siècle*** et le ***XXe siècle.*** En fait, ce n'est pas immense, on peut raisonnablement tout voir en une journée sans trop se presser. Et comme de toute façon on vous remet un plan détaillé à l'entrée, nous avons pris le parti d'établir notre sélection par type d'attraction et non par secteur géographique. En matière d'animations, le parc se partage entre 2 points forts : les spectacles (une petite dizaine) et les attractions (à sensations).

Les meilleures attractions

– ***La trace du Hourra :*** une des dernières attractions en date. 14 personnes installées dans 7 voitures peuvent y ressentir les sensations d'une descente en bobsleigh, sur une piste de 900 m (vitesse de descente ne dépassant pas les 60 km/h).
– ***Transdemonium :*** la nouvelle attraction de 2003. Un train fantôme dernier cri, avec force bruitages effrayants, freinages et accélérations.
– ***Le Grand Splatch :*** remis à neuf. Descente de chutes d'eau sur des bateaux. Plus gentil que *Menhir Express,* mais éclaboussures garanties, quand même.
– ***Menhir Express :*** parcours aquatique avec une chute de 13 m à la clé (le seul truc vraiment impressionnant). La promenade se fait à bord d'un menhir, dans un chouette décor de bois, et on peut même repartir avec sa photo.
– ***Goudurix :*** le plus grand Grand Huit d'Europe. 7 fois la tête en bas à une vitesse qui atteint parfois 75 km/h ! À réserver aux plus endurcis (il faut mesurer plus de 1,40 m), car ça décoiffe, par Toutatis !
– ***Descente du Styx :*** descente de petits rapides sur de grosses bouées, plus pépère que le *Grand Splash.* On n'échappe pas à la douche (un K-way peut éventuellement limiter les dégâts). Rafraîchissant l'été quand il fait chaud mais franchement désagréable par temps frais.
– ***Tonnerre de Zeus :*** une fantastique montagne russe en bois de 30 m de hauteur avec des pointes à 80 km/h et un parcours aussi tortueux qu'original. Réservé aux Gaulois intrépides mesurant au moins 1,20 m. Moins brutal que le *Goudurix,* à faire en famille.
– ***Vol d'Icare :*** on patiente au fil d'un labyrinthe avant d'embarquer par deux dans les « wagons » d'un train fou qui frôle le looping. Émotion et rires garantis (mais un peu court, dommage !).
– ***Hydre de Lerne :*** expériences en apesanteur dans des nacelles qui gigotent... Attention aux estomacs fragiles.
– ***Espions de César :*** les Romains cherchent à découvrir le secret de la force des Gaulois. Pour les observer sans être vus, installez-vous à bord de chars romains à pédales hauts de 5 m. Sur ces drôles de machines, espionnez le village gaulois et la forêt des druides. Une mission secret-défense.
– ***L'Oxygénarium :*** embarquez à bord de bouées géantes à la découverte d'une drôle de machine. Conçu par l'inventeur Ferdinand de Téffélé à l'occasion de l'Exposition universelle de 1900, l'Oxygénarium offre de quoi ressourcer les citadins : de l'air pur des Alpes. Dans un décor digne de Beau-

bourg, un immense tapis roulant vous hisse au cœur de la forêt. Là-haut : vue panoramique du parc et... un toboggan de 400 m qui vous entraîne dans une tourbillonnante descente. Peu impressionnant, idéal pour les familles. Pour la petite histoire, les habitants des Alpes refusèrent que l'on pompe leur air ; la machine ne fut jamais exposée.

Spectacles

Programme et horaires disponibles à l'entrée. Pensez à organiser votre journée en fonction des spectacles que vous voulez voir (certains ne sont donnés qu'une à deux fois par jour).

– ***Dix mille ans de magie :*** nouveau spectacle signé Marc Hollogne, alias Marciel, inventeur du cinéma-théâtre, un concept particulièrement original basé sur l'illusion d'optique grâce au mélange des genres, entre magie traditionnelle et technologies de pointe. Pendant 25 mn, le spectateur est emporté dans un monde imaginaire, de la préhistoire à la conquête de l'espace, où tout n'est que mirage (à moins que...). Les tours de magie sur la scène sont relayés à l'écran (ou inversement), avec pour thème principal le feu ou plutôt la flamme que déclare le magicien à sa belle. Les personnages s'évadent des écrans de cinéma pour mieux dialoguer avec leurs partenaires, se jouer d'eux et du public. À travers les âges, l'acteur est tour à tour esclave de Cléopâtre, fou du roi ou astronaute, toujours empreint de poésie et de drôlerie. Le tout avec une synchronisation étonnante, au service d'une cascade visuelle unique.

– ***Les Stars de l'Empire :*** revue de music-hall humoristique dans les arènes. Acrobates, magiciens, nageuses synchronisées, trapézistes, gladiateurs et voltigeurs se succèdent et présentent un spectacle de qualité, souvent interrompu par le barde Assurancetourix.

– ***Main basse sur la Joconde :*** le port du Havre, 1929. *La Joconde* va être transférée aux États-Unis pour une exposition unique au Metropolitan de New York. Des voleurs profitent de son transit au Havre pour tenter de la dérober... Explosions en série, incendies, cascades et effets spéciaux sont au rendez-vous dans cette drôle d'histoire de gendarmes et de voleurs déguisée en superproduction.

> **Parents savants : *la véritable histoire du vol de la Joconde***
>
> Au moment même où *Mona Lisa* fut dérobée, un groupe d'artistes du début du XXe siècle avait fait le pari de la voler. C'est ainsi qu'Apollinaire fut injustement mis en cause, et ce n'est que quelques années plus tard que l'on découvrit que l'auteur du larcin était un Italien.

– ***« Assurance Fou-Rire » au théâtre du Barde :*** Assourancetourix doit choisir son destin entre rap, rock et hip-hop. Une comédie musicale où l'on retrouve des personnages de la B.D. : Astérix, Obélix, bien sûr, mais aussi Bonnemine, Abraracourcix... Pas mal de trouvailles. Plaira surtout aux plus jeunes.

– ***Spectacle de dauphins :*** dans le théâtre de Poséidon. Ballet de dauphins parfaitement synchronisés et démonstration pédagogique : on vous apprend comment vivent les dauphins, comment communiquer avec eux, etc. Particulièrement apprécié des enfants.

Spécial p'tits moutards

Astérix est un chic type, il a pensé à tout le monde, même à nos tout-petits, et il leur a réservé pas mal d'attractions. Pratique, le plan remis à l'entrée

propose des idées d'itinéraires avec des enfants jusqu'à 6 ans, et entre 6 ans et 12 ans. Voici notre palmarès :
– ***en Gaule :*** le *Petit Train,* le *Serpentin* (un Petit Huit pour bambins), la *balade d'Astérix* (promenade en drakkar animée de bout en bout par des automates), le *Camp de Petibonum* (où ils peuvent se déguiser), la *forêt des Druides,* les *Chaudrons tourbillonnants* et le *Trans'Arverne* (un autre Petit Huit) ;
– ***dans l'Empire romain :*** le *Carrousel de César;*
– ***dans le XXe siècle :*** *Nationale 7* (une balade en vieux tacot à travers la campagne, très rigolo) et *Animal Studio* (où les enfants peuvent se faire maquiller en animal). Et encore, les *Petites Chaises Volantes* (balançoires à l'ancienne), etc.

Sans oublier...

– ***La Rue de Paris :*** un vrai plongeon dans l'histoire de France, du Moyen Âge au XXe siècle. Après avoir traversé une place médiévale flanquée de superbes maisons à colombages, on redécouvre avec bonheur les métiers d'autrefois : forgeron, potier, sculpteur, maître verrier, tailleur de pierre... Un détail qui a son importance : les artisans travaillent devant les visiteurs mais ne vendent rien. Pour une fois, pas de business... Puis, petit à petit, on remonte le fil du temps. Nous voilà bientôt au cœur du XIXe siècle, à l'intérieur d'un immeuble parisien où vivent à la fois Offenbach, Verlaine, Victor Hugo, Toulouse-Lautrec et Degas ! Décors, automates et reconstitutions extraordinaires. À ne pas manquer.

Où dormir ? Où manger ?

– Possibilité de ***pique-niquer*** à l'intérieur et à l'extérieur du parc, sur les aires spécialement aménagées : dans la forêt, près des parkings 3 et 4, derrière le *Goudurix.*
Côté restos, c'est Obélix qui assure personnellement la logistique alimentaire du parc. Petit creux ou faim de Gaulois, il y en a pour tous les goûts et presque tous les budgets. Dénominateur commun : le sanglier partout à l'honneur et en plusieurs versions, s'il vous plaît (charcuterie, cassoulet et... *burger*) ! Sinon, de tout à tous les prix (menus ou formules de 6 à 16 €) : pizzas, pâtes, salades, crêpes, sandwichs à gogo...

☗ |●| ***L'Hôtel des Trois Hiboux :*** au cœur de la forêt qui borde le parc. Renseignements : ☎ 03-44-62-34-34. Forfait séjour parc-hôtel 2 jours de visite/1 nuit à partir de 300 € environ pour une famille de 4. Petit dej' compris et parking gratuit. Hôtel d'ambiance privilégiant le confort douillet. Conçu pour un séjour reposant à vivre en famille. 100 chambres et suites juniors sont réparties en 12 pavillons. Chaque chambre est étudiée comme un espace de vie favorisant la famille pour que chacun ait l'impression d'être à la maison. Lits clos avec couettes, espace enfants, menus appropriés, buffets à leur hauteur, tables surbaissées en terrasse, lits-bébé et chaises hautes...

|●| ***Aux Fastes de Rome :*** dans la *Cité romaine,* en face du *Carrousel de César.* Fast-food pas trop cher bénéficiant d'une agréable terrasse ensoleillée et fleurie donnant sur la descente du Styx. Service de 11 h 30 à la fermeture du parc. Menu-enfants à 5 € ; formules déjeuner de 6 à 8 €. Apéritif maison ou café offert sur présentation du *Guide du routard.*

|●| ***Arcimboldo :*** en face du *Grand Lac,* à côté du théâtre de magie de Panoramix. Déco de fruits et légumes géants. Au menu : un cassoulet au sanglier copieux. Service de 11 h 30 à 15 h. Menu-enfants à

7 € ; formules déjeuner de 14 à 16 €. Apéritif maison ou café offert sur présentation du *Guide du routard.*

 La Halte des Chevaliers : un restaurant en plein air, ambiance Moyen Âge, avec des tentes. Horaires de service calés sur ceux du parc. Menu-enfants à 5 € ; formules déjeuner de 6,50 à 8 €. Au menu, du gibier et des viandes rôties qui rassasieront les preux chevaliers... Apéritif maison ou café offert sur présentation du *Guide du routard.*

 Nombreux points de vente à emporter.

➤ DANS LES ENVIRONS

La Mer de Sable à Ermenonville

60950 **Ermenonville.** ☎ 03-44-54-18-44. • www.mer-de-sable.fr • Minitel : 36-15, code MER DE SABLE. Ouvert d'avril à septembre, de 10 h 30 à 18 h 30 ou 19 h ; se renseigner pour les jours de fermeture (variables). Pour toutes les activités du parc : 15,50 € ; enfants de 3 à 11 ans : 13,50 € ; gratuit pour les moins de 3 ans.

PICARDIE

Comment y aller ?

➢ ***En RER :*** ligne B3, descendre à Roissy-Charles-de-Gaulle 1 ; puis navette en direction de la Mer de Sable les jours d'ouverture du parc (attention, une seule navette par jour ; se renseigner au ☎ 01-48-62-38-33).
➢ ***En voiture :*** prendre l'A 1 jusqu'à Survilliers (sortie 7), puis direction Ermenonville. De Meaux, prendre la N 330 direction Senlis.

Parents savants : *l'histoire de la Mer de Sable*

Né en 1963 de la volonté d'un amoureux du cirque, le comédien Jean Richard, ce parc est un lieu de loisirs pour les familles. Mais la Mer de Sable est d'abord une curiosité géologique. À l'ère tertiaire, le Nord de Paris était sous la mer. Quand les moines de Chaalis décidèrent de déboiser la forêt, le sable réapparut. Transformé en parc d'attractions, avec 20 ha de sable, ce lieu fait figure d'ancêtre, mais n'en continue pas moins d'attirer les foules. Il va bientôt fêter ses 20 millions de visiteurs !

On va s'éclater !

À l'exception du plus grand splash d'Europe affichant 20 m de dénivelé, la majorité des activités s'adressent aux enfants entre 4 et 10 ans. À l'entrée, un grand manège de chevaux de bois où on s'arrête le temps de faire un tour en famille.
Plusieurs aires de pique-nique sont prévues dans le parc. Sinon, en fonction des goûts et des budgets, diverses possibilités dans les 5 restos du parc : ambiance ferme normande, western, palais marocain...

Spectacles

– ***Au ranch :*** à 14 h 15. Ambiance Ouest américain. Un spectacle plein de rebondissements et d'effets spéciaux.

– ***L'Attaque du train par les Indiens :*** à 15 h 45. Le moment le plus attendu. Les passagers se prennent pour des pionniers américains et les méchants ne sont pas toujours ceux que l'on croit.
– ***Le Grand Corral :*** à 17 h 15. Des cascadeurs et leurs montures présentent un show équestre de 40 mn. Au programme, dressage, voltige et surtout cascades.
– ***Le Fils d'Ours Noir :*** le nouveau spectacle équestre de la Mer de Sable. À 15 h 45.
Et s'il fait très chaud, tous à l'oasis, où des jets d'eau à déclenchement automatique vous rafraîchiront les idées.
Il n'y a pas à proprement parler de fil conducteur : pour les tout-petits, des manèges jalonnent tout le parcours, ainsi que des clowns, des magiciens, des sculpteurs de ballons qui font leurs numéros au hasard des allées.

Attractions

– ***Les Chikapas :*** une promenade en bateau de 8 mn dans une jungle peuplée de 300 marionnettes animées autour de villages à thème. Cette animation très réussie est signée Jean-Claude Dehix, qui conçoit chaque année les vitrines de Noël de la plupart des grands magasins parisiens.
– ***Le village de Babagattaux :*** prendre le petit train qui traverse toute la Mer de Sable pour atteindre un étonnant village d'animaux automates, de près de 1 m de haut, et assister aux activités de chacun.
– ***Le circuit des petites voitures :*** les petits adorent cette attraction où ils peuvent conduire « comme des grands » des voitures à leur taille sur un circuit spécialement étudié.
– ***Le train du Colorado :*** une des dernières attractions de la Mer de Sable. Lancé à 20 km/h, ce petit train (24 passagers maximum) permet de découvrir le parc vu d'en haut, avant d'entamer une folle descente qui vous conduira au cœur d'un volcan et dans un canyon.
– ***Le manège d'avions :*** vue imprenable sur l'ensemble du parc et suffisamment haut pour donner le vertige, un peu, pas trop.
– ***La roue panoramique :*** une petite pause entre deux attractions et une très jolie vue sur le parc.
– ***Cheyenne River :*** s'adresse plutôt aux grands, avec un saut dans le vide de 20 m (pour des raisons de sécurité, il faut mesurer 1,20 m minimum).
– ***Les tasses de Badaling :*** elles vous font tourner la tête, ces petites tasses tournantes sur un plateau tournant.
– ***La rivière sauvage :*** une descente de rivière très mouvementée et arrosée, à bord d'énormes bouées prises de folie.
– ***Le bateau pirate :*** et hop en haut ! et hop en bas ! de plus en plus fort. À réserver à ceux qui ont le cœur bien accroché.
– ***Les motos des sables :*** c'est parti pour un mini-Paris-Dakar sur ces motos à quatre roues, les quads, qui partent à l'assaut des pistes de sable les plus traîtresses.
– ***L'Enterprise :*** défiant la loi de la pesanteur, cette roue géante garantit des sensations sidérales.
– ***Le dragon de Bei Hai :*** un Petit Huit pour donner l'impression aux plus jeunes d'avoir fait comme les grands.
– ***Le temple du Mystère :*** une attraction à base d'effets d'optique, imaginée par Gérard Majax.

Chantilly

✿✿✿ ***Le Musée vivant du Cheval de Chantilly :*** dans les Grandes Écuries. ☎ 03-44-57-40-40. Pour y aller, N 16 ou A 1 sortie Survilliers. D'avril

à octobre, ouvert de 10 h 30 à 17 h 30 (18 h le week-end); de novembre à mars, de 14 h (10 h 30 le week-end) à 17 h. Fermé le mardi sauf en mai et juin (ouvert de 10 h 30 à 17 h 30) et en juillet et août (ouvert de 14 h à 17 h 30). Entrée : 8 €; de 14 à 18 ans : 6,50 €; de 4 à 13 ans : 5,50 €; gratuit pour les moins de 4 ans. Prévoir un bon pull en hiver car ce n'est jamais chauffé.
Musée créé par Yves Bienaimé en 1982, sans aucune subvention. Après avoir franchi l'entrée des Grandes Écuries, on s'arrête un instant pour regarder les chevaux dans leurs box. En fait, le spectacle est limité pour les gamins car dans la 1re série de box, les chevaux sont à moitié cachés par des panneaux de bois d'environ 1,20 m de haut. Dans la 2e série, on a droit à la croupe des chevaux derrière les grilles. Bref, ce n'est pas palpitant. Puis on suit l'itinéraire balisé, découvrant successivement : l'atelier de sellier et de somptueux harnais utilisés par les princes de Condé; des évocations concernant les courses; des salles à thème (comme le cheval et la soie); des jouets et gravures anciens; les mors, étriers et éperons; le cheval au travers des proverbes orientaux; l'hippologie; l'élevage; les écuyers et les écoles célèbres d'art équestre; la chasse à courre.
Vous pourrez aussi voir travailler les chevaux dans le manège couvert ou à l'extérieur. La visite vaut surtout le coup pour cette présentation équestre (environ 30 mn) commentée en termes simples par l'écuyer qui fait évoluer son cheval (tout l'art de se faire comprendre et obéir). Les chevaux, d'origine andalouse, sont choisis sur le modèle de ceux que montaient les princes au XVIIIe siècle. Au terme de la présentation, l'écuyer répond aux questions du public. Ces présentations ont lieu à 15 h 30 en semaine et à 11 h 30, 15 h 30 et 17 h 15 le week-end, et sont comprises dans le prix du billet.
– ***Cheval, rêve et poésie :*** chaque 1er dimanche du mois. En février et mars, représentation à 15 h 15; d'avril à novembre, représentations à 15 h 15 et 16 h 45. Entrée (incluant la visite du musée) : environ 16 €; enfants de 4 à 12 ans : 14 €. Les cavaliers et leur monture évoluent au rythme de la musique pour un spectacle enlevé et poétique de plus d'1 h.
– Durant les vacances de Noël, rendez-vous pour des ***après-midi féeriques avec le Père Noël*** qui, accompagné de son baudet, distribue des friandises aux jeunes spectateurs et donne le coup d'envoi du spectacle. Un enchaînement sympa constitué de numéros exécutés par des chevaux en liberté, obéissant à distance à leurs écuyers déguisés en clowns, en arlequins ou en héros de contes de fées.

☺☺ *L'hippodrome de Chantilly :* BP 209, 60631 ***Chantilly.*** ☎ 03-44-62-41-00. En voiture, N 16 ou A 1, sortie Survilliers. En train : à partir de la gare du Nord; puis navettes gratuites jusqu'à l'hippodrome. Fermé habituellement en août. (L'hippodrome étant en travaux en 2003, les jours et les horaires d'ouverture vont changer; téléphoner pour se renseigner.) Entrée : 3 € en semaine, 4 € les dimanche et jours fériés; gratuit pour les moins de 18 ans. Les courses ont lieu d'avril à septembre. Visite gratuite de l'hippodrome le dimanche. À partir de 6 ans.
Le site de ce champ de courses est magnifique, placé en bordure de forêt devant le château de Chantilly et ses Grandes Écuries. On peut se faire une journée thématique en jumelant une course avec la visite du Musée vivant du Cheval.

☺☺☺ *Le château de Chantilly :* ☎ 03-44-62-62-60. Accès par le pont Michel-Ange qui sépare l'étang des Carpes de l'étang de Sylvie. De mars à octobre, ouvert de 10 h à 18 h; de novembre à février, de 10 h 30 à 12 h 45 et de 14 h à 17 h. Fermé le mardi. Parc ouvert tous les jours (même le mardi) jusqu'à 18 h. En profiter, il n'y a personne (peut-être parce que l'entrée est payante?). Pour se garer, c'est l'arnaque (parking payant). Il vaut mieux aller stationner plus loin. À partir de 10 ans, pour des gamins un peu intellos quand même. Pour la visite libre, la visite guidée et un accès au parc : 7 €;

de 3 à 11 ans : 2,80 €. Il existe également des billets combinant la visite du château et celles du parc et du Musée vivant du Cheval, à 24 € ; de 12 à 18 ans : 21 € ; de 3 à 11 ans : 15 €.
Ce château-musée ne ressemble à aucun autre puisque sa décoration, restée en l'état, est l'œuvre d'un collectionneur qui plaçait ses acquisitions en fonction de ses préférences. Pas de logique chronologique, les visiteurs doivent « picorer » les tableaux ou les objets comme ils le sentent.
– ***Le parc de Chantilly :*** compter de 45 mn à 1 h pour la visite du parc. Entrée payante. Commencer par la *Cabotière* (maison construite sous Louis XIII) et la *chapelle Saint-Paul,* en prenant à droite derrière le château d'Enghien. Continuer l'allée jusqu'à la *maison de Sylvie,* précédée d'un beau jardin tracé par Le Nôtre.
Le sentier rejoint alors les parterres et bassins de Le Nôtre qui aménagea le Grand Canal et son appendice perpendiculaire, la Manche, en détournant la rivière Nonette. Dans l'axe de la Manche s'étend la pelouse en amphithéâtre du *Vertugadin.* De part et d'autre des parterres, deux allées dites « des Philosophes », car les intellos qui rendaient visite au Grand Condé aimaient à y phosphorer à l'ombre des platanes. Tout à gauche, on trouve le *jardin anglais,* aménagé au début du XIXe siècle, avec une jolie décoration : l'île d'Amour, le temple de Vénus, les cascades de Beauvais. La visite s'achève au *jeu de paume,* construit en 1756 et qui ne se visite pas. Pour faire de la découverte du parc un vrai jeu, demander le petit livre bourré de questions et d'anecdotes *Avec l'oie Nature sur le sentier écologique* (1 € à la boutique du château), conçu et réalisé par les élèves de 1re et de terminale du lycée Jean-Rostand de Chantilly.

➢ ***Balades en pirogue sur le Grand Canal et dans les douves du château :*** fonctionne d'avril à octobre de 10 h à 18 h (19 h les week-ends et jours fériés). Tarifs (entrée du parc non incluse) : 8 € ; 3 € pour les 4-12 ans. À bord de bateaux électriques de 12 places, on navigue sur le Grand Canal au milieu d'une faune aquatique encore sauvage pour découvrir des monuments et des perspectives inédites du parc.

Où manger ?

|●| ***La Capitainerie du Château :*** à l'intérieur du château de Chantilly (accès par le bas). ☎ 03-44-57-15-89. ♿ Ouvert le midi uniquement. Fermé le mardi. Formules à 15 et 20,50 € ou menu à 32 € ; menu-enfants à 8 €. L'Institut de France, propriétaire du château de Chantilly, a eu la bonne idée d'installer un restaurant dans les anciennes cuisines du célèbre Vatel. Vous y déjeunerez (pas de dîner) dans une salle superbe : voûtes de pierre claire, longue cuisinière en fonte et brique, cheminée immense où l'on peut voir la rôtissoire installée par le duc d'Aumale... Ne pas arriver trop tard pour le buffet car il n'est pas toujours regarni. Laissez-vous tenter par la spécialité du chef : la crème Chantilly faite maison. La clientèle est soit touristique (beaucoup de groupes), soit B.C.B.G. On peut aussi goûter ici. Si vous réservez votre table à l'avance, on vous donnera un laissez-passer à la grille d'entrée du parc pour ne pas payer le prix d'entrée (en principe, car d'après certains de nos lecteurs, ce n'est pas toujours appliqué).
|●| ***Aux Goûters Champêtres :*** au hameau du château (à droite après la statue équestre). ☎ 03-44-57-46-21. ♿ Ouvert de mi-mars à mi-novembre de 12 h à 18 h. Chaises hautes et jeux à disposition. Menus à partir de 16,20 € le midi. Plat du jour à 7 €. Compter 20 € à la carte. Menu-enfants à 9,50 €. Dommage qu'il faille payer l'entrée du château pour accéder à ce restaurant champêtre car, lorsqu'il fait beau évidemment, on déjeune dans un petit jardinet sous des parasols. C'est très

campagne, donc prisé, surtout en fin de semaine. À essayer. En sortant de table, demandez à voir le salon de thé du prince de Condé (belles fresques murales). Apéritif maison offert sur présentation du *GDR*.

MARCANTERRA ET LE PARC ORNITHOLOGIQUE DU MARQUENTERRE

Dans les environs : Belle Dune Aquaclub • La maison de l'Oiseau • Le chemin de fer de la baie de Somme

LE PARC ORNITHOLOGIQUE DU MARQUENTERRE

Si vous regardez une carte, vous verrez d'abord que la région du Marquenterre est sacrément vaste : 10000 ha de nature sauvage, de plages et de dunes (on venait autrefois y tourner des films sur le Sahara!) qui remontent vers le nord, jusqu'à Quend et Fort-Mahon. Le parc ornithologique ne couvre « que » (si l'on ose dire) 200 ha. Michel Jeanson, son créateur, poldérisa cet ancien domaine de chasse pour y cultiver des fleurs... jusqu'à l'arrivée des fleuristes hollandais et du Marché commun, qui firent baisser les cours. Lieu de prédilection des oiseaux migrateurs depuis toujours, le Marquenterre fut aussi un paradis pour les chasseurs. Les carnages étaient gigantesques, à tel point que dès 1968, l'endroit fut protégé. Contre l'avis des chasseurs, Michel Jeanson réalisa alors un vieux rêve en créant cette réserve unique d'oiseaux migrateurs, et donc le parc ornithologique, en 1973. On connaît la suite. Un vrai succès : tout en parvenant à maîtriser l'affluence, le parc compte 140000 visiteurs chaque année. Aujourd'hui, des oiseaux y ont élu domicile et y vivent en toute quiétude grâce au classement du site en réserve naturelle depuis 1994. La région y est propice : dunes, pinèdes et garennes. Moitié terre, moitié eau, marquenterre signifie d'ailleurs « mer qui est en terre ». Ce que l'on sait moins, c'est que, non content de préserver cette faune migratoire, le domaine de Marcanterra s'étend sur 800 ha supplémentaires. Ornithologues, agriculteurs et forestiers y travaillent main dans la main pour un développement durable. On y trouve aussi une société d'exploitation des pins de la dune, Bois et Plantes (visitable), qui fabrique de l'ameublement extérieur et cultive les plantes sauvages. On peut aussi y loger et y faire des balades à cheval.

Comment y aller?

➢ ***En voiture :*** à une vingtaine de kilomètres environ au nord de Saint-Valéry-sur-Somme. Prendre la direction du Crotoy, puis Saint-Quentin-en-Tourmont et Parc ornithologique; ensuite, suivre le fléchage.

➢ ***En train puis bus :*** lignes Paris-Calais et Paris-Boulogne, descendre à Rue (ville à 8 km du parc); de Rue, en été, bus sur la ligne Le Crotoy-Marquenterre; sinon, taxis.

Infos pratiques

– ***Renseignements :*** ☎ 03-22-25-03-06. Serveur vocal : ☎ 0836-68-80-21 (0,34 €/mn). • www.marcanterra.fr •

– ***Dates d'ouverture et horaires :*** de février à mi-mars, visite guidée tous les jours à 14 h (rendez-vous au *Restaurant de la Forêt*) du 1er mars au 31 mars et du 1er octobre au 11 novembre, ouvert tous les jours de 10 h à

16 h (fermeture des parcours à 18 h) ; du 1er avril au 30 septembre, ouvert tous les jours de 9 h 30 à 17 h (fermeture des parcours à 19 h). Fermé du 12 novembre au 28 février.
– ***Entrée :*** 9,60 € ; enfants : 7,10 €. Billet valable pour une journée (plusieurs entrées possibles). Les chiens sont interdits dans le parc, mais il y a un chenil gratuit. Aire de pique-nique à l'entrée. On conseille d'apporter des jumelles (les étourdis en loueront sur place). Il existe aussi un petit guide de découverte du parc (3,80 €).

Parents savants : ***les espèces du parc***

Actuellement, on recense 360 espèces d'oiseaux sur les 680 identifiées en Europe. En période de grandes marées, les oiseaux sauvages séjournant dans la baie de Somme sont repoussés par les flots et viennent trouver refuge dans le parc. Ce sont des moments privilégiés pour observer leur spectaculaire rassemblement, d'août à septembre principalement. À cette période, le parc est très fréquenté. Au printemps (assez populaire également), ce sont plutôt les oiseaux sur le nid : spectaculaires colonies de hérons cendrés ou garde-bœufs (seulement 40 à 50 couples en France et 8000 en Europe pour ces derniers : 25 ans qu'on attendait ça !). Mais aussi des avocettes, aigrettes, et puis une espèce rare, les spatules blanches qui, depuis le début du nouveau millénaire, nichent régulièrement d'avril à juin. L'hiver permet d'observer les grands rassemblements d'oies, de cygnes et de canards venant des pays nordiques. Le Marquenterre est aussi un des seuls sites français de nidification des oies cendrées, visibles toute l'année. En fait, chaque saison a son intérêt particulier (la nature ayant horreur du vide), mais pour ceux qui s'interrogeraient, il n'y a pas de saison où l'on voit tous les oiseaux en même temps... la nature ayant aussi horreur du trop-plein !

Visite du parc

Plusieurs itinéraires permettent la découverte du parc.

➢ ***Le parcours pédagogique :*** fléché en rouge. Durée : 1 h 30. On y voit des oiseaux en semi-liberté et une volière, ainsi que des oiseaux sauvages. Schémas explicatifs le long du parcours.

➢ ***Les parcours d'observation :*** ce sont les plus intéressants ; fléchés en bleu et en vert (totalité du parc). Durée : de 2 à 3 h. Là, il s'agit d'oiseaux migrateurs en totale liberté. Pour ne pas les effrayer, l'itinéraire est jalonné de postes d'observation permettant d'observer sans être vu. Sur les parcours, des « guides nature » (en blouson bleu et badgés) sont disponibles pour vous parler du site et des espèces.
Derrière le pavillon d'accueil, des cartes d'Europe où figurent les routes empruntées par les divers oiseaux migrateurs, et une salle d'expo. Pendant le *festival de l'Oiseau* (en avril), sorties auditives, en compagnie d'animateurs « nature » spécialisés dans le son, avec parabole et casques.

➢ ***Promenades à cheval :*** avec l'*Espace équestre Henson,* du nom de ces chevaux doux et endurants de la race locale. Activité encadrée pour découvrir les joies de l'équitation à travers la baie de Somme et le domaine Marcanterra (mais pas dans le parc ornithologique). Idéal pour les débutants. De la balade de 3 h (32 €) à la chevauchée de 14 h à 12 h le lendemain avec bivouac (94 €). Toute l'année, mais sur réservation uniquement, au ☎ 03-22-25-03-06.

Où dormir ? Où manger ?

Résidence des Garennes : 48, chemin des Garennes, 80120 ***Saint-Quentin-en-Tourmont.*** ☎ 03-22-25-03-06. Fax : 03-22-25-08-79. • www.marcanterra.fr • À 1 km de l'entrée du parc du Marquenterre. Maisons individuelles de 5 et 7 lits louées à la semaine ou au week-end : à partir de 145 € pour un week-end. Tout équipé : cuisine, lave-linge, TV, etc. Resto sur place. Activités « nature » également.

Éco-village Pierre & Vacances : promenade du Marquenterre, 80790 ***Fort-Mahon-Plage.*** ☎ 03-22-23-10-00. Fax : 03-22-23-11-00. Sur la D 332, entre Fort-Mahon et Quend-Plage. Location pour 2 nuits minimum et à la semaine. Exemple de tarifs : pour un studio de 4 ou 5 personnes, compter de 440 à 1 060 € la semaine selon la période. Mais plein d'autres types de logements (jusqu'au 4-pièces) puisqu'il y a 70 appartements et 240 maisonnettes répartis sur un domaine de 1,5 km en bordure du littoral ! Appartements dans un grand édifice bleu et maisons en dur et bois peint, de type scandinave, assez jolies ; certaines au bord de petits plans d'eau. Tout équipé : cuisine, machine à laver la vaisselle, four, etc. Pour les courts séjours, lits faits à l'arrivée et linge de toilette inclus. Mais le plus intéressant, pour les petits comme pour les grands, c'est l'Aquaclub à volonté, inclus dans le tarif et situé dans l'enceinte du « village » (lire plus loin) ! Également des clubs et des animations pour enfants, en supplément, tout comme le golf ou le char à voile pour les parents.

PICARDIE

➤ DANS LES ENVIRONS

Belle Dune Aquaclub : au nord du parc du Marquenterre, en direction de Rue puis Quend (prononcer « Quin ») et direction Fort-Mahon-Plage. ☎ 03-22-23-73-00. • www.cote-picarde-loisirs.com • Ouvert de février à novembre et pendant les fêtes de fin d'année. Horaires variables ; se renseigner par téléphone. Entrée de juin à septembre : 11,50 € ; enfants : 10 €. En basse saison : 9 € ; enfants : 8 €.

Grand parc aquatique offrant toute une gamme d'attractions : bassins à vagues, bains bouillonnants, hammam, sauna, geysers, toboggans... En juillet et août, nocturne le samedi jusqu'à 23 h, avec possibilité de dîner pendant que les mômes barbotent.

La maison de l'Oiseau : carrefour du Hourdel, 80410 ***Cayeux-sur-Mer.*** ☎ 03-22-26-93-93. De Saint-Valéry, prendre la D 3 vers Le Hourdel. Ouvert de fin février au 11 novembre, de 10 h à 18 h (19 h en juillet et août). Entrée (incluant musée, parcours et démonstration de rapaces) : 9,10 € ; enfants : 6,50 €.

C'est une ode à la nature et à l'une de ses plus belles composantes, l'oiseau. Étonnante collection de plus de 300 oiseaux naturalisés, très élégamment présentés sur des fonds noirs. Reconstitution de plusieurs paysages de la côte picarde et d'une hutte de chasse, avec sa mare peuplée d'oiseaux et son poste d'observation. Parcours d'initiation à la flore et la faune des marais, présentations et démonstrations de rapaces en vol libre 3 fois par jour, du 1er avril au 1er novembre uniquement. Enfin, intéressant petit musée sur le thème « Qu'est-ce qu'un oiseau ? » et ses rapports avec l'homme, pour ne pas dire la « bête humaine », en témoignent ces surprenants (et cruels) couvre-chefs du XIXe siècle surmontés de plumes mais aussi d'oiseaux entiers ! Projection de films également. Une visite assez incontournable pour qui veut découvrir la richesse de la baie de Somme et tout simplement se rapprocher des merveilles de la nature.

➢ ***Le chemin de fer de la baie de Somme :*** d'avril à fin septembre, fonctionne certains jours de la semaine, les week-ends et jours fériés ; pendant les vacances d'été, du mardi au dimanche. Horaires variables ; pour tout renseignement : ☎ 03-22-26-96-96 ; ou l'office de tourisme de Saint-Valéry : ☎ 03-22-60-93-50. • www.chemin-fer-baie-somme.asso.fr • Selon le trajet choisi : de 7 à 13,20 € ; de 4 à 18 ans : de 5,50 à 10,60 €.
Cette ligne, qui assure la liaison entre Le Crotoy, Noyelles, Saint-Valéry et Cayeux, faisait partie de ce « réseau des bains de mer » si prospère au début du XXe siècle. Ces petits tortillards desservaient les stations balnéaires en vogue. Avec la démocratisation de la voiture, les lignes fermèrent l'une après l'autre. Grâce aux efforts d'une association de bénévoles, le petit train à vapeur de la baie de Somme roule à nouveau, pour la plus grande joie des enfants. 27 km de promenade pittoresque. On peut y embarquer gratuitement son chien et son vélo. Également quelques manifestations particulières à certaines périodes de l'année (train de Noël, dîner à bord en été, etc.).

Où dormir ? Où manger dans le coin ?

🏠 🍽 ***Les Tourelles :*** 2-4, rue Pierre-Guerlain, 80550 ***Le Crotoy.*** ☎ 03-22-27-16-33. Fax : 03-22-27-11-45. • www.lestourelles.com • Fermé 3 semaines en janvier. Chambres doubles de 49 à 59 €. Demi-pension possible. Menus de 19,80 à 27,80 € ; menu-enfants à 9 €. S'il reste une chambre libre (il n'y en a que 24), n'hésitez pas ! Posez vos valises dans cet ancien hôtel particulier du début du XXe siècle, qui fut la propriété de Pierre Guerlain, et remerciez le Bon Dieu... Car dans cette étonnante maison de fées couleur rouge brique et rehaussée de deux tourelles, les réservations se font des semaines à l'avance ! Surplombant la baie de Somme, avec la mer à ses pieds, cet établissement est un vrai conte de fées hôtelier. Un savant mélange de bohème chic et de décontraction familiale. Des chambres à l'équipement simple mais aux volumes généreux. Nos préférées : la n° 33 dans la tourelle et la n° 14 exposée plein sud. Pour certaines, on partage la salle de bains avec des voisins de palier. Les enfants de moins de 14 ans sont conviés, eux, à partager une salle de jeux et un grand dortoir de style petit matelot, avec 12 lits superposés où ils peuvent faire les 400 coups tout en laissant leurs parents s'adonner aux joies de la grasse matinée. Côté resto (ouvert aux non-résidents), une cuisine de très bonne tenue, à la carte régulièrement renouvelée, surfant avec un réel bonheur sur une large gamme de produits de la mer, fruits de mer, sole, lotte, saumon, saint-pierre, etc., et quelques recettes picardes. Service décontracté mais efficace. Animaux domestiques autorisés. Week-ends à thème 3 fois par an. Attention toutefois aux réservations pas toujours maîtrisées.

🏠 ***Hôtel Picardia :*** 41, quai du Romerel, 80230 ***Saint-Valéry-sur-Somme.*** ☎ 03-22-60-32-30. Fax : 03-22-60-76-69. • http://perso.wanadoo.fr/st.valery • Face à l'hôtel *Guillaume de Normandy.* Chambres doubles à 68 € et duplex de 85 à 107 € hors taxe de séjour. Une solution qui conviendra aux plus fortunés et aux familles. Dans une jolie maison de village entièrement rénovée de la cave au grenier, belles chambres lumineuses avec des murs d'un blanc immaculé, un mobilier entre design et tradition et des salles de bains assez luxueuses. Certains diront : peut-être un peu trop refait ? Pour les familles ou les bandes de copains, duplex à l'avenant. Tout confort, avec TV et double vitrage (utile car l'hôtel se trouve dans la rue principale). Très bon accueil de la patronne. Pas de restaurant.

🏠 ***Hôtel Les Charmilles :*** 11, route Port-le-Grand, 80970 ***Sailly-Flibeaucourt.*** À une dizaine de kilomètres à l'est de Saint-Valéry-sur-Somme. Ouvert toute l'année. Toutes les chambres sont à 45 €. Ce qu'il y a de chouette, c'est que si l'on vient avec des enfants de moins de 10 ans, ils ne paient rien s'ils partagent la chambre des parents (certaines peuvent accueillir 2 enfants et une, très vaste, jusqu'à 3). On ne réside pas dans le superbe édifice de brique rouge devant lequel on passe une fois la grille franchie (dommage); l'hébergement se situe autour d'une sorte de cloître complètement rénové. Confort moderne, un peu passe-partout, grande propreté et calme assuré. Une bonne adresse quand on est en famille, d'autant plus que sur l'arrière s'étend un parc de 18 ha qui invite à la promenade. Quelques chèvres, ânes, cochons et vaches qu'on peut aller saluer.

AMIENS

Dans les environs : le parc Saint-Paul

Si tous les enfants ne raffolent pas des édifices religieux, il ne faut cependant pas manquer l'occasion de leur faire visiter la ***cathédrale d'Amiens,*** un chef-d'œuvre gothique, mais aussi la plus grande cathédrale de France. Pour les sensibiliser à la grandeur et à la spiritualité de l'édifice, le mieux est sans aucun doute de leur faire découvrir la cathédrale de nuit, en musique et en couleurs, telle qu'elle devait être peinte au Moyen Âge d'après des fragments de couleurs retrouvés dans la pierre. Un spectacle superbe et assez impressionnant qui a lieu chaque année en été et pendant les fêtes de Noël. Renseignements à l'office de tourisme : ☎ 03-22-71-60-50.

Le parc zoologique : situé dans le parc de la Hotoie, à la sortie d'Amiens, en direction d'Abbeville. ☎ 03-22-69-61-00. Ouvert à partir du 1er avril, du mardi au samedi de 10 h à 18 h et les dimanche et jours fériés de 10 h à 19 h; en juillet et août, ouvert également le lundi, de 14 h à 18 h. Visite guidée sur réservation. Entrée : 3,50 €; de 5 à 17 ans : 2,50 €.
Des animaux du monde entier évoluent dans un cadre naturel bordant la Somme. Allez dire bonjour à Sandrine l'éléphantesse, aux manchots, zèbres, flamants ou encore... aux serpents! Tous les jours, d'avril à octobre, spectacle d'otaries.

La maison de Jules Verne : 2, rue Charles-Dubois. ☎ 03-22-45-37-84. • www.jules-verne.net • Ouvert du lundi au vendredi de 9 h à 12 h et de 14 h à 17 h 30, et les samedi et dimanche de 14 h à 17 h 30. Visite guidée uniquement. Entrée : 3 €; de 9 à 16 ans : 1,50 €.
Le bel hôtel particulier où l'écrivain vécut pendant 18 ans, reconnaissable à sa mystérieuse tour, accueille le *Centre international Jules-Verne,* consacré aux chercheurs mais également ouvert au public (sur rendez-vous auprès de la documentaliste). On visite le cabinet de travail reconstitué, l'élégante véranda, de beaux salons d'époque, la bibliothèque et les anciennes écuries reconverties en salle d'exposition temporaire. À voir, entre autres : des maquettes du *Nautilus,* de *L'Albatros,* du *Great Eastern,* de *L'Épouvante,* etc., un hologramme du 1er homme sur la Lune et plus de 20000 documents liés à l'univers vernien. Le Centre publie également 3 ou 4 romans du grand homme chaque année, en vente sur place, à côté de la revue semestrielle, dans la boutique. Et puis, pour le centenaire de la mort de Jules Verne en 2005, une métamorphose est prévue, d'autant que la ville a acquis l'énorme collection de Gondolo della Riva... Vernophiles, armez-vous de patience! En attendant, une partie de la collection devrait en principe être exposée à la maison de la culture (ou ailleurs) tous les étés. Se renseigner ici ou à l'office de tourisme (☎ 03-22-71-60-50).

⚲⚲⚲ ***Les hortillonnages :*** entrée du site au 54, bd Beauvillé. ☎ 03-22-92-12-18. À l'est du quartier Saint-Leu. Sur réservation pour les groupes; pour les individuels, de 14 h à 18 h du 1er avril au 31 octobre. Entrée : 4,80 €; de 11 à 16 ans : 4 €; de 4 à 10 ans : 2,40 €.

La grande curiosité d'Amiens : des marais dans le centre-ville! Imaginez de fantastiques jardins flottants, parsemés de *rieux* (petits cours d'eau), où se perpétuent l'horticulture et les cultures maraîchères, dans le sifflotement de toute une faune aquatique : hérons, cols-verts, poules d'eau, martins-pêcheurs, cygnes, ragondins, anguilles et batraciens. En tout, un puzzle de 300 ha, quadrillé d'un système hydrographique ahurissant (55 km de cours d'eau), unique en son genre en France.

Anciens marais mis en valeur par les Romains, les hortillonnages furent d'abord des jardins (*hortus* en latin), reconvertis dans la production de tourbe au XIIIe siècle, puis en vaste jardin potager alimentant la ville. Ses maraîchers (les *hortillons*) utilisent encore d'étranges barques de 10 m de long, aux apparences de gondoles. Appelées *bateaux à cornets,* elles sont manipulées à l'aide d'une perche et d'une rame (la *pelle*). Il ne reste aujourd'hui que 25 ha de cultures, contre 350 au début du XXe siècle. Les hortillons vendent leurs produits sur le marché dans le quartier de Saint-Leu les jeudi et samedi matin.

Pour découvrir cet extraordinaire écosystème et ses traditions d'un autre âge, une seule solution pour les marcheurs : le pittoresque chemin de halage, que l'on peut prendre à partir du parc Saint-Pierre et qui longe les hortillonnages à travers la verdure. Mais la meilleure solution reste la promenade en barque, particulièrement appréciée des enfants (ils pourront ensuite participer au concours de dessins); un commentaire pédagogique est à leur disposition. Par ailleurs, l'association pour la sauvegarde du site propose des visites guidées tous les jours d'avril à octobre. Les barques partent quand elles sont complètes (12 personnes). À ne pas rater.

Où dormir? Où manger?

🏠 ***Hôtel Victor Hugo :*** 2, rue de l'Oratoire, 80000 ***Amiens.*** ☎ 03-22-91-57-91. Fax : 03-22-97-74-02. À proximité de la cathédrale. Ouvert toute l'année. Compter 36 € la double avec douche, 40 € avec bains; possibilité d'ajouter un lit pour 8 €; pour 4 personnes, prévoir 40 € pour une chambre avec 2 grands lits ou 45 € pour un grand lit et 2 petits. Une petite maison ancienne, entièrement rénovée, qui conserve un certain charme. Les chambres sont toutes différentes (confort inégal). Celles du 1er étage sont hautes de plafond. Bon accueil.

|●| ***Steak Easy :*** 18, rue Metz-l'Évêque, 80000 ***Amiens.*** ☎ 03-22-91-48-38. Derrière la cathédrale. Ouvert tous les jours de 12 h à 1 h. Menu à 9 € le midi en semaine; compter de 9 à 15 € pour un repas à la carte. Ici, la déco vaut le détour : avion grandeur nature suspendu en plein vol, authentique réfrigérateur 1960 accroché au mur... Le temple de la cuisine américaine en Picardie, sur fond de musique rock ou bluesy. Service jeune et rapide. *Barbecue ribs* très copieux, *chili,* petites salades variées, *cheese cake.* Les enfants vont adorer!

➤ *DANS LES ENVIRONS*

⚲ ***Le parc Saint-Paul :*** N 31, à 8 km à l'ouest de Beauvais, 60650 ***Saint-Paul.*** ☎ 03-44-82-20-16. Ouvert d'avril à septembre, téléphoner pour les horaires. Entrée : 10 €; enfants de 3 à 11 ans : 8 €.

Un parc très sympa à taille humaine avec des attractions rigolotes qui s'adressent plus particulièrement aux jeunes enfants. Également des spectacles. Différentes possibilités de restauration sur place (crêperie, snack...).

POITOU-CHARENTES

Quatre départements forment la région Poitou-Charentes, qui fourmille de centres d'intérêt pour les plus jeunes, les ados et, bien entendu, les parents. Joies de la mer dans la région côtière de la Charente-Maritime comprise entre la Vendée et l'estuaire de la Gironde (n'oubliez pas d'emporter les maillots de bain...) ; à l'ouest, dans le département des Deux-Sèvres, le Marais poitevin vous proposera d'inoubliables balades à bord des *plates* ; tout proche de Poitiers, dans la Vienne, l'incontournable Futuroscope et Angoulême, cité phare de la Charente, qui attend de pied ferme les passionnés de B.D. Il vous faudra choisir parmi toutes ces activités, dont beaucoup se déroulent en plein air, ou, pour ceux qui veulent tout voir, passer d'un département à l'autre sans perdre de temps. Mais la région Poitou-Charentes, c'est aussi une terre d'histoire, remarquable par ses nombreuses places fortes, maisons fortifiées, édifiées du Moyen Âge au XIXe siècle, que vous rencontrerez tout au long de votre route. Et n'oubliez pas de vous rapporter une bonne paire de charentaises pour reposer vos petons de tous ces kilomètres.

Adresses utiles

- ***Comité régional du tourisme de Poitou-Charentes :*** 60, rue Jean-Jaurès, BP 56, 86002 Poitiers Cedex. ☎ 05-49-50-10-50. Fax : 05-49-41-37-28. • www.poitou-charentes-vacances.com •
- ***Comité départemental du tourisme de la Vienne :*** 33, pl. Charles-de-Gaulle, BP 287, 86007 Poitiers Cedex. ☎ 05-49-37-48-48. Fax : 05-49-37-48-49. • www.tourisme-vienne.com •
- ***Comité départemental du tourisme des Deux-Sèvres :*** 15, rue Thiers, BP 8510, 79025 Niort Cedex. ☎ 05-49-77-87-79. Fax : 05-49-24-90-29. • www.tourisme-deux-sevres.com •
- ***Comité départemental du tourisme de Charente-Maritime :*** 85, bd de la République, 17076 La Rochelle Cedex 9. ☎ 05-46-31-71-71. Fax : 05-46-31-71-70. • www.charente-maritime.org •
- ***Comité départemental du tourisme de la Charente :*** 27, pl. Bouillaud, 16021 Angoulême. ☎ 05-45-69-79-09. Fax : 05-45-69-48-60. • www.lacharente.com •

LE FUTUROSCOPE

Dans les environs : le parc de loisirs de Saint-Cyr • Le musée Auto-Moto-Vélo • Les cinq châteaux de la ville haute à Chauvigny • Le spectacle de fauconnerie « Le Château des Aigles » • L'île aux Serpents • La cité de l'Écrit et des Métiers du livre • La vallée des Singes

LE FUTUROSCOPE

Le Futuroscope invite petits et grands à vivre des expériences inédites. Pour ce faire, le parc présente les formats d'images spéciaux les plus

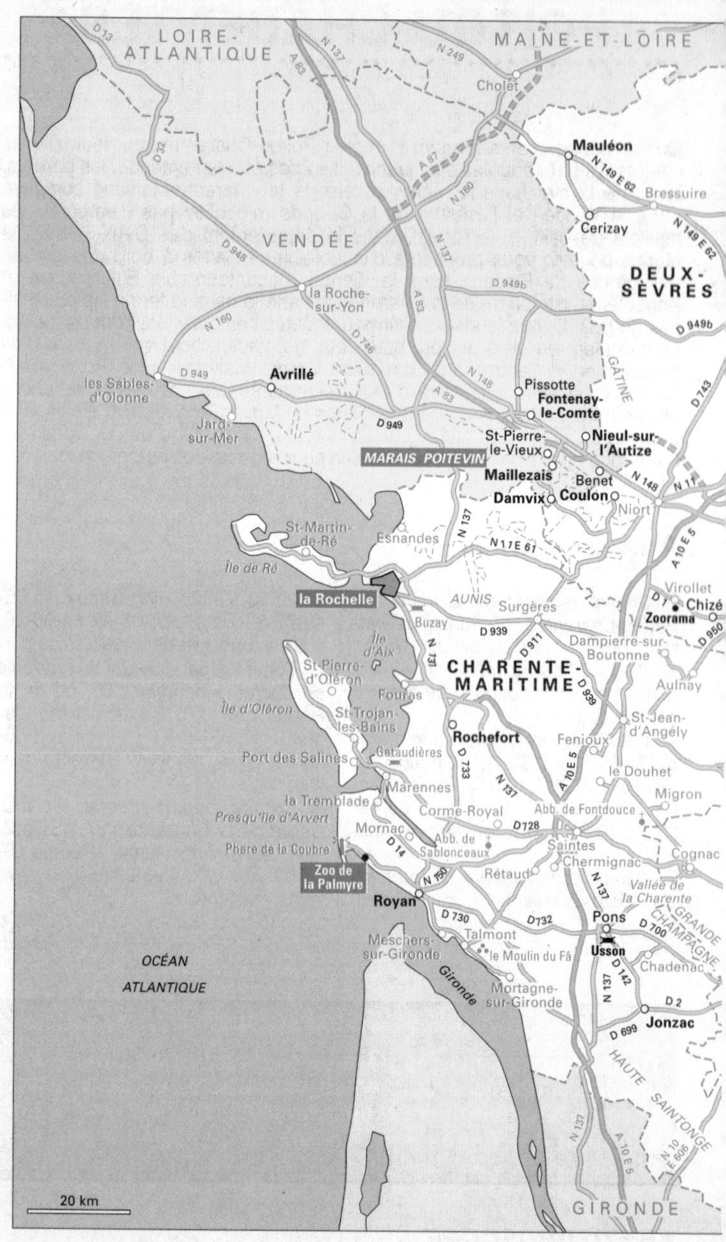
LOIRE-ATLANTIQUE
MAINE-ET-LOIRE
VENDÉE
DEUX-SÈVRES
CHARENTE-MARITIME
GIRONDE
OCÉAN ATLANTIQUE
Cholet
Mauléon
Bressuire
Cerizay
la Roche-sur-Yon
les Sables-d'Olonne
Jard-sur-Mer
Avrillé
Pissotte
Fontenay-le-Comte
St-Pierre-le-Vieux
Nieul-sur-l'Autize
MARAIS POITEVIN
Maillezais
Benet
Damvix
Coulon
Niort
GÂTINE
St-Martin-de-Ré
Esnandes
Île de Ré
la Rochelle
AUNIS
Surgères
Virollet
Chizé
Zoorama
Buzay
Dampierre-sur-Boutonne
Aulnay
Île d'Aix
St-Pierre-d'Oléron
Île d'Oléron
Fouras
St-Trojan-les-Bains
Rochefort
St-Jean-d'Angély
Fenioux
Port des Salines
Gataudières
le Douhet
Marennes
Migron
la Tremblade
Presqu'île d'Arvert
Corme-Royal
Abb. de Fontdouce
Mornac
Abb. de Sablonceaux
Saintes
Phare de la Coubre
Chermignac
Cognac
Zoo de la Palmyre
Rétaud
Vallée de la Charente
Royan
GRANDE CHAMPAGNE
Pons
Meschers-sur-Gironde
Talmont
Usson
le Moulin du Fâ
Chadenac
Gironde
Mortagne-sur-Gironde
Jonzac
HAUTE SAINTONGE
20 km
D 13
N 137
A 83
N 249
D 32
A 87
N 160
N 149 E 62
D 948
D 949b
N 160
D 746
D 949
N 148
D 949
D 743
N 11
N 11 E 61
A 10 E 5
D 1
D 950
D 939
D 911
N 137
D 939
D 733
N 137
A 10 E 5
D 728
D 14
N 150
N 137
D 730
D 732
D 700
D 142
N 137
D 2
D 699
N 137
A 10 E 5
N 10 E 606

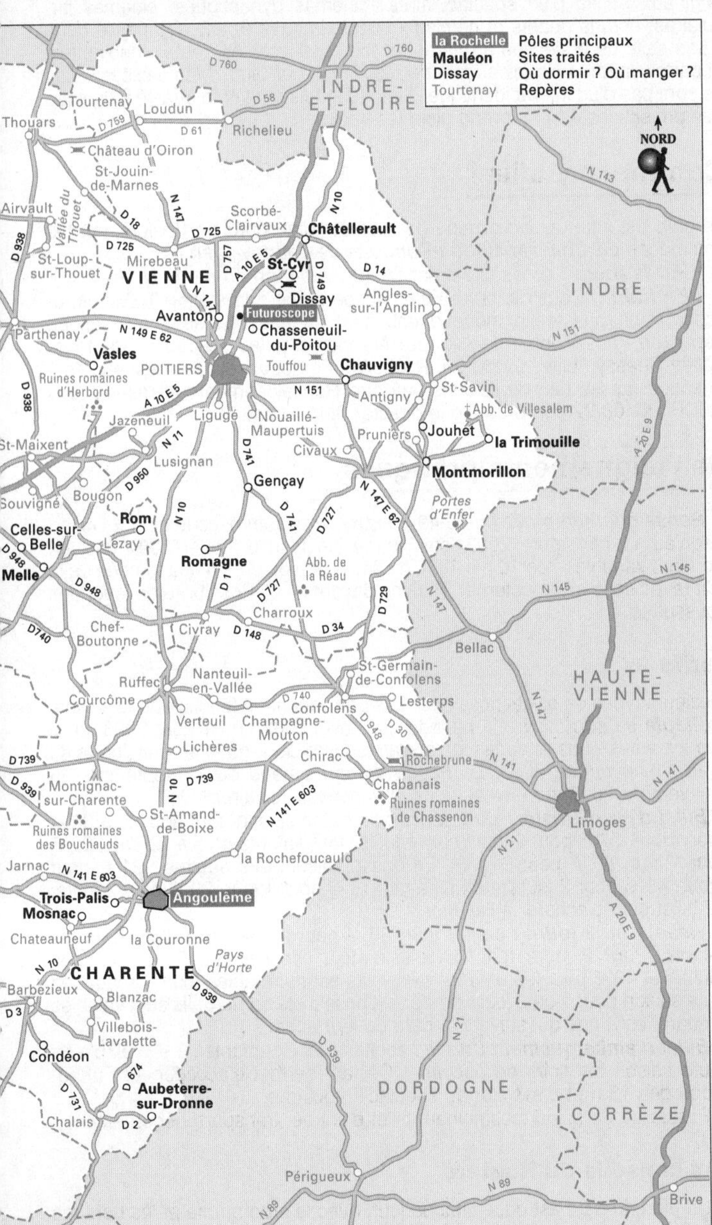

POITOU-CHARENTES

originaux et les plus spectaculaires ; cinémas dynamiques, cinémas circulaires, écrans géants et hémisphériques, images en 3D. On passe donc d'une salle de projection à une autre, toutes différentes, toutes innovantes, et parfois même uniques au monde... pour voir des films. Même si ces salles ne sont pas d'un intérêt identique, il faut toutefois relever la qualité technique des projections. On en prend plein les yeux !

Comment y aller ?

Le parc est situé à une dizaine de kilomètres au nord de Poitiers, sur les communes de ***Chasseneuil-du-Poitou*** et de ***Jaunay-Clan.***

➢ ***Par la route :*** accès direct par l'A 10 (sortie 28) ou par la N 10.

➢ ***En train :*** accès direct au Futuroscope grâce à la station TGV-Futuroscope. Une passerelle mène directement au parc. Liaisons directes au départ de Paris-Montparnasse, gare Aéroport-Charles-de-Gaulle, Marne-la-Vallée-Chessy, Lille, Lyon, La Rochelle, Bordeaux et d'autres encore... Attention, assez peu de liaisons par jour. Renseignements et réservations SNCF : ☎ 08-92-35-35-35 (ligne directe ; 0,34 €/mn).

Renseignements pratiques

– ***Renseignements :*** ☎ 05-49-49-30-80. • www.futuroscope.com • Ouvert jusqu'au 11 novembre 2003, puis fermé jusqu'au 6 février 2004 (inclus). Horaires variables : de 10 h à 18 h, de 9 h à 19 h ou de 9 h à la tombée de la nuit (avec spectacle nocturne). Parking payant : 4 €. Possibilité de louer des poussettes.

Tarifs

Plusieurs types de billets possibles. Les prix varient en fonction de la saison. La ***haute saison*** couvre la période du 5 avril 2003 au 31 août 2003, ainsi que les week-ends et vacances scolaires jusqu'au 2 novembre inclus et du 8 au 11 novembre 2003. La ***basse saison*** s'étend du 1er septembre au 7 novembre 2003, hors week-ends et vacances scolaires.
– ***Billet d'entrée daté 1 ou 2 jours :*** en haute saison, tarif adultes à 30 € pour 1 jour, 57 € pour 2 jours consécutifs ; tarif enfants de 5 à 12 ans : 22 € pour 1 jour, 40 € pour 2 jours. En basse saison, tarif adultes : 21 € pour 1 jour, 40 € pour 2 jours ; tarif enfants : 16 € pour 1 jour, 29 € pour 2 jours. Ce billet peut s'acheter à l'avance.
– ***Visas 1 ou 2 jours :*** pour 1 jour, 30 € pour les adultes, 22 € pour les enfants. Pour 2 jours (pas nécessairement consécutifs), 57 € pour les adultes et 40 € pour les enfants. Les visas sont utilisables toute l'année, en toute saison pour 1 ou 2 jours de visite (consécutifs ou non). Ils sont valables pendant les 2 ans qui suivent la date de leur achat.
– ***Billet d'embarquement Soirée :*** adultes : 15 € ; enfants : 9 € ; valable en haute saison les soirs de nocturne. Ce tarif permet d'accéder au Futuroscope dès 18 h et d'assister au spectacle nocturne.
– Possibilité de séjours combinant billet d'entrée, transport, hébergement...

Les conseils du Routard

– Un plan du parc est édité chaque jour, avec le programme et les horaires des différentes séances. Il est distribué à l'entrée. Indispensable pour organiser sa journée.
– Chaque attraction dure entre 5 et 35 mn, attente non comprise. Certains temps d'attente sont signalés (ils peuvent parfois dépasser 1 h).

– Commencez de préférence votre périple par les pavillons les plus éloignés de l'entrée.
– Distributeur automatique de billets à droite après les guichets d'entrée et un autre au Pavillon du Futuroscope à l'intérieur du parc.

On va s'éclater !

– ***Sur les traces du panda (Kinemax) :*** séances de 9 h 15 à 22 h 35. La 1re attraction du parc, ouverte en 1987. L'édifice – dont la forme cristalline, haute comme un immeuble de 7 étages, sert de symbole au Futuroscope – est un cinéma de 450 places, équipé du système canadien Imax et du plus grand écran plat d'Europe : 600 m^2 ! Un détail significatif : le poids de la bobine atteint 60 kg et sa longueur est de 4 km.

– ***Le cinéma en relief :*** séances de 10 h 30 à 19 h 15. Des images en 3D diffusées par 2 projecteurs de façon légèrement décalée. L'effet de relief est obtenu grâce à des lunettes polarisées. Nouveauté 2003 : ***Poursuite Éclair,*** une course folle où vous rejoindrez deux agents à la poursuite d'un célèbre chauffard. Au volant de leur voiture, pied au plancher, sorties de route et tête-à-queue vous promettent secousses et frayeurs.

– ***T Rex :*** le Futuroscope abrite la seule salle au monde équipée en permanence de ce système. Placé au cœur d'un écran semi-hémisphérique de 800 m^2, et grâce à de drôles de lunettes à cristaux liquides, on est totalement immergé dans l'image. Nouveauté 2003 : ***Space Station 3D***, ou comment partager aux côtés d'astronautes et de cosmonautes l'exaltation de la sensation de flotter à 407 km au-dessus de la Terre.

– ***L'Omnimax :*** écran semi-hémisphérique de 900 m^2 (genre Géode à Paris) pour une vision « fish eye », qui couvre les 180° de notre champ de vision. À ne pas manquer. Une anecdote révélatrice à propos de l'Omnimax. Depuis la collaboration entre Imax et la Nasa, plus de 73 astronautes ont suivi chez Imax une formation spéciale de cameraman sur ce type d'appareil. Filmer dans l'espace avec un matériel aussi imposant dans un engin volant aussi réduit est une autre prouesse technique.

– ***Le Tapis magique :*** l'architecture extérieure est remarquable ; 217 tuyaux sombres et translucides se dressent comme un étrange bouquet de tuyaux d'orgues ressemblant à des morceaux de bambous futuristes. À contempler à la nuit tombée, quand le pavillon est éclairé par des faisceaux bleu et vert. À l'intérieur, encore une surprise : un écran horizontal prolonge l'écran vertical classique, d'où cette sensation de voler au-dessus du film, un peu comme si vous étiez en hélicoptère. Les images du film défilent à la fois en face de vous (comme dans un cinéma classique) et sous vos pieds. Sensations étonnantes et inédites. Ce serait la seule salle de ce type au monde. *Un conseil :* pour mieux voir, placez-vous plutôt au milieu de la salle.

– ***Les cinémas dynamiques 1 et 2 :*** salles dont le mouvement des sièges est synchronisé avec l'action du film projeté sur l'écran. Très amusant, émotions fortes garanties. Déconseillé aux femmes enceintes, aux personnes cardiaques, aux émotifs en tout genre... Ça secoue pas mal !
Au programme, *Le Défi d'Atlantis,* qui rassemble un certain nombre de procédés techniques audiovisuels innovants : écrans géants, effets dynamiques, images virtuelles en 3D, graphisme remarquable... Tous les 1 000 ans, les dieux s'affrontent dans ce spectaculaire tournoi dont le vainqueur gouvernera la cité engloutie pendant un millénaire. Vous participerez à une course de chars légendaire dans les ruelles de la cité mythique de l'Atlantide.
Autre salle dynamique, autre programme : *Peur dans la mine.* Par une nuit d'orage, le fantôme d'un vieux monsieur vous invite à vous abriter dans une

mine désaffectée. Et puis, à bord d'un wagonnet, tout va soudain très vite. Les rails vous entraînent à une vitesse époustouflante dans les entrailles de la Terre, au rythme d'une étrange musique... De quoi vous faire regretter la pluie battante qui fait rage à l'extérieur...

– ***L'Image Studio :*** très beaux décors illustrant l'histoire du cinéma français et les différents plateaux d'un studio de cinéma, que l'on traverse à bord d'une nacelle, sous la conduite de Pierre Tchernia. Les enfants adorent.

– ***Le Pavillon de la Vienne :*** il comprend 2 salles. Dans la première, un gigantesque mur d'images composé de 850 écrans présente un film sur l'histoire du Futuroscope, financé par le conseil général de la Vienne. Ce qui vous attend dans la seconde salle est beaucoup plus palpitant : le simulateur dynamique, associant le mouvement et l'image. Il vous fait voyager dans le département au travers d'un film de promotion touristique sur la Vienne, plein d'humour. C'est l'histoire d'un jeune homme qui doit se marier. Dans le train, il manque sa gare de destination. Il saute du wagon et se retrouve dans une forêt profonde de la Vienne, habitée par d'étranges créatures. Commence alors pour lui une course aventureuse, semée d'obstacles, qu'il doit déjouer avant de retrouver la mariée... Frissons garantis lorsque vous vous retrouverez au volant d'une F3 lancée à pleine vitesse dans les ruelles de Chauvigny. Drôle et efficace. On avait même un peu mal au cœur en sortant...

– ***La Gyrotour :*** les photographes et autres cinéastes amateurs pourront revenir avec de superbes images sur l'ensemble du parc. À partir d'une plate-forme circulaire située à 45 m de hauteur, un système rotatif permet de jouir d'un spectacle panoramique impressionnant.

– ***Métropole-Défi :*** le spectateur devient enfin maître de l'image. Un procédé interactif unique permet de jouer en temps réel avec les images 3D projetées sur le plus grand écran vidéo du parc. Les spectateurs, divisés en 2 équipes, s'affrontent lors de « jeux sans frontières de l'espace ». Au travers de 5 épreuves, les spectateurs découvrent la ville de Métropole City. Également pour le jeune public.

– ***Le cinéma circulaire (ou le cinéma 360°) :*** 9 projecteurs diffusent des films synchronisés sur 9 écrans, permettant ainsi un champ de vision de 360°. Attention au torticolis ! Assez spectaculaire, même si le spectateur doit tourner et se retourner indéfiniment.

– ***L'Imax 3D :*** ce pavillon de 580 places offre une impressionnante projection en 3D sur un écran géant.

– ***Imagic :*** au travers des techniques modernes, un spectacle de 20 mn mêlant l'image virtuelle à la réalité. Spectacle consacré à la magie et à l'illusion. Le jeu nous confirme que notre vue nous joue des tours. Séances de lévitation, système de projection étrange. Bref, rien de vraiment époustouflant. Emmenez-y quand même vos enfants.

– ***Cyber Avenue et Cyber Media :*** cet espace de 1 600 m² abrite des jeux vidéos et virtuels dernier cri, ainsi qu'un espace multimédia. Les jeux ne fonctionnent qu'avec des jetons payants. Attention, la durée d'utilisation est très courte et on a le sentiment que c'est cher payé. Vous pourrez également prendre place à bord des *Bus Net,* qui vous permettront de vous initier à Internet en présence d'animateurs spécialisés, de dialoguer en direct ou de naviguer sur le Net. Séances toutes les heures. Il est préférable de réserver. Des postes Internet et des CD-Roms sont également proposés au public. Ces dernières attractions (dont le *Bus Net*) sont gratuites.

– ***Le monde des Enfants :*** le Futuroscope a pensé aux enfants dès 3 ans. On y trouve des jeux de plein air, des jeux musicaux, des jeux nautiques (sortes de toupies pneumatiques circulaires), un labyrinthe de miroirs et le sympho. Le sympho se présente comme un damier équipé de cellules photo-électriques encastrées dans le sol. Les enfants le parcourent et jouent sur des cordes de lumière projetées par des lampes halogènes. Cela leur fait l'effet d'être eux-mêmes des instruments de musique.

– ***Le théâtre et son lac :*** spectacle ***Le Miroir d'Uranie***; tous les soirs d'avril à octobre et le week-end en novembre et décembre; tous les soirs pendant les fêtes de fin d'année et les vacances d'hiver. Certains soirs, il y a 2 spectacles; renseignez-vous sur place. Essayez d'y arriver une bonne demi-heure avant l'ouverture pour être sûr de trouver une place.

– ***Le cinéma haute résolution :*** une image d'une qualité exceptionnelle en définition et en clarté.

– ***Destination Cosmos :*** permet d'effectuer un voyage spatial en 3D à partir des images du téléscope Hubble modélisées par la NASA. Une des meilleures attractions du muséum d'Histoire naturelle de New York, à qui le Futuroscope l'a achetée. Éblouissant.

Où dormir?

Sur le site, hors du parc de loisirs

Formule 1 : 18, rue du Commerce, zone commerciale de ***Chasseneuil-du-Poitou.*** ☎ 08-91-70-53-56. • www.hotelformule1.com • Un des moins chers.

Quick Palace : 19 bis, av. des Temps-Modernes, zone commerciale de ***Chasseneuil-du-Poitou.*** ☎ 05-49-52-59-93. Chambres pour 4 personnes à 35 € (32 € hors saison).

Ibis Futuroscope : av. du Téléport, zone d'activité du ***Téléport.*** ☎ 05-49-49-90-00. Fax : 05-49-49-90-09. • www.ibishotel.com • Chambres doubles avec tout le confort de 39 à 59 € selon la saison; les enfants de moins de 12 ans séjournent gratuitement dans la chambre des parents. Chambres jusqu'à 6 personnes. Dans la partie du parc hôtelier la plus proche du Futuroscope. Jolie architecture futuriste et intérieur sur le thème de la mer et des voyages. Avec restaurant et petite piscine. Très bon rapport qualité-prix et très bien situé.

Express by Holiday Inn : av. Jean-Monnet, zone d'activité du ***Téléport*** n° 3. ☎ 05-49-49-10-49. Fax : 05-49-49-10-48. ♿ En haute saison, chambres doubles tout confort à 66 €, petit dej'-buffet inclus. Pour les enfants partageant la chambre des parents : 5 € de 12 à 19 ans, et gratuit en dessous. Chambres modernes assez agréables, fonctionnelles et bien équipées. L'un des plus sympas de cette catégorie, et bien situé. Bon rapport qualité-prix.

Hôtel Campanile : bd René-Descartes, zone d'activité du ***Téléport*** n° 3. ☎ 05-49-49-06-58. Central de réservation : ☎ 01-64-62-46-46. Chambres familiales à 75 € pour 4 ou 5 personnes. Dans la partie du parc hôtelier la plus proche du Futuroscope.

Où manger?

Au Futuroscope

Dans le parc, où les pique-niques sont autorisés, on trouve 5 restaurants, 2 self-services et une dizaine de points de restauration à emporter.

Cafétéria du Lac : compter 12 € (moins si vous vous contentez d'un sandwich), menu enfants à 6 €. Quelques décors sympas : le ***Studio***

Grill, avec son décor californien des années 1950 et ses grillades et rôtisseries juteuses (à partir de 7 €), le ***Festival Pizza,*** consacré au cinéma italien (pizza à partir de 8 €), et ***La Crêpe Volante,*** une crêperie sympathique, au décor original (compter moins de 10 € le repas).

Sur le site, hors du parc de loisirs

|●| ***La Fiesta :*** bd. René Descartes, juste à côté de l'*hôtel du Parc.* ☎ 05-49-49-09-09. Ouvert tous les jours. Menu à 10 €; menu-enfants à 7 €. Un drôle de lieu, pluridisciplinaire puisque, sur 4 niveaux, on trouve une salle de jeux vidéo, un bowling, une boîte de nuit, un bar ambiance cubaine, un resto, etc. Côté resto : grandes assiettes assez copieuses mais pas vraiment savoureuses, composées avec des produits sous vide. Une alternative : la formule *tapas,* côté bar (ouvert de 18 h à minuit), qui ne s'en tire finalement pas trop mal. Pratique pour les petits creux tardifs. Apéritif offert à nos lecteurs.

Où dormir? Où manger dans les environs?

⛺ ***Camping municipal des Écluzelles :*** rue Leclanché, 86360 ***Chasseneuil.*** ☎ 05-49-62-58-85. Fax : 05-49-52-52-23. À 2 km du site. Ouvert d'avril à fin septembre. Compter de 10 à 12 € pour un emplacement, une voiture et 2 personnes. Minuscule camping (une trentaine d'emplacements), un peu engoncé entre la route et la voie ferrée, à deux pas (1,5 km) du Futuroscope. Un camion de boulangerie passe tous les matins, et l'accès à la piscine municipale, juste à côté, est gratuit pour les campeurs. Les cartes de paiement ne sont pas acceptées.

🏠 ***La Ferme du Château de Martigny :*** chez Annie et Didier Arrondeau, 86170 ***Avanton.*** ☎ et fax : 05-49-51-04-57. • www.lafermeduchateau.fr • Martigny est un hameau sur la D 18, entre Chasseneuil-du-Poitou et Avanton (à 3 km du Futuroscope). Ouvert toute l'année. Selon la durée de votre séjour, comptez de 65 à 71 € pour 2 personnes, petit dej' gourmand et copieux inclus (possibilité d'emporter quelques bricoles pour un casse-croûte au Futuroscope); il y a aussi un duplex pour les familles, de 65 à 75 € selon le nombre de personnes (4 ou 5) et la durée du séjour. Dans la ferme rénovée et son jardin clos, on trouve 3 chambres confortables et indépendantes. Salon et cuisine à disposition des hôtes, piscine, table de ping-pong, jeux, barbecue, etc. Accueil agréable. Apéritif, café ou boisson offert à nos lecteurs.

🏠 ***Chambres d'hôte chez M. et Mme Louis-Eugène :*** 2, rue de la Vallée, 86170 ***Avanton.*** ☎ 05-49-51-65-31. Légèrement à l'écart du centre du bourg. Suivez la direction Futuroscope; arrivé à l'église, vous trouverez la maison presque en face. Chambres doubles avec salle de bains, en rez-de-jardin, à 40 €, petit dej' compris; on peut ajouter un lit pour 10 €. Maison récente, en pierre du pays, et propriétaires adorables. Réduction de 10 % sur la chambre à partir de 3 nuitées et verre de bienvenue offert sur présentation du *Guide du routard.*

🏠 ***Gîte de Dany Guillard :*** 86170 ***Avanton.*** ☎ 05-49-51-64-61. Fax : 05-49-54-30-13. Vous pouvez vous adresser à l'épicerie à côté de la poste. De 215 à 310 € la semaine, selon la saison. Maison poitevine du XVIIe siècle bien retapée, avec cheminée. Deux chambres à l'étage et une troisième en rez-de-chaussée. Cuisine équipée, lave-linge, lave-vaisselle, barbecue... Dommage qu'il n'y ait pas de jardin, juste une mignonne courette. Également un gîte pouvant accueillir jusqu'à 6 personnes.

|●| ***Le Clos Fleuri :*** 474, rue de l'Église, 86130 ***Dissay.*** ☎ 05-49-52-40-27. À la sortie du bourg, en direction de Saint-Cyr. Fermé les dimanche soir, mardi soir et le mer-

credi. Premier menu à 14 € sauf les samedi et dimanche soir, puis menus de 17 à 33 €; menu-enfants à 10 €. Le château de Dissay semble tout droit sorti d'un conte de fées : tours aux chapeaux pointus, lucarnes, canonnières au ras de l'eau. Cocteau aurait pu en faire le décor de *La Belle et la Bête.* Toute l'équipe n'aurait presque eu qu'à traverser la route pour se retrouver au *Clos Fleuri,* installé dans l'une des dépendances. Jean-Jack Berteau y milite en cuisine depuis près de 3 décennies. Il se bat pour le terroir et les produits poitevins. Sa tête de veau aux deux sauces a une solide réputation dans la région, tout comme le navarin d'agneau ou les poissons du marché. Le chef adapte le menu-enfants à l'appétit et au goût de vos bambins. Belle carte de vins de la région, soigneusement sélectionnés et conservés dans une cave idéale.

➤ DANS LES ENVIRONS

Le parc de loisirs de Saint-Cyr *(86130)* **:** à portée de flèche et d'ailleurs fléché à partir de Dissay. ☎ 05-49-62-57-22. • www.parcdesaintcyr.com • À 20 km au nord de Poitiers par la N 10. Ouvert d'avril à septembre. En mai et juin, entrée : 1,50 €; enfants 1 €. En juillet et août : 2 €; enfants : 1,50 €. Outre son plan d'eau, ses activités aquatiques (baignades, toboggan, pédalos, planches...) et ses jeux pour petits et grands, le parc de loisirs abrite un camping plutôt confortable et bien équipé. Évidemment, un peu cher (compter 20 € le forfait pour 2), mais on bénéficie de l'infrastructure : on paie un forfait à l'arrivée et puis on range son porte-monnaie au fond de son sac car tout est compris. En juillet et août, il existe un *Club de Plage* (l'après-midi uniquement) avec baignade surveillée et animateurs. Formule idéale pour les parents. Également deux parcours de golf (des vrais !).

Le musée Auto-Moto-Vélo : La Manu, 86100 ***Châtellerault.*** ☎ 05-49-21-03-46. A 10 sortie Châtellerault nord, puis fléché. De mai à septembre, ouvert tous les jours de 10 h à 12 h 30 et de 13 h 30 à 19 h; d'octobre à avril, tous les jours sauf le lundi, de 14 h à 18 h. Fermé les 25 décembre et 1er janvier. Entrée : 4,80 €; gratuit pour les moins de 18 ans.
Dans l'ancienne manufacture d'armes de Châtellerault, d'un coup de crayon de Jean-Luc Vilmouth, les deux tours de brique ont pris un bain de jouvence, et l'usine elle-même accueille le musée de l'Automobile. Panhard, de Dion Bouton, Delaye, Renaud, Peugeot, Citroën; des motos, des scooters, des vélos et un surprenant Monoroue, dans un espace très réussi. Animations pour les petits autour des couleurs, des formes, des sons et des matières. Jeux d'observation, d'identification sonore, de reconnaissance tactile et matériel pédagogique mis à leur disposition.

Les cinq châteaux de la ville haute : 86300 ***Chauvigny.*** Par la N 151, à 26 km à l'est de Poitiers. Sur un éperon rocheux long de 350 m, la pointe braquée vers le sud et d'une hauteur de 45 m, les ruines de ces châteaux flanquent le vertige. Entourés de murs renforcés de contreforts arrondis et de tourelles, les châteaux des barons d'Harcourt, de Montléon, de Gouzon et de Flins dressent leurs carcasses triomphantes et forment un ensemble qui dut être redoutable.

– ***Le spectacle de fauconnerie « Le Château des Aigles » :*** dans la ville haute, suivre les panneaux. ☎ 05-49-46-47-48. • chateaudesaigles@hotmail.com • Spectacles tous les jours d'avril à novembre; en avril, mai, juin, septembre, octobre et novembre, à 14 h 30 et 16 h, plus 11 h 15 et 17 h 30 les week-ends et jours fériés; en juillet et août : à 11 h 15, 14 h 30, 16 h et 17 h 30. Durée : 45 mn. Entrée : 8 €; enfants de 5 à 12 ans : 5 €. Les visiteurs peuvent désormais voir le dédale des ruines du château des

Évêques et découvrir une collection d'oiseaux issus du monde entier. La visite (30 mn) peut être faite avant ou après le spectacle. Pour celui-ci, les visiteurs s'installent sur des gradins placés face à une scène dominant la ville.
De nombreux oiseaux appartenant à diverses espèces volent en liberté, au-dessus des ruines majestueuses du château. En effet, une escadrille de cigognes blanches part dans les ascendants thermiques pour redescendre en zigzags surprenants. Une colonie de 12 vautours et de 2 condors part également dans les nuées, l'aigle pêcheur plonge dans le bassin et le serpentaire se bat avec sa proie. Les kookabouras, les toucans et les perroquets multicolores volent en louvoyant parmi le public, les marabouts dessinent leurs silhouettes de vieux sages dans l'espace et bien d'autres oiseaux viennent compléter cette féerie de plumes et de vent.

Où dormir ? Où manger ?

Hôtel-restaurant Le Lion d'Or : 8, rue du Marché, 86300 ***Chauvigny.*** ☎ 05-49-46-30-28. Fax : 05-49-47-74-28. ♿ Près de l'église. Fermé 2 semaines à partir du 24 décembre. Chambres doubles avec douche ou bains à 42 € ; chambres pour 4 personnes à 56 €. Cinq menus de 16 à 33 € ; menus-enfants « classique » à 8 € ou « jeune gastronome » à 13 €. Hôtel bourgeois et traditionnel. Chambres récemment refaites, bien équipées et modernes, situées soit dans le bâtiment principal donnant sur la rue, soit dans une annexe donnant sur un parking calme à l'arrière. Au restaurant, on est servi dans une grande salle assez design et très agréable. Le chef concocte de bonnes spécialités comme les noisettes d'agneau au chèvre chaud, la sole à l'émincé de courgettes ou le gâteau de crêpes soufflées au coulis de framboise. Une bonne adresse dans cette ville qui incite au coup d'œil.

Les Choucas : 21, rue des Puys, 86300 ***Chauvigny.*** ☎ et fax : 05-49-46-36-42. Fermé les mardi et mercredi de novembre à mars. Menus de 12 à 23 € ; menu-enfants à 6,50 €. Par un splendide escalier de pierre médiéval, vous accédez au 1er étage en jetant un œil indiscret sur les cuisines. Ça sent déjà très bon ! Le cadre est chaud et ne manque pas de caractère. On y sert une bonne cuisine poitevine : farci poitevin sauce aux lumas, gibelotte de lapin à la lenchoïtroise, macaromé du Poitou... ainsi que des crêpes, en terrasse face au donjon de Gouzon. Bons vins en pichet à prix doux. En apéro, les parents ne manqueront pas d'essayer cette « Courtisane », une recette médiévale à base de vin rosé aromatisé à la cannelle et au gingembre. Hmm ! Service attentif et naturel. Apéritif maison offert à nos lecteurs.

L'île aux Serpents : route de Montmorillon, 86290 ***La Trimouille.*** ☎ 05-49-91-23-45. De Poitiers, N 151 direction Chauvigny-Saint-Savin, puis fléchage ; du Futuroscope, D 20 dans la même direction, puis fléchage. De mars à novembre, ouvert tous les jours de 10 h à 12 h et de 14 h à 18 h (sans interruption de 10 h à 18 h en juillet et août) ; de décembre à février, de 14 h à 18 h. Entrée : 7 € ; enfants de 5 à 12 ans : 5 €. Immense parking.
Voici l'un des premiers vivariums de France, créé à l'initiative d'un passionné des reptiles, Jean-François Masset. Ce pharmacien de La Trimouille abritait sa collection personnelle de serpents, vipères et autres pythons géants dans son arrière-boutique ! De fil en aiguille, la famille s'agrandissant, tout ce petit monde a émigré ici dans un lieu plus adapté. L'île aux Serpents est devenue une référence en ce qui concerne la préservation des reptiles.
Le début de la visite recrée l'intérieur d'une grotte, et de nombreuses espèces y sont représentées dans des terrariums de surface moyenne (6 m^2). Ensuite, il y a un aquaterrarium qui permet la présentation de dif-

férentes espèces de tortues aquatiques. Vous assistez alors à un film en 3D de 15 mn (réalisé par des scientifiques d'Oxford) vous expliquant tout sur les serpents. On en apprend un rayon ! On découvre un cobra cracheur dont le jet de venin peut atteindre sa victime à 3,50 m, ou l'étonnant camouflage de la vipère du Gabon. Quant au serpent siffleur des sables, il est le plus rapide de tous (6 km/h !).

Dans les 2 dernières salles vous sont présentés, dans de nombreux terrariums, une multitude d'espèces, depuis des gros serpents, des tortues terrestres et des varans. Derrière les vitrines, dans les couloirs, de jeunes guides se promènent avec des serpents non venimeux enroulés autour du cou ou suspendus à leurs épaules. Ils répondent aux questions des visiteurs et vous proposent de les toucher, de les caresser, de faire copain-copain avec eux. Vous aurez ainsi l'occasion de toucher un reptile exotique pour la 1re fois.

La cité de l'Écrit et des Métiers du livre : 86500 **Montmorillon.** ☎ 05-49-83-03-03. • www.citedelecrit.com • Ouvert tous les jours de l'année de 10 h à 19 h.

Montmorillon s'est lancé dans le vaste projet culturel destiné à faire du centre ancien une cité de l'Écrit et des Livres. L'objectif était de restaurer une des plus vieilles rues de la ville, la rue Montebello. Plusieurs magasins, alors à l'abandon, sont devenus, depuis juin 2000, des échoppes à l'ancienne, tenues par des gens du métier ; on voit à l'œuvre imprimeurs, papetiers, enlumineurs, calligraphes, libraires et bouquinistes. Autour de ces activités commerciales sont proposés des stages, des expos, des ateliers pour enfants, des conférences. Une maison de l'Écrit est consacrée à l'expression sous toutes ses formes, des hiéroglyphes égyptiens aux textes sur ordinateur. Une sorte de temple montmorillonnais dédié à la littérature universelle.

➢ ***Parcours « L'Histoire au fil des rues » :*** 15 plaques de rues bilingues, reproduction de cartes postales anciennes, permettent une découverte agréable et informée de différents points de la ville. Les enfants s'y promèneront à leur aise et découvriront les métiers d'antan dans un cadre historique.

La vallée des Singes : 86700 **Romagne.** ☎ 05-49-87-20-20. • www.la-vallee-des-singes.fr • ♿ De Poitiers, prendre la D 741 en direction d'Angoulême ; puis se laisser guider par les panneaux. Ouvert de mi-mars à mi-novembre de 10 h à 18 h (19 h en juillet et août). Entrée : 9 € ; enfants de 5 à 12 ans : 6 €. Vaste aire de pique-nique et snack.

Des primates au pays des baudets du Poitou ! Des gorilles et des macaques sous les chênes gaulois, à deux pas des champs de blé. On croit rêver, mais non. Ouverte en 1998, la vallée des Singes est la dernière grande attraction créée par le conseil général de la Vienne. Il s'agit d'un espace de 14 ha avec un bois au centre, planté de chênes et de châtaigniers. La découverte se fait à pied, le long de sentiers balisés par des panneaux explicatifs. Dès l'entrée, des jeunes gens affables, style rangers, donnent des consignes de sécurité et des renseignements pratiques sur les primates. Ils vous conseillent notamment sur le meilleur moment pour voir les animaux, c'est-à-dire l'heure des repas.

Pas de cages ni de grilles, mais des cours d'eau qui servent de barrières et les empêchent de s'enfuir. Il y a aussi des fontaines et des cascades, sources de fraîcheur. Ici vivent plus de 25 espèces rares de primates ; pas de chimpanzés ni d'orangs-outans, c'est trop commun. À Romagne, seulement des espèces menacées de disparition, et notamment des tout petits singes d'Amérique du Sud, comme les tamarins lions, les ouistitis pygmées, les saïmiris. Sur un autre îlot s'ébattent des lémuriens de Madagascar, à la silhouette si étrange. Plus loin, des acrobates noirs et velus se balancent aux branches des arbres. Ce sont les gibbons d'Asie du Sud-Est. Pour preuve que ces primates ont trouvé ici l'environnement idéal à leur bonheur : plus de 150 bébés (dont 3 petits gorilles) y ont vu le jour depuis l'ouverture du parc ! Bref, avec cette promenade très familière au pays des primates, les vaches et moutons de la Vienne vous sembleront de très exotiques quadrupèdes...

Où dormir ? Où manger dans le coin ?

🏠 🍽 ***Chambres d'hôte Ferme du Haut-Peu*** : chez Chantal et Jacques Cochin, 86290 ***Jouhet.*** ☎ 05-49-91-62-59. Fax : 05-49-91-59-71. À 8 km de La Trimouille par la D 121 ; à Jouhet, prendre la direction Haims, c'est à 1 km. Compter 44 € pour deux, petit dej' compris. Table d'hôte à 16 € sauf le dimanche soir. En pleine campagne, entourée de champs, cette superbe et vieille ferme recouverte d'ampélopsis abrite 2 chambres ravissantes et champêtres et un ensemble pour les familles (5 personnes), avec cuisine et mezzanine. En plus des chambres, formules table d'hôte et goûter à la ferme. Parmi les spécialités de Chantal, la quiche aux épinards et fromage de chèvre, le filet mignon de porc, le lapin à la poitevine ou la tarte Tatin aux noix. Pour les goûters, spécialités de crottin sur toast, tarte au fromage et raisins, clafoutis. Les propriétaires élèvent des chèvres, et on peut assister à la fabrication du fameux chabichou. Il y a aussi un petit bois et un étang privé pour les amateurs de pêche. Accueil convivial et chaleureux, et atmosphère très calme et reposante. Pour nos lecteurs, 10 % de réduction sur le prix de la chambre hors été.

🍽 ***L'Olivier*** : rue de l'Ancienne-Caserne, 86160 ***Gençay.*** ☎ 05-49-18-04-08. À 16 km au nord de Romagne. Fermé le lundi toute l'année et le jeudi soir en hiver. Congés annuels : une semaine en septembre. Menu à 10 € le midi en semaine ; à la carte, compter autour de 12 € ; menu-enfants autour de 6 €. Dans une petite rue un peu cachée, à deux pas de la place de la Mairie, une crêperie-tarterie-saladerie à la déco étudiée : sol en coco, murs recouverts de bois clair et de tableaux sur toile de jute, tables en mosaïque et fer forgé. Très tendance et joliment réussi. Côté assiettes, on rencontre le même professionnalisme : sous de poétiques appellations (« cow-boy breton », « de rouge vêtue », etc.), de belles et bonnes salades, tartes maison ou galettes de sarrasin, copieuses et originales, satisferont les papilles des plus gourmands. Ceux-ci ne manqueront pas de terminer leur repas par une fabuleuse glace artisanale, au parfum parfois surprenant (violette, lavande, pain d'épice...) mais à la saveur purement divine. Pour les petits routards, un coin à leur taille et un menu spécial leur sont totalement dédiés. Pour les grands, c'est l'apéritif qui leur sera gracieusement offert. Terrasse dans la cour pour les beaux jours. N'accepte pas les cartes de paiement.

LE MARAIS POITEVIN

Dans les environs : le Zoorama européen de la forêt de Chizé • Les mines d'argent des Rois francs • Le musée de Rauranum-espace Archéoludix • Le jardin des Agneaux • La Vie des Jouets

LE MARAIS POITEVIN

➢ ***En voiture :*** par l'A 10, sortie 32 Niort, puis N 148.

🗿🗿🗿 Incontournable, immanquable, inévitable, nécessaire ! C'est peu après Niort que la féerie commence, abordant cette zone verte par la N 148. Tout

visiteur qui passe dans le ***Marais poitevin,*** aux confins des 3 départements de Vendée, des Deux-Sèvres et de Charente-Maritime, se doit de s'arrêter dans ce coin de France, célèbre pour ses beautés. Coulon, Maillezais ou Damvix sont 3 bons points de départ où l'on pourra abandonner sa voiture au profit d'une *plate* (les barques locales). La « Venise verte », formule facile, pompeuse, usée jusqu'à la corde, sait garder ses secrets. Ici, on vous affirmera que seuls les vrais maraîchins peuvent circuler dans le Marais sans jamais se perdre. C'est inscrit dans leurs gènes. Car on peut encore s'égarer dans cette jungle bocagère qui décline son camaïeu de verts à l'infini, à travers des tunnels étroits perdus dans le cheveu des arbres. On peut ramer des heures, des jours, dans cet abysse aquatique sans pouvoir en sortir. Et impossible de semer des petits cailloux pour se repérer ! La fracture dans le tapis de lentilles vertes aura tôt fait de se refermer pour vous perdre dans les chemins d'eau labyrinthiques du Marais.
Même si certains coins ne sont plus en Poitou-Charentes mais en Vendée (et donc dans la région Pays-de-la-Loire), nous les indiquons ici afin d'avoir une promenade homogène du Marais.

Parents savants : *le Marais poitevin*

La loutre d'Europe est un peu l'emblème du Marais poitevin, même si on la trouve dans d'autres régions. Sa particularité est d'avoir des pattes palmées et une queue élargie à la base qui lui sert de propulseur et de gouvernail. Elle habite le plus souvent au fond d'un terrier dont l'entrée, par prudence, est située sous l'eau. Ce carnivore se nourrit essentiellement de poissons et de petits amphibiens (grenouilles, crapauds...), mais sa préférence va aux anguilles qui constituent plus de 50 % de son alimentation. La loutre a longtemps été chassée dans le Marais pour sa fourrure. C'est seulement depuis les années 1970 qu'elle n'est plus traquée, et aujourd'hui ce sont les collisions routières qui sont la première cause de sa mortalité dans le Marais poitevin. C'est un animal fort utile car il ne peut supporter la moindre pollution, la loutre est donc un excellent indicateur de la qualité de l'eau.

Adresses utiles

■ ***Visite du Marais en roulotte ou en calèche :*** renseignements à la mairie de ***Damvix.*** ☎ 02-51-87-14-20. Fax : 02-51-87-12-05. Compter 90 € la demi-journée en calèche. Pour la roulotte, prévoir entre 2 et 7 jours. Voilà un bon moyen de visiter le Marais ! C'est sympa et très écologique !

■ ***Location de vélos et de VTT :*** *Aux Deux Roues,* 3 ter, rue du Maréchal-Foch, ***L'Aiguillon-sur-Mer.*** ☎ 02-51-56-49-01. *Garage Marie Gaudin :* route de Maillé, ***Maillezais.*** ☎ 02-51-00-71-30. *Garage Dugué :* 22, rue de la Petite-Ville, ***Damvix.*** ☎ 02-51-87-13-09.

■ ***La Bicyclette Verte :*** route de Saint-Hilaire-la-Palud, 79210 ***Arçais.*** ☎ 05-49-35-42-56. Fax : 05-49-35-42-55. • www.bicyclette-verte.com • Dans une ancienne laiterie, à 600 m en sortant de la ville, direction Saint-Hilaire. Ouvert d'avril à octobre. Une formule originale à la journée pour découvrir le marais, incluant la promenade à vélo (en très bon état), en barque et le déjeuner en auberge. Tarifs : 35 € ; 17 € pour un enfant de 8 à 12 ans accompagné de 2 adultes. Séjours de 1 à 8 jours. Accueil très sympa.

FONTENAY-LE-COMTE

Au nord-ouest de Niort, par la N 148. Ancienne capitale du Bas-Poitou, riche d'un passé prospère, Fontenay n'a jamais vraiment digéré d'avoir perdu son rang au profit de La Roche-sur-Yon. Qu'à cela ne tienne, la ville offre des trésors d'architecture et d'histoire qui font défaut à la capitale du département. De plus, cette sous-préfecture jouit d'une sérénité et d'un charme bien agréables. Quand on passe à Fontenay, on a envie de s'arrêter sur les rives de la Vendée qui partage la ville en deux.

Le Musée vendéen : pl. du 137e-R.-I. ☎ 02-51-69-31-31. À côté de l'église. Du 15 juin au 15 septembre, ouvert du mardi au vendredi de 10 h à 12 h et de 14 h à 18 h, et les samedi et dimanche après-midi ; le reste de l'année, du mercredi au dimanche de 14 h à 18 h. Entrée : 2 € ; gratuit pour les étudiants et les enfants.
Au rez-de-chaussée, salles abritant les collections archéologiques provenant des fouilles de la région, et notamment une des plus belles collections de verreries gallo-romaines de France. Reconstitution d'un four à sel de l'époque gallo-romaine. Au 1er étage, costumes, bijoux, coiffes et artisanat du XIXe siècle. Au 2e étage, peintures d'artistes vendéens dont Milcendeau et Baudry. Belle maquette animée de Fontenay en 1720.
À l'accueil sont distribués des jeux, de 3 niveaux différents, de découvertes et d'approfondissement des collections principales, pour une visite plus pédagogique et plus ludique du musée.

Où dormir ? Où manger ?

Chambres d'hôte Chez Jean-Marie et Marie-Agnès Robuchon : Le Peux, 85420 ***Saint-Pierre-le-Vieux.*** ☎ 02-51-00-78-44. À 10 km au sud de Fontenay-le-Comte par la D 23. Sortir de Saint-Pierre-le-Vieux en direction de Souil et Fontenay-le-Comte, et prendre la seconde petite route sur la droite, à environ 1 km du bourg (panneau « Gîtes de France »). C'est la grande ferme blanche sur la droite à 200 m. Ouvert toute l'année. Chambres doubles à 31 €, petit dej' compris. Repas à 11 €, apéro et café compris. Deux chambres confortables, dont une de plain-pied et, à l'étage, une suite composée de 2 chambres avec sanitaires privés communs à l'extérieur des chambres, bien pour une famille ou des amis. Calme assuré. Très bon accueil de Mme Robuchon, qui se fera un plaisir de vous expliquer les recettes maraîchines qu'elle cuisine à merveille. Demandez-lui de vous parler aussi de la vie des bagnards échappés de La Rochelle et cachés jadis dans les marais. Les enfants découvriront les animaux de la ferme. Salon de jardin, kitchenette, barque et vélos à disposition.

La Paillote : pl. du Dauphin, 85200 ***Fontenay-le-Comte.*** ☎ 02-51-51-00-18. Ouvert le midi du lundi au mercredi, midi et soir les jeudi et vendredi, et le soir uniquement le samedi. Formule « repas dans une assiette » de 8 à 9 € à midi du lundi au vendredi ; menu-enfants autour de 6 €. La formule est copieuse, comprenant entrée, viande chaude et sa pomme au four, fromage et dessert, le tout dans la même assiette. Grillades, salades... très frais. Sur une place ombragée très calme, un îlot d'exotisme. Ici, le choix du mobilier et du décor est franchement ensoleillé. Les employés du quartier et autres habitués s'y retrouvent en petits groupes au déjeuner. La formule et l'ambiance sont vraiment sympas.

Crêperie Le Pommier : 9, rue des Gélinières, 85200 ***Pissotte.*** ☎ 02-51-69-08-06. Au nord de Fontenay-le-Comte par la D 938. Fermé le lundi et la 2e quinzaine de septembre. Crêpes de 4 à 6 € environ. À midi et en semaine, menu à 7,40 €, sinon menus à 9 et 11 €. À côté d'un vieux cellier à vin et des fiefs vendéens, protégée par une glycine et une vigne vierge, cette vieille maison aux volets verts, avec son jardin et sa véranda, dégage une sensation de sérénité. On est bien ici ! Les crêpes sont généreusement garnies. « Blanchette » (bacon, fromage de chèvre, crème fraîche et salade), « Syracuse » (magret fumé, pommes poêlées et crème au jus d'orange), que l'on déguste avec le vin rosé de Xavier, le frangin vigneron. Apéritif maison offert à nos lecteurs sur présentation du *Guide du routard.*

COULON

Coulon est magnifique et magique. Peupliers, frênes têtards, lentilles, vaches dans les prés... tout est réuni pour la photo. On peut également découvrir ici l'habitat maraîchin traditionnel. Sobres, tout en harmonie et en subtilité, les maisons se rassemblent sur les plus hautes levées pour éviter les inondations. Elles sont basses, allongées, avec des murs blanchis à la chaux et des volets peints de couleurs vives. Et une barque attend devant chaque maison.

■ ***Location de vélos :*** *La Libellule.* ☎ 05-49-35-83-42.

■ ***Le Pibalou :*** 6, rue de l'Église (à côté de l'église, logique). ☎ 05-49-35-02-29. Fax : 05-49-35-83-11. Tarifs : 9 € ; 7 € enfants. Un parcours de 1 h 15 dans un petit train vert pour visiter le Marais sans se fatiguer. Mais vous nous direz, le pibalou, c'est quoi ? Eh bien, ça vient de « pibale », le petit de l'anguille, tout simplement ! Possibilité de formule « Journée Venise Verte » avec barque + petit train + maison des Marais mouillés. Réservation conseillée.

La maison des Marais mouillés : pl. de la Coutume, 79510 ***Coulon.*** ☎ 05-49-35-81-04. • www.ville-coulon.fr • ♿ Ouvert en juillet et août tous les jours de 10 h à 20 h ; en juin et pendant les vacances scolaires, tous les jours de 10 h à 12 h et de 14 h à 19 h ; en mai et septembre, le week-end de 10 h à 13 h et de 14 h à 19 h ; de février à novembre, ouvert de 10 h à 12 h et de 14 h à 19 h. Fermé le lundi en mars et novembre hors vacances scolaires. Entrée à tarif spécial pour nos lecteurs sur présentation du guide : 4 € (au lieu de 5 €) ; enfants : 2,20 €.

Écomusée installé dans la maison de la Coutume (XIVe-XVIIe siècle) où logeaient les percepteurs d'un droit coutumier prélevé sur les marchandises qui remontaient la Sèvre niortaise. Muséographie originale réalisée par le parc interrégional du Marais poitevin. Panorama exhaustif des activités humaines dans le Marais : exploitation du peuplier, culture de la mojhette, pêche à l'anguille, batellerie, etc. À l'arrière de la maison, pigeonnier et grande fenêtre Renaissance ; sous l'entablement, bouffon, feuilles de chardon et bélier sculptés, qui seraient des symboles alchimistes.

– ***Le maraiscope :*** vaste maquette animée avec 3 écrans d'images pour mieux comprendre la conquête humaine du Marais.

– Reconstitution de l'intérieur d'une *maison maraîchine* de la fin du XIXe siècle.

➢ ***Balades découvertes pour tous :*** en juillet et en août, les guides vous emmènent de sentiers en chemins d'eau à la découverte des particularités du Marais : histoire, habitat traditionnel, hydraulique, faune et flore...

L'aquarium : pl. de l'Église. ☎ 05-49-35-90-31. Sur la place de l'Église, c'est le magasin de souvenirs du milieu ! Ouvert du 1er avril au 31 octobre tous les jours de 9 h à 19 h ; le reste de l'année, sur réservation. Entrée : 2,75 € ; enfants : 1,55 €.
Mini-parcours avec des poissons d'eau douce (tanches, perches) dans des aquariums alimentés en eau du Marais par un puits. Difficile de rater les silures, leurs 40 kg, leur mètre de longueur et leur mine particulièrement patibulaire. Il se raconte ici qu'un de leurs congénères (qui peuvent peser jusqu'à 200 kg) a avalé tout cru un caniche qui faisait trempette dans une conche ! Vidéo-projection sur la faune et la flore du Marais.

Où dormir ? Où manger ?

Camping La Venise Verte : 178, route des Bords-de-Sèvre, 79510 **Coulon.** ☎ 05-49-35-90-36. Fax : 05-49-35-84-69. • www.camping-laveniseverte.com • En sortie de ville, direction Irleau. Ouvert du 1er avril à début novembre. Compter 13,50 € pour deux en basse saison, et 16,50 € en haute saison. Possibilité de se restaurer (snack, restaurant). Ambiance familiale sur les bords de Sèvre, à deux pas de la célèbre maison aux volets bleus. Très bien équipé et propre, avec une piscine et de nombreuses activités pour les enfants. Location de chalets possible.

Hôtel-restaurant Le Central : 4, rue d'Autremont, 79510 **Coulon.** ☎ 05-49-35-90-20. Fax : 05-49-35-81-07. Face à l'église. Fermé les dimanche soir et lundi, ainsi que de mi-janvier à mi-février et de fin septembre à mi-octobre. Quelques chambres confortables à 40 et 42 € ; possibilité d'ajouter un lit supplémentaire (et un seul) pour 30 % de plus. 1er menu à 16 € sauf les dimanche et jours fériés ; autres menus de 21,50 à 32,50 € ; menu-enfants à 8 €. La table incontournable du Marais, à tous points de vue : sérieux, poli, bon et soigné. Ça sent bon la France éternelle sur les murs et dans l'assiette : fricassée d'anguilles, agneau du Poitou et ses *mojhettes,* crème brûlée à l'angélique. 10 % de réduction sur les chambres aux lecteurs du *Guide du routard.*

La Pigouille : 52, quai Louis-Tardy, 79150 **Coulon.** ☎ 05-49-35-80-99. Sur le chemin de halage. Menu du jour à 10,80 €, autres menus à 13,95, 19,30 et 23,90 € ; menu-enfants : 7,70 €. Dans une très jolie salle rustique, une bonne cuisine locale. En terrasse, on mange face à la Sèvre, on y rencontre des habitués qui peut-être vous parleront de leur Marais. À noter que la *pigouille* est une perche qui sert à faire avancer la barque plate dans les conches. D'ailleurs, ce resto a son propre embarcadère. Location de barques avec ou sans guide. Café offert sur présentation de ce guide.

MAILLEZAIS

La véritable capitale du Marais : calme et repos absolus !

La maison de la Meunerie : 85240 **Nieul-sur-l'Autize.** ☎ 02-51-52-47-43. À 10 km de Maillezais par la D 15. Ouvert de juin à septembre tous les jours de 10 h 30 à 12 h 30 et de 14 h à 19 h ; pendant les vacances de Pâques et de la Toussaint, ainsi que le week-end en mai de 15 h à 18 h.
Un des derniers moulins à eau en état de fonctionner avec sa roue à aubes. Autrefois, on lui avait adjoint deux moulins à vent pour pallier le manque d'eau ; ils ont été remplacés par un moteur Diesel dans les années 1920. Le meunier vivait avec sa femme dans deux pièces qui ont été reconstituées. Pour continuer dans la modernité, les visites sont « autoguidées » ! Lumière

et son s'allument sur notre passage. On n'arrête pas le progrès ! Pour la joie des enfants, ils ont la possibilité, s'ils sont au moins 10, de faire le pain et de le cuire eux-mêmes dans le four à bois. Une belle initiation !

Où dormir ? Où manger ?

Le Censif, chez Gabriel Robin : 85420 **_Maillezais._** ☎ et fax : 02-51-00-71-50. ♿ Prendre la rue du Champ-de-Foire (celle qui passe devant l'église) et continuer tout droit pendant 2 mn ; tourner à gauche juste avant la coopérative agricole (deux bâtiments, l'un d'eux ressemble à un silo à grains postmoderne), puis prendre la 1re à droite ; vous êtes arrivé ! Ouvert toute l'année. De 32 à 40 € la nuit pour deux, petit dej' avec lait de vache de la ferme compris ; compter 58 € pour 4 personnes. Gabriel Robin, propriétaire des lieux, est un amoureux du Marais et il vous en parlera avec passion. *Le Censif* est une grande et belle ferme toute simple. Une chambre pour 2 ou 4 personnes, de plain-pied, est accessible aux handicapés. Au 1er étage, deux chambres plus petites (et moins chères). Enfin, il est possible de loger toute une famille, ou plusieurs amis, dans la dernière chambre dotée d'une mezzanine avec 4 lits et équipée d'une kitchenette. Ça sent bon la campagne ! Adresse idéale pour passer quelques jours. Apéritif ou digestif offert à nos lecteurs.

L'Écurie du Marais : Sainte-Christine, 85490 **_Benet._** ☎ et fax : 02-51-52-98-38. • www.ecuriedumarais.com • À quelques kilomètres à l'ouest de Maillezais. Dans le bourg de Sainte-Christine, prendre le chemin en face de l'église (bien indiqué). Ouvert toute l'année. Dans un grand domaine ombragé, dirigé par son dynamique propriétaire Pascal Ménard, on peut camper, louer un gîte de 20 personnes ou une caravane, dormir en chambres d'hôte de 2 à 4 personnes en saison (compter 60 €, pour quatre, petit dej' compris). Table d'hôte sur demande le soir : 17 € ; 11 € pour les enfants. Nombreuses activités : randonnées équestres, pédestres ou à VTT, balades en barque, en roulotte ou en calèche, pêche, tennis, piscine. Un lieu convivial et sportif très routard.

POITOU-CHARENTES

DAMVIX

Les bords de la Sèvre offrent de beaux points de vue sur une longue suite de maisons blanches, dans un charmant décor coloré. Le village a longtemps vécu de la pêche de poissons d'eau douce. De cette époque ne reste que le petit port. Comme beaucoup de villes dans les environs, Damvix vit surtout en été, au rythme des vacanciers qui viennent et repartent. Aussi, dès que l'hiver pointe le bout de son nez, tous les restaurants et cafés ferment leurs portes. Dommage mais compréhensible, la nature regagne ce qu'elle avait perdu en été !

■ **_Location de barques et canoës :_** *Aria Loisirs,* au port, 85420 **_Damvix._** ☎ 02-51-87-14-00.

■ **_Embarcadère des Conches :_** au port, 85420 **_Damvix._** ☎ 02-51-87-12-01. Ouvert du 1er avril au 15 septembre.

Où dormir ? Où manger ?

Camping Les Conches : 85420 **_Damvix._** ☎ 02-51-87-17-06. Ouvert du 1er juin au 15 septembre. Oubliez le village de vacances qui se trouve derrière et appréciez ce vaste camping. Piscine, rivière. Petit paradis du campeur.

I●I ***Crêperie-pizzeria La Récré :*** chemin du Halage, 85420 ***Damvix.*** ☎ 02-51-87-10-11. Dans l'ancienne école, juste au bord de la Sèvre niortaise. Quitter la rue principale en face de l'église, et tourner à gauche. Fermé de novembre à mars. Compter 7 € à la carte. Tenu par un couple aimable et discret. Dans la cour fleurie ou à l'intérieur, on mange des pizzas copieuses et originales, comme celle aux *mohjettes,* ou la terrine de ragondin... Une adresse routarde prisée par les randonneurs. Petit musée sur la pêche dans le Marais. Apéritif maison offert aux lecteurs sur présentation de ce guide.

➤ DANS LES ENVIRONS

★★ ***Le Zoorama européen de la forêt de Chizé :*** au sud-ouest de Niort par la N 150, au lieu-dit Virollet (fléché à partir de Beauvoir-sur-Niort ou de Chizé). ☎ 05-49-77-17-17. De mai à août, ouvert de 9 h à 19 h ; hors saison, ouvert de 13 h à 18 h et fermé le mardi. Fermé en décembre et janvier. Entrée : 7,50 € ; enfants de 4 à 12 ans : 3,50 € ; réductions sur présentation du *Guide du routard.* Visite en calèche possible en été. Des travaux d'agrandissement sont en cours cette année : les nouveaux bâtiments d'accueil devraient être achevés en juillet. Suivra ensuite l'ouverture d'une partie pédagogique et de nouveaux pavillons.

Au cœur de la forêt, environ 600 animaux en semi-liberté sur 25 ha. Un panorama quasi exhaustif de la faune européenne : reptiles, mammifères sauvages (loup, lynx, castor, bison d'Europe...) ou domestiques (le baudet du Poitou, l'« âne rasta » !) et même des espèces reconstituées, comme l'auroch, disparu depuis le XVIIe siècle. Tout est fait pour faciliter l'observation des bestioles : terriers vitrés, fosses de vision, sentiers de visite qui traversent les vastes enclos des grands mammifères (daims, chevreuils...), plaques explicatives, etc. Si les noirs moutons d'Ouessant se laissent presque caresser, il faudra vous armer de jumelles (fournies à l'entrée) pour apercevoir, par exemple, le discret cerf sika. Armez-vous également de... patience pour attendre qu'une loutre daigne sortir de son terrier. Un spectacle tout simplement étonnant. Sûrement l'unique occasion (malheureusement) que vous aurez de voir évoluer cet animal emblématique du Marais poitevin.

➢ Du parking du Zoorama partent trois ***sentiers botaniques*** de découverte de la futaie, paysage typique de la forêt de Chizé, balisés avec panneaux explicatifs.

Où manger ?

I●I ***Auberge de l'Écu d'Or :*** pl. du Château, 79170 ***Chizé.*** ☎ 05-49-76-74-06. Au centre du village. Menus de 10 à 18 € ; menu-enfants : 5,50 €. Seule adresse en ville, on ne parle pas ici d'une grande table mais d'un café-resto convivial, rapide et pas cher. La cuisine est sans prétention. Chacun a ses habitudes, et on se sert copieusement au buffet, à la bonne franquette. Y'a d'la vie, et les nouvelles du coin comme les bonnes blagues fusent d'une table à l'autre, dans un cadre boisé entre la cheminée, le bar et le baby-foot. Efficace et aimable, le service rapide vous proposera de grandes salades, de la charcuterie locale et le traditionnel steak-haricots verts (ça vous changera un peu des frites, hein les enfants ?). En dessert, demandez le pain perdu fait maison.

Les mines d'argent des Rois francs : 79500 ***Melle.*** ☎ 05-49-29-19-54. Entre Niort et Civray, à 30 km au sud-est de Poitiers. Les mines sont en contrebas de la ville (fléché). De juin à septembre, ouvert tous les jours de 10 h à 12 h et de 14 h à 19 h 30 ; du 1er octobre au 15 novembre et du 1er mars au 31 mai, uniquement les week-ends et jours fériés, de 14 h 30 à 18 h 30. Fermé du 15 novembre au 1er mars. Entrée : 6 € ; enfants de 6 à 15 ans : 3,50 €.
Visite passionnante. Ne rêvez pas : ces mines fournissaient en fait de la galène argentifère, qui contient beaucoup plus de plomb que d'argent. Connues dès l'époque romaine, elles sont les plus anciennes de France, sinon d'Europe. Au VIIe siècle, Melle payait déjà un impôt en plomb pour aider à la construction de la basilique Saint-Denis à Paris. L'atelier fonctionnera jusqu'en l'an mil.
Sur la trentaine de kilomètres de galeries creusées par l'homme, 350 m se visitent aujourd'hui. Un parcours mis en scène : un éclairagiste de théâtre a dirigé ses projecteurs sur les géodes où se cristallise la galène, sur les cheminées d'aération et sur les traces d'oxydation de la roche, et un artiste danois s'est essayé à recréer l'univers sonore de la mine : bruissements d'ailes de chauves-souris, tintements métalliques des pioches.
À la sortie des galeries : deux fours, reconstitués à partir de documents anciens, pour transformer et réduire le plomb et, par coupellation (technique chère aux alchimistes), en extraire l'argent. Les enfants pourront, avec un peu de chance, repartir avec une pièce (en plomb, encore une fois, ne rêvez pas !) frappée sous leurs yeux.

Où dormir ? Où manger ?

Auberge de l'Hostellerie de l'Abbaye : 1, pl. des Époux-Laurant, 79370 ***Celles-sur-Belle.*** ☎ 05-49-32-93-32. Fax : 05-49-79-72-65. Au nord-ouest de Melle par la D 948. L'auberge se trouve dans le centre-ville, face à l'église. Fermé le dimanche soir, le vendredi soir en hiver, ainsi que de mi-février à début mars. Chambres de 39 à 55 € pour 2, 3 ou 4 personnes. Menus à 12 € hors week-end et à partir de 18 € ; compter environ 32 € à la carte ; menu-enfants autour de 9 €. Pour nous, l'une des meilleures surprises et l'une des meilleures tables du bon pays mellois ! Peu de chose à relever si ce n'est que le rapport qualité-prix y est excellent, que le service est dévoué (presque trop) et que le cadre, avec sa petite terrasse au calme, est savoureux. Du patio, avec la vue sur les cuisines, vous pourrez même suivre d'un œil la préparation de votre plat. Dans l'assiette, c'est élégant, original, plein de saveurs tout en restant traditionnel : craquant de mignon de veau, dos de bar et son manteau de courgette au colombo... Délicieux cocktails pour les amateurs et belle carte de vins. Côté chambre, c'est propre, chaleureux et raffiné, à l'image du restaurant et de la souriante patronne. Indispensable de réserver.

Le musée de Rauranum-espace Archéoludix : pl. de l'Église, 79120 ***Rom.*** ☎ 05-49-27-26-98. • www.mellecom.fr/musee.rom • Au nord-est de Melle, par la D 14. Du 19 février au 2 avril et de mi-septembre à fin novembre, ouvert les mercredi, samedi et dimanche, de 14 h à 18 h. Du 3 avril à mi-juin, tous les jours de 14 h à 18 h sauf les jeudi et vendredi. Et de mi-juin à mi-septembre, tous les jours de 10 h à 13 h et de 14 h à 19 h. Entrée : 3,20 € (visite du musée) ; 3 € enfants (musée + fouilles) ; demi-tarif sur présentation du *Guide du routard.*
Dans ce mignon petit village vit ce musée animé par des étudiants archéologues de l'université de Poitiers. Sa particularité : savoir s'adresser aux enfants. Pédagogique, ludique avec des jeux de piste, des vitrines à la hau-

teur des petits et des bacs pour apprendre à « fouiller », ce musée a retenu toute notre attention. Même les plus grands y apprendront beaucoup. Résultat des découvertes faites sur le chantier archéologique en bordure du village, l'équipe s'est installée dans l'ancien presbytère pour y développer le projet. On découvre donc l'agglomération gallo-romaine (ce qu'il en reste) de *Rauranum,* édifiée sur la voie romaine impériale reliant Poitiers *(Limonum)* à Saintes *(Mediolanum Santonum),* en compagnie de gentils animateurs, expliquée sur les écriteaux par le personnage coqueluche du musée, un sympathique cheval dont on a trouvé la silhouette sur l'une des pièces majeures du musée. À vos pelles en plastique, la fouille continue...

Le jardin des Agneaux : 79340 **Vasles.** ☎ 05-49-69-12-12. • moutonvillage@district-partenay.fr • ♿ Au nord-est de Niort. Du 1er juin à début septembre, ouvert tous les jours de 10 h à 19 h; en avril, mai et de début septembre à mi-novembre, ouvert les mardi, samedi, dimanche, jours fériés et vacances scolaires de 10 h à 18 h. Entrée : 9 €; enfants de 4 à 16 ans : 5 €; forfait famille pour les parents et leurs enfants de moins de 16 ans : 25 €. Ce parc paysager de 7 ha présente 23 races de moutons venus du monde entier. Le mouton vendéen, bien sûr, celui que vous avez salué dans les champs en venant à Vasles, apparut dans le Poitou dès le Xe siècle. On trouve aussi le mouton de Soay, espèce née il y a 9000 ans en Irak et émigrée en Écosse, le Borde Leicester, mouton à tête de lapin, le noir mouton d'Ouessant et le rouge de l'Ouest, le Raka de Somalie, le solognote, dont la laine servait à fabriquer les robes de bure des moines... et quelques autres animaux dont on exploite la laine, comme l'alpaga ou la chèvre angora.
Casque à infrarouges sur les oreilles, on va de surprise en surprise, guidé par l'exemplaire histoire que raconte au Petit Nicolas son grand-père ancien berger. Un commentaire, inspiré du « Dessine-moi un mouton » de Saint-Exupéry, vivant, chaleureux et parfois même presque engagé : ou comment un mouton peut permettre d'évoquer un conflit en Somalie... Depuis peu, le site s'est enrichi d'un nouvel aménagement avec le parc inca.
Selon les jours, différentes animations et activités sont proposées, allant du travail du chien de berger à l'atelier de tissage, en passant par le conte... Tous les jours ont lieu des démonstrations de cordage, de filage ou de tissage. Les enfants présents à 17 h ou 17 h 30 pourront même donner le biberon, non pas à leur petit frère ou petite sœur, mais... aux agneaux! Depuis 2002, la bergerie fromagère permet de découvrir la vie quotidienne d'une exploitation ovine et de participer à la fabrication de la tomme, fromage au lait de brebis.

La Vie des Jouets : 6, rue du Château, 79700 **Mauléon.** ☎ 05-49-81-64-12. ♿ (rez-de-chaussée uniquement). De Niort, direction Parthenay, puis Bressuire et Mauléon. Ouvert en juillet et août du lundi au samedi de 10 h à 13 h et de 14 h à 19 h, le dimanche de 14 h 30 à 19 h; pendant les vacances scolaires, tous les jours de 14 h à 18 h; hors saison, les samedi et dimanche de 14 h 30 à 18 h. Entrée : 4 €; enfants : 2,30 €; forfait famille à 12,60 € pour 2 adultes et 2 enfants (ou plus).
D'un cheval-tricycle de 1830 en bois et en fonte à des figurines Starlux des années 1970, une impressionnante collection de jouets (des milliers d'autres en réserve), réunie par deux passionnés : Yvonne et Jean-Luc Beau, collectionneurs depuis plus de 30 ans. Des classiques indémodables (Meccano, Barbie, soldats de plomb) et quelques pièces rares et étonnantes, comme la fameuse vache à traire. En tout, près de 5000 jeux et jouets exposés, dont des manèges... qui fonctionnent! C'est un peu rangé comme dans une chambre d'enfant, et amusant au point que même les TV nationales sont venues jusqu'ici, et on n'en est pas peu fier! Pendant la visite, petits et grands peuvent jouer aux culbutos, à la grenouille et aux autres jeux des années 1920.

Où dormir ? Où manger ?

🏨 🍽 ***Hôtel-restaurant Le Cheval Blanc*** **:** 33, av. du 25-Août, 79140 ***Cerizay.*** ☎ 05-49-80-05-77. Fax : 05-49-80-08-74. ♿ À 14 km au sud de Mauléon par la D 744. En centre-ville sur la route de Saint-Mesmin. Restaurant fermé le dimanche en saison, les samedi et dimanche hors saison ; congés annuels : de mi-décembre à début janvier et la 1re quinzaine de mai. Chambres doubles de 38,20 à 47,30 € ; 7 € en plus par lit supplémentaire. Au restaurant, bons menus de 10,50 à 19,70 € ; menu-enfants à 8,40 €. Des chambres confortables et équipées, au calme, pour celles (presque toutes !) qui s'ouvrent sur un petit jardin moussu (demandez les nos 21 à 26). Au milieu de la vaste salle trône une majestueuse cheminée dans laquelle sont grillés viande et poisson. Un service souriant et efficace vous proposera les spécialités de la maison : pavé d'agneau au thym, des poissons... accompagnés d'une bonne carte de vins. Le verre est bien rempli et même si on aimerait des portions un peu plus copieuses, les pièces de viande sont délicieuses.

LA ROCHELLE

Dans les environs : le chantier de reconstruction de la frégate *Hermione* • Le château de la Guignardière

Résolument tournée vers l'océan et ses ressources, La Rochelle, capitale des anciennes provinces de l'Aunis et de la Saintonge, a toujours su tirer avantageusement parti de sa situation géographique. Rebelle et insoumise, s'appuyant sur une vieille tradition maritime, elle a traversé dignement les hauts et les bas d'une histoire mouvementée, dont elle est sortie plutôt grandie.

👁👁👁 ***L'Aquarium :*** bassin des Grands-Yachts, 17000 ***La Rochelle.*** ☎ 05-46-34-00-00. • www.aquarium-larochelle.com • ♿ Ouvert tous les jours de l'année : d'avril à juin et en septembre de 9 h à 20 h ; en juillet et août de 9 h à 23 h ; d'octobre à mars de 10 h à 20 h. Entrée à tarif réduit pour nos lecteurs sur présentation du *Guide du routard* : 9,50 € (au lieu de 11 €) ; moins de 18 ans : 6,50 € (au lieu de 8 €) ; supplément de 3,50 € pour un audioguide. Durée : 2 h 30 minimum.
Visite absolument passionnante. « Rêver et comprendre la mer », telle est la vocation de cette installation moderne et de qualité. Et quelle installation ! Ce fameux aquarium de la Rochelle, auparavant situé aux Minimes, a rouvert ses portes dans un site bien plus spacieux que le précédent (6 fois plus grand !). Abordez votre visite comme un voyage – initiatique ou ludique –, à vous de voir ! Parcourez les océans et les mers grâce aux 65 bassins, laissez-vous envoûter par la serre tropicale, pénétrez dans le ballet des méduses, jouez à cache-cache avec les poissons, soyez fort à côté des barracudas et carangues, découvrez les paysages coralliens des océans tropicaux, n'ayez pas peur de faire votre 1re plongée nocturne ou de tenter, à la dérobée, de croiser le regard fixe et glacial des requins et vous pourrez alors, sur le pont supérieur de l'Aquarium, prendre votre café, votre thé ou autre en ayant l'océan pour horizon et repartir en vous offrant quelques souvenirs pour ne pas oublier le chant des baleines ou pour porter les couleurs de la mer. En juillet et août, les visites nocturnes sont magiques.

Le musée des Automates : rue de la Désirée, 17000 ***La Rochelle.*** ☎ 05-46-41-68-08. Ouvert tous les jours de l'année, de 10 h à 12 h et de 14 h à 18 h (de 9 h 30 à 19 h en juillet et août). Entrée : 6,50 €; enfants de 3 à 10 ans : 4 €.
L'origine des automates remonterait à la nuit des temps, c'est-à-dire à l'époque pharaonique, où les princes de Thèbes mettaient en scène, pour leurs cérémonies religieuses, des personnages animés... Depuis, les mécanismes se sont perfectionnés et ont donné naissance à des personnages presque réels. Les plus anciens qui nous soient parvenus en parfait état datent du tout début du XXe siècle. Le musée en propose un bel échantillon, parmi lesquels nous avons apprécié : les *Clowns mains à mains,* le *Noir à la montre,* l'*Homme-sandwich,* le *Café noir* ou encore le *Joueur de vielle.* La production contemporaine n'est pas moins riche : le *Chinois joueur de bonneteau* ou la série de personnages historiques (Jeanne d'Albret, Henri IV, Coligny...) sont des modèles admirables, à la gestuelle fluide.
Une 2e partie du musée présente une reconstitution d'un quartier de Montmartre au début du XXe siècle... Tout y est, même le métro donnant accès à la place Montmartre, ses rues pavées, ses boutiques, ses automates publicitaires pour l'émerveillement des petits et des grands!

Le musée des Modèles réduits : à côté du musée des Automates. Mêmes coordonnées et mêmes horaires. Entrée (comprenant l'entrée avec le musée des Automates) : 10 €; enfants de 3 à 10 ans : 5,50 €.
Le musée présente une collection de belles maquettes de voitures et de camions. Il relate ensuite l'histoire des grandes découvertes maritimes, pour aboutir à une bataille navale reconstituée sur plan d'eau. Vous terminerez la visite en rêvant devant plusieurs circuits ferroviaires présentant des locomotives en tout genre. Une fois à l'extérieur, ne partez pas sans prendre le train qui ceinture le bâtiment!

Le Musée maritime Neptunéa : pl. Bernard-Moitessier, 17000 ***La Rochelle.*** ☎ 05-46-28-03-00. • www.museemaritimelarochelle.fr • Ouvert du 8 février au 11 novembre et pendant les vacances scolaires de Noël. Entrée : 7,60 €; enfants de 4 à 16 ans : 5,30 €; réduction accordée à nos lecteurs sur présentation de ce guide.
À proximité du vieux port de La Rochelle, ce musée à flot et à terre invite à la promenade sur ses quais, à la découverte de ses espaces d'exposition dans l'ancienne halle à marée de La Rochelle et à la visite à bord de ses deux bateaux à flot : la frégate météorologique *France 1* et un chalutier de 38 m, l'*Angoumois.* On peut rêver aussi devant le célèbre *Joshua,* avec lequel Bernard Moitessier effectua le premier et plus long voyage en solitaire. Une exposition permanente retrace l'histoire des techniques et des métiers de la pêche rochelaise.
Les enfants sont accueillis par les animateurs du musée qui leur remettent un livret de 12 pages avec des jeux, des exercices d'observation, etc. Et là, toute la famille s'y met pour décrypter le message secret écrit avec le code des pavillons, tracer les bons caps, repérer ce qu'est un roof ou un foc... pour terminer devant le Bosco qui a une surprise pour eux : un diplôme de capitaine à leur nom!
Cap sur le *France 1,* où l'on peut parcourir les coursives, tenir la barre à la passerelle, descendre dans la salle des machines et même y déjeuner sur le pont (d'avril à septembre). Les moussaillons font ensuite « route pêche » à bord du chalutier *l'Angoumois*; ils y découvrent la cale où l'on entreposait les poissons, la cambuse, les cabines de l'équipage, le carré des marins...
Mais il faut mettre un pied à terre pour assister à l'animation autour du bassin ventilé : pour cette 1re leçon de navigation, on apprend à nommer les différentes parties d'un voilier, à se familiariser avec le vocabulaire de base de la navigation et à régler ses voiles par rapport à la direction du vent. Pour terminer, petits et grands sont invités à passer dans le tunnel du vent pour

affronter une tempête de force 9 sur l'échelle de Beaufort! Toutes ces animations ont lieu tous les jours à des heures bien précises.
Pour clore la visite, belle librairie et boutique.

Le musée du Nouveau Monde : 10, rue Fleuriau, 17000 *La Rochelle.* ☎ 05-46-41-46-50. Ouvert du lundi au samedi (sauf le mardi) de 10 h 30 à 12 h 30 et de 13 h 30 à 18 h; le dimanche à partir de 15 h. Comptez 1 h 30 pour une visite complète du musée. Entrée : 3,50 €; réductions enfants. Visites guidées (très intéressantes) sur demande et fiches spéciales pour les enfants, selon les âges.
Un musée passionnant, situé dans un magnifique hôtel particulier datant de la seconde moitié du XVIIIe siècle, ayant appartenu aux Fleuriau, une riche famille d'armateurs rochelais. Il retrace principalement l'histoire des relations entre la France et le Nouveau Monde et s'organise autour de 3 grands thèmes : le commerce avec le Nouveau Monde, l'évocation du quotidien d'une famille d'armateurs rochelais (en l'occurrence, les Fleuriau) et l'esclavage avec l'apogée du commerce triangulaire.

Où dormir? Où manger?

Hôtel Henri IV : 31, rue des Gentilshommes (pl. de la Caille), 17000 *La Rochelle.* ☎ 05-46-41-25-79. Fax : 05-46-41-78-64. • henriIV@wanadoo.fr • En plein centre ancien, à deux pas de l'hôtel de ville et du port. Compter 34 à 37 € pour une chambre double avec lavabo, 42 à 58 € avec douche; quelques chambres pour 3 ou 4 personnes autour de 60 €. Le quartier est piéton mais, comme un peu partout dans le centre, parfois un peu bruyant. L'hôtel occupe une maison du XVIe siècle qui fait presque tout un pâté de maisons. Un dédale labyrinthique de couloirs mène à des chambres simples mais bien entretenues, encore gentiment tarifées pour la ville. Certaines sous les toits offrent une petite vue sur l'océan. Dans sa catégorie, un bon rapport qualité-prix. Gentil accueil.

Hôtel La Marine : 30, quai Duperré, 17000 *La Rochelle.* ☎ 05-46-50-51-63. Fax : 05-46-44-02-69. • hotel.marine@wanadoo.fr • Face au vieux port. Réception au 1er étage. Ouvert toute l'année. Chambres doubles avec douche de 43 à 55 € en basse saison, et de 53 à 66 € en haute saison (selon la vue, sur cour ou sur le port); chambres de 3 à 5 personnes de 54 à 82 €. On aurait pu passer sans remarquer l'entrée de cet hôtel coincé entre deux de ces terrasses qui inondent le vieux port. Pourtant, ce tout petit établissement (13 chambres seulement) mérite qu'on s'y arrête. Et les chambres, pimpantes, incitent même au séjour. Certaines offrent une jolie vue sur le vieux port (les nos 1, 6 et 9, mais ça se paie, la vue!) et l'océan au loin, mais le double vitrage ne peut, hélas, filtrer tous les bruits de ce quai très fréquenté le soir. Accueil tout sourire.

Crêperie Ker Johen : pl. du Maréchal-Foch, 17000 *La Rochelle.* ☎ 05-46-41-50-15. Fermé le samedi midi et le dimanche midi. Menu autour de 8 € le midi; galette complète à un peu plus de 5 €. Ici, crêpes et galettes sont faites à la commande et rudement bonnes. Idéal pour petites faims et petits budgets. Minuscule terrasse.

Teatro Bettini Accademia : 1, rue Thiers, 17000 *La Rochelle.* ☎ 05-46-41-07-03. Fermé les dimanche et lundi, une semaine en septembre et deux semaines entre Noël et début janvier. Menu à 12 €; menu-enfants. Vous allez nous dire : « On n'est pas venu à La Rochelle pour faire manger des pizzas aux enfants... » Oui, mais quand les pizzas sont faites dans les règles de l'art, on aurait tort de s'en priver! Au programme également : *pasta* et autres spécialités italiennes (comme l'escalope *corrado*). Apéro maison offert à nos amis lecteurs.

Le Boute-en-Train : 7, rue des Bonnes-Femmes, 17000 *La Rochelle.* ☎ 05-46-41-73-74. Fermé les dimanche et lundi; congés annuels la 1re quinzaine de septembre et de Noël au Jour de l'an. Les prix varient en fonction des produits utilisés mais la cocotte du jour, à midi, tourne autour de 7,50 € et les spécialités maison autour de 12 €; formule à 20 €; compter environ 24 € pour un repas. Le décor, façon bistrot et dans les tons bleus, est coquet comme tout. Aux murs, vous remarquerez les dessins d'enfants. Alors, à vos crayons! En plus, ils sont à la disposition des bambins. En voilà une bonne idée! La cuisine, quant à elle, est traditionnellement simple et familiale. Café offert sur présentation du *Guide du routard.*

|●| ***Ernest Le Glacier :*** rue du Port, 17000 ***La Rochelle.*** ☎ 05-46-50-55-60. Pour les gourmands insatiables, c'est le rendez-vous incontournable de La Rochelle. Les cornets sont maison, les crèmes glacées et sorbets aussi, et... vous nous direz des nouvelles des superbes parfums que vous dégusterez ici (basilic, vous aviez déjà essayé, avant?).

➤ DANS LES ENVIRONS

Le chantier de reconstruction de la frégate Hermione : 17300 ***Rochefort.*** ☎ 05-46-87-01-90. Ouvert toute l'année sauf à Noël et le 1er janvier; d'avril à octobre de 9 h à 19 h; de 10 h à 18 h en basse saison. Plusieurs visites guidées par jour. Visite guidée : 6 €; visite libre : 4,60 € (3 et 2 € pour les enfants de 8 à 16 ans). On vous conseille la visite guidée.

Parents savants : *la frégate Hermione*

L'*Hermione,* frégate légère de 45 m de long avec trois mâts, fut construite en 1779 à l'arsenal de Rochefort. C'est à son bord que s'embarqua le 10 mars 1780 Gilbert Motier, marquis de La Fayette, en mission secrète, chargé d'aller annoncer à George Washington, général en chef des indépendantistes, l'envoi de renforts français pour combattre les Anglais. Ils participèrent ainsi à la bataille de Yorktown qui mit fin à la colonisation anglaise. La frégate coula en 1793 au large du Croisic. Entre temps la Révolution avait éclaté en France, et La Fayette, après avoir été député de la noblesse aux États généraux, fut nommé commandant en chef de la Garde nationale.

En 1998, on a entrepris de reconstruire la frégate *Hermione,* celle-là même qu'emprunta La Fayette, longue de 65 m, portant 3 mâts. Cette reconstitution à l'identique du symbole de la liberté, étalée sur 10 ans, permet de relancer de nobles métiers oubliés, comme celui de charpentier de marine. Un beau chantier, très intéressant à visiter en famille. En 2007, l'*Hermione* devrait refaire la traversée de La Fayette jusqu'à Boston.

Où dormir? Où manger?

|●| ***Camping municipal Le Rayonnement :*** av. de la Fosse-aux-Mâts, 17300 ***Rochefort.*** ☎ 05-46-99-14-33. Fax : 05-46-84-30-99. ♿ Ouvert de mars à novembre. Compter 6 € avec une tente à deux; également des mobile homes. Plus de 150 emplacements, dans un cadre bien ombragé. De belles allées de caravanes mais aussi quelques emplacements sympas pour les tentes. Plutôt bien équipé : bar, resto, épicerie, dépôt presse, laverie, aires de jeux pour enfants, etc.

Le château de la Guignardière : route des Sables-d'Olonne, 85440 ***Avrillé.*** ☎ 02-51-22-33-06. Au nord de La Rochelle, près de Jard-sur-Mer. Ouvert de Pâques à mai tous les jours de 12 h à 18 h, de juin à août tous les

jours de 10 h à 19 h, en septembre tous les jours de 11 h à 18 h. Entrée : 8 €; 5 € pour les 5-10 ans.
Après avoir visité le château, les enfants pourront s'essayer dans le grand parc attenant à « l'aventure historique », un jeu de piste avec 15 énigmes à découvrir. On survole ainsi l'histoire de l'humanité. Récompenses offertes si on trouve les bonnes réponses, et comme c'est assez facile...

LE ZOO DE LA PALMYRE

Dans les environs : les Jardins du Monde • Les Antilles de Jonzac • Le château des Énigmes

LE ZOO DE LA PALMYRE

Les Mathes (17570). ☎ 05-46-22-46-06. Renseignements : ☎ 0892-68-18-48 (0,34 €/mn). • www.zoo-palmyre.fr • Direction nord-ouest de Royan par la D 25. Ouvert tous les jours de l'année. De mars à la fin des vacances de la Toussaint, de 9 h à 19 h; de novembre à février, de 9 h à 17 h 30 ou 18 h (interruption de la caisse entre 12 h et 13 h). Entrée : 12 €; enfants de 3 à 12 ans : 8 €. Compter 3 h de visite. Pas de plan disponible à l'entrée, mais le parcours est fléché.

Le plus grand parc zoologique de France par sa superficie (14 ha), et l'un des tout premiers en Europe. Claude Caillé et sa femme l'ont créé en 1966, puis aménagé et peuplé avec passion et sérieux. Comme tous les zoos modernes, celui de la Palmyre participe activement à la protection des espèces menacées et même à la réintroduction de ces dernières dans leur milieu d'origine. En effet – et ce n'est pas toujours le cas, tant s'en faut ! –, ici au moins l'espace et la flore ne manquent pas et les animaux sont chouchoutés. Leurs enclos sont particulièrement bien entretenus, dotés d'aires de jeux parfois assez sophistiquées et d'isolement (les lions bénéficient même d'un décor à l'antique avec fresques et colonnades !). Preuve que les animaux sont heureux, le nombre croissant de naissances chaque année (environ 250). Le parcours est boisé, au milieu des pins et des chênes verts, et vraiment agréable, avec tous ces petits ponts, passerelles et autres plates-formes permettant d'observer les animaux sous différents angles. Les enfants à partir de 8 ans pourront s'instruire en lisant les panneaux signalétiques. Le gorille et le gibbon (à mains blanches), l'orang-outan, le chimpanzé ou le minuscule singe-lion (à la crinière flamboyante comme celle du roi de la jungle) évoluent de branche en branche. Bien sûr, le tigre, l'ours blanc, la girafe, le zèbre, le rhinocéros et l'éléphant sont aussi du spectacle. Enfin, aras, toucans, flamants roses, superbes ibis rouges et autruches animent quelques vastes parcs ou volières, tandis que les reptiles, pythons ou tortues des Seychelles rampent nonchalamment dans un superbe vivarium à la végétation luxuriante... Enfin, des spectacles d'otaries et de perroquets ponctuent la visite.
Bref, un superbe zoo (sans doute le plus complet au niveau des espèces représentées) et une chouette demi-journée en perspective.

Où dormir? Où manger?

Le Palmyrotel : 2, allée des Passereaux, 17570 ***La Palmyre.*** ☎ 05-46-22-65-65. Fax : 05-46-22-44-13. • www.palmyrotel.com • Situé à 500 m du zoo. Fermé de novembre à Pâques. Chambres pour 2 de 48 à 85 €, pour 4 personnes de 65 à 105 €, avec douche ou bains, prix variant suivant la saison. Au resto, un 1er menu à 21 € est servi tous les jours, puis menu à 28 €. Un menu pour les bambins à 10 €. L'ensemble offre un bon rapport qualité-prix pour la région. Un grand hôtel (46 chambres) moderne qui évoque un chalet de montagne, à l'orée d'une forêt de pins et du célèbre zoo. Grand jardin. Chambres fonctionnelles, toutes identiques, avec des balcons pour profiter du soleil. Accueil et service très pro, évidemment. Formule club (pour ceux qui aiment) avec soirées dansantes, excursions, etc. Très prisé par les groupes. Réduction de 10 % sur le prix des chambres pour les lecteurs du *Guide du routard* à partir de 2 nuits consécutives (5 % pour 1 nuit) hors juillet et août.

➤ DANS LES ENVIRONS

Les Jardins du Monde : 5, rue des Fleurs-de-la-Paix, 17200 ***Royan.*** ☎ 05-46-38-00-99. À 10 mn à pied du centre-ville. Ouvert en juillet et août tous les jours de 10 h à 20 h; de septembre à juin de 10 h à 18 h (sauf le mardi). Fermé en janvier et février. Entrée : 7 €; enfants de 4 à 12 ans : 5 € (gratuit en dessous). Promenade en bateau : 8 €.
Ouvert depuis l'été 2002, ce parc de plus de 7 ha propose un tour du monde des paysages et des fleurs. En moins de 3 h, on découvre tour à tour la plus grande serre d'orchidées de France, mise en valeur dans une forêt tropicale, un jardin japonais zen et minéral avec cascade et bassin de carpes Koï, un pavillon des bonsaïs (qui semblent en lévitation dans ce brouillard), une forêt inondée à l'image des bayous de Louisiane, un labyrinthe de brumes, un jardin toscan planté de cyprès et d'oliviers, et une maison du marais accueillant un espace pédagogique pour tout savoir sur la faune et la flore des marais. En effet, le parc a été implanté sur l'un des rares marais urbains existants, le marais Pousseau, et son objectif est aussi de sauver ce site naturel exceptionnel, menacé par l'urbanisation.
– Les enfants ne manqueront pas de faire un tour au ***Pavillon des Enfants*** pour y chercher leur carte au trésor, qui les mènera, d'énigme en énigme, vers l'orchidée d'or. Enfin, ils adoreront la promenade sur des petits bateaux électriques qui serpentent à travers le parc et les marais.

Les Antilles de Jonzac : ZAC du Val de Seugne, 17500 ***Jonzac.*** À 50 km au sud-est de Royan. ☎ 0820-825-175. Ouvert théoriquement (horaires susceptibles de changer) pendant les vacances scolaires le lundi de 14 h à 19 h, du mardi au vendredi et le dimanche de 11 h à 19 h, le samedi de 14 h à 22 h; hors vacances scolaires, horaires réduits. Tarifs pour l'accès au lagon : 7,50 €; 5,50 € de 5 à 12 ans (gratuit en dessous).
Ce tout nouveau centre aquatique ludique est un véritable lagon tropical au cœur de la Charente-Maritime! Dans une ambiance exotique, piscine à vagues, cascade, toboggans, plage de sable blond... Également un centre de remise en forme (supplément de 7,50 € par personne) et une serre tropicale surplombant le lagon (supplément de 1,50 €). Restauration possible au bar de la plage.

Le château des Énigmes au château d'Usson : 17800 ***Pons.*** ☎ 05-46-91-09-19. • www.château-enigmes.com • À 1 km au sud de Pons (20 km au sud de Saintes). Ouvert de Pâques à la Toussaint tous les jours de 10 h à 19 h. Entrée : 11 €; enfants de 4 à 12 ans : 9 €.
Le château d'Usson fut bâti en 1536 pendant la Renaissance. Venez découvrir ses 5 siècles d'histoire au travers de jeux sur le thème des corsaires et d'un parcours de 3 h 30 environ. Ne manquez pas l'arboretum, le potager et le verger Renaissance, la basse-cour... Pour vous récompenser d'avoir découvert toutes les énigmes, vous pourrez vous rassasier dans l'un des snacks ou pique-niquer sur l'aire prévue à cet effet.

Où dormir ? Où manger ?

🏨 🍽 ***Hôtel-restaurant de Bordeaux :*** 1, av. Gambetta, 17800 ***Pons.*** ☎ 05-46-91-31-12. Fax : 05-46-91-22-25. • www.hotel-de-bordeaux.com • Fermé le dimanche soir, le lundi et le samedi midi d'octobre à avril. Chambres doubles à 40 € avec douche ou bains ; triples à 48 €. Cinq menus de 15 à 42 € ; menu-enfants à 8 €. L'austère façade annonce une de ces adresses bourgeoises où de bien traditionnels menus endorment pour l'après-midi quelques notables locaux. Mauvaise pioche ! La grande salle est certes classieuse, presque solennelle, le service très « école hôtelière », mais l'accueil est nature et la cuisine... Franchement, le jeune patron, qui, après avoir bourlingué de grande maison en grande maison, a finalement décidé de se fixer dans sa ville natale, nous a épatés. Au déjeuner, essayez seulement le menu du jour qui donne un bon aperçu de ce qu'il peut faire avec quelques produits tout simples, tout frais. Une cuisine de saison, inventive mais pas frimeuse, pleine de jeunesse et de vivacité. De quoi donner envie de revenir le soir, pour dîner dans l'adorable patio bordé de roses trémières et faire honneur à l'un des autres menus. Et à l'hôtel, des chambres d'une charmante sobriété. Les n°s 1, 9, 8 et 17 donnent sur le patio. Une adresse qui a tout d'une « grande », sauf les prix. Un coup de cœur, quoi ! D'octobre à fin mars, 10 % de remise sur le prix des chambres pour nos lecteurs.

LE CENTRE NATIONAL DE LA BANDE DESSINÉE ET DE L'IMAGE À ANGOULÊME

Dans les environs : la chocolaterie Letuffe • Le musée Rêve-auto-jeunesse et véhicules d'époque • Le musée du Papillon • Le musée des Marionnettes

C'est l'échelle humaine de cette ville qui séduit au premier abord : on abandonne immédiatement la voiture pour battre le vieux pavé et mieux se plonger dans ces vieilles ruelles serrées autour de jolies placettes. L'autre charme d'***Angoulême,*** surtout si on la découvre par beau temps, réside dans ses airs méridionaux. La clarté de sa lumière, ses maisons de pierre aux toits de tuile et ses terrasses de café lui donnent ce petit côté italien que Théophile Gautier lui trouvait. Toujours est-il qu'Angoulême est une ville des plus agréables, à l'architecture réussie et au centre souvent animé par une faune plus ou moins branchée et jeune. N'oublions pas que la ville doit sa renommée au papier et à l'un de ses dérivés : la B.D.

LE CENTRE NATIONAL DE LA BANDE DESSINÉE ET DE L'IMAGE À ANGOULÊME

121, rue de Bordeaux, 16000 ***Angoulême.*** ☎ 05-45-38-65-65. • www.cnbdi.fr • ♿ Dans la ville basse, face à la Charente. Ouvert du mardi au vendredi de 10 h à 18 h (19 h en été) et les samedi et dimanche de 14 h à 18 h (19 h en été) ; ouvert également le lundi pendant les vacances d'été. Entrée à tarif réduit pour nos lecteurs sur présentation du guide : 3 € au lieu de 5 € ; enfants de 6 à 14 ans : 2 € ; gratuit pour les moins de 6 ans. Livret-jeu pour les enfants.

Inauguré en 1991, ce musée de la Bande dessinée est installé dans un magnifique bâtiment futuriste de pierre et de verre, construit par le célèbre architecte Roland Castro. Sur le « parvis des stars », inauguré par Moebius, des dalles réservées aux artistes, sur le modèle des empreintes d'Hollywood. Immense, le centre contient (entre autres!) des salles d'expo, une bibliothèque, une librairie, un cybercafé, un cinéma, des ateliers pour enfants et un labo de recherche où des spécialistes du numérique, de la vidéo et du multimédia concoctent les images de l'avenir.

– ***Le musée :*** récemment rénové, le musée se présente désormais sous la forme insolite d'un parcours thématique et poétique intitulé *Les musées imaginaires*. Planches originales, éditions d'albums originaux et objets dérivés sont exposés dans ces différents musées : d'histoire (avec une chronologie de la B.D. francophone de 1830 à 1960), d'histoire naturelle (tout le bestiaire de la B.D. s'est donné rendez-vous ici, de Snoopy à Idéfix) et des Beaux-Arts (qui présente les plus belles planches de la collection). Trois autres musées verront le jour courant 2003 : un musée d'Ethnographie, un musée des Sciences et Techniques ainsi qu'une galerie d'art contemporain. L'entrée de ces musées est matérialisée par d'imposantes façades à la manière des décors de carton-pâte, regroupées autour d'une agora.

– ***Ateliers pour les enfants :*** pour la création, par exemple d'un dessin animé. Tarif : 1,50 € en plus du billet. Réservation impérative.

– ***La bibliothèque :*** au 1er étage. Ouvert à tous. La plus grande collection spécialisée de France! Dépôt légal des B.D. Environ 15000 albums et revues illustrées que l'on peut lire sur place ou emprunter pour chez soi. Un coin canapé a même été installé face à la Charente! Génial, si vous avez du temps. Également, des projections vidéo sur l'histoire de la B.D. et certains auteurs.

– ***La librairie :*** le plus grand choix de B.D. en France (environ 13000 titres), des plus grands aux plus petits auteurs, pour adultes et pour enfants. On y trouve également les publications du musée.

➢ ***Parcours graphique André-Juillard :*** ça y est, Angoulême est marquée jusque dans ses pierres par la B.D. Vous pouvez ainsi vous promener et tomber nez à nez avec un des personnages d'André Juillard, chef de file de la B.D. historique et Grand Prix de la Ville d'Angoulême en 1996.
Pour ne pas les rater, voilà quelques pistes. Rendez-vous aux adresses suivantes, et vous ne serez pas déçu. *OT/SI :* pl. des Halles; 7 bis, rue du Chat. *Galerie M.R. :* 38, rue de Genève; 2, av. de Cognac; pl. du Palet; angle pl. du Palet et rue Audour; angle rue du Point-du-Jour et rue Traversière; angle rue Henri-IV et rue Saint-Étienne; 24, rue des 3-Fours; angle rue des Trois-Notre-Dame et rue des 3-Fours; 13, rue Taillefer et angle rue Taillefer et rue Saint-André; 2, rue de Beaulieu; 5, rue de l'Évêché (dos du musée des Beaux-Arts). *Bureau du FIBD :* 2, pl. de l'Hôtel-de-Ville.

Où dormir? Où manger?

■ |●| ***Auberge de jeunesse :*** île de Bourgines, 16000 ***Angoulême.*** ☎ 05-45-92-45-80. Fax : 05-45-92-27-50. • www.fuaj.org • À pied, de la gare, marcher jusqu'au quartier de l'Houmeau (le vieux port d'Angoulême), puis prendre la passerelle. Eh oui, c'est sur une île! En bus, ligne nos 7 ou 9, arrêt à 200 m de l'auberge. Fermé du 21 décembre au 21 janvier. Nuitée à 11,50 € par personne, petit dej' compris. Demi-pension à 21,15 €. Plat du jour autour de 5 € et menu à 8 €. Une auberge spacieuse, entretenue et personnalisée par une équipe dynamique. Hébergement agréable en dortoirs, les chambres peuvent accueillir jusqu'à 6 personnes, mais il faut réserver bien à l'avance. Certaines ont vue sur la Charente. Une grande terrasse au bord de la rivière avec un vaste réfectoire pour des ambiances familiales, amicales et cosmopolites. Bonne cuisine. Activités abondantes et variées : canoë, kayak, bateau à moteur, VTT, piscine (50 % de réduction avec la carte FUAJ), tennis, etc. Superbe promenade, la *Coulée verte,* à faire le long de la Charente, et au bout, un plan d'eau ouvert aux baignades. Apéritif offert à nos lecteurs sur présentation du *Guide du routard.*

Hôtel-restaurant Gasté : 381, route de Bordeaux, 16000 **Angoulême.** ☎ 05-45-91-89-98. Fax : 05-45-25-24-67. • www.hotelgaste.ifrance.com • À 3 km du centre. Fermé les samedi et dimanche, et tous les soirs. Congés annuels : en août et à Noël. Doubles à 28 € avec douche, w.-c. et TV ; ajouter 7 € pour un lit supplémentaire ; chambres familiales pour 4 personnes à 40 €. Menu à 12 €. Pas de menu-enfants à proprement parler, mais ici on s'adapte à tous les âges et à toutes les faims. Adresse discrète et pas ruineuse en bord de route (mais calme), connue pour son accueil. Les chambres, simples et propres, ont été rénovées. Resto moyen mais pas trop cher. Agréable terrasse. Parking payant.

Chez Paul : 8, pl. Francis-Louvel, 16000 **Angoulême.** ☎ 05-45-90-04-61. Face au palais de justice. Ouvert tous les jours ; service de midi à minuit. Menus à 10 € le midi en semaine, puis à 20 €. Grande salle cosy, tout en longueur, et à la déco franchement réussie pour les jours un peu frais ; véranda *Fifties* pour un timide printemps, et, pour les beaux jours, terrasse donnant sur la place, ou (mieux encore !) au fond, un petit jardin traversé par un ruisseau murmurant. Petits plats bien tournés. Service jeune, sympa et efficace.

Restaurant La Cité : 28, rue Saint-Roch, 16000 **Angoulême.** ☎ 05-45-92-42-69. À côté du cinéma. Fermé les dimanche et lundi. Congés annuels : pendant les vacances de février et les 3 premières semaines d'août. Ouvert de 12 h à 13 h 30 et de 19 h 30 à 22 h. Menus à 12 € à midi en semaine, puis à 15,50, 19 et 25 €. Pas de menu-enfants mais la patronne, souriante et efficace, propose des plats légers. Les tables sont propres et bien mises, et les spécialités de poisson et de fruits de mer d'une fraîcheur indiscutable. Bref, un petit restaurant de famille comme on les aime. Également des viandes à la carte. Café offert à nos lecteurs.

➤ DANS LES ENVIRONS

La chocolaterie Letuffe : dans le bourg de **Trois-Palis,** à l'ouest d'Angoulême par la N 10, direction Bordeaux (fléché). ☎ 05-45-91-05-21. Ouvert du lundi au vendredi de 9 h à 18 h et les week-ends et jours fériés de 14 h à 18 h. Visite guidée (gratuite) : 1 h. Fondée en 1873, cette fabrique artisanale est la plus réputée de Charente.

On y prépare mille et une gourmandises : truffandines charentaises (truffes à tous les parfums), guinettes (cerises au cognac), duchesses (nougatines pralinées), marguerites d'Angoulême (chocolat à l'orange) et toutes sortes de pâtes de fruits, caramels tendres, nougats charentais, marrons glacés et autres pruneaux enrobés. On vous propose des dégustations dès votre arrivée. Slurp alors !

Le charmant personnel vous donne toutes les recettes en vous faisant visiter les installations : le « laboratoire », les ateliers et la cuisine avec ses vieux chaudrons, ses cylindres, ses nappes en cuir (pour conserver la chaleur) et ses petits moules aux formes les plus amusantes : crevettes, abeilles, etc. Ensuite, une projection vidéo d'environ 30 mn.

Dans la boutique, produits maison mais aussi régionaux (pineau, cognac, etc.) et plein de bonbons et de cadeaux rigolos pour les enfants. Ateliers chocolat ou sucre : renseignements à l'office de tourisme d'Angoulême.

Le musée Rêve-auto-jeunesse et véhicules d'époque : chez Mme Monique Mas, au lieu-dit Chez-Testaud, sur la D 422 à **Mosnac.** ☎ 05-

45-96-02-25. ♿ Ouvert en juillet et août de 14 h à 18 h ; en avril, mai, juin et septembre, de préférence sur rendez-vous. Entrée à tarif réduit pour nos lecteurs sur présentation de ce guide : 4,50 € ; enfants de 6 à 16 ans : 1 €.
La charmante Monique s'est découvert une passion pour les voitures d'enfant après avoir offert des voitures à pédales et à moteur à ses petits-enfants ! Depuis plus de dix ans, elle en a cherché dans toute la France, les a fait restaurer, et les expose maintenant dans ses vieilles granges. Une collection unique en son genre, constituée exclusivement de modèles rares : Baby Bugatti électrique (construite pour le roi du Maroc), Panhard de 1902 tout en bois, très vieille Renault en carton bouilli, Dauphine, Studebaker rose, Jeep américaine de 1960 et toutes les marques sportives : Lotus moteur essence, Ferrari, Talbot, etc. En dehors des voitures : une trottinette Eureka du début du XXe siècle, des petits avions de 1948 et un cheval de bois de 1880... Dans le grenier, les épaves, destinées à la restauration. En tout, plus de 200 modèles.
Mais ce n'est pas tout : Raoul, son mari, s'y était mis le premier ! Cet amusant producteur de cognac a restauré pour les « grands », dans le bric-à-brac de son grand garage : taxi de la Marne, Grand Bi, Peugeot de 1908, Zèbre, Amilcar, Georges-Bichard du début du XXe siècle, etc. Auto-fauteuil ecclésiastique (moto rare de curé), vieux bonshommes Michelin et même un coffre de corsaire !

POITOU-CHARENTES

🏛🏛 ***Le musée du Papillon :*** pl. Trarieux, 16390 ***Aubeterre-sur-Dronne.*** ☎ 05-45-98-64-58 ou 53-91. À l'extrémité sud du département de la Charente. De Pâques à septembre, ouvert tous les jours de 9 h à 20 h ; d'octobre à mars, le week-end de 14 h à 18 h, ou en semaine sur rendez-vous. Entrée à tarif réduit sur présentation du *Guide du routard* : 1,50 € ; enfants de moins de 12 ans : 1 €.
En trente ans d'Afrique et pas mal d'aventures, Albert Petit a amassé une impressionnante collection de papillons (12 000 spécimens), d'insectes (6 000), d'art africain (600 objets de 11 pays d'Afrique), une collection de 30 masques africains du XIXe siècle, ainsi qu'une collection de 3 000 perles de Venise (elles servaient de monnaie du XIIIe au XIXe siècle). Un bric-à-brac hallucinant, qui occupe le moindre cm² de sa petite maison ! Le genre de caverne d'Ali Baba où l'on resterait des heures, tellement les pièces sont étonnantes et la passion d'Albert communicative.

🏛 Non loin, sur la même place, le ***musée des Marionnettes,*** créé par un Anglais (il y en a plein dans le coin !), qui présente sa jolie collection et des spectacles.

Où dormir ? Où manger ?

🏠 🍴 ***Chambres d'hôte du Bois de Maure :*** Le Bois de Maure, 16360 ***Condéon.*** ☎ 05-45-78-53-15. À quelques kilomètres à l'est d'Aubeterre-sur-Dronne. À Condéon, tourner à droite direction Berneuil par la D 128 et 1re à gauche. Ouvert tous les jours. Doubles avec douche ou bains et w.-c. à 32 €, petit dej' compris ; environ 8 € de plus par enfant (les chambres peuvent accueillir une famille de 4 personnes). Table d'hôte le soir uniquement, à 12 €, apéro, vin et café compris ; réduction pour les moins de 10 ans. En pleine nature. Au bout d'un petit hameau, grande maison blanche où Jacqueline propose 4 chambres au rez-de-chaussée, simples mais confortables. Ici, le canard (production maison) est à l'honneur dès le copieux petit dej' : rillettes de canard maison, fromages, confitures maison, de quoi bien démarrer la journée ! Canard encore à la table d'hôte partagée en famille : potage et salade de gésiers, magret ou confit de canard, tarte aux fruits de saison. Accueil agréable. Bon rapport qualité-prix.

PROVENCE-ALPES-CÔTE D'AZUR

De la mer à la montagne, la région Provence-Alpes-Côte d'Azur offre une panoplie de paysages multiples, tous plus ou moins marqués par l'influence méditerranéenne. L'occasion pour vos enfants de découvrir des milieux naturels d'une grande diversité, de la plaine camarguaise aux richesses sous-marines de la Grande Bleue, en passant par les sentiers de montagne et les pistes de ski. Sans oublier le royaume de l'olivier et de la lavande, la Provence bien sûr. Aquariums, sports nautiques, parcs d'attractions aquatiques, petites randonnées, parcs zoologiques, jardins exotiques, crèches provençales, sites prestigieux... Ces étapes, et bien d'autres (de nombreux circuits et randonnées en famille vous sont proposés par les offices de tourisme) jalonneront votre périple dans ce grand Sud-Est.

Parents savants : *Noël en Provence*

Noël reste ici une fête familiale, intime et conviviale. Selon la tradition provençale, la préparation des fêtes de Noël commence le 1er décembre, avec le calendrier de l'Avent, qui aide les enfants à patienter jusqu'à l'arrivée du Père Noël.
La décoration de la maison est très importante. Bien sûr, il y a le sapin et ses guirlandes, mais aussi la crèche, qui représente la vie d'un petit village provençal en miniature, avant et après la naissance de Jésus-Christ. Ces petites figurines d'argile cuite, que l'on appelle des santons, sont décorées à la main par des artistes locaux, les santonniers. Outre les personnages de la Bible comme Marie, Joseph et les Rois mages, il y a aussi les vieux métiers d'antan (le forgeron, par exemple) et des animaux (moutons, âne, bœuf). Les week-ends précédant Noël, les marchés se transforment en foires aux santons.
Le 24 décembre, le souper commence vers 18 h et s'achève après la messe de minuit avec les 13 desserts symbolisant la Cène (les 12 apôtres et le Christ) : fougasse, pompe au sucre parfumée à la fleur d'oranger, nougat, pommes ou poires, mendiants, fruits confits...

Adresses utiles

Comité régional du tourisme Provence-Alpes-Côte d'Azur : Les Docks Atrium 10.5, 10, pl. de la Joliette, BP 46214, 13567 Marseille Cedex 2. ☎ 04-91-56-47-00. Fax : 04-91-56-47-01. • www.crt-paca.fr •

Comité départemental du tourisme des Bouches-du-Rhône : Le Montesquieu, 13, rue Roux-de-Brignoles, 13006 Marseille. ☎ 04-91-13-84-13. Fax : 04-91-33-01-82. • www.visitprovence.com • Excellente documentation thématique (sites, loisirs, manifestations, hébergements...) sur Marseille et les Bouches-du-Rhône.

Comité départemental du tourisme du Vaucluse : dans l'ancien palais de l'Archevêché, 12, rue Collège-de-la-Croix, BP 147, 84008 Avignon Cedex 1. ☎ 04-90-80-47-00. Fax : 04-90-86-86-08. • www.provenceguide.com • Pour toutes infos touristiques sur le département. Édite une brochure *Vacances en famille.*

Comité départemental du tourisme du Var : 1, bd Foch, BP 99, 83003

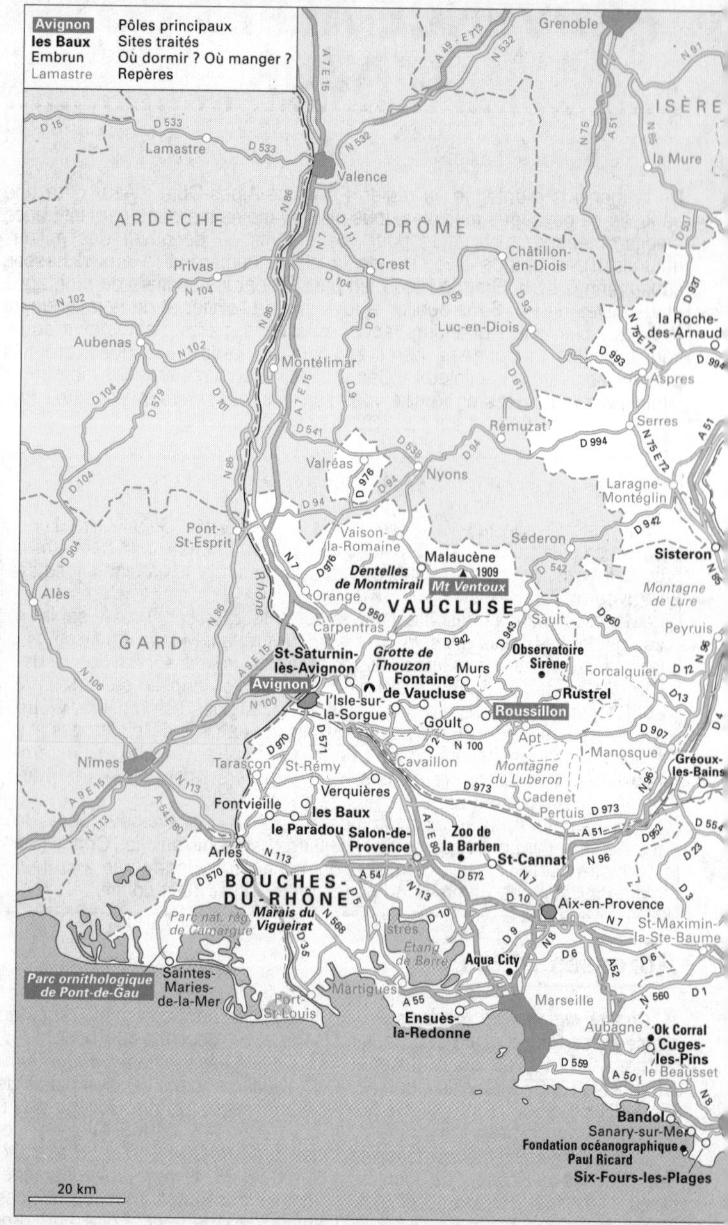
Avignon Pôles principaux
les Baux Sites traités
Embrun Où dormir ? Où manger ?
Lamastre Repères
ARDÈCHE
DRÔME
ISÈRE
VAUCLUSE
GARD
BOUCHES-DU-RHÔNE
Grenoble
Lamastre
Valence
la Mure
Privas
Crest
Châtillon-en-Diois
Aubenas
Montélimar
Luc-en-Diois
la Roche-des-Arnaud
Aspres
Rémuzat
Serres
Valréas
Nyons
Laragne-Montéglin
Pont-St-Esprit
Vaison-la-Romaine
Malaucène
Séderon
Sisteron
Dentelles de Montmirail
Mt Ventoux
1909
Alès
Orange
Rhône
Montagne de Lure
Carpentras
Sault
Peyruis
St-Saturnin-lès-Avignon
Grotte de Thouzon
Observatoire Sirène
Murs
Fontaine de Vaucluse
Forcalquier
Avignon
Rustrel
l'Isle-sur-la-Sorgue
Roussillon
Goult
Apt
Nîmes
Tarascon
St-Rémy
Cavaillon
Manosque
Montagne du Luberon
Gréoux-les-Bains
Verquières
Cadenet
Fontvieille
les Baux
Pertuis
le Paradou
Salon-de-Provence
Zoo de la Barben
Arles
St-Cannat
Parc nat. rég. de Camargue
Marais du Vigueirat
Aix-en-Provence
St-Maximin-la-Ste-Baume
Istres
Étang de Berre
Aqua City
Parc ornithologique de Pont-de-Gau
Saintes-Maries-de-la-Mer
Port-St-Louis
Martigues
Marseille
Ensuès-la-Redonne
Aubagne
Ok Corral
Cuges-les-Pins
le Beausset
Bandol
Sanary-sur-Mer
Fondation océanographique Paul Ricard
Six-Fours-les-Plages
20 km

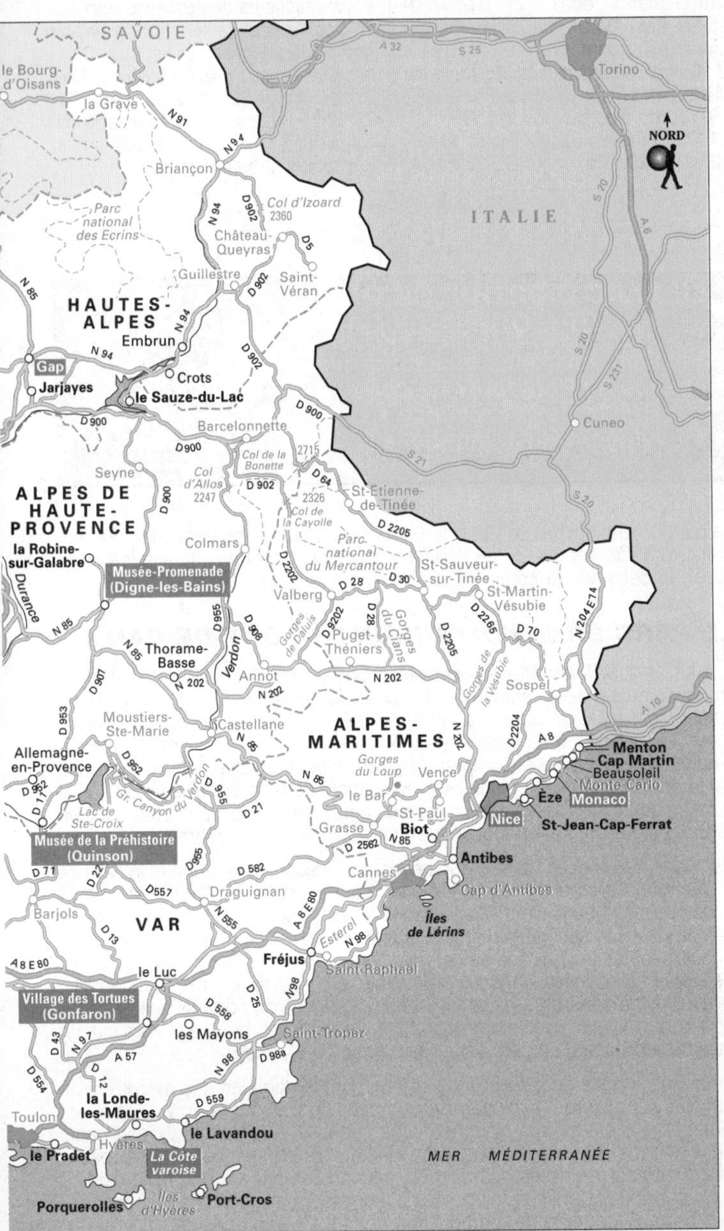

PROVENCE-ALPES-CÔTE D'AZUR

Draguignan Cedex. ☎ 04-94-50-55-50. Fax : 04-94-50-55-51. • www.tourismevar.com •

🛈 ***Comité départemental du tourisme (Maison des Alpes-de-Haute-Provence) :*** 19, rue du Docteur-Honorat, BP 170, 04005 Digne-les-Bains Cedex. ☎ 04-92-31-57-29. Fax : 04-92-32-24-94. • www.alpes-haute-provence.com •

🛈 ***Comité départemental du tourisme des Hautes-Alpes :*** 8 bis, rue Capitaine-de-Bresson, BP 46, 05002 Gap Cedex. ☎ 04-92-53-62-00. Fax : 04-92-53-31-60. • www.hautes-alpes.net • Infos sur tout le département. Serviables et compétents.

LE PARC ORNITHOLOGIQUE DE PONT-DE-GAU ET L'OUEST DE LA PROVENCE

Dans les environs : le sentier des Cabanes • La Petite Provence du Paradou • Le château des Baux • Le musée Grévin de la Provence • Le zoo de La Barben • Le village des Automates • El Dorado City • Aqua City • OK Corral

Le parc ornithologique de Pont-de-Gau et les autres attractions alentour permettront à vos enfants de se dépayser dans des mondes imaginaires, mais aussi de découvrir la nature et la culture provençales.

LE PARC ORNITHOLOGIQUE DE PONT-DE-GAU

À 4 km des ***Saintes-Maries-de-la-Mer,*** sur la D 570 en venant d'Arles. À proximité du centre d'information de Ginès. ☎ 04-90-97-82-62. • www.parc-ornitho.com • Ouvert tous les jours, de 9 h (10 h en hiver) au coucher du soleil. Visite libre : 6 €; enfants de moins de 10 ans : 3 €. Visite guidée sur réservation uniquement. Compter en gros 2 h pour la visite, sans oublier une petite boisson fraîche sur le bar-terrasse avant de repartir. En été, allez-y tôt le matin ou en fin d'après-midi, c'est plus agréable. Pensez également à bien vous protéger contre les moustiques en septembre et octobre.

Sans aucun doute le meilleur moyen pour découvrir la faune et la flore de la Camargue avec des enfants. Ce parc, créé en 1949 par André Lamouroux et développé à partir de 1974 par son fils, est installé au beau milieu de la Camargue. Sur ses 60 ha (il n'en comptait qu'un demi à sa création), il recouvre toutes les facettes de cet environnement particulier : marais, étangs, roselières, sansouires, lagunes, roubines, etc. Flamants roses, ragondins, petits reptiles, renards s'y épanouissent, et surtout de nombreuses espèces d'oiseaux trouvent là une étape migratoire, un lieu favorable à la nidification, un habitat sédentaire... Le parc est en fait divisé en 3 zones :

– ***Le parc André-Lamouroux :*** ses 5 ha sont le domaine des oiseaux. Vos bambins découvriront la plupart des espèces de Camargue en volière ou en liberté. Il y a même des cigognes. Des cartes et des panneaux explicatifs renseignent sur la vie de tous ces volatiles. Toute l'année, ce parc est le refuge d'oiseaux blessés ou malades, environ 300 par an. Une fois soignés, ils sont rendus à la vie sauvage ou, si leur état ne le permet pas, sont intégrés à un programme de reproduction et sont visibles dans les volières.

– ***Le marais de Pont-de-Gau :*** c'est sur ces 7 ha qu'évoluent, volent, amerrissent, atterrissent, marchent flamants roses, hérons, petits échassiers, anatidés...

– ***Le marais de Ginès :*** un beau sentier traverse cette vaste zone naturelle de 48 ha. Encore des oiseaux, hérons, laridés, canards, rapaces et petits passereaux dans les roselières... que l'on peut observer discrètement à l'abri d'un observatoire situé au milieu du marais. Mais aussi, en été, les ombres noires et impressionnantes d'une manade de taureaux.

Où dormir ? Où manger ?

Auberge de jeunesse : Pioch-Badet, 13460 ***Saintes-Maries-de-la-Mer.*** ☎ 04-90-97-51-72. Fax : 04-90-97-54-88. Réservations : ☎ 04-90-49-85-76. À 10 km des Saintes. Accès par bus possible depuis les Saintes (arrêt devant l'auberge). Ouvert toute l'année. Accueil de 7 h 30 à 10 h 30 et de 17 h à 23 h (minuit en juillet et août). Avec la carte de la LFAJ (l'« autre » fédé), en demi-pension uniquement : 20,30 € par personne. Installée dans une ancienne école communale. Dortoirs à l'ancienne de 3 à 10 lits. Possibilité de promenades à cheval, location de vélos.

Le Mas des Salicornes : route d'Arles, 13460 ***Saintes-Maries-de-la-Mer.*** ☎ 04-90-97-83-41. Fax : 04-90-97-74-28. • www.hotel-salicornes.com • Resto fermé à midi et le dimanche soir. Congés annuels : de mi-novembre à fin mars. Suivant la saison, doubles avec douche ou bains de 42 à 50 € ; de 58 à 75 € pour une chambre familiale composée d'un grand lit et d'un lit superposé. Menu tout à l'huile d'olive le soir à 18 € ; menu-enfants à 10 €. Demi-pension demandée pendant les vacances scolaires. Chambres confortables, aux murs blanchis à la chaux. Écuries avec des chevaux pour la balade. Des activités sont proposées mais rien n'est imposé ! Les Merlin sont des enchanteurs capables d'improviser avec leur copain Jojo, conteur provençal impayable, des soirées à l'ancienne, autour de plats traditionnels revisités et de boissons revigorantes ! Le samedi soir, c'est soirée flamenco avec guitariste. Étonnant ! Piscine très agréable. Parking gratuit. Café offert à nos lecteurs.

Le Delta : 1, pl. Mireille, 13460 ***Saintes-Maries-de-la-Mer.*** ☎ 04-90-97-81-12. À l'entrée de la ville, près de l'église. Fermé le mercredi hors vacances scolaires. Congés annuels : du 10 janvier au 10 février. Plusieurs menus de 9 à 23 € ; menu-enfants autour de 6 €. Un classique de la ville. Bonne cuisine familiale. Spécialités très locales : bourride, bouillabaisse et aïoli de morue. Terrasse couverte très touristique. Le service suit difficilement les jours d'affluence...

PROVENCE-ALPES-CÔTE D'AZUR

➤ DANS LES ENVIRONS

➢ ***Le sentier des Cabanes : marais du Vigueirat.*** ☎ 04-90-98-70-91. Entre Arles et Saint-Louis-du-Rhône par la D 35 puis la D 24 direction Saint-Martin-de-Crau ; au centre du hameau de Mas Thibert, suivre le fléchage discret, 1 km de petite route, 2 km de piste, vous êtes arrivé ! Ouvert tous les jours de 10 h à 17 h (sauf en décembre et janvier). Entrée : 1,50 € ; gratuit jusqu'à 12 ans.

Rigolo (et éducatif !) parcours de découverte au cœur des marais du Vigueirat (près de 1 000 ha, soit un des plus grands domaines acquis dans la région PACA par le Conservatoire du Littoral). À travers d'anciens canaux de rizières, un sentier sur pilotis jalonné de petites cabanes où découvrir la sensation de marcher dans les roseaux, reconnaître les animaux grâce à leurs excréments (avec un crottomètre !)... Livret-jeu plein de devinettes. On y a appris qu'il n'y a que les femelles moustiques qui piquent, que seules les cigales mâles chantent (pour séduire les femelles bien sûr)...

Sur le site également, des visites guidées (par un naturaliste) des marais avec découverte des oiseaux et des balades en calèche.

La Petite Provence du Paradou : 75, av. de la Vallée-des-Baux, ***Le Paradou.*** ☎ 04-90-54-35-75. ♿ Sur la route (D 17) d'Arles à Salon ; au Paradou, prendre la D 78E qui rejoint Fontvieille. Ouvert toute l'année, de 10 h à 18 h 30. Entrée : 4,50 € ; pour nos lecteurs : 3,50 € ; enfants : 2,50 €. Un musée très sympathique, qui reconstitue en miniature la vie traditionnelle au début du XXe siècle en Provence, à travers plus de 400 santons « aussi vrais que nature ». L'école, la ferme, le marché... tout y est. On a même pensé à installer des estrades pour que les plus petits puissent vraiment en profiter. Démonstration par un artisan de tous les stades de la fabrication d'un santon.

Le château des Baux : 13520 ***Les Baux-de-Provence.*** ☎ 04-90-54-55-56. • www.chateau-baux-provence.com • Ouvert tous les jours, toute l'année : de 9 h à 19 h 30 de mars à mai ; de 8 h 30 à 21 h 45 en juin, juillet et août ; de 9 h à 18 h 30 en septembre et octobre ; de 9 h à 17 h de novembre à février. Visite libre (avec audioguide inclus) : 6,50 € ; enfants 3,50 € ; gratuit pour les moins de 7 ans.
Le château des Baux est édifié sur un éperon rocheux, un des plus beaux sites de France, et embrasse un panorama extraordinaire. Après avoir fait un tour au petit musée, il faut errer sans but sur ce vaste balcon dominant la vallée avec, en fond de décor, les Alpilles, grimper les marches (un peu raides) qui mènent aux ruines de l'ancien château féodal : le massif donjon et les tours fortifiées qui rappellent qu'au Moyen Âge, la Provence était l'objet de toutes les convoitises, les maisons, le colombier. Les enfants seront sans doute impressionnés par les gigantesques machines de siège, réalisées en grandeur réelle d'après des croquis du XIIIe siècle : le trébuchet de 10 m de haut, la catapulte et le bélier. L'audioguide interactif est particulièrement vivant.
Enfin, des animations sont régulièrement organisées pour les enfants autour de thèmes médiévaux : jeux, contes, récits... Espace pique-nique sur place.

Où dormir ? Où manger dans le coin ?

Camping Les Pins : rue Michelet, 13990 ***Fontvieille.*** ☎ 04-90-54-78-09. Fax : 04-90-54-81-25. ♿ Ouvert du 1er avril au 15 octobre. Autour de 13 € le forfait pour 2 personnes avec tente et voiture. Bien ombragé puisque situé, comme son nom l'indique, dans une pinède. Coin aussi plaisant que tranquille et bon équipement. La piscine municipale est à deux pas, le centre pas bien loin à pied.

Hôtel Laetitia : 21, rue du Lion, 13990 ***Fontvieille.*** ☎ 04-90-54-72-14. Fax : 04-90-54-81-75. Congés annuels : du 15 novembre au 15 mars. Doubles avec lavabo à 26 €, avec douche à 33 €, avec douche et w.-c. à 38 €. Également des chambres pour 3 ou 4 personnes. Petite restauration : formules à 9 et 10 €. Au cœur du vieux village, derrière une terrasse cachée par la vigne vierge. Petit hôtel 1 étoile qui a toujours dû être là, repris récemment par de bien sympathiques Suisses-Allemands. Chambres pas luxueuses mais pas dénuées de charme et très bien tenues.

La Grand Mar : lieu-dit Gageron, 13200 ***Arles.*** ☎ 04-90-97-00-64. Fax : 04-90-97-01-79. ♿ Fermé les lundi et mardi hors saison. Congés annuels : 4 semaines en février-mars et la 2e quinzaine de novembre. Gîtes ruraux à 537 € la semaine en juillet et août, 461 € au printemps et à l'automne, 385 € en hiver. Au resto, compter à la carte 27 € par personne avec le vin. Pour qui veut séjourner au cœur de la Camargue authentique. Quelques maisons de gardians, toutes neuves, dans un hameau des bords de l'étang de Vaccarès. Chaque cabane est équipée pour 4 personnes (6 en utilisant le couchage d'appoint). On peut vous fournir le linge moyennant un petit supplément. Resto attenant, installé dans une ancienne ferme. Authentique cuisine camarguaise : taureau (en charcuterie, daube, sauté...) et poisson pêché du jour. Pour nos lecteurs, apéritif maison offert et 10 % de remise sur la location des gîtes hors saison.

Le musée Grévin de la Provence : pl. des Centuries, 13300 ***Salon-de-Provence.*** ☎ 04-90-56-36-30. ♿ Ouvert toute l'année de 9 h (9 h 30 en juillet et août) à 12 h et de 14 h à 18 h. Fermé le samedi matin, le dimanche matin et certains jours fériés. Entrée : 3,05 € ; enfants : 2,30 €. Visite (40 mn) avec audioguide. Départ toutes les 8 mn, par groupe de 12 personnes. À la disposition des petits et des grands, des dossiers pédagogiques sur différents thèmes provençaux.

Créé en 1992. Mireille Mathieu et Jean-Pierre Foucault sont les prestigieux parrains du petit frère du grand musée Grévin de Paris. L'histoire de la Provence (personnages mythiques et historiques) en 18 décors reconstitués avec mannequins de cire. Parmi d'autres, Paul Cézanne, Frédéric Mistral, Alphonse Daudet, Marcel Pagnol, et, côté cinéma, Raimu, Fernandel, Yves Montand-Papet, Daniel Auteuil-Ugolin et Emmanuelle Béart-Manon des Sources... C'est très kitsch, évidemment.

Le zoo de La Barben : 13330 ***La Barben.*** Juste avant le château. ☎ 04-90-55-19-12. ♿ À 8 km au sud-est de Salon-de-Provence. Ouvert tous les jours de 10 h à 18 h. Entrée : 9,15 €. Quelque 600 animaux (girafes, éléphants, fauves, watusis, autruches et autres émeux) sur 30 ha de rochers et de pinèdes. Dans le vivarium : pythons, boas, iguanes et alligators. Également une oisellerie.

Où dormir ? Où manger dans le coin ?

Camping Nostradamus : route d'Eyguières, 13300 ***Salon-de-Provence.*** ☎ 04-90-56-08-36. Fax : 04-90-56-65-05. • http://perso.wanadoo.fr/camping.nostradamus • ♿ À 5 km au nord de Salon, sur le CD 17. Des bus réguliers (6 par jour) entre Arles et Salon vous y déposent. Ouvert du 1er mars au 31 octobre. Forfait emplacement pour deux avec voiture et tente autour de 13 €. Petite restauration. Ombragé, le long d'un canal. Grande capacité d'accueil. Piscine. Parking gratuit.

Chambres d'hôte Mas de Raiponce : quartier d'Adane, 13330 ***La Barben.*** ☎ et fax : 04-90-55-31-70. À 8 km au sud-est de Salon-de-Provence (et à deux pas du zoo de La Barben, lire ci-dessus). Ouvert toute l'année. Doubles avec douche et w.-c. de 50 à 60 € selon la taille et la saison, petit dej' inclus. Gîte pour 6 personnes de 500 à 620 € selon la saison. Vieux mas en pleine campagne, au milieu des prés et des cultures. 4 chambres à la déco provençale et campagnarde. Le petit dej' peut être pris aux beaux jours sous de superbes platanes. Et les enfants s'y feront sûrement des copains (les proprios en ont 7 !).

Chambres d'hôte La Bergerie de Castellan : 13670 ***Verquières.*** ☎ et fax : 04-90-95-02-07. À 2 km du village. Congés annuels : janvier. Doubles avec douche et w.-c. à 61 €, petit dej' compris. À une bonne trentaine de kilomètres de Salon-de-Provence. Difficile de faire plus isolé, au milieu des vergers et des pâturages. Une maison d'artistes, de couleur ocre, avec une agréable treille recouverte de vigne, une grande piscine (avec une partie réservée aux enfants) et des chambres sobrement mais joliment décorées. Cuisine d'été aménagée. Jardin qu'on peut appeler parc avec ses 2 ha, petit bois et vieux lavoir. Accueil décontracté. 10 % de réduction accordés sur le prix d'un séjour de deux nuits consécutives hormis juillet et août. Et tout plein d'attentions comme les boissons fraîches offertes, le goûter des enfants...

Caprice Gourmand : 13, pl. Charles-Latil, 13300 ***Salon-de-Provence.*** ☎ 04-90-56-74-77. Face à une petite place piétonne, au pied du château de l'Empéri. Ouvert du lundi au samedi de 12 h à 18 h. Formule le midi à 8,50 €. Brunch le samedi. Comme si on était invité dans la cuisine d'une copine qui aurait toujours le sourire, du goût pour la déco et du talent pour préparer des p'tits plats tout simples, tout bons : salades, terrines, tartes, gratins... Du pain aux mignardises qui accompagnent le café (excellent, le café !) en passant par les pâtisseries, cette jeune femme fait tout elle-même et franchement, elle nous a étonnés. Salon de thé l'après-midi.

Le village des Automates : 13760 ***Saint-Cannat.*** ☎ 04-42-57-30-30. Sur la N 7, à environ 20 km au nord d'Aix-en-Provence. Du 1er avril au 30 septembre, ouvert tous les jours de 10 h à 18 h; du 1er octobre au 31 mars, ouvert les mercredi, samedi, dimanche, jours fériés et vacances scolaires de 10 h à 17 h. Entrée : 7,50 €; enfants de 3 à 14 ans : 4,50 €. En pleine pinède, cette balade ravira les petits et les grands enfants à la découverte du monde enchanteur et plein de couleurs des automates. Selon de nombreux thèmes, plus de 500 personnages animés font vivre cette belle nature provençale. Le monde des fourmis, la grotte enchantée, le dragon dans son bassin, le cirque, le château, le dragon chantant et plein d'autres heureuses surprises. Une énorme baleine abrite aussi l'histoire de Pinocchio de Collodi. Un beau dépaysement dans un monde imaginaire !

Où dormir ? Où manger dans le coin ?

Hôtel Le Concorde : 68, bd du Roi-René, 13100 ***Aix-en-Provence.*** ☎ 04-42-26-03-95. Fax : 04-42-27-38-90. Congés annuels : en décembre. Chambres doubles avec bains à 64 €, triples à 77 € et, pour 4 personnes, compter 90 €. Certaines chambres (mignonnes dans l'ensemble) donnent sur une petite cour agréable avec un jardin, où l'on peut se détendre et pique-niquer. L'accueil est charmant et il y a possibilité de garage.

Le Démodé : 5, rue Campra, 13100 ***Aix-en-Provence.*** ☎ 04-42-23-30-66. Par la rue Gaston-de-Saporta, à droite, dans le prolongement de la rue Littera. Fermé tous les soirs (sauf le mardi et le samedi), les dimanche et lundi ; congés annuels : en août et pendant les fêtes de fin d'année. Menus de 14 à 21,50 €; steak haché-frites autour de 7 € pour les enfants. Entre la cathédrale et l'hôtel de ville, une adresse qui se moque des modes mais pas des clients. Une déco années 1930-1940, des petits prix, beaucoup de gentillesse et une ambiance musicale plaisante font tout le charme de ce resto-crêperie reposant et climatisé. Un lieu rassurant. Café offert aux lecteurs du *Guide du routard.*

El Dorado City : 13820 ***Ensuès-la-Redonne.*** ☎ 04-42-79-86-90. Entre Martigues et Marseille. Sur l'A 55 Marseille-Fos, sortie Carry-le-Rouet puis direction Ensuès. Les horaires et le programme changent selon les jours et les mois, il est donc préférable d'appeler avant pour connaître les heures d'ouverture et de spectacle. Entrée : 12 €; enfants : 9 €.
Un grand parc d'attractions où ont été reconstitués un village western (avec tous les animaux de la ferme), un village indien (le *Youkatapa*), un village mexicain *(El Pueblo)* et un village canadien *(Fort Espérance)*. Nombreux figurants, spectacles, expositions, attractions, jeux et jeux aquatiques... Un drôle d'endroit, à la fois ludique et pédagogique.

Où dormir ? Où manger ?

Gîtes ruraux la Guitare et la Mer : 7, chemin de la Madrague, 13820 ***Ensuès-la-Redonne.*** ☎ et fax : 04-42-45-96-50. • patricia-otten@wana doo.fr • Au creux de la calanque de la Madrague de Gignac. Gîtes pour 2 à 4 personnes de 250 à 550 € selon la superficie et la saison. Location à la nuit hors saison. Une des rares occasions de dormir dans une des calanques de la Côte Bleue. Gîtes joliment aménagés dans un ancien hôtel (la rigolote enseigne est restée).

Le Mange-Tout : 8, chemin Tire-Cul, calanque de Méjean, 13820 ***Ensuès-la-Redonne.*** ☎ 04-42-45-91-68. Compter 19 € à la carte. Ouvert du 1er mai au 31 août, tous les jours. Fermé le soir et le mercredi hors saison. Congés annuels : de décembre à février. Pour manger simplement sur la terrasse ou les 3-4 tables d'un vrai cabanon, près d'un port pas plus grand, lui aussi, qu'un mouchoir de poche. Ambiance décontractée et familiale. Pour amateurs de friture ou de soupe de poisson. Apéritif maison offert sur présentation du *Guide du routard.*

Aqua City : sur l'A 51 Aix-Marseille, sortie Plan de Campagne, direction Septêmes-les-Vallons. ☎ 04-91-51-54-08. • www.aqua-city.com • Ouvert de juin à septembre tous les jours à partir de 10 h. Entrée : 17 € ; enfants de moins de 12 ans : 14 € ; forfait famille (minimum 4 personnes, dont 2 enfants de moins de 12 ans) : 14 € par personne. Une entrée adulte ou enfant offerte sur présentation du *Guide du routard.*
Un grand parc d'attractions aquatiques, vous l'aurez deviné tout seul ! Sur 5 ha, les bambins s'éclateront sur l'île aux enfants, spécialement conçue à leur échelle, frissonneront dans les descentes vertigineuses du *Free Fall* ou du Grand Huit, s'accrocheront à leur bouée dans les rapides, nageront dans la piscine à vagues... Bref, ils risquent de bien dormir le soir ! Bien sûr, boutiques et snack pour reprendre des forces.

OK Corral : 13780 ***Cuges-les-Pins.*** ☎ 04-42-73-80-05. À une vingtaine de kilomètres à l'est d'Aubagne. Ouvert de 10 h à 17 h ou 18 h 30 (selon l'affluence), tous les jours en été ; ouverture restreinte le reste de l'année. Fermé de novembre à février. Entrée : 15,50 € ; enfants de moins de 1,40 m : 13 € ; gratuit pour les enfants de moins de 1 m.
Ce parc, entièrement consacré au monde du western, attire près d'un demi-million de visiteurs par an dans une ambiance bon enfant. Parmi les temps forts, citons *Les Mystères de l'Ouest* (nouveauté 2003), *Les Montagnes sacrées,* un toboggan de plus de 80 m, *Le Lasso Loop* ou encore *Le train des montagnes du Grand Canyon* : vertigineux ! En été l'attraction *Splash Mountain* vous permet de flotter à bord d'une embarcation insolite et d'amerrir dans un grand splash au milieu d'un lac... Possibilité de séjourner au *monde des Tipis* de mi-avril à mi-septembre (forfaits à partir de 2 jours au parc + 1 nuit).

LE CONSERVATOIRE DES OCRES ET PIGMENTS APPLIQUÉS ET LE SENTIER DES OCRES À ROUSSILLON

Dans les environs : le Colorado • L'observatoire Sirène • Descente de la Sorgue en canoë-kayak • La grotte de Thouzon

OKHRA, LE CONSERVATOIRE DES OCRES ET PIGMENTS APPLIQUÉS

84220 ***Roussillon.*** ☎ et fax : 04-90-05-66-69. • info@okhra.com • ♿ Sur la D 104, à 1,5 km du centre. Ouvert toute l'année, tous les jours de 9 h (14 h le lundi) à 19 h (18 h hors saison). Fermé 10 jours en janvier. Visites guidées toutes les 30 mn en été et à 11 h, 15 h et 16 h hors saison. Entrée : 5 €; familles nombreuses : 3 €; gratuit jusqu'à 10 ans. Tarif réduit pour deux entrées sur présentation du *Guide du routard.*

Quand vous étiez enfant, les rondelles en caoutchouc des bocaux dans lesquels vos grand-mères mettaient fruits et légumes en conserve étaient rouges. Tout comme les chambres à air de vos vélos ou les élastiques posés sur vos pupitres d'école. Vous ne vous êtes jamais demandé pourquoi? Parce qu'ils étaient teints à l'ocre, pigment naturel tiré d'un sable qu'on extrait dans le Vaucluse depuis la fin du XVIIIe siècle autour de Roussillon, Gargas et Rustrel.
Installé dans une ancienne usine d'ocre, Okhra s'apparente à un écomusée. La visite guidée vous balade à travers le site et vous fait découvrir les différentes étapes de l'extraction de l'ocre : lavage, décantation, carrelage, cuisson et enfin broyage. Mais comme son nom l'indique, ce conservatoire veut aussi... conserver (et perpétuer) les savoir-faire traditionnels. Et comment mieux qu'en les utilisant à nouveau? Pour ce faire, l'association organise régulièrement des ateliers pratiques de 1 à 15 jours pour les professionnels ou les simples curieux (journées spéciales pour les enfants).
Au programme : l'apprentissage de l'utilisation de pigments dans des domaines aussi divers que l'industrie, l'art ou l'artisanat (enduit, émaillage, badigeon à la chaux...).
Également des expositions thématiques annuelles, une bibliothèque, une librairie et un comptoir de vente de pigments naturels. Un lieu intéressant. On offre à tous les visiteurs des fiches techniques sur les pigments et leur utilisation.

➢ ***Le sentier des Ocres :*** bonne introduction (ou complément) à la visite du conservatoire. Départ du parking situé vers le cimetière. Accès payant : 2 €, gratuit pour les moins de 10 ans. Balade de 30 mn environ, jalonnée de panneaux explicatifs, dans les anciennes carrières d'ocre. Superbe, instructif et très amusant pour les enfants (on vous rappelle toutefois que l'ocre est un puissant colorant, nos chaussures s'en souviennent encore...).

Où dormir? Où manger?

Camping L'Arc-en-ciel : route de Goult, 84220 ***Roussillon.*** ☎ 04-90-05-73-96. À 3 km du village. Ouvert du 15 mars au 30 octobre. Forfait emplacement pour 2 personnes avec tente et voiture à 9 €. Un 2-étoiles très accueillant. Piscine pour les enfants, location de VTT.

Chambres d'hôte Les Hauts de Véroncle : non loin du village de ***Murs,*** situé à un peu plus de 10 km au nord-ouest de Roussillon. ☎ 04-90-72-60-91. Fax : 04-90-72-62-07. • http://hauts.de.veroncle.free.fr • Accès : du centre de Murs (face à la mairie-école), prendre la petite rue raide et étroite qui descend; même si elle se transforme vite en une sorte de piste, persévérez (en suivant le fléchage), un petit coin de paradis vous attend tout au bout! Fermeture du 4 novembre au 30 mars. Compter 72 € pour quatre personnes, petit dej' inclus. Table d'hôte le soir autour de 20 €, vin compris. Voilà une des adresses les plus « nature » du parc du Luberon (elle est d'ailleurs classée gîte Panda). Il s'agit d'une petite maison en pierre, complètement isolée, au débouché des gorges de la Véroncle. Accueil vraiment chaleureux de Didier et Prisca, l'adorable couple installé ici, et ambiance gentiment familiale. La cuisine, faite maison bien sûr, provençale mais pas exclusivement, nous a paru pleine d'idées. Elle est servie sur de petites tables joliment dressées au coin de la cheminée, ou sous la ravissante tonnelle. Apéro offert à tous les hôtes.

La Terrasse : rue de la République, 84220 ***Goult*** (à 5 km au sud-ouest de Roussillon). ☎ 04-90-72-20-20. Ouvert tous les jours sauf le mardi, du 1er mars au 31 octobre. Plats compris entre 8 et 12 €. Son nom vient sans doute de la terrasse à l'étage donnant sur le parking de la place. Sinon, décor et atmosphère très « tour du monde », avec des tissus indiens et thaïs aux murs, quelques hamacs au plafond, des éventails indonésiens... Très réussi à vrai dire, tout comme la nourriture, fine et très soignée, un peu en marge de la gastronomie ambiante. Pas mal de touristes, on s'en serait douté !

➤ DANS LES ENVIRONS

Le Colorado : 84400 ***Rustrel.*** Des vallons aux contours extravagants et des cheminées de fées pour équilibristes, le tout dans une gamme de tons exceptionnelle, qui va du jaune pâle au rouge vif en passant par de multiples orangés... Voilà ce qui vous attend au Colorado de Rustrel.
Attention, la plupart de ces anciennes carrières appartiennent à des particuliers, ce qui peut rendre inaccessibles certaines parties du site. Deuxième petite précision : le grand parking bien signalé sur la D 22 est payant et la petite brochure qu'on vous y propose n'est pas d'un grand secours pour découvrir le Colorado. À bon entendeur...

➢ Baladez-vous plutôt sur les 4 petits *circuits pédestres* (de 1 h 30 à 4 h) balisés (et gratuits) au départ du parking communal (gratuit lui aussi) de Bouvène ou du camping du Colorado. Enfin, dernier petit conseil : ne sortez pas votre smoking de la naphtaline pour la balade, l'ocre tache sérieusement. Pour nettoyer d'éventuelles (sinon inévitables !) taches : savon de Marseille et eau froide.

L'observatoire Sirène : sur la D 34, un peu après Lagarde-d'Apt en venant de Rustrel. ☎ 06-81-74-35-16 ou 04-90-75-04-17. • www.obs-sirene.com • Visites sur rendez-vous uniquement, l'après-midi ou le soir. Entrée : 8 € ; gratuit jusqu'à 12 ans.
La visite de jour comprend un petit exposé sur l'historique du dispositif nucléaire de la zone, un tour complet des instruments et surtout, mais malheureusement un peu selon la météo, une double séance d'observation du Soleil. Pour voir d'autres corps célestes (planètes, étoiles, galaxies, nébuleuses), c'est bien sûr le soir qu'il faut venir. Diverses formules sont alors proposées, de la « mini-nuit découverte » au stage de plusieurs nuits.

➢ ***Descente de la Sorgue en canoë-kayak :*** avec *Kayak-Vert,* situé à ***Fontaine-de-Vaucluse.*** ☎ 04-90-20-35-44. • www.canoe-france.com • Descente (accompagnée) de la Sorgue, de Fontaine-de-Vaucluse à L'Isle-sur-la-Sorgue (compter 2 h 30), tous les jours d'avril à fin octobre. Possible aussi avec *Canoë Évasion,* qui offre les mêmes prestations. ☎ et fax : 04-90-38-26-22.

La grotte de Thouzon : 84250 ***Le Thor.*** ☎ 04-90-33-93-65. • www.grottes-de-thouzon.com • Dans les environs de L'Isle-sur-la-Sorgue, à 1,5 km du Thor sur la D 16 (accès fléché). En juillet et août, ouvert tous les jours de 10 h à 19 h ; le reste de l'année, tous les jours de 10 h à 12 h et de 14 h à 18 h (l'après-midi des dimanche et jours fériés en mars) ; dernière visite 30 mn avant la fermeture. Fermé de décembre à février. Entrée à tarif réduit pour nos lecteurs sur présentation du *Guide du routard* : 5,20 € (au lieu de 6,40 €) ; enfants de 5 à 11 ans : 3,50 € (au lieu de 4,20 €) ; gratuit pour les moins de 5 ans.
C'est l'unique grotte naturelle de Provence ouverte au public. Visite guidée de 45 mn dans le monde mystérieux des cavernes.

Où dormir ? Où manger dans le coin ?

🏠 🍽 ***Bergerie des Millanes : Les Tourettes.*** ☎ et fax : 04-90-04-63-74. ♿ À quelques kilomètres au sud d'Apt. Pour y aller, prendre la D 943 direction Lourmarin, continuer sur environ 3,5 km puis prendre à gauche le chemin des Endes (ensuite c'est fléché). Compter 80 € pour quatre personnes, petit dej' compris. Table d'hôte à 17 €. Superbe et authentique demeure qu'Antonia et Tobias ont construite de leurs mains, avec l'aide de maçons du coin. Complètement perdue sur la montagne du Luberon, dans un environnement sauvage à souhait. Vue somptueuse sur le pays d'Apt et le Ventoux. L'ensemble s'organise autour d'un patio arabo-andalou, et propose cinq belles chambres toutes différentes, avec salles de bains à l'ancienne. Aux beaux jours, superbe terrasse ombragée où goûter une exquise cuisine méditerranéenne concoctée par toute la famille. Et puis, nombreuses activités possibles, pour enfants ou adultes. Bien bête qui, après ces recommandations, ne s'y arrête ! Apéritif ou café offert à nos lecteurs.

🍽 ***Gelateria Bella Vita :*** 1, rue Ledru-Rollin, 84800 ***L'Isle-Sur-La-Sorgue.*** ☎ 04-90-38-13-74. Fermé le dimanche soir (hors saison) et le lundi. Congés annuels : en janvier. Pâtes et salades autour de 7,50 € et menu à 14 €. Bonne petite cuisine à l'italienne, faite maison de bout en bout. Parmi leurs spécialités, on vous recommande les nids d'hirondelles, préparés de plusieurs manières. Sinon, pâtes au pistou, à l'ail, à la diable, etc. Tiramisù, là encore fait maison, et glaces pour les amateurs. Petite terrasse sous les platanes en face de l'église. Service sympathique.

LE MONT VENTOUX

Dans les environs : les dentelles de Montmirail

Dominant la région du haut de ses 1 912 m, le mont Ventoux offre une carte postale unique. La route monte en serpentant à travers les cèdres, les chênes vert et blanc, les hêtres puis, plus haut, les sapins et les mélèzes, qui font place à la pierraille lorsqu'on approche du sommet, où se dévoile un paysage quasi lunaire. De là-haut, vue extraordinaire et panoramique : des Alpes jusqu'à Notre-Dame-de-la-Garde par temps clair !

Le climat est rude : les vents soufflent parfois à plus de 200 km/h (d'où le nom du mont !) et il n'est pas rare que le col soit fermé par la neige jusqu'après Pâques. Il y a d'ailleurs deux petites stations de ski sur les pentes du Ventoux : enneigement un peu capricieux, mais il est plutôt rigolo de découvrir des chalets à la mode suisse à quelques kilomètres des mas provençaux.

Où dormir ? Où manger ?

🏠 🍽 ***Chambres d'hôte Le Dégoutaud :*** Le Barroux, 84340 ***Malaucène.*** ☎ et fax : 04-90-62-99-29. • le.degoutaud@wanadoo.fr • ♿ À 2 km de Suzette, en redescendant vers Malaucène (accès fléché). Chambres doubles avec douche et w.-c. de 53 à 58 €, selon la saison. Table d'hôte le soir et sur réservation à 17 €. Également deux studios pour 4 personnes (location uniquement à la semaine). Posé à 350 m d'altitude dans un décor de rêve, superbe vieux mas (du XVIe siècle pour certaines parties) autour duquel Pierre Marin, le proprio, cultive abricots, cerises, olives et quelques pieds de vigne. Chambres à l'image du reste, très réussies dans le style romantico-campagnard. Et puis, d'agréables coins et recoins tout autour, comme cette charmante terrasse où se prend le petit déjeuner. Accueil aussi chaleureux qu'authentique à la table d'hôte. Apéritif offert à tous.

➤ DANS LES ENVIRONS

Les dentelles de Montmirail : rien à voir avec de quelconques broderies ! Ce site classé, à une quinzaine de kilomètres au sud de Vaison-la-Romaine, tire son nom de son massif de falaises calcaire déchiquetées qui surgit entre les arbres et la garrigue. Jolie fantaisie de la nature, les dentelles (qui culminent à 734 m) offrent, avec leurs parois verticales d'un gris argenté, un formidable terrain de jeu aux grimpeurs : quelque 580 voies d'escalade praticables 12 mois par an ! Mais que ceux qui préfèrent garder les pieds sur terre se rassurent tout de suite : le site compte aussi quelque 40 km de sentiers balisés. Si vous comptez en profiter, n'hésitez pas à vous procurer des cartes rando (par exemple l'*IGN Top 25* n° 3040) et autres topoguides à l'office de tourisme de Gigondas.
Tout autour du massif, des petits villages surveillent les vignes qui mûrissent sous un soleil de plomb. Leurs noms doivent immanquablement vous évoquer quelque chose : Gigondas, Beaumes-de-Venise...

➢ Une bonne balade consiste à faire ***le tour du Grand Montmirail*** *(8 km, une demi-journée)*. Les sentiers sont assez pentus, mais vous conduiront jusqu'au sommet (le col d'Alsau), d'où la vue est étourdissante. Renseignements à l'office de tourisme de Gigondas ou de Beaumes-de-Venise.

AVIGNON

Dans les environs : la miellerie des butineuses Polenia

Au pied du rocher des Doms, baigné par le Rhône et protégé du mistral par ses vieux remparts, Avignon est une étape obligatoire de tout voyage en Provence. Mais attention aux touristes dès les premiers rayons du soleil, sans parler des centaines de milliers de spectateurs pendant le Festival !
La découverte du vieil Avignon (secteur sauvegardé le plus vaste de France avec 14 ha) sera l'occasion de découvrir des ruelles tortueuses, des placettes à l'italienne, une foule d'hôtels particuliers...
Demandez la carte *« pass »* à l'office de tourisme, qui, après acquittement du prix d'entrée d'un 1er musée, donne droit à des réductions de 20 à 50 % sur tous les autres lieux culturels (monuments, sites ou musées) d'Avignon et de Villeneuve-lès-Avignon. Elle peut être utilisée par 5 membres d'une même famille et reste valable 15 jours.

➢ À signaler, ***2 petits trains :*** du 15 mars au 15 octobre. ☎ 06-11-35-06-66. Fax : 04-90-82-79-40. L'un permet la découverte de la vieille ville et du fameux pont d'Avignon en 30 mn ; l'autre conduit au rocher des Doms, qui domine la ville, avec ses beaux arbres centenaires, ses plans d'eau où cygnes et canards font la joie des promeneurs et l'émerveillement des plus jeunes. Départs toute la journée sur la place du Palais-des-Papes.

➢ Il est également possible de faire un ***p'tit tour en bateau sur le Rhône,*** à bord du *Ville d'Avignon* (gratuit). Renseignements au ☎ 04-90-85-65-54.

Les remparts : c'est la première image qu'offre Avignon. Longs de près de 5 km, ils sont jalonnés de 39 tours et percés de 7 portes principales.

Même si les fossés servent aujourd'hui de parking, même si Viollet-le-Duc lui a donné, ici ou là, un aspect un peu artificiel, la vieille muraille du XIe siècle impressionne toujours petits et grands.

Le palais des Papes : ☎ 04-90-27-50-00. • www.palais-des-papes.com • Du 1er avril au 1er novembre, ouvert tous les jours de 9 h à 19 h (20 h de juillet à septembre) ; le reste de l'année, de 9 h 30 à 17 h 30 (18 h 30 du 15 au 31 mars). Entrée (audioguides inclus) : 9,50 € ; 7,50 € pour les 8-18 ans ; gratuit en dessous. Visites guidées (sans supplément) à 11 h, 14 h 30 et 16 h 30 (sous réserve).
Un des hauts lieux de l'histoire de France ; détenteur, qui plus est, d'un triple record : c'est le plus grand palais gothique d'Europe, le seul qui ait jamais été construit pour un pape en dehors de Rome, et le chantier le plus rapide de son époque. Pas mal, non ? C'est aussi – et surtout – l'un des plus magnifiques exemples d'architecture gothique du XIVe siècle, « la plus belle et la plus forte maison du monde », disait Froissart... Que cela soit vrai ou non, les différentes salles et chapelles de ce très bel édifice, ainsi que leurs fresques remarquables, ne vous laisseront pas indifférent. Très bonne visite, et une heure qu'on ne voit pas passer.

Le musée Requien : 67, rue Joseph-Vernet. ☎ 04-90-82-43-51. Ouvert de 9 h à 12 h et de 14 h à 18 h. Fermé les dimanche, lundi et jours fériés. Entrée gratuite.
Tout petit musée d'histoire naturelle qui, en quelques vitrines, évoque toute l'histoire du monde ! Saviez-vous par exemple qu'il y a 6 millions d'années, la Provence était recouverte d'eaux transparentes dignes de celles des Bahamas ? Belle collection de fossiles, troncs silicifiés de palmiers trouvés à Rustrel, cristaux géants de gypse, ours du Ventoux naturalisé, etc. Enfin, intéressantes explications sur la naissance de l'ocre, telle qu'elle se produit à Fontaine-de-Vaucluse.

Où dormir ? Où manger ?

Hôtel Le Splendid : 17, rue Agricol-Perdiguier, 84000 ***Avignon.*** ☎ 04-90-86-14-46. Fax : 04-90-85-38-55. • www.avignon-splendid-hotel.com • Compter 45 à 50 € pour une chambre double avec douche, 70 € pour une triple et 85 € pour 4 personnes. Petit hôtel familial aux chambres très agréables, claires, dans les tons jaunes et rouges (style provençal). Excellent rapport qualité-prix. Un petit dej' par chambre et par séjour est accordé de novembre à mars à nos lecteurs sur présentation du *Guide du routard.*

Tapalocas : 15, rue Galante, 84000 ***Avignon.*** ☎ 04-90-82-56-84. Ouvert tous les jours, toute l'année sauf les 24 et 31 décembre. *Tapas* à 2 €. Une institution locale ! Intérieur aux couleurs passées, un peu de bric et de broc, avec une carrosserie de voiture complètement écrasée au-dessus de la hotte... Le décor est planté. Pour faire son choix, facile : il suffit de viser une des grandes ardoises affichant la cinquantaine de *tapas* (chaudes ou froides) proposées et d'en élire quelques-unes. À accompagner de sangria, vins espagnols et tequila pour les grands. Inutile de dire que l'ambiance peut être chaude autour des longues tables de bois...

➤ DANS LES ENVIRONS

La miellerie des butineuses Polenia : 189, rue de la Source, 84450 ***Saint-Saturnin-lès-Avignon.*** ☎ 04-90-22-47-52. • www.miellerie.fr • À l'est d'Avignon, sur la D 28. Ouvert tous les jours sauf les dimanche et jours fériés, de 10 h à 12 h et de 14 h à 18 h. Entrée gratuite pour les individuels. Une entreprise familiale fondée en 1961, qui a exploité jusqu'à 1 000 ruches et lancé une grande gamme de produits cosmétiques aujourd'hui appelée Polenia. L'*Abeillorama* vous en apprendra sur la fabrication du miel et de la gelée royale, mais l'attraction principale, c'est la ruche d'observation (vitrée) où l'on voit les abeilles à l'ouvrage (la reine en train de pondre, les butineuses chargées de pollen, la danse des abeilles, les nourrices...). Bien sûr, après, il faut aller faire un petit tour au magasin, où l'on peut déguster et acheter toutes les gourmandises fabriquées à partir des produits de la ruche : nougat, pain d'épice, bonbons, sucettes, hydromel, huit variétés de miel, gelée royale, pollen et tous les produits de la ligne Polenia. Les enfants adorent !

LA CÔTE VAROISE

• La fondation océanographique Paul-Ricard • Le jardin exotique de Bandol-Sanary • Le musée de la Mine du Cap Garonne • Le rucher pédagogique du Pradet • Circuit des deux îles • Le Jardin d'oiseaux tropicaux • Le musée du Coquillage • Le Seascope • Aquatica

Le long de la côte varoise, il y a bien évidemment de nombreuses plages pour patauger joyeusement dans l'eau ou faire de beaux châteaux de sable... Aucune difficulté pour les trouver : il n'y a qu'à suivre les pancartes. Mais la côte réserve aussi d'intéressantes balades qui feront connaître à vos enfants la vie étonnante sous la bleue Méditerranée et quelques drôles d'animaux exotiques à plume et à poil. Ils pourront même s'aventurer dans les entrailles de la Terre !

La fondation océanographique Paul-Ricard : île des Embiez, 83140 ***Six-Fours-les-Plages.*** ☎ 04-94-34-02-49. • www.institut-paul-ricard.org • Ouvert de 10 h à 12 h 30 et de 13 h 30 à 17 h 45. Fermé le 1er janvier, les 25 et 26 décembre. Visite simple : 4 € ; enfants de moins de 12 ans : 2 €. Tarifs spéciaux pour nos lecteurs : 3,20 € et 1,60 €. Visite avec causerie et projection : 6,50 € ; enfants de moins de 12 ans : 3,20 €.
À la fois centre de recherche, de formation, aquarium et musée, cette fondation s'est d'abord appelée observatoire de la Mer, à sa création par Paul Ricard en 1966. Ce qui passionne le visiteur, et a fortiori les petits océanographes en herbe, c'est bien sûr l'aquarium ! En sortant, vous saurez tout sur la faune et la flore, la vie sous-marine de la Méditerranée. Des paysages sous-marins ont été fidèlement reconstitués pour pouvoir observer les différents biotopes. Vous y verrez toutes les espèces qu'on trouve d'habitude sur les étals des poissonniers, et plus encore. Par exemple : la reconstitution d'un herbier de posidonies permet de comprendre l'importance de cette jungle aquatique sur la vie des animaux. Grande productrice d'oxygène, c'est grâce à elle qu'une multitude de ces animaux peut vivre. C'est notamment le royaume des hippocampes. Des failles et des grottes, vous verrez dépasser les pinces d'un homard, la moue d'un gros mérou, ou encore un gobie léopard. Sur les fonds rocheux littoraux de faible profondeur, d'autres espèces encore, poulpes, oursins, daurades, rascasses... Bref, une vraie découverte d'un monde méconnu pour beaucoup, et sans cesse attaqué par les différentes formes de pollution.

Le jardin exotique de Bandol-Sanary : à 3 km de la ville de ***Bandol*** (83150). ☎ 04-94-29-40-38. Ouvert de 8 h à 12 h et de 14 h à 19 h ; le

dimanche, de 10 h à 12 h et de 14 h à 19 h ; d'octobre à mai, ouvert jusqu'à 18 h et fermé le dimanche matin. Entrée : 6,50 € ; enfants de moins de 10 ans : 5 €.
Des milliers de plantes et de fleurs tropicales réparties sur 2 ha, ainsi que de nombreux oiseaux, exotiques bien sûr (aras, cacatoès, toucans, paons, etc.).

Où dormir ? Où manger ?

Le Mas de Pierredon : 652, rue Coletta (quartier de Pierredon), 83110 ***Sanary-sur-Mer.*** ☎ 04-94-74-25-02. Fax : 04-94-74-61-42. • www.campasun.fr • À 3 km des plages de Sanary et de Bandol. Ouvert d'avril à mi-octobre. Emplacement pour deux de 12,80 € à près de 20 € en saison. Location de mobile homes. Un camping de taille modeste sur 3 ha. L'un des plus beaux du coin pour qui aime bien avoir ses aises. Piscine agréable (ce n'est pas toujours le cas !), sans oublier une petite aire de jeux pour les enfants, minigolf et tennis. Réduction de 10 % hors saison pour nos lecteurs.

Hôtel du Parc : 112, rue Marius-Bondi, Le Brusc, 83140 ***Six-Fours-les-Plages.*** ☎ 04-94-34-00-15. Fax : 04-94-34-16-94. À 50 m du port. Ouvert d'avril à octobre. Fermé le dimanche soir hors saison. Parking gratuit. Doubles de 38,50 à 51 €. Compter près de 80 € à 3 personnes et 100 € à 4. Menus de 14 à 22 €. Menu-enfants à 9 €. Tranquille petit hôtel familial. Chambres pas compliquées mais confortables, bien tenues et avec de beaux vieux meubles. Salle de restaurant fraîche donnant sur un joli jardinet. Bonne ambiance et accueil sympathique.

L'En K : 13, rue Louis-Blanc, 83110 ***Sanary-sur-Mer.*** ☎ 04-94-74-66-57. Derrière la mairie. Fermé le dimanche midi en saison et le lundi le reste de l'année ; congés annuels : en novembre. Menus à 22 et 28 € ; compter près de 25 € à la carte. Pour vos enfants, le chef concoctera des petits plats tout bons pour pas trop cher. Ce resto n'a rien de l'attrape-touristes mais tient du rendez-vous d'habitués en quête de bons petits plats dans une déco colorée et une ambiance amicale. Cuisine réservant plein de petites surprises (cabillaud crème à la vanille, thon grillé à l'ananas...), préparées et servies par une bande de jeunes qui s'amusent autant qu'ils travaillent.

Le musée de la Mine du Cap Garonne : chemin du Bau-Rouge, 83220 ***Le Pradet.*** ☎ 04-94-08-32-46. • www.mcg.fr.fm • Hors vacances scolaires, ouvert les mercredi, samedi, dimanche et jours fériés (sauf à Noël et le Jour de l'an) de 14 h à 17 h ; pendant les vacances scolaires (toutes zones), tous les jours de 14 h à 17 h (17 h 30 en juillet et août). Entrée : 6,20 € ; 12-18 ans : 3,80 € ; moins de 12 ans : 3,10 €. Visite guidée (1 h 15). Les jours de mauvais temps, arriver tôt car c'est l'affluence : il peut être alors difficile de trouver une place. Prévoir une petite laine.
Ouverte à l'exploitation par décision de Napoléon III, devenue champignonnière après la Seconde Guerre mondiale, l'ancienne mine de cuivre du Cap Garonne a été transformée en musée. On y découvre, au travers de reconstitutions scéniques, la vie des mineurs il y a un siècle ; puis, à l'aide de microscopes, une infinie variété de microcristaux aux formes mystérieuses et aux couleurs éblouissantes. Enfin, la dernière partie du circuit conduit le visiteur dans un musée du Cuivre, unique en son genre. Un intéressant voyage au cœur de la Terre, qui passionnera petits et grands.
➢ À l'entrée du site débute le sentier de découverte du Cap Garonne (1,2 km) avec ses points de vue remarquables sur les îles d'Hyères. Une chouette balade à faire en famille. Visite guidée possible en compagnie d'un écoguide. Renseignements : office de tourisme du Pradet, pl. du Général-de-Gaulle. ☎ 04-94-21-71-69.

Le rucher pédagogique du Pradet : dans le jardin de Courbebaisse, derrière l'église, 83220 ***Le Pradet.*** Visite sur rendez-vous au ☎ 06-81-33-94-48 ou 04-94-21-23-38. Entrée : 6 €; enfants : 2 €. Enfilez votre voilette (fournie) et vous voilà prêt pour assister à la démonstration de l'apiculteur. Une chouette initiative pour tout comprendre sur le fonctionnement d'une ruche et observer les abeilles en plein boulot! Éviter simplement de vous parfumer, il paraît que ces petites bébêtes n'aiment pas ça!

➢ ***Excursion d'une journée sur les îles de Porquerolles et de Port-Cros*** par la *TLV* et la *TVM.* ☎ 04-94-58-21-81 et 04-94-58-95-11. • www.tlv-tvm • Départs depuis le port de la Tour-Fondue (à l'extrémité de la presqu'île de Giens). Tarif unique à partir de 4 ans : 24 € pour les 2 îles. Départs également depuis le port du Lavandou. Plus cher.

Le Jardin d'oiseaux tropicaux : 83250 ***La Londe-les-Maures.*** ☎ 04-94-35-02-15. • www.jotropico.com • Dans le quartier Saint-Honoré, sur la D 559. De juin à septembre, ouvert de 9 h à 19 h; en intersaison, de 14 h à 18 h; de novembre à janvier, ouvert uniquement les samedi, week-ends, jours fériés et vacances scolaires de 14 h à 17 h. Entrée : 7 €; enfants de 3 à 14 ans : 5 €.
Assez unique en son genre, avec ses quelque 450 oiseaux et près de 90 espèces différentes. Des célèbres toucans du Brésil aux pigeons Gouras de Nouvelle-Guinée en passant par les calaos d'Asie, balade agréable dans un parc de 6 ha. Beau jardin botanique avec des plantes venues de régions arides et sympathique aire de pique-nique.

PROVENCE-ALPES-CÔTE D'AZUR

Où manger?

Chez Francis : 2, carré du Port-Miramar, 83250 ***La Londe-les-Maures.*** ☎ 04-94-35-03-75. Fermé le dimanche soir et le lundi sauf en juillet et août (fermé certains lundis midis en été); congés annuels : en décembre et janvier. Menu à 14 €; à la carte, compter entre 20 et 25 €. Dans un bâtiment récent, le classique resto de bord de mer avec une gentille terrasse donnant sur le port et à l'écart de la circulation automobile. Cuisine toute simple mais correcte (moules-frites, poisson grillé) pas trop lourdement facturée. Parfait avec les bambins. Apéritif maison offert à nos lecteurs sur présentation du *Guide du routard.*

Le musée du Coquillage : nouveau port (près du tunnel), 83980 ***Le Lavandou.*** ☎ 04-94-15-09-21. • www.musee-du-coquillage.com • Ouvert tous les jours de 10 h à 12 h et de 14 h à 18 h. Nocturne certains soirs en juillet et août de 20 h 30 à 22 h 30. Entrée : 3,50 €; enfants de moins de 16 ans : 2 €. Visite commentée sur demande.
C'est pour rendre hommage à son père, un véritable explorateur des grands fonds marins, que Dolorès a ouvert ce fabuleux petit musée. Près de 2000 coquillages du monde entier y sont exposés (des milliers d'autres devraient bientôt rejoindre la collection). Il y en a de toutes les tailles, de toutes les formes, de toutes les couleurs. Émerveillement assuré de 7 à 77 ans!

Le Seascope : gare maritime, 83980 ***Le Lavandou.*** ☎ 04-94-71-01-02. Tous les jours, suivant la météo (se renseigner sur place ou par téléphone). Durée : 35 mn environ. Entrée : 13 €; enfants de 4 à 12 ans : 9 €.
Assez intéressant, surtout pour les enfants (ça tombe bien!). Grâce à sa coque transparente, ce trimaran créé par l'architecte Jacques Rougerie permet une visite guidée des fonds sous-marins, à la découverte des loups, des girelles et des herbiers de posidonies, sans oublier tout de même quelques boîtes de conserve...

Où dormir? Où manger?

🏠 ***Le Rabelais :*** 2, rue Rabelais, face au port de plaisance, 83980 ***Le Lavandou.*** ☎ 04-94-71-00-56. Fax : 04-94-71-82-55. • hotel.lerabelais@wanadoo.fr • ♿ Fermé de mi-novembre à mi-janvier. Parking gratuit. Doubles avec douche, de 36 à 68 € selon la saison. Compter 10 € par lit supplémentaire. Jolie maison à deux pas du centre. Une vingtaine de chambres rénovées, confortables et mignonnes comme tout avec de jolies touches de couleurs. Les plus chères ont vue sur la mer avec balcon et sont climatisées. Petit dej' aux beaux jours sur la terrasse qui surplombe le port de pêche.

|●| ***Auberge provençale :*** 11, rue du Patron-Ravello, 83980 ***Le Lavandou.*** ☎ 04-94-71-00-44. Fermé les lundi, mardi et mercredi midi; congés annuels : en janvier. Menus de 20 à 29 €. Pour les enfants, quelques plats pas trop chers. Superbe salle à manger, meublée en vrai rustique, avec sa grande cheminée, mais les enfants préféreront certainement la terrasse en bordure de rue piétonne. Cuisine provençale, ce qui ne devrait pas vous épater, plutôt honnête dans sa catégorie. Service déficient parfois en saison. Apéritif maison offert sur présentation du *Guide du routard.*

Aquatica : N 98, La Capou, 83600 ***Fréjus.*** ☎ 04-94-51-82-51. • www.parc-aquatica.com • Ouvert tous les jours de juin à mi-septembre. Entrée à partir de 12 ans : 22 €; enfants de plus de 1 m : 18 €; gratuit pour les enfants de moins de 1 m (si accompagnés de deux adultes).
Bienvenue dans le fabuleux royaume d'Aquatica. Ici, la reine c'est l'eau. Une flopée de toboggans, la piscine à vagues la plus grande d'Europe, une *Rivière à bouées,* les *Rapides du Grand Canyon,* deux *Pentagliss,* un *Black Hole,* un *Twin Sister,* des corsaires, une *Jungle Exotique,* etc. Spectacles, restaurants, bars, bains bouillonnants, pédalo sur le lac, salle de jeux, boutiques, minigolf... Ils ont pensé à tout, pour le plus grand bonheur des petits et peut-être des grands!

Où manger?

|●| ***La Romana :*** 155, bd de la Libération, 83600 ***Fréjus-Plage.*** ☎ 04-94-51-53-36. Fermé les lundi et mardi hors saison; en été, fermé en plus le mercredi. Congés annuels : en janvier. Compter près de 25 €. Pas de menu spécifique pour vos chères têtes blondes, mais les bambins trouveront quand même leur bonheur. Un resto du front de mer, du style bistrot 1900 un peu kitsch, proposant une honnête cuisine, généreuse et d'un bon rapport qualité-prix. Plats à dominantes italienne et provençale : pizzas, pâtes fraîches, bourride au poisson, daube à la provençale, etc. Dans ce coin très touristique, où il y a du bon et souvent du mauvais, une adresse valable. Apéritif offert aux lecteurs du *Guide du routard.*

L'ARRIÈRE-PAYS VAROIS

• Le village des Tortues

Après avoir sillonné le littoral varois, on vous propose tout de même une petite incursion dans l'arrière-pays qui vous permettra de découvrir au passage le très beau massif des Maures quasi exclusivement boisé de chênes-liège et de châtaigniers. Ce peut être aussi l'occasion de trouver un sympathique coin calme et ombragé pour un bon pique-nique... Ah oui, juste un détail pour les petits curieux, Maures vient du provençal *mauro* qui signifie « sombre ». Rien à voir donc avec les lointains Maures !

Le village des Tortues : 83590 **Gonfaron.** ☎ 04-94-78-26-41. À 10 km du Luc-en-Provence et à 4 km de Toulon. Sur l'A 8, sortir à Toulon-Le Luc, prendre la direction Le Luc-en-Provence puis Gonfaron. Ouvert de mars à novembre tous les jours de 9 h à 19 h. Fermé de décembre à février. Entrée : 8 €; de 3 à 16 ans : 5 €.
Voilà une chouette visite ! Ce village est tout sauf un zoo. Créé par la SOPTOM dans le but d'étudier et de protéger les tortues, il reçoit ces animaux la plupart du temps du public, puis ceux-ci sont relâchés dans la nature selon des programmes scientifiques précis. Les quelque 2500 tortues que vous verrez ici déambuleront un jour ou l'autre à nouveau en pleine nature, car un des buts de l'opération est de réintroduire ces espèces menacées dans le paysage. Les scientifiques liés à la SOPTOM mènent un tas d'études sur ces mangeuses de salade. Ainsi, en pleine garrigue, vous découvrirez les écloseries, les bassins pour tortues d'eau, les enclos d'adaptation et de reproduction, les lieux de soins, les sites d'observation des tortues exotiques et différents stands informatifs... Sûr que les enfants seront passionnés par ces bébêtes !

Où dormir ? Où manger ?

Chambres d'hôte et ferme-auberge Domaine de la Fouquette : 83340 ***Les Mayons.*** ☎ 04-94-60-00-69. Fax : 04-94-60-02-91. • domaine.fouquette@wanadoo.fr • À 10 km au sud du Luc, à 2 km après le village des Mayons sur la D 75, direction Collobrières. Fermé de novembre à mars. Chambres d'hôte avec douches et w.-c. à 48 €, petit dej' compris ; compter autour de 61 € la triple, dans laquelle vous pourrez toujours ajouter un lit supplémentaire pour environ 13 €. Table d'hôte, sur réservation, à 16 €. Trois chambres à la déco toute simple, pas désagréables. Vous apprécierez, après la balade dans la forêt, la table de ce couple de viticulteurs qui se fera un devoir de vous faire goûter, outre leur vin, une cuisine de terroir à base de produits fermiers : lapin au safran, petits farcis, bouillabaisse de poulet. Digestif maison offert aux lecteurs du *Guide du routard.*

Restaurant Le Gourmandin : 8, pl. Louis-Brunet, 83340 ***Le Luc-en-Provence.*** ☎ 04-94-60-85-92. Fermé les dimanche soir et lundi ; congés annuels : du 20 février au 10 mars et de fin août à mi-septembre. Menus de 22 à 39 € ; menu-enfants à 11 €. Mignon petit établissement au décor régional, connu dans la région autant pour son accueil que pour sa cuisine. Fleurs de courgettes farcies à la mousse de rascasse sur coulis d'étrilles, magret de canard braisé au miel de châtaignes... Belle carte de vins régionaux. Apéritif maison offert à nos lecteurs sur présentation du *Guide du routard.*

NICE : LE MUSÉE MATISSE ET LE PARC PHŒNIX

Dans les environs : Marineland à Antibes • Le musée Fernand-Léger à Biot • Les îles de Lérins

Les couleurs pastel des maisons du vieux Nice et ses rues tortueuses, le marché haut en couleur du cours Saleya le samedi, la vue depuis la colline du Château, autant d'endroits qui plairont sûrement aux petits et grands. Et pour fuir ensuite le côté très urbain de la ville, on pourra aller admirer à Cimiez les magnifiques toiles de Matisse ou se détendre dans le parc Phoenix.

LE MUSÉE MATISSE

164, av. des Arènes-de-Cimiez, 06000 **Nice.** ☎ 04-93-81-08-08. Ouvert toute l'année de 10 h à 18 h. Fermé le lundi. Entrée : 3,80 € ; gratuit pour les moins de 18 ans et le 1er dimanche du mois.

🍴🍴 Une belle demeure du XVIIe siècle, inspirée des villas génoises, abrite le musée Matisse, constitué grâce aux donations d'Henri Matisse, qui s'était installé à Cimiez, puis de sa famille. Avant d'entrer, jeter un œil à la façade : le linteau des fenêtres a été peint en trompe l'œil. Le musée rassemble des œuvres de toutes les périodes et de tous les registres de la carrière du peintre, retraçant son cheminement depuis les premiers tableaux de 1890 jusqu'aux gouaches découpées de la fin de sa vie qui plairont beaucoup aux enfants (*La Vague, Fleurs et Fruits* et le célèbre *Nu IV*), en passant par la période fauve. Deux bons points pour une visite en famille : les salles sont organisées de manière thématique (les collages, *La Danse*...), et les enfants peuvent voir les œuvres de très près. Le musée présente aussi beaucoup d'objets ayant appartenu à Matisse et dont on retrouve l'influence dans son œuvre, comme un fauteuil rayé, des guéridons, des céramiques chinoises et des étoffes marocaines.

LE PARC PHŒNIX

405, promenade des Anglais, 06000 **Nice.** ☎ 04-93-18-03-33. De la promenade des Anglais, prendre la direction de l'aéroport, ensuite à droite, vous verrez la grande serre... la suite du parcours est fléchée ! Chiens non acceptés. Ouvert tous les jours de 9 h à 17 h (19 h de mi-mars à mi-octobre) ; fermeture des caisses 45 mn avant. Entrée parc + serre : 6 € ; enfants de 6 à 12 ans : 4 €.

🍴🍴 Ouvert en 1991, ce parc botanique de 7 ha regroupe plus de 2000 espèces de végétaux. On visite 5 zones correspondant aux différentes périodes climatiques. De discrets haut-parleurs diffusent des chants d'oiseaux se rapportant à la latitude de la flore présentée. Quelques papillons volettent, des oiseaux également. La serre géante est une des plus grandes d'Europe. Ne manquez surtout pas la grande pyramide inversée, qui présente, au-dessous, la végétation et la faune. Une invitation au voyage !

Où dormir ?

■ ***Hôtel de la Buffa :*** 56, rue de la Buffa, 06000 **Nice**. ☎ 04-93-88-77-35. Fax : 04-93-88-83-39. • www.hotel-buffa.com • À l'angle Buffa-Gambetta. Chambres doubles de 60 à 75 €, triples à 77 € et pour 4 personnes à 85 €. Un petit hôtel très bien tenu dans un coin de Nice où l'on n'aurait pas forcément idée d'aller séjourner, avec de petites chambres toutes simples. Clim' et calme garanti côté cour. Petit « office de tourisme » dans l'entrée. Accueil souriant et compétent. Petit dej' offert le 1er jour à nos lecteurs sur présentation du *Guide du routard*.

■ ***Hôtel de la Fontaine :*** 49, rue de France, 06000 **Nice.** ☎ 04-93-88-30-38. Fax : 04-93-88-98-11. • www.hotel-fontaine.com • Chambres doubles de 85 à 115 € selon la saison ; triples à 107 € (pas de chambre pour 4 personnes). Une adresse bien agréable, en plein centre de Nice, à deux pas de la mer et de la rue piétonne. Demandez plutôt à être sur la cour. Les chambres sont belles, propres et confortables. Le patio permet de prendre des petits dej' copieux au son délicat du glouglou de la fontaine. Les patrons se mettront en quatre pour vous faire plaisir et rendre votre séjour agréable. Réduction de 10 % sur présentation du *Guide du routard,* sauf en haute saison.

Où manger ? Où déguster une glace ?

Dans le vieux Nice, de nombreuses spécialités délicieuses et vraiment pas chères, à l'heure du marché, cours Saleya. Face à la mer, goûtez une vraie salade niçoise ou un vrai pan-bagnat, qui est en fait un sandwich dont la garniture est la fameuse salade niçoise, ou encore une pissaladière (tarte à l'oignon et à la purée d'anchois). Vous verrez, les enfants en raffolent. Goûtez aussi à la traditionnelle *socca,* galette à base de farine de pois-chiche.

|●| ***La Casa della Pasta :*** 9, rue du Pont-Vieux, 06000 ***Nice.*** ☎ 04-93-92-99-08. Ouvert tous les jours. À la carte uniquement. Compter entre 15 et 30 €, selon l'appétit et la soif. Des plats pas vraiment diététiques mais qui font courir petits et grands, à deux pas de la cathédrale Sainte-Réparate. Salades gargantuesques, pâtes sous toutes leurs formes et toutes leurs sauces. Ce restaurant aux couleurs de l'Italie a dû pousser ses murs, succès oblige. Qualité des produits, chaleur de l'accueil, bons petits vins italiens, tout y est. Pourvou que ça doure.

|●| ***La Zucca Magica :*** 4 bis, quai Papacino, 06000 ***Nice.*** ☎ 04-93-56-25-27. Fermé les dimanche et lundi. Menus à 15 € le midi, 22 € le soir. Un lieu vraiment magique pour les grands enfants prêts à vivre un conte de fées et qui n'en reviendront pas de pouvoir dîner à la table d'un ogre végétarien. Pas d'enseigne, Marco Folicardi n'en a pas besoin. Aujourd'hui, à chaque service, il refuse du monde. Pas de carte, on goûte ce qu'il veut, quand il le veut, en fonction du marché et des légumes qui mijotent dans les marmites. Dans la pénombre éclairée par de multiples bougies (venez le soir, la *Zucca* – la « Citrouille » – est encore plus magique !), on devine à peine ce qui vous arrive dans l'assiette : lasagnes odorantes, poivrons farcis *a la pasta, canelloni* à la roquette, tourtes de citrouille et gorgonzola, le tout servi copieusement... Petits prix, surtout, pour une cuisine végétarienne pleine de saveurs, à base de pâtes, de pois chiches, de lentilles, de haricots. Fellini aurait aimé, nous on a adoré, et nos gamins aussi. Café offert aux lecteurs du *Guide du routard.*

|●| ***Fenocchio :*** 2, pl. Rossetti, 06000 ***Nice.*** ☎ 04-93-80-72-52. Ouvert tous les jours. Fermé de novembre à janvier. Pour tous ceux qui n'imaginent pas une journée sans glace ni sorbet. Ici, dans cette institution niçoise, on a l'embarras du choix avec plus de 70 parfums, de l'amande à la fleur de lait (!) jusqu'à la tomate-basilic, en passant par les pruneaux, le marasquin ou le chewing-gum !

PROVENCE-ALPES-CÔTE D'AZUR

➤ DANS LES ENVIRONS

👫 ***Marineland :*** à l'angle de la N 7 et de la route de Biot, 06600 ***Antibes.*** ☎ 04-93-33-49-49. • www.marineland.fr • Accès possible en train ; descendre à la gare de Biot. Ouvert tous les jours de 10 h à 20 h (minuit en juillet et août). Un forfait permet de passer du parc de la Mer à la Petite Ferme et à

la jungle des Papillons. Entrée pour la journée : 24 € ; enfants de 3 à 12 ans : 16 €. Possibilité de restauration sur place : *La Terrasse* propose des spécialités italiennes et un menu-enfants à 8 €.
1er parc aquatique d'Europe, il y a de quoi s'occuper entre le show marin, avec dauphins, otaries et phoques, le plus grand bassin d'orques au monde (d'après le prospectus, mais c'est difficile à vérifier !), la visite des aquariums, sans compter les rencontres avec les animaux domestiques, les insectes de la végétation tropicale ou ces requins de toutes espèces (quoiqu'on pourrait en trouver d'autres, derrière certaines caisses de la Côte !) qu'on voit évoluer bien à l'abri dans un tunnel transparent de 30 m de long. Pour les plus grands, également un golf avec 3 parcours.

Le musée Fernand-Léger : chemin du Val-de-Pome, 06410 **Biot.** ☎ 04-92-91-50-30. À 3 km du bord de mer, à droite avant le village. De juillet à septembre, ouvert de 11 h à 18 h ; hors saison, de 10 h à 12 h 30 et de 14 h à 17 h 30. Fermé le mardi. Entrée : 4 € ; réductions enfants.
Un musée superbe, calme et bien aménagé. Le bâtiment a été construit autour de 2 œuvres de Léger : une mosaïque-céramique (visible sur la façade), de près de 500 m^2, et le vitrail, de 50 m^2, qui éclaire le hall de l'étage. Fernand Léger a été beaucoup influencé par l'univers de la guerre et des machines, autant que par Cézanne et les impressionnistes. Les enfants sont souvent captivés par la peinture moderne (très proche de leurs propres créations, finalement !). Les gigantesques sujets de Léger, ses céramiques, très colorées, et ses sculptures, exposées dans le jardin, ne devraient pas les laisser indifférents.
Avant de repartir, faites une pause gourmande à *La Buvette du Jardin.* Ouvert tous les jours de 10 h à 18 h. ☎ 04-92-91-50-22. Salades composées, tartes salées, sandwichs originaux, bonnes pâtisseries maison. Pour manger « Léger », c'est l'idéal.

PROVENCE-ALPES-CÔTE D'AZUR

Où dormir ? Où manger dans le coin ?

Le Ponteil : 11, impasse J.-Mensier, 06600 **Antibes.** ☎ 04-93-34-67-92. Fax : 04-93-34-49-47. Fermé du 15 novembre à début février, sauf pendant les fêtes. Chambres doubles de 52 à 82 € en haute saison ; compter de 76 à 98 € pour 3 personnes, 117 € pour 4 personnes et 137 € pour 5 personnes. Demi-pension obligatoire (dîner) de Pâques à fin septembre, de 53 à 68,50 €. Sinon, dîner à 20 €, 16 € pour les moins de 10 ans. Tranquille, familial et tout entouré de verdure. Chambres dans la villa ou en bungalow, joliment décorées et très propres. Cuisine traditionnelle (méridionale) et familiale pour les demi-pensionnaires.

La Socca, Chez Jo : 1, rue James-Close, 06600 **Antibes.** ☎ 04-93-34-15-00. Fermé le dimanche soir et lundi. Congés annuels : de mi-décembre à mi-janvier. Pour manger sur le pouce, part de *socca* autour de 2,50 €, sinon entre 6 et 12 €. Toute petite salle, et donc souvent la queue devant, surtout le dimanche midi ! Vous y trouverez, comme son nom l'indique, de la *socca,* spécialité importée de Nice, ainsi que de la pissaladière.

Le Safranier : 1, pl. du Safranier, 06600 **Antibes.** ☎ 04-93-34-80-50. Fermé le lundi et le mardi midi en saison, le dimanche soir et le lundi hors saison ; congés annuels : du 15 décembre au 15 janvier. Menu à 11 € ; à la carte, compter 24 à 30 € ; plat spécial pour les enfants : raviolis, gnocchis ou spaghetti, autour de 6 €. *Le Safranier,* au cœur de la commune libre du même nom, est devenu une véritable institution. Terrasse sous une (vraie) tonnelle. Service et accueil plutôt agréables. On a l'impression d'être dans un petit village de Provence. Soupe de poisson et bouillabaisse extra (sur commande), et bien sûr des poissons grillés : daurade, loup... N'accepte pas les cartes de paiement.

LES ÎLES DE LÉRINS

➢ ***Balade en bateau vers les îles de Lérins :*** départ sur le vieux port de Cannes, toutes les 30 mn à partir de 9 h de juin à septembre ; toutes les heures à partir de 10 h le reste de l'année. ☎ 04-93-39-11-82. Compter 9 € l'aller-retour pour l'île Sainte-Marguerite (la plus grande des deux), demi-tarif pour les enfants (15 mn de trajet). Notre promenade préférée au départ de Cannes, loin de la Côte et de la foule. Petites plages de sable et de galets et beaucoup de forêt (sentier botanique balisé).

AVENTURES SOUS-MARINES : LE MUSÉE OCÉANOGRAPHIQUE DE MONACO

Dans les environs : le zoo du Cap-Ferrat • Astrorama • Le parc départemental de la Revère • Le jardin botanique exotique de Val Rahmeh • Balade autour du cap Martin

On connaît la famille Rainier ou l'équipe de foot, mais Monaco est aussi célèbre pour son site et son superbe Musée océanographique. Pour ceux qui préfèreraient l'ivresse des cimes à celle des profondeurs, grimpez vite dans les montagnes de l'arrière-pays. Les enfants seront ravis !

LE MUSÉE OCÉANOGRAPHIQUE DE MONACO

Av. Saint-Martin, à ***Monaco.*** ☎ 00-377-93-15-36-00. • www.oceano.mc • En bordure du rocher. Ouvert tous les jours. De janvier à mars et d'octobre à décembre, ouvert de 10 h à 18 h ; d'avril à juin et en septembre, de 9 h 30 à 19 h, 18 h 30 en juillet et août. Compter au moins 3 h de visite. Entrée : 11 € ; étudiants et enfants de 6 à 18 ans : 6 €.

Une visite à ne manquer sous aucun prétexte : le plus célèbre et sans doute le plus important musée du genre. Ceux qui n'aimaient pas les poissons en ressortent immanquablement ébahis, voire... amoureux ! Déjà, l'édifice lui-même a fière allure : ses 100000 t de pierre de taille de La Turbie dominent la mer du haut de 85 m... L'ensemble fut inauguré au début du XXe siècle par Albert Ier pour abriter les étonnantes collections récoltées au cours de ses expéditions à travers les mers du globe. Il fut dirigé de 1957 à 1988 par le commandant Cousteau, qu'il n'est pas nécessaire de présenter.

Votre visite commencera en priorité par l'aquarium occupant le sous-sol. Des milliers de spécimens de la faune et de la flore aquatiques évoluent dans 90 bassins alimentés directement en eau de mer. Après l'accueil d'un banc de petits requins, on s'étonne devant le poisson-lime, bleu à taches orange, et le poisson-rasoir, en forme de lame, de l'aquarium E14. Puis on se pâme devant la bécasse à carreaux et le porte-enseigne en forme de faucille (E7), avant de s'extasier face aux poissons-roches, inimaginables et ô combien venimeux ! Suivent les poissons-papillons ou vaches (E5), ou encore la balance, avec sa coiffure punk. En N1, un arbalétrier vous fixe et suit votre regard, tandis qu'un baliste bleu montre ses dents orange ! Dans le bassin N3, de toutes les couleurs, la girelle oiseau, au long bec. Ne pas manquer non plus les poissons-scorpions, la licorne (G1) et l'abominable rascasse pustuleuse (S10). Amusant : le crabe honteux, dont les pattes disparaissent (S4), et l'esturgeon au long nez à moustaches (A3) ! Le plus étonnant est sans doute la plie. Essayez de la trouver, dans l'aquarium C13... Ce poisson plat, presque caméléon, se cache dans le sable avant de bondir sur sa proie ! Un sous-sol féerique où l'on resterait des heures. Le clou de cette visite est sans aucun doute le récif corallien, importé de Djibouti, que les chercheurs du musée ont réussi à acclimater en aquarium, créant ainsi un écosystème entièrement autonome. Une première dans l'histoire de l'aquariophilie. Sûr que ça va vous changer de votre poisson rouge !

Au rez-de-chaussée, le musée, où trône une baleine de 20 m de long. Autour, des fanons : on comprend enfin comment fonctionne cet étonnant filtre géant. Au mur, une horloge électronique nous apprend qu'un bébé baleine grossit d'1 g/s.

Au 1er étage, un calamar géant accroché au plafond (13 m !), des manchots, des otaries et toutes sortes d'oiseaux des îles empaillés. À voir aussi, le bec d'un poisson qui mesurait 7 m et le squelette d'une dorade dévorée par des puces de mer !

On termine par la terrasse du 2e étage, d'où la vue est superbe. On peut compléter la visite des lieux par un des documentaires sur la mer projetés en permanence dans la salle de conférences.

Le Jardin exotique : près de la moyenne corniche. Pour y aller, bus n° 2 depuis le palais ou le centre-ville. Ouvert de 9 h à 19 h (18 h hors saison). Entrée plutôt chère : 6 € ; tarif global permettant de visiter aussi les grottes de l'Observatoire en saison.

Superbe vue sur la principauté. Les plantes tropicales les plus fragiles ont pu être acclimatées sur cette pente de rochers exposée au soleil et bien abritée. Exceptionnelle collection de 7000 « succulentes », cactées, euphorbes, figuiers de Barbarie, etc.

– ***Les grottes de l'Observatoire :*** elles s'ouvrent dans le jardin, en contrebas. Attention : dernière visite à 18 h 10 en été. Durée : 40 mn. On effectue un circuit à travers une succession de salles ornées de stalactites et de stalagmites. Ce sont les seules grottes en Europe où plus vous descendez, plus la température monte.

Où dormir ? Où manger ?

Hôtel Diana : 17, bd du Général-Leclerc, 06240 ***Beausoleil.*** ☎ 04-93-78-47-58. Fax : 04-93-41-88-94. • www.monte-carlo.mc/hotel-diana-beausoleil • À 500 m du casino. Chambres doubles à 48 € avec douche, 55 € avec bains ; chambres familiales à 63 €. Ici, rappelons-le, on est en France, alors que de l'autre côté de la rue, c'est Monte-Carlo ! Façade verte très Belle Époque qui tranche un peu sur le béton environnant ! Toutes les chambres sont climatisées. On y accède par un ascenseur brinquebalant à souhait. Bon accueil. 10 % de réduction sur le prix de la chambre pour 2 nuits minimum sur présentation du *Guide du routard.*

Tony : 6, rue Comte-Félix-Gastaldi, ***Monaco.*** Très proche du palais et donnant sur 2 rues du vieux Monaco. ☎ 00-377-93-30-81-37. Fermé le samedi hors saison et du 1er novembre à fin décembre. Menus à partir de 14 € ; menu-enfants autour de 8 €. Une salle genre bistrot de province. Le patron est un personnage un peu surprenant dans cette ville aseptisée. La cuisine est bonne et copieuse. Il y a même des moules-frites qui feront le bonheur de vos bambins, ravis de pouvoir manger avec leurs doigts sans se faire gronder. Bons vins.

➤ DANS LES ENVIRONS

Sur la côte, de Saint-Jean-Cap-Ferrat à Menton

Le zoo du Cap-Ferrat : 06230 **Saint-Jean-Cap-Ferrat.** ☎ 04-93-76-07-60. • www.zoocapferrat.com • Ouvert tous les jours de 9 h 30 à 17 h 30 (19 h en été). Entrée : 9,50 €; enfants de 3 à 10 ans : 6,50 €. Le *Jungle Café,* dans un décor exotique et africain, permet de se restaurer.
Ce parc zoologique et botanique est installé sur la magnifique presqu'île du Cap-Ferrat depuis plus de 50 ans. Dans une superbe végétation tropicale et méditerranéenne, entre îles et cascades, plus de 300 animaux s'égaient tranquillement sous les yeux des visiteurs ébahis, grands et petits. La plage des crocodiles, la montagne aux ours, le domaine des tigres, l'île de Robinson, la plaine africaine des zèbres et autruches, sans oublier les singes, flamants roses, lémuriens, chèvres, canards, voilà quelques-unes des rencontres que vous ferez dans ce joli monde animal. Espace jeux pour les enfants.

PROVENCE-ALPES-CÔTE D'AZUR

Où manger ?

La Goélette : sur le port, 06230 **Cap-Ferrat.** ☎ 04-93-76-14-38. Fermé le mardi; de mi-novembre jusqu'après les fêtes de fin d'année, ouvert uniquement le week-end; congés annuels : en janvier. Menus à 16 et 26 €; menu-enfants autour de 10 €. On y trouve du poisson (excellente sole grillée), quelques plats espagnols, comme la *zarzuela* ou la paella, et des spécialités provençales, à l'image de l'aïoli ou de la bouillabaisse. C'est vrai que ça part un peu dans tous les sens, mais ça reste très correct et d'un prix raisonnable. Réservez avant de vous déplacer! Digestif offert sur présentation du *Guide du routard.*

Astrorama : 06360 **Èze.** ☎ 04-93-85-85-58 ou 04-93-41-23-04. Au col d'Èze, dans le parc départemental de la Grande-Corniche. Entrée : 6 €; 4,50 € pour les enfants; gratuit pour les moins de 6 ans.
Vous pourrez observer le ciel à travers des télescopes et assister à des animations sur l'astronomie et l'espace. Soirées « ciel ouvert » les vendredi et samedi de septembre à juin, de 18 h à 22 h 30; en juillet et août, tous les jours sauf le dimanche, de 18 h à 23 h. Ambiance étonnante et lieu exceptionnel.

Le parc départemental de la Revère : en continuant sur la grande corniche d'Èze. Un lieu fabuleux pour prendre le grand air. Sentier botanique pour découvrir les plantes du maquis méditerranéen (1 h) et la géologie du plateau. *Maison de la nature* ouverte sur demande (☎ 04-93-41-24-36). Panorama à 360° sur la Méditerranée et l'arrière-pays jusqu'au parc du Mercantour. Depuis le musée, départ de 2 balades, en plus du sentier botanique. L'une, à gauche, contourne le fort par le nord et revient au parking, ou se poursuit jusqu'à l'*Astrorama.* La seconde (à droite) conduit au massif de la Forna en 1 h 30 et offre des points de vue splendides.

Où manger ?

Le Nid d'Aigle : 1, rue du Château, 06360 **Èze.** ☎ 04-93-41-19-08. En haut du vieux village, à côté du jardin exotique. Fermé le mercredi, hors juillet et août, et le soir de novembre à fin mars; congés annuels : de mi-janvier à mi-février. Menus à partir de 22 €. Pas de menu spécifique pour vos enfants, mais il y a des pâtes, des pizzas... bref, tout ce qu'ils aiment ! « Le domaine des plaisirs simples », telle est l'enseigne de ce restaurant au cadre très agréable : salle dominant les toits d'Èze, terrasses entourées de vignes et d'arbres, dont un mûrier vieux de plus de 300 ans, apportant une fraîcheur très appréciée (en saison vous retrouverez parfois ses mûres en dessert, dans une tarte). Une adresse charmante pour s'offrir un bon petit dej', grignoter à l'heure du thé ou déguster une cuisine largement axée sur le terroir provençal : daurade au pistou, lapin à la provençale... Accueil sympathique. Digestif offert pour tout repas sur présentation de ce guide.

Le jardin botanique exotique de Val Rahmeh : av. Saint-Jacques, 06500 **_Menton._** ☎ 04-93-35-86-72. D'avril à septembre, visites de 10 h à 12 h 30 et de 15 h à 18 h ; d'octobre à mars, de 10 h à 12 h 30 et de 14 h à 17 h. Entrée : 4 € ; 2 € enfants, gratuit pour les moins de 6 ans.
Créé au début du XXe siècle par des Anglais passionnés de botanique, c'est depuis 1966 l'antenne méditerranéenne du Muséum national d'histoire naturelle. Tonnelles, bassins à nénuphars et fontaines agrémentent ce jardin qui présente sur 1 ha un grand nombre de plantes exotiques (et comestibles : kiwis, avocatiers, bananiers...) rassemblées par thèmes. Il possède le seul exemplaire du *Sophora toromiro,* l'arbre mythique de l'île de Pâques, qui pousse ici en pleine terre. Superbe jardin, surtout avec la vue sur la baie de Garavan. Une belle allée de palmiers vous conduit à la villa.

➢ **_Bateaux de la French Riviera :_** quai Napoléon-III, sur le vieux port de **_Menton._** ☎ 04-93-35-51-72. Tous les jours, de mi-avril à fin octobre. À partir de 12 € pour un adulte selon les destinations ; 6 € pour les moins de 10 ans. Promenade très touristique mais agréable, qui permet de découvrir les rivages somptueux de Monaco, Saint-Jean-Cap-Ferrat et toute la Riviera française depuis la mer.

Où dormir ? Où manger ?

Camping municipal Saint-Michel : plateau Saint-Michel, 06500 **_Menton._** ☎ 04-93-35-81-23. Minibus de la gare routière. En voiture, route des Ciappes et de Castellar de l'hôtel de ville de Menton (dans le centre). À pied, de la gare SNCF, suivre la route des Terres-Chaudes à gauche de l'avenue de la Gare, puis prendre les escaliers. Ouvert du 1er avril à mi-octobre. Pas de réservation, il faut arriver le matin. En saison, compter environ 12 € pour 2 adultes et une petite tente ; 2 € par enfant de 4 à 10 ans. De là-haut, vue superbe. 130 emplacements. On dort sous les eucalyptus et les oliviers (peu d'ombre, mais ça sent très bon). Laverie à l'extérieur. Eau chaude, snack et alimentation sur place. Bonne ambiance au bar.

Le Chaudron : 28, rue Saint-Michel, 06500 **_Menton._** ☎ 04-93-35-90-25. Dans le centre. Fermé le mardi en été, les mardi soir et mercredi le reste de l'année ; congés annuels : la 1re quinzaine de juillet et du 28 octobre au 28 décembre. Un seul menu à 20 € ; menu-enfants autour de 10 €. Un petit restaurant familial qui sert une cuisine provençale de bon aloi, fraîche et agréable. Salle climatisée avec une terrasse sur la rue piétonne.

➢ **_Balade autour du cap Martin :_** à **_Roquebrune-Cap-Martin._** Un site miraculeusement préservé, où les somptueuses propriétés disparaissent sous les pins, les oliviers centenaires et les mimosas. Des hôtes célèbres contribuèrent à la notoriété de l'endroit, à commencer par l'impératrice d'Autriche Élisabeth, dite *Sissi,* qui s'installa au *Grand Hôtel* de Roquebrune-

Cap-Martin peu après sa construction. L'impératrice Eugénie l'imita et l'accompagna dans ses promenades le long des sentiers muletiers. La côte orientale du cap est longée par une belle route de corniche qui offre des points de vue superbes sur Menton et l'Italie. Plan des sentiers pédestres disponible à l'office de tourisme.

LE CONSERVATOIRE BOTANIQUE NATIONAL ALPIN DE GAP

Dans les environs : la montagne aux Marmottes • La ferme du Col

Région de ski évidemment, mais pas seulement ; à quelques kilomètres des pistes, d'autres façons de découvrir le milieu et la culture des Alpes du Sud que de dévaler les pentes enneigées. Et bonjour aux marmottes !

LE SIÈGE DU PARC NATIONAL DES ÉCRINS

Domaine de Charance, 05000 ***Gap.*** ☎ 04-92-40-20-10. • www.parcsnationaux-fr.com/ecrins • www.les-ecrins-parc-national.fr • Il est installé au « château », grande maison de maître du XVIIIe siècle, où l'on pourra obtenir de la documentation et des infos sur le parc. Ouvert du lundi au vendredi de 8 h 15 à 12 h et de 14 h à 18 h.

– Face au château, côté vallée, 4 grandes terrasses reçoivent le jardin en terrasses du domaine de ***Charance.*** Rosiers, pommiers, poiriers et plantes sauvages sont les vitrines du ***Conservatoire botanique national alpin de Gap,*** qui est également installé au domaine et dont la mission est de répertorier, gérer et mettre en valeur le patrimoine végétal des Alpes françaises. Pour les animations et les visites guidées : ☎ 04-92-51-21-79 ou 04-92-53-01-09. • charance@ville-gap.fr • Des visites guidées de 1 h 30 environ sont organisées de mai à octobre ; en mai et octobre, les samedi et dimanche à 15 h, de juin à septembre tous les jours à 15 h. Pas cher (4,50 €), surtout si vous vous groupez (3 € par personne à partir de 10 personnes ; on peut s'entendre avec d'autres visiteurs pour former un groupe juste avant d'entrer, c'est pas plus bête). Attention, prévoir 15 mn de marche entre le parking et la salle d'expo du domaine (anciennes écuries du château), où se trouve la caisse et où commence la visite.

On recommande particulièrement cette visite. C'est une promenade agréable et instructive, où l'on découvre les belles essences du parc avant d'attaquer le jardin en terrasses : 9000 m^2 de roses, arbres fruitiers, plantes sauvages, lavandin... Quelque 800 variétés de roses anciennes sont représentées, superbes en juin. Au fil de la visite, on apprend, par exemple, que les roses n'ont pas d'épines mais des aiguillons, qu'on appelle « roses anciennes » celles d'avant 1914 (depuis lors, 20000 variétés ont été créées !) ou encore quelques techniques de rosiculture. La promenade se poursuit avec d'autres plantes : le monde végétal haut-alpin est en effet des plus riches, avec 3000 espèces sauvages (pour 5000 répertoriées sur la France entière). Sur ces 3000 espèces, 300 sont menacées : protégeons-les ! Le Conservatoire possède en outre 500 pommiers et 900 poiriers, on voit des variétés locales dans le jardin en terrasses.

On termine par la salle d'expo et la projection d'un diaporama commenté sur le parc national des Écrins.

– ***Animations pour les enfants :*** de mai à octobre, une fois par mois, en général le 1er mercredi du mois, les 6-12 ans partiront à la découverte de la nature : les vers de terre, les petites bêtes de l'eau, les arbres, les contes et légendes...

Où dormir? Où manger?

Camping Le Parc des Serigons : 05400 ***La Roche-des-Arnauds.*** ☎ 04-92-57-81-77. Fax : 04-92-57-96-33. • www.serigons.com • Ouvert toute l'année sauf de novembre aux vacances de Noël. Au calme et à 12 km de Gap, direction Veynes (sur la droite après le village de La Roche-des-Arnauds), un camping tout confort proposant des locations de chalets, de grands emplacements pour les tentes et de nombreuses activités (poney-club, VTT, piscine) à des prix raisonnables. Le tout dans une pinède.

La Ferme blanche : route de Romette, 05000 ***Gap.*** ☎ 04-92-51-03-41. Fax : 04-92-51-35-39. • la.ferme.blanche@wanadoo.fr • Doubles à 49 € avec douche, de 45 à 74 € avec bains; suite familiale pour 3 personnes composée de 2 chambres communicantes à 74 €. Demi-pension de 45 à 61 € par personne. Menus à partir de 20 €; menu-enfants à 9 €. À l'écart de la route, cet hôtel de charme dispose d'une terrasse ensoleillée, où il fait bon lézarder. À l'intérieur, au salon, de beaux meubles agrémentent les murs voûtés. Notez que le comptoir du bar est un ancien guichet de banque! Disponible et accueillant, le patron vous éclairera, tant sur les balades à entreprendre que sur l'actualité culturelle de la ville. Chambres inégales mais confortables. Pour nos lecteurs, 10 % de réduction sur le prix de la chambre.

Le Café Crêpe : 15, rue Pérolière ou par la rue de la Manutention, 05000 ***Gap.*** ☎ 04-92-53-87-48. Ouvert toute l'année de 12 h à minuit. Menus de 8,55 à 17,50 €; à la carte, compter environ 11 € pour un repas complet. En centre-ville, avec sa grande terrasse aux beaux jours, voici une adresse pratique dans un cadre agréable. À l'étage, salle colorée avec des banquettes molletonnées et de belles photos aux murs. Les crêpes, copieuses et bien beurrées, raviront les Bretons de passage. Sympa, pour y manger ou seulement boire un coup (très bon café). Apéritif maison offert sur présentation du *Guide du routard.*

Le Tourton des Alpes : 1, rue des Cordiers, 05000 ***Gap.*** ☎ 04-92-53-90-91. Ouvert midi et soir, toute l'année. Menus de 15 à 20 € environ; menu-enfants autour de 8 €. Ce restaurant connaît un succès persistant. Il faut dire qu'on vous sert ici les meilleurs tourtons des Hautes-Alpes, et ce n'est pas une légende... Accompagnés de salade verte et de jambon cru, ces beignets de pommes de terre sont excellents et servis à volonté. Si vous êtes pressé, possibilité d'en acheter à emporter. Patron vraiment sympa et cadre de pierre apparente agréable. Un bon rapport qualité-prix, service efficace, qui plaît à tous, et en plus, c'est l'une des rares adresses ouvertes tous les jours à Gap. Café offert sur présentation du *Guide du routard.*

➤ DANS LES ENVIRONS

La montagne aux Marmottes : 05160 ***Le Sauze-du-Lac.*** ☎ 04-92-44-32-00. À 10 km après Savines-le-Lac, le long de la D 954 qui fait le tour du

lac. Ouvert d'avril à octobre tous les jours de 10 h à 18 h, 10 h à 19 h en juillet et août. Entrée : 10 €; enfants de 3 à 15 ans : 7 €. Une entrée enfant offerte à nos lecteurs sur présentation du *Guide du routard.*
Formidable pour passer 1 h ou plus parmi les lapins, les poules, les blaireaux, les mouflons, les renards, les blaireaux, les chèvres, les moutons et les canards. On peut même en approcher certains. Tous ces animaux font partie de la maison, ont un nom, et visiblement sont heureux. Car les gens qui s'en occupent et tiennent ce parc animalier les aiment, et parfois même, les ont sauvés de cruels pièges à mâchoires (demandez aux marmottes!). Ah, les marmottes! Les animateurs les connaissent et vous les présentent, elles accourent, dressées sur leurs petites pattes de derrière, avec des attitudes vraiment craquantes... Il faut vraiment voir ça si on est dans le secteur. En été, 3 fois par jour, présentation vivante de la vie de la marmotte. Également des présentations de rapaces en vol au-dessus du lac, tous les après-midi.
Dans le parc toujours, quelques espaces consacrés aux minéraux et fossiles, une (petite) reconstitution de grotte préhistorique, une ruche vitrée, des insectes...
Pour les jeunes parents, une table à langer et un micro-ondes (pour chauffer les biberons). 2 zones de pique-nique, snack et boissons. Chenil fermé et gratuit, à l'ombre, à l'entrée du parc. Le billet d'entrée est valable tout l'été (vous pouvez revenir tant que vous voulez) et donne droit à quelques réductions sur des visites et prestations autour du lac de Serre-Ponçon. Bref, une étape vraiment sympa pour toute la famille.

Où dormir? Où manger dans le coin?

Hôtel-restaurant de la Mairie : pl. Barthelon, 05200 **Embrun.** ☎ 04-92-43-20-65. Fax : 04-92-43-47-02. • www.hoteldelamairie.com • Sur la place de la mairie, dans la vieille ville. Fermé le dimanche soir et le lundi en hiver (sauf vacances scolaires). Fermé en octobre et novembre, et 15 jours mi-mai. Chambres claires et propres de 45,20 à 48,20 € la double, selon la saison et le confort; chambres pour 4 personnes autour de 65 €. Petit dej'-buffet à 6,20 €. Demi-pension de 44 à 48 € par personne. Menus de 15,50 à 22 €; menu-enfants autour de 8 €. Avec sa superbe brasserie, sa cuisine de qualité et son personnel diligent et avenant, cet établissement est un modèle du genre. Parmi les spécialités, les crevettes sautées à la provençale et les ravioles aux morilles. Réservation recommandée. Préférez les chambres donnant sur la place. Une adresse en or. Café offert à nos lecteurs sur présentation de ce guide.

Chez Pierrot Fils : 05200 **Crots.** ☎ 04-92-43-13-43. À 4 km d'Embrun, 1er village sur la route de Gap, un peu à l'écart sur la gauche de la N 94. Dans une ruelle derrière l'église. Réservation recommandée. Fermé le midi sauf les dimanche et jours fériés. Congés annuels : de mi-mai à mi-juin ainsi qu'en octobre et novembre. Compter de 17 à 23 € à la carte; le dimanche midi, menu à 15 €. Moult vedettes sont passées chez *Pierrot :* les regrettés Thierry le Luron et Claude François, mais aussi Greg Le Mond, l'homme à vélo. Même si Pierrot n'est plus, son fils, avec sa maman, a repris l'affaire. On y vient non pour son calme mais pour son accueil des plus affables, un service gentil et rapide, son cadre agréable (salles voûtées d'anciennes écuries), sa terrasse, et pour manger, car ici, on mange bien, en toute simplicité. Les spécialités : frites à la crème et pieds-paquets, qui plairont aux appétits solides, tout comme le classique filet aux morilles ou des grillades... Si l'on veut faire plus simple, il y a les pizzas, réussies. En dessert, le vacherin s'impose. Dommage toutefois, ce n'est plus le rapport qualité-prix de l'époque de Pierrot. Cartes de paiement refusées. Quelques chambres pour dépanner. Café offert à nos lecteurs.

La ferme du Col : chez Jacqueline et Guy Aurouze, 05130 ***Jarjayes.*** ☎ 04-92-54-30-70. Jarjayes est un petit village à 9 km au sud de Gap, sur la D 942A. Ouvert du 1er février au 11 novembre tous les jours sauf le dimanche, de 10 h à 18 h. Visites guidées à 15 h et 16 h 30. Entrée : 5 € ; enfants : 4 €.
La ferme du Col propose une visite bien sympa d'un élevage de chèvres angora. Les enfants adorent cette ferme de découverte (outre une basse-cour complète, il y a des alpagas, des yacks, des moutons à quatre cornes, des vaches écossaises...). Ils pourront nourrir eux-mêmes les chèvres ou assister aux soins prodigués aux animaux. Et les parents pourront s'acheter un pull ou des chaussettes en mohair, pas donnés mais tellement confortables ! Aire de pique-nique. En juillet et août, boissons offertes à toute la famille.

LE MUSÉE-PROMENADE (RÉSERVE GÉOLOGIQUE) DE DIGNE-LES-BAINS

Dans les environs : Lambertâne à La Robine-sur-Galabre • Le sentier des contes

LE MUSÉE-PROMENADE (RÉSERVE GÉOLOGIQUE) DE DIGNE-LES-BAINS

À 2 km du centre-ville de ***Digne,*** sur la D 100. ☎ 04-92-36-70-70. Ouvert du lundi au vendredi de 9 h à 12 h et de 14 h à 17 h 30 (16 h 30 le vendredi) ; du 1er avril au 31 octobre, ouvert également le week-end aux mêmes heures. Entrée à tarif réduit pour nos lecteurs : 3,85 € (au lieu de 4,60 €) ; enfants : 2,30 € (au lieu de 2,75 €), gratuit pour les moins de 7 ans. Se garer au parking en bas, compter 15 mn de marche à travers les beaux sentiers pour accéder aux salles d'expo. Compter 2 h de visite.
Devant la richesse en sites géologiques et paléontologiques de la région, une réserve a été créée en 1979. Des stages et des sorties découvertes sont proposés.
On accède à cette réserve géologique par différents sentiers aménagés et de toute beauté : le « sentier de l'eau » où se succèdent cascades et mousse sauvage, celui des « cairns », curieuses sculptures naturelles en pierre réalisées par l'artiste Andy Goldsworthy, et le « sentier des remparts » offrant la plus jolie vue sur Digne et la vallée de la Bléone.
À l'intérieur du bâtiment du Musée-Promenade on découvre un aquarium, des salles d'exposition très bien agencées retraçant un monde vieux de plusieurs millions d'années avec les fameuses étoiles de Vincent, semblables à celles de la Madone d'Utelle, au-dessus de Nice, qui ne sont autres que de petits fossiles à 5 branches que les enfants ramassaient lors des pèlerinages. Aujourd'hui, elles sont protégées. Ce sont des échinodermes, de la famille des oursins. Ces fossiles sombres ont moins d'1 cm. Des millions d'années pour ces rares étoiles qui étaient montées en bijoux en or ou en argent au XIXe siècle.

Où dormir ?

⛺ ***Camping des Eaux-Chaudes*** : 04000 ***Digne-Les-Bains.*** ☎ 04-92-32-31-04. À 2 km du centre en direction de l'établissement thermal. Ouvert d'avril à fin octobre. Camping récent doté de 150 emplacements. Loue également des mobile homes. Forfait emplacement pour deux avec tente et voiture à 13 €. Réduction de 10 % pour nos lecteurs.

➤ *DANS LES ENVIRONS*

Lambertâne : le Château-Lambert, 04000 ***La Robine-sur-Galabre.*** ☎ 04-92-31-60-37. • lambertane@wanadoo.fr • À 19 km au nord de Digne, par une impressionnante route en cul-de-sac, à flanc de montagne. C'est au bout. Ouvert toute l'année. Organise des balades à dos d'âne dans la nature avoisinante de quelques heures ou plusieurs jours. Propose aussi deux gîtes tout confort à 1 115 m d'altitude, bon point de départ pour la rando.

Le sentier des contes : • http://sentierdescontes.free.fr • Itinéraires répartis au milieu de 22 petites communes des Hautes-Terres de Provence, bordées à l'ouest et au nord par la Durance et au sud par ***Sisteron.*** Livrets magiques : 30 € l'unité, vendus dans les maisons de la presse et offices de tourisme de la région. Étonnante aventure ludo-culturelle au pays de La Motte-Turriers. Ce parcours regroupe 9 aventures qui conduiront parents et enfants dans l'univers des Templiers, seigneurs, moines pèlerins et brigands qui peuplaient autrefois la région. Chaque famille doit trouver son chemin avec l'aide du livret magique correspondant à un itinéraire routier et pédestre. Des infos sont données à chaque étape sous la forme de rochers parlants implantés en pleine nature, dont le mécanisme se déclenche dès que l'on s'en rapproche, et qui délivrent contes et énigmes. Enfin le livret magique fournit des adresses d'hébergement et de restaurants à proximité du parcours.

Où dormir ? Où manger dans le coin ?

⛺ ***Camping et gîte La Ferme du Villard*** : 04170 ***Thorame-Basse.*** ☎ 04-92-83-92-53. Fax : 04-92-83-92-15. • www.thorame-basse.com • Camping à 500 m sur la gauche avant le village en venant par la vallée de l'Issole (ouvert de juin à septembre). Gîtes et chambres à la sortie du village sur la gauche (ouverts toutes l'année). Forfait camping pour une famille de 4 personnes : environ 10 €. Gîtes à la semaine autour de 300 €, chambres avec petit dej' de 31 à 39 € la nuit. Repas sur réservation le soir à 14 €. À 1 200 m d'altitude, un paisible village parfait pour la randonnée. Camping vaste en pleine campagne avec un petit étang. Gîtes-appartements confortables avec jardinet et barbecue. Accueil chaleureux de la famille Pougnet. Et si vous êtes gentil, ils vous montreront peut-être leurs ânes. Nombreuses promenades aux alentours.

LE MUSÉE DE PRÉHISTOIRE DES GORGES DU VERDON

Dans les environs : l'écomusée des Miniatures et des Poupées • La Crèche de Haute-Provence à Gréoux-les-Bains

LE MUSÉE DE PRÉHISTOIRE DES GORGES DU VERDON

À ***Quinson*** (04800). ☎ 04-92-74-09-59. • www.museeprehistoire.com • ♿ À la sortie de Quinson sur la route de Nice (D 13). Fermé de mi-décembre à fin janvier. Ouvert tous les jours de mi-juin à mi-septembre de 10 h à 20 h, et le reste de l'année de 10 h à 18 h avec une fermeture le mardi. Entrée : 3,80 €, réductions enfants. Visite guidée possible, et audioguide inclus dans le prix.

Vous voici dans le plus grand musée de Préhistoire d'Europe (4200 m²). Des milliers d'objets de la région du Verdon, vieux de plus de 400000 ans et datant de l'origine de l'Homme, sont exposés dans des vitrines explicites et chronologiques. On apprend ainsi beaucoup sur l'évolution de l'homme en Provence, de son quotidien à son environnement sur près d'un million d'années. Très bons diorama et vidéo sur la grotte de la Baume Bonne, le site historique qui a inspiré le musée et sur lequel des historiens ont travaillé pendant plus de 50 ans. Reconstitution d'une grotte avant d'entrer dans la partie de l'âge des métaux. Sachez qu'en langage archéologique, on parle des « pointes de Quinson » pour dénommer des petites pointes de l'époque du paléolithique archaïque (400000 av. J.-C.).
– Expositions temporaires au rez-de-chaussée, animations pour les enfants, et visites guidées possibles sur réservation de la grotte de la Baume Bonne (à 45 mn de marche) ainsi que du village préhistorique avec son jardin néolithique. Un musée intelligent et pédagogique.

➢ ***Location de bateaux électriques « Verdon Electronautic » :*** ☎ 04-92-74-08-37 ou 06-82-70-14-65. À la sortie de Quinson sur les bords du Verdon, face au parking du musée de Préhistoire. D'avril à fin octobre, ouvert de 9 h 30 à 19 h. Compter 25 € pour 1 h. Pour visiter et remonter le cours du Verdon à plusieurs (jusqu'à 7 personnes).

La Fabrique : à ***Quinson*** (à 200 m du musée de Préhistoire), sur la route de Riez. ☎ 04-92-74-00-10. Ouvert de 9 h à 19 h sauf le mercredi matin et parfois le mardi. Un petit artisan fabricant de jouets en bois qui a installé son atelier à Quinson. Patron sympathique et objets curieux qui amuseront sans aucun doute les plus jeunes.

Où dormir ?

Chambres d'hôte chez Diane et Gérard Angelvin : rue des Jardins, 04500 ***Allemagne-en-Provence.*** ☎ 04-92-77-42-76. • angelvin.gerard@wanadoo.fr • Ouvert toute l'année. Chambres doubles avec douche à 37 €. Également gîtes de 3 à 5 personnes de 198 à 382 € la semaine ou le week-end suivant la période. Dans une belle maison de caractère du XVIe siècle, face au château, 2 chambres bien sympathiques, sans chichis, à l'image des hôtes qui vous offrent volontiers le verre de l'amitié et plus, si affinités, dans leur jardin. Animaux et enfants bienvenus. Gîtes avec accès direct au jardin pour un séjour tranquille au pays des lavandes. Apéritif maison offert à nos lecteurs.

➤ *DANS LES ENVIRONS*

L'écomusée des Miniatures et des Poupées « Le Petit Monde d'Émilie » : 16, av. des Alpes (route de Vinon), 04800 ***Gréoux-les-Bains.*** ☎ et fax : 04-92-78-16-52 ou 06-84-62-71-23. • metierpatrimoine@aol.com • Ouvert tous les jours en juillet et août de 10 h à 12 h et de 14 h à 19 h; hors saison, fermé le dimanche. Entrée : 7 €; 5,50 € pour les enfants de 3 à 12 ans.
Mme Portugal collectionne les poupées depuis qu'elle a 8 ans. Sa retraite récente lui a donné l'occasion de créer en mars 2002 ce surprenant musée qui porte le prénom de sa petite-fille. Réparti sur 10 pièces, c'est une véri-

table caverne d'Ali Baba de la miniature et de la poupée. Plus de 20 000 pièces en tout ! Charmante (et bavarde), la maîtresse des lieux vous racontera toutes les anecdotes concernant les différentes scènes en vitrine : les clowns, Paris, les personnages de B.D., les chevaliers, la maternité (poupée préférée de madame), la haute-couture, l'école, le Petit Prince, les poupées russes, etc., sans oublier la ferme, notre mise en scène préférée. Grande bibliothèque consacrée au sujet, et possibilité de stage. Alors, garçon ou fille, petit ou grand, bienvenue au paradis de la poupée !

La crèche de Haute-Provence : 36, av. des Alpes (route de Vinon), 04800 ***Gréoux-Les-Bains.*** ☎ 04-92-77-61-08. Ouvert tous les jours en juillet et août. Fermé le dimanche (sauf en été) et le lundi, et de novembre à avril (la crèche est alors déplacée ailleurs dans la région). Horaires : de 10 h à 12 h et de 14 h 30 à 18 h (19 h en été). Entrée : 4 € ; réductions enfants. Une véritable crèche provençale réalisée sur 180 m² avec plus de 300 santons, des pièces uniques de 40 cm de hauteur, réalisées par Gérard Moine, avec un spectacle son et lumière original qui a lieu toutes les 30 mn. Les maisons sont en plâtre, recouvertes de chaux et d'ocre, comme autrefois.

Où dormir ? Où manger dans le coin ?

Hôtel du Grand Jardin : av. des Thermes, 04800 ***Gréoux-les-Bains.*** ☎ 04-92-70-45-45. Fax : 04-92-74-24-29. • www.legrand-jardin.com • Ouvert de mars à novembre. Chambres doubles de 47 à 65 € avec douche ou bains ; à 70 € pour 3 personnes, à 80 € pour 4 personnes et à 112 € pour 5 personnes. Pension ou demi-pension possible. Menus de 15 à 37 € ; menu-enfants à 10 €. C'est le grand hôtel (85 chambres !) à la mode d'autrefois, pratique et agréable à vivre. Clientèle plutôt familiale et accueil aux petits oignons. Chambres agréables et possibilité de chambres communicantes pour les familles. Beau menu pour les parents gourmets.

Restaurant-Grill La Fleur de thym : 17, Grand'Rue, 04800 ***Gréoux-les-Bains.*** ☎ 04-92-78-07-75. Ouvert tous les jours. Congés annuels : de novembre à février. À la carte compter 12 €. Salades à 9 €, plats (moules-frites, grillades, pasta, pizza) à environ 10 €. Avec une agréable terrasse sur la rue piétonne (à éviter les jours de foule), une petite adresse dont, curieusement, les spécialités sont les moules-frites, la tarte Tatin et le *strudel* à la cannelle cuits au feu de bois. On trouvera tout de même de la tapenade pour accompagner le pastis. Service attentionné, particulièrement avec les enfants. Attention aux prix des apéros.

RHÔNE-ALPES

La région Rhône-Alpes est un carrefour. Depuis plus de 2000 ans, l'Europe du Nord y rencontre l'Europe du Sud. C'est une banalité que de parler de la diversité d'une région. Mais ici, le terme n'est pas galvaudé : puzzle de pays, de langues et de paysages, la région propose à chacun quelque chose pour satisfaire ses envies. Très urbain au nord et presque désert au sud, des montagnes (les Alpes à l'est et le Massif central à l'ouest) séparées par l'étroite vallée du Rhône, la région Rhône-Alpes saura vous donner ce que vous cherchez et vous surprendre, vous et vos enfants, par ce que vous n'attendiez pas.

Dans ses grandes villes, vous pourrez voir des témoignages vivants du passé industriel ou du présent culturel (musée de la Mine à Saint-Étienne, musée de la Marionnette à Lyon), tandis que des départements plus « nature » vous offriront des paysages grandioses à basse altitude (les grottes de l'Ardèche) comme en hauteur (le mont Blanc et le parc national de la Vanoise). Enfin, vous y trouverez aussi des réserves d'animaux absolument extra et bien des surprises au hasard de votre périple. Bref, de quoi réjouir et divertir toute la famille !

Adresses utiles

- ***Comité régional du tourisme de Rhône-Alpes :*** 104, route de Paris, 69260 Charbonnières-les-Bains. ☎ 04-72-59-21-59. Fax : 04-72-59-21-60. • www.rhonealpes-tourisme.com •
- ***Comité départemental du tourisme de l'Ain :*** 34, rue du Général-Delestraint, BP 78, 01002 Bourg-en-Bresse Cedex. ☎ 04-74-32-31-30. Fax : 04-74-21-45-69. • www.ain-tourisme.com •
- ***Comité départemental du tourisme de l'Ardèche :*** 4, cour du Palais, 07000 Privas. ☎ 04-75-64-04-66. Fax : 04-75-64-23-93. • www.ardeche-guide.com •
- ***Comité départemental du tourisme de la Drôme :*** 8, rue Baudin, BP 531, 26005 Valence Cedex. ☎ 04-75-82-19-26. Fax : 04-75-56-01-65. • www.drometourisme.com •
- ***Comité départemental du tourisme de l'Isère :*** BP 227, 14, rue de la République, 38019 Grenoble Cedex. ☎ 04-76-44-26-81. Fax : 04-76-51-57-19. • www.isere-tourisme.com •
- ***Comité départemental du tourisme de la Loire :*** 5, pl. Jean-Jaurès, 42021 Saint-Étienne Cedex 1. ☎ 04-77-43-24-42. Fax : 04-77-47-16-39. • www.loire.fr •
- ***Comité départemental du tourisme du Rhône :*** 35, rue Saint-Jean, 69005 Lyon. ☎ 04-72-56-70-40. Fax : 04-72-56-70-41. • www.rhonetourisme.com. • Pas ouvert au public mais, sur demande, peut envoyer de la doc' sur le département.
- ***Agence touristique départementale de la Savoie :*** 24, bd de la Colonne, 73025 Chambéry Cedex. ☎ 04-79-85-12-45. Fax : 04-79-85-54-68. • www.savoie-tourisme.com •
- ***Agence touristique départementale de la Haute-Savoie :*** 56, rue Sommeiller, BP 348, 74012 Annecy. ☎ 04-50-51-32-31. Fax : 04-50-45-81-99. • www.hautesavoie-tourisme.com •

LE PARC DES OISEAUX DE LA DOMBES

Dans les environs : le musée vivant du Roman d'aventures • Le musée du Train miniature

La commune de ***Villars-les-Dombes*** est au cœur de 1000 étangs et comprend la réserve départementale de la Dombes : 220 ha de nature préservée, dont 110 d'étangs, un sanctuaire qui ne se visite pas mais dont on a un superbe aperçu avec le parc des Oiseaux et qui est à juste titre l'une des grandes attractions de la région.

LE PARC DES OISEAUX

01330 ***Villars-les-Dombes.*** ☎ 04-74-98-05-54. Par la N 83 entre Lyon et Bourg-en-Bresse. Ouvert tous les jours de 9 h à 18 h (21 h 30 en été); guichet fermé 1 h avant mais il faut bien compter 2 h de visite. Entrée : 7 € pour les adultes et 6 € pour les enfants de 4 à 9 ans en janvier, novembre et décembre; respectivement 8,50 € et 7 € en février, mars et avril ainsi qu'en septembre et en octobre; et enfin 10 € par adulte et 8,50 € par enfant de mai à fin août. Tarif groupe accordé sur présentation du *Guide du routard.*

Remis à neuf et agrandi en 2000 avec de nouveaux équipements (nouvelle volière, nouveaux bassins), le parc des Oiseaux de Villars, avec ses 23 ha, reste l'un des sites majeurs à découvrir lors d'un séjour dans la région. Petits et grands trouveront plaisir à observer et côtoyer canards, hérons ou autres perroquets. On dénombre plus de 2000 oiseaux, 400 espèces dont 23 en voie de disparition. Plutôt propret, on apprécie dans ce parc les panneaux explicatifs et les animations mises en place pour les enfants (conférences). Sur l'*île aux Pélicans,* on assistera à leur déjeuner; à la *maison des Manchots,* on croisera des pingouins, des manchots et des rapaces à la *Volière des Condors.* Pour les plus curieux, une *maison des Oisillons* permet d'observer l'incubation et l'élevage de différentes espèces, et le parc coopère avec des scientifiques à des projets d'études sur la reproduction et la protection des espèces. Le parc a également collaboré avec Jacques Perrin pour la réalisation de son film *Le Peuple migrateur.* Pratique, des aires de pique-nique et de jeux pour les enfants sont à disposition. Dans une ambiance très familiale, le parc est une agréable façon d'apprendre à mieux connaître ces occupants en semi-liberté (les cigognes y ont élu domicile, et de nombreux canards s'y réfugient en période de chasse). Un conseil, n'oubliez pas vos jumelles!
Nouveautés : la pampa des Nandous, l'observatoire de la petite Dombes, l'île aux Échassiers et la volière asiatique de Krabi. Pour 2004, on attend l'ouverture de la crique des Manchots de Cachagua.
Cafétéria dans le parc et zones de pique-nique. Aires de jeux pour les chérubins.

Où dormir? Où manger?

Camping des Autières : 01330 ***Villars-les-Dombes.*** ☎ 04-74-98-00-21. Entre le centre-ville de Villars-les-Dombes et le parc des Oiseaux. Ouvert de mi-avril à mi-septembre. 12,50 € pour un emplacement. Possibilité de louer un chalet. Bon équipement. Piscine, complexe sportif à proximité, bar-restaurant, machines à laver...

Chez Nous : 01120 ***Sainte-Croix.*** ☎ 04-78-06-61-20. Fax : 04-78-06-63-26. À 14 km au sud-est de Villars. Prendre la D 2 vers Montluel jusqu'au croisement avec la D 61C indiquant le village. Hôtel ouvert toute l'année. Restaurant fermé le dimanche soir et le lundi, et en décembre. Doubles avec bains et TV à 45 €; compter 69 € pour 3 personnes et 75 € pour 4 personnes. Formules pension de 68 à 98 € par personne. Menu du déjeuner à 15 € sauf le dimanche; menus suivants de 18 à 45 €; menu-enfants à 12 €. Possibilité de demander l'annexe, moins bien équipée mais à un prix réduit. Dans un village isolé, loin de tout, découvrez ce centre d'accueil avec restaurant d'un côté de la route et chambres de l'autre. L'ensemble manque un peu de personnalité, mais

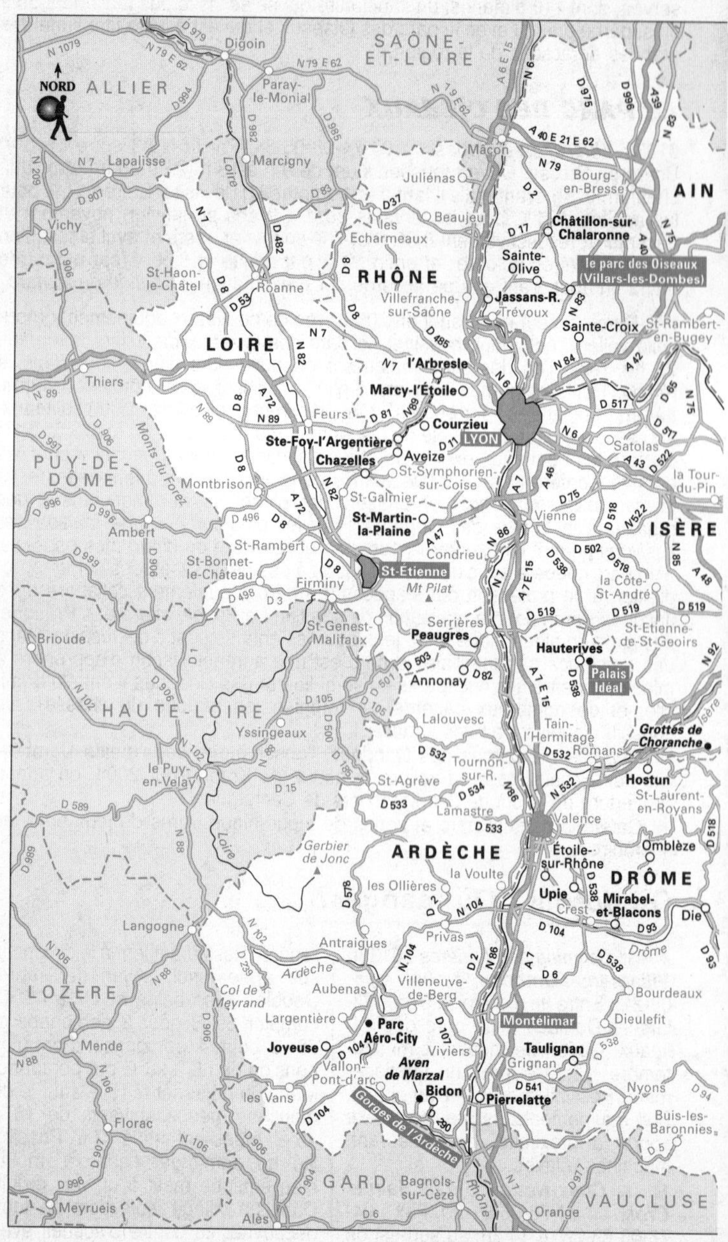
NORD
ALLIER
SAÔNE-ET-LOIRE
AIN
RHÔNE
LOIRE
PUY-DE-DÔME
ISÈRE
HAUTE-LOIRE
ARDÈCHE
DRÔME
LOZÈRE
GARD
VAUCLUSE
Digoin
Paray-le-Monial
Marcigny
Lapalisse
Vichy
Mâcon
Juliénas
Beaujeu
Bourg-en-Bresse
Châtillon-sur-Chalaronne
les Echarmeaux
Sainte-Olive
le parc des Oiseaux (Villars-les-Dombes)
St-Haon-le-Châtel
Roanne
Jassans-R.
Villefranche-sur-Saône
Trévoux
Sainte-Croix
St-Rambert-en-Bugey
l'Arbresle
Thiers
Marcy-l'Étoile
Feurs
Courzieu
LYON
Ste-Foy-l'Argentière
Aveize
Satolas
Chazelles
St-Symphorien-sur-Coise
la Tour-du-Pin
Montbrison
St-Galmier
Monts du Forez
Ambert
St-Martin-la-Plaine
Vienne
St-Rambert
St-Bonnet-le-Château
Condrieu
St-Étienne
Mt Pilat
Firminy
la Côte-St-André
St-Genest-Malifaux
Serrières
Peaugres
St-Etienne-de-St-Geoirs
Brioude
Hauterives
Palais Idéal
Annonay
Lalouvesc
Yssingeaux
Tain-l'Hermitage
Grottes de Choranche
Romans
Tournon-sur-R.
le Puy-en-Velay
Hostun
St-Agrève
Lamastre
St-Laurent-en-Royans
Valence
Gerbier de Jonc
Étoile-sur-Rhône
Omblèze
la Voulte
les Ollières
Upie
Mirabel-et-Blacons
Crest
Die
Langogne
Privas
Antraigues
Ardèche
Drôme
Aubenas
Villeneuve-de-Berg
Bourdeaux
Col de Meyrand
Largentière
Parc Aéro-City
Montélimar
Dieulefit
Mende
Joyeuse
Viviers
Taulignan
Aven de Marzal
Grignan
Vallon-Pont-d'arc
Bidon
Pierrelatte
Nyons
les Vans
Gorges de l'Ardèche
Buis-les-Baronnies
Florac
Bagnols-sur-Cèze
Rhône
Meyrueis
Alès
Orange
Loire

LYON Pôles principaux
Argentière Sites traités
Doussard Où dormir ? Où manger ?
Evian Repères
JURA
HAUTE-SAVOIE
SAVOIE
ITALIE
HAUTES-ALPES
ALPES-DE-HAUTES-PROVENCE
ALPES-MARITIMES
Lac Léman
Thonon
Evian
Genève
Annecy
Menthon
Sévrier
Talloires
Doussard
Faverges
Lac d'Annecy
Marcellaz-Albanais
Argentière
Chamonix-Mont-Blanc
Mer de Glace
Sallanches
les Houches
Massif des Bauges
École
Miolans
les Déserts
Chamousset
Myans
St-Georges-des-Hurtières
Entremont-le-Vieux
Parc national de la Vanoise
Lans-en-Vercors
GRENOBLE
Villard-de-Lans
Chambéry
Albertville
Bourg-St-Maurice
Briançon
Gap
Barcelonnette
Sisteron
Digne-les-Bains
Aosta
Sion
20 km

on est au vert et bien au calme. Une cuisine de terroir dans un cadre champêtre décoré avec goût. C'est calme, on y vient en famille et on est surpris par la grande variété et la qualité des plats comme la choucroute de sandre au beurre de genièvre ou le foie gras de canard... maison !

L'Auberge des Étangs : 01330 **Sainte-Olive.** ☎ 04-74-00-84-30. À 7 km à l'ouest de Villars par la D 70. Fermé les lundi et mardi, et le mercredi soir en hiver. Menus de 12,50 à 26 € ; menu-enfants à 8,40 €. Même si le lieu reste un peu quelconque, on apprécie la terrasse, l'accueil affable et l'ambiance à la bonne franquette. Cette adresse, qui fait aussi salon de thé, est avant tout connue pour sa franche cuisine et son bon rapport qualité-prix. Original, il y a même des forfaits boissons. On y retrouve les spécialités dombistes ; le « filet de carpe façon Patrick » (c'est l'patron !) et les grenouilles persillées ont leurs fidèles... Une valeur sûre en Dombes. Mieux vaut réserver. À la sortie, si vous souhaitez vous offrir une petite balade digestive au cœur des étangs de la région, prenez à pied la petite route mentionnant « le château ». Bien sympa et reposant, un accès direct près des étangs (pour observer calmement les oiseaux), pas toujours si faciles à trouver car la plupart d'entre eux sont privés et protégés. Pêche interdite. Et à propos, si vous cherchez le château, il n'y en a pas !

La Bicyclette bleue : 01800 **Joyeux.** ☎ 04-74-98-21-48. À 8 km au sud-est de Villars-les-Dombes. D 904 vers Chalamont puis à droite la D 61 sur 2 km. Fermé le mardi soir et le mercredi toute la journée sauf en juillet et août ; d'octobre à février, fermé du lundi au mercredi ; congés annuels : de mi-décembre à mi-janvier. Menu à 10 € en semaine ; autres menus de 18 à 29 € ; menu-enfants à 7,50 €. Ça sent les vacances ! Isolé, à la déco simple et chaleureuse, ce petit restaurant de campagne tout frais et bien sympathique est tenu par un ancien de chez *Veyrat*, épaulé par sa femme (ses enfants et son âne D'Artagnan qu'on trouve dans le pré). Installé dans une ferme retapée, à la clôture, aux volets et aux tables bleus, et avec pour seule enseigne une bicyclette de la même couleur. Il est bien agréable de déjeuner ici, sous la tonnelle ou en salle. Plats du coin, sans prétention mais cuisinés avec raffinement : poulet fermier à la crème, filet de carpe à l'oseille ou grenouilles fraîches. Un conseil, essayez aussi le cocktail maison à base de pétillant du Bugey. En plus, il est possible de louer des vélos, pour une balade dans ce périmètre truffé d'étangs, avec ses petites routes champêtres. Café offert à nos lecteurs.

DANS LES ENVIRONS

Le musée vivant du Roman d'aventures : 410, rue Édouard-Herriot, 01480 **Jassans-Riottier.** ☎ 04-74-09-50-12. • mvra@worldonline.fr • Sortie A6 Villefranche-sur-Saône/Jassans, suivre Jassans/Beauregard, jusqu'au rond-point, près du stade (se garer, c'est l'entrée !). Ouvert les mercredi, samedi et dimanche : séances à 14 h et 15 h 30 ; les autres jours, sur rendez-vous. Entrée : 6,10 € ; moins de 14 ans : 4,60 €.

Dans cette ville sans réel charme, découvrez l'un des musées les plus surprenants du moment. On ne regrette pas le déplacement. Mené par une jeune équipe depuis 1996, le lieu créé par Frédéric, son scénographe, fait feu de tout bois... Tous les moyens sont utilisés pour comprendre, expliquer, mettre en scène les origines du roman policier ou des grandes histoires d'aventures. Rencontrez et apprenez les petites histoires concernant vos héros : Vidocq, Arsène Lupin, la bande à Bonnot, Sherlock Holmes, Lara Croft, Indiana Jones, et même Tintin ou Frankenstein. On est vite séduit et passionné. On apprend ce qu'est l'anthropométrie, et on découvre l'évolution des techniques d'autopsie. Pour les curieux, un atelier-musée composé de collections et d'objets étranges est mis à disposition du public. On observe, touche, mais surtout on pose des questions afin d'apporter... des réponses. 1 h 30 de bonheur dans une ambiance tamisée. Les jeunes sont fascinés, ça se lit dans leurs yeux !

Le musée du Train miniature : 96, pl. des Halles, 01400 ***Châtillon-sur-Chalaronne.*** ☎ 04-74-55-03-54 et 06-15-16-26-39. À 15 km environ au nord-ouest de Villars-les-Dombes par la D 2 et à 20 km environ au sud-ouest de Bourg-en-Bresse par la D 936. Ouvert tous les jours sauf le lundi du 15 juin au 15 septembre de 10 h à 12 h et de 14 h à 19 h, le reste de l'année ouvert les week-ends et jours fériés. Congés annuels : du 15 décembre au 15 janvier. Compter 1 h de visite. Entrée : 5 € ; de 4 à 12 ans : 3 €. Application du tarif groupe sur présentation du *Guide du routard.*

On est sous le charme, et on aimerait avoir les yeux d'un enfant de 7 ans pour découvrir avec autant de spontanéité l'effet magique d'un tel travail. Sous vos yeux, sur 200 m^2, une succession de dioramas (mises en scène) des bords de la Méditerranée à la vallée du Rhône, jusqu'à Lyon. Des reproductions à l'identique, d'après les plans de la SNCF, de la ligne de Collonges, de la gare de Saint-Clair, des Brotteaux, et même du restaurant de Paul Bocuse à Lyon. Quelques chiffres : 1 km de rails, 35 rames, 1 000 éclairages, plus de 30 trains et 400 wagons, et même un ciel étoilé !

L'auteur de tout cela, un seul homme : Patrick Crolle, ancien de l'Olympique Lyonnais (pour les footeux en herbe), passionné de trains et de modélisme depuis toujours, et qui ne vit que pour cette passion, ça se sent. C'est superbe, impressionnant, vivant, et on aime l'écouter parler de la réalisation de ce projet ou de son contact avec les enfants fascinés, émerveillés en découvrant ce nouveau musée ouvert depuis juin 2000. Sa passion est telle qu'il a épousé une femme gérante d'un magasin de... trains électriques !

LES GORGES DE L'ARDÈCHE

Dans les environs : le musée de la Châtaigneraie • Le parc Aero-City • Le safari de Peaugres

L'Ardèche, c'est avant tout une rivière qui, depuis quelques millions d'années (on se rapproche du Sud, alors on ne se presse pas), a sculpté le bord oriental du Massif central, créant ainsi un des plus beaux ensembles de grottes et de canyons d'Europe. On découvre que le géologue taquin avait dissimulé sous des termes barbares (karstique, carbonate de calcium...) des paysages grandioses qu'il ne faut pas manquer d'aller admirer. Plusieurs grottes sont ouvertes au public.

L'AVEN DE MARZAL

☎ 04-75-04-12-45 (de mars à novembre). À une dizaine de kilomètres de Vallon-Pont-d'Arc, sur la commune de ***Saint-Remèze.*** Itinéraire fléché (« Aven Marzal-zoo préhistorique »). Ouvert d'avril à octobre tous les jours, ainsi que les dimanche et tous les jours des vacances scolaires en mars et novembre. Hors saison, les grottes se visitent à 11 h, 14 h et 15 h 30 et les musée et zoo préhistorique de 11 h à 17 h ; en juillet et août, tout le site non-stop de 10 h à 19 h. Entrée par site (zoo ou grotte) : 7,20 € ; enfants : 4 €. Forfait grotte + zoo : 12,50 € ; enfants : 7,80 €. Le musée est gratuit. *Attention !* même en été, prévoir la petite laine tricotée par mamie : il fait 14 °C toute l'année et on descend 130 m sans ascenseur (mais c'est surtout la remontée qui peut fatiguer).

🏛🏛🏛 Le site regroupe 3 lieux :
– ***la grotte :*** évidemment, le clou du spectacle. Signalée mais non située dès la fin du XIXe siècle, elle fut un peu l'Atlantide des spéléologues jusqu'à sa redécouverte en 1949. Depuis, le public peut s'émerveiller devant toute la gamme des formations calcaires et des couleurs qui habillent ses parois vertigineuses. Vous aurez droit à toutes les stalactites et mites possibles, magnifiquement mises en valeur par un éclairage spectaculaire.
Vous verrez aussi quelques autres trésors propres à cet aven. Ne manquez surtout pas la *salle des Diamants,* qui scintille comme la place Vendôme avant le passage d'un car de milliardaires. Mais ne vous exaltez pas, ce ne sont que des cristaux de calcite qui brillent sous la lumière des projecteurs.
– ***Le musée :*** un autre de ces trésors secrets est la formidable récolte de restes préhistoriques que les archéologues ont faite au fil des années. Certains sont demeurés sur place, et vous les découvrirez au fur et à mesure de votre voyage sous terre, mais d'autres ont été regroupés au sein du *musée du Monde souterrain :* en 3 salles, l'évocation de l'exploration du monde souterrain avec du matériel confié par les plus grands spéléologues, et une salle consacrée aux premiers habitants des grottes : les hommes préhistoriques et les bébêtes qu'ils chassaient (ou qui les chassaient). Notamment une mâchoire de tigre à dents de sabre (moi Rahan fils de Crao) et un crâne d'homme préhistorique.
– ***Le zoo :*** en remontant encore plus loin dans le temps, vous pourrez admirer le ***zoo préhistorique.*** Les bestioles qui vous ont fait peur dans *Jurassic Park* presque en chair et en os. Ça bruisse, ça bouge, ça gronde, et c'est reproduit grandeur nature. Y'a même un volcan (miniature, lui). Depuis les bactéries des origines jusqu'à l'homme moderne en passant par tous les styles de dinosaures (dont, évidemment, l'horrible tyrannosaure), rien moins que 3 milliards d'années en moins de 1 km. Ça devrait enchanter les enfants.

➢ Un peu plus loin sur la route, à la hauteur des grottes de Saint-Marcel, vous trouverez un chouette ***sentier de découverte*** de la flore et du milieu naturel. Super à faire en famille ! En tout, 2 km où l'on retrouve toute la végétation méditerranéenne comme le chêne vert, la garrigue... Tiens, un petit dolmen et même un menhir ; Obélix ne doit pas être bien loin. Et si vous continuez encore un peu, ne manquez pas de vous arrêter au ***belvédère de Ranc Pointu.*** Une sorte de chaire d'évêque surplombant une jolie courbe de la rivière. Superbe.

🏛🏛 ***Le musée de la Vie :*** 07700 **Bidon.** ☎ 04-75-04-08-79. ♿ À quelques kilomètres des gorges de l'Ardèche, tout près de l'aven Marzal. Bien fléché dans le village même. Ouvert de début avril à mi-novembre tous les jours de 10 h à 18 h. Entrée : 5,40 € ; enfants de 6 à 13 ans : 2,70 € ; 4,60 € sur présentation du *Guide du routard.*
C'est la passion d'un couple pour la paléontologie qui a motivé l'ouverture de ce musée, pas directement lié à l'Ardèche mais fort intéressant. Dans l'entrée, admirable panneau de poissons fossilisés, véritable tableau naturel. Après une petite vidéo, on vous raconte ici toute l'histoire de l'apparition de la vie sur terre, son développement. Étonnants moulages, fossiles authentiques, fossiles d'oiseaux préhistoriques, le crâne d'un ptérosaure de 4 m... et une exposition consacrée aux dinosaures, pour tout savoir sur les tyrannosaures, diplodocus et autres vélociraptors. Ainsi, on remonte le temps depuis l'aube de l'humanité, embarqué dans la grande histoire.
– Très intéressant : des ***ateliers*** sont organisés pour nos paléontologues en herbe, dès 4 ans. Chaque enfant choisit un véritable fossile qu'il dégagera de sa gangue à l'aide d'un micro-burin pneumatique (dent de requin, de crocodile, de dinosaure, ammonite, etc.) et qu'il emportera ensuite à la maison. L'atelier dure environ 1 h et coûte entre 3 et 8 € selon le fossile. Uniquement sur réservation.

➤ DANS LES ENVIRONS

Le musée de la Châtaigneraie : 07260 **Joyeuse.** ☎ et fax : 04-75-39-90-66. Sur le parvis de l'église, dans le vieux village. Ouvert toute l'année, téléphoner pour les horaires. Entrée : 3,50 €; enfants de 8 à 14 ans : 3 €.
Le musé est installé dans l'ancien collège des Oratoriens, bâtiment datant du XVIIe siècle, et témoigne des liens étroits qui ont uni, pendant des siècles, les Cévenoles à l'« arbre à pain ».
On fait d'abord un prodigieux bond dans le passé, à l'ère tertiaire (8 000 000 d'années en arrière), car les plus anciennes empreintes foliaires (de feuilles) ont été datées de cette période; elles provenaient du massif voisin du Coiron. Plus proche de nous, au Moyen Âge, ce sont des moines défricheurs qui ont véritablement commencé une vraie culture. C'était au début du XIVe siècle. Puis la culture n'a cessé de s'amplifier jusqu'à la fin du XIXe siècle, période où l'on abat tous ces beaux arbres pour en extraire les tanins (utiles pour tanner les cuirs). On oublie rapidement qu'ils avaient sauvé tant de vies pendant les périodes de disette et on déboise sans états d'âme. Pas même la reconnaissance du ventre, rendez-vous compte !
Présentation de splendides instruments et machines plus ou moins rudimentaires liés à la castanéiculture, mais aussi d'outils en châtaignier utilisés pour d'autres activités de la région, comme la viticulture ou l'« éducation » du ver à soie. Étonnant mobilier en bois de châtaignier. Rarissimes berles, meubles véritablement creusés à même le tronc, en utilisant en quelque sorte la technique de fabrication des pirogues; par exemple, une table de chevet du XVIIIe siècle ou une armoire. Et puis un émouvant banc équipé de chatières pour profiter de la chaleur animale. Là, un étonnant fauteuil avec accoudoir-écuelle. Également une maie (table-pétrin) dans laquelle on pétrissait la pâte à pain, la laissait lever et qui servait ensuite à conserver les belles miches pendant parfois 3 semaines.
Pour finir, une vidéo présente la culture actuelle du châtaignier en Ardèche. Petite boutique avec des produits à base de châtaignes.
Un beau musée, très intéressant et bien tenu. Visites particulièrement bien menées par Joe et ses collègues que l'on peut compléter par une balade sur le *sentier du Châtaignier à Ribes,* un parcours d'interprétation et de découverte, à 6 km de Joyeuse.
– Le musée organise également des ***journées pour les enfants,*** avec intervention d'un producteur, balade et animations selon l'âge des bambins et la saison.
Pour les grands, plusieurs ***circuits thématiques*** sont proposés dans le cadre des activités culturelles et touristiques du musée.

Le parc Aero-City : accès par la D 104 (la route Alès-Aubenas), bien fléché sur la gauche, à une dizaine de kilomètres au sud d'Aubenas. ☎ 04-75-35-00-00. Ouvert de mi-avril à fin septembre. À partir de la 2e semaine de juin et jusqu'à fin août, tous les jours (sauf le lundi en juin). En avril, mai et septembre, ouvert uniquement les mercredi, dimanche et jours fériés. Entrée : 12,20 €; petites réductions enfants.
Un vaste parc d'attractions, vieillot et assez ringard, ouvert en 1990 autour du thème de l'aéronautique mais qui est devenu plus généraliste au fil du temps. Tout un tas d'attractions qui vous font glisser, chuter, rire. Quelques jeux aquatiques aussi. Un truc original : une simulation de vol avec effets dans un vrai *Breguet 941S.* Vieillot ou pas, ça semble amuser les gamins.

Le safari de Peaugres *(07340)* **:** sur la N 82, par l'A 7, sortie Annonay, au nord du département. ☎ 04-75-33-00-32. • www.safari-peaugres.com • Ouvert tous les jours; de Pâques à septembre ouvert de 9 h 30 à 18 h; de la Toussaint à février de 10 h à 16 h 30 les week-ends et vacances scolaires; horaires plus restreints en semaine où le parc est accessible seulement à pied; le reste de l'année le parc est ouvert de 9 h 30 à 17 h. Entrée : 15,50 €;

enfants de moins de 13 ans : 10,50 €. Remise de 10 % sur le tarif adulte sur présentation du *Guide du routard.*

Un safari en plein milieu de la France ? Eh oui, créé il y a plus de 28 ans par Paul de La Panouse, le concepteur réalisateur du parc de Thoiry en région parisienne, celui de Peaugres permet de découvrir près d'un millier d'animaux des 4 coins de la planète régnant sur 2 parcs aménagés de part et d'autre de la N 82.

D'un côté, un itinéraire en voiture permet de circuler dans un domaine de 50 ha où vous pourrez observer des éléphants, des lions, des buffles, des hippopotames, des yacks et des bisons, mais aussi des zèbres, des autruches, des watussis et des addax (vous verrez sur place à quoi ça ressemble), etc. Attention aux mandrills : ils sont souvent taquins, n'oubliez pas de rentrer votre antenne du toit.

De l'autre côté, il y a aussi un parc à parcourir à pied où vous verrez des animaux dans un environnement plus traditionnel (mais toujours avec de l'espace). Un tunnel de verre permet même d'observer de très très près tigres, guépards, loups et panthères des neiges. Dans les sous-sols du château (une très belle bâtisse de la fin du XIXe siècle), des souterrains peuplés de serpents, crocodiles et chauves-souris ! Enfin, bassin d'otaries, de manchots, vols de rapaces, de cigognes ou de cormorans vous permettront d'assister à de véritables et superbes shows programmés tout au long de la journée.

Le safari de Peaugres participe également à la sauvegarde d'espèces protégées ou en voie de disparition. Vu le nombre de naissances enregistrées chaque année (plus de 100 en 2002), il ne fait aucun doute que les animaux sont ici à leur aise. Les soigneurs que l'on trouve aux différents points-rencontre du parc prennent plaisir à répondre à toutes vos questions et à faire partager leur passion de la nature et des animaux. Un des plus beaux parcs animaliers du Sud de la France.

Où dormir dans le coin ?

Hôtel du Midi : 17, pl. des Cordeliers, 07100 **Annonay.** ☎ 04-75-33-23-77. Fax : 04-75-33-02-43. À moins de 10 km au sud de Peaugres. Dans la partie basse de la ville. Doubles à 30 € avec douche, 38,10 € avec douche et w.-c., 44,20 € avec bains ; chambre avec 1 grand lit et 2 petits à 53 €. Bien situé, sur une place très fréquentée. Un bel immeuble, à l'intérieur plutôt cossu. Sur présentation du *Guide du routard,* 10 % de réduction à partir de 3 nuits d'octobre à avril.

SUR LES TRACES DU FACTEUR CHEVAL

Dans les environs : le Monde merveilleux des Lutins • Le jardin des Découvertes et des Papillons • Le jardin aux Oiseaux

LE PALAIS IDÉAL DU FACTEUR CHEVAL

26390 **Hauterives.** ☎ 04-75-68-81-19. • www.facteurcheval.com • À 10 km au sud de Beaurepaire. Dans le centre-ville. Fermé du 15 au 31 janvier. Fermé les 25 décembre et 1er janvier. Téléphoner pour les horaires. Entrée : 4,90 € ; de 6 à 16 ans : 3,40 €.

La peinture a son douanier et l'architecture son facteur. De cette noble administration que le monde entier nous envie, on connaissait déjà le calendrier, l'ASPTT et la collection de timbres. Voilà maintenant un génie de l'art dit naïf – ou brut, c'est selon –, préférons-lui l'adjectif insolite. Car les quantités de thèses et de travaux savants consacrées à cet incroyable monument ne doivent pas faire oublier le plaisir avant tout ludique de sa découverte. Ce temple polythéiste et inspiré, Ferdinand Cheval a mis plus de 30 ans à le construire (de 1879 à 1912). Frappé par les formes et les couleurs des pierres qu'il envoyait rouler d'un pied distrait au cours de sa tournée de facteur rural, il décida de rendre cet hommage grandiose à la minérale diversité. Du premier petit édicule sans plan précis au palais babylono-égypto-khmer que l'on peut admirer aujourd'hui, le facteur Cheval aura charrié des tonnes de pierres et passé tout le temps que lui laissait sa tournée quotidienne de 32 km (à pied !) pour édifier son édifiant édifice. Si ses dimensions peuvent sembler modestes (26 m x 15 m), sa richesse décorative est inépuisable. Entre autres merveilles : une mosquée, un temple hindou, un chalet suisse, un ours, un lion, César, Archimède, trois géants, deux cascades et... un raton-laveur. Vous pourrez admirer ce temple sous toutes ses facettes sans jamais en épuiser les trésors. C'est le rêve d'un enfant de 60 ans qui n'a pas voulu le garder pour lui tout seul. Retrouvez votre âme d'enfant pour vous émerveiller avec les vôtres devant ce qu'ont tant admiré les surréalistes.

Le musée L'Art en marche : rue Centrale, 26390 ***Hauterives.*** ☎ 04-75-68-95-40. • www.art-en-marche.com • Ouvert tous les jours de 10 h à 12 h et de 14 h à 18 h. Entrée : 5 €; réductions (notamment pour ceux qui achètent leur billet directement à l'office de tourisme). Billet jumelé avec le Palais idéal du facteur Cheval.

Ce musée s'adresse à tous ceux qui souhaitent en savoir plus sur l'art brut, cet « art spontané pratiqué par des personnes ayant échappé au conditionnement culturel », comme nous le définit le *Petit Larousse*. On trouve ici une « collection Idéale » de ces créations d'autodidactes parfois géniaux mais très souvent marginalisés du circuit officiel de l'art. Plus de 300 œuvres, peintures, machines et sculptures d'une centaine d'artistes français ou étrangers, sont exposées dans les deux étages de cette maison. On a bien aimé les fabuleuses machines de François Montchâtre ou la série de têtes de Mario Chichorro, ainsi que les œuvres de Jean Tourlonias accrochées dans l'escalier. Ce dernier, jardinier de son état et artiste inspiré à ses heures de loisirs, a peint une jolie série de tableaux proches des peintures publicitaires africaines. Voir ses créations naïves et marrantes de voitures, motos et autres scooters dédiés à des personnalités médiatiques ou politiques. La « spéciale Robert Hue, coupé sport très rapide, à moteur arrière robuste » nous a bien fait sourire, même si l'on a eu du mal à imaginer l'ancien chef du parti communiste dans un véhicule aussi prestigieux. Une partie galerie commercialise quelques-uns de ces artistes. Une collection très sympa, joyeuse et ludique.

Où dormir ? Où manger ?

Le Relais : pl. de l'Église, 26390 ***Hauterives.*** ☎ 04-75-68-81-12. Resto fermé le lundi en été; hôtel et resto fermés le dimanche soir et le lundi hors saison; congés annuels : de mi-janvier à mi-février. Chambres doubles rénovées de 28 à 39 € avec lavabo ou douche, 48 € avec douche et w.-c.; chambre familiale à 54 € pour 4 personnes (elle peut même accueillir 5 personnes). Restauration régionale de 14 à 25 €. Cet hôtel n'échappe pas à la « divinité tutélaire » de Ferdinand Cheval : photos et gravures du génie aux murs.

➤ DANS LES ENVIRONS

Le Monde merveilleux des Lutins : Les Guerbys, 26730 **Hostun.** ☎ 04-75-48-89-79. À 6 km au sud-ouest de Saint-Nazaire-en-Royans. De juin à août, ouvert tous les jours de 10 h à 18 h 30 ; en avril, mai, décembre et durant les vacances scolaires (zone A), tous les jours de 14 h à 18 h ; en septembre, le dimanche de 14 h à 18 h. Entrée : 6 € ; de 3 à 13 ans : 4,50 €.
Cachés parmi les bois et les champs de noyers, tous les lutins, les elfes, les trolls, les sorcières et autres fées se sont donné rendez-vous. Installés dans une vieille ferme isolée, ils se proposent de vous confier tous leurs secrets. Qui sont-ils, d'où viennent-ils ? Parmi eux, ils ont convié leurs amis Blanche-Neige et les Sept Nains, Gepetto et son Pinocchio, le Chat Botté, Boucle d'Or et les Trois Ours, et tant d'autres qui se feront un plaisir de vous conter leur histoire. Comme ils sont un peu malicieux, les êtres du petit peuple profitent de leur environnement magnifique, naturel et sauvage, pour aller faire de petites balades. Allez donc les retrouver dans leur forêt enchantée, partez à leur recherche dans les bois à pied ou à dos d'âne, répondez aux énigmes... Peut-être y découvrirez-vous un trésor fabuleux ? Pour les plus jeunes, celui d'avoir rencontré un univers ensorcelant, et pour les plus grands, celui d'avoir retrouvé avec bonheur leur âme d'enfant, sans aucun doute ! Que vous y passiez 2 h ou une journée, l'enchantement sera au rendez-vous.

Le jardin des Découvertes et des Papillons : ☎ 04-75-22-17-90. ♿ À 3 km de Die, direction Luc-en-Diois. Ouvert de mai à début septembre ; en juillet et août, de 10 h à 18 h ; en mai et juin, de 10 h à 12 h et de 14 h à 18 h. Entrée : 6 € ; de 3 à 12 ans : 3,80 €.
Les amateurs de nature découvriront ici une luxuriante serre de plantes exotiques en culture hydroponique. Oups ! que signifie ce mot étrange ? Il s'agit en fait d'un système dans lequel les plantes ne poussent pas dans la terre mais les pieds dans l'eau, nourries par un sérum liquide qui, visiblement, leur réussit plutôt bien ! Des panneaux explicatifs vous permettront de découvrir tous les avantages de cet étonnant et très écologique écosystème. Pour ajouter au charme du lieu, vous serez entouré de centaines de papillons d'Afrique, d'Asie ou d'Amérique du Sud, qui évoluent autour de vous en totale liberté. Quel bonheur que de voir se poser sur son épaule un *attacus atlas,* le plus grand papillon du monde, ou un *papilio rumanzovia* aux couleurs chatoyantes... D'autant plus magique que vous pourrez y observer tout le cycle de vie du papillon (écloserie, chrysalides, chenilles). Une visite à la fois chatoyante et très instructive.

Le jardin aux Oiseaux : 26120 **Upie.** ☎ 04-75-84-45-90. Ouvert tous les jours, toute l'année ; de 10 h à 19 h en été, de 10 h à la tombée de la nuit en hiver. Entrée : 9 € ; de 3 à 12 ans : 5 €.
« C'est un jardin extraordinaire... », a-t-on envie de fredonner. On y découvre plus d'un millier d'oiseaux s'ébattant dans des volières ou des enclos disséminés dans un beau parc de 6 ha, très bien entretenu, tout comme les animaux d'ailleurs. Des oiseaux-mouches aux perroquets, des hiboux aux calaos, des flamants roses aux grues cendrées, on découvre ici plus de 200 espèces différentes. Oiseaux d'Europe ou exotiques, un certain nombre d'espèces présentes ici participent à un programme de conservation. On a été ébahi par les couleurs chatoyantes des perroquets, charmé par la beauté du goura couronné, amusé par l'oie céréopse au surprenant bec vert fluo et à la démarche si pataude qu'elle fait penser à un personnage de dessin animé... Un lieu où l'on peut passer une bonne demi-journée, d'autant qu'on peut y rester déjeuner (bar-resto sur place), pique-niquer dans le parc et assister, aux beaux jours, à des vols de rapaces ou de perroquets (spectacles à 15 h 30 et 16 h 30 les mercredi, samedi et dimanche d'avril à septembre, tous les jours en été). Une visite qui fera le bonheur des petits comme de leurs parents.

Où dormir? Où manger dans le coin?

|●| ***Auberge des Tracols : Les Tracols.*** ☎ 04-75-47-76-13. À l'entrée de Saint-Laurent-en-Royans, prendre la route à gauche juste avant la poste, puis suivre les panneaux; c'est à 1,5 km environ. En été, ouvert tous les jours midi et soir, sauf le samedi midi. Fermé les samedi midi, dimanche soir, lundi soir et mardi soir hors saison. Plat du jour avec salade à 9,15 €, menus de 15,24 à 33,54 € ou carte. Belle maison en pierre sur les hauteurs du village, dans un cadre isolé et enchanteur. Superbe et grande terrasse avec vue sur le village, les montagnes et la reculée de Combe-Laval, ou agréable salle avec cheminée bien réconfortante en hiver. Cuisine rustique et sans prétention qui fait la part belle aux produits régionaux. Service sympathique et détendu. Aire de jeux pour les charmants bambins. Pour les parents, apéritif maison offert sur présentation du *Guide du routard.*

🏠 ***Chambres d'hôte de la famille Chaix :*** La Mare, 26800 ***Étoile-sur-Rhône.*** ☎ 04-75-59-33-79. À 3,5 km du village, par la route de Montmeyran (D 111B); la ferme est sur la droite. Table d'hôte indisponible pour l'instant (mais à l'étude, comme on dit). En pleine campagne, au milieu des cultures, grande ferme en pierre aux volets bleus, composée de plusieurs bâtiments restaurés et aménagés par Marcel. Propose 4 chambres dans l'ancien corps de ferme et deux dans une maison récente de l'autre côté de la route. Compter 40 € pour deux avec le petit dej'. Également une aire naturelle de camping et 3 gîtes ruraux pour des familles de 4 à 6 personnes. De 285 à 385 € la semaine selon la saison et le nombre de personnes. Pensez à réserver à l'avance : été comme hiver, c'est souvent complet!

🏠 ***Hôtel des Alpes :*** 87, rue Camille-Buffardel, 26150 ***Die.*** ☎ 04-75-22-15-83. Fax : 04-75-22-09-39. • www.hotelalpes.fr • Chambres doubles de 37 à 42 €. De cet ancien relais de diligence du XIVe siècle, il ne reste aujourd'hui qu'un très large escalier. Mais l'hôtel offre 24 chambres confortables et bien équipées. Celles du 2e étage (nos 17 à 20 notamment) possèdent une vue splendide sur le massif du Glandasse et sont très calmes. Certains trouveront la dominante rose de la maison un peu envahissante (on la retrouve partout, de la tapisserie jusqu'aux tenues de la patronne certains jours!), et les puzzles, seconde passion de Madame, renforcent cette impression qu'on a de kitsch. Cela dit, l'accueil est agréable, et l'adresse, une base sympathique pour explorer la ville et les environs. Pour nos lecteurs, 2 petits dej' offerts pour tout séjour de 7 nuitées (sauf de mai à septembre).

AU PAYS DU NOUGAT

Dans les environs : le musée de la Soie • L'usine à billes • La ferme aux Crocodiles

MONTÉLIMAR

Capitale du nougat et étape de la N 7, « la route des vacances » de grand-papa quand les moyens de transport rapides n'existaient pas encore. Aujourd'hui, l'A 7 file sans s'arrêter, et les touristes trop pressés ratent une petite ville agréable, à taille humaine, où il fait bon flâner au long de ses ruelles et placettes tranquilles, au pied de vénérables demeures aux belles génoises. Sympathique transition entre Provence et Dauphiné et petite métropole de la Drôme provençale, Montélimar se révèle bien plus qu'une simple étape. Climat doux, déjà méditerranéen, il est loin ce 26 février 1956 où fut battu le record de mistral... 216 km/h ! Allez ! coupez le moteur et venez savourer la grande spécialité de la ville qui ne manquera pas de ravir vos enfants... le nougat !

La nougaterie du Chaudron d'Or : 7, av. du 52e-R.-I, 26200 **Montélimar.** ☎ 04-75-01-03-95. • www.chaudron-dor.com • Une des dernières nougateries artisanales de Montélimar. Ouvert du lundi au samedi de 8 h à 19 h. Mais on vous conseille d'y aller le matin car jusqu'à 12 h on peut assister à la fabrication du nougat. Visite et dégustation gratuites.
Hervé Contaux et ses troupes sont en piste vers 5 h 30, quand la chaleur est encore supportable. Les chaudrons de pâte au bain-marie montent à une centaine de degrés. Dernières créations en date : le nougat à l'ancienne (miel de châtaignes, beaucoup d'amandes et une pointe de caramel) et le nougat au sirop d'érable. Réduction de 10 % sur présentation du *Guide du routard.*

La nougaterie Arnaud Soubeyran : zone commerciale Sud, N 7, 26200 **Montélimar.** ☎ 04-75-51-01-35. ♿ Pour s'y rendre depuis le centre, prendre la route de Marseille jusqu'au rond-point du *McDo.* Sur la droite, à quelques mètres, dans un bâtiment ocre. Ouvert de 8 h 30 à 12 h et de 14 h à 18 h.

Où dormir ? Où manger ?

Hôtel Le Bêtisier : 5, rue des Quatre-Alliances, 26200 **Montélimar.** ☎ et fax : 04-75-01-36-12. Fermé du 23 décembre au 2 janvier. Dans le centre de Montélimar. Quartier intéressant. Les chambres sous toit, à 23 €, sont les plus économiques, notamment la no 5. Propose aussi 3 chambres avec douche (w.-c. sur le palier). La no 4 conviendra tout à fait aux familles : récemment rénovée, avec un grand lit et 2 lits pour enfants, pour 25 €. La providence des petits budgets. En prime, l'accueil fort sympathique de la patronne et de sa fille. Atmosphère chaleureuse, populaire, sans chichis. L'hôtel possède aussi un restaurant. Bonne cuisine familiale ; avec l'apéritif maison ou le café offert aux lecteurs munis du *Guide du routard.* N'accepte pas les cartes de paiement.

➤ *DANS LES ENVIRONS*

Le musée de la Soie : route de Dieulefit, à **Montboucher-sur-Jabron.** ATTENTION : à partir de juillet 2003, transféré à **Taulignan** (26770). Téléphoner avant. ☎ 04-75-01-47-40. ♿ Ouvert du 5 janvier au 30 novembre du lundi au vendredi de 9 h 30 à 11 h 30 et de 14 h 30 à 18 h 30. Fermé le samedi matin (toute la journée de janvier à mars et pas du tout en juillet et août) et le dimanche matin (toute l'année). Entrée : 5,79 € ; de 6 à 12 ans : 3,81 €.
Muséophobes, faites-vous violence, car force est de constater que ce musée-ci vaut un détour, surtout pour les parents routards. Il est dû à un passionné, Pierre Lançon, qui a patiemment réhabilité une ancienne magnanerie. La sériculture a occupé tout le Sud du département depuis qu'un certain Olivier de Serres a convaincu Henri IV d'y implanter cette activité. Ludique (surtout l'opération du dévidage des cocons) et bien agencé, ce musée retrace toutes les étapes, de la graine à l'étoffe. Vaut vraiment un coup d'œil prolongé. Projection d'un petit film. Visite avec casque audio. Les

musts : l'éclosoir, le « taulier » où vit la chenille parmi les feuilles de mûrier (et où elle va multiplier son poids 10000 fois en 30 jours), les machines artisanales et industrielles faisant toutes preuve d'une grande inventivité et dont beaucoup fonctionnent encore. Notamment, celle assurant l'extraction de la soie du cocon et la mise en écheveau (avec ses bassins de cuivre). Impressionnant, le moulinage qui implique la torsion du fil pour en augmenter la résistance. Première machine à vapeur appliquée à l'industrie de la soie. Enfin, vous verrez le métier à tisser à carte perforée inventé par Vaucanson, mis au point par Jacquard, et qui provoqua la célèbre révolte des canuts.

L'usine à billes : à ***Mirabel-et-Blacons*** (26400). ☎ 04-75-40-01-63. À 5 km à l'est de Crest (D 93). Ouvert tous les jours, de mi-mars à mi-octobre, de 10 h à 12 h et de 15 h à 18 h (19 h en été) ; en hiver, de 10 h à 12 h et de 15 h à 17 h. Entrée libre.
Cette ancienne fabrique de billes en terre, ouverte en 1876, a repris vie grâce à un ancien garagiste passionné par ce jeu d'enfant universel. Lorsque Maurice Guilhot rachète l'usine, en 1984, il pense tout d'abord en faire son garage. Finalement, l'heure de la retraite approchant, il décide de rouvrir les portes de ce patrimoine industriel et culturel. Depuis 1995, vous pouvez donc y découvrir l'usine telle qu'elle se présentait il y a une vingtaine d'années, avec ses vieilles machines couvertes de poussière et de toile d'araignée. Mais surtout, ce passionné vous racontera l'histoire et le processus de fabrication de ces petites boules rondes qui ont ravi notre enfance. D'ailleurs, on peut s'entraîner sur un circuit spécialement conçu pour jouer aux billes. Le plus beau de l'histoire c'est qu'un jour, un visiteur d'Orléans est tombé lui aussi sous le charme. Charles Desbois a alors fait ses bagages, s'est installé dans la région et s'est fait enseigner par deux anciens ouvriers l'art de fabriquer ces si jolies petites billes. Et miracle, depuis janvier 2000, la dernière usine à billes de terre en France fonctionne de nouveau. Profitez-en pour faire vos provisions !

La ferme aux Crocodiles : Les Blachettes, 26700 ***Pierrelatte.*** ☎ 04-75-04-33-73. • www.lafermeauxcrocodiles.com • Au sud de la Drôme, sur la D 59. Ouvert tous les jours de 9 h 30 à 17 h (19 h d'avril à octobre). Entrée : 7,80 € ; de 3 à 12 ans : 5,50 €. Aires de jeux et de pique-nique. Grand parking.
Crocodiles du Nil, caïmans d'Amérique du Sud, gavials du Népal... 500 crocodiles évoluent ici en liberté dans une gigantesque serre chauffée de 6500 m², contenant plus de 600 variétés de plantes tropicales. Des panneaux explicatifs vous permettront de découvrir l'étrange vie des crocodiles. Après une visite sur les passerelles suspendues au-dessus des bassins, une visite est possible en dessous, dans un passage de verre spécialement aménagé, où vous pourrez contempler le ventre des crocodiles.

Où dormir ? Où manger dans le coin ?

Chambres et table d'hôte La Ferme du Château : chez Catherine et Mathieu Bellier, 26400 ***Mirabel-et-Blacons.*** ☎ et fax : 04-75-40-07-80. • cmjd@wanadoo.fr • À 5 km à l'est de Crest, direction Aouste-sur-Sye puis Mirabel-et-Blacons ; au panneau de sortie du village, suivre « cimetière » et le fléchage. Compter 46 € pour 2 personnes et 16 € pour un lit supplémentaire dans la chambre ; petit dej' compris. Table d'hôte à 20 €, apéro et vin compris, 10 € pour les moins de 12 ans. Au 1er étage, 2 chambres spacieuses avec sanitaires privés. En principe, 5 chambres supplémentaires sont prévues courant 2003. Catherine est bolivienne, Mathieu est aux fourneaux. Il vous fera découvrir aussi bien la cuisine drômoise que bolivienne et même médiévale, si le cœur vous en dit ! Accueil agréable.

Auberge du Moulin de la Pipe : à ***Omblèze,*** à une trentaine de kilomètres au nord-est de Crest. ☎ 04-

RHÔNE-ALPES

75-76-42-05. Fax : 04-75-76-42-60. • www.moulindelapipe.fr • ♿ Fermé de fin décembre à début février. Resto fermé les mardi et mercredi. Propose 4 chambres doubles à 45 ou 50 € selon la saison. Également 3 gîtes pour groupe et 3 appartements meublés et équipés. Menus de 13 à 32 €. Au cœur de cette vallée reculée, parmi les gorges et tout à côté de l'impressionnante chute de la Druise (72 m), voilà le cadre naturel de cet ancien moulin restauré. Ce lieu atypique draine une clientèle de tous âges et de tout le département (et même de plus loin) autour de plusieurs thèmes : son école d'escalade, ses sentiers de randonnée, ses stages de cirque ou de trapèze volant, ses concerts rock, blues, reggae et... son restaurant où l'on vous prépare une cuisine régionale traditionnelle ou plus exotique, selon l'humeur du chef. Bière maison offerte à nos lecteurs.

GRENOBLE

Dans les environs : la Magie des Automates • Les grottes de Choranche

LE MUSÉUM D'HISTOIRE NATURELLE

1, rue Dolomieu, 38000 ***Grenoble.*** ☎ 04-76-44-05-35. • www.ville-grenoble.fr/museum • ♿ Dans le jardin des plantes, face à la mairie. Ouvert du lundi au vendredi de 9 h 30 à 12 h et de 13 h 30 à 17 h 30, les samedi, dimanche et jours fériés de 14 h à 18 h. Entrée : 2,20 €; familles nombreuses : 1,50 €; de 18 à 25 ans : 1,10 €; gratuit pour les moins de 18 ans. Possibilité de louer un audioguide pour 1,50 €. Durant les vacances scolaires, nombreuses animations pour les enfants, se renseigner.

Le musée, créé en 1851, est situé dans le superbe jardin des plantes. On aime beaucoup son élégant cadre tout en somptueuses boiseries de noyer (ancienne bibliothèque). Très riches collections, là aussi mises en valeur de façon remarquable. Les mômes vont adorer les dioramas mettant en scène les animaux. Prévoir pas mal de temps. Voici nos grands coups de cœur :

– *Salle des cristaux :* au 1er niveau, un enchantement devant l'amoncellement de calcites diverses, malachites, stibine, aigue-marine, axinite et autres quartz hérisson.

– *Salle Atlas :* au 1er niveau. Consacrée à la biodiversité et surtout destinée aux enfants de moins de 10 ans. Nombreux jeux, très interactifs et ludiques.

– *Montagne vivante :* dioramas très bien faits, sobriété de bon ton avec de beaux jeux de lumière. Toute la faune régionale présentée magistralement. Question zoziaux, vous saurez tout sur la huppe fasciée, le cincle plongeur, la perruche à moustaches, le beau paradisier et l'impressionnant corbeau des montagnes. Question bébêtes, on est toujours attendri par chamois et bouquetins, marmottes et tétras lyre, et impressionné par les rapaces (aigle royal, bondrée apivore, circaète jean-le-blanc, buse...). Bornes interactives pour les cris et les sons.

– *Le carnaval des insectes :* au 2e niveau (mezzanine). Une section sur la formation des Alpes : glaciers, fossiles, ammonites, minéraux, etc. Surtout une section fascinante sur les insectes. On a pu y tester notre enthousiasme d'enfant.

– *« Ils disparaissent de l'échiquier » :* cet espace qui bénéficie d'une mise en scène sonore et lumineuse veut sensibiliser le public aux espèces disparues et menacées de notre terre.

– *L'aquarium :* pour les balistes Picasso ou tachetés, le poisson-clown à queue jaune, la terrifiante rascasse et l'araignée de mer géante. Poissons d'eau douce aussi. Boutique. Fermé pour travaux jusqu'en 2004.
– *Les serres :* à côté du musée. ☎ 04-76-44-67-68. Ouvert de 7 h 30 à 11 h 15 et de 13 h à 16 h. Entrée gratuite. Réouverture en juin 2003 après une cure de rajeunissement. Une p'tite bolée d'exotisme à bon compte! Expo de plantes carnivores (les *drosera, utricularia* et autres), serres de culture avec l'étonnante Corne de Cerf, les orchidées botaniques et horticoles, dont la... vanille. Petite serre-expo à la végétation exubérante : bananiers, plantes à fourmis, népenthes (plantes carnivores passives), passiflores, etc. Collection de cactées et serre scolaire. Jardin d'hiver avec strélizias aux feuilles géantes. Manquent crocos et oiseaux pour s'y croire!

LE MUSÉE DES AUTOMATES

12, rue des Arts, 38000 ***Grenoble.*** ☎ 04-76-87-78-53 et 04-76-43-33-33. ♿ Entre le cours Berriat et le cours Jean-Jaurès. Ouvert tous les jours de 14 h à 18 h 30. Entrée : 5 €; enfants : 3 €.

Appelé aussi le *musée des Rêves mécaniques* et créé par un passionné des automates. Normal que la patrie de Vaucanson révèle des épigones! Visite guidée des collections (environ 1 h), ludique et attractive, pour petits et grands. Quelques chefs-d'œuvre du musée : carrousels, piano mécanique vieux de 130 ans, automates pneumatiques, marionnettes et ombres chinoises, boîtes à musique – dont une superbe de Genève en marqueterie de Nicole Frères, ancienne de 180 ans. Intéressante section des disques métalliques. Rencontre avec la « machine-tambour » de Léonard de Vinci. Admirez le « canard », hommage à Vaucanson (qui nécessita 800 h de travail), et les oiseaux siffleurs de Jacquet Droz (1721-1790).
Également une section où les enfants peuvent faire fonctionner des automates.

LA BASTILLE ET LE TÉLÉPHÉRIQUE

Ne pas quitter Grenoble sans monter au panorama du fort de la Bastille! De toute façon, c'est sûr que les enfants vous le réclameront... Pour cela, le téléphérique évidemment, bien mieux que la voiture. Les « bulles » se trouvent sur le quai Stéphane-Jay, à l'entrée du jardin de ville. ☎ 04-76-51-00-02. ♿ Téléphoner pour les horaires qui varient selon les mois et les jours. Fermé 2 semaines en janvier. Tarifs : 5,50 € aller-retour; enfants : 3,50 €.
Les « p'tites bulles » vous emmènent en 6 mn au sommet. Traversée de l'Isère amusante. Au-dessus du restaurant, tables d'orientation pour appréhender tout le paysage. On comprend mieux comment s'est construit Grenoble : la vieille ville et sa forêt de toits aux tuiles rouges, le contour ovale bien lisible de l'enceinte romaine du IIIe siècle. Apparaissent dans le même champ les symboles des pouvoirs sur la ville au Moyen Âge, les clochers de Saint-André et de Notre-Dame, la tour de l'Île. Puis les quartiers du XVIIe siècle, ceux du XIXe siècle, la ville moderne, les villes périphériques (Pont-de-Claix, Échirolles, Saint-Martin-d'Hères, etc.). Dans la trouée du Grésivaudan, par temps très clair, on aperçoit même le mont Blanc.
➢ Vos enfants, après l'émerveillement de la « montée en l'air », vont pouvoir gambader à loisir. Là-haut, départs de nombreuses *balades.* Également pour les plus sportifs, un parcours aventure junior et adulte, ainsi qu'un minigolf. On peut aussi redescendre à pied, chemin facile pour les enfants.

Où dormir ? Où manger ?

On pourra pique-niquer dans de nombreux endroits, comme au jardin de ville, au jardin des plantes ou en haut de la Bastille, où les enfants pourront se dégourdir les jambes.

≡ |●| ***Hôtel des Patinoires :*** 12, rue Marie-Chamoux, 38100 ***Grenoble.*** ☎ 04-76-44-43-65. Fax : 04-76-44-44-77. À 500 m au sud du palais des sports. Accès par la rue Jeanne-d'Arc. Chambres confortables à 40 et 55 € ; chambre familiale pouvant accueillir 2 enfants à 61 €. À peine décentré, c'est probablement un des meilleurs rapport qualité-prix-accueil de Grenoble. Atmosphère et décor chaleureux. Hyper bien tenu et calme assuré. Si l'on n'a pas envie de ressortir le soir, possibilité de petite restauration pas chère. Pour nos lecteurs, 10 % de réduction sur le prix de la chambre en juillet et août.

|●| ***La Cigogne :*** 11, rue Denfert-Rochereau, 38100 ***Grenoble.*** ☎ 04-76-17-16-88. Fermé le samedi midi et le dimanche, ainsi que le soir du lundi au mercredi ; congés annuels : en août. Menu à 7,50 € le midi ; autres menus à 15 et 18,50 € ; menu « cigogneau » à 6,50 € pour les enfants. Dans le quartier de la gare, un petit resto qui ne fait guère de bruit mais régale bien du monde. Décoration adorablement zarbie : sur le faux-toit du bar, une machine à écrire et une huche à pain ; aux murs, des postes de radio... Ne manquez pas non plus d'admirer les jolies carafes en forme d'animaux ! Dans l'assiette, une remarquable cuisine régionale servie généreusement : racletton, fondue au reblochon, mais aussi des pizzas, salades, gratins... En prime, un accueil particulièrement affable. On aime bien cette adresse.

➤ *DANS LES ENVIRONS*

✱ ***La Magie des Automates :*** 38250 ***Lans-en-Vercors.*** ☎ 04-76-95-40-14. Ouvert tous les jours de 10 h à 18 h (fermeture des caisses 1 h avant). Fermé en octobre sauf pendant les vacances scolaires. Entrée : 6,50 € ; enfants de 3 à 14 ans : 5 €.

Pour les amoureux des automates, 300 personnages en mouvement dans différentes scènes en son et lumière. Pour les tout-petits, une collection de 1 500 Pères Noël sous toutes les formes et le *village des Ours,* petits chalets avec des saynètes évoquant les métiers régionaux. Enfin, nouveauté, la *maison des Loups.*

✱✱ ***Les grottes de Choranche :*** 38680 ***Choranche.*** ☎ 04-76-36-09-88. • www.grottes-de-choranche.com • À 4,5 km de Pont-en-Royans. Ouvert toute l'année ; téléphoner pour les horaires des visites guidées (durée 1 h). Entrée : 7,20 € ; enfants de 5 à 14 ans : 4,70 €.

Fort bien aménagées, avec de remarquables éclairages mettant en valeur les salles immenses et le lac souterrain (60 m de diamètre et 18 m de haut). Le must, des milliers de stalactites fistuleuses descendant de la voûte et se reflétant dans l'eau. Très fines, certaines font 3 m de long. Assez unique ! Les protées (à mi-chemin de l'anguille et de la salamandre) élevés dans les grottes sont les plus grosses bébêtes cavernicoles vivantes au monde. Nouveauté : le « chemin des Sciences de la Terre » permet une approche de la genèse du massif du Vercors en parcours libre. Expo préhistorique permanente, snack panoramique ouvert le midi d'avril à octobre (voir ci-dessous).

Où dormir ? Où manger dans le coin ?

■ ***Villa Primerose :*** 147, av. des Bains, 38250 ***Villard-de-Lans.*** ☎ 04-76-95-13-17. Fermé du 1er octobre au 20 décembre et du 15 au 30 avril. De 23 à 40 € la chambre double ou triple selon le confort et la période ; pour les familles, 2 chambres communicantes de 47 à 63 € et chambres pouvant accueillir jusqu'à 4 personnes entre 41 et 55 €. En marge de l'animation, mais pas trop éloigné du centre-ville. Dans cette belle bâtisse, vous serez bien accueilli. Possibilité de se préparer des repas sur place : on y trouve tout le matériel nécessaire (frigo, plaques chauffantes, etc.).

|●| ***Restaurant Le Gournier :*** dans les grottes de ***Choranche*** (38680). ☎ 04-76-36-09-88. Ouvert le midi seulement. Fermé du 1er novembre au 31 mars. Quatre menus, de 10 à 24 € ; menu-enfants (moins de 12 ans) à 8 € avec entrée, plat et coupe suprême. Ce resto domine le superbe cirque et offre un 1er menu sympa avec ravioles et fromage à la crème. Menu typiquement régional à 18,50 €, qui s'annonce par une caillette chaude sur salade.

SAINT-ÉTIENNE

Dans les environs : le parc Robinson • Espace zoologique de Saint-Martin-la-Plaine • L'atelier-musée du Chapeau

Le musée de la Mine Couriot : 3, bd Franchet-d'Esperey, 42000 ***Saint-Étienne.*** Standard : ☎ 04-77-43-83-23 ; accueil-réservation : ☎ 04-77-43-83-26. Ouvert tous les jours sauf le mardi et les jours fériés. En semaine, visite guidée à 10 h 30 et à 15 h 30, visite audiovisuelle de 15 h 45 à 17 h 30 ; le week-end et pendant les vacances scolaires, visite guidée à 14 h 15, visite audiovisuelle de 10 h à 11 h 15 et de 14 h 30 à 17 h 30. Visite guidée : 5,60 € ; de 12 à 18 ans : 4,10 € ; gratuit pour les moins de 12 ans. Visite audiovisuelle : 4,60 € ; de 12 à 18 ans : 3,60 € ; gratuit pour les moins de 12 ans.

Ici, comme partout en Europe, les années 1960 et 1970 ont été fatales aux mines. C'est sur le site d'un de ces anciens puits de mine (ouvert au début du XXe siècle et fermé en 1973) que s'est constitué ce musée.

Votre visite s'effectuera selon le parcours du mineur. Elle commence par la salle des Pendus, vestiaire des ouvriers où les tenues étaient suspendues à la charpente du toit, puis se poursuit par la lampisterie, lieu de stockage, d'entretien et de distribution des lampes. Une passerelle aérienne vous conduit ensuite vers le puits d'extraction pour la descente vertigineuse dans la galerie souterraine (plusieurs centaines de mètres grâce à un petit truc que nous vous laissons découvrir). Au fond, un environnement sonore et visuel restitue l'univers particulier du mineur. Différents chantiers montrent les phases successives du travail. Au fil du circuit, une remontée dans le temps permet d'apprécier l'évolution des conditions de travail et des techniques d'exploitation sur plus de 300 m de galeries. Pour compléter la visite, un diaporama retrace l'histoire du bassin de la Loire depuis les débuts de l'extraction jusqu'à la fermeture des sites et leur reconversion.

Si ce voyage au centre de la Terre (ou presque) a donné à vos enfants des envies d'espace, emmenez-les vite au planétarium pour une overdose d'étoiles et de grands espaces...

Le planétarium : espace Fauriel, 28, rue Ponchardier, 42000 ***Saint-Étienne.*** ☎ 04-77-25-54-92. • www.sideral.com • Téléphoner pour les horaires car le planétaruim doit rouvrir courant 2003 à la suite de travaux de rénovation. Entrée : 6 €; moins de 18 ans : 5 €. Sur présentation du *Guide du routard,* tarif réduit accordé à un adulte accompagnateur.
Ce planétarium est une des façons les plus agréables de découvrir l'astronomie. Dans une même séance se suivent deux moments, l'un spectaculaire et documentaire, l'autre qui allie la magie de la simulation à la passion de l'animateur.
– Plusieurs ***spectacles*** thématiques alternent au fil des jours : certains sont plus particulièrement destinés aux enfants de 5 à 10 ans, comme *L'Aveugle aux yeux d'étoiles* et *Mon secret étoilé*; d'autres sont tout public, comme *Océans cosmiques* et *La Planète aux 1000 regards*. Renseignez-vous par téléphone ou Internet pour plus de détails. De toute façon, tous sont superbes et vous plongeront au milieu de milliers d'étoiles ou vous enverront sur la planète Mars. La petite équipe très dynamique saura faire partager à vos enfants (et à vous-même!) sa passion pour le cosmos.

Où dormir? Où manger?

Hôtel Le Baladin : 12, rue de la Ville, 42000 ***Saint-Étienne.*** ☎ 04-77-37-17-97. Fax : 04-77-37-17-17. Congés annuels : de fin juillet à fin août. Chambres doubles avec douche ou bains de 31 à 41 €; chambres familiales pouvant accueillir jusqu'à 2 enfants à 49 €. Il est prudent de réserver car il est vite complet, notamment pendant la saison théâtrale de la Comédie de Saint-Étienne toute proche. Petit hôtel agréable de 14 chambres sur une rue piétonne animée. Possibilité de petite restauration dans le snack-bar au rez-de-chaussée.

Restaurant La Rissolée : 23, rue Pointe-Cadet, 42000 ***Saint-Étienne.*** ☎ 04-77-33-58-47. Fermé le samedi midi et le dimanche. Premier menu autour de 14 €; autres menus de 19 à 23 €, bière comprise; grandes assiettes garnies de pommes rissolées autour de 10 € et moules-frites à toutes les sauces; pour vos enfants, le chef préparera une bonne assiette et un dessert autour de 6 €. Dans un quartier qui comporte pas mal d'établissements, un resto de spécialités belges (superbes carbonades), dont la carte est faite d'albums de *Tintin* recyclés.

La Fourchette Gourmande : 10, rue Francis-Garnier, 42000 ***Saint-Étienne.*** ☎ 04-77-41-76-86. Fermé le dimanche et le lundi midi. Menu à 8,84 € le midi en semaine; autres menus de 14 à 25 €; menu-enfants à 8,84 € comprenant salade composée, pommes paillasson et mousse au chocolat. Pour les grands, marmiton champenois (gambas, langoustines, Saint-Jacques, écrevisses), clafoutis d'écrevisses aux pointes d'asperges, petite selle d'agneau rôtie en glace de romarin, voilà quelques spécialités de la maison. Bref, vous l'aurez compris, une adresse gastronomique à des prix tout doux.

➤ DANS LES ENVIRONS

Le parc Robinson : au col de la République. ☎ 06-62-46-12-33. De Saint-Étienne, prendre la N 82 en direction d'Annonay. Au bout de 18 km environ, prendre à droite en direction de Saint-Sauveur-en-Rue. C'est à 300 m (fléché). Sur réservation. Ouvert tous les jours de mi-juin à mi-septembre, les week-ends, mercredi, jours fériés et vacances scolaires de début mars à mi-juin. Entrée (valable 4 h) : 18 €; de 11 à 15 ans : 13 €; de

5 à 10 ans : 10 €. Tarif groupe sur présentation du *Guide du routard*. Prévoir une tenue de sport ou des vêtements qui ne craignent pas d'être salis.
Ici, c'est le royaume de l'escalade ou l'« aventure dans les arbres » ! Tout est là pour que vous et vos chères têtes blondes puissent jouer aux Indiana Jones. L'équipement – des harnais, des mousquetons, une poulie et même un super-casque – vous est prêté. Des moniteurs, véritables professionnels du sport, sont là pour vous montrer les techniques et, éventuellement, vous dépanner si vous restez coincé dans un arbre ! Tout a été prévu pour que vous passiez un bon moment en famille : il y a même un parcours pour les plus petits à partir de 3 ans.

Espace zoologique de Saint-Martin-la-Plaine : sur l'A 47, en venant de Lyon sortir à Rive-de-Gier-Saint-Martin-la-Plaine ; en venant de Saint-Étienne, sortir à La Madeleine. ☎ 04-77-75-18-68. À mi-chemin entre Lyon et Saint-Étienne. Ouvert tous les jours ; d'avril à septembre, de 9 h à 18 h ; d'octobre à mars, de 9 h à la tombée de la nuit. Entrée : 9 € ; enfants de 3 à 10 ans : 5,50 €. Aire de pique-nique et petite restauration sur place.
Dans une vallée du Gier encore marquée par la désindustrialisation des années 1970, un zoo un peu plus que traditionnel. Aucun des animaux présentés ici (dans des enclos plutôt spacieux) ne provient de la nature. En effet, depuis des années, l'équipe de ce parc animalier se bat pour la sauvegarde des espèces menacées. Beaucoup des 100 espèces du parc sont uniques en France et ont pratiquement disparu dans leurs milieux naturels. C'est le cas, par exemple, du couple de singes orills, dont il ne reste que 40 spécimens en Europe, et qui vient récemment d'avoir son premier petit. Car la grande affaire de la maison, ce sont les singes : des cercophitèques mones, des cercocèbes albigena et autres macaques du Tonkean. Les noms peuvent sembler barbares (et d'ailleurs, ils le sont un peu !), mais les bébêtes sont de charmants primates qui font la joie des enfants. Le clou de ce spectacle simiesque, c'est incontestablement les gorilles. Ils se trouvent si bien dans leur superbe maison qu'ils ne cessent de se reproduire ! Essayez d'être présent à 14 h, pour le repas de ces grosses bêtes. Et pour une fois, on peut admirer nos charmants cousins sans ce sentiment de culpabilité qui nous habite parfois dans un zoo classique. Car les animaux vivant ici font tous partie de programmes internationaux pour la protection des espèces. Il y a également un vivarium où sont présentés mygales, caméléons, boas, pythons... Bref, plein de bestioles qui vous feront frémir ! L'équipe très dynamique de ce conservatoire fait évoluer ce parc depuis 30 ans, et toutes les recettes issues de l'ouverture au public vont à l'amélioration des conditions de vie des animaux (déjà excellentes), sans négliger la présentation au public. On n'est souvent séparé des animaux que par l'épaisseur (rassurez-vous, grosse épaisseur) d'une vitre. Être à moins de 30 cm d'un tigre de Sibérie est une expérience dont on se souvient.

L'atelier-musée du Chapeau : 16, route de Saint-Galmier, 42140 ***Chazelles-sur-Lyon.*** ☎ 04-77-94-23-29. • www.museeduchapeau.com • ♿ Sur la D 12, bien fléché. Ouvert le lundi et du mercredi au samedi de 14 h à 18 h, et les dimanche et jours fériés de 14 h 30 à 18 h 30. Fermé le mardi sauf durant les vacances scolaires de la zone A. Entrée : 4,50 € ; de 6 à 12 ans : 2,50 € ; gratuit pour le 3e enfant. Forfait atelier + visite : 6 €. Visite guidée tous les jours avec une démonstration.
Musée conçu tout spécialement pour nos têtes blondes. On leur montre la mise en forme du chapeau grâce à la vapeur, on leur en prête pour une séance d'essayage. Et la visite s'organise en plus autour du jeu du petit chapelier, avec remise d'un beau diplôme de Chapelier ! Également des ateliers de feutrage manuel (durée : 1 h 30) où les enfants peuvent réaliser une balle ou un tapis en feutre à partir de laines colorées. L'atelier-musée organise aussi régulièrement des expositions autour, bien entendu, du thème du chapeau.

RHÔNE-ALPES

LYON

Dans les environs : le domaine de Lacroix-Laval et le château-musée • Le parc animalier de Courzieu • Le train de l'Évasion • Le parc Vapeur Hobby 69

Bien sûr, Guignol c'est le « gone » de Lyon. Né en 1808, chez son papa Mourguet, c'est le héros, le canut, roublard et naïf tout à la fois, proche des préoccupations populaires. Le langage de Guignol est unique : il parle bien mais invente des tas de nouveaux mots, jongle avec le parler local et l'argot, caresse le subjonctif pour mieux lui tordre le cou et zézaye un brin. D'abord chansonnier politique pour les ouvriers lyonnais, il devient peu à peu la marionnette la plus célèbre de France et se transforme en amuseur pour enfants. À Lyon, on peut encore le voir dans 3 théâtres fixes (alors qu'il y en avait plusieurs dizaines au début du XXe siècle) et dans un musée qu'il partage avec ses potes marionnettes du monde entier.

– ***Le guignol du parc :*** entrée par la porte de la Tête-d'Or, située en haut du boulevard des Belges ; le théâtre est derrière le parc aux Daims. Représentations les mercredi, samedi et dimanche après-midi, puis tous les jours pendant les vacances scolaires. Prix du spectacle : 2,50 €. *Le Déménagement* ou *La Rivière de diamants* sont quelques pièces du répertoire classique de Guignol qui ont fait et font rire les enfants depuis des générations. On n'est pas sûr qu'ils comprennent l'argot des gones, que l'accent ne rend pas plus compréhensible, mais les coups de bâton, ils adorent. Tant que les enfants riront, Guignol vivra.

➢ Ne manquez pas de vous promener dans le ***parc de la Tête-d'Or,*** ouvert d'avril à septembre de 6 h à 23 h et d'octobre à mars de 6 h à 21 h ; jardin botanique ouvert de 9 h à 11 h 30 et de 13 h 30 à 16 h 45 ; jardin zoologique (1 100 animaux) ouvert de 8 h ou 9 h à 17 h. 16 ha de lacs. Entrée gratuite. Location de barques et de pédalos, vélos multiplaces. Balade en petit train autour de l'île. Visite commentée du parc en train sur roues. Mais au fait, pourquoi la Tête-d'Or ? C'est la légende qui veut qu'un trésor, une tête de Christ en or, ait été caché dans cet espace. Personne n'a jamais rien trouvé, et ce n'est pas faute d'avoir essayé. Le parc conserve le nom de cet improbable trésor.

– ***Le guignol de Lyon et la compagnie des Zonzons :*** 2, rue Louis-Carrand, 69005 ***Lyon.*** ☎ 04-78-28-92-57. M. : Saint-Jean-Vieux-Lyon. Spectacles tout public : 7,60 et 6,10 € ; spectacles pour adultes en soirée : 12,20 € ; réductions. Sous la salle Molière. Une équipe de passionnés, totalement dévouée à la cause de Guignol. Plusieurs spectacles tournent, pour l'immense plaisir d'un large public, de 3 à 103 ans et plus. Des décors superbes, de la musique et des couleurs travaillées, un vrai travail de pro. À ne manquer sous aucun prétexte.

– ***Guignol, un gone de Lyon, compagnie Daniel Streble :*** 65, bd des Canuts, ***Lyon.*** ☎ 04-72-07-87-70. *La Ficelle,* salle du 1er étage. Du Guignol classique.

Musée Gadagne-Musée international de la marionnette : au sein de l'hôtel de Gadagne, pl. du Petit-Collège (rue de Gadagne), 69005 ***Lyon.*** ☎ 04-78-42-03-61. M. : Vieux-Lyon. Ouvert de 10 h 45 à 18 h. Fermé le mardi et certains jours fériés. Entrée : 3,80 € ; familles nombreuses (avec justificatif) : 2 € ; gratuit pour les moins de 18 ans.

Cette exceptionnelle collection fait une large place à notre Guignol national mais témoigne également de la richesse de cet art dans le monde entier. En fait, tous les pays et toutes les techniques (à gaines, à tringles, à fils, à tige...) ont leur place dans ce musée. Actuellement en travaux, le musée reste quand même ouvert aux visites. L'ouverture des salles de marionnettes restaurées n'est prévue que pour fin 2003. Patience !

Un des clous de la visite est cette impressionnante série de 31 marionnettes originales à gaines de Guignol. Les 3 premières sont des œuvres taillées dans le bois par Mourguet lui-même. Le trio gagnant est déjà là : Guignol, Madelon et Gnafron. En analysant les visages, comme nous, vous vous interrogerez sur le fait que Gnafron et Madelon ont la bouche tordue ! Présentés de profil, les personnages pouvaient ainsi passer du sourire à la grimace simplement en les changeant de côté. Astucieux, non ? Les vêtements – des originaux – sont évidemment défraîchis, mais on voudrait bien vous y voir de porter les mêmes fringues depuis le XIXe siècle !

Puis on voit apparaître de nouveaux personnages : le Juge, le Diable... Nombreuses marionnettes dues aux descendants de Mourguet. On élargit ensuite le propos avec quelques jolies scènes, des marionnettes à transformations, théâtre forain Horward (avec Diable, Polichinelle, Arlequin...). Beau Lafleur d'Amiens avec son genou articulé, car si Guignol donne le bâton, Lafleur donne des coups de pied. En vrac encore, un Polichinelle du XVIIIe siècle (de Paris), l'une des plus anciennes marionnettes anglaises, la « old mother Shipton » (vers 1700), qui possède un trou dans le coin de la bouche pour lui laisser fumer sa pipe tranquille, des marionnettes à fils, un castelet du théâtre des Buttes-Chaumont... Et puis des vénitiennes à tringles richement vêtues (une bonne quarantaine), des turques, des tchèques (en bois), des thaïlandaises, africaines, chinoises (en peau de buffle), *Wayang Kulit* et *Wayang Golek* de Java... On vous laisse découvrir le reste.

Parents savants : *tout savoir sur Guignol*

Le créateur de Guignol, Laurent Mourguet, était issu d'une famille pauvre de tisseurs. Peu éduqué, malin et vif, il pratique différents métiers, dont celui d'arracheur de dents (il n'y avait pas de dentistes à l'époque), et s'exerce en place publique devant les badauds. Pour attirer les clients et distraire les patients, Laurent Mourguet improvise des spectacles avec Polichinelle. Par la suite, il devient marionnettiste professionnel et invente Gnafron, puis Guignol en 1808, enfin Madelon, la compagne de Guignol. De quoi faire rire ses 10 enfants parmi lesquels 2 prendront la relève pour le plus grand plaisir des petits et des grands jusqu'à nos jours.

Où dormir ? Où manger ?

■ ***Hôtel Saint-Vincent :*** 9, rue Pareille, 69001 ***Lyon.*** ☎ 04-78-27-22-56. Fax : 04-78-30-92-87. M. : Hôtel-de-Ville. Doubles avec douche, douche et w.-c. ou bains et w.-c. de 28 à 47 € ; quelques triples à 47 €. Accueil toujours excellent. 10 % de réduction sur le prix de la chambre à nos lecteurs.

■ ***Cercle Villemanzy-Résidence Internationale de Lyon :*** 21, montée Saint-Sébastien, 69001 ***Lyon.*** ☎ 04-72-00-19-00. Fax : 04-72-00-19-99. • www.mairie-lyon.fr • M. : Croix-Paquet. Bus n° 6. Attention, il ne s'agit pas d'un hôtel à proprement parler mais de location de studios (2 personnes maximum) et de deux-pièces (4 personnes maxi) : compter 59 € pour deux et 78 € pour un deux-pièces ; le prix est dégressif en fonction du nombre de nuits de location. Une caution de 152 € par appartement est demandée. 85 logements, tous équipés d'une salle de bains complète et d'une kitchenette. L'unique possibilité d'hébergement sur les pittoresques pentes de la Croix-Rousse, avec en plus, selon les chambres, une vue époustouflante sur Lyon. Pour cela, il vous faudra réserver suffisamment à l'avance et préciser votre choix pour une chambre avec vue. L'ambiance est celle d'une résidence haut de gamme pour étudiants et scientifiques, avec réception et accueil dans la plus pure tradition hôtelière. Pour nos lecteurs, 10 % de réduction sur le prix de la chambre toute l'année, 20 % en août ainsi que du 20 décembre au 28 février.

|●| ***Mister Patate :*** 8 bis, pl. Saint-Jean 69005 ***Lyon.*** ☎ 04-78-38-18-79. M. : Saint-Jean. Fermé les dimanche et lundi. La patate de 6,20 à 7,50 €. Resto carrément intéressant pour manger un plat chaud et copieux sans vider son porte-monnaie. L'idée est simple : des pommes de terre cuites à l'eau, épluchées, puis gratinées dans une sauce béchamel, avec un choix varié de garnitures. Voilà qui devrait plaire à vos enfants. Clientèle jeune, service rapide et accueil sympa de la famille Patate. Pensez à réserver car il y a du monde !

|●| ***Restaurant Chez Mounier :*** 3, rue des Marronniers, 69002 ***Lyon.*** ☎ 04-78-37-79-26. M. : Bellecour. Fermé le dimanche soir et le lundi. Congés annuels : la dernière semaine d'août, la 1re semaine de janvier et la 1re quinzaine de septembre. Pour 7,40 € le midi en semaine, on a droit à un plat et un dessert, une aubaine ! Pour 9,60 € midi et soir, c'est la totale ; et encore 2 autres menus à 13,60 et 15,10 € ; menu-enfants à 7,40 €. L'ambiance est bonne et la cuisine régionale a gardé tout son caractère. Gnafrons (des petits saucissons), gras-double et tablier de sapeur : du lyonnais pur et dur. Simple et sans chichis ! Apéro ou café offert aux lecteurs du *Guide du routard.*

|●| ***Pasta Bella :*** 172, cours Lafayette, 69003 ***Lyon.*** ☎ 04-78-62-21-62. Bus nº 1. Fermé le dimanche, ainsi que le lundi soir. Plats autour de 7,60 €, formule entrée + plat + dessert à 11 €. À deux pas du centre commercial de la Part-Dieu, un petit resto de pâtes vraiment honnête. Rien de rare ou original, mais tout est bon et ça vous cale pour quelques heures. Bonnes sauces *arrabiata* et *carbonara.* Accueil souriant, même pendant le coup de feu de midi.

➤ DANS LES ENVIRONS

Le domaine de Lacroix-Laval : 69280 **Marcy-l'Étoile.** À une douzaine de kilomètres au nord-ouest de Lyon, par la N 7, puis direction Charbonnières et route de Saint-Bel (suivre le fléchage). Bus TCL 98, depuis Gorge-de-Loup ou Tassin-la-Demi-Lune. Train direction Charbonnières, au départ des gares Saint-Paul ou Gorge-de-Loup. D'avril à septembre, ouvert tous les jours de 6 h à 22 h ; d'octobre à mars, de 7 h à 20 h. Gratuit.

À cheval sur plusieurs communes, ce parc gentiment valonné de 115 ha offre aux familles et aux sportifs l'occasion de grandes balades dans la verdure et plein d'activités estivales. Petit train (☎ 04-72-26-18-13), parcours santé, parcours pédagogique pour découvrir les essences du parc, etc. Avec, en prime, le château-musée.

– ***Le château-musée :*** ☎ 04-78-87-87-00. ♿ Ouvert de 10 h à 17 h. Fermé le lundi et les 1er janvier, 1er mai, 1er novembre et à Noël. Entrée : 3,50 € ; gratuit pour les moins de 18 ans ; gratuit pour tous le jeudi. Visite guidée sur rendez-vous : 1,50 €.

Le château-musée vous propose une collection de poupées et permet une lecture intelligente de « cette image idéale fabriquée par une société, afin de produire le reflet qu'elle veut donner d'elle-même à un moment de son histoire ». Ainsi, outre la beauté intrinsèque des poupées (principalement du XIXe siècle) et de leurs meubles, vaisselles (sublimes) et accessoires, des vitrines thématiques étayées par des panneaux pédagogiques trilingues donnent un éclairage original sur les poupées et leurs rôles psychologique et social. Également des expos temporaires orientées nature, sympa pour les enfants !

Où manger ?

I●I *L'Orangerie de Sébastien :* dans une annexe du château-musée de Lacroix-Laval, 69280 ***Marcy-l'Étoile.*** ☎ 04-78-87-45-95. Fermé les dimanche soir, lundi et mardi soir. Menus de 21 à 50 €. Une partie du château abrite un restaurant. Plusieurs salles en enfilade, élégamment restaurées, dont certaines sont parfois réservées à des réceptions, et une formidable terrasse dans la cour du château. C'est là que vous pourrez boire le thé après la visite (car on en sert), ou dîner aux beaux jours. Cuisine française assez travaillée, avec quelques idées intéressantes. Bon accueil.

Le parc animalier de Courzieu (69690) : encore plus à l'ouest, près de la N 89, se trouve le petit village de ***Courzieu.*** Le parc se situe avant le village, sur la route qui monte sur 3 km environ. Prendre alors à gauche : là, c'est fléché. ☎ 04-74-70-96-10. Ouvert de mars à fin octobre, tous les jours de 10 h à 19 h. Vols des rapaces à 14 h 30 et 16 h 30. À 15 h 30, spectacle avec les loups. Entrée : 7,50 € ; enfants de 4 à 12 ans : 5,50 € ; gratuit pour les moins de 4 ans. Tarif groupe sur présentation du *Guide du routard.*

Au fond d'une gorge, il y a une vingtaine d'années, de bien sympathiques fondus des grands prédateurs européens menacés en ont rassemblé bon nombre dans leur parc. Un parcours ludique et intelligent (super : la salle des pièges !) au-dessus de la « vallée des Loups » permet de mieux comprendre et d'admirer la redoutable élégance de ces animaux qui, pendant des siècles, nourrirent les terreurs enfantines, ovines et paysannes. Une douzaine de loups, venus de Pologne et d'ex-Yougoslavie, vivent dans ce vaste espace, comme un clan en liberté. L'organisation de la meute a cela de particulier qu'elle regroupe des individus qui forment un clan et vivent sous l'autorité d'un couple de dominants, le seul habilité à se reproduire. Merveille démocratique, le mâle en chef remet son titre en jeu à la sortie de l'hiver lors de batailles ritualisées, et c'est au nouveau vainqueur de choisir sa femelle. L'individu qui refuse de se soumettre à cette règle peut partir former un autre clan et reproduire le système. Ne pas rater le spectacle où l'on approche les bestiaux dans une sorte de danse avec les loups, et où l'on apprend notamment plein de choses sur les techniques de chasse.

Autre temps fort, les vols des faucons, aigles, buses, milans noirs, ces fascinants oiseaux carnivores capables pour certains de planer à 3 000 m, avant de fondre sur leur proie à plus de 300 km/h. Les vols en rase-mottes au-dessus des têtes vous laisseront, à vous et à vos enfants, un vrai souvenir. Aucune raison donc de rater ce zoo d'un genre nouveau, géré par d'authentiques amoureux des bêtes qui publient parfois un journal. Petite restauration de dépannage et un sentier de découverte naturaliste (30 mn), signalé par un loup portant sac à dos... Tiens, ça nous rappelle quelque chose.

➢ ***Le train de l'Évasion :*** tous les dimanches de fin juin à mi-septembre, des passionnés du chemin de fer font revivre la ligne qui relie ***L'Arbresle*** à ***Sainte-Foy-l'Argentière,*** 25 km plus au sud, en longeant le cours de la Brévenne (et la N 89). Ce gai et nostalgique convoi, tracté par une ancienne locomotive Diesel, les wagons datant des années 1930, permet d'avoir, pendant la grosse heure que dure le voyage, une autre vision fort agréable de la région. Évidemment, les enfants adorent, eux qui viennent d'ailleurs nombreux. D'autant plus qu'à l'arrivée à Sainte-Foy, ils pourront faire un tour gratuit sur le mini-train de Hobby 69 (voir ci-dessous).

Les départs (deux allers-retours par dimanche) ont lieu à la gare de L'Arbresle à 10 h 15 et 15 h 15 (correspondance possible depuis Lyon, par le réseau SNCF). On peut évidemment faire le trajet dans l'autre sens, mais il n'y a plus qu'un seul aller-retour, avec départ de Sainte-Foy à 13 h 20. Le trajet aller-retour coûte 10 €; enfants de 4 à 12 ans : demi-tarif. N'hésitez pas à vous faire confirmer ces horaires auprès de l'office de tourisme de Saint-Laurent-de-Chamousset (sur la N 89, à La Giraudière : ☎ 04-74-70-90-64; fermé le lundi) ou sur le site Internet de l'association : • www.cftb.ifrance.com •

Le parc Vapeur Hobby 69 : dans la gare de ***Sainte-Foy-l'Argentière.*** ☎ 04-78-62-21-73. Ouvert de mi-juin à fin septembre le dimanche de 9 h à 12 h et de 13 h 30 à 19 h; d'octobre à mai, sur rendez-vous. Entrée : 2,50 €. Circuit d'animation ferroviaire créé par des passionnés du chemin de fer là encore.
Juchés à califourchon sur les wagons d'un train à vapeur miniature qui suit un petit circuit, les enfants sont ravis, et les parents un peu ridicules. Selon l'importance du trafic, remorquage par loco à vapeur vive, électrique ou thermique. Mais l'important, c'est qu'on s'amuse. Une exposition de matériel ferroviaire ancien évoque la traction à vapeur.

Où dormir? Où manger dans les environs?

Hôtel-restaurant Rivollier : 69610 ***Aveize.*** ☎ 04-74-26-01-08. Fax : 04-74-26-01-90. À 7 km au sud de Sainte-Foy, par la sinueuse D 4. Fermé le jeudi. Chambres doubles avec douche et w.-c. à 33,50 €; chambres familiales à 35 €. Premier menu à 10 € en semaine; autres menus de 18 à 29 €; menu-enfants à 10 €. Comment, dans un si petit village, un hôtel-bar-restaurant de cette dimension peut-il tourner? On a compris en ressortant : un accueil top niveau, une salle à manger agréable et aérée, et une cuisine familiale extrêmement bien réussie, le tout pour un prix défiant toute concurrence, d'ailleurs inexistante dans le bourg. 8 chambres, sans autre prétention que de dépanner les voyageurs de passage.

LA MER DE GLACE ET L'AIGUILLE DU MIDI

Dans les environs : la réserve naturelle des Aiguilles Rouges • Le parc animalier de Merlet • Le Centre d'initiation à la nature montagnarde

Les glaciers disparaissent dit-on, mais la mer de Glace (le plus grand glacier des Alpes) est encore là et bien là. Profitez-en pour lui faire une petite visite avec vos enfants et grimper sur l'aiguille du Midi pour avoir le plus beau panorama sur les Alpes sans être alpiniste. Attention, toutefois : si la plus grosse concentration de téléphériques du monde a mis la haute montagne à la portée de tous, elle n'en présente pas moins toujours quelques dangers. Les températures à l'arrivée ne sont pas celles du fond de vallée, même aux plus étouffants jours de l'été : prévoir donc quelques vêtements chauds et de vraies chaussures (même si son nom peut prêter à confusion, on ne se balade pas en tongs au bord de la mer de Glace...). Dans votre sac, glissez bonbons, chewing-gums ou sucettes (pour la déglutition pendant l'ascension), de quoi boire (l'air est très sec là-haut), crème solaire, lunettes de soleil et casquette (le soleil tape fort en altitude!). Puisqu'on parle d'altitude, attention à ses effets pervers (un petit test facile : si vous pouvez parler en marchant, sans vous essouffler, tout va bien!).

Quelques précautions supplémentaires pour les enfants. En dessous d'un an, oubliez les téléphériques (risque d'otite). Jusqu'à 3 ans, ne pas dépasser 2000 m ; entre 3 et 12 ans, évitez les longs efforts physiques (genre rando de plusieurs heures) au-dessus de 2000 m, idem pour les 12-18 ans, au dessus de 4000 m.
Et prudence, prudence... On peut disparaître dans une crevasse à quelques mètres d'une gare d'arrivée de téléphérique...

LA MER DE GLACE

Par le chemin de fer à crémaillère du Montenvers. ☎ 04-50-53-12-54. Gare en bordure de la route Blanche. En service toute l'année. En juillet et août, tous les jours de 8 h à 18 h, départ toutes les 20 mn (de mi-juillet à mi-août, 1er train à 7 h pour les alpinistes et les randonneurs). En mai, juin et septembre, tous les jours de 8 h 30 à 17 h, départ toutes les 30 mn. De septembre à avril, tous les jours de 10 h à 16 h. Durée du trajet : 45 mn aller-retour. Tarifs aller-retour : 13,40 € ; juniors de 12 à 15 ans : 11,40 € ; enfants de 4 à 11 ans : 9,40 €.

Une excursion toujours aussi pittoresque qu'à l'époque du *Voyage de monsieur Perrichon* d'Eugène Labiche, qui se déroulait ici.
À deux pas de la gare d'arrivée, juste à côté de l'*hôtel du Montenvers* (construit en 1840 ; ses chambres à l'ancienne ont un sacré charme), un petit *musée* (ouvert en juillet et août de 10 h à 17 h ; accès libre avec le ticket du train) évoque le site, la construction du train, les visiteurs illustres : Goethe, Byron, Hugo. Juste au-dessus, d'anciennes écuries accueillent un autre petit *musée* consacré à la faune alpine : expo d'animaux naturalisés et quelques superbes spécimens de cristaux. En télécabine, ou l'été par un petit sentier, on gagne la *mer de Glace*. Se forment effectivement ici comme des vagues de glace sur une quinzaine de kilomètres de long. Un paysage superbe, même envahi par les touristes, et propre à frapper les imaginations : Mary Shelley y a d'ailleurs trouvé matière pour quelques scènes de son célèbre *Frankenstein*.

L'AIGUILLE DU MIDI

En téléphérique, deux tronçons de 10 mn chacun. ☎ 04-50-53-30-80. En service en juillet et août de 6 h à 17 h, en mai, juin et septembre de 8 h à 16 h 45, hors saison de 8 h à 15 h 45. Réservation (24 h/24), conseillée en saison, au ☎ 0836-68-00-67. Aller-retour : 14 ou 33 € ; enfants de 12 à 15 ans : 12 ou 28 € ; de 4 à 11 ans : 10 ou 22,50 €. N'oubliez pas votre petite laine.

Le 1er tronçon (parcours le moins cher) grimpe jusqu'au plan de l'Aiguille (2317 m) au pied des aiguilles aux arêtes déchiquetées dominées par le mont Blanc, immense et cotonneux. Le 2e tronçon vous conduit ensuite (et à la vitesse assez impressionnante de 45 km/h) jusqu'au piton nord de l'aiguille du Midi qui, à 3777 m, surplombe les crevasses et seracs du glacier des Pèlerins et défie l'aiguille Verte, les Grandes Jorasses, l'aiguille des Géants... Si vous voulez faire une overdose de panoramas, le piton central, véritable sommet de l'aiguille Rouge à 3842 m, est accessible par ascenseur (mais il vous faudra encore payer...). Ceux qui en demandent encore s'offriront un survol des glaciers avec la télécabine *Panoramic Mont-Blanc* (50 € avec la montée à l'aiguille du Midi). 5 km entre l'aiguille du Midi et la pointe d'Hebronner en Italie (ne pas oublier ses papiers d'identité ; même avec l'Europe, le douanier peut toujours être chatouilleux). 30 mn de trajet (non cette télécabine ne tombe pas sans arrêt en panne, les arrêts sont voulus, pour s'imprégner de ce paysage sublime...). Sensations garanties !

➤ DANS LES ENVIRONS

La réserve naturelle des Aiguilles Rouges : à une dizaine de kilomètres au nord de Chamonix sur la commune d'**Argentière.** 3300 ha et une flore et une faune évidemment exceptionnelles. C'est la première réserve à avoir été créée par une association, à l'initiative du curé d'Argentière. Son chalet (☎ 04-50-54-02-24 ; ouvert de juin à mi-septembre tous les jours de 9 h 30 à 12 h 30 et de 13 h 30 à 18 h 30 ; entrée gratuite) se trouve au col des Montets (sur la N 506). Animaux naturalisés, cristaux et autres roches scintillantes et, au sous-sol, un laboratoire scientifique en libre-service avec microscopes et tout et tout. Animateurs compétents et passionnés, qui peuvent aussi vous emmener sur le sentier de découverte voisin. Également nombreuses balades dans la réserve, où vous finirez bien par croiser quelques marmottes ou chamois.

➢ Évidemment, il y a de nombreuses ***randonnées*** à faire dans le coin, mais inutile de vous préciser qu'en été vous ne serez pas les seuls sur les sentiers ! Quelques grands classiques à faire en famille : le *lac Blanc,* le *plan de l'Aiguille-Montenvers,* le *refuge Albert-Ier*. Attention, on grimpe vite en altitude !

Le parc animalier de Merlet : 74310 **Les Houches.** ☎ 04-50-53-47-89. À 6 km du village ; du centre suivre le fléchage Gare SNCF, traverser le pont qui enjambe l'autoroute et prendre la route de Coupeau, environ 3 km plus loin, prendre la route forestière à droite jusqu'au parking. Compter 5 mn environ de marche ensuite. Ouvert du 1er mai au 30 septembre ; tous les jours de 9 h 30 à 19 h 30 en juillet et août, de 10 h à 18 h en mai, juin et septembre. Entrée : 4,20 €.
En balcon face à la chaîne du mont Blanc, 20 ha de nature sillonnés par des sentiers balisés pour découvrir une petite dizaine d'espèces représentatives de la faune montagnarde. Bouquetins, chamois, mouflons, daims, cerfs sika et mêmes quelques lamas se baladent ici en liberté. L'occasion de pouvoir les observer de très près (ce qui n'est pas toujours évident en montagne). Pour les marmottes, venez vers 16 h, elles adorent, paraît-il, prendre leur quatre-heures.

RHÔNE-ALPES

Parents savants : *l'hibernation des marmottes*

La marmotte a depuis longtemps résolu son problème de nourriture pour l'hiver. « Qui dort dîne » veut le dicton. Pas de problème pour les marmottes. L'été, elles se promènent en bande et boulottent tant qu'elles peuvent pour accumuler des réserves de graisse qu'elles laisseront fondre en dormant tout l'hiver. Pour se protéger du froid et des prédateurs, elles creusent des galeries de plusieurs mètres de profondeur dans lesquelles elles hibernent en groupe.

Le Centre d'initiation à la nature montagnarde : château des Rubins, 105, montée des Rubins, 74700 **Sallanches.** ☎ 04-50-58-32-13. • www.rubinsnature.asso.fr • ♿ (partiel). Ouvert en juillet et août du lundi au samedi de 9 h à 18 h 30. Le reste de l'année, du lundi au samedi de 9 h à 12 h et de 14 h à 18 h ; fermé les matins des samedi, dimanche et jours fériés. Entrée : 4,30 € ; gratuit jusqu'à 6 ans.
À 100 m à gauche de la place de l'Église. Installé dans le château des Rubins (XVIIe siècle) à la haute tour carrée. Ce n'est pas un musée, mais une structure qui présente (de manière très didactique !) les écosystèmes montagnards. Panneaux explicatifs, bibliothèque et CD-Roms, écrans tactiles interactifs et vidéos pour apprendre à reconnaître le chant des oiseaux, pour comprendre pourquoi la marmotte hiberne...

Où dormir ? Où manger dans la région ?

🏠 ***Hôtel La Boule de Neige :*** 362, rue Joseph-Vallot, 74400 ***Chamonix.*** ☎ 04-50-53-04-48. Fax : 04-50-55-91-09. • www.hotel-labouledeneige.fr • Congés annuels : du 15 mai au 15 juin et du 15 novembre au 15 décembre. Doubles avec lavabo de 36 à 44 € suivant la saison, avec douche et w.-c. de 45 à 55 € ; chambres pour 3 et 4 personnes de 45 à 65 € ; petit dej'-buffet à 6,50 €. Au centre-ville. Petit hôtel familial à l'ambiance (et à la clientèle, jeune et internationale) digne d'une *guesthouse* du bout du monde. Accueil (évidemment) très décontracté. Une poignée de chambres pas luxueuses mais sympatoches, récemment rénovées. Les n°s 3 et 4 ont une terrasse plein sud. Petit dej' réconfortant. Café offert à nos lecteurs ainsi que 5 % sur le prix des chambres en haute saison.

🏠 🍽 ***La Crémerie du Glacier :*** 333, route des Rives, Les Bossons, 74400 ***Chamonix.*** ☎ et fax : 04-50-55-90-10. À 1,5 km du centre-ville. Fermé de fin septembre à mi-décembre. En demi-pension uniquement : de 38 à 45 € par personne, suivant la saison. Menu à 16 €. Compter 18 € à la carte. Une saugrenue bicoque jaune crème (bien sûr !) et bleue, au pied du glacier des Bossons. Entre maison d'Heidi et petite gare de campagne repeinte par un chef de gare amoureux. Et toute la déco intérieure, très chou, est à l'avenant. Chambres de 2 à 4 personnes, avec ou sans sanitaires privés. Couettes fournies. Apéritif maison offert à nos lecteurs.

🏠 ***Hôtel du Faucigny :*** 118, pl. de l'Église, 74400 ***Chamonix.*** ☎ et fax : 04-50-53-01-17. • www.hotelfaucigny-chamonix.com • Face à l'office de tourisme, en plein centre mais dans une rue tranquille. Congés annuels en novembre. Doubles avec douche de 48 à 52 € suivant la saison, avec douche et w.-c. (TV) de 55 à 65 € en haute saison ; 2 chambres familiales pour 4 personnes à 80 € en haute saison, 69 € en basse saison (sauf le week-end). Derrière sa façade toute pimpante, petit hôtel à l'ambiance gentiment familiale. Chambres sans charme excessif, mais d'un confort satisfaisant. Les n°s 102 et de 110 à 112 offrent une gentille vue sur le mont Blanc. Petite cour intérieure et agréable jardin. Parking gratuit. Pour nos lecteurs, 10 % de réduction sur le prix de la chambre.

🍽 ***La Cabolée :*** 3, route des Mous-soux, 74400 ***Chamonix.*** ☎ 04-50-55-97-28. En face de la gare du téléphérique du Brévent. Fermé les dimanche soir et lundi. Compter environ 12 € à la carte. Petite salle et terrasse pas bien grande non plus (donc pensez à réserver si vous êtes nombreux). Des B.D. (la passion du patron) partout et à disposition, et une cuisine plus casse-croûte que gastro. Bref, parfait pour les familles ! Croûtes au fromage, salades, omelettes...

AUTOUR DU LAC D'ANNECY

Dans les environs : l'Art de l'Enfance • Le musée de la Cloche • La grotte de Seythenex • La forêt de l'Aventure • Le château de Menthon

LE LAC D'ANNECY

À le voir si mignon avec ses eaux toujours bleues dans leur écrin de montagne, difficile de croire que, sans un sursaut des habitants de ses rives, le lac d'Annecy aurait pu être tué par la pollution... Le miraculé se porte aujourd'hui remarquablement bien et s'avère un joli terrain de jeux pour les familles. De nombreuses plages parsèment ses rives. On y trouvera barques, pédalos, voiliers... à louer. Petite précision pour les amateurs de baignade, la température de l'eau oscille autour des 20 °C de mi-juin à mi-septembre ! Mais attention (sur certaines plages) aux piqûres de la puce du canard, bénignes (a priori...), mais ça démange sérieusement ! Un des musts du lac pour finir : la piste cyclable (belle balade à faire en rollers également) qui suit le tracé d'une ancienne voie ferrée entre Annecy et Doussard.

Où dormir ? Où manger ?

🏠 🍴 ***Auberge de jeunesse :*** 4, route du Semnoz, 74000 ***Annecy.*** ☎ 04-50-45-33-19. Fax : 04-50-52-77-52. • annecy@fuaj.org • ♿ À 1 km du centre par la D 41, direction le Semnoz ; bus n° 1 direction Marquisats, arrêt à l'hôtel de police (puis 1 km à pied) ; la ligne des vacances qui s'arrête à l'auberge ne fonctionne que l'été. Accueil de 8 h à 12 h et de 15 h à 22 h. Fermé le dimanche de 12 h à 17 h en octobre-novembre et de janvier à mars. Congés annuels : du 1er décembre au 15 janvier. Avec la carte FUAJ (obligatoire et vendue sur place), de 13 à 16 € la nuit, petit dej' compris. Repas à 8 €. Bâtiments contemporains et fonctionnels, dominant le lac, dressés sur les premières pentes du Semnoz. Au calme donc, loin de la ville, mais à 15 mn à pied du centre ancien et du lac. Chambres de 4 ou 5 lits. Cuisine à disposition pour les particuliers entre 15 h et 21 h.

🏠 🍴 ***Hôtel Les Terrasses :*** 15, rue Louis-Chaumontel, 74000 ***Annecy.*** ☎ 04-50-57-08-98. Fax : 04-50-57-05-28. • lesterrasses@wanadoo.fr • ♿ Doubles avec douche et et w.-c. ou bains de 42 à 59 €. Menus à 9,50 et 13,50 €. Croquignolette maison ancienne transformée en un petit hôtel moderne et pimpant. Chambres sobres (murs blancs, meubles en bois blond), calmes et confortables. L'excellent rapport qualité-prix l'emporte sur le quartier, sans réel intérêt. Resto si vous ne voulez pas retourner en ville. Charmant petit jardin. Excellent accueil. Apéritif offert à nos lecteurs.

🍴 ***Tarterie Jean-Jacques Rousseau :*** 14, rue Jean-Jacques-Rousseau, 74000 ***Annecy.*** ☎ 04-50-45-36-25. ♿ Fermé le dimanche toute la journée et le mardi soir ; congés annuels : la 1re quinzaine de septembre. Menus de 7 € – comprenant une tarte, une salade verte et une boisson – à 14 € avec salade composée, 2 tartes et une boisson. Parts de tartes salées ou sucrées à emporter autour de 3 €. Petite adresse sans prétention (mais les pâtes à tarte sont maison et drôlement bonnes) à distance raisonnable de la grande foule des touristes.

➤ *DANS LES ENVIRONS*

👥 ***L'Art de l'Enfance :*** à ***Marcellaz-Albanais*** (74150). ☎ 04-50-69-73-74. Au sud-ouest d'Annecy par la D 16 puis la D 38. Ouvert du 1er avril au 31 octobre les lundi, mercredi, jeudi et dimanche de 14 h à 20 h. Entrée : 4,50 € ; gratuit jusqu'à 5 ans.

Petit mais passionnant musée installé par un collectionneur dans une maison particulière. Comme son intitulé l'indique, plus qu'un simple musée du jouet (c'est même le seul musée d'Europe consacré à l'environnement de l'enfance !). On découvre de pièce en pièce, lanternes magiques (superbe collection), maisons de poupées, trains électriques, vieux manuels scolaires...

👥👤 ***Le musée de la Cloche :*** 74320 ***Sévrier.*** ☎ 04-50-52-47-11. Le long du lac d'Annecy, à quelques kilomètres de la ville du même nom, sur la N 508.

Ouvert tous les jours (sauf le dimanche matin) en été de 10 h à 12 h et de 14 h 30 à 18 h 30. Hors saison, tous les jours sauf les dimanche matin et lundi (et samedi, de novembre à mars), de 10 h à 12 h et de 14 h 30 à 17 h 30. Fermé du 1er au 15 décembre. Entrée : 4,50 €; de 6 à 16 ans : 3,80 €.
Routards, vous connaissez la famille Paccard ou tout du moins leurs cloches. Vous les avez entendues sonner un peu partout dans le monde, au clocher des cathédrales de New York et de Vienne. Le carillon du Taft Memorial de Washington comme la cloche de la Paix d'Hiroshima sont aussi signés Paccard. La fonderie Paccard, c'est un peu le *Livre des records* à elle toute seule : une des plus anciennes entreprises françaises (elle a été fondée en 1796 par Antoine Paccard), la fonte de la plus grosse cloche de France (18835 kg, dite la Savoyarde et installée au Sacré-Cœur à Montmartre), la plus imposante cloche à la volée du monde (33 t) pour le monument du Millénaire édifié en 1999 à Newport dans le Kentucky... Histoire bien sûr évoquée dans ce musée créé par la famille Paccard. On y découvre toutes les étapes de la fabrication d'une cloche (film de 20 mn sur la coulée), l'histoire très ancienne de l'instrument et une large collection de cloches de toutes les matières, de toutes les époques et de tous les pays... Complètement sonné, ce musée!
– On peut également visiter la *fonderie* elle-même, mais en dehors des heures de travail; on n'y verra donc pas la coulée des cloches. Visite guidée d'avril à octobre le vendredi de 14 h 30 à 17 h 30, le samedi de 10 h à 12 h et de 14 h 30 à 17 h 30 et le dimanche de 14 h 30 à 17 h 30. Supplément de 1,50 € par personne.

La grotte de Seythenex : à 2 km au sud de ***Faverges*** (accès fléché). ☎ 04-50-44-55-97. Ouvert de mai à mi-septembre tous les jours de 10 h à 17 h 30 (départ de la dernière visite); en juillet et août, de 9 h 30 à 18 h. Entrée : 6,10 €; de 6 à 12 ans : 4,50 €. Prévoyez une petite laine pour tout le monde (il fait autour de 10 °C dans la grotte) et de bonnes chaussures.
Seul site souterrain ouvert au public en Haute-Savoie : 250 m de galeries creusées par l'eau des anciens glaciers dans une falaise calcaire. Pas de sublimes concrétions donc, mais, le long du lit du torrent, l'occasion d'appréhender le lent travail de l'érosion. Une série de plates-formes et d'escaliers permet de voir, sous tous ses angles, une cascade qui dégringole de 30 m du sommet de la falaise. Expo de maquettes animées enfin : au 1/30e, elles illustrent le fonctionnement des ateliers artisanaux qui utilisaient autrefois la force des torrents : taillanderie, moulin à huile, scierie. Projection d'un film, *À force d'eau.*

La forêt de l'Aventure : 74290 ***Talloires.*** ☎ 06-07-56-90-58. Ouvert de fin avril à fin octobre. Dernier départ à 17 h. Compter 2 h 30 pour la totalité du parcours. Entrée : 19 €; moins de 18 ans : 11,50 €.
Trois parcours : le « grand parcours » de 2 h 30 dès 1 m 40, le « parcours kids » dès 5 ans, l'« X-trem Équilibre » (se confronter au vide sans baudrier). 75 activités pour évoluer d'arbre en arbre à son rythme, avec un matériel adapté : baudrier, mousquetons... Du sportif au sédentaire, tout le monde y trouve son compte. Différents moyens pour parcourir l'itinéraire : ponts de singe, passerelles, tyroliennes. Vue superbe sur le lac d'Annecy. Réservation très conseillée.

Le château de Menthon : 74290 ***Menthon-Saint-Bernard.*** ☎ 04-50-60-12-05. En juillet et août, ouvert tous les jours de 12 h à 18 h; en mai, juin et septembre, les jeudi, week-ends et jours fériés aux mêmes horaires. Animation costumée tous les week-ends et jours fériés. Entrée : 6 € pour la visite guidée et 7 € avec les animations; de 6 à 16 ans : 3,50 € et 4 €.
On le croirait sorti de quelque parc d'attractions d'Orlando en Floride avec ses tourelles, son donjon à mâchicoulis. C'est pourtant le contraire : Walt Disney, en vacances à Talloires dans les années 1930, se serait largement inspiré de ce château pour dessiner celui de sa *Belle au Bois Dormant*! En fait d'authenticité, ce château, où la famille de Menthon vit encore et toujours depuis le XIe siècle, se pose là!

Des 90 pièces, 8 se visitent (les plus spectaculaires, rassurez-vous !) : on vous montre la fenêtre par laquelle Bernard de Menthon, futur saint et fondateur de l'hospice du Grand-Saint-Bernard, aurait fui un mariage arrangé ; les superbes tapisseries des Gobelins de la chambre de la comtesse et, dans la cuisine qui étincelle de tous ses cuivres, le passe-plat, en fait un vrai train miniature ! Ne pas rater la bibliothèque, la plus belle pièce de la maison, dans le donjon. De la terrasse où l'on pourra casser la croûte avec les bambins (petite restauration rapide), chouette vue sur le lac.

Où dormir ? Où manger dans le coin ?

Le Roc de Chère : Écharvines, 74290 **_Talloires._** ☎ 04-50-60-19-15. Fax : 04-50-60-28-29. • www.belhorizon.com/roc • À 4 km au nord de Talloires par la D 909. À 200 m de la réserve naturelle du Roc de Chère. Congés annuels : du 1er octobre au 1er mai. Doubles avec douche et w.-c. de 35 à 46 € selon la période ; possibilité d'ajouter un 3e lit dans la chambre (sans supplément jusqu'à 12 ans) ; pour les familles nombreuses, la chambre n° 7 peut accueillir jusqu'à 6 personnes pour 66 ou 88 € selon la période ; petit dej'-buffet reconstituant à 7 €. Rigolote maison genre cottage balnéaire dans un hameau (un peu sur la route aussi, mais elle est peu passante la nuit et il y a un double vitrage). Chambres joliment arrangées (climatisées pour certaines) et accueil décontracté. Comme le patron est fondu de parapente, il a dirigé une *web cam* sur le site d'envol voisin (un des plus beaux spots des Alpes). Même si vous ne volez pas, vous saurez quel temps il fait à Talloires ! Pour nos lecteurs, prêt de VTT (selon disponibilité).

Chambres d'hôte la Maison de Marie : 100, chemin des Charbonnières, Sollier, 74210 **_Doussard._** ☎ 04-50-32-97-43. À Doussard, prendre la N 508 direction Faverges-Albertville, tourner à gauche juste avant la discothèque puis prendre la 1re route à droite, la maison est à peine plus loin sur la droite. Doubles avec douche et w.-c. à 35 €, petit dej' compris. Table d'hôte (le soir sur réservation) à 12 €. Dans un hameau tranquille, à 2 km du lac. Vieille maison avec son petit charme et jardin. Chambres à la déco qu'on pourra trouver un peu simplette mais d'un honorable confort et surtout d'un excellent rapport qualité-prix pour le secteur. Cuisine familiale dans une grande salle à manger. Cheminée dans le salon. L'accueil, naturellement sympathique, met instantanément à l'aise. Une bonne adresse.

Auberge du Bessard-L'Oasis : 525, route d'Albertville, 74320 **_Sévrier._** ☎ 04-50-52-40-45. ♿ Congés annuels : du 20 octobre au 20 mars. Premier menu à 15,50 € en semaine ; autre menu à 19 € ; compter environ 22 € à la carte ; menu-enfants à 7 €. Bien sûr, autour du lac d'Annecy, manger du poisson (friture du lac, filets de perche ou féra à l'oseille) sur une terrasse ombragée les pieds dans l'eau, c'est tentant. Voilà donc une bonne adresse pour succomber. Un genre d'institution locale tenue par la même famille depuis une cinquantaine d'années, à l'ambiance chaleureuse et bon enfant.

LE MASSIF DES BAUGES : LE CHÂTEAU DE MIOLANS

Dans les environs : le musée de l'Ours des cavernes • La maison Faune-Flore • Le Grand Filon

LE CHÂTEAU DE MIOLANS

Renseignements : ☎ et fax : 04-79-28-57-04. Ouvert de mai à septembre, tous les jours sauf le dimanche matin, de 10 h à 12 h et de 13 h 30 à 19 h ;

visites guidées le week-end et les jours fériés hors saison, et tous les jours en juillet et août; en avril, les samedi, dimanche et jours fériés de 13 h 30 à 19 h. Entrée : 5,50 €; réductions. Visite guidée (intéressante) ou libre (ne laissez pas trop courir les enfants !).

Le site est époustouflant. Un château médiéval posé sur un rocher à pic, 300 m au-dessus de la Combe de Savoie. Derrière, l'Arclusaz (2040 m), un des plus beaux synclinaux perchés (plongez-vous dans vos vieux manuels de géo) d'Europe! Le château a appartenu du Xe au XVe siècle aux seigneurs de Miolans. À l'extinction de leur lignée en 1523, il a été transmis par héritage aux ducs de Savoie qui le transformèrent en prison.
Rampe d'accès barrée par 3 portes et protégée sur près de 200 m par un chemin de ronde enterré, donjon massif, flanqué de 4 tourelles : Miolans ressemble bien à une forteresse voulue imprenable.
Pourtant, il a surtout, de 1559 à la Révolution, servi de prison. Sur plusieurs étages de la tour Saint-Pierre, les cellules ont conservé les noms plus qu'évocateurs que leur donnaient les détenus. Selon son crime et son rang (surtout son rang...), le condamné avait droit à l'Enfer, au Purgatoire, au Trésor (dont les fenêtres étaient exposées au sud), au Paradis... Enfermé pour « débauche outrée », le marquis de Sade eut droit en 1772 à l'Espérance (aujourd'hui détruite), à un domestique et à... tout ce qui lui était nécessaire pour mener à bien son évasion, l'année suivante.
Un château sans oubliettes ne serait pas un château : il y en a, un peu légendaires, mais sinistres quand même. Et du haut des tours, se dévoile une vue magnifique, jusqu'au mont Blanc les jours de très beau temps.

RHÔNE-ALPES

Où dormir ? Où manger ?

Hôtel-restaurant Christin : La Lilette, 73390 ***Chamousset.*** ☎ 04-79-36-42-06. Fax : 04-79-36-45-43. À 7 km au sud-est du château de Miolans par la D 32. Fermé le dimanche soir et le lundi. Congés annuels : 1 semaine début janvier et début mai et 2 semaines fin septembre. Doubles avec douche et TV par satellite à 31 €, de 34 à 39 € avec bains. Menus à 13,60 €, en semaine, puis de 18 à 28 €. Une placette, des marronniers, une petite rivière enfouie sous la végétation : le parfait hôtel-restaurant de campagne où, génération après génération, on n'a d'autre ambition que de satisfaire le client. Agréable salle aux grandes baies vitrées. Cuisine emballante dans son registre très classique, bons produits, portions généreuses et redoutable rapport qualité-prix. Chambres dans des annexes, sans charme particulier mais spacieuses et confortables. Pour être franc, quelques trains passent la nuit...

Chambres d'hôte chez Hélène et Jean Kozak : lieu-dit Leché, 73800 ***Myans.*** ☎ et fax : 04-79-28-01-93. En venant de Miolans, direction Chambéry par la N 6 ou l'autoroute, sortie Le Granier, puis direction Myans. Dans Myans, suivre le fléchage. Fermé en novembre. Doubles avec douche à 38 €, petit dej' compris; avec douche et w.-c. à 45 €. Maison dotée d'un petit côté villa balnéaire début de XXe siècle, cachée derrière un jardin touffu. 4 chambres, d'un charme gentiment désuet avec leur papier à fleurs. Accueil d'une extrême gentillesse et conversations à bâtons rompus autour d'un verre du très bon jus de fruits maison. Cartes de paiement refusées.

➤ *DANS LES ENVIRONS*

Le musée de l'Ours des cavernes : à ***Entremont-le-Vieux*** (73670). ☎ 04-79-26-29-87. Dans la vallée des Entremonts, partie savoyarde du

parc naturel de la Chartreuse. Accès depuis le château de Miolans par la N 6 puis la route du col du Granier. Ouvert tous les jours sauf le mardi : en juillet et août, de 10 h à 12 h 30 et de 15 h à 19 h ; en mai, juin, septembre et pendant les vacances scolaires d'hiver, de 15 h à 19 h (et le matin des week-ends et jours fériés). Le reste de l'année, le week-end uniquement de 15 h à 19 h. Entrée : 4,20 € ; réductions ; gratuit jusqu'à 7 ans.
Puisque (comme à Lascaux) il faut bien se résoudre à ne jamais visiter la Balme à Collomb, cette grotte du massif du Granier où à été découvert un formidable gisement d'ossements d'ours des cavernes, on appréciera à sa juste valeur ce très moderne espace. Où l'on apprend tout ou presque sur l'ours des cavernes (alias *ursus spelaus*), dernier géant de la Préhistoire. Reconstitution d'un squelette complet (l'ourse Colombine !), qui donne une bonne idée de la stature de l'animal, et une foule de petites expériences scientifico-ludiques à réaliser : comparer des vertèbres, deviner de quoi est mort l'ours auquel appartenaient ces os, dater une mâchoire d'ourson au carbone 14... Dans une reconstitution réussie du site, projection d'un film en 3D réellement spectaculaire : l'impression d'être un homme préhistorique se trouvant subitement nez à museau avec un de ces ours gigantesques (qui, contrairement à certaines idées reçues, ne sont pas les ancêtres de l'actuel ours brun mais leurs cousins !).

La maison Faune-Flore : à ***École-en-Bauges*** (73630). ☎ 04-79-52-22-56. Au cœur du massif des Bauges, superbe mais encore peu fréquenté ; accès bien fléché depuis Chambéry. Ouvert de fin juin à mi-septembre, tous les jours de 10 h à 19 h et les week-ends de mai, début juin, fin septembre et octobre de 13 h 30 à 18 h. Entrée : 2 € ; réductions ; gratuit jusqu'à 7 ans.
Petit espace moderne où découvrir en s'amusant la nature des Bauges : souffler sur un pissenlit et suivre le parcours de ses graines, se prendre pour une abeille, découvrir le menu de la chouette effraie en décomposant une boulette de déjection... Salle de projection (un film d'une vingtaine de minutes). Jardin où poussent les différentes espèces des prairies fleuries, des milieux humides, des talus et des rocailles. Une bonne introduction avant d'enfiler ses chaussures de rando pour une des nombreuses balades familiales que proposent les Bauges.

Où dormir ? Où manger ?

Chambres d'hôte Chez Jean Croze : le Pré Collomb-La Combe, 73230 ***Les Déserts.*** ☎ et fax : 04-79-25-83-37. À 5 km au sud-est de La Féclaz par la D 913. Doubles avec douche ou bains, à 48 €, petit dej' compris. Table d'hôte le soir uniquement à 19 €, boissons comprises. Également un gîte rural pour 6 personnes : de 229 à 445 € la semaine suivant la saison. Dans un hameau paisible à 1 000 m d'altitude. Belle maison de pierre, typique des Bauges avec le large débordement de son toit. Vue superbe sur la vallée parcourue par la Leysse. Chambres plutôt plaisantes : une double de plain-pied sur le grand jardin (notre préférée, bien sûr) et 2 chambres communicantes (pour 4 personnes) à l'étage. À la table d'hôte, pâtes à l'italienne et spécialités savoyardes. Apéritif maison et café offerts à nos lecteurs.

Le Grand Filon : 73220 ***Saint-Georges-des-Hurtières.*** ☎ 04-79-36-11-05. ♿ Au début de la vallée de la Maurienne, au sein du méconnu et pourtant joli massif des Hurtières ; accès depuis le château de Miolans par la N 6 puis la D 73. Ouvert en juillet et août, tous les jours de 10 h à 19 h ; en mai et juin et de septembre à mi-décembre, les mercredi et dimanche de 14 h à 18 h ; pendant les vacances de Pâques, tous les jours sauf le samedi de

14 h à 18 h. Entrée : 6 €; réductions; gratuit jusqu'à 6 ans. Visite guidée : 9,50 €.
À flanc de vallée, un bâtiment contemporain couvert de plaques de zinc et de cuivre. À l'intérieur, un espace qui fait appel à quelques technologies modernes pour évoquer les mines de fer et de cuivre qui ont fait vivre le coin du Moyen Âge (Durandal, la célèbre épée de Roland aurait été forgée en acier de Maurienne!) jusqu'au XIXe siècle : immense maquette pour expliquer les grands mouvements géologiques, surprenant théâtre optique en 3D pour raconter, dans une bibliothèque qui fait illusion, l'enjeu économique qu'ont représenté ces mines, reconstitution d'une galerie (obscurité, bruits, odeurs, exclamations en patois des mineurs... on s'y croirait!), film sur l'histoire des mines... À l'extérieur, sentier de découverte avec panneaux explicatifs sur les techniques d'extraction, de transformation du minerai (animations de temps à autre : concassage, allumage du bas-fourneau)...
La visite guidée permet de découvrir également 80 m d'une vraie galerie (prévoir bonnes chaussures et vêtements chauds), la salle de classe qui semble ne pas avoir pas bougé depuis les années 1940...
Nombreuses animations en saison.

LE PARC NATIONAL DE LA VANOISE

La Vanoise, premier (historiquement) parc naturel français, tout le monde connaît. S'il est donc presque inutile de faire les présentations, précisons tout de même qu'il aura fallu quelques décennies de pourparlers entre administrations, élus, acteurs économiques et associations de protection de l'environnement (du classement en réserve de chasse de 1936 à la création du parc en 1963) avant que ne soient protégés ces 53000 ha de montagne, entre Maurienne et Tarentaise. Et le combat est loin d'être terminé : en 1969, seule une intense mobilisation a permis aux 1625 ha du vallon de Polset et du glacier de Chavière de ne pas terminer dans le domaine skiable de Val-Thorens.
La Vanoise, c'est bien sûr un des patrimoines naturels les mieux préservés d'Europe, une faune incomparable : bouquetins, bêtement exterminés dans la région au XIXe siècle mais revenus en voisins (et en nombre!) du parc italien du Grand-Paradis grâce à la création du parc de la Vanoise, chamois, lièvres variables, aigles royaux ou impressionnants gypaètes barbus (près de 3 m d'envergure), surnommés casseurs d'os. Flore tout aussi exceptionnelle : 2000 espèces végétales qu'on appréciera en se promenant le nez au ras des vastes alpages semés de chardons bleus et de rochers moussus où pousse la très rare linnée boréale.
Un patrimoine presque accessible à tous : de nombreuses vallées et des cols où il est facile de grimper traversent la Vanoise. Ce qui explique qu'en juillet et août, le nombre de randonneurs qui arpentent les sentiers flirte avec le demi-million! Mais il y a de la place pour tout le monde et la zone centrale du parc, avec sa dizaine de sommets avoisinant les 3000 m, ne se révèle qu'à ceux qui s'en donnent vraiment la peine. Il y a 600 km de sentiers balisés dans le parc, dont beaucoup sont accessibles aux familles pour de belles balades d'une journée.

Parc national de la Vanoise : 135, rue du Docteur-Julliand, BP 705, 73007 ***Chambéry*** Cedex. ☎ 04-79-62-30-54. • www.vanoise.com • Publie chaque année *L'Estive,* un journal qui tient compte de l'actualité du parc et contient une foule d'infos pratiques.

Où dormir ?

Refuges : une soixantaine dans le parc. Compter 11 € par personne dans les refuges gérés par le parc, 12 € dans ceux du Club Alpin. Si vous venez avec votre tente, il vous en coûtera 4,20 € par personne. En haute saison, réservation obligatoire.

NOS NOUVEAUTÉS

CRÈTE (paru)

Aux confins de l'Europe et de l'Orient, dernier balcon rocailleux avant l'Afrique, la Crète reste mythique, à plus d'un titre, car elle est depuis toujours l'île des Dieux. Et elle le demeure encore : quand une île est d'essence divine, n'est-ce pas pour l'éternité ? Certes, ce n'est plus un paradis sauvage, mais on y ressent toujours une émotion particulière, celle que procurent les lieux chargés d'histoire.

D'une superficie voisine à celle de la Corse, la Crète offre encore des paysages quasi vierges, à condition d'aller jusqu'au bout des dernières pistes rocailleuses, aux extrémités de l'île. Là, des plages désertes se révèlent dans leur solitude de sable et de mer bleue. En Crète, la nature est généreuse : il faudrait aussi parler des gorges abruptes et des kyrielles de cavernes qui en font un lieu de découvertes magiques. Et, pour ceux qui font rimer nature avec culture, n'oublions pas une densité rare de sites antiques, la plupart datant de l'époque minoenne, période où la Crète domina sans doute une partie du monde méditerranéen.

Refaites-vous une santé en adoptant le régime crétois. Partez à la découverte des mille recoins de cette île, dont les habitants, héritiers d'une tradition d'hospitalité millénaire, sauront vous accueillir comme un dieu.

FRANCHE-COMTÉ (paru)

Même si c'est un Franc-Comtois qui a écrit *La Marseillaise*, on le verrait plutôt bleu-blanc-vert le drapeau de la Franche-Comté ! Bleu d'abord, comme les eaux de cette kyrielle de lacs qui, dans le Jura, ont mis la mer à la montagne, comme ces mille étangs qui constellent la Haute-Saône, comme ces facétieuses rivières du Doubs qui disparaissent ici pour réapparaître là, rebondissant en de multiples cascades, traçant leur chemin dans de profondes vallées. Blanc ensuite, comme l'hiver que l'on arpente, sur les hauteurs, à ski de fond ou sur un de ces traîneaux à chiens ramenés du Grand Nord dans les bagages de Paul-Émile Victor ; blanc comme le lait fourni par de braves vaches montbéliardes pour produire un superbe fromage (le comté), dans des fruitières dont le fonctionnement coopératif avait déjà épaté Victor Hugo ; blanc comme le sel dont l'exploitation a donné naissance à l'une des plus étonnantes réalisations architecturales du monde : la Saline royale d'Arc-et-Senans. Vert enfin comme l'omniprésente forêt, aux sapins si majestueux qu'on en fait des présidents ; vert comme les feuilles de ces discrets vignobles qui donnent un rare nectar, le vin... jaune.

NOS NOUVEAUTÉS

ROME (paru)

Depuis Romulus et Rémus, de l'eau a coulé sous les ponts du Tibre. Du Colisée au Vatican, en passant par la fontaine de Trévi (immortalisée par la *Dolce Vita* de Fellini), vous croiserez de beaux *latin lovers* accrochés au guidon de leur scooter, le téléphone portable vissé à l'oreille. Mais Rome reste toujours la ville idéale pour un week-end en amoureux ou des vacances en famille. Laissez-vous donc tenter par une balade à travers les siècles. Si l'on vous dit Leonardo, Raffaello, Donatello ou... Gian Paolo, vous ne rêvez pas, ils sont tous là !
Que vous soyez fans de musées, amateurs hyperactif ou passionnés de shopping, vous aurez matière à vous occuper ou à pratiquer le *farniente* à une terrasse, devant un bon *cappuccino.*
Le dépaysement est total, le climat doux quelle que soit la saison, et les monuments innombrables. La Ville Éternelle ne vous laissera pas de marbre...

MARSEILLE (paru)

Petites terrasses sur le Vieux-Port, restos à prix sages servant l'aïoli et la bouillabaisse, cafés branchés du soir et de la nuit, ruelles animées où se mêlent tous les parfums et les senteurs des peuples du Grand Sud. Mistral ou pas, depuis 26 siècles la vocation de Marseille n'a pas changé : l'ouverture au monde. C'est que, comme disait Blaise Cendrars : « Marseille appartient à celui qui vient du large. » Sans aller très loin, on est vite dépaysé dans cette cité non conformiste où le premier bus venu mène, en une demi-heure à un paradis naturel – les calanques –, et où les plages sont au bout de la ville.
Porte de l'Orient mystérieux hier, porte de la Provence dynamisée aujourd'hui, voici la plus ancienne ville d'Europe, une cousine lointaine de Rome et d'Athènes.
Pourtant, malgré son grand âge, Marseille, grande dame méridionale, dévore le présent et sourit au futur. L'heure est venue de découvrir, pour de bon, cette formidable ville cosmopolite. Du quartier du Panier aux docks de la Joliette, en passant par la Belle de Mai, et l'Estaque, les enquêteurs du *Routard* vous racontent avec passion leurs découvertes et leurs meilleures balades urbaines. Cette ville unique et captivante n'a pas dit son dernier mot. Elle renaît à présent comme un phœnix.

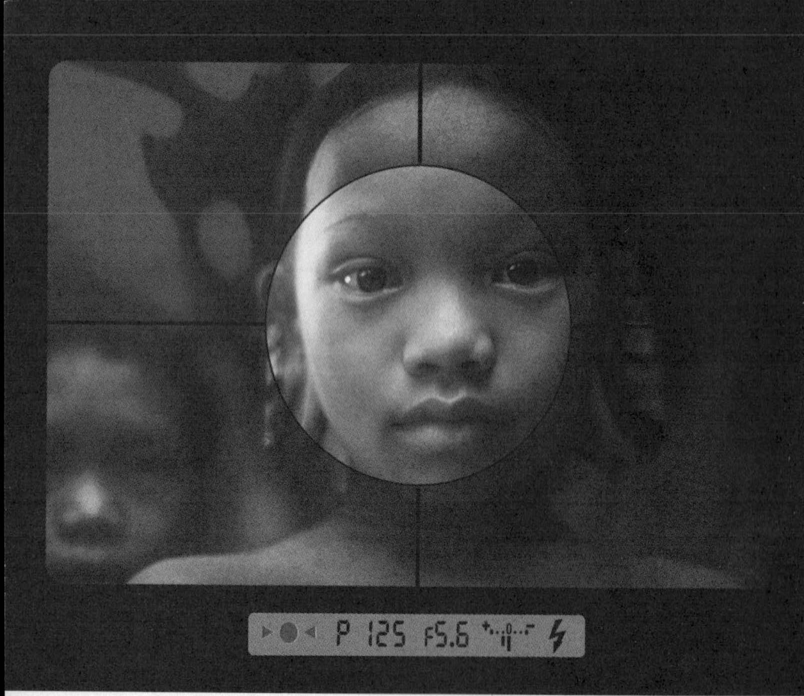

Les conseils *nature* du Routard

avec la collaboration du **WWF**

Vous avez choisi le Guide du Routard pour partir à la découverte et à la rencontre de pays, de régions et de populations parfois éloignés. Vous allez fréquenter des milieux peut être fragiles, des sites et des paysages uniques, où vivent des espèces animales et végétales menacées.

Nous avons souhaité vous suggérer quelques comportements simples permettant de ne pas remettre en cause l'intégrité du patrimoine naturel et culturel du pays que vous visiterez et d'assurer la pérennité d'une nature que nous souhaitons tous transmettre aux générations futures.

Pour mieux découvrir et respecter les milieux naturels et humains que vous visitez, apprenez à mieux les connaître.

Munissez vous de bons guides sur la faune, la flore et les pays traversés.

❶ **Respectez la faune, la flore et les milieux.**
Ne faites pas de feu dans les endroits sensibles - Rapportez vos déchets et utilisez les poubelles - Appréciez plantes et fleurs sans les cueillir - Ne cherchez pas à les collectionner... Laissez minéraux, fossiles, vestiges archéologiques, coquillages, insectes et reptiles dans la nature.

❷ **Ne perturbez d'aucune façon la vie animale.**
Vous risquez de mettre en péril leur reproduction, de les éloigner de leurs petits ou de leur territoire - Si vous faites des photos ou des films d'animaux, ne vous en approchez pas de trop près. Ne les effrayez pas, ne faîtes pas de bruit - Ne les nourrissez pas, vous les rendrez dépendants.

❸ **Appliquez la réglementation relative à la protection de la nature,** en particulier lorsque vous êtes dans les parcs ou réserves naturelles. Renseignez-vous avant votre départ.

❹ **Consommez l'eau avec modération,**
spécialement dans les pays où elle représente une denrée rare et précieuse.
Dans le sud tunisien, un bédouin consomme en un an l'équivalent de la consommation mensuelle d'un touriste européen !

❺ Pensez à éteindre les lumières, à fermer le chauffage et la climatisation quand vous quittez votre chambre.

❻ Évitez les spécialités culinaires locales à base d'espèces menacées. Refusez soupe de tortue, ailerons de requins, nids d'hirondelles…

❼ Des souvenirs, oui, mais pas aux dépens de la faune et de la flore sauvages. N'achetez pas d'animaux menacés vivants ou de produits issus d'espèces protégées (ivoire, bois tropicaux, coquillages, coraux, carapaces de tortues, écailles, plumes…), pour ne pas contribuer à leur surexploitation et à leur disparition. Sans compter le risque de vous trouver en situation illégale, car l'exportation et/ou l'importation de nombreuses espèces sont réglementées et parfois prohibées.

❽ Entre deux moyens de transport équivalents, choisissez celui qui consomme le moins d'énergie ! Prenez le train, le bateau et les transports en commun plutôt que la voiture.

❾ Ne participez pas aux activités dommageables pour l'environnement. Évitez le VTT hors sentier, le 4x4 sur voies non autorisées, l'escalade sauvage dans les zones fragiles, le ski hors piste, les sports nautiques bruyants et dangereux, la chasse sous marine.

❿ Informez vous sur les us et coutumes des pays visités, et sur le mode de vie de leurs habitants.

Avant votre départ ou à votre retour de vacances, poursuivez votre action en faveur de la protection de la nature en adhérant au WWF.

Le WWF est la plus grande association privée de protection de la nature dans le monde. C'est aussi la plus puissante :
- **5 millions de membres ;**
- **27 organisations nationales ;**
- **un réseau de plus de 3 000 permanents ;**
- **11 000 programmes de conservation menés à ce jour ;**
- **une présence effective dans 100 pays.**

Devenir membre du WWF, c'est être sûr d'agir, d'être entendu et reconnu. En France et dans le monde entier.

Ensemble, avec le **WWF**

Pour tout renseignement et demande d'adhésion, adressez-vous au WWF France :
188, rue de la Roquette 75011 Paris ou sur www.panda.org.

INDEX GÉNÉRAL

- A -

AGDE (aquarium d') 322
AJACCIO 205
ALÈS (mine-témoin d') 332
ALLY 99
ALSACE 45
ALSACE (Ballon d') 235
ALTA ROCCA 213
AMBOISE 170
AMIENS 493
AMNÉVILLE-LES-THERMES .. 360
ANDELYS (Les) 448
ANDRÉ-LAMOUROUX (parc) 528
ANGLES (Les) 320
ANGOULÊME 521
ANNECY (lac d') 585
ANTIBES 545
ANTIGNAC 392
AQUITAINE 62
ARBRESLE (L') 581
ARCACHON (bassin d') 78
ARCY-SUR-CURE (grottes d') 131
ARDÈCHE (gorges de l') 563
ARDOISIÈRES (souterroscope des) 429
ARGELÈS-GAZOST 407
ARGELÈS-SUR-MER 317
ARGENTAT 352
ARGENTIÈRE 484
ARGENTOMAGUS 180
ARMAND (aven) 338
ARNAC-POMPADOUR 350
ARNAY-SOUS-VITTEAUX 111
ARPAILLARGUES 335
ARPAJON-SUR-CÈRE 98
ARTENAY 180
ASTE-BÉON 86
ASTÉRIX (parc) 478
AUBENAS 565
AUBETERRE-SUR-DRONNE 524
AUBIN 394
AUDRIX 74
AUGE (pays d') 432
AUNEAU 159
AURILLAC 98
AUTRÈCHE 173
AUVERGNE 87
AUVERGNE (volcans d') 91
AUVERS-SUR-OISE 298
AUXOIS (parc de l') 111
AVALLONNAIS 131
AVENTURE PARC 203
AVIGNON 537
AVRILLÉ 518
AZÉ (grottes d') 115

- B -

BAGATELLE (parc d'attractions de) 409
BAILLY 297
BALAINE (arboretum de) 89
BANDOL 539
BANNIE (parc de la) 203
BANYULS-SUR-MER 320
BARBEN (La) 531
BAUGES (massif des) 588
BAUX-DE-PROVENCE (Les) .. 530
BAYEL 196
BAZOCHES-DU-MORVAN 124
BEAUCAIRE 331
BEAUCENS 407
BEAUNE 112
BEAUVAL (zoo-parc de) 166
BEAUVOIR 439
BELFORT 232
BELIN-BELIET 83
BELLE DUNE AQUACLUB ... 491
BERGHEIM 54
BESANÇON 215
BESSONCOURT 233
BETTEVILLE (château de) 432

INDEX

BEUVRAY (mont)............ 120
BEYSSAC 351
BÉZU-LA-FORÊT............ 450
BIARRITZ.................. 84
BIBRACTE.................. 119
BIDON 564
BIERRE-LÈS-SEMUR......... 112
BILLY-BERCHAU............ 420
BIOT 546
BLANC-NEZ (cap) 416
BLANOT.................... 114
BLANZY.................... 119
BLAYE-LES-MINES.......... 399
BLEU (lac)................ 103
BLOIS..................... 160
BOISSETS (ferme expérimentale de) 337
BONIFACIO................ 211
BONNEVAL (abbaye de) 396
BORDEAUX 76
BOSQUENTIN 449
BOTANS 236
BOUILLE (La).............. 453
BOULAYE (La)............. 119
BOULOGNE-BILLANCOURT.. 280
BOULOGNE-SUR-MER 414
BOURBANSAIS (château de la).. 136
BOURBONNE-LES-BAINS.... 203
BOURDAISIÈRE (château de La) 173
BOURDON (lac du).......... 128
BOURGANEUF.............. 344
BOURGET (Le)............. 283
BOURGOGNE 106
BOURNAT (village du) 74
BOURRÉ 168
BOUTISSAINT (parc animalier de) 129
BRANFÉRÉ (parc de)........ 144
BREIL-SUR-MERIZE......... 467
BRENNE (parc régional de la) 178
BRESSE (La) 367
BREST 147
BRETAGNE................. 133
BRIARE 189
BRIÈRE (parc naturel régional de)...................... 461
BRIOUDE.................. 102
BRISSAC-QUINCÉ 474
BRIVE (pays de) 355
BROTONNE (forêt de) 444
BUGUE-SUR-VÉZÈRE (Le)... 74
BUSSIÈRES-GALANT (vélorail de) 349
BUSSY-LE-GRAND.......... 111
BUSSY-RABUTIN (château de) .. 111
BUTRY-SUR-OISE........... 298

– C –

CABRESPINE (gouffre géant de) 324
CADOUX (ferme de)......... 126
CAEN (mémorial de)......... 422
CAHORS 385
CALÈS 379
CALMONT-D'OLT (château de) .. 395
CAMARGUE (petite) 329
CAMPBON.................. 462
CANIGOU 320
CAP-D'AGDE 322
CARCASSONNE (cité médiévale de) 322
CARDAILLAC 384
CARDEILHAC............... 391
CARRIÈRES-BACQUIN (parc des)..................... 107
CASTELGAILLARD (lac de) .. 68
CASTELLA 66
CASTELNAUD (château de) .. 73
CAUMONT-L'ÉVENTÉ 429
CAYEUX-SUR-MER 491
CELLE-SUR-LOIRE (La)...... 126
CENTRE 153
CERGY-PONTOISE.......... 298
CERNOIS-VEUILLET (Le) 224
CHABRIÈRES (forêt de)...... 344
CHAILLY-EN-BIÈRE 303
CHAMBORD (château de).... 164
CHAMEROLLES (château de) 183
CHAMPAGNE-ARDENNE 192
CHAMPAGNY.............. 110
CHAMPCLAUSE 103
CHAMPLITTE 227
CHAMPRÉPUS (parc zoologique de) 439
CHANTELOUP (pagode de) .. 171
CHANTERAINES (parc des) .. 278
CHANTILLY................ 486
CHAPELLE-AUX-SAINTS (La) 354
CHAPELLE-DES-BOIS (La)... 224

INDEX

CHAPELLE-SOUS-CHAUX (La) .. 235
CHAPELLE-SUR-ERDRE (La) 463
CHARANCE 551
CHARBONNIÈRES-LES-SAPINS. 219
CHARLEVILLE-MÉZIÈRES ... 198
CHARTRES 156
CHASSENEUIL-DU-POITOU .. 498
CHÂTEAUDUN 159
CHÂTEAU-GAILLARD (Eure) . 448
CHÂTEAU-GAILLARD (Puy-de-Dôme) 96
CHÂTEAU-GONTIER 468
CHÂTEAUNEUF-SUR-LOIRE . 183
CHÂTEAURENARD 189
CHÂTEAUROUX 177
CHÂTELLERAULT 503
CHÂTILLON-SUR-CHALARONNE 563
CHÂTILLON-SUR-SEICHE ... 140
CHAUFFAILLES 117
CHAUMEÇON (lac de) 123
CHAUMONT-SUR-LOIRE (château de) 162
CHAUVIGNY 503
CHAZELLES-SUR-LYON 577
CHENONCEAU (château de) . 172
CHER (vallée du) 167
CHERBOURG 441
CHEVERNY (château de) 163
CHILLEURS-AUX-BOIS 183
CHIZÉ (forêt de) 512
CHORANCHE 574
CIRAN (domaine du) 186
CLAIRAC 63
CLAIRBOIS (ferme fortifiée de) .. 470
CLAYETTE (La) 117
CLÉCY-LE VEY 430
CLÈRES (parc zoologique de) 451
CLÉRON 220
CLUNY 115
COLMAR 54
COLOMBIER (château du) 393
COLOMBIÈRE (parc de la) ... 107
CONCARNEAU 151
CONFLANS-SUR-LOING 190
CONQUES 394
CORNADORE (grottes du) 98
CORSE 205
CORTE 209
COSMOPOLIS 138
COSNE-SUR-LOIRE 126
CÔTE D'OPALE 409
COUGNAGUET (moulin de) .. 379
COULON 509
COURNEUVE (La) 283
COURSEULLES-SUR-MER ... 427
COURZIEU (parc animalier de) .. 581
CRESCENT (lac de) 123
CRÉTEIL 285
CRÊTES (route des) 60
CREUSOT (Le) 117
CROISIC (Le) 460
CROZON 149
CUGES-LES-PINS 533

– D –

DAMVILLE 446
DAMVIX 511
DARGILAN (grotte de) 338
DECAZEVILLE 394
DENEUVRE 370
DICY 129
DIGNE-LES-BAINS 554
DIJON 106
DISNEYLAND RESORT PARIS .. 307
DOLANCOURT 192
DOMBES (parc des Oiseaux de la) 558
DÔME (puy de) 92
DOMEYRAT (château de) 103
DOMPIERRE-SUR-BESBRE .. 88
DOMRÉMY-LA-PUCELLE 367
DONZY 126
DORDOGNE (vallée de la) ... 352
DOUARNENEZ 149
DOUAUMONT 373
DOUÉ-LA-FONTAINE 471
DOUVRIN 420
DUN-LES-PLACES 122
DURAS 67

– E –

ECAULT 413
ÉCOLE-EN-BAUGES 590
ÉCRINS (Les) 551
ÉGUISHEIM 54

ÉLANCOURT 295
ENSUÈS-LA-REDONNE...... 532
ENTREMONT-LE-VIEUX 589
ÉPINAL..................... 366
ERMENONVILLE 485
ESPALION.................. 395
ESPERAZA.................. 324
ESSONNE.................. 287
ÉTALANS.................... 220
ÉTAPLES-SUR-MER......... 413
ÉTUEFFONT................. 236
EYRIGNAC (jardins d')....... 75
EYZIES-DE-TAYAC-SIREUIL (Les) 71
ÈZE......................... 549

– F –

FAGE (gouffre de La) 355
FALAISE 431
FANTASIALAND-DIDI'LAND .. 48
FAOUËT (Le) 146
FARGES 97
FERTÉ-ALAIS (La)........... 287
FERTÉ-SAINT-AUBIN (La ; château de) 187
FIGEAC 382
FLEURY-LA-FORÊT (château de) 451
FLOTTEMANVILLE-HAGUE .. 443
FONT-DE-GAUME (grotte de) 71
FONTAINEBLEAU 301
FONTENAY-LE-COMTE...... 508
FONTIROU (grottes de) 66
FOUGNIÈRES 114
FOURGS (Les).............. 224
FRAISPERTUIS CITY (parc d'attractions de) 365
FRANCHE-COMTÉ 215
FRÉJUS..................... 542
FROMELENNES 198
FROSSAY 463
FUTUROSCOPE 495

– G –

GAILLAC 401
GAP 551
GARD (pont du) 331
GASCOGNE (parc naturel des Landes de)................ 83
GAVARNIE (cirque de)....... 406
GÉVAUDAN (loups du)....... 339
GIMEL-LES-CASCADES 352
GINÈS (marais de) 529
GIROMAGNY (fort de) 236
GIVERNY.................... 447
GIVRY 116
GLACE (mer de) 582
GONFARON 543
GOULAINE (le château et les marais de) 464
GRAMAT (parc animalier de) 382
GRANVILLE 440
GRAU-DU-ROI 331
GRENOBLE.................. 572
GRÉOUX-LES-BAINS........ 556
GUÉDELON (chantier médié-val de)..................... 128
GUÉRANDE 459
GUÉRET 342
GUERNO (Le)............... 144
GUIGNARDIÈRE (château de la) 518
GUYONVELLE 203

– H –

HAGUE (presqu'île de la)..... 443
HAGUENAU 46
HARCOURT 445
HARNES 420
HAUTERIVES............... 566
HAUT-KŒNIGSBOURG (château du) 50
HAUTE-GARONNE (Sud de la) .. 391
HAUTE-TOUCHE (espace animalier de la) 179

HAUTES-PYRÉNÉES 406
HAUTS-DE-SEINE 278
HAŸ-LES-ROSES (L') 286
HAYE-DE-ROUTOT (La) 444
HENNEBONT 145
HÉRISSON (cascades du) 230
HERMINAL-LES-VAUX 435
HONFLEUR 428
HOSPITALET (L') 375
HOSTUN 568
HOUCHES (Les) 584
HOURTIN-CARCANS (lac d') .. 82
HOUVRE (ferme du) 433
HUBERT (mont d') 416
HUME (La) 80
HUNAWIHR 52
HUSSEREN-WESSERLING ... 61

– I –

ÎLE-DE-FRANCE 238
IMPÉRATOR (aquarium) 361
ISSY-LES-MOULINEAUX 281

– J –

JARJAYES 554
JASSANS-RIOTTIER 562
JAUNAY-CLAN 498
JEANMÉNIL 365
JONCHÈRE-SAINT-MAURICE (La) 347
JONZAC 520
JOYEUSE 565

– K-L –

KAYSERSBERG 54
KINTZHEIM 51
KIR (lac) 107
L'ARBRESLE 581
L'HÄY-LES-ROSES 286
L'HOSPITALET 375
LA BARBEN 531
LA BOUILLE 453
LA BOULAYE 119
LA BOURDAISIÈRE (château de) 173
LA BRESSE 367
LA CHAPELLE-AUX-SAINTS .. 354
LA CHAPELLE-DES-BOIS 224
LA CHAPELLE-SOUS-CHAUX 235
LA CHAPELLE-SUR-ERDRE .. 463
LA CLAYETTE 117
LA COURNEUVE 283
LA FAGE (gouffre de) 355
LA FERTÉ-ALAIS 287
LA FERTÉ-SAINT-AUBIN (château de) 187
LA HAUTE-TOUCHE (espace animalier de) 179
LA HAYE-DE-ROUTOT 444
LA HUME 80
LA JONCHÈRE-SAINT-MAURICE 347
LA LONDE-LES-MAURES 541
LA MACHINE 125
LA MER DE SABLE 485
LA PALMYRE (zoo de) 519
LA QUEUE-EN-BRIE 285
LA ROBINE-SUR-GALABRE .. 555
LA ROCHE-DES-CORBEAUX .. 371
LA ROCHE-GUYON 300
LA ROCHELLE 515
LA SOURCE (parc floral de) .. 182
LA TRIMOUILLE 504
LABERGEMENT-SAINTE-MARIE 223
LABOUICHE (rivière de) 405
LACAVE (grottes de) 379
LACOMBE 403
LADUZ 130
LACROIX-LAVAL (domaine de) 580
LANGUEDOC-ROUSSILLON 316
LANHELIN 138
LANS-EN-VERCORS 574
LAPALISSE (château de) 90
LARZAC (causse du) 39
LASCAUX (grotte de) 69

LASSAY-LES-CHÂTEAUX 470
LASTOURNELLE (grottes de) 66
LAUTENBACHZELL 59
LAVANDOU (Le) 541
LE BOURGET............... 283
LE BUGUE-SUR-VÉZÈRE 74
LE CERNOIS-VEUILLET 224
LE CREUSOT............... 117
LE CROISIC 460
LE FAOUËT 146
LE GUERNO............... 144
LE LAVANDOU............. 541
LE MANS.................. 465
LE PARADOU............... 530
LE PRADET 540
LE PUY-DU-FOU 474
LE PUY-EN-VELAY 102
LE PUY-NOTRE-DAME 473
LE SAUT DU DOUBS........ 225
LE SAUZE-DU-LAC.......... 552
LE TEICH.................. 81
LE THOR.................. 535
LE TOUQUET............... 412
LE TRUEL.................. 337
LE VIGEN 349
LES ANDELYS.............. 448
LES ANGLES............... 320
LES BAUX-DE-PROVENCE .. 530
LES ÉCRINS................ 551
LES EYZIES-DE-TAYAC-SIREUIL 71
LES FOURGS............... 224
LES HOUCHES 584
LES MATHES (zoo).......... 519
LES RIBIÈRES.............. 349
LES YVELINES 288
LEMPDES 96
LEMPTEGY (puy de).......... 94
LÉRINS (îles de) 547
LESPONNE (vallée de)....... 407
LEVALLOIS-PERRET 278
LEVIE 213
LEWARDE.................. 417
LIMOGES................... 346
LIMOUSIN 342
LISORS 450
LOHÉAC 142
LONDE-LES-MAURES (La)... 541
LORIENT 144
LORRAINE 357
LOURDES.................. 407
LUC-SUR-MER.............. 427
LUSIGNY-SUR-BARSE........ 195
LUSSAULT-SUR-LOIRE...... 173
LUXEY 84
LYON 578
LYONS (forêt de) 449

– M –

MACHINE (La) 125
MAGNIÈRES................ 371
MAILLEZAIS 510
MAINCY................... 304
MAISONS-LAFFITTE......... 288
MAISONS-LÈS-CHAOURCE .. 196
MAIZIÈRES-LES-METZ 361
MALBROUCK (château de) ... 363
MALSAUCY (lac du) 234
MANDEREN 363
MANS (Le)................. 465
MARAIS POITEVIN 506
MARCANTERRA 489
MARCELLAZ-ALBANAIS 586
MARCY-L'ÉTOILE 580
MARMANHAC.............. 100
MARQUENTERRE (parc ornithologique du)............. 489
MARQUEYSSAC (jardins suspendus de)................ 76
MARQUÈZE 83
MARTEL................... 380
MARTIN (cap).............. 550
MARZAL (aven) 563
MATHES (Les) 519
MAULÉON.................. 514
MAURIAC 99
MAYUN 461
MELLE 513
MENESTREAU-EN-VILLETTE 186
MENETRUX-EN-JOUX 230
MENTHON-SAINT-BERNARD 587
MENTON 549
MER DE SABLE (La) 485
MERLE (tours de) 353
MERLET (parc animalier de) .. 584
MERLIMONT............... 409
MESSIGNY-ET-VANTOUX.... 110

MEURSAULT 113
MIDI (aiguille du) 582
MIDI-PYRÉNÉES 374
MILLY-LA-FORÊT 287
MIOLANS (château de)....... 588
MIRABEL-ET-BLACONS 571
MOIRANS-EN-MONTAGNE... 229
MOLTIFAO 210
MONACO.................... 547
MONDALAZAC.............. 393
MONT-SAINT-MICHEL 436
MONTAGNE DE REIMS (parc naturel régional de la)...... 202
MONTBÉLIARD 222
MONTÉLIMAR 569
MONTGAILLARD 405
MONTMIRAIL (dentelles de) .. 537
MONTMORILLON 505
MONTPELLIER.............. 324
MONTPELLIER-LE-VIEUX.... 397
MONTS 176
MONTVILLE 452
MORSBRONN-LES-BAINS ... 48
MORTEAU.................. 226
MORTEMER (abbaye de) 450
MORVAN................... 120
MOSNAC................... 523
MOULINS-SUR-CÉPHONS ... 178
MULHOUSE 55
MURAT..................... 101
MURET (aquarium de) 390

– N –

NAJAC 395
NANCRAY 219
NANCY..................... 369
NANS-SOUS-SAINTE-ANNE.. 221
NANTES.................... 462
NAUSICAA 414
NAUTILAND 46
NEDDE..................... 349
NEVERS 125
NEXON..................... 348
NIAUX (grotte de) 403
NICE....................... 543
NICHET (grotte de) 198
NIEUL-SUR-L'AUTIZE........ 510
NIGLOLAND 192
NIHERNE................... 177
NÎMES 329
NŒUX-LES-MINES 420
NOGENT-SUR-VERNISSON.. 188
NOIRMOUTIER-EN-L'ÎLE..... 476
NORD-PAS-DE-CALAIS 409
NORMANDIE 422
NOTRE-DAME (cathédrale)... 249
NOTRE-DAME-DE-BONDEVILLE 453
NOYAL-SUR-VILAINE........ 142
NYOISEAU 469

– O –

OBTERRE 179
OLIVET..................... 184
ORIENT (forêt d') 195
ORLÉANS 181
ORLU 405
ORSCHWILLER 50
OSSELLE (grotte d') 219
OTTROTT (aquarium d')...... 49
OYE (platier d')............. 417

– P –

PADIRAC (gouffre de)........ 379
PAL (parc d'attractions du).... 88
PALMYRE (zoo de la)........ 519
PANNESIÈRE (lac de) 123
PARADOU (Le).............. 530
PARIS...................... 240
PAUILLAC 82
PAYS DE LA LOIRE 454

PEAUGRES (safari de)....... 565
PERPIGNAN................ 316
PESCHERAY (domaine animalier de)................ 467
PESSAC.................... 78
PICARDIE.................. 478
PIERRELATTE.............. 571
PITHIVIERS................ 184
PLAISANCE-DU-TOUCH..... 390
PLANCHES (reculée et grottes des).............. 232
PLEUGUENEUC............ 136
PLEUMEUR-BODOU......... 138
POISSY.................... 288
POITEVIN (marais).......... 506
POITOU-CHARENTES....... 495
POMPELLE (fort de la)....... 202
PONS...................... 520
PONT-DE-GAU (marais de)... 528
PONT-DE-GAU (parc ornithologique de)................ 528
PONT-L'ÊVÊQUE............ 433
PONT-SCORFF............. 145
PORQUEROLLES........... 541
PORT-CROS................ 541
PORT-RHU................. 149
PORT-SAINT-PÈRE.......... 463
PORTICCIO................ 209
POUDREY (gouffre de)....... 220
POUILLY-SUR-LOIRE........ 126
PRADELLES................ 104
PRADET (Le)............... 540
PRADINAS (parc animalier de)... 394
PRADINES................. 387
PREZ-SOUS-LAFAUCHE..... 204
PROUMEYSSAC (gouffre de). 74
PROVENCE (Ouest de la).... 528
PROVENCE-ALPES-CÔTE D'AZUR.................. 525
PROVINS.................. 305
PUISAYE-FORTERRE....... 129
PUY-DU-FOU (Le)........... 474
PUY-EN-VELAY (Le)......... 102
PUY-NOTRE-DAME (Le)..... 473
PYLA (dune du)............ 80
PYRÈNE (forges de)........ 405

– Q-R –

QUARRÉ-LES-TOMBES...... 123
QUEUE-EN-BRIE (La)........ 285
QUINSON.................. 555
RAMBOUILLET.............. 297
REIMS.................... 199
REMORAY (lac de).......... 223
RENNES................... 140
RENWEZ................... 197
REVÈRE (parc départemental de la)..................... 549
REYNOU (parc zoologique du)...................... 349
RHODES................... 364
RHÔNE-ALPES............. 558
RIBEAUVILLÉ............... 54
RIBIÈRES (Les)............ 349
RIEUMES.................. 390
RIQUEWIHR................ 54
ROBINE-SUR-GALABRE (La). 555
ROCAMADOUR............. 375
ROCHE-DES-CORBEAUX (La)..................... 371
ROCHE-GUYON (La)......... 300
ROCHEFORT.............. 518
ROCHELLE (La)............ 515
ROCQUES................. 432
RODEZ.................... 392
ROEUX.................... 420
ROM...................... 513
ROMAGNE................. 505
ROMANÈCHE-THORINS..... 116
ROQUEBRUNE-CAP-MARTIN 550
ROQUEFORT (Lot-et-Garonne).................. 62
ROQUEFORT-SUR-SOULZON (Aveyron)....... 398
ROUETS (vallée des)........ 96
ROUFFACH................. 54
ROUSSILLON.............. 533
ROUSSON................. 333
ROUTOT.................. 445
ROYAN................... 520
ROZÉ..................... 461
RUSTREL................. 535

- S -

SABRES.................... 83
SADIRAC.................. 78
SAINT-AFFRIQUE........... 399
SAINT-AGNAN (lac de)...... 123
SAINT-AIGNAN............. 166
SAINT-ANDRÉ-DES-EAUX... 461
SAINT-BRISSON............ 122
SAINT-CANNAT............. 532
SAINT-CHRISTOPHE-EN-BRIONNAIS............... 117
SAINT-CLOUD.............. 280
SAINT-CYR................ 503
SAINT-CYR-L'ÉCOLE........ 295
SAINT-DENIS.............. 283
SAINT-ÉTIENNE............ 575
SAINT-FARGEAU........... 127
SAINT-FAUST.............. 85
SAINT-FERRÉOL (lac de).... 391
SAINT-FRONT............. 104
SAINT-GEORGES-DES-HURTIÈRES............... 590
SAINT-GERMAIN-EN-LAYE... 288
SAINT-JEAN-CAP-FERRAT... 549
SAINT-JULIEN-DE-MAILLOC 434
SAINT-LÉGER-SOUS-BEUVRAY 119
SAINT-LÉONS.............. 396
SAINT-MALO............... 133
SAINT-MARCEL............. 180
SAINT-MARTIN-DE-LA-LIEUE 434
SAINT-MARTIN-LA-PLAINE... 577
SAINT-NAZAIRE............ 454
SAINT-NECTAIRE........... 97
SAINT-OUEN-DE-PONTCHEUIL 446
SAINT-OURS-LES-ROCHES.. 94
SAINT-PAUL............... 494
SAINT-PIERRE-DE-VENACO 211
SAINT-REMÈZE............. 563
SAINT-RÉMY-SUR-ORNE.... 430
SAINT-ROMAIN (mont)....... 115
SAINT-SATURNIN (Auvergne) 96
SAINT-SATURNIN-LÈS-AVIGNON................ 538
SAINT-SERNIN-DE-DURAS.. 68
SAINTE-COLOMBE.......... 66
SAINTE-CROIX (parc animalier de).................. 364
SAINTE-EULALIE........... 340
SAINTE-FOY-L'ARGENTIÈRE 581
SAINTE-LUCIE............. 339
SAINTE-OPPORTUNE-DU-BOSC 446
SAINTE-SUZANNE.......... 470
SAINTES-MARIES-DE-LA-MER.. 528
SAINTS-EN-PUISAYE........ 129
SALLANCHES.............. 584
SALON-DE-PROVENCE...... 531
SAOUSSAS................ 406
SARDENT................. 345
SAULIAC-SUR-CÉLÉ........ 385
SAUT DU DOUBS (Le)....... 225
SAUVIGNY-LE-BOIS-FRANCE... 131
SAUZE-DU-LAC (Le)......... 552
SCEAUX.................. 283
SEDAIGES (château de)..... 100
SEDAN................... 199
SEINE-ET-MARNE........... 301
SEINE-SAINT-DENIS........ 283
SERMAMAGNY............. 234
SERPENT (combe à la)...... 107
SETTONS (lac des).......... 121
SÉVRIER................. 586
SEYTHENEX (grotte de)..... 584
SIGEAN (réserve africaine de) 321
SISTERON................ 555
SIX-FOURS-LES-PLAGES.... 539
SIZUN (cap).............. 150
SOCHAUX................. 223
SOMME (baie de).......... 492
SOUILLAC................ 381
SOULTZ.................. 59
SOURCE (parc floral de la)... 182
SPAY.................... 467
STRASBOURG.............. 48

- T -

TALLOIRES................ 587
TARASCON-SUR-ARIÈGE... 402
TARN (gorges du)........... 336
TAULIGNAN............... 570
TAUTAVEL................ 317
TEICH (Le)................ 81

THIERS 95
THIONVILLE 362
THOIRY 295
THOR (Le).................. 535
THOUZON (grotte de)........ 535
TIFFAUGES 475
TOUCY...................... 129
TOULOUSE................... 387
TOUQUET (Le)............... 412
TOURAINE (aquarium de) 173
TOURMALET (jardin botanique du) 406
TOURNEMIRE 100
TRAVASSAC (pans de) 355
TRÉGARVAN 151
TRÉGOMEUR.................. 140
TREIGNY.................... 128
TRIEL-SUR-SEINE 288
TRIMOUILLE (La) 504
TROIS-PALIS 523
TROUVILLE.................. 428
TRUEL (Le)................. 337
TURCKHEIM.................. 54
TURSAC 72

– U-V –

UNAC 404
UNGERSHEIM 58
UPIE 568
USSON (château d') 520
UTOPIX 337
UZÈS 336
VAL-D'OISE................. 298
VAL-DE-MARNE............... 285
VAL-JOLY 419
VAL-LOURON................. 406
VALENTRÉ (pont) 385
VALMY (aigles de).......... 317
VANNEAU (moulin de) 129
VANNES 142
VANOISE (parc national de la) 591
VASLES..................... 514
VATAN 178
VAUVILLE 443
VAUX-LE-VICOMTE (château de) 304
VENDEUVRE (château de) ... 435
VENTOUX (mont)............. 536
VERDON (gorges du) 555
VERDUN 371
VERO 209
VERSAILLES (château de) ... 291
VERZY 202
VESOUL-VAIVRE.............. 228
VÉZAC 76
VÉZELAY.................... 132
VÉZÈRE (vallée de la) 71
VIEUX-LA-ROMAINE........... 426
VIGEN (Le) 349
VIGUEIRAT (marais du)...... 529
VILLANDRY (château et jardins de) 174
VILLARET (vallon du)....... 340
VILLARS-LES-DOMBES......... 558
VILLEHERVIERS 168
VILLENEUVE-LA-GARENNE.. 278
VILLERVILLE 428
VILLESAVIN (château de) 165
VOSGES 370
VOVES...................... 159
VULCANIA................... 94

– W-Y –

WALIBI AQUITAINE 62
WALIBI-SCHTROUMPF 360
WIMEREUX................... 415
WINGLES 420
YVELINES (Les)............. 288
YVRÉ-L'ÉVÊQUE.............. 466

OÙ TROUVER LES CARTES?

- Alsace.................... 47
- Aquitaine.............. 64-65
- Auvergne.................. 89
- Bourgogne........... 108-109
- Bretagne............. 134-135
- Centre............... 154-155
- Champagne-Ardenne...... 193
- Corse..................... 207
- France.................. 16-17
- Franche-Comté............ 217
- Île-de-France......... 244-245
- Languedoc-Roussillon .. 318-319
- Limousin.................. 343
- Lorraine.............. 358-359
- Midi-Pyrénées......... 376-377
- Nord-Pas-de-Calais... 410-411
- Normandie........... 424-425
- Pays de la Loire...... 456-457
- Picardie.............. 480-481
- Poitou-Charentes..... 496-497
- Provence-Alpes-Côte d'Azur............... 526-527
- Rhône-Alpes......... 560-561

les **Routards** *parlent aux* **Routards**

Faites-nous part de vos expériences, de vos découvertes, de vos tuyaux pour que d'autres routards ne tombent pas dans les mêmes erreurs. Indiquez-nous les renseignements périmés. Aidez-nous à remettre l'ouvrage à jour. Faites profiter les autres de vos adresses nouvelles, combines géniales... On adresse un exemplaire gratuit de la prochaine édition à ceux qui nous envoient les lettres les meilleures, pour la qualité et la pertinence des informations. Quelques conseils cependant :

– Envoyez-nous votre courrier le plus tôt possible afin que l'on puisse insérer vos tuyaux sur la prochaine édition.

– N'oubliez pas de préciser sur votre lettre l'ouvrage que vous désirez recevoir.

– Vérifiez que vos remarques concernent l'édition en cours et notez les pages du guide concernées par vos observations.

– Quand vous indiquez des hôtels ou des restaurants, pensez à signaler leur adresse précise et, pour les grandes villes, les moyens de transport pour y aller. Si vous le pouvez, joignez la carte de visite de l'hôtel ou du resto décrit.

– À la demande de nos lecteurs, nous indiquons désormais les prix. Merci de les rajouter.

– N'écrivez si possible que d'un côté de la lettre (et non recto verso).

– Bien sûr, on s'arrache moins les yeux sur les lettres dactylographiées ou correctement écrites !

Le Guide du routard : 5, rue de l'Arrivée, 92190 Meudon

E-mail : guide@routard.com
Internet : www.routard.com

Imprimé en France par Aubin n° L 65184
Dépôt légal n° 34315-5/2003
Collection n° 13 - Édition n° 01
24/3791/1
I.S.B.N. 2.01.243791-5